TAUSENDUNDEINE NACHT

أَلْف لَيْلَة وَلَيْلَة

TAUSENDUNDEINE

NACHT

Erster Band

XENOS Verlagsgesellschaft m.b.H.
Hamburg

Die Neufassung von Inge Dreecken liegt die Originalübersetzung der Breslauer Handschrift von Dr. Gustav Weil zu Grunde

Illustrationen: Horst Lemke

ISBN-Nr. 3-8212-0166-5
Copyright 1982 by Füllhorn Sachbuchverlag GmbH, Stuttgart
Lizenzausgabe 1982 für die
XENOS Verlagsgesellschaft mbH, Hamburg
mit Genehmigung des Füllhorn Sachbuchverlages
Herausgeber XENOS Verlagsgesellschaft mbH., Am Hehsel 42, 2000 Hamburg 63
Gestaltung Künne & Künne Werbeagentur GmbH, Hamburg
Verantwortlich für die Herstellung Künne & Künne Werbeagentur GmbH, Hamburg

Ehre sei Allah, dem Gnädigen und Barmherzigen,
Friede und Heil über unseren Herrn Mohammed,
den Obersten der Gesandten Gottes,
auch über seine Familie und seine Gefährten insgesamt;
Friede und Heil immerdar bis zum Tage des Gerichts.
Amen, o Herr der Welten!

Da der Mensch sich an dem, was anderen widerfährt, stets selbst ein Beispiel nimmt, so gereiche auch immer der Lebenswandel der Früheren den Späteren zur Belehrung, und so unterrichtet man sich auch durch das Lesen der Geschichte älterer Völker. Gelobt sei Allah, der die Begebenheiten der Früheren als Warnung und Vorbild für Spätere aufgestellt hat. Zu dieser Art von Belehrung gehören auch die wunderbaren Erzählungen, „Tausend und eine Nacht" genannt.

Die Erzählung von König Scheherban
und seinem Bruder, König Schahzeman

Einst regierte auf den Inseln Indiens und Chinas ein König, der viele Truppen, Verbündete und ein großes Gefolge hatte. Er herrschte über viele Länder und war so gerecht gegen seine Untertanen, daß ihn alle liebten. Sein Name war Scheherban, sein jüngerer Bruder hieß Schahzeman und war König von Samarkand in Persien. Jeder von ihnen regierte zwanzig Jahre lang in seinem eigenen Reiche. Da sehnte sich der ältere König nach seinem jüngeren Bruder und befahl seinem Wesir, zu ihm zu reisen und ihn zu holen.

Der jüngere Bruder gehorchte sogleich und traf Anstalten zu der Reise. Die Regierung übertrug er indessen seinem Wesir, und der König reiste ab.

Unterwegs fiel ihm ein, daß er in seinem Palast etwas vergessen hatte. Doch als er dahin zurückkam, fand er seine Frau in den Armen eines schwarzen Sklaven. Bei diesem Anblick verdunkelte sich die ganze Welt in seinen Augen. Er zog sein Schwert und erstach beide. Dann brach er sogleich wieder auf und reiste ununterbrochen, bis er zu seinem Bruder kam.

Der freute sich, ihn zu sehen, und unterhielt sich auf das angenehmste mit ihm. Doch während sie so sprachen, dachte der König Schahzeman an den Vorfall mit seiner Gattin, und dieser Gedanke schmerzte ihn so, daß er bleich wurde und alle Kraft seinen Körper verließ. Als sein Bruder nach mehreren Tagen diesen Zustand bemerkte, sagte er: „Oh, mein Bruder, ich sehe deinen Körper immer schwächer und deine Farbe immer bleicher werden." Doch der andere antwortete ihm: „Ich habe eine innere Krankheit", und verschwieg, was ihn wirklich quälte. Darauf sagte der König Scheherban: „Ich möchte, daß du mit mir auf die Jagd gehst! Vielleicht wird dich das zerstreuen!"

Da sich der Jüngere aber weigerte, ging er alleine fort. Nun waren in dem Schloß, in dem Schahzeman wohnte, mehrere Fenster, die auf den Garten seines Bruders hinausgingen. Von hier aus sah er, wie sich auf einmal die Tür des Schlosses öffnete und zwanzig Sklaven und zwanzig Sklavinnen herauskamen. In ihrer Mitte ging die Frau seines Bruders, wunderbar schön und von makellosem Wuchs. Als alle an einem Teich angelangt waren, entkleideten sich die Frauen und setzten sich zu den Sklaven. Da rief die Königin: „Masud!"

Darauf kam ein schwarzer Sklave und umarmte sie und sie umarmte ihn. Die anderen Sklaven taten das gleiche mit den Sklavinnen, und so verbrachten sie den ganzen Tag mit Küssen und Umarmungen. Als der Bruder des Königs das sah, dachte er bei sich: ‚Bei Allah, da war mein Unglück kleiner als dieses!' Und plötzlich war sein eigener Kummer gewichen, und er konnte wieder essen und trinken.

Als später sein Bruder zurückkam und sie einander begrüßten, bemerkte der König Scheherban, daß sein Bruder sein früheres Aussehen wiedererlangt hatte und mit Appetit aß. Deshalb sagte er zu ihm: „O mein Bruder, du warst ganz gelb, aber nun siehst du wieder gut aus. Sage mir doch, wie so etwas angehn kann!"

Darauf erwiderte der andere: „Ich will dir zuerst sagen, warum ich übel aussah. Als ich die Reise antrat und schon unterwegs war, fiel mir plötzlich ein, daß ich etwas vergessen hatte. Ich kehrte deshalb allein zurück und fand einen schwarzen Sklaven bei meiner Frau. Ich erschlug sie beide, kam dann zu dir und mußte immer an diesen Vorfall denken. Was aber mein wiedererlangtes gutes Aussehen betrifft, so erlaß es mir, darüber zu sprechen."

Doch sein Bruder sprach: „Ich beschwöre dich bei Allah, sage

mir alles!" Da erzählte er ihm ausführlich, was er gesehen hatte.
Als er seinen Bericht beendet hatte, sagte Scheherban zu
Schahzeman: „Ich will mich mit meinen eigenen Augen davon überzeugen!"
Und Schahzeman erwiderte: „Sag einfach, du wolltest auf die
Jagd gehen, und verbirg dich dann bei mir. Dann wirst du
dich sofort davon überzeugen können!"
Der König ließ also bekanntmachen, er wolle eine Reise machen. Truppen mit Zelten zogen zur Stadt hinaus, und der
König begab sich ins Lager und sagte zu seinem Pagen: „Laß
niemand zu mir hereinkommen"!
Er verkleidete sich dann und ging heimlich in seines Bruders
Schloß, setzte sich dort an das Fenster zum Garten, und in der
Tat: Nach einer Weile kamen die Sklavinnen mit ihrer Gebieterin und den Sklaven in den Garten und taten wieder
alles so, wie es der Bruder erzählt hatte. Als Scheherban das
gesehen hatte, verließ ihn die Besinnung und er sprach zu
seinem Bruder Schahzeman: „Komm, wir wollen unsres Weges gehen. Wir wollen nichts mit der Regierung zu tun haben, bis wir jemanden gefunden haben, dem es ebenso geht
wie uns. Finden wir ihn nicht, so sei uns der Tod besser als
das Leben."
Sie verließen darauf durch eine verborgene Tür das Schloß
und reisten Tag und Nacht, bis sie in eine schöne Ebene kamen, in der neben dem Meer eine süße Wasserquelle sprudelte. Sie tranken von dieser Quelle und ruhten aus. Nach
einer Weile begann das Meer zu toben und eine schwarze
Säule stieg zum Himmel empor, die ihren Weg gegen die
Ebene nahm. Als sie das sahen, fürchteten sie sich sehr und
stiegen auf einem Baum, um zu sehen, was es wohl geben
würde.
Da kam ein Geist. Er war sehr lang, mit großem Kopf und
breiter Brust. Auf dem Kopf hatte er einen gläsernen Kasten,
an dem vier Schlösser aus Stahl waren. Er setzte sich unter
den Baum, auf dem die beiden Brüder hockten, legte den
Kasten ab, nahm vier Schlüssel, öffnete die Schlösser und zog
ein vollkommen gewachsenes Mädchen mit vollem Busen,

süßem Mund und einem Gesicht wie der Vollmond heraus. der Geist sah sie liebevoll an und sprach: „O, Herrin aller freien Frauen! O du, die ich entführt habe, ehe sie jemand vor mir kannte! Laß mich ein wenig in deinem Schoße schlafen." Hierauf legte er den Kopf auf ihre Knie und schlief und schnarchte wie der Donner. Als das Mädchen nun aber in die Höhe sah und Schaherban und seinen Bruder erblickte, legte sie langsam den Kopf des Geistes auf den Boden und bat sie, doch herunterzukommen. Doch sie antworteten: „Bei deinem Leben, o Herrin! Entschuldige uns, wenn wir nicht kommen!" Da erwiderte sie: „Wenn ihr nicht kommt, so rufe ich den Geist, meinen Gemahl, damit er euch auffresse!"

Sie winkte ihnen noch einmal freundlich zu, und sie stiegen zu ihr hinunter. Unten verlangte sie, daß beide ihr zu Willen sein sollten. Sie aber antworteten: „Bei Allah, Herrin, verschone uns damit, denn wir fürchten uns sehr vor diesem Geist."

Da sprach sie: „Ihr müßt mir meinen Willen lassen, oder ich schwöre euch, daß ich den Geist wecke, damit er euch tötet. Ihr dürft mir nicht widerstehen!"

Da taten beide Brüder, was sie verlangte. Darauf zog sie einen Beutel aus ihren Kleidern hervor, zählte achtundneunzig Siegelringe ab und sprach:

„Wißt ihr, was das für Ringe sind? Sie stammen von achtundneunzig Männern, die mir zu Willen waren. Gebt mir also auch eure Ringe, dann sind es hundert Männer, die mir dazu verhalfen, diesen häßlichen und abscheulichen Geist zu betrügen, der mich so streng bewacht, damit ich tugendhaft bleibe und nur ihm gehöre. Dieses Scheusal weiß nicht, daß sich Frauen durch nichts und niemand zurückhalten lassen, wenn sie sich etwas vorgenommen haben."

Als die beiden Könige das hörten, wunderten sie sich sehr und sagten: „Es gibt keinen Schutz und keine Macht außer bei Allah, dem Erhabenen! Bei Allah, wir wollen deshalb Hilfe suchen gegen die List der Frauen, denn sie ist wirklich zu groß!"

Darauf sprach sie zu ihnen: „Geht nun eures Weges!"

Als sie sich entfernt hatten, sprach Scheherban zu seinem

Bruder: „Mein Bruder, dieses Abenteuer ist noch bedeutsamer als unseres. Hier ist ein Geist, der sein Mädchen in der Hochzeitsnacht raubte und es in einen gläsernen Kasten gesperrt hat. Er glaubte, sie so der Bestimmung und dem Schicksal zu entreißen, sie aber hat doch, wie wir gesehen haben, hundertfache Untreue geübt. Laß uns also jetzt getrost in unser Königreich zurückkehren und den Beschluß fassen, nie mehr zu heiraten. Ich will dir schon sagen, wie ich es machen will."

Sie kehrten also wieder um, waren am dritten Tag wieder in ihrer Heimat und setzten sich auf den Thron. Der König ließ den Wesir kommen und befahl ihm, sogleich seine Gemahlin zu töten. Der Wesir brachte sie um. Darauf ging Scheherban zu den Sklavinnen, zog sein Schwert und erschlug sie alle. Dann schwor er, er wolle jede Nacht eine andere erwählen, die er dann am Morgen hinrichten werde, denn es gäbe auf der ganzen Erde kein tugendhaftes Weib. Schahzeman machte sich sogleich auf und kehrte in sein Land zurück.

Sultan Scheherban befahl seinem Wesir, ihm am Abend ein Mädchen zu bringen. Der führte ihm eine der Fürstentöchter zu. Der König verbrachte mit ihr die Nacht und befahl am Morgen dem Wesir, ihr den Kopf abzuschlagen. Der Wesir gehorchte dem Befehl und brachte sie um. Dann schaffte er ihm eine andere Tochter der Großen des Landes herbei, die ebenfalls am Morgen umgebracht wurde. So ging es lange fort; jede Nacht erhielt der Sultan ein Mädchen und ließ es dann am Morgen hinrichten, bis es zuletzt kaum noch Mädchen gab und die Mütter und Väter weinten, dem König den Tod wünschten und den Erhörer der Gebete zu Hilfe riefen.

Nun hatte der oberste Wesir, dem Scheherban stets den Befehl gegeben hatte, die Frauen umzubringen, zwei Töchter. Die ältere hieß Scheherazade und die jüngere Dinarsad. Scheherazade war schön, gelehrt und gebildet und sprach einst zu ihrem Vater: „Mein Vater, ich wünsche, daß du mich mit dem Sultan Scheherban verheiratest, denn ich will entweder die Welt von diesen Morden befreien oder selbst sterben wie die anderen."

Als ihr Vater, der Wesir, das hörte, sagte er: „Du Närrin, weißt du denn nicht, daß der König geschworen hat, jeden Morgen sein Mädchen töten zu lassen? Er wird dich nicht verschonen, wenn ich dich zu ihm führe!"

Sie jedoch antwortete: „Ich will aber zu ihm geführt werden, mag er mich auch umbringen!"

Darauf sagte der Wesir zornig: „Wer nicht mit Klugheit zu Werke geht, der stürzt sich ins Verderben, und wer nicht die Folgen einer Sache berechnet, hat keine Freude in der Welt. Ich fürchte, es wird dir eines Tages gehen wie dem Ochsen und dem Esel."

Da fragte sie: „Was ist das für eine Geschichte?"

Und der Wesir erzählte: „Es war einmal ein reicher Kaufmann, der wohnte auf dem Lande und beschäftigte sich mit Ackerbau. Er kannte die Sprache aller Tiere, aber es war über ihn beschlossen, daß er sogleich sterben müsse, wenn er dieses Geheimnis jemandem verriete. Obwohl er also die Sprache der Tiere und der Vögel verstand, so durfte er doch niemandem etwas davon erzählen. Er hatte in seinem Hause einen Ochsen und einen Esel an einer Krippe nahe beieinander festgebunden.

Eines Tages setzte sich der Kaufmann mit seiner Frau und seinen Kindern in ihre Nähe. Da hörte er, wie der Ochse zu dem Esel sagte: ‚Du hast Ruhe, du wirst bedient, bekommst Gerste und klares Wasser, während man mich Armen von Mitternacht an fortführt und mich ackern läßt. Man legt ein Joch auf meinen Hals, und so arbeite ich den ganzen Tag, durchfurche mit dem Pflug die Erde, werde unausstehlich müde, werde von den Bauern mißhandelt, dann bringt man mich in den Kuhstall, wirft mir Bohnen, mit Unrat vermischt, und Spreu vor, und ich liege im Kot die ganze Nacht, während du in einem sauberen Stall stehst. Deine Krippe ist rein und mit Stroh gefüllt. Du ruhst immer aus, denn nur selten hat unser Kaufmann ein Geschäft vor, zu dem er mit dir reitet, und auch dann kehrt er bald wieder nach Hause zurück.' Als der Ochse ausgeredet hatte, drehte sich der Esel zu ihm hin und sagte: ‚Du Dummkopf hast weder Schlauheit noch Verstand. Du weißt dir nicht zu helfen und bringst dich allmählich durch deinen inneren Groll ums Leben. Höre mich drum, Ochse! Wenn der Bauer dich anbindet, so stampfe mit den Füßen, stoße mit den Hörnern und schreie in einem fort, bis man dir Bohnen hinwirft. Dann friß nichts davon, rieche nur dran herum, schiebe sie zurück und koste sie nicht. Begnüge dich mit dem Stroh und der Spreu. Tust du das, so wirst du dich nicht länger plagen müssen.'

Das alles, meine Tochter, geschah, während der Kaufmann es hörte und verstand. Als nun am nächsten Tag der Bauer kam, um den Ochsen herauszuführen und ihn an den Pflug spannte, fand er ihn nachlässig in seiner Arbeit, denn er befolgte den Rat des Esels. Als der Bauer aber anfing, ihn zu schlagen, ließ sich der Ochse auf den Boden fallen und blieb liegen, bis es Nacht geworden war. Da ging der Bauer mit ihm nach Hause und band ihn an die Krippe. Aber der Ochse fing an, sich von der Krippe loszureißen. Der Bauer wunderte sich darüber und brachte ihm Bohnen und Futter. Der Ochse roch daran herum, legte sich nieder und kaute nur am Stroh und an der Spreu.

Als der Bauer am Morgen kam und die Krippe voller Bohnen, den Ochsen aber scheinbar krank daneben fand, ging er zum Kaufmann und sprach: ,Herr, der Ochse ist krank, er hat heute nacht nichts von seinem Futter gefressen!' Da aber der Kaufmann von der Sache wohl wußte, sagte er zu dem Bauern: ,Geh, nimm den listigen Esel, spanne ihn an den Pflug und zwinge ihn zur Arbeit, bis er sie für den Ochsen tut.' Der Bauer spannte den Esel ein, führte ihn aufs Feld, schlug ihn und quälte ihn, bis er pflügte. Er schlug ihn so lange, bis er ihm fast die Rippen zerbrochen und die Haut vom Halse abgeschunden hatte. Als er ihn am Abend wieder nach Hause führte, konnte der Esel keinen Fuß mehr rühren, und seine Ohren hingen nieder. Der Ochse dagegen hatte den ganzen Tag ausgeruht, die ganze Krippe geleert und für den Esel gebetet und seinen Rat gelobt. Als abends der Esel zu ihm kam, stand er vor ihm auf und sprach: ,Guten Abend, o Vater der Klugen! Du hast mir eine große Wohltat erwiesen. Gott belohne dich dafür!' Aber vor lauter Zorn erwiderte der Esel nichts, denn er dachte: ‚Das alles geschieht mir nur wegen meines unseligen Rats. Mir war ganz wohl, da ließ mir mein Übermut keine Ruhe. Bringe ich ihn nicht durch irgendeine List in seinen früheren Zustand zurück, so gehe ich dabei zugrunde.' Darauf schlich er müde zur Krippe. Der Ochse aber jauchzte laut und wünschte ihm immer nur Gutes. — Ebenso, meine Tochter, wirst du durch deinen schlimmen Entschluß verderben. Bleibe also ruhig und stürze dich nicht selbst ins Verderben. Ich rate es dir aus Mitleid!"

Scheherazade aber erwiderte: „Ich will zum Sultan gehen in der nächsten Nacht!"

Da sprach der Vater ärgerlich zu ihr: „Wenn du nicht ruhig bist, werde ich mit dir verfahren wie der Kaufmann mit seiner Frau. Denn du mußt wissen: Nachdem das zwischen dem Ochsen und dem Esel vorgefallen war, ging der Kaufmann einmal in einer Mondnacht in den Stall. Da hörte er, wie der Esel zu dem Ochsen sagte: ‚Was wirst du wohl morgen tun, wenn dir der Bauer das Futter bringt?' Der antwortete: ‚Nichts anderes als das, was du mich gelehrt hast!' Da schüttelte der Esel seinen Kopf und sagte: ‚Tu' das lieber nicht! Weißt du, was ich von unserem Herrn, dem Kaufmann, gehört habe? Er sprach zum Bauern: Wenn heute der Ochse nicht aufsteht und sein Futter nicht frißt, so laß ihn gleich beim Metzger schlachten. Laß ihm die Haut abziehen, und ich verteile dann sein Fleisch unter die Armen. — Ich rate dir deshalb: Wenn man dir Futter bringt, so friß alles auf, sonst wird man dich schlachten!' Der Kaufmann, der das mit anhörte, lachte laut über dieses Gespräch. Da fragte ihn seine Frau: ‚Warum lachst du? Spottest du über mich?' Er sagte: ‚Nein!' — ‚So sage mir, warum du lachst!' — ‚Ich kann es dir nicht sagen, denn ich muß ein Unglück befürchten, wenn ich ausplaudere, was die Tiere in ihrer Sprache reden.' — ‚Bei Allah, du lügst', antwortete sie darauf, ‚das ist nur eine Ausrede. Und bei dem Herrn des Himmels, wenn du es mir nicht sagst, bleibe ich keinen Augenblick mehr bei dir!' Sie ging dann ins Haus und weinte bis zum anderen Morgen. Der Kaufmann fragte sie: ‚Warum weinst du? Fürchte Gott, nimm deine Frage zurück und laß mich in Ruhe!' — ,Ich lasse nicht davon ab, du mußt es mir sagen!' — ,Du bestehst darauf auch wenn ich dir sage, daß ich dann gleich sterben muß?' — ,Du muß es mir sagen, und solltest du auch sterben!' — ,So will ich zunächst deine Familie und deine Verwandten rufen.' Er ging dann und holte ihren Vater, ihre Verwandten und einige Nachbarn. Der Kaufmann sagte ihnen, sein Tod wäre nahe und alle um ihn herum weinten. Dann ließ er die Zeugen und die Gerichtsleute kommen, gab seiner Frau, was ihr gebührte, machte für seine Kinder ein Testament, schenkte seinen Sklavinnen die Freiheit und nahm von seiner Familie Abschied. Da liefen die Kinder weinend zur Frau und sprachen: ,Laß doch ab von deinem Willen, denn wüßte dein Mann nicht ganz gewiß, daß er sterben muß, wenn er sein Geheimnis offenbart, so würde er all das nicht tun.' Sie ließ sich aber nicht davon abbringen, und so weinten und trauerten alle.

Nun aber, meine Tochter Scheherazade, waren in diesem Haus fünfzig Hühner und ein Hahn. Während der Kaufmann schon das Geheimnis lüften wollte, hörte er, wie sein Hund in seiner Sprache zu dem Hahn sagte, der eben auf ein Huhn sprang und danach auf ein anderes: ,O Hahn! Schämst du dich nicht vor deinem Herrn, dich heute so zu betragen?' — ,Was gibt es denn heute?' fragte der Hahn. Da antwortete der Hund: ,Weißt du nicht, daß unser Herr trauert, weil seine Frau durchaus sein Geheimnis wissen will? Wenn er es ihr sagt, muß er sogleich sterben. Dabei springst du umher und schämst dich nicht?' Da hörte der Kaufmann, wie der Hahn antwortete: ,O der einfältige, närrische Mann! Wie hat doch unser Herr so wenig Verstand! Ich habe fünfzig Hühner und stelle sie alle zufrieden, und mein Herr hat nur eine Frau und glaubt noch Verstand zu haben! Weiß er sich mit ihr nicht zu helfen?' Da sagte der Hund: ,Aber was sollte er denn mit ihr beginnen?' Und der Hahn antwortete: ,Er sollte einen Eichenstock nehmen, mit ihr in sein Zimmer gehen, die Tür schließen, über sie herfallen und sie so lange prügeln, bis er ihr die Hände und die Füße zerschlagen hat. Dann würde sie bald

19

schreien, daß sie keine Worte und keine Erklärung will. Er soll sie dann aber so lange schlagen, bis sie von ihrer Verrücktheit abläßt, und er soll nicht aufhören, bis sie ihm nicht mehr widerspricht. Tut er das, so hat er Ruhe, bleibt leben und machte der Trauer ein Ende.'

Als der Kaufmann die Rede des Hahnes mit dem Hund hörte, stand er schnell auf, nahm einen Stock von Eichenholz, führte seine Frau auf sein Zimmer, riegelte die Tür ab und prügelte sie dann in einem fort. Sie schrie um Hilfe und sagte: ‚Ich will dich nichts mehr fragen!' Zuletzt, als er müde war vom Schlagen, öffnete er die Tür, die Frau bereute alles, und durch den guten Rat des Hahnes war die Trauer in Freude verwandelt. — Nun, meine Tochter, werde ich auch mit dir so verfahren, wenn du auf deinem Willen bestehst."

Aber sie antwortete: „Diese Geschichte ändert meinen Entschluß nicht. Führst du mich nicht zum Sultan, so werde ich allein zu ihm gehen und dich verklagen, weil du mich einem Mann seines Standes verweigerst und ein Mädchen wie mich deinem Herrn entziehst."

Der Vater fragte wieder: „Es muß also sein?"

„Ja", antwortete sie.

Da ging der Vater zum König Scheherban, wünschte ihm Glück, küßte die Erde vor ihm und sagte, daß er ihm in der nächsten Nacht seine Tochter bringen werde.

Der Sultan aber fragte erstaunt: „Ich werde dir morgen befehlen, sie umzubringen. Das weißt du doch? Und tust du es nicht, so werde ich ohne weiteres dich umbringen lassen!"

Er antwortete: „O König der Zeit! Sie hat es gewünscht. Ich habe ihr alles gesagt, aber sie wollte nicht hören, sondern die Nacht bei dir sein."

Der König erwiderte: „Gut, geh und triff Vorbereitungen für ihre Ankunft. Und bringe sie dann zu mir!"

Der Wesir brachte die Botschaft seiner Tochter und sagte: „Allah gebe mir keine Sehnsucht nach dir!"

Scheherazade aber traf ihre Vorbereitungen, ging zu ihrer jüngeren Schwester Dinarsad und sprach zu ihr: „Höre meine Schwester: Wenn ich bei dem Sultan bin, werde ich nach dir schicken. Wenn du dann kommst, so sage zu mir: ‚O Schwester, wenn du nicht schläfst, so erzähle uns eine deiner schönen Geschichten, damit wir die Nacht dabei durchwachen!' Dadurch werden wir weiteres Unheil verhüten und den König von seiner unseligen Gewohnheit abbringen."

Dinarsad sagte zu, und als es Nacht wurde, brachte der Wesir Scheherazade zum König. Der empfing sie auf seine Weise und begann mit ihr zu scherzen. Sie aber weinte. Als er sie fragte, weshalb sie weine, antwortete sie: „O König der Zeit, ich habe eine Schwester, von der ich diese Nacht noch Abschied nehmen möchte."

Der König schickte nach Dinarsad. Dinarsad wartete ab, bis sich der Sultan nicht mehr mit Scheherazade beschäftigte, seufzte dann und sprach: „O meine Schwester, wenn du nicht schläfst, so erzähle uns eine deiner schönen Geschichten, damit wir die Nacht dabei durchwachen. Vor Anbruch des Morgens will ich dir dann Lebewohl sagen, denn ich weiß ja nicht, wie es morgen mit dir enden wird."

Scheherazade bat den Sultan um Erlaubnis. Er erteilte sie, und Scheherazade begann:

DIE ERSTE NACHT

Erzählung vom Kaufmann und dem Dämon

Es war dereinst, o gütiger König, ein reicher Geschäftsmann. Er besaß viele Güter, Sklaven, eine Frau und Kinder. Eines Tages nahm er seinen Quersack mit Zwieback und Datteln, bestieg sein braves Pferd und reiste viele Tage und Nächte in ein fernes Land, um dort fremde Kaufleute zu besuchen. Nachdem er seine Geschäfte abgewickelt hatte, trat er die Rückreise in seine Heimat und zu seiner Familie an.

Er hatte sich seinem Lande um drei oder vier Tagesreisen genähert, als ihn die Hitze derart plagte, daß er einen Garten aufsuchte, um dort Schatten zu finden. Dort band er sein Pferd an einen Nußbaum, setzte sich in dessen Schatten neben eine Quelle, nahm einige Datteln und Zwiebacke aus seinem Quersack und ließ es sich schmecken. Dabei warf er die Dattelkerne achtlos links und rechts neben sich. Nachdem er sein Mahl beendet hatte, stand er auf, wusch sich an der Quelle und betete.

Da näherte sich ihm plötzlich ein Geist, der so riesig war, daß sein Kopf fast in den Wolken verschwand. Das Ungeheuer hatte ein Schwert gezogen, stellte sich drohend vor dem Kaufmann auf und herrschte ihn an: „Mit diesem Schwert werde ich dich umbringen, wie du mein geliebtes Kind umgebracht hast!"

Der Kaufmann erschrak bis ins Mark. Er fürchtete sich sehr vor dem Geist, und es dauerte lange, bis er die Sprache wiedergefunden hatte. Erst dann fragte er schüchtern: „O, Herr — ich weiß wirklich nicht, für welches Vergehen ich sterben soll! Wo, wann und wie soll ich denn dein Kind umgebracht haben?"

„Hast du nicht hier gesessen, Datteln gegessen und die Kerne nach links und nach rechts geworfen?"

„Das stimmt", gab der Kaufmann zu.

„Siehst du! Und auf diese Weise hast du meinen Sohn getötet! Denn als du die Kerne fortwarfst, ging mein Sohn vorüber. Ein Kern traf ihn und tötete ihn. Und heißt es nicht im Gesetz, daß einer, der tötet, selber sterben soll?"

„Ich gehöre Allah", sagte da leise der Kaufmann. „Es gibt keine Macht und keinen Schutz außer bei ihm. Wenn ich wirklich deinen Sohn getötet habe, so habe ich es nicht wissentlich getan. Du solltest mir also verzeihen!"

Doch der Geist war unversöhnlich. „Ich verzeihe dir nicht", grollte er. „Du mußt sterben!"

Und er ergriff den Kaufmann und hob das Schwert, um ihn zu töten. Der Arme weinte, flehte und rief nach seiner Familie. Und weil sein Ende gekommen war, brach er in die Worte aus:

> *Aus zwei Tagen besteht die Zeit. Der eine gibt Sicherheit,*
> *der andere Gefahren. Aus zwei Teilen besteht das Leben.*
> *Der eine ist klar, der andere trüb. Wenn Sturmwinde*
> *toben, erschüttern sie nur die Wipfel der Bäume.*
> *Manches Grüne und manches Dürre ist auf der Erde.*
> *Und doch wird nur das, was Früchte hat, mit Steinen*
> *beworfen. Im Himmel sind zahllose Sterne. Doch nur*
> *Sonne und Mond verlieren zuweilen ihr Licht. Ich fand*
> *die Tage gut, wenn sie schön waren, und dachte nicht*
> *daran, was das Schicksal noch bringen kann.*
> *Die Nächte bescherten mir Ruhe, und ich ließ mich*
> *dadurch täuschen. Während die Nacht am klarsten*
> *schien, kam das Unglück herbei!*

Doch die Klage des Kaufmanns rührte den Geist nicht. „Jetzt mußt du sterben!" rief er wieder aus und hob erneut das Schwert . . .

An dieser Stelle ihrer Erzählung angelangt, bemerkte Scheherazade, daß der Tag angebrochen war. Sie sprach nicht weiter. Der König aber glühte vor Verlangen, die Fortsetzung der Geschichte zu hören. Und als Dinarsad, Scheherazades Schwester, ausrief: „Wie wunderbar ist deine Erzählung!", erklärte er:

23

„Bei Allah, ich werde dich nicht umbringen lassen, bevor ich nicht das Ende deiner Geschichte gehört habe. Erst nach der nächsten Nacht sollst du sterben!" Dann ging er und regierte bis zum Abend.

DIE ZWEITE NACHT

Die nächste Nacht brach herein, als er wieder sein Lager aufsuchte und Scheherazade zu sich befahl. Beide ruhten ein wenig. Dann beschwor Dinarsad ihre Schwester: „Meine Schwester, laß uns weiter deine schönen Erzählungen hören, damit wir die Zeit, in der wir nicht schlafen, angenehm zubringen können!" Doch der König rief aus: „Zunächst will ich den Schluß der Erzählung mit dem Geist hören, denn die gefällt mir, Scheherazade!"

Und Scheherazade fuhr fort:

Ein letztes Mal flehte der Kaufmann, schon das Schwert über dem Haupte: „Willst du, o Herr, mir nicht Zeit lassen, damit ich mich von meiner Familie verabschieden kann, damit ich mein Erbe unter meiner Frau und meinen Kindern aufteilen kann? Erst wenn das geschehen ist, will ich zu dir zurückkehren und mich töten lassen!"

Der Geist überlegte einen Augenblick. Dann sagte er zweifelnd: „Ich fürchte, du würdest nicht wiederkehren!"

„Ich schwöre dir einen Eid und nehme den Herrn des Himmels und der Erde als Zeugen, daß ich wieder zu dir kommen werde."

„Wie lange Frist begehrst du?"

„Ich fordere ein Jahr", sagte der Kaufmann.

„Bürgt mir Allah für deine Wiederkehr?"

„Allah bürgt für meine Worte!"

Er schwor, und der Geist gab ihn wirklich frei. Der Kaufmann ritt in seine Heimat und erzählte seiner Frau und seinen Kindern von seinem Geschick. Alle brachen in Tränen aus, als sie hörten, er habe nur noch ein Jahr zu leben.

Schon am Tag nach seiner Heimkehr begann er, sein Hab und Gut unter ihnen zu verteilen. Auch bezahlte er seine Schulden, gab große Geschenke und Almosen und befahl Leute zu sich, die den Koran für ihn lesen mußten. Dann ließ er Zeugen und Gerichtsschreiber kommen, schenkte seinen Sklaven und Sklavinnen die Freiheit, tat viel Gutes und war mit manchem beschäftigt, so daß das Jahr schnell abgelaufen war. Dann nahm er sein Totengewand und sagte seiner Frau und seinen Kindern Lebewohl. Und als sie jammerten und wehklagten, sprach er zu ihnen: „Es ist ein Beschluß Allahs. Es ist sein Urteil und seine Macht. Der Mensch ist eben nur zum Tode geschaffen!" Er bestieg sein Pferd und reiste tagelang, bis er wieder zu jenem Garten gelangte. Er setzte sich an die Stelle, an der er die Datteln gegessen hatte und erwartete mit traurigem Herzen den Geist.

Während er so saß, kam ein alter Mann mit einer Gazelle an einer Kette auf ihn zu und grüßte ihn. Der Kaufmann erwiderte den Gruß und der Alte fragte ihn, was er an diesem Ort der Geister und der Teufelskinder wolle. Der Kaufmann erzählte ihm die ganze traurige Geschichte, und daß er jetzt hier seinen Tod erwarte.

„Du mußt ein Mann von starkem Glauben sein", sagte der Greis, nachdem der Kaufmann geendet hatte. „Ich werde nicht von hier weichen, bis ich sehe, wie es dir mit dem Geist ergehen wird!"

Und sie blieben beieinander sitzen und unterhielten sich ...

An dieser Stelle bemerkte Scheherazade das Nahen des Tages. Die zweite Nacht war verstrichen. „Und in der nächsten Nacht werde ich noch viel Schöneres zu erzählen haben, wenn mein König mich leben läßt!", verhieß sie ihren Zuhörern.

V ollende die Geschichte des Kaufmanns!" befahl der König,
nachdem die dritte Nacht schon weit vorgeschritten war.
Und Scheherazade fuhr fort:

Während sich der Kaufmann mit dem Alten unterhielt, war
noch ein zweiter Greis mit zwei schwarzen wolfsartigen Hunden
hinzugekommen. Er grüßte die beiden und sie grüßten wieder.
Auch er fragte, was sie hier wollten, und der Alte mit der Gazelle erzählte ihm die Geschichte des Kaufmanns.

„Ich kam nur zufällig hierher", schloß er seinen Bericht, „aber
ich schwor, nicht von hier zu weichen, bis ich sehe, was geschehen wird!"

Als das der Alte mit den Hunden gehört hatte, sagte er: „Auch
ich kann diesen Ort nicht verlassen, bis ich weiß, was sich zwischen dem Kaufmann und dem Geist zutragen wird."

Und es kam noch ein dritter alter Mann hinzu. Einer mit einem
mageren Maultier. Auch er hörte sich die Geschichte an und
auch er blieb, um zu sehen, wie alles ausgehen würde.

Eine Weile saßen die Vier und unterhielten sich friedlich.
Dann kam auf einmal Staub von der Wüste her gezogen. Der
Geist erschien, mit dem Schwert in der Hand. Er näherte sich
ihnen, ohne zu grüßen.

„Steh auf, daß ich dich töte!" herrschte er den Kaufmann an. Der
Kaufmann begann zu weinen und zu klagen. Und die drei
Alten weinten und klagten mit ihm zusammen . . .

Hier war die dritte Nacht zu Ende. Scheherazade bemerkte es
und schwieg. Dinarsad aber rief aus: „Wie herrlich ist deine
Erzählung, meine Schwester!" Scheherazade erwiderte: „Es ist
noch nichts im Vergleich zu dem, was ich in der vierten Nacht
zu erzählen habe: wenn mein König mich noch leben läßt!"
Das Herz des Königs brannte vor Verlangen, die weitere Erzählung zu hören. Und deshalb beschloß er: „Ich lasse sie
nicht umbringen, bevor ich nicht das Ende dieser wunderbaren
Erzählung gehört habe. Und dann erst werde ich sie, wie die
übrigen Frauen, töten lassen."

DIE VIERTE NACHT

Bis zum Beginn der vierten Nacht blieb er im Staatsrat.
Dann ging er zu Bett. Nachdem er eine Weile mit Scheherazade geruht hatte, sprach Dinarsad: „Bei Allah, meine Schwester, erzähle uns weiter, damit wir den übrigen Teil der Nacht dabei durchwachen."

Scheherazade fuhr also fort:

Als nun der Geist den Kaufmann unbedingt töten wollte, ging der Alte mit der Gazelle auf den Fürchterlichen zu, küßte ihm Hände und Füße und sprach:

„O du Krone der Könige der Geister, wenn ich dir erzähle, was mir mit dieser Gazelle widerfahren ist, und wenn du meine Erzählung noch wunderbarer findest als das, was dir mit dem Kaufmann begegnete, wirst du ihm dann mir zuliebe ein Drittel seiner Schuld verzeihen?"

„Recht gern", entgegnete darauf der Geist.

Und der Alte erzählte:

Die Geschichte des Greises mit der Gazelle

„Du mußt wissen, o Geist, daß diese Gazelle die Tochter meines Oheims ist. Sie ist mein Fleisch, mein Blut und von Kindheit an meine Frau, denn sie war erst zehn Jahre alt, als ich sie heiratete. Dreißig Jahre lang lebte ich mit ihr, ohne daß sie mir ein Kind schenkte. Ich erwies ihr während dieser Zeit viel Gutes und ehrte sie. Aber ich kaufte noch eine Sklavin, und diese gebar mir einen Sohn, schön wie der Mond. Jetzt wurde meine erste Frau eifersüchtig. Als mein Sohn zwölf Jahre alt war, mußte ich eines Tages eine Reise antreten. Ein Jahr blieb ich fort. Während meiner Abwesenheit erlernte meine Frau die Zauberkunst. Sie nahm meinen Sohn und verzauberte ihn in ein Kalb, ließ meinen Hirten kommen, übergab ihm das Kalb und sagte: „Laß dieses Kalb mit den Stieren weiden!" Dann verzauberte sie die Mutter in eine Kuh und übergab sie ebenfalls dem Hirten. Als ich nun zurückkehrte und meine Frau nach dem Sohn und seiner Mutter fragte, sagte sie mir, die Mutter sei gestorben und der Sohn vor zwei Monaten davongelaufen. Sie habe seitdem nichts mehr von ihm gehört.

Ich vernahm diese Worte und mein Herz bekümmerte sich um meinen Sohn und seine Mutter. Ein Jahr lang forschte ich nach ihnen. Dann kam das große Fest Allahs. Ich schickte zum Hirten und ließ ihm sagen, er möge mir eine fette Kuh schicken, damit ich das Fest feiern könne. Er brachte mir meine verzauberte Frau. Als ich sie binden ließ und schlachten wollte, weinte und seufzte sie: „Muh! Muh!" Ich war darüber erstaunt und gerührt und sagte dem Hirten: „Bring mir eine andere!" Da sagte die Tochter meines Oheims: „Schlachte doch diese, denn er hat keine bessere und fettere zum großen Fest!" Wieder wollte ich sie töten, doch wieder schrie sie: „Muh! Muh!" Darauf blieb ich vor ihr stehen und sagte zum Hirten: „Ich schlachte sie nicht! Tue du es statt meiner!"

Er schlachtete sie und zog ihr die Haut ab. Aber er fand weder Fleisch noch Fett, denn es war nichts an ihr als Haut und Knochen. Ich bereute es, sie geschlachtet zu haben und sagte zum Hirten: „Nimm du sie oder gib sie, wem du willst. Ich suche mir ein fettes Kalb heraus!" Er nahm die Kuh und ging fort. Ich weiß nicht, was er mit ihr gemacht hat. Mir aber brachte er meinen Sohn, in Gestalt eines fetten Kalbes. Als mein Sohn mich sah, zerriß er sein Seil, sprang auf mich zu und legte seinen Kopf auf meine Füße. Ich wunderte mich darüber und bemitleidete mein eigenes Blut. Mich rührten die Tränen des Kalbes, meines Sohnes, der mit den Vorderfüßen die Erde scharrte. Ich ließ ihn los und sprach zu dem Hirten: „Laß dieses Kalb bei der Herde, verpflege es gut und bringe mir ein anderes!" Da schrie meines Oheims Tochter, die Gazelle hier: „Kein anderes Kalb sollst du schlachten als dieses Tier!" Ich wurde zornig und erwiderte: „Ich habe dir schon gehorcht, als ich die Kuh schlachtete. Es hat uns nichts genützt. Bei diesem Kalb aber werde ich dir kein Gehör schenken. Es wird nicht geschlachtet!" Sie aber nahm ein Messer und ließ das Kalb binden . . .

gte mich unter Tränen: „Kennst du mich nicht mehr?"
, daß es mein Bruder war und hieß ihn willkommen. „Fra
ch nicht, wie es mir ergangen ist", sagte er, „denn mir ge
chlecht und alles Geld ist dahin!" Ich brachte ihn ins Ba
ihm von meinen Kleidern und nahm ihn bei mir auf. A
dann sah, daß sich durch meine Arbeit mein Geld auf zw
send Dinar verdoppelt hatte, da teilte ich es mit meine
der und sagte zu ihm: „Nun ist es wieder so, als seist
mals fort gewesen!" Voller Freude nahm er das Geld un
ffnete damit wieder einen Laden.

lebte ich viele Tage und Nächte, bis mein zweiter Brude
er andere Hund hier, ebenfalls alles verkaufte, was er hat
d ebenfalls eine Reise antreten wollte. Wir rieten ihm ab,
er bestand darauf. Und wie mein erster Bruder kehrte auc
nach einem Jahr bettelarm zurück. Da sich mein Geld auc
diesem Jahr verdoppelt hatte, gab ich auch ihm tausen
nar, die er voller Dankbarkeit annahm und mit deren Hilf
ch er wiederum einen Laden aufmachte.
ieder verging die Zeit. Und eines Tages kamen beide Brüde
mir und wollten, ich sollte mit ihnen verreisen. Ich abe
igerte mich und sprach zu ihnen: „Was habt denn ihr be
ren Reisen gewonnen, daß auch ich einen Gewinn erwarter
nnte?" Ich schenkte ihnen kein Gehör, und wir blieben weiter
unseren Läden und handelten. Sie aber schlugen mir jedes
hr aufs neue vor, mit ihnen zu verreisen. Nie wollte ich ein-
lligen — bis zum sechsten Jahr. Da endlich sagte ich zu ihnen:
ut, meine Brüder, ich will gern mit euch reisen. Doch zuerst
ßt mich sehen, wie groß euer Vermögen ist." Und da stellte
fest, daß sie nichts mehr hatten, denn mit Essen und Trin-
n und allerlei Gelüsten hatten sie alles verschwendet.
machte ihnen keinen Vorwurf, sondern zählte nach, was
selbst an Geld im Laden hatte. Ich fand sechstausend
inar. Daraus machte ich zwei Teile und sagte zu meinen
üdern: „Hier sind dreitausend Dinar für uns. Damit können
r handeln!" Dann vergrub ich die übrigen dreitausend
r den Fall, daß es mir erginge, wie es meinen Brüdern er-
ngen war. Meine Brüder waren damit zufrieden.

An dieser Stelle atmete Scheherazade auf. Das Ende der vierten
Nacht war gekommen. Sie schwieg. Dinarsad aber rief wieder:
„Wie wunderschön ist deine Erzählung, meine Schwester!"
Und Scheherazade entgegnete abermals: „Es ist nichts im Ver-
gleich zu dem, was ich morgen erzählen werde, wenn mein
König mich leben läßt!" Und auch diesmal beschloß der König,
sie nicht umbringen zu lassen, denn er war von dem Wunsch
besessen, das Ende der Geschichte zu hören.

DIE FÜNFTE NACHT

Und so setzte Scheherazade in der fünften Nacht, nachdem
sie zunächst mit dem König geschlafen hatte und dann
von Dinarsad gebeten worden war, weiterzuerzählen, ihre Geschichte fort:
Der Alte mit der Gazelle berichtete dem Geist: „Ich nahm
meiner Frau das Messer aus der Hand und wollte selbst mein
Kind schlachten. Da schluchzte und weinte es, legte seinen
Kopf auf meine Füße und streckte die Zunge heraus, gleichsam um mir ein Zeichen zu geben. Ich aber wandte mich von
ihm ab und ließ es los, denn mein Herz blutete.
Am folgenden Morgen, es war eben hell geworden, kam, ohne
daß meine Frau etwas merkte, der Hirt zu mir und sagte:
„Mein Herr, ich habe dir eine gute Nachricht zu bringen. Wirst
du mir wohl ein Geschenk machen?" — „Du sollst eins haben",
entgegnete ich, „fahre nur fort!" Und da berichtete er: „Ich
habe eine Tochter, die zaubern kann und Beschwörungen gelernt hat. Als ich gestern mit dem Kalb, das du freigelassen
hast, nach Hause kam, um es zu den anderen jungen Stieren
zu führen, sah es meine Tochter. Und sie begann zugleich zu
weinen und zu lachen. Ich fragte sie, weshalb sie sich denn so
gebärde. Und sie antwortete mir: „Dieses Kalb ist der Sohn
unseres Herrn. Er ist von der Frau seines Vaters verzaubert
worden, darum lache ich. Weinen aber muß ich über seine

Mutter, die sein Vater geschlachtet hat!" Als ich, o Geist, diese Nachricht gehört hatte, schrie ich laut auf und fiel in Ohnmacht. Nachdem ich wieder zu mir gekommen war, ging ich mit dem Hirten in sein Haus, lief zu meinem Sohn, warf mich über ihn, umarmte ihn und weinte. Er wandte seinen Kopf nach mir, aus seinen Augen flossen Tränen und er streckte mir seine Zunge heraus, als wollte er mich auf seinen Zustand aufmerksam machen. Da die Tochter des Hirten dabeistand, sagte ich zu ihr: „Wenn du ihn wieder von dem Zauber befreien kannst, so schenkte ich dir mein Vieh und alles, was ich sonst besitze!" Sie aber wollte weder mein Vieh noch meinen anderen Besitz und sagte nur: „Unter zwei Bedingungen werde ich deinen Sohn erlösen: erstens mußt du mich mit ihm verheiraten, und zweitens mußt du mir erlauben, die zu verzaubern, die ihn in diesen Zustand versetzt hat. Denn sonst muß ich befürchten, daß sie ihm gegenüber immer boshaft ist und Ränke gegen ihn schmiedet."

Da erwiderte ich erfreut: „Gut, ich gebe dir und meinem Sohn noch mein Vermögen obendrein. Ebenso gestatte ich dir, die Tochter meines Oheims zu verzaubern. Ich will sie herbringen und du magst mit ihr verfahren, wie du willst!"

Sie antwortete: „Ich will ihr nur von dem zu kosten geben, mit dem sie andere speiste." Hierauf füllte sie eine Schüssel mit Wasser, sprach den Zauber darüber, beugte sich dann zu meinem Sohne und sagte: „O, du Kalb, bist du ein Geschöpf des Allgewaltigen, Allmächtigen, so bleibe unverändert! Bist du aber verzaubert worden, so verlasse diese Gestalt und nimm mit Erlaubnis des Schöpfers der Welt wieder eine menschliche an!" Dann besprützte sie ihn mit Wasser aus der Schüssel, und er wurde wieder ein Mensch wie früher.

Er erzählte mir, was die Tochter meines Oheims, diese Gazelle hier, ihm und seiner Mutter angetan hatte. Ich sagte ihm: „Nun, mein Sohn, Allah hat uns ein Wesen gesandt, das für dich, deine Mutter und mich Rache nehmen wird!" Darauf verheiratete ich meinen Sohn mit der Tochter des Hirten. Sie verzauberte die Tochter meines Oheims in eine Gazelle und sagte dabei zu mir: „Dir zuliebe habe ich sie in eine schöne Ge-

stalt verzaubert, damit du bei ihrem Anblick kein[e] empfindest!" Und sie blieb Jahre um Jahre bei [uns.] starb die Frau meines Sohnes, die Tochter des Hirte[n. Mein] Sohn reiste in das Land jenes Mannes, mit dem [er?] dieses Abenteuer begegnet ist. Nun ging ich, um [ihn] zu besuchen, und nahm die Tochter meines Oheim[s, diese Ga-]zelle hier, mit. Und so kam ich zu euch. Das ist [meine Ge-]schichte. Ist sie nicht sonderbar und wundervoll?"

„Es sei", antwortete da der Geist, „ich schenke dir [ein] Teil seiner Schuld!"

Hierauf kam der zweite Alte, der mit den beiden [Jagd-]Hunden, und sprach: „Laß mich, o Geist, erzählen, [was] meinen beiden Brüdern, diesen Hunden hier, wide[rfuhr.] Du wirst sehen, daß meine Erzählung noch wunde[rbarer,] unglaublicher als die soeben gehörte ist. Wirst du [wenn] sie dir erzähle, auch mir ein Drittel seiner Schuld [schenken?"] — „Ich werde es tun", antwortete der Geist . . .

Als Scheherazade so weit gekommen war, ging die fü[nfte Nacht] zu Ende. Wie in den anderen vier Nächten lobte D[unjazade die] Erzählung ihrer Schwester. Und auch diesmal ge[währte der] König Scheherazade Aufschub, damit sie in der näch[sten Nacht] ihre Erzählung fortsetzen könnte.

DIE SECHSTE NACHT

Die Geschichte des Greises mit den zwei schwarz[en Hunden]

Wir waren drei Brüder, als unser Vater starb", ber[ichtete der] zweite Greis. „Er hinterließ uns dreitausend [Dinare. Ich] eröffnete einen Laden und handelte damit. Ebens[o taten] meine Geschwister. Nach kurzer Zeit verkaufte me[in erster] Bruder alles, was er im Laden hatte, für tausend Din[are, kaufte] verschiedene Waren ein und verreiste. Ein ganzes Ja[hr blieb er] fort. Dann stand eines Tages ein Bettler in meinem L[aden.]

Wir kauften die nötigen Waren ein, mieteten ein Schiff und
reisten Tag und Nacht und Nacht und Tag . . .
Hier schwieg Scheherazade. Die sechste Nacht war vergangen.
In der siebenten Nacht fuhr sie fort:

DIE SIEBENTE NACHT

Und der zweite Alte, o erhabener König, erzählte dem Geist
weiter seine Geschichte: „Einen Monat lang reisten meine
Brüder und ich auf dem Meer. Dann kamen wir an eine große
Stadt. Wir gingen an Land und verkauften unsere Waren so
gut, daß wir an einem Dinar zehn verdienten. Damit kauften
wir andere Waren ein und wollten eben wieder abreisen, als
ich am Ufer ein Mädchen mit zerrissenen Kleidern fand. Es
küßte meine Hand und sagte: „Mein Herr, heirate mich und
schenke mir Kleider und nimm mich mit dir als deine Frau.
Schon jetzt gehört mein Herz dir. Sei deshalb wohltätig gegen
mich. Ich werde dich dafür belohnen. Laß dich nur nicht abschrecken von meinem armseligen Aussehen."
Als ich das hörte, bekam ich Mitleid mit ihr. Ich nahm sie mit
auf das Schiff und bereitete ihr ein Lager.
Während wir weiterreisten, liebte ich sie immer mehr, denn sie
war schön wie der Vollmond am Himmel. Stets war ich nur bei
ihr und vergaß darüber meine Brüder fast ganz. Die aber
waren neidisch und gönnten mir mein Glück nicht. Und da sie
sich außerdem meines Vermögens und meines Wohlstandes bemächtigen wollten, sprachen sie davon, mich umzubringen.
Als ich nun in einer Nacht mit meiner Frau fest schlief, ergriffen sie uns beide und warfen uns ins Meer. Aber meine
Frau verwandelte sich sogleich in einen Geist und trug mich
auf eine Insel. Und als Allah es Tag werden ließ, sprach sie zu
mir: „Nun, mein Gatte, habe ich dich belohnt, da ich dich vom
Tode errettete. Du mußt wissen, daß ich die Tochter eines
Dämon bin. Als ich dich am Ufer gesehen hatte, liebte ich dich

sofort. Du nahmst mich in dem Zustand, in dem ich war. Nun
aber muß ich deine Brüder umbringen!"

Doch ich bat sie, meine Brüder nicht zu töten, sonst würde auch
ich sterben. Und ich erzählte ihr alles, was mir mit ihnen schon
widerfahren war. Als sie meine Erzählung angehört hatte, rief
sie voller Zorn aus: „Sogleich soll ihr Schiff untergehen, damit
sie umkommen!" Ich aber beschwor sie, es nicht zu tun, denn
es gibt doch einen Spruch, man solle Böses mit Gutem vergelten.
Schließlich gab sie nach, hob mich in die Luft, flog mit mir
davon und setzte mich auf dem Dach des Hauses ab, das ich
meinen Brüdern zuliebe verlassen hatte. Ich grub die dreitausend Dinar aus der Erde und eröffnete den Laden wieder.

Als ich eines Abends vom Markte heimkam, fand ich an
meinem Hause diese beiden Hunde angebunden. Da sie mich
sahen, seufzten sie mich an, hingen sich an mich und weinten.
Ich wußte nicht, was das bedeuten sollte, bis meine Frau erschien und sprach: „Mein Herr, hier sind deine Brüder! Mir
war auferlegt, so an ihnen zu handeln. Und erst in zehn Jahren
werden sie wieder frei sein!" Dann gab sie mir noch ihren
Wohnsitz an und verließ mich wieder.

Nun sind die zehn Jahre verstrichen, und ich habe mich mit
ihnen auf den Weg gemacht, damit sie erlöst werden. Hier fand
ich diesen Mann und diesen Greis mit der Gazelle. Der junge
Mann erzählte mir, welches Schicksal ihm droht, und ich beschloß, nicht eher weiterzuziehen, als bis ich sehe, was unser
Herr, der Geist, dem Manne tun wird. Das ist meine Erzählung.
Ist sie nicht wunderbar?"

„Sie ist es", sagte der Geist, „und ich schenke auch dir ein
Drittel seiner Schuld!"

Nun trat der dritte Greis vor. „O Geist, mein Herr! Du wirst
mich wohl nicht schlechter behandeln und mir auch ein Drittel
seiner Schuld schenken, wenn ich Dir meine Geschichte mit
diesem Maultier erzählt habe. Sie ist noch wunderbarer und
befremdender als die Geschichten dieser beiden hier!"

„Erzähle!" befahl da der Geist.

An dieser Stelle schwieg Scheherazade. Der Tag war angebrochen. Doch in der folgenden Nacht erzählte sie weiter:

DIE ACHTE NACHT

Die Geschichte des Greises mit dem Maultier

Ich hörte, o glückseliger König, daß der dritte Greis dem Geist berichtete: „O Geist, diese Mauleselin hier war meine Frau! Einst machte ich eine große Reise und blieb ein Jahr von ihr fern. In einer Nacht kam ich überraschend nach Hause zurück. Als ich ins Zimmer trat, fand ich einen schwarzen Sklaven bei ihr. Sie warfen sich verliebte Blicke zu und neckten und küßten einander. Als meine Frau mich sah, kam sie mir mit einem Becher voll Wasser entgegen, sprach einige Worte, besprengte mich und sagte: „Nimm die Gestalt eines Hundes an!" Sogleich wurde ich zu einem Hund und sie jagte mich aus dem Haus. Ich lief zum Hause eines Metzgers und fraß die Knochen, die unter seinem Tisch lagen. Der Metzger nahm mich bei sich auf. Als seine Tochter mich sah, sagte sie zu ihrem Vater: „Weshalb bringst du einen fremden Mann zu uns herein?" Ihr Vater fragte: „Wo ist ein Mann?" — „Diesen Hund hier", entgegnete sie, „hat seine Frau verzaubert. Doch ich kann ihn befreien!" — „Bei Gott", sagte da der Vater, „befreie ihn. Das ist eine gute Tat!"

Nun nahm die Tochter einen Becher Wasser, sprach etwas darüber hin, besprengte mich mit Wasser und sagte zu mir: „Mit Erlaubnis Allahs, des Erhabenen: Kehre in deine frühere Gestalt zurück!"

Als ich wieder menschliche Gestalt angenommen hatte, beschwor ich sie, meine Frau so zu verzaubern, wie sie mich selbst verzaubert hatte. Darauf gab sie mir ein wenig von dem Wasser und sagte: „Wenn sie schläft, dann bespritze sie damit. Sprich sie dann mit einem Tiernamen an, der dir gefällt. Sofort wird sie die Gestalt annehmen, die du gewählt hast!"

Ich nahm das Wasser, ging zu meiner Frau, fand sie schlafend und bespritzte sie mit den Worten: „Verlasse deine Gestalt und nimm die einer Mauleselin an!" Sogleich wurde sie eine Mauleselin. Und sie ist es, die du hier mit eigenen Augen siehst, o

Oberhaupt der Geister!" Und dann fragte der Greis noch die Mauleselin, ob auch alles wahr sei. Und sie nickte mit dem Kopf.

Der Geist schüttelte sich vor Freude über die Erzählung des dritten Alten und sagte: „Dir, Greis, schenke ich das letzte Drittel der Schuld dieses Mannes. Ich lasse ihn frei!"

Hierauf ging der Kaufmann zu den drei Greisen und dankte ihnen für ihre Güte. Sie nahmen Abschied voneinander, und jeder ging seines Weges. Der Kaufmann kehrte in sein Land und zu seiner Familie zurück. Und er lebte glücklich mit den Seinen, bis ihn der Tod erreichte.

„Diese Erzählung", so sagte jetzt Scheherazade, „ist jedoch nicht schöner und wunderbarer als die von dem Fischer!" — „Was ist das für eine Erzählung, ich beschwöre dich, erzähle sie uns!" rief Dinarsad aus. Da begann Scheherazade:

Die Erzählung vom armen Fischer und dem Geist in der Flasche

Man erzählte mir von einem alten, armen Fischer, der außer einer Frau und drei Töchtern nichts besaß. Oft reichte die Nahrung nicht einmal zum Sattessen, und nur viermal am Tage konnte der Fischer seine Netze auswerfen.

Einst ging er bei Mondenschein an das Ufer des Stroms. Er watete ins Wasser, warf das Netz aus und wartete, bis es untersank. Dann wollte er es langsam wieder zusammenlegen, aber irgend etwas leistete Widerstand. Da er es nicht von der Stelle brachte, ging er ans Land, befestigte das Ende des Seils, an dem das Netz war, entkleidete sich, tauchte in der Nähe des Netzes unter und arbeitete, bis es ihm endlich gelang, das Netz ans Ufer zu ziehen. Und da fand er einen toten Esel, der das Netzwerk völlig zerrissen hatte. Natürlich war der Fischer darüber betrübt und niedergeschlagen. Er setzte sich ans Ufer und klagte voller Bitternis:

O du, der du untertauchst in das Dunkel der Nacht
und der Gefahr, bemühe dich nicht zu sehr um dein
tägliches Brot. Siehst du das Boot mit dem Fischer,
der darin steht, um seinen Lebensunterhalt zu suchen,
während die Sterne sich verbergen? Er taucht unter
und läßt sich von den Wellen schlagen; sein Auge
hört nicht auf, das Netz zu beobachten. Und wenn
endlich die Angel einem Fisch die Kiemen spaltet, dann
ist er mit der Nacht zufrieden. Den Fisch aber kauft
ihm einer ab, der die Nacht im schönsten Wohlbehagen
zugebracht. Gelobt sei Allah, er gibt dem einen und
versagt dem andern. Der eine fängt Fische, der andere
aber ißt sie!

An dieser Stelle ihrer Erzählung sah Scheherazade den Morgen grauen und schwieg. Erst am Abend des folgenden Tages, zu Beginn der neunten Nacht, erzählte sie weiter:

DIE NEUNTE NACHT

Kaum hatte, o glückseliger König, der Fischer sein Gebet beendet und den Esel aus dem Netz befreit, als er begann, die Schäden auszubessern. Dann warf er wieder das Netz aus. Doch als er es wieder einziehen wollte, verspürte er einen noch stärkeren Widerstand als beim ersten Mal. Und wie vorher entkleidete er sich, tauchte unters Netz und brachte, was er fand, ans Land. Doch zu seiner Enttäuschung war es nur ein großer irdener Topf voller Sand und Unrat.

Als der Fischer das sah, weinte er sehr und sprach:

O Laune des Schicksals, höre auf! Hast du mich
noch nicht genug verfolgt? Verschone mich doch um
der Gnade willen! Ich ging aus, um meinen Lebens-
unterhalt zu suchen. Und jetzt weiß ich: er ist für
mich dahin! Ich werde weder vom Glück begünstigt,

noch habe ich etwas von meiner Hände Arbeit.
Wie mancher Unwissende ist bei den Sternen, und
mancher Gelehrte bleibt im Staub verborgen!

Er warf den Topf weg, bat Allah um Verzeihung und legte zum drittenmal im Meer sein Netz aus. Diesmal fand er es voller Scherben, Steine, Knochen und anderem Abfall. Vor Enttäuschung schlug er sich ins Gesicht und rief aus:

Das wechselhafte Schicksal erniedrigt den edlen
Menschen und erhebt den, der keinen Wert hat.
Hole mich daher heim, o Tod, denn ein Leben, in dem
die Falken erniedrigt und die Enten erhöht werden,
ist abscheulich. Es ist kein Wunder, wenn der Tugend-
hafte arm und der Lasterhafte reich ist.
Im Buche des Schicksals sind wir wie Vögel, die mal hier,
mal dort etwas finden. Der eine Vogel muß die ganze
Erde umfliegen — der andere findet, was er braucht,
ohne die Flügel zu bewegen!

Dann hob der Fischer seinen Blick zum Himmel empor und sprach: „Du weißt, Allah, daß ich nur viermal am Tage meine Netze auswerfe. Dreimal schon habe ich es getan. Nun, o Herr, tue ein Wunder, wie du es mit Moses im Meer getan hast!"
Er flickte sein Netz und warf es zum viertenmal aus. Nachdem es untergesunken war, versuchte er, es wieder an sich zu ziehen. Doch auch diesmal blieb es am Grunde hängen.
Der Fischer tauchte, brachte das Netz mit viel Mühe an Land und fand darin eine Flasche aus Messing. Sie war am oberen Ende mit Blei verschlossen und mit dem Siegel Salomons, des Herrn der ganzen Erde, geschmückt.
Über diesen Fund freute sich der Fischer. Er dachte bei sich: ‚Ich werde diese Flasche dem Kupferschmied verkaufen. Vielleicht gibt er mir zwei Sack Weizen dafür!' Dann schüttelte er sie und merkte, daß sie nicht leer war. Mit einem Messer durchstach er das Blei, doch nichts kam heraus.
Schon wollte er die Flasche beiseite legen, da stieg plötzlich Rauch aus ihr empor. Zunächst war es nur ein wenig, dann

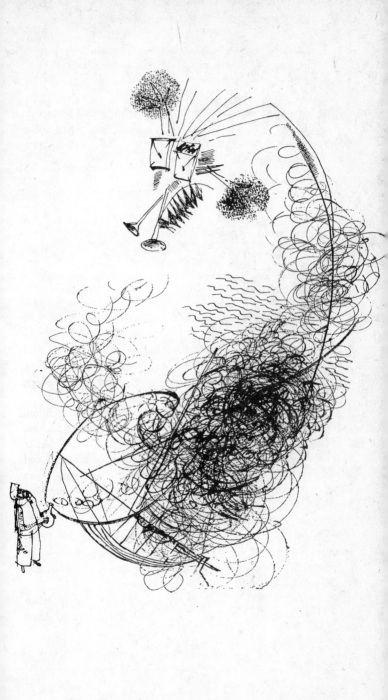

wurde es immer mehr, bedeckte schließlich das ganze Meer und stieg zum Himmel empor. Als aller Rauch der Flasche entwichen war, verdichteten sich die dunstigen Schwaden und vereinigten sich zu einem Geist, dessen Füße auf der Erde standen, während sein Haupt an die Wolken stieß. Er hatte einen Kopf wie ein Wolf, Vorderzähne wie ein Hund, einen Mund wie eine Höhle, Zähne wie Felsen, Nasenlöcher wie Trompeten, Ohren wie Bäume, einen Hals wie ein Schlauch und Augen wie Laternen.

Als der Fischer diese schreckliche Gestalt sah, begann er am ganzen Körper zu zittern. Sein Hals wurde trocken, und er wollte die Flucht ergreifen. Doch seine Glieder waren wie gelähmt.

Der Geist aber sprach: „O Salomon, Prophet Allahs, verzeihe mir! Ich will dir nie mehr ungehorsam sein und immer deinen Befehlen folgen!"

Scheherazade verstummte. Der Morgen blickte durch die Fenster. Am folgenden Abend aber begann sie:

DIE ZEHNTE NACHT

Als der Fischer die Sprache wiedergefunden hatte, erwiderte er dem Geist: „O Geist, wie kannst du mit unserem Herrn Salomon sprechen, der doch vor vielen, vielen Jahren gestorben ist? Was ist mit dir? Wie bist du in diese Flasche hineingeraten?"

„Vernimm eine gute Nachricht", entgegnete darauf der Geist. Der Fischer wollte schon aufatmen, da fuhr die unheimliche Erscheinung fort: „Ich bringe dir die Nachricht, daß du noch heute umgebracht werden sollst!"

„Aber warum denn das?" rief entsetzt der Fischer. „Soll das der Dank dafür sein, daß ich dich aus der Tiefe des Meeres gerettet habe?

Statt einer Antwort sagte der Geist: „Du darfst dir etwas von mir ausbitten — nämlich die Art, auf die ich dich töten soll!"

„Aber sag doch: was habe ich verbrochen?"

„Höre meine Geschichte, Fischer", begann da der Geist. „Du mußt wissen, daß ich zu den widerspenstigen und abtrünnigen Geistern gehöre. Zusammen mit dem Geiste Sacher war ich Salomon, dem Propheten Allahs, ungehorsam. Salomon sandte mir seinen weisen Minister Asaf. Er sprach das Urteil über mich, fesselte mich und brachte mich zu Salomon. Der Prophet Allahs sagte zu mir, ich solle ihm gehorsam werden. Als ich mich aber weigerte, sperrte er mich in diese Flasche aus Metall, verschloß sie mit Blei, drückte das Siegel Gottes darauf und befahl einem Geiste, mich wegzutragen und im Meer zu versenken. Nachdem ich zweihundert Jahre auf dem Meeresgrund gelegen hatte, beschloß ich, den reich zu machen, der mich befreien würde. Aber niemand kam. Es vergingen wieder zweihundert Jahre und ich versprach, dem, der mich holen würde, alle Schätze der Erde zu öffnen. Wieder wartete ich vergeblich. In den nächsten zweihundert Jahren wollte ich meinen ersehnten Befreier zum Sultan machen, selbst sein Diener werden und ihm täglich drei Wünsche gewähren. Aber auch in diesen zweihundert Jahren befreite mich niemand. Da wurde ich zornig. Ich tobte, stampfte und schrie und beschloß nun, den zu töten, der mich befreien würde. Und kurz nach diesem Beschluß kamst du und befreitest mich. Sage mir also, auf welche Weise ich dich umbringen soll!"

„Mußte gerade ich in diesen unglücklichen Jahren dich befreien?" rief verzweifelt der Fischer aus. „Mein Schicksal ist verflucht! Doch, Geist, verzeihe mir, und Allah wird auch dir verzeihen. Töte mich nicht, denn sonst wird Allah einem anderen die Kraft verleihen, auch dich zu töten!"

Der Geist aber ließ sich nicht erweichen. „Es hilft alles nichts! Sage mir, wie du sterben willst! Gerade, weil du mich gerettet hast, muß ich dich umbringen!"

„Ach", jammerte da der Fischer, „wie ungerecht ist es auf dieser Welt.

Wir haben Gutes erwiesen, man hat mit Bösem uns
vergolten. So — bei meinem Leben — handeln alle ruch-
losen Menschen. Wer dem Gutes tut, der es nicht
verdient, dem wird es wie einem gehen, der einer Hyäne
Zuflucht gewährt.

So sagt das Sprichwort. Und es lügt nicht."
„Ich kann nicht länger warten", sprach da der Geist. „Beeile
dich, mir deine Todesart zu nennen!"
Verzweifelt suchte der Fischer einen Ausweg. Und da kam ihm
plötzlich eine Idee. ,Dieser ist ein Geist und ich bin ein Mensch',
sagte er sich. ,Durch den Verstand hat Allah mich über ihn erhoben. Nun will ich versuchen, ihn mit Hilfe meines Verstandes
zu überlisten'.
Und er sagte zu dem Geist: „Bei der Wahrheit des höchsten
Namens, der auf Salomons Siegel gestochen war: Wirst du mir
die Wahrheit sagen, wenn ich dich etwas frage?"
Als der Geist den Namen Salomons hörte, zitterte und bebte
er. Dann antwortete er:
„Frage nur! Doch mach es kurz!"
Der Tag brach an und Scheherazade brach ihre Erzählung ab.

DIE ELFTE NACHT

Du warst in dieser Flasche eingesperrt?" Mit dieser Frage
des Fischers begann Scheherazade am nächsten Abend.
„Ich war es", antwortete der Geist. „Ich war es, beim erhabenen
Allah!"
„Du lügst", erwiderte darauf der Fischer. „Denn in diese Flasche
würde nicht einmal deine Hand hineinpassen. Wie soll sie dich
ganz fassen können?"
„Du willst es nicht glauben?" fragte der Geist.
„Ich denke nicht daran!"
Da löste sich der Geist wieder in Rauch auf, der sich schnell zu-

sammenzog, in die Flasche zurückfloß und schließlich ganz darin verschwand.

„Siehst du nun, Fischer, daß ich in der Flasche bin? Willst du mir jetzt glauben?" dröhnte dumpf die Stimme des Geistes heraus.

Der Fischer aber nahm schnell das Blei und drückte es auf die Flasche, bis sie wieder verschlossen war. Dann rief er: „Nun, Geist, kannst du wählen, wie du sterben willst und wie ich dich wieder ins Meer werfen soll! Später werde ich hier ein Haus bauen und alle Fischer warnen: Hier liegt ein Geist, der den umbringt, der ihn befreit!"

Als der Geist das hörte und heraus wollte und nicht konnte, merkte er, daß der Fischer ihn überlistet hatte. Nun flehte er: „Guter Fischer, laßt mich wieder hinaus! Ich habe doch nur Scherz gemacht!"

„Du lügst, du schändlichster aller Geister!" entgegnete der Fischer und zielte mit der Flasche nach dem Meer, während der Geist verzweifelt um Rettung bat. „Hast du zum erstenmal sechshundert Jahre im Meer liegen müssen, so werde ich dich jetzt bis zum jüngsten Tage drinnen lassen. Habe ich dir nicht gesagt, Allah würde auch dich erhalten, wenn du mich leben läßt? Du aber wolltest treulos gegen mich werden und mich umbringen. Nun werde ich ebenso mit dir verfahren!"

Da rief der Geist aus: „Öffne, o Fischer! Ich will dich reich machen und dir viel Gutes erweisen!"

„Du lügst", sagte der Fischer. „Wir beide gleichen dem Könige der Griechen und dem Arzte Duban."

„Wie meinst du?" fragte der Geist.

„Höre!" antwortete der Fischer.

Die Geschichte des Arztes Duban

In einer Stadt Persiens lebte ein König, der auch über die Griechen herrschte. Er war so aussätzig, daß kein Arzt und kein Medikament ihm helfen konnte. Einst kam nun ein griechischer Arzt namens Duban in diese Stadt. Als er von des Königs traurigem Geschick hörte, zog er seine schönsten Kleider an, ging zu dem Herrscher, stellte sich vor und sprach: „Ich werde dich heilen, ohne dir eine Arznei zu trinken oder etwas Fettes zum Einreiben zu geben!"

„Wenn du das kannst, so will ich dich und deine Enkel reich machen, dir viel Gutes tun und dich zu meinem Haus- und Tischgenossen machen", erwiderte der König. Er schenkte dem Arzt sofort ein kostbares Kleid und viele andere Gegenstände und machte ihn zu seinem Freunde. Dann sprach er: „Kannst du mir voraussagen, bis wann du mich heilen wirst?"

„Morgen, so Allah will!" antwortete der Arzt. Hierauf ging er in die Stadt, mietete sich ein Haus, holte seine Wurzeln und Medikamente herbei, verfertigte einen hohlen Kolben mit einem hohlen Griff und goß die nur ihm bekannten Medikamente hinein. Alles mischte er gut und rollte Kugeln daraus und als es vollendet war, ging er damit am andern Tage zum König, küßte die Erde vor ihm, wünschte ihm viel Ruhm und Glück . . .

Da bemerkte Scheherazade den Morgen und schwieg.

Am folgenden Abend fuhr sie fort.

DIE ZWÖLFTE NACHT

Als der Arzt Duban zum König gekommen war, befahl der ihm, sich zu setzen. Alle Vornehmen des Königreiches waren versammelt: Fürsten, Adjutanten, Wesire und Staatsräte.

Der Arzt Duban reichte dem König den Kolben und sagte: „O König, nimm diesen Kolben und gehe damit in Begleitung der Fürsten und Staatsmänner auf die Rennbahn und werfe die Kugeln, bis deine Hand schwitzt. Dann wird sie durch den hohlen Griff die Arznei in sich ziehen. Von hier geht sie in den Arm und verbreitet sich dann über den ganzen Körper. Wenn du merkst, daß auf diese Weise die Arznei in deinen Körper eingedrungen ist, dann kehre sogleich in den Palast zurück, geh ins Bad, wasche dich rein und schlafe. So wirst du mit der Gnade Allahs gesund werden!"

Der König tat, wie Duban ihm riet. Der Arzt brachte die Nacht in seinem eigenen Hause zu. Am nächsten Morgen ging er zum Palast, trat vor den König und küßte die Erde vor ihm. Da erhob sich der König, um ihn zu umarmen und ihn neben sich sitzen zu lassen. Dann unterhielt er sich mit ihm und machte ihm kostbare Geschenke, denn er fühlte sich schon ganz geheilt, und sein Körper war makellos geworden.

Voller Freude ging er in den Staatsrat und nahm den Arzt Duban mit. Er erwies ihm viele Ehren, machte ihn zu seinem Tisch- und Hausgenossen und sagte ihm: „Ein Mann wie du, der Arzt aller Ärzte und ihr Lehrer, verdient es, Königen zu dienen und in ihrer Gesellschaft zu leben!"

Hier bemerkte Scheherazade den Tag. Sie schwieg. Und erst in der folgenden Nacht fuhr sie fort:

DIE DREIZEHNTE NACHT

Am nächsten Morgen bestieg er wieder den Thron und empfing die Wesire und die Großen seines Reiches, die gekommen waren, ihm zu seiner Heilung zu gratulieren. Nun war aber unter diesen Wesiren einer, der ebenso schmutzig wie geizig und neidisch war. Als er sah, wie sehr der König den Arzt belohnt hatte und wie sehr dieser geehrt wurde, fürchtete er, der König könnte ihn selber absetzen, um dem Arzt seine Stellung zu geben. Als er vor den König trat und ihm Ruhm und Glück wünschte, fügte er die Worte hinzu: „O erhabener König, ich bin durch dein Wohlwollen groß geworden, darum muß ich dir einen wichtigen Rat geben!"

„Sprich, welchen Rat willst du mir geben?"

„O König, ich habe bemerkt, daß du nicht auf dem guten Wege gehst, denn du hast deinem Feinde Gutes getan, der deine Regierung stürzen will, deine Wohltaten mißbraucht."

„Wen meinst du?" fragte erstaunt der König.

„Ich meine den Arzt Duban", erwiderte darauf der Wesir, „ihn, der vom Lande Suman kam."

„Der soll mein Feind sein? Er ist doch mein aufrichtigster Freund. Ich achte ihn mehr als alle anderen Menschen, denn er hat mich geheilt, nachdem schon alle anderen Ärzte an meiner Krankheit verzweifelten. Einen Menschen wie ihn findet man kein zweitesmal, weder im Orient noch im Okzident, nicht in der Nähe und nicht in der Ferne. Und da wagst du es, so von ihm zu sprechen? Von heute an wird er ein Monatsgehalt von tausend Dinar und alle ihm gebührenden Ehren empfangen. Selbst wenn ich meine Schätze und mein Königreich mit ihm teilen würde, wäre das immer noch wenig im Vergleich zu seinen Verdiensten. Ich glaube, du sagst mir all das nur aus Neid, denn ich weiß, was ein Wesir zu König Sindbad sagte, als er seinen Sohn umbringen wollte."

„Verzeihung, o König", sprach der Wesir, „was sagte denn jener Wesir zu Sindbad?"

„Folgendes", erwiderte hierauf der König und erzählte

Die Geschichte von Kaiser Sindbad, seinem Sohn und den vierzig Wesiren

Unter den Kaisern von Persien war einer, der Sindbad hieß. Er war der reichste und mächtigste Herrscher auf Erden. Seine Tapferkeit kam seiner Macht gleich, und er hätte die ganze Welt erobern können. Aber er war zufrieden, seine großen und blühenden Länder zu beherrschen und dachte nicht daran, gegen seine Nachbarn Krieg zu führen. Sein einziges Ziel war, seine Untertanen zu beglücken, und sie segneten seine Tage.

Dieser große Kaiser hatte einen Sohn. Er hieß Nourgehan, das heißt ‚Licht der Welt'. Er war schlank gewachsen, strahlend schön und nicht minder klug. Er schoß meisterhaft den Bogen, und es gab kaum eine Kunst, die er nicht beherrschte. Er war das Ebenbild seiner Mutter, der Sultanin, deren Schönheit sprichwörtlich war. Sindbad liebte seine Gattin zärtlich. Als das Schicksal sie ihm nach einer langen Krankheit entriß, war sein Schmerz unbeschreiblich. Doch die Zeit tröstete ihn, und ein anderes Weib ließ ihn die verlorene Gattin vergessen. Er vermählte sich mit der Fürstin Chansade, der Tochter eines benachbarten Königs. Sie war schön und reich an Geist — doch sie war auch leidenschaftlich. So konnte sie den jungen Nourgehan nicht sehen, ohne in glühender Liebe zu ihm zu entbrennen. Aber statt diese Liebe zu bekämpfen, gab sie sich ihr ganz hin. Und sie entschloß sich, ihm ihre Liebe bei nächster Gelegenheit zu gestehen.

Nourgehan widmete sich indessen eifrig dem Studium der Wissenschaften und besonders der Kunst der Sterndeutung, in der ihn sein Lehrer Aboumaschar, einer der geschicktesten Sterndeuter Asiens, unterwies. Eines Tages stellte dieser gelehrte Mann dem jungen Fürsten das Horoskop und erkannte dabei, daß Nourgehan ein furchtbares Unglück drohe. Er sprach zu ihm: „Mein Fürst, ich habe die Gestirne befragt und gefunden, daß sie dir ungünstig stehen. Dich erwartet ein trauriges Schicksal und deshalb empfinde ich bitteren Schmerz." Nourgehan erblaßte bei diesen Worten. Doch sein Lehrer versuchte, ihn zu beruhigen: „Verzage nicht! Meine Liebe zu dir und und meine Wissenschaft werden dem Geschick trotzen. Wohl steht dein Untergang in den Sternen geschrieben, aber es ist nicht unmöglich, ihn zu verhindern. Mein Buch hat mich das Mittel hierzu gelehrt. Vierzig Tage lang darfst du nicht reden. Was man dir auch sagen mag — antworte nicht. Hüte dich, dieses Schweigen zu brechen, denn dein Leben hängt davon ab!" Und Nourgehan versprach, vierzig Tage lang stumm zu sein. Dann schrieb sein Lehrer einige göttliche Namen auf einen Zettel und hängte sie ihm um den Hals. Darauf verbarg sich der Greis in einem unterirdischen Gemach, um dem König nicht Dinge sagen zu müssen, die er verschweigen mußte.

Sindbad, der nicht lange ohne seinen Sohn sein konnte, ließ

ihn zu sich kommen und stellte ihm einige Fragen. Doch Nourgehan, sein Sohn, schwieg. Der Kaiser war darüber erstaunt und rief: „Warum redest du nicht, mein Sohn? Was ist mit dir geschehen, welches Unglück ist dir begegnet? Dein Schweigen macht mich unruhig!"

Doch auch diese Worte blieben ohne Wirkung auf Nourgehan. Er blickte seinen Vater traurig an, und kein Laut kam über seine Lippen. Da wandte sich sein Vater zum Hofmeister seines Sohnes und sprach zu ihm: „Mein Sohn hat einen geheimen Kummer, der ihn zu verzehren droht. Führe ihn in die Gemächer der Sultanin, seiner Stiefmutter. Vielleicht wird er ihr sein Herz öffnen!"

Der Hofmeister tat, wie ihm der Kaiser geheißen hatte und führte Nourgehan zur Sultanin Chansade.

„Herrin!" redete er sie an, „Dein Sohn scheint die Sprache verloren zu haben. Seine Seele ist der Raub eines Kummers. Nun sendet ihn unser Herr zu dir, weil er hofft, daß deine Gegenwart seine Schwermut vertreiben wird."

Der Tag brach an. Scheherazade schwieg. In der folgenden Nacht erzählte sie weiter:

Die Sultanin empfand bei dieser Rede eine angenehme Unruhe. ‚Ich muß‘, sprach sie zu sich selbst, ‚diesen Augenblick nützen. Ich habe ihn so oft herbeigesehnt. Ich wage nichts, wenn ich ihm meine Liebe gestehe. Denn wenn Nourgehan wirklich die Sprache verloren hat, so kann er seinem Vater nicht berichten, was ich ihm gesagt habe. Und sollte er wirklich meine Liebe verraten, so werde ich behaupten, ich habe nur so geredet, um ihn zum Sprechen zu bringen.‘ Also ließ sie alle Anwesenden das Gemach verlassen und blieb allein mit dem Sohn ihres Gemahls.

Sie fiel ihm um den Hals und umschloß ihn mit ihren Armen. „Was betrübt dich so, Geliebter?“ sprach sie. „Du darfst es mir nicht verbergen, denn ich liebe dich zärtlicher, als wärst du mein eigener Sohn!“

Nourgehan war gerührt von diesem Zeichen der Freundschaft seiner Stiefmutter. Er bemühte sich, ihr durch Gebärden zu sagen, wie sehr es ihn betrübe, nicht antworten zu können. Doch sie legte diese Gebärden falsch aus und glaubte, er wolle ihr bedeuten, daß auch er sie brennend liebe und daß ihn bisher nur die Furcht vor dem Vater davor zurückgehalten habe, es ihr zu gestehen.

Verzaubert von diesem Irrtum redete sie zu ihm, wie es nur ein liebendes Weib kann: „Brich dieses Schweigen, es ist uns beiden lästig! Du weißt: alles, was der Kaiser besitzt, gehört auch mir! Wenn du willst, wie ich will, kannst du in kurzer Zeit am Ziel deiner Wünsche sein. Auch passe ich besser zu dir als zu dem Kaiser, denn er ist ein Greis und macht mein Leben kalt und langweilig. Wenn du mir schwörst, mich zu deinem rechtmäßigen Weibe zu machen, gelobe ich dir, den Tod deines Vaters zu beschleunigen. Dann wirst du schon bald Herrscher sein.“

Nourgehan antwortete nicht darauf. Doch er schien betroffen. Deshalb fuhr Chansade fort: Ich sehe: du glaubst nicht, daß ich diesen Vorschlag ausführen kann! Aber höre, wie Sindbad sterben soll. In der Schatzkammer liegen viele Arten von Gift. Es ist eines dabei, nach dessen Genuß man noch einen Monat lebt. Andere töten erst nach zwei Monaten und andere wiederum wirken noch langsamer. Wir wollen von diesen letzten Giften nehmen. Der Kaiser wird erkranken und langsam seinem Ende entgegengehen — ohne daß der Verdacht des Volkes uns treffen kann. Danach besteigst du den Thron, und das ganze Land wird dir gehorchen."

Sindbads Sohn schwieg. Doch auch wenn er hätte reden können, wäre seine Zunge vor Entsetzen gelähmt gewesen.

„Nourgehan", fuhr die Sultanin fort, „ich will dir sagen, wie du deines Vaters Weib zur Gattin bekommen kannst. Sende mich nach deines Vaters Tod heim in mein Vaterland. Schicke heimlich einen deiner Hauptleute und einige Soldaten hinter mir her. Sie sollen als Räuber über mich herfallen und mich entführen. Dann werden wir die Kunde verbreiten, ich sei auf dem Heimweg getötet worden. Nach wenigen Tagen kaufst du mich von dem Hauptmann, wie man junge Sklavinnen kauft. So kannst du mein Gemahl werden."

Hier hielt die Sultanin inne und wartete auf eine Antwort. Als Nourgehan aber noch immer nichts erwiderte, warf sie alle Zurückhaltung ab, schloß ihn in ihre Arme und küßte ihn inbrünstig. Doch Nourgehan, außer sich vor Zorn über ihre Schamlosigkeit, entriß sich ihren Armen und schlug sie so heftig ins Gesicht, daß ihre Lippen bluteten.

Da verwandelte sich die Zärtlichkeit im Herzen der Sultanin in Zorn. Sie funkelte vor Wut.

„Elender!" rief sie. „So behandelst du die Fürstin, die dich anbetet? Selbst wenn du mich töricht findest, so solltest du mich doch entschuldigen, denn aus mir sprach die Liebe. Eher verdiene ich dein Mitleid als die Ausbrüche deiner Roheit. Fort von mir! Und fürchte dich vor der Rache eines Weibes, dessen Gunst du verachtet hast!"

Nourgehan war schon davongeeilt, nachdem er sie geschlagen hatte. Er hörte kaum noch die Hälfte ihrer Vorwürfe und Drohungen.

Die Sultanin aber beschloß, ihn zu verderben. Sie zerriß ihre

Gewänder, löste ihr Haar auf, rieb sich das ganze Gesicht mit dem Blut ihrer Lippen ein und begann laut zu schreien und zu klagen.

Bald kam der Kaiser zu ihr, um sich zu erkundigen, ob sein Sohn das Schweigen gebrochen habe. Er war entsetzt, als er seine Gemahlin in diesem Zustand sah. Und da er sie zärtlich liebte, rief er außer sich vor Zorn und Schmerz: „O, Teuerste meiner Seele, wer hat es gewagt, dich zu mißhandeln? Nenne mir seine Namen! Diese Schmach soll gerächt sein!"

Bei diesen Worten weinte die Sultanin noch heftiger und antwortete: „O Kaiser und unglücklicher Vater! Könnte ich dir doch verbergen, was du wissen willst! Wie wird es dich entsetzen, wenn du hörst, daß dein Sohn es war, der mich so mißhandelte!"

„Großer Gott! Mein Sohn?" unterbrach sie der Kaiser. „Wie hat sein Haß gegen seine Stiefmutter ihn verleiten können, dich so zu mißhandeln? Hat selbst die Ehrfurcht mir gegenüber ihn nicht davon abhalten können?"

„Herr", erwiderte die Sultanin, „seine Schuld ist noch größer als du denkst! Ich saß auf dem Diwan, als er eintrat. Ich befahl meinen Dienerinnen, uns zu verlassen, damit er mir die Ursache seines Schweigens bekennen könne. Er hat es nur zu offen getan! ‚Sultanin‘, sagte er, ‚die Ursache dieses Schweigens bist allein du. Ich liebe dich, und nur, weil ich dich nicht ohne Zeugen sprechen kann, verzehrt mich die Schwermut. Wie glücklich bin ich, dich endlich allein sprechen zu können! Wenn du mich erhörst, bin ich entschlossen, meinen Vater zu töten und dich zum Weibe zu nehmen. Sein Volk ist gleich mir seiner langen Regierung müde!‘ Erlasse mir, o Herr, dir Wort für Wort alles zu wiederholen", fuhr Chansade fort. „Noch jetzt zittere ich vor Entsetzen darüber. Als er sah, daß es ihm nicht gelingen würde, mich zu überreden, zerriß er meine Gewänder, schlug mich und hätte mir ohne Zweifel das Leben genommen, wenn er nicht fürchten mußte, meine Dienerinnen könnten zurückkommen. Er floh also und ließ mich in diesem Zustand zurück."

All das erzählte sie mit allen Zeichen tiefsten Kummers. Der

Kaiser glaubte ihr, und obwohl er seinen Sohn liebte, ließ er sich von seinem Zorn beherrschen. Er verließ die Sultanin, rief den Scharfrichter zu sich und befahl ihm, alles zur Hinrichtung Nourgehans vorzubereiten.

Bald hörten die vierzig Wesire des Kaisers Sindbad von diesem grausamen Befehl. Sie wunderten sich, daß der Herrscher beschlossen hatte, seinen Sohn zu töten, ohne vorher ihren Rat gehört zu haben. Sie eilten zu dem erzürnten Herrscher, und einer von ihnen sprach:

„O Beherrscher der Welt, wir flehen dich an, uns nur für heute noch das Leben des Fürsten Nourgehan zu bewilligen und uns zu sagen, welches Verbrechen er begangen haben soll!"

Der Kaiser erzählte ihnen alles, wie die Sultanin es ihm mitgeteilt hatte.

Da meldete sich der älteste Wesir zum Wort und begann: „O Kaiser, hüte dich, den Eingebungen eines Zorns zu folgen, den ein Weib dir eingab, und eine Tat gegen die Befehle Allahs zu begehen. Die Sultanin klagt deinen Sohn an, ohne Zeugen für seine Tat zu nennen. Sie fordert seinen Tod, weil er sie liebt und weil er, wie sie sagt, mit Gewalt seine Liebe befriedigen wollte. Aber seit wann halten Weiber ihre Keuschheit so hoch in Ehren, daß sie den Tod der Männer fordern, die sie zu begehren wagen? Gewiß: es gibt Tugendhafte genug. Doch sie verzeihen leicht ein Verbrechen, das nur ihrer Schönheit wegen begangen wird. Hüte dich, o Herr, deinen Sohn einer Verleumdung zu opfern und vielleicht nur dem Zorn derjenigen, die ihn ins Verderben stürzen möchte, weil es ihr nicht gelang, ihn zu verführen. Bedenke, wie listig die Weiber sind. Die Geschichte des Scheichs Schahabeddin beweist, wie sehr ihre Bosheit zu fürchten ist!"

Der Kaiser wünschte, die Geschichte Schahabeddins zu hören, und der Wesir erzählte sie:

Die Geschichte des Scheichs Schahabeddin

Der Sultan von Ägypten versammelte eines Tages in seinem Palast alle Gelehrten seines Reiches. Da erhob sich unter ihnen ein Streit. Man sagt, der Engel Gabriel habe eines Nachts Mohammed aus seinem Bett entführt und ihm alles gezeigt, was die sieben Himmel enthalten und dazu das Paradies und die Hölle. Danach brachte der Engel den Propheten, nachdem dieser mit Allah achtzigtausend Unterredungen gehabt hatte, in sein Bett zurück. Ferner sagt man, das alles sei in so kurzer Zeit geschehen, daß Mohammed nach seiner Rückkehr sein Bett noch warm gefunden und — mehr noch — einen Topf wieder aufgehoben habe, dessen Wasser noch nicht ausgeflossen, obgleich er in dem Augenblick umgefallen war, als der Engel Gabriel Mohammed entführte.

Der Sultan, der in dieser gelehrten Versammlung den Vorsitz hatte, behauptete, das sei unmöglich.

„Ihr versichert", sprach er, „daß es sieben Himmel gibt und zwischen jedem einen gleich großen Raum, und daß der Weg zu einem fünfhundert Jahre dauert und jeder Himmel so hoch ist, wie die Entfernung zum anderen beträgt. Wie ist es nun möglich, daß Mohammed, nachdem er alle diese Himmel durchwanderte und außerdem noch seine Unterredungen mit Allah gehabt hatte, nach der Rückkehr sein Bett noch warm und das Wasser noch in dem Topf fand?"

Die Gelehrten antworteten, es ginge dabei ohne Zweifel nicht mit rechten Dingen zu, der göttlichen Allmacht aber sei alles möglich. Doch der Sultan war ein Freigeist, der nichts glauben wollte, was gegen die Vernunft ist. Und so wollte er auch dieses Wunder nicht glauben, und die Gelehrten trennten sich.

Der Streit erregte Aufsehen in Ägypten. Auch der gelehrte Scheich Schahabeddin hörte davon. Er begab sich in der größten Hitze des Tages in den Palast des Sultans. Der führte ihn in ein prachtvolles Gemach, hieß ihn sich setzen und sprach zu ihm: „Gelehrter Mann! Weshalb machst du dir die Mühe, hierher zu kommen? Es hätte genügt, wenn du einen deiner Diener geschickt hättest!"

„Herr", antwortete der Scheich, „ich komme eigens, um die Ehre zu haben, mit dir zu sprechen!" Und der Sultan, der wußte, daß der Scheich stolz vor Fürsten und Mächtigen war, zeigte sich freundlich gegen ihn.

Nun hatte das Gemach, in dem sie sich aufhielten, vier Fenster nach vier verschiedenen Richtungen. Schahabeddin bat den Sultan, diese Fenster schließen zu lassen. Als es geschehen war, ließ der Scheich ein Fenster wieder öffnen, und zwar jenes, das die Aussicht auf den Berg Kzeldagsi, den „roten Berg", zeigte. Er bat den Sultan, hinauszusehen.

Der Sultan tat es, sah den Berg und — in der Ebene — Soldaten mit Schildern und Panzerhemden. Sie saßen alle zu Pferd, hatten die Schwerter in den Händen und ritten gegen das Schloß an. Bei diesem Anblick erbleichte der Sultan und rief aus: „O Himmel, welch furchtbares Heer greift dort mein Schloß an?"

„Herr, fürchte dich nicht", sprach der Scheich, „es ist nichts!" Und er schloß das Fenster, öffnete es jedoch alsbald wieder, und der König sah jetzt niemanden mehr, weder auf dem Berg noch in der Ebene.

Ein anderes Fenster ging auf die Stadt. Der Scheich ließ es öffnen, und der Sultan sah die ganze Stadt Kairo in Flammen.

„Meine schöne Stadt!", rief da der Herrscher aus. „Ich sehe sie in Schutt und Asche!"

„Herr, fürchte dich nicht!" sprach da wieder der Scheich, „es ist nichts!"

Dann ließ der Scheich das dritte Fenster öffnen. Dort sah der Sultan den Nil, der über die Ufer trat und dessen mächtige Wogen sich dem Schloß näherten.

„Alles ist verloren!" rief der König aus. „Diese schreckliche Überschwemmung wird meinen Palast vernichten und mich und mein Volk ertränken!"

Und wieder sprach der Scheich: „Herr, es ist nichts!" Und kaum hatte Schahabeddin das Fenster geschlossen und wieder geöffnet, da nahm der Nil seinen Lauf wie gewöhnlich.

Zuletzt ließ er das vierte Fenster öffnen. Dieses Fenster gewährte Ausblick auf eine fruchtbare Ebene. Der Anblick bereitete dem König Vergnügen, denn sonst hatte er durch dieses Fenster nur unfruchtbare Einöden gesehen, nun aber bemerkten seine Augen Weinberge, fruchtbare Gärten, sanfte

Quellen und Blumen in üppiger Fülle. Zwischen den Blumen sah man Tauben und Nachtigallen, deren Gesang die Luft mit zärtlichen Lauten erfüllte. Der Sultan glaubte, das Paradies auf Erden zu sehen.

„Welche Veränderung, welch herrlicher Garten!" rief er begeistert aus. Wie wird es mir gefallen, täglich darin zu lustwandeln!"

„Freue dich nicht zu sehr, o Herr!" sprach da der Scheich, „es ist nichts!" Mit diesen Worten schloß er das Fenster, öffnete es wieder, und der Sultan sah statt des herrlichen Gartens die Wüste, wie sie vorher dort gewesen war.

„Herr", sprach darauf der Scheich, „wohl habe ich dir viel Wunderbares gezeigt, aber es ist nichts im Vergleich zu dem Wunder, dessen Zeuge du noch sein sollst. Laß einen Kübel Wasser bringen!"

Der König gab den Befehl, und als der Kübel im Zimmer stand, sprach Schahabeddin zum Sultan: „Erlaube, daß man dich ganz entkleidet und nur ein Tuch um deine Lenden legt!" Der König willigte darin ein und ließ sich entkleiden. Als er nur noch mit einem Tuch bedeckt war, sprach Schahabeddin weiter: „Tauche deinen Kopf, o Herr, ins Wasser und ziehe ihn wieder heraus."

Der König tauchte seinen Kopf ins Wasser und befand sich im gleichen Augenblick am Fuße eines Berges, nicht weit vom Meer entfernt. Dieses Wunder erstaunte ihn noch mehr als die vorigen.

„Ha, Scheich!" rief er wütend aus. „Du hast mich schnöde betrogen! Du hast mich mit deiner schwarzen Kunst aus Ägypten vertrieben. Doch sollte ich jemals zurückkehren, das schwöre ich dir, werde ich mich an dir rächen! Mögest du dafür im Elend umkommen!"

Er fuhr noch eine Weile in seinen Verwünschungen gegen den Scheich fort, doch als er sah, daß es nichts nützte, faßte er einen Entschluß und ging auf einige Leute zu, die im Walde Holz fällten. Er nahm sich aber vor, ihnen nicht zu sagen, wer er sei. ‚Denn wenn ich ihnen sage, daß ich ein mächtiger

König bin', sprach er zu sich selbst, ,so werden sie mich für einen Narren oder für einen Betrüger halten!'

„Ach, gute Leute", erklärte er den Holzfällern, „ich bin ein Kaufmann und habe Schiffbruch erlitten. Ich konnte mich auf einem Brette retten, sah euch und ging auf euch zu. Habt Mitleid mit mir!"

Sie waren gerührt von seinem Unglück. Aber da sie selber sehr arm waren, konnten sie ihm nicht helfen. Dennoch gab ihm der eine ein altes Kleid, der andere alte Schuhe, und nachdem sie so dafür gesorgt hatten, daß er wieder unter Menschen erscheinen konnte, geleiteten sie ihn in ihre Stadt, die hinter dem Berge lag. Dort nahmen sie Abschied von ihm, überließen ihn seinem Schicksal und gingen heim zu ihren Frauen und Kindern.

Der Sultan wandelte durch die Straßen, ohne zu wissen, was aus ihm werden sollte. Bald wurde er müde und sah sich nach einem Platz um, an dem er ausruhen könnte. Vor dem Hause eines alten Hufschmieds blieb er stehen. Der Schmied sah, wie müde der Wanderer war und hieß ihn eintreten.

„O Jüngling", sprach der Greis, „welches Gewerbe treibst du und wie kommst du hierher?"

Der Sultan antwortete ihm, wie er auch den Holzfällern geantwortet hatte. „Ich habe mitleidige Leute gefunden, die mich mit diesem Kleid und diesen Schuhen beschenkten", fügte er hinzu.

„Es freut mich", sagte darauf der Schmied, „daß du dem Schiffbruch entkommen bist. Wenn du dich über den Verlust deines Vermögens hinwegtröstest, dann wirst du in dieser Stadt vielleicht nicht unglücklich sein. Willst du dich nicht hier niederlassen?"

„Gewiß", antwortete der Sultan, „ich wünsche nichts, als hierzubleiben. Wenn nur mein Gewerbe hier gut geht."

„Nun", versetzte darauf der Greis, „dann folge meinem Rat. Gehe gleich zu den öffentlichen Bädern der Weiber. Setz dich dort vor die Tür und frage jede, die herauskommt, ob sie einen Mann hat. Jene, die mit Nein antwortet, wird dein Weib werden. So ist es Sitte hierzulande."

Der Sultan beschloß, diesem Rat zu folgen. Er verabschiedete sich von dem Greis und setzte sich an die Tür der Bäder. Er war noch nicht lange dort, als ein Weib von hinreißender Schönheit heraustrat. Er hielt sie an und sprach zu ihr: „Sage mir, schönes Weib, hast du einen Mann?"

„Ja, ich habe einen", erwiderte sie.

„Um so schlimmer", entgegnete der Sultan, „denn du wärst sonst die rechte."

Die Angeredete setzte ihren Weg fort. Bald darauf trat ein altes Weib heraus, das erschreckend häßlich war. Der Sultan zitterte bei ihrem Anblick. Aber da der alte Hufschmied ihm gesagt hatte, er solle alle Weiber fragen, trat er auch auf dieses zu und sagte: „Sage mir, hast du einen Mann?"

Das häßliche Weib bejahte diese Frage. Und dieses Ja freute den Sultan ebenso sehr, wie ihn das Nein des ersten Weibes betrübt hatte.

Ein drittes Weib trat aus dem Badehaus, ebenso häßlich wie das zweite. Als es an dem Sultan vorüberging, stellte er zitternd auch hier die Frage: „Sage mir doch, o Schöne, ob du verheiratet bist."

„Ja, Jüngling", antwortete das Weib, ohne sich aufzuhalten.

Schon bereitete er sich innerlich darauf vor, einer noch Häßlicheren zu begegnen, als ein viertes Weib erschien. Und dieses Weib übertraf das erste sogar noch an Schönheit.

Frohlockend näherte er sich ihr und fragte sie mit höflicher Verneigung: „Liebenswürdigste deines Geschlechts, hast du schon einen Mann?"

„Nein", antwortete sie ihm und musterte ihn mit stolzen und aufmerksamen Augen. Darauf ging sie weiter und ließ den Sultan staunend und überrascht stehen.

„Was soll ich davon halten", sprach er bei sich selber, „mir scheint, der alte Schmied hat mich zum Narren gehalten. Wenn ich nach den Gesetzen dieses Landes dieses Weib heiraten soll, weshalb ist es dann so stolz weitergegangen? Ich las in ihren Blicken sogar Verachtung. Nun ja, um der Wahrheit die Ehre zu geben: In diesem alten durchlöcherten Rock biete ich nicht eben den schönsten Anblick. Und es ist verständlich,

Wenn sie glaubt, sie hätte sicher einem Besseren begegnen können."

Während er so seine Betrachtungen anstellte, trat ein Sklave zu ihm: „Herr, ich suche einen zerlumpten Fremden. Und dem Aussehen nach könntest du das sein. Ich bitte dich, mir zu folgen. Ich werde dich an einen Ort führen, wo man ungeduldig auf dich wartet."

Der Sultan folgte dem Sklaven, wurde in ein großes Haus geführt und gebeten, in einem sehr sauberen Gemach zu warten. Zwei Stunden wartete er und sah niemanden außer dem Sklaven, der von Zeit zu Zeit zu ihm trat und ihn bat, nicht ungeduldig zu werden.

Endlich erschienen drei reichgeschmückte Weiber. Sie begleiteten ein anderes Weib, das von Edelsteinen, mehr aber noch durch seine Schönheit strahlte. Kaum hatte der Sultan sie gesehen, da erkannte er in ihr die letzte der Frauen, die aus dem Bade gekommen waren. Sie nahte sich ihm lächelnd. „Verzeih mir, o Herr!" sprach sie zu ihm, „wenn ich dich eine Weile warten lassen mußte. Aber ich wollte mich vor meinem Herrn und Gebieter nicht im Morgenkleide zeigen. Du bist in deinem Hause. Alles, was du siehst, gehört dir. Du bist mein Gemahl und brauchst nur zu befehlen. Ich bin stets bereit, deinem Willen zu gehorchen."

„Herrin", entgegnete der Sultan, „noch vor einem Augenblick beklagte ich mein Schicksal. Nun bin ich der glücklichste der Menschen. Aber da ich dein Gemahl bin, so sage mir, weshalb vorhin deine Blicke so stolz auf mir ruhten. Ich glaubte, mein Anblick hätte dich mißtrauisch gemacht, und ich konnte es dir nicht verargen."

„Herr", erwiderte hierauf das schöne Weib, „ich hütete mich wohl, anders zu blicken. Es ist hier Brauch, daß die Weiber so stolz tun. Aber dafür sind sie auch im Hause um so freundlicher."

„Um so besser", entgegnete der Sultan, „genauso liebe ich es. Doch da ich nun einmal Herr hier im Hause bin, so will ich beginnen, mein kleines Königreich zu regieren. Man hole mir also einen Schneider und einen Schuster. Ich schäme mich nämlich, in diesem alten Rock und in diesen alten Schuhen vor dir zu erscheinen. Denn, o Herrin, sie entsprechen nicht der Stellung, die ich bis jetzt in der Welt eingenommen habe."

„Deinem Befehl bin ich schon zuvorgekommen, mein Gebieter", antwortete die Frau. „Ich sandte einen Sklaven zu einem Kaufmann, der fertige Kleider verkauft und dir alles liefern soll, was du brauchst. Nimm einstweilen einige Erfrischungen zu dir." Sie nahm ihn an der Hand und führte ihn in einen Saal, in dem eine mit Früchten und Backwerk bedeckte Tafel stand. Beide setzten sich zu Tisch, und während sie aßen, sangen die drei anderen Weiber, die hinter ihnen standen, Lieder des Dichters Bada-Saudai. Dabei spielten sie verschiedene Instrumente. Zuletzt nahm auch noch ihre Herrin eine Laute, sang ein rührendes Lied und erfreute den Sultan durch ihren Gesang und ihr Spiel.

Sie sang und spielte, bis der Kaufmann eintraf. Er brachte einige Burschen mit, die Ballen von Seidenstoffen trugen. In den Ballen waren Gewänder von allen Farben. Alles wurde genau betrachtet, und schließlich wählte man ein Unterkleid von prächtigem weißem Seidenstoff und einen Talar von violettem Tuch. Dann lieferte der Kaufmann noch die übrigen nötigen Kleidungsstücke und verließ schließlich mit seinen Burschen den Saal.

Jetzt staunte die Frau, wie gut der Sultan aussah. Sie war zufrieden, einen solchen Mann zu haben, wie auch er sich darüber freute, eine so schöne Gattin zu besitzen.

Sieben Jahre lang lebte er mit diesem Weibe und hatte mit ihr sieben Töchter und sieben Söhne. Aber da sie beide den Aufwand liebten und nur daran dachten, herrlich und in Freuden zu leben, kam es schließlich so weit, daß der Frau von ihrem Vermögen nichts mehr blieb. Die Begleiterinnen und die Sklaven mußten entlassen werden und Stück für Stück des Hausgeräts verkauft — nur, um das Leben fristen zu können.

Als die Frau dieses Elend sah, sprach sie zu ihrem Mann: „So lange ich Geld hatte, hast du nicht gespart. Du hast deine Tage mit Frohsinn und Müßiggang verbracht. Nun ist es an dir, daran zu denken, wie du deine Familie ernähren willst!"

Diese Worte betrübten den Sultan. Er ging wieder zu dem alten Schmied, um ihn um Rat zu bitten. „O mein **Vater**", redete er ihn an, du siehst mich jetzt unglücklicher als damals, als ich diese Stadt betrat. Ich habe ein Weib und vierzehn Kinder und habe nichts, um sie zu ernähren."

„O Jüngling", fragte der Greis, „verstehst du denn kein Handwerk?"

Als der Sultan das verneinte, zog der Schmied zwei kleine Münzen aus der Tasche, reichte sie dem Sultan und sprach: „Gehe gleich und kaufe dir Tragstricke. Dann stelle dich auf den Platz, wo die Lastträger sich versammeln."

Der Sultan kaufte die Stricke und stellte sich zu den Lastträgern. Kaum war er eine kleine Weile dort, da kam ein Mann und sprach: „Sag, willst du mir eine Last tragen?"

„Dazu bin ich hier", entgegnete der Sultan. Darauf lud der Mann einen schweren Sack auf seine Schultern. Es kostete den Sultan viele Mühe, ihn zu tragen, und die Stricke am Sack rieben ihm dabei die Schultern wund. Doch dann empfing er seinen Lohn, einen winzigen Aktascha, und brachte ihn in seine Wohnung. Als die Frau sah, daß er nur einen Aktascha mitbrachte, sagte sie, wenn er nicht täglich zehnmal so viel verdiene, müßte bald seine ganze Familie verhungern.

Am folgenden Morgen ging der Sultan tief betrübt nicht auf den Platz der Lastträger, sondern ans Ufer des Meeres, um dort über sein Unglück nachzudenken. Aufmerksam betrachtete er den Platz, auf den er so unvermutet durch die böse Kunst des Scheichs geraten war. Er rief die ganze unheilvolle und befremdliche Begebenheit in sein Gedächtnis zurück. Da er sich noch waschen mußte, ehe er betete, tauchte er ins Wasser nieder. Doch wie groß war sein Erstaunen, als er sein Haupt zurückzog: er fand sich in seinem Schlosse wieder, mitten in dem Kübel und umgeben von seinen Beamten.

„O grausamer Scheich!" rief er aus, als er Schahabeddin gewahrte. „Fürchtest du nicht, daß Allah dich bestraft, weil du deinen Herrn und Sultan so behandelt hast?"

„Herrscher", sprach der Scheich, „weshalb zürnst du mir? Eben erst hast du dein Haupt in diesen Behälter getaucht und es sofort wieder zurückgezogen. Wenn du es nicht glaubst, so frage doch deine Beamten hier, die alle Zeugen sind."

„Ja, Herr", riefen einstimmig die Beamten, „der Scheich redet die Wahrheit!"

Doch der König beruhigte sich nicht dabei.

„Ihr seid alle Betrüger!" rief er aus. „Seit sieben Jahren hält mich dieser Scheich — verflucht sei sein Name — durch die Gewalt seiner Zauberkunst in einem fremden Land zurück. Ich habe dort geheiratet, habe sieben Söhne und sieben Töchter — doch darüber beklage ich mich nicht so sehr als darüber, daß ich Lastträger gewesen bin. Sag, verdammter Scheich, wie kannst du es wagen, mich Lasten tragen zu lassen?"

„Nun, Herr", entgegnete der Scheich, „wenn du meinen Worten keinen Glauben schenken willst, so sollen dich meine Taten überzeugen!" Mit diesen Worten entkleidete er sich, bedeckte seine Lenden mit einem Tuch, stieg in den Kübel und tauchte seinen Kopf unter Wasser. Während er so tauchte, ergriff der Sultan einen Säbel, um dem Gelehrten den Kopf abzuschlagen, sobald er ihn wieder aus dem Wasser zöge. Aber der Scheich erkannte durch die Kunst des Gedankenlesens die Absicht des Sultans, und durch die Kunst des Unsichtbarwerdens verschwand er sofort nach Damaskus. Von dort schrieb er dem Herrscher Ägyptens einen Brief:

„O Sultan, wisse, daß wir beide, Du und ich, nur arme Knechte des großen Allah sind. Während Du Dein Haupt ins Wasser tauchtest und es alsbald wieder zurückzogst, hast Du sieben Jahre gelebt, hast geheiratet und Kinder gezeugt, Lasten getragen und viel erduldet. Und doch willst du nicht glauben, daß Mohammed, unser großer Prophet, sein Bett noch warm und seinen Wassertopf noch nicht leer gefunden hat? Erkenne, daß nichts dem unmöglich ist, der Himmel und Erde erschaffen hat durch das einzige Wort: Es weide!"

Nachdem der Sultan diesen Brief gelesen hatte, wurde er gläubig. Aber trotzdem war sein Zorn gegen den Scheich noch nicht besänftigt. Er schrieb an den Herrscher von Damaskus und bat ihn, Schahabeddin fangen zu lassen, ihn zu töten und ihm seinen Kopf zu senden.

Der König von Damaskus gab sich alle Mühe, dem Verlangen des Sultans nachzukommen. Er erfuhr, daß der Scheich sich unweit der Stadt in einer Höhle aufhielt und befahl seinen Leibwachen, sich dorthin zu begeben, sich Schahabeddins zu bemächtigen und den Gefangenen vor ihn zu bringen. Die Leibwachen eilten zur Höhle und glaubten, leichtes Spiel zu haben. Wie sehr aber staunten sie, als sie den Eingang der Höhle von einer großen Schar berittener und mit Schwertern und Panzerhemden bewaffneter Krieger besetzt fanden.

Sie kehrten zu ihrem König zurück und berichteten ihm, was sie gesehen hatten. Der Herrscher, erbost über diesen Widerstand, sammelte seine Truppen und zog selber aus, um den Scheich zu belagern. Doch der stellte ihm ein so starkes Kriegsheer entgegen, daß sich der König erschreckt zurückzog.

Der König aber war wild entschlossen, nicht von seinem Vorhaben abzulassen. Er fragte seine Wesire um Rat. Sie antworteten ihm, so mächtig er auch sei, so sei er doch nicht stark genug, einen Mann zu besiegen, dem eine göttliche Macht zur Seite stehe.

„Doch, Gebieter", sprach der älteste Wesir, „wenn du Herr werden willst über den Scheich, so sende ihm eine Botschaft, du wünschest Frieden mit ihm zu schließen! Wähle die schönste Sklavin aus deinem Serail und schenke sie ihm. Doch vorher befiehl diesem Mädchen, sie solle versuchen, von dem Scheich zu erfahren, ob es nicht eine Zeit gibt, in der er keine Wunder tun kann."

Dem König gefiel dieser Rat. Er sandte dem Scheich seine schönsten Sklavinnen und ließ ihm seine Freundschaft anbieten. Der Scheich glaubte, der König von Damaskus bereue, ihn so ungerecht verfolgt zu haben. Er ging in die Falle und nahm die Sklavinnen an. Und unter ihnen war eine, in die er sich verliebte.

Als dieses Mädchen merkte, wie sehr der Scheich ihr verfallen war, sprach sie zu ihm: „O Scheich, ich wünschte zu wissen, ob es eine Zeit gibt, in der du keine Wunder tun kannst."

„Schönes Weib", erwiderte er, „ich bitte dich: frag mich das nie wieder. Wir wollen nur ein frohes Leben führen. Was kann dir denn an einer Antwort auf deine Frage liegen?" — „Wenn du mich wirklich liebtest", antwortete sie, „so würdest du kein Geheimnis vor mir haben!" Und sie quälte ihn so lange, bis er ihr gestand, keine Macht zu haben, nachdem er ein Weib erkannt und bevor er die heilige Waschung getan hätte.

Als die Sklavin das erfahren hatte, ließ sie es den König wissen. Der befahl seiner Leibwache, sich heimlich nachts vor die Tür des Scheichs zu stellen und sich seiner zu bemächtigen, sobald die Sklavin ihnen öffnen würde.

Schahabeddin hatte die Gewohnheit, nachts einen großen Topf Wasser neben sein Bett zu stellen, um sich seiner für die Abwaschung zu bedienen. Die Sklavin verschüttete dieses Wasser, als sie sich zu ihm legte, ohne daß der Scheich es bemerkte. Und als er sich dann waschen wollte, fand er den Krug leer. Unter dem Vorwand, Wasser holen zu wollen, öffnete das Mädchen nun die Tür, und die Krieger des Königs drangen in die Höhle. Da erkannte der Scheich den Verrat der Sklavin. Er ergriff zwei Leuchter mit brennenden Kerzen und drehte sich damit, seltsame Worte murmelnd, in dem Gemach um. Die Leibwachen aber waren erschrocken über die Gebärden und Worte des Scheichs. Und weil sie fürchteten, er könnte sie verzaubern, flüchteten sie aus der Höhle.

Der Scheich verschloß sofort die Tür und wusch sich ab. Dann nahm er, um sich an der Sklavin zu rächen, deren Gestalt an, gab ihr sein Aussehen, verließ die Höhle und lief hinter der Leibwache her.

„He, ihr Feiglinge", sagte er zu ihnen, „befolgt ihr so die Befehle eures Herrn, des Königs? Er wird euch alle töten, wenn ihr ohne den Scheich nach Damaskus zurückkehrt. Weshalb seid ihr geflohen? Kehrt zurück in die Höhle und fürchtet nichts. Da ich mutiger bin als ihr, will ich ihn selbst ergreifen und euch übergeben!"

Die Soldaten faßten wieder Mut, folgten dem Scheich — den sie als Sklavin sahen —, und ergriffen, in dem Glauben, den Scheich zu fangen, die Sklavin und banden ihr Hände und Füße. Sie konnte kein Wort dagegen sagen, denn der Scheich hatte ihr die Gabe der Rede genommen. Die Soldaten führten sie zum König von Damaskus, der ihr auf der Stelle das Haupt abschlagen ließ. Doch als das Haupt vom Rumpf getrennt war, gab der Scheich dem Körper seine wahre Gestalt wieder und zeigte dem König, daß er eben die Sklavin hatte enthaupten lassen. Er selbst aber nahm seine eigene Gestalt an und sprach zum König von Damaskus:

„O König! Dem Sultan von Ägypten zu Gefallen wolltest du mich ins Verderben stürzen. Merke nun, daß man niemals ungerecht verfolgen soll und danke Allah, daß ich meine Rache auf die Bestrafung dieses verräterischen Weibes beschränke."

Und damit verschwand der Scheich und ließ den König von Damaskus und alle, die Zeugen dieser wunderbaren Begebenheit gewesen waren, voller Erstaunen zurück. —

„Dieses, o Herr, ist die Geschichte des Scheichs Schahabeddin", fuhr der erste Wesir des Kaisers von Persien fort. „Du erkennst daraus, daß die Männer sich nicht genug in acht nehmen können vor der List der Weiber. Erlaube uns also, deinen Sohn Nourgehan noch zu sprechen, bevor du ihn töten läßt. Vielleicht wird sich seine Unschuld herausstellen."

„Es sei so", entgegnete der Kaiser. „Ich bin bereit, den Tod meines Sohnes bis morgen aufzuschieben."

Die Wesire gingen, um den Kaisersohn im Gefängnis zu besuchen. Am Abend nahm der Kaiser mit seiner Gemahlin Chansade die Mahlzeit ein. Nach beendetem Mahl sprach das Weib zu dem Herrscher:

„Ich fürchte, o Herr, du wirst es bereuen, den Tod Nourgehans aufgeschoben zu haben. Der Mensch, so sagt der Koran, hat zweierlei Feinde, die er liebt: seine Kinder und sein Gut. Dein Sohn ist dein Feind, weil er fähig war, den Gedanken an das fluchwürdige Verbrechen zu fassen, das er ausführen wollte. Bestrafe ihn, wie es deine Pflicht ist, und höre nicht auf andere. Niemand kann es allen recht machen. Die Geschichte des alten Gärtners beweist es. Erlaube, o Herr, daß ich sie dir erzähle."

Der Gärtner, sein Sohn und der Esel

Ein alter Gärtner trieb eines Tages seinen Esel aus. Er selber ging neben dem Tier her, sein Sohn aber ritt darauf. Viele Leute begegneten ihnen und alle riefen: „Seht doch nur den alten Tor! Sein Sohn spreizt sich auf dem Esel, und er selber läuft nebenher!"

Der alte Gärtner hörte auf die Leute. Er ließ seinen Sohn absteigen und bestieg selber den Esel.

„Der alte Mann", riefen da die Leute, die vorüber kamen, „hat sicher den Verstand verloren. Er sitzt allein auf dem Esel und läßt seinen Sohn nebenherlaufen!"

Da nahm der Gärtner seinen Sohn hinter sich auf den Esel. „Wie unziemlich", riefen bald einige Vorübergehende, „daß der junge Mensch so hinter dem Greise sitzt!"

Kaum hatten Vater und Sohn ihre Plätze gewechselt, als sie wieder anderen Leuten begegneten. Und diese riefen aus: „Hat denn der Greis überhaupt keine Scham, den Jüngling so vor sich her zu führen?"

Und so mochte der Gärtner tun, was er wollte — er konnte sich und seinen Sohn nicht so auf den Esel setzen, daß er es allen Leuten recht machte. —

„Du siehst daraus, o Herr", sprach Chansade weiter, „wie töricht es ist, auf jeden Rat zu hören. Führe deshalb deinen ersten Entschluß aus und strafe deinen undankbaren Sohn."
Am folgenden Morgen befahl der Kaiser von Persien dem Nachrichter, den Prinzen Nourgehan zu töten.
Da trat der zweite Wesir vor und sprach:

„Hüte dich, Herrscher, den Anklagen deiner Gemahlin zu trauen. Es gibt mehr Geschichten von den Ränken der Weiber als Sterne am Himmel stehen und das Meer Tropfen hat. Darum, o Herr, erlaube, daß ich dir die Geschichte vom Papagei erzähle."

Die Geschichte vom Ehemann und vom Papagei

Es lebte einst ein sehr eifersüchtiger Mann, der eine sehr schöne und liebenswürdige Frau hatte. Einmal mußte er, so ungern er sie auch allein ließ, eine Reise antreten. Also ging er auf den Markt, kaufte einen Vogel und brachte ihn nach Hause, damit der Vogel dort Wache hielte und ihm alles erzähle, was vorgegangen war. Der Papagei war sehr schlau und listig. Als der Mann von seiner Reise zurückkam, erzählte der Vogel ihm, was sie jeden Tag mit ihrem Geliebten getrieben habe. Der Mann hörte das, geriet darüber in den höchsten Zorn und überhäufte seine Frau mit Schlägen. Die Frau glaubte, eine ihrer Sklavinnen habe sie verraten. Doch alle Sklavinnen schworen, gehört zu haben, wie der Papagei ihrem Mann von allem erzählte. Da befahl die Frau einer Sklavin, eine Mühle zu nehmen und unter dem Käfig zu mahlen. Einer anderen befahl sie, Wasser über den Käfig zu gießen und einer dritten, die ganze Nacht hin- und herzulaufen. Ihr Mann war wieder abwesend in dieser Nacht. Als er nun am Morgen den Papagei holen ließ und ihn fragte, was sich während seiner Abwesenheit ereignet habe, sagte dieser:
„O mein Herr, ich konnte nichts sehen und nichts hören vor lauter Dunkelheit und Regen und Blitz in dieser Nacht."
Das aber war in der Sommer-Jahreszeit. Deshalb erwiderte der Mann: „Weh dir! Jetzt ist doch keine Regenzeit!"
„Es ist so, wie ich dir sagte", antwortete der Papagei.
Nun dachte der Mann, der Papagei habe ihn auch damals belogen, als er von der Untreue seiner Frau sprach. Er geriet in Zorn, zog den Vogel aus dem Käfig und brachte ihn um. Erst nachdem der Papagei tot war, erfuhr er von den Nachbarn, daß er wahr gesprochen hatte von seiner Frau. Und er erfuhr

auch von der List, die jene angewandt hatte. Er bereute es, den Vogel umgebracht zu haben. Doch seine Reue half ihm nichts mehr.

„Daraus magst du wiederum die Schlauheit der Weiber ersehen, o Herr", sprach der Wesir weiter. „Lasse deinen Sohn nicht töten, ehe nicht sein Lehrer Aboumaschar wieder erscheint. Denn sicher ist uns allen etwas verborgen geblieben. Und welches Verbrechen würdest du begehen, wenn du deine Hände mit unschuldigem Blut befleckst!"

Sindbad war gerührt von der Rede des Wesirs. Er ließ seinen Sohn ins Gefängnis zurückführen und ritt selber zur Jagd aus. Am Abend speiste er wieder mit seiner Gemahlin.

Und Chansade sagte zu ihm: „Noch immer empfindest du Zärtlichkeit für Nourgehan, denn du hast ihn wieder nicht töten lassen. Denke lieber daran, wie es dem Greis erging, von dem ich dir gestern erzählte, und nimm es dir zu Herzen — wie es einst Sultan Mahmud tat, dessen Geschichte ich dir jetzt erzählen will:

Der Sultan Mahmud und sein Wesir

Einst kam ein Derwisch zu Khas-Ayas, dem ersten Wesir des Sultans Mahmud: „O Wesir, bitte doch deinen Herrn, mir ein Jahresgehalt zu bewilligen!"

„Du sollst es erhalten", antwortete der Wesir, „jedoch unter der Bedingung, daß du dem Sultan versprichst, mich in der Sprache der Vögel zu unterrichten."

Der Derwisch erklärte sich dazu bereit, und der Sultan bewilligte ihm einen Lohn von zehn Goldstücken pro Tag.

Wenige Zeit später war der Sultan mit seinem Wesir auf der Jagd. „Khas-Ayas", sprach er, du hast doch sicher von dem Derwisch gelernt. So sage mir, was die beiden Nachteulen auf dem Baume dort einander zu erzählen haben!"

Der Wesir tat, als lauschte er dem Gespräch der Eulen. Dann sagte er zu dem Sultan: „Herr, ich habe einen Teil ihres Gespräches verstanden. Aber erspare mir, dir zu sagen, was sie einander erzählten."

„Warum willst du mir verschweigen, was du hörtest?"

„Weil sie über dich sprachen, mein Gebieter!"

„Und was können sie von mir gesagt haben?" fragte der Sultan. „Du sollst mir alles erzählen und nichts verschweigen!"

„Gut, so höre", sagte da der Wesir. „Eine der beiden Eulen hat einen Sohn, die andere eine Tochter, die sie miteinander verheiraten wollen. Der Vater des Sohns sprach zum Vater der Tochter: „Ich willige in diese Heirat ein, doch nur unter der Bedingung, daß du deiner Tochter fünfhundert verwüstete Dörfer mitgibst." — „Mehr forderst du nicht?" antwortete der Vater der Tochter. „Ich will dir gern tausend statt fünfhundert geben, wenn du es verlangst. Gott schenke dem Sultan Mahmud noch viele glückliche Jahre; so lange er Persien beherrscht, wird es uns an verwüsteten Dörfern nicht mangeln."

Der Sultan verstand die Lehre, die ihm der Wesir erteilen wollte. Er ließ die Städte und Dörfer, die in Trümmer lagen, wieder aufbauen, und dachte fortan nur noch an das Glück und Wohlergehen seines Volkes. Und das Volk segnet noch heute das Andenken des Sultans Mahmud."

Als die Sultanin dieses Gleichnis erzählt hatte, bestürmte sie wieder ihren Gemahl, seinen Sohn Nourgehan hinrichten zu lassen. Und er versprach ihr, ihren Wunsch am nächsten Morgen zu erfüllen.

Doch als er am folgenden Tag dem Nachrichter befahl, Nourgehan zu töten, warf sich der dritte Wesir dem Kaiser zu Füßen und rief aus: „O mächtigster aller Herrscher, gönne deinem Sohn noch das Leben, bis du die Geschichte des Brahmanen Padmanaba gehört hast. Denn sie könnte deinen Entschluß ändern." — „Nun, so erzähle sie", sprach der Kaiser Sindbad, „doch nachher soll mein Sohn sterben!"

Hier bemerkte Scheherazade den Anbruch des Tages und schwieg. Doch am Abend fuhr sie auf Geheiß des Königs Scheherban fort:

DIE FÜNFZEHNTE NACHT

Die Geschichte des Brahmanen Padmanaba und des Jungen Fikai

Einst lebte in der Stadt Damaskus ein Fikai, ein Getränke-
verkäufer. Dieser hatte ein einziges Kind, einen fünf-
zehnjährigen Sohn, Hassan, der ein Wunder an Schönheit war.
Er war froh von Gemüt, voller Witz, und wenn er sang, entzückte er alle Zuhörer mit seiner Stimme und seinem Lautenspiel.

Seine Gaben waren seinem Vater sehr willkommen, denn
während er seinen Sohn singen ließ, verkaufte er den Topf voll
Fikaa, einem Getränk aus Gerste, Wasser und Rosinen, für
einen Aktscha, während er bei den anderen Verkäufern nur
einen Manghir kostete. Trotzdem drängten die Gäste zu ihm
und nannten sein Haus „Quelle der Verjüngung", wegen des
Vergnügens, das sie darin fanden.

Eines Tages, während Hassan sang und Laute spielte, trat
auch der berühmte Brahmane Padmanaba ein, um sich zu er-
frischen. Er bewunderte den Gesang Hassans, und als er sich
mit ihm unterhielt, war er von seiner verständigen Rede entzückt. Deshalb kam er bald Tag für Tag in das Haus des Fikai.
Die Besuche des Brahmanen dauerten schon eine Weile an.
als Hassan zu seinem Vater sprach: „Es kommt jeden Tag ein

Mann hierher, der das Aussehen eines Vornehmen hat, der sich gern mit mir unterhält und mich nie verläßt, ohne mir eine Zechine zu schenken."

„Ho, ho!" rief der Vater, „wahrscheinlich hat er böse Absichten. Gerade weise Männer sind oft sehr lasterhaft. Wenn er morgen wiederkommt, so führe ihn nur zu mir. Ich bin ein erfahrener Mann und werde aus seinen Reden bald erkennen, ob er so weise ist, wie er sich den Anschein gibt."

Am anderen Morgen bat Hassan den Brahmanen in ein Gemach, wo ein herrlicher Imbiß gerichtet war. Der Fikai erwies seinem Gast alle nur erdenklichen Höflichkeiten. Und der Brahmane zeigte in seinen Reden so viele Weisheit, daß an seiner Tugendhaftigkeit bald nicht mehr zu zweifeln war. Nach dem Frühstück fragte Hassans Vater seinen Gast, aus welchem Lande er sei. Und als er erfuhr, daß er es mit einem Fremdling zu tun hatte, sprach er zu ihm: „Herr, wenn du bei mir wohnen willst, so werde ich dir gerne eine Wohnung in meinen Hause geben."

„Ich nehme dein Angebot an", erwiderte Padmanaba, „denn es ist ein Paradies auf Erden, bei wahren Freunden zu wohnen." Der Brahmane nahm also eine Wohnung bei dem Fikai, dem Vater Hassans, machte ihm ansehnliche Geschenke und faßte bald eine so tiefe Freundschaft zu Hassan, daß er eines Tages sagte: „Mein Sohn, dein Geist ist geeignet, die geheimen Wissenschaften zu fassen. Ich wünsche, dich glücklich zu machen, und wenn du mich vor die Stadt begleiten willst, so will ich dir noch heute Schätze zeigen, die du einst besitzen sollst."

„Herr", antwortete ihm Hassan, „du weißt, daß ich ohne die Erlaubnis meines Vaters nicht mit dir gehen darf!"

Der Brahmane sprach also mit Hassans Vater, und der gestattete ihm, seinen Sohn hinzuführen, wo immer er wolle.

Padmanaba und Hassan verließen die Stadt Damaskus und gingen zu einem alten verfallenen Gebäude. Dort kamen sie zu einem Brunnen, der bis zum Rand mit Wasser angefüllt war.

„Betrachte diesen Brunnen gut", sprach der Brahmane, „denn die Reichtümer, die ich dir versprach, sind auf seinem Grunde."

„Das ist schlimm", lächelte der Jüngling, „denn wie soll ich sie heraufziehen?"

„Dir mag es schwer erscheinen", entgegnete Padmanaba, „nicht alle Menschen haben die Gabe, der ich mich erfreue. Nur diejenigen, die Allah gewürdigt hat, an den Wundern seiner Allmacht teilzunehmen, haben die Macht, die Elemente zu verkehren und die Ordnung der Natur zu ändern."

Während der Brahmane das sagte, schrieb er auf einen Zettel einige Buchstaben in Sanskrit, der Sprache der Magier in Indien, Siam und China. Er warf den Zettel in den Brunnen, und sogleich fiel das Wasser und versiegte, so daß nichts mehr davon zu sehen war. Über eine Treppe, die bis in den Grund hinabführte, stiegen die beiden in den Brunnen. Unten fanden sie eine kupferne Tür, die mit einem großen Schloß aus Stahl versperrt war. Der Brahmane schrieb einen Spruch auf, berührte damit das Schloß, und es sprang auf. Sie öffneten die Tür und traten in einen Keller. Dort erblickten sie einen schwarzen Äthiopier. Er stand aufrecht und hatte eine Hand auf einen weißen Marmorstein gestützt.

„Wenn wir uns ihm nähern, wird er uns den Stein an den Kopf schleudern", sprach der junge Fikai.

Und wirklich: der Schwarze hob den gewaltigen Stein auf und wollte damit nach ihnen werfen. Doch Padmanaba sagte rasch einen Spruch und blies. Und der Äthiopier fiel rücklings zu Boden vor der Kraft dieses Spruches und des Blasens.

Nun gingen sie unbehindert durch das Gewölbe und traten in einen weiten Hof. In seiner Mitte stand ein Dom aus Kristall, an dessen Eingang zwei Drachen Wache hielten, die einander gegenüberstanden und aus deren Rachen Flammen zuckten.

„Laß uns nicht weitergehen", schrie Hassan, „diese schrecklichen Drachen werden uns verbrennen!"

„Fürchte dich nicht, mein Sohn", erwiderte der Brahmane, „vertraue nur mir und sei mutig. Denn die höchste Weisheit, die ich dich lehren will, erfordert Festigkeit. Diese Ungeheuer werden auf meinen Anruf verschwinden, denn ich habe Gewalt, über Geister zu gebieten und jeglichen Zauber zu zerstören."

Er sprach ein paar Worte aus, und die Drachen verschwanden in ihren Höhlen. Zugleich öffnete sich die Tür des Domes von selbst. Padmanaba und der junge Fikai traten ein, und Hassans Augen weiteten sich vor Entzücken. Denn er sah in einem anderen Hof einen zweiten Dom, der ganz aus Rubinen erbaut war und von dessen Spitze ein Karfunkel von sechs Fuß Durchmesser leuchtete, der diesem unterirdischen Raum als Sonne diente.

Dieser Dom war nicht von schrecklichen Ungeheuern bewacht. An seinem Eingang standen sechs hohe Bildsäulen, jede aus einem einzigen Edelstein gehauen, die sechs schöne, Tambourin schlagende Weiber darstellten. Die Tür bestand aus einem einzigen Smaragd. Sie stand offen und gewährte den Blick auf das prächtige Innere. Hassan wurde nicht müde, all diese Wunder staunend zu betrachten.

Nachdem er die Bildsäule und das Äußere des Domes lange genug bewundert hatte, ließ Padmanaba ihn in den Saal eintreten, dessen Boden von gediegenem Gold und dessen Decke mit Perlen besät war. Dann führte der Brahmane den Jüngling in ein weites, viereckiges Gemach. In einem Winkel lag ein großer Haufen Gold, in einem anderen ein großer Haufen schönster Rubine, in dem dritten stand ein silberner Krug und in dem vierten lag ein Haufen schwarzer Erde.

Mitten im Saal stand ein prachtvoller Thron. Darauf ruhte ein Sarg mit einem Fürsten, dessen Haupt eine goldene, mit großen Perlen besetzte Krone schmückte. Vorn am Sarg war eine Goldplatte befestigt, die – in den Schriftzügen der uralten ägyptischen Priester – die Aufschrift trug:

Die Menschen schlafen, so lange sie leben.
Nur in ihrer Todesstunde erwachen sie.
Was hilft es mir jetzt, Herrscher eines großen Reiches
und Eigentümer aller hier aufgehäuften Schätze
gewesen zu sein. Nichts ist von so kurzer Dauer wie die
Glückseligkeit, und alle menschliche Macht ist nur
Schwäche. O törichter Sterblicher, rühme dich nicht
prahlerisch deines Glücks, so lange du in des Lebens

schwankender Wiege liegst; erinnere dich der Zeiten,
da die Pharaonen lebten. Sie sind nicht mehr, und
bald wirst auch du aufhören, zu sein.

„Welcher Fürst ruht in diesem Sarg?" fragte Hassan.

„Es ist einer der alten ägyptischen Könige", erwiderte der Brahmane. „Er ist der Erbauer des unterirdischen Gewölbes und des prächtigen Rubinen-Domes."

„Weshalb aber", fragte der Jüngling, „hat er unter der Erde ein Werk erbauen lassen, das alle Schätze der Welt gekostet zu haben scheint? Andere Herrscher, die der Nachwelt Denkmäler ihrer Größe hinterlassen wollen, stellen sie ins Licht, statt sie dem Anblick der Menschen zu entziehen."

„Du hast recht", erwiderte der Brahmane, „aber dieser König war ein großer Kabalist. Oft entzog er sich seinem Hof, um hierher zu kommen und die Geheimnisse der Natur zu enthüllen. Er war im Besitz vieler verborgener Dinge, unter anderem auch des Steins der Weisen. Du kannst es sehen aus den Reichtümern, die hier sind. Sie sind alle aus dem Haufen schwarzer Erde hervorgegangen, den du in jenem Winkel siehst."

„Diese schwarze Erde soll all das hervorgebracht haben?"

„Zweifle nicht daran. Um es dir zu beweisen, will ich dir zwei türkische Verse sagen, die das ganze Geheimnis des Steins der Weisen umfassen. Sie lauten:

Gib zum Gatten der Braut des Abendlandes den Sohn
des Königs vom Morgenland. Sie werden ein Kind
zeugen, das der Sultan der schönen Angesichter ist.

Ich will dir auch den geheimnisvollen Sinn dieses Spruches erklären: Laß die trockene akademische Erde, die aus dem Abendland kommt, durch Feuchtigkeit auflösen. Aus diesem Durchdringen entsteht der philosophische Mercurius, der allmächtig ist in der Natur, und der die Sonne und den Mond, das heißt das Gold und das Silber, hervorzubringen vermag. Und wenn er den Thron besteigt, verwandelt er Kiesel in Diamanten und anderes edles Gestein. Das silberne Gefäß, das du in einem Winkel sahst, enthielt das Wasser, also die Feuchtigkeit, mit der man die trockene Erde befeuchten muß, um sie in den Zustand zu versetzen, wie sie hier liegt. Nimmst du von dem Haufen auch nur eine Handvoll, so kannst du, wenn du willst, alles unedle Metall in ganz Ägypten in Gold oder Silber verwandeln oder alle Bausteine in Diamanten und Rubine."

„Das ist in der Tat eine wunderbare Erde", sprach Hassan, „jetzt wundere ich mich nicht mehr über die vielen Reichtümer."

„Diese Erde ist noch weit wunderbarer, als du denkst. Sie heilt nämlich auch alle Arten von Krankheiten. Einer, der im Begriff ist, seinen Geist aufzugeben, braucht nur ein Korn davon einzunehmen, und schon kann er sich voller Kraft und Gesundheit erheben. Und noch eine andere Kraft hat diese Erde: wer sich mit ihrem Saft die Augen reibt, erblickt die Luftgeister und die Genien und hat die Macht, ihnen zu gebieten."

Nach einer Weile fuhr der Brahmane fort: „Nach allem, was ich dir jetzt gezeigt und was ich dich gelehrt habe, wirst du selbst einsehen, welche ungeheuren Schätze für dich bestimmt sind."

„Gewiß, sie sind unzählbar", antwortete der junge Hassan, „aber darf ich nicht schon jetzt einen Teil davon nehmen, um meinem Vater zu zeigen, wie glücklich wir sind, dich edlen Mann zum Freund zu haben?"

„Du darfst es", sprach der weise Padmanaba. „Nimm, was dir gefällt!"

Hassan ließ sich das nicht zweimal sagen. Er belud sich mit Gold und Rubinen und verließ dann zusammen mit dem Brahmanen das Gemach, in dem der König von Ägypten lag.

Sie nahmen den gleichen Weg, den sie gekommen waren, stiegen die Treppe hinauf und verließen den Brunnen, der sich wieder mit Wasser füllte, sobald sie ihn verlassen hatten.

Hassans Vater war überglücklich, als sein Sohn ihm das Gold und die Edelsteine zeigte. Er hörte auf, Fikaa zu verkaufen und lebte froh und im Überfluß.

Aber Hassan hatte eine habsüchtige und eitle Stiefmutter. Sie fürchtete, das Geld würde einmal ausgehen, obgleich ihr Sohn Rubine von unermeßlichem Wert mitgebracht hatte. Deshalb sagte sie eines Tages zu ihm: „O mein Sohn, wenn wir weiter so leben, werden wir ganz bestimmt bald zugrunde gerichtet sein."

„Gräme dich nicht darüber, Mutter", erwiderte er, „denn die Quelle unseres Reichtums ist noch nicht versiegt. Hättest du all die Schätze gesehen, die der edle Padmanaba für mich bestimmt hat, so würdest du dich nicht fürchten. Sobald er mich wieder in den Brunnen führt, werde ich dir eine Handvoll schwarzer Erde mitbringen, und das wird dich auf lange Zeit beruhigen."

„Belade dich lieber mit Gold und Rubinen", antwortete seine Stiefmutter, „denn die liebe ich mehr als alle Erde der Welt. Aber mir kommt ein Gedanke. Wenn Padmanaba dir doch all diese Schätze schenken will, weshalb lehrt er dich da nicht die Sprüche, die erforderlich sind, um zu jenem Ort hinabsteigen zu können? Wären nicht alle unsere Hoffnungen vereitelt, wenn er plötzlich stürbe? Vielleicht wird er auch überdrüssig, mit uns zu wohnen. Oder er will uns verlassen und andere mit seinen Reichtümern beglücken. Deshalb bitte ihn, dich die Gebete zu lehren. Wenn du sie kannst, wollen wir ihn töten, damit er niemand anderem das Geheimnis des Brunnens verraten kann."

„O meine Mutter", rief der junge Fikai erschrocken aus, „wie wagst du es, so etwas vorzuschlagen? Der Brahmane liebt uns, er überhäuft uns mit Wohltaten, er verspricht mir Schätze, die ausreichen würden, die Habsucht der mächtigsten Herrscher der Erde zu stillen. Und zum Lohn willst du ihm das Leben rauben? Nein, sollte ich auch wieder wie bisher Fikaa verkaufen müssen, so möchte ich doch nicht mitschuldig sein an dem Tod eines Mannes, dem ich so tief verpflichtet bin."

„Du hast eine edle Gesinnung, mein Sohn", erwiderte die Stiefmutter, „aber man muß auf den eigenen Vorteil bedacht sein. Das Glück schenkt uns eine Gelegenheit, für alle Zeiten reich zu werden, und wir müssen diese Gelegenheit nutzen.

Dein Vater, der erfaherener ist als du, stimmt mir zu, und auch du wirst einverstanden sein."

Zwar graute Hassan noch immer vor diesem Plan, doch da er jung und leichtsinnig war, ließ er sich bald von seiner Stiefmutter umstimmen.

„Es sei denn", sagte er, „ich werde also zu Padmanaba gehen und ihn bitten, mich die Gebete zu lehren."

Er ging zu dem Brahmanen und bat, bettelte und flehte so lange, bis der ihm den Wunsch nicht mehr abschlagen konnte. Er schrieb jedes Gebet auf einen Zettel, bezeichnete jeden Ort, wo es gesprochen werden mußte, und sagte ihm alles, was sonst noch zu beachten war.

Sobald Hassan die Gebete wußte, benachrichtigte er seinen Vater und seine Stiefmutter, und sie verabredeten einen Tag, an dem sie zu den Schätzen gehen wollten.

„Wenn wir zurückgekehrt sind, werden wir Padmanaba töten!" bestimmte die Stiefmutter.

Als der Tag gekommen war, verließen sie ihr Haus, ohne dem Brahmanen zu sagen, wohin sie gingen. Bei dem verfallenen Gebäude nahm Hassan den Zettel aus der Tasche, auf dem das erste Gebet geschrieben war. Er warf ihn in den Brunnen, und das Wasser verschwand. Nun stiegen sie die Treppe hinab bis an die Kupfertür. Hassan berührte mit einem anderen Gebet das stählerne Schloß. Es öffnete sich sofort, und sie stießen die Tür auf. Als der Mohr erschien, sprach der Jüngling das dritte Gebet, blies, und der Mohr stürzte zu Boden. Sie durchschritten weiter den Keller und gelangten in den Hof, in dem der Kristall-Dom steht. Die Drachen mußten vor Hassan in ihre Schlupfwinkel zurückkriechen. Sie gingen in den zweiten Hof, durchschritten den Saal und betraten endlich das Zimmer, in dem die Rubine, das Gold, der Wasserkrug und die schwarze Erde waren. Die Stiefmutter achtete wenig auf den Sarg des Königs von Ägypten und nahm sich auch nicht die Mühe, die beherzigenswerte Inschrift auf der goldenen Tafel zu lesen. Noch weniger würdigte sie den Haufen schwarzer Erde eines Blickes, obwohl ihr Hassan so viel davon erzählt hatte. Gierig fiel sie über die Rubine her und belud sich mit ihnen so sehr, daß sie kaum noch gehen konnte. Ihr Mann nahm so viel Gold, wie er zu tragen vermochte. Hassan begnügte sich damit, seine Taschen mit schwarzer Erde zu füllen.

Dann verließen alle drei das Gemach des Königs von Ägypten. Fröhlich durchschritten sie den ersten Hof. Da stürzten plötzlich drei furchtbare Ungeheuer auf sie los. Der Fikaa-Verkäufer und sein Weib, beide von Todesangst gepackt, riefen ihren Sohn um Hilfe an. Doch Hassan hatte keine Gebete mehr und ängstigte sich ebenso wie seine Eltern.

„Gottlose Stiefmutter", schrie er, „du allein bist schuld an unserem Verderben! Sicher hat Padmanaba gewußt, daß wir hierher gekommen sind. Vielleicht hat er durch seine Wissenschaft sogar entdeckt, daß wir ihm den Tod geschworen haben. Nun sendet er uns zur Strafe für unseren Undank diese Scheusale, die uns verschlingen sollen."

Kaum hatte er das ausgerufen, da hörten sie in der Luft die Stimme des Brahmanen:

„Ihr seid alle drei Elende und meiner Freundschaft nicht würdig. Ihr hättet mich ermordet, hätte mir nicht der große Gott Wischnu eure böse Absicht angezeigt. Jetzt werde ich mich rächen. Du, Weib, wirst bestraft, weil du in deiner Bosheit den Entschluß gefaßt hast, mich zu ermorden; ihr beide werdet bestraft, weil ihr ihren bösen Einflüsterungen Gehör geschenkt habt!"

Dann schwieg die Stimme, und die drei Ungeheuer zerrissen Hassan, seinen Vater und seine Stiefmutter.

„Diese Geschichte möge dich lehren, o Herr", fuhr der Wesir fort, „daß du nicht auf die Sultanin hören solltest, wenn sie dich bedrängt, deinen Sohn Nourgehan töten zu lassen. Denn wenn er nicht schuldig ist, so wird dich der Himmel bestrafen, als wärest du ein Mitschuldiger der Sultanin — wie der Brahmane Hassan und seinen Vater strafte, obwohl sie nur dem Willen der Stiefmutter zugestimmt hatten."

Der Kaiser war gerührt über diese Geschichte und sprach: „Mein Sohn soll nicht sterben, bevor ich nicht untrügliche Beweise seines Verbrechens habe."

Am Abend sagte die Sultanin zu Sindbad: „Du hast also Nourgehan abermals eine Frist gegeben?"

„Herrin, ehe er sterben soll, muß ich wissen, ob er den Tod verdient."

„Wohlan", entgegenete Chansade, „wenn du mir nicht glauben willst, so glaube doch wenigstens dem Schweigen deines Sohnes und der Flucht seines Lehrers. Warum hat Aboumaschar den Hof gemieden? Gewiß hat er die Leidenschaft Nourgehans entdeckt und sein böses Gemüt kennengelernt. Nun fürchtet er wohl, man könnte ihm vorwerfen, er hätte deinen Sohn schlecht erzogen. Brauchst du noch einen anderen Beweis? Soll der Verbrecher der Gerechtigkeit entgehen, nur weil es keine Zeugen für seine Untat gibt? Nein, Herr! Wenn es keine Zeugen gibt, muß man ihn auf Anzeichen hin, auf Verdacht verdammen. Davon werde ich dich mit der Geschichte des Sultans Akschid überzeugen."

„Ich höre dir zu, Herrin", sagte der Sultan, und Chansade erzählte

Die Geschichte des Sultans Akschid

Als Akschid, der alte Sultan von Ägypten, das Ende seines Lebens nahen fühlte, ließ er seine drei Söhne zu sich kommen und sprach zu ihnen: „Ich werde bald vor Allahs Gericht erscheinen. Doch bevor der Todesengel mein Haupt niederstreckt, sollt ihr meine Leichenfeier halten. Ich will sehen, wie ihr sie begehen wollt, wenn ich tot bin. Befehlt sogleich den Wesiren, alle Chans und die mir benachbarten Könige oder die mir Tributpflichtigen einzuladen. Es soll an nichts fehlen und alles mit einer Pracht geschehen, als sei ich nicht mehr am Leben."

Die drei Fürstensöhne weinten bei dieser Rede ihres Vaters. Doch dann machten sie sich auf, seinem Befehl zu gehorchen.

Als der vorher bestimmte Tag gekommen war, war alles bereit. Der Palast war mit Trauerteppichen behängt, und auf dem Platz davor standen die fünfzigtausend Mann der Leibwache in Schlachtordnung aufgestellt, und man zahlte ihnen den Sold in goldenen Beuteln aus. Dann traten alle Beys in das Gemach des Sultans. Sie hoben ihn von seinem Lager und trugen ihn auf einen Thron, vor den vier Wesire einen Sarg setzten. Über den Sarg hielten vier Königssöhne einen prachtvollen Baldachin. Dann streuten sechs Beys Erde aus, die aus dem Palast genommen und mit einer Menge kleiner bunter Taftstücke vermischt war. Schließlich kamen die drei Söhne des Sultans, schmückten den Sarg mit ungezählten edlen Steinen und setzten die von Diamanten funkelnde Krone Akschids darauf.

Darauf luden vier Groß-Chans, also vier unabhängige Tataren-Fürsten, den Sarg auf ihre Schultern. Die gelehrten Scheichs und die Derwische schritten vor dem Sarg her und sangen Psalmen. Ihnen folgten die Sahiden oder Einsiedler und einer, auf einer gesattelten Kamelstute reitend, trug den heiligen Koran. Die Königssöhne, die Groß-Chans und ihre Söhne schritten zu Seiten des Sarges, und unmittelbar hinter dem Sarg folgten zweihundert Tambourinspieler, die, ihre Tambourins schlagend, Lieder zum Ruhme des Königs sangen und dann plötzlich alle zusammen laut schrien:

„Grausames Schicksal! Unseliger Tag! Der Sultan, der gerechteste unter den Herrschern der Welt, der Eroberer der Reiche, der Vernichter der Feinde und der Freunde Ernährer, ist tot!"

Nach diesem Schrei warfen sie mit vollen Händen schwarzgefärbte Mandeln in den Sarg.

Nach den Tambourinspielern kamen fünfzig Wesire in langen schwarzen und blauen Trauergewändern. Und hinter ihnen kamen die Beys, jeder mit einem zerbrochenen Bogen in der Hand. Ihnen folgten zehntausend Pferde mit goldenen Sätteln und Zäumen, denen die Schweife abgeschnitten waren und die von zehntausend Sklaven geführt wurden. Der Zug endete mit den Mädchen aus dem Serail, deren Gesichter blau und schwarz angestrichen, deren Haare aufgelöst waren und deren Jammern und Wehklagen die Luft erfüllte.

Als Akschid das sah, seufzte er tief auf und rief aus: „So habe ich denn meine Leichenfeier vor meinem Tode gesehen!"

Er befahl Leute zu sich, die ihm helfen mußten, vom Thron herabzusteigen. Dann raffte er eine Handvoll Erde, die die Beys verstreut hatten, auf, rieb sich Haupt und Bart damit ein und sprach: „Möge die Erde mich bedecken! Während einer langen Regierung habe ich nichts getan, um mein Andenken der Nachwelt zu erhalten. Ich will Stiftungen machen. Schreibt auf!"

Der Großwesir bereitete sich zum Schreiben vor, und der Sultan sprach ihm folgende Worte vor:

„Erstens bestimme ich eine Million, zweimal hundert und zwanzigtausend Asper zum Bau eines Hospitals für Muselmanen, die vom Aussatz befallen sind. Zweitens gebe ich dieselbe Summe zur Gründung einer Stiftung, in der gelehrt werden soll, wie man mit dem Bogen schießt und mit der Kugel spielt. Drittens befehle ich, ein neues Karawanen-Serail zu errichten, wohl versehen mit schwarzen Weibern, um die weißen Reisenden zu bedienen. Zu diesem Zweck nehme man täglich fünfhundert Dinar aus meinem Schatz. Und viertens endlich verfüge ich den Bau von Bädern als Zuflucht für verstoßene Weiber. Und zu diesem Zweck setze ich neunmal hunderttausend Asper aus."

Als der König diese fromme Stiftung gemacht hatte, ließ er sich die Bücher des heiligen Koran bringen. Tausend Dinar gab er dem Vorleser, fünfhundert jedem Sahiden und Derwisch, und die Blinden und Lahmen empfingen jeder hundert. Dann wurde das Leichenmahl gehalten. Die Fleischspeisen wurden in goldenen Gefäßen aufgetragen, und allen, denen man sie vorsetzte, sagte man: „Auch das Gefäß ist dein, du darfst es mit dir nehmen." Nach dem Mahl schenkte Akschid allen Sklavinnen seines Palastes die Freiheit.

Das war die Feier, die man am folgenden Morgen wiederholen mußte, denn der Sultan erkrankte noch am gleichen Tag. Er legte sich nieder. Und als er seinen letzten Augenblick nahen fühlte, sprach er zu seinen Söhnen:

„O meine Kinder, ich habe in dem Winkel meines Gemachs, der links liegt, wenn man hineintritt, ein Kästchen verborgen. Darin sind die schönsten Gesteine der Welt. Ich befehle euch, sie zu gleichen Teilen unter euch zu teilen, wenn ich gestorben bin und ihr meinem Begräbnis alle Ehren angetan habt."

Der König starb. Doch der jüngste seiner Söhne brannte vor Ungeduld, das Kästchen zu sehen. Er ging allein in das Gemach, fand das Kästchen und war von der Schönheit der Edelsteine so geblendet, daß er beschloß, sie zu behalten und zu behaupten, er habe sie nicht gefunden. Nach der Beerdigung ihres Vaters gingen auch die beiden älteren Söhne Akschids in das Gemach und waren außer sich, als sie sahen, daß ihre Suche vergeblich war. Ihr jüngster Bruder gesellte sich zu ihnen.

„Nun", sagte er, „sind die Edelsteine wirklich so schön?"

„Du weißt es besser als ich", antwortete der Älteste, denn ich müßte mich sehr irren, wenn du sie nicht entwendet hast."

„Was sagst du da?" empörte sich der Jüngste. „Ihr selbst habt sie weggenommen und wollt mich nun anklagen."

„Hört mich, meine Brüder", unterbrach sie der zweite Sohn Akschids, „einer von uns dreien muß sie entwendet haben, denn außer uns ist es keinem anderen gestattet, dieses Gemach zu betreten. Folgt meinem Rat: Wir lassen den Kadi holen, er wird uns ausfragen und vielleicht den Dieb entdecken."

Seinen beiden Brüdern gefiel dieser Rat. Sie ließen den Kadi kommen und trugen ihm ihr Anliegen vor. Nachdem sie geendet hatten, sprach der Kadi: „Hohe Herren, bevor ich erkläre, welcher von euch die Edelsteine genommen hat, bitte ich euch, eine Geschichte anzuhören."

Der Kadi erzählte

Die Geschichte vom Ehemann, vom Liebhaber und vom Dieb

Es war einmal ein Jüngling. Er liebte leidenschaftlich eine Jungfrau und wurde von ihr auch wiedergeliebt. Beide wünschten, glücklich miteinander verheiratet zu sein. Doch die Eltern des Mädchens hatten andere Pläne und versprachen sie einem anderen.

„O Unglück, das mir droht", sprach sie weinend zu dem Geliebten. „Meine Eltern versprachen mich einem Manne, den ich niemals sah. Ich muß die Hoffnung aufgeben, dir zu gehören!"

Beide klagten und weinten, doch während der Jüngling nur an seinen Kummer dachte, fand seine Geliebte schon einen Ausweg: „Mäßige deinen Schmerz", sprach sie, „ich gelobe dir, daß ich in der Hochzeitsnacht, ehe ich zu meinem Mann gehe, in deine Wohnung kommen will."

Dieses Versprechen tröstete den Liebhaber etwas, und voller Ungeduld erwartete er die Hochzeitsnacht.

Unterdessen trafen die Eltern des Mädchens eifrig Hochzeitsvorbereitungen und verheirateten ihre Tochter dann mit dem Mann, den sie ihr bestimmt hatten. Es wurde Nacht. Schon waren die Gatten in das Brautgemach gegangen und schickten sich an, sich niederzulegen, da bemerkte der Mann, daß sein Weib bitterlich weinte.

„Was fehlt dir, meine Herrin", fragte er sie. „Weshalb weinst du so? Wenn du Widerwillen gehabt hättest, dich mir hinzugeben, so hättest du es mir erklären sollen. Nie hätte ich dich mit Gewalt zum Weib begehrt."

Sie antwortete, sie habe keinen Widerwillen gegen ihn.

„Wenn es so ist, o Herrin, warum weinst du dann so sehr? Erkläre es mir, ich flehe dich an!" Und er bat sie so lange, bis sie ihm gestand, sie habe einen Geliebten, daß sie aber nicht nur aus Liebe zu diesem weine, sondern auch, weil es ihr nicht möglich sei, das Versprechen zu halten, das sie ihm gegeben hatte.

Der Mann, gutartig und heiter von Gemüt, bewunderte ihre Aufrichtigkeit und sprach: „Für deine Aufrichtigkeit bin ich dir so dankbar, daß ich dir keine Vorwürfe mache wegen deines Versprechens, sondern dir sogar erlaube, es zu erfüllen."

„Wie, Herr?" unterbrach sie ihn, außer sich vor Staunen, „du willigst ein, daß ich meinen Geliebten besuche?"

„Ja, ich willige ein", erklärte der Mann, „doch unter der Bedingung, daß du vor Tagesanbruch wieder hierher zurückkehrst, und daß du mir gelobst, nie wieder irgend jemandem ein solches Versprechen zu geben."

Das Weib schwor, zum letztenmal mit ihrem Geliebten zu sprechen und fortan ihrem Mann treu zu sein. Dann ging sie fort, noch im Hochzeitskleid und geschmückt mit vielen Perlen und Diamanten.

Kaum war sie zwanzig Schritte gegangen, da begegnete ihr ein Dieb, der im Schein des Mondes die Edelsteine erblickte, mit denen sie geschmückt war.

„Welch Glück!" rief er voller Freude aus. „Welchem günstigen Schicksal verdanke ich es, daß mir eine so reiche Gelegenheit geschenkt wird!" Damit näherte er sich dem Weib und gebot ihm, stehenzubleiben. Eben wollte er sie berauben, da erblickte er ihr Antlitz und sie erschien ihm so schön, daß er ganz verlegen wurde.

„Was sehe ich!" sprach er. „Kann man zugleich so viel Schönheit und so viel Reichtum finden? Welche Reize! Welcher Reichtum! Ich weiß nicht, wo ich anfangen soll! Aber sagt, Herrin, darf ich denn meinen Augen trauen? Durch welche Laune des Schicksals wandelt ein so liebliches, reich geschmücktes Weib zu dieser nächtlichen Stunde allein durch die Straßen?"

Sie erzählte ihm den Grund. Voller Staunen hörte ihr der Dieb zu. „Wie, Herrin?" fragte er. „Dein Gemahl will dich in der herrlichsten Nacht seines Lebens einem anderen überlassen?" „Es ist so", antwortete sie.

„Wahrlich", entgegnete der Dieb, „so etwas habe ich noch nie vernommen. Doch da auch ich es liebe, ungewöhnlich zu handeln, will ich deine Juwelen und deine Ehre schonen. Geh also ruhig weiter deines Weges. Ich will ein ebenso außerordentlicher Dieb sein, wie dein Ehemann ein außerordentlicher Mann ist. Eile zu deinem Anbeter. Aber ich werde dich zu ihm führen, denn es könnte dir ein anderer, nicht so verständnisvoller Dieb begegnen."

Mit diesen Worten nahm er ihre Hand, geleitete sie zum Hause ihres Geliebten, sagte ihr Lebewohl und entfernte sich. Sie klopfte und man öffnete ihr. Dann stieg sie hinauf zum Gemach ihres Geliebten. Wie sehr erstaunte er, als er sie sah!

„O mein Herr und Gebieter", sprach sie zu ihm, „ich komme, um mein Wort zu halten, denn heute war meine Hochzeit!"

„Und wie", rief der Jüngling aus, „konntest du dich der glühenden Ungeduld deines Gemahls entziehen? Jetzt in diesem Augenblick müßtest du doch in seinen Armen ruhen."

Da gestand ihm seine Geliebte, was zwischen ihr und ihrem Gemahl gewesen war. Der Geliebte war darüber nicht weniger erstaunt als der Dieb.

„Ist es möglich, Herrin, daß dein Mann dir erlaubt hat, ein Versprechen zu erfüllen, das ihn entehrt und ihm ein hohes Gut raubt?"

„Ja, Geliebter", entgegnete das Weib, „er ist damit zufrieden, daß ich mich deinen Wünschen ergebe, um mein Versprechen zu halten. Aber nicht nur ihm bist du für das, was er dir überläßt, verpflichtet, sondern auch dem Dieb, dem ich auf dem Wege hierher begegnet bin!" Und darauf erzählte sie ihm, was ihr mit dem Dieb widerfahren war. Noch größer wurde das Erstaunen ihres Geliebten.

„Darf ich glauben, was ich höre?" sagte er. „Ein Ehemann, der so gütig, und ein Dieb, der so großmütig ist, daß er die schönste Gelegenheit nicht nützen will? Das ist wahrhaft ein ganz neues Abenteuer und verdient, aufgeschrieben zu werden. Noch alle kommenden Jahrhunderte werden es bewundern. Damit jedoch die Nachwelt noch mehr erstaunt, will ich es dem Ehemann und dem Dieb gleichtun und ihrem Beispiel folgen. Deshalb, o Herrin, gebe ich dir dein Wort zurück und bitte nur mir zu erlauben, dich nach Hause zurückzugeleiten." Mit diesen Worten reichte er ihr die Hand und brachte sie bis an das Haus ihres Mannes, wo sie sich trennten!

„Sagt mir nun, hohe Fürstensöhne", fuhr der Kadi fort, „welchen von den dreien haltet ihr für den Großmütigsten, den Ehemann, den Dieb oder den Liebhaber?"

Akschids Erstgeborener bewunderte am meisten den Ehemann. Akschids zweiter Sohn behauptete, der Geliebte sei noch mehr zu achten.

„Und du, hoher Herr", fragte der Kadi den Jüngsten, „welcher Meinung bist du?"

„Mir scheint", antwortete der, am großmütigsten war der Dieb. Ich begreife nicht, wie er den Reizen des Weibes widerstehen konnte und, vor allem, wie er sich zwingen konnte, sie nicht zu berauben. Ihre Edelsteine mußten seine Habsucht mächtig reizen. Er hat den größten Sieg über sich davongetragen."

„Fürst", erwiderte ihm der Kadi, „du bewunderst zu sehr die Selbstbeherrschung des Diebes. Deshalb habe ich dich im Verdacht, die Edelsteine deines Vaters genommen zu haben. Eben hast du dich selbst verraten. Gestehe, o Herr! Laß dich nicht von falscher Scham zurückhalten. Wenn du zu schwach warst, der Habsucht zu widerstehen, so sühne deine Schwäche durch ein offenes Bekenntnis."

Und errötend unter den Reden des weisen Kadi, gestand der jüngste Sohn des Sultans von Akschid die Wahrheit. —

Chansade hatte diese Geschichte nicht vergeblich erzählt, denn die Folgerungen, die sie daraus ableitete, ließen Sindbad wieder schwanken in dem Entschluß, seinen Sohn leben zu lassen, bis sein Verbrechen klar erwiesen sei. Und sie machte ihn völlig gefügig, indem sie zu ihm sprach: „Herr und Gebieter, du bist dem Ende deiner Tage näher als du denkst. Vielleicht schon morgen wird dein Sohn dir einen Dolch in die Brust stoßen. Was soll aus mir werden, wenn du umkommst? Doch ich frage wenig nach dem Leben. Nur den Tod des Sultans, den Tod meines Gemahls, den ich so innig liebe, fürchte ich." Sie begann zu weinen. Und ihre geheuchelten Tränen machten so großen Eindruck auf Sindbad, daß er ausrief:

„Trockne deine Tränen, meine schöne Sultanin, ich werde meinem Sohn bestimmt nicht verzeihen. Er ist schuldig, weil er dir Tränen erpreßt. Laß uns zur Ruhe gehen und sei gewiß, daß ich morgen unserem gemeinsamen Feind das Haupt abschlagen lasse."

Am nächsten Tag befahl der Sultan dem Henker, Nourgehan vorzuführen. Als der neunte Wesir vortrat, um für das Leben des Jünglings zu bitten, herrschte ihn der Sultan an: „Du redest umsonst zu Gunsten meines Sohnes! Sein Tod ist beschlossen!"

Da zog der Wesir aus der Tasche seines Gewands ein zusammengefaltetes Pergament, überreichte es dem Sultan und sprach: „O weiser und glücklicher Herrscher, ich forsche besonders auf dem Gebiete der Astrologie. Ich habe deinen Sohn Nourgehan das Horoskop gestellt und gefunden, daß er vierzig Tage lang in Lebensgefahr schweben wird. Hüte dich wohl, ihn töten zu lassen, ehe sie verflossen sind!"

Und alle anderen Wesire baten und warnten: „O Herr, warte, bis die vierzig Tage verstrichen sind. Dann wirst du dich selbst freuen, so lange Geduld gehabt zu haben."

„Ja, ohne Zweifel", fügte der neunte Wesir hinzu, „wenn du, o Herrscher, mir erlauben willst, so will ich eine Geschichte erzählen, die einige Ähnlichkeit mit der Nourgehans hat. Wenn du sie gehört hast, wirst du eingestehen, daß Geduld stets alles Unglück besiegt."

„Nun, Wesir", sprach da Sindbad, „erzähle uns deine Geschichte!"

Darauf erzählte der Wesir

Die Geschichte des Prinzen von Karisme und der Prinzessin von Georgien

Es war einst ein König von Karisme, der kinderlos war. Unaufhörlich tat er Gelübde und brachte Opfer dar, um Nachkommen zu erhalten. Und der höchste Gott nahm seine Opfer gnädig an und schenkte ihm einen Knaben, schöner als der Tag. Die Geburt wurde mit glänzenden Festen gefeiert. Die Völker genossen die Freude mit dem König. Er vergaß nicht, alle Astrologen, die sich in seinen Staaten befanden, um sich zu versammeln und befahl ihnen, seinem Sohn das Horoskop zu stellen. Aber ihre Beobachtungen waren ihm nicht sehr angenehm, denn sie kündigten ihm an, der Neugeborene werde bis zum dreißigsten Lebensjahr von einer Unzahl von Unglücksfällen bedroht werden, Allah jedoch allein wisse, auf welche Weise er heimgesucht werden würde . . .

Hier bemerkte Scheherazade den Tag und schwieg. Am Abend aber erzählte sie weiter:

DIE SECHZEHNTE NACHT

Die Voraussagung dämpfte die Freude des Königs. Aber er ließ seinen Sohn unter seinen Augen erziehen und traf alle möglichen Vorsichtsmaßnahmen, um ihn vor jedem Unfall zu bewahren. Tatsächlich wurde der junge Fürst fünfzehn Jahre alt, ohne daß sich das Horoskop bestätigt hätte. Doch niemand kann seinem Geschick entgehen.

Eines Tages, als der Jüngling am Ufer des Meeres entlangritt, bekam er Lust zu einer kleinen Seefahrt. Er ließ eine Barke richten und bestieg sie mit vierzig Männern seines Gefolges. Aber kaum waren sie auf der offenen See, als ein Seeräuber sie angriff. Sie leisteten Widerstand, doch der Feind war stärker. Er bemächtigte sich ihres Fahrzeuges und führte sie alle nach der Insel der Samsaren. Dort verkaufte er sie.

Die Samsaren, scheußliche Menschenfresser mit menschlichen Leibern und Hundeköpfen, sperrten den Prinzen von Karisme und seine Begleiter in ein Haus und fütterten sie wochenlang nur mit Mandeln und Rosinen. Jeden Tag führten sie einen der Gefangenen in die Küche des Königs. Dort hieben sie ihn in Stücke und bereiteten aus ihm eine Speise, die dem hohen Herrscher der Samsaren vortrefflich mundete.

Als alle vierzig Begleiter des Prinzen gefressen waren, erwartete er selbst, den man sich als leckersten Bissen bis zuletzt aufgespart hatte, sein Schicksal. Aber er sagte sich: ‚Ich weiß, daß mein Tod unvermeidlich ist. Doch weshalb soll ich mich ohne Gegenwehr abschlachten lassen? Ist es nicht besser, wenn ich mein Leben so teuer wie möglich verkaufe? Ich will mich männlich verteidigen. Und meine Verzweiflung soll wenigstens einigen dieser Scheusale Unheil bringen'.

Als die Samsaren eintraten, ließ er sich ohne Widerstand in die Küche führen. Aber sobald er dort war und das große Messer gewahrte, mit dem man ihm den Hals durchschneiden wollte, strengte er alle seine Kräfte an, zerriß seine Bande, ergriff das Schlachtmesser, fiel die Samsaren an, die ihn hergebracht hatten, und tötete sie ohne Ausnahme. Dann stellte er sich in die Tür der Küche, und alle, die sich ihm näherten, fielen unter seinen Streichen. Bald war der ganze Palast in Aufruhr und erfüllt von Angstgeschrei und Flüchen.

Als der König davon hörte, staunte er, daß ein einzelner Mann einer so großen Menge widerstehen könnte. Er ging selber, ihn zu sehen.

„Jüngling", redete er ihn an, „ich bewundere deinen Mut und schenke dir das Leben. Kämpfe nicht länger gegen meine Untertanen, denn am Ende werden sie dich doch überwältigen. Sage mir, wer ist dein Vater?"

„Herr", antwortete der Prinz, „ich bin der Sohn des Königs von Karisme."

„Die Tapferkeit, die du eben gezeigt hast, beweist den Adel deiner Herkunft. Fürchte nichts mehr. Fortan sollst du dich wohlfühlen an meinem Hofe. Ich will dich zum glücklichsten Menschen machen, denn ich erwähle dich zu meinem Schwiegersohn. Ich will, daß du sogleich die Prinzessin, meine Tochter, heiratest. Sie ist liebenswürdig und reich an Anmut. Alle Prinzen am Hofe sind in sie verliebt, doch ich glaube, du bist ihrer am würdigsten."

„Herr", erwiderte der Sohn des Königs von Karisme, wenig erfreut von diesem Vorschlag, „das ist zuviel der Ehre für mich. Ich glaube fast, ein samsarischer Fürst würde besser zu deiner

Tochter passen als ich." — „Nein, nein", erwiderte der König ungestüm, „ich verlange, daß du sie zum Weibe nimmst. Es ist also mein Wunsch. Widersetze dich ihm nicht länger, denn sonst müßtest du es bereuen."

Der Prinz von Karisme sah ein, daß der König ihn töten würde, wenn er den Vorschlag nicht annähme. Deshalb willigte er endlich in die Ehe ein. Und in der Tat: sie hatte den schönsten Hundekopf auf der ganzen Insel. Trotzdem aber konnte er sich nicht an sie gewöhnen, und je mehr sie ihn liebkoste, desto größer wurde sein Abscheu gegen sie. Doch er sollte bald befreit werden, denn seine seltsame Gattin starb bereits wenige Tage nach der Hochzeit.

Schon wollte sich der Prinz freuen, da hörte er, daß es Sitte auf der Insel sei, den lebenden Mann mit seinem toten Weibe und das lebende Weib mit seinem toten Gatten zu begraben. Selbst die Könige, so sagte man ihm, seien diesem schrecklichen Gesetz unterworfen und die Samsaren so daran gewöhnt, daß sie ohne Kummer den Tag ihres Begräbnisses herankommen sähen. Ja, dieser Tag sei ihnen sogar eher ein Tag der Freude, weil Weiber und Männer dabei tanzten und Lieder sängen.

Der Prinz mußte sich in diese Sitte fügen. Man legte ihn, wie sein Weib, mit einem Brot und einem Krug Wasser auf eine offene Bahre und trug beide an den Begräbnisort, eine weite unterirdische Höhle, die zu diesem Zweck auf dem Felde gegraben war. Zuerst ließ man die Prinzessin an einem Seil hinab. Dann teilten sich alle, die dem Leichenzug gefolgt waren, in zwei Abteilungen, um zu tanzen und zu singen. Die Jünglinge mit ihren Geliebten stellten sich auf die eine Seite, die Neuvermählten auf die andere. Die ersten reichten sich alle die Hände und tanzten im Kreise, während ein Jüngling aus ihrer Mitte persische Verse sang.

Bei den Neuvermählten tanzte jeder Mann mit seinem Weib. Und jedes Weib sang dazu.

Nach diesen Tänzen und Gesängen ließ man den Prinzen in die Höhle hinab und verschloß mit einem großen Felsblock das Grab, in dem er jetzt lebendig gefangen war.

Voller Verzweiflung über diese schaurige Lage schrie er auf: „O Allah, in welches Elend läßt du mich versinken! Ein solches Los bescherst du einem Fürsten, der immer alle Vorschriften des heiligen Korans getreulich hielt? Hast du mich nur geschaffen für den grausamsten aller Tode?"

Ohne Hoffnung auf Befreiung aus seinem Gefängnis begann er, sich an der Mauer entlangzutasten. Kaum hatte er hundert Schritte getan, als er vor sich einen Lichtschimmer erblickte. Er beschleunigte seine Schritte, und bald sah er ein Weib mit einer Kerze. Doch das Weib, das seine Schritte hörte, löschte das Licht.

„O Himmel", sprach da der Prinz, „habe ich mich denn getäuscht? War das Licht nur ein Trugbild? Ach, gewiß war es nur Einbildung. Ach, unglücklicher Prinz, fort mit aller Hoffnung, je wieder das Licht der Sonne zu sehen! O König von Karisme, erwarte meine Wiederkehr nicht mehr. Dein Sohn wird nicht die Stütze und der Trost deines Alters sein!"

Als er diese letzten Worte ausgesprochen hatte, hörte er eine Stimme, die zu ihm sprach: „Tröste dich! Da du der Sohn des Königs von Karisme bist, sollst du nicht hier das Ende deiner Tage finden. Ich will dich retten, doch zuvor mußt du versprechen, mich zu heiraten."

„Herrin", entgegnete der Prinz, „lieber will ich geduldig meinem Ende entgegensehen, als dir die Heirat versprechen, wenn du meinem verstorbenen Weibe gleichst. Wenn du einen Hundekopf hast wie sie, werde ich dich nicht lieben können."

„Ich bin keine Samsarin", sagte da die weibliche Stimme. „Ich bin nur vierzehn Jahre alt und glaube nicht, daß mein Gesicht dir Furcht einflößen wird." Bei diesen Worten zündete sie ihre Kerze wieder an, und dem Prinzen strahlte ein Antlitz von unbeschreiblicher Schönheit entgegen.

„Nichts ist dieser Schönheit zu vergleichen!" rief er entzückt aus. „Aber sag mir doch, holdes Mädchen, wer bist du? Du mußt eine Fee sein, weil du mir versprochen hast, mich aus diesem Abgrund zu erretten!"

„Nein, o Herr!" erwiderte sie, „ich bin keine Fee. Ich bin die Tochter des Königs von Georgien, und man nennt mich Dilaram. Mein Schicksal erzähle ich dir ein andermal. Für heute genügt es, wenn ich dir sage, daß ich durch einen Sturm auf diese unselige Insel verschlagen wurde und einen samsarischen Vornehmen zum Gemahl nehmen mußte, um dem Tode zu entrinnen. Er starb gestern, und man begrub auch mich, wie es die Sitte fordert, mit einem Brot und einem Krug Wasser. Doch vor meiner Beerdigung verbarg ich unter meinem Gewand einen Feuerstein, Zunder und Wachskerzen. Hier unten entzündete ich eine Kerze und suchte nach einem Ausweg. Kaum hatte ich hundert Schritte getan, als ich einen weißen Marmorstein fand. Wie groß war mein Erstaunen, als ich darauf eine Inschrift las, die auch meinen Namen enthielt. Komm und lies selbst!"

Sie reichte dem Prinzen die Kerze, er näherte sich dem Stein und las die Worte:

‚Wenn der Sohn des Königs von Karisme und die Prinzessin von Georgien hier sein werden, so mögen sie diesen Stein aufheben und die Treppe darunter hinabsteigen.'

„Aber wie sollen wir den schweren Stein heben", sagte ratlos der Prinz. „Hundert Mann würden es nicht schaffen."

„Laß uns nur unsere Kraft versuchen, Herr", erwiderte die Prinzessin. Irgendein Weiser nimmt teil an unserem Schicksal, und ich glaube, daß wir von hier entrinnen können."

Der Prinz gab Dilaram die Kerze zurück und bemühte sich, den Stein zu heben. Doch er brauchte seine Kräfte nicht anzustrengen, denn kaum hatte er ihn berührt, da hob er sich von selbst und man konnte die Treppe darunter sehen. Über die Treppe stiegen sie sofort in eine andere Höhle, die sie in eine Grotte führte. Als sie diese durchquert hatten, fanden sie sich am Ufer eines Flusses wieder. Nachdem sie Allah für ihre Rettung gedankt hatten, entdeckten sie eine kleine Barke, die sie vorher nicht gesehen hatten. Obgleich die Barke ohne Ruder und ohne Mannschaft war, bestiegen sie sie voller Vertrauen. Sie überließen sich der Strömung, die immer stärker wurde, je weiter sie fuhren, denn der Fluß verengte sich, um zwischen zwei Felsen hindurchzufließen. Die Gipfel dieser Berge berührten einander und bildeten ein Gewölbe von unermeßlicher Größe. Es war so dunkel, daß man weder Himmel noch Erde sah. Die Barke wurde mit solcher Gewalt in das Gewölbe hineingezogen, daß sich der Prinz und die Prinzessin schon verloren glaubten. Doch trotz aller Gefahren durchquerte die Barke sicher das Gewölbe und der Strom trieb sie ans Ufer.

Sie stiegen sogleich an Land und hielten nach einem Haus Ausschau. Dabei erblickten sie auf dem Hang eines Berges einen hohen Dom. Sie gingen darauf zu, und als sie ihm nahe gekommen waren, sahen sie, daß er inmitten eines prachtvollen Palastes stand. An der Tür des Palastes sahen sie mehrere hieroglyphisch-kabbalistische Zeichen und folgende arabische Inschrift:

> *O du, der du wünschst, diesen ernsten Palast zu betreten,*
> *wisse, daß du nicht hineinkommst, bevor du nicht vor*
> *seiner Tür ein achtfüßiges Tier zum Opfer bringst.*

„Ich fürchte, uns wird diese Tür verschlossen bleiben", sagte der Prinz, „denn alle unsere Anstrengungen sie zu öffnen, würden vergeblich sein. Diese seltsamen Zeichen dort bilden einen Talisman, der uns hindert, hineinzugelangen."

„Nun", sagte die Prinzessin, dann wollen wir uns auf diesen Nachen setzen und nachdenken, was zu tun ist."

„Herrin", entgegnete darauf der Prinz von Karisme, „erzähle mir zuvor die Geschichte deines Lebens, denn mich verlangt, sie zu hören."

„Ich will sie dir in wenigen Worten berichten", sprach Dilaram. „Mein Vater, der König von Georgien, ließ mich in seinem Palast mit aller Sorgfalt erziehen. Ein junger Fürst unseres Hauses, der mich dann und wann sehen durfte, liebte mich. Ich begann, seine Liebe zu erwidern, als der Großwesir eines benachbarten Herrschers an den Hof von Georgien kam und mich zur Ehe für seinen Herrn begehren wollte. Mein Vater willigte ohne Bedenken ein, und ich mußte mich zur Abreise mit dem Wesir vorbereiten. Der junge Fürst, der mich liebte, starb vor Schmerz, als er von mir Abschied nehmen mußte. Und ich beweinte seinen Tod so sehr, daß jeder sehen konnte, daß ich ihn geliebt hatte. Doch da ich in dem Rufe stand, meinem Vater als gehorsames Kind ergeben zu sein, täuschte man sich über den wahren Grund meiner Tränen und hielt mich für eine zärtlichere Tochter, als ich war. Ich reiste mit dem Wesir ab. Wir schifften uns in einem kleinen Fahrzeug ein, um einen Meeresarm zu überqueren. Plötzlich erhob sich ein so furchtbarer Sturm, daß unsere Seeleute das Schiff den Wogen preisgeben mußten. Und so wurden wir auf die Insel der Samsaren verschlagen. Diese Untiere kamen sofort an den Strand und nahmen unsere ganze Schiffsmannschaft gefangen. Sie fraßen den Wesir und alle meine Diener. Ich aber gefiel einem alten Samsaren von vornehmer Geburt. Ich ging die Ehe mit ihm ein, um nicht gefressen zu werden, obwohl mir vor seinem Hundekopf schauderte. Zwei Tage nach unserer Hochzeit wurde er krank und starb . . . "

Hier unterbrach der Prinz von Karisme plötzlich ihre Erzählung, denn er sah eine Tarantel über ihren Nacken laufen.

„Nimm dich in acht, Herrin!" schrie er, „ich sehe eine Tarantel auf deinem Gewand!"

Dilaram erhob sich rasch, die Tarantel fiel zu Boden, und der Prinz zertrat sie.

Kaum hatte er sie getötet, da öffnete sich die Tür des Palastes von selbst, denn die Tarantel hatte acht Füße gehabt. Der Prinz und die Prinzessin gingen durch die Tür und betraten einen großen Garten mit vielen Bäumen aller Art. Die Äste der Bäume schienen mit reifen Früchten beladen, aber als der Prinz sie pflücken wollte, sah er, daß sie von Gold waren. Inmitten des Gartens rieselte ein kleiner Bach, durch dessen klares Wasser man auf dem Grunde eine Unzahl edler Steine erblicken konnte. Als sie den Garten lange genug betrachtet hatten, gingen sie auf den Palast zu. Er war ganz aus Bergkristall erbaut. Sie durchschritten mehrere Zimmer, die alle von Gold, Edelsteinen und Rubinen schimmerten. Dann kamen sie an eine silberne Tür. Als sie diese geöffnet hatten, sahen sie ein herrliches Gemach und darin einen Greis, der eine Krone von Smaragden trug. Sein silberweißer Bart hing bis zur Erde hinab, aber er bestand nur aus sechs Haaren, die weit auseinander standen. Ebenso waren in seinem Knebelbart nur drei Haare an jeder Seite, die mit dem Bart unter dem Kinn zusammengewachsen waren. Die Nägel an seinen Fingern waren mindestens anderthalb Meter lang.

Der Greis schaute den Prinzen und die Prinzessin lange an. Dann sprach er zu ihnen: „Sagt mir, wer ihr seid?"

„Herr", erwiderte der Prinz, „ich bin der Sohn des Königs von Karisme, und diese schöne Fürstin verdankt ihr Dasein dem König von Georgien. Wenn du es wünschst, werden wir dir unsere Abenteuer erzählen. Gewiß wirst du Mitleid mit uns haben und uns eine Zuflucht gewähren."

„Seid mir willkommen", sprach der Greis. „Da ihr Königskinder seid und das Glück hattet, in diesen Palast zu gelangen, so könnt ihr meine Vergnügungen teilen. Bleibt hier bei mir, und ihr könnt ewiges Glück genießen. Der Tod, dessen Macht alle Menschen erfahren müssen, wird euch dann verschonen. Einst war ich König von China. An der Länge meiner Nägel könnt ihr erkennen, wie alt ich bin. Eine Umwälzung in meinem Reiche zwang mich, es zu verlassen. Ich ging in diese Einöde und ließ durch Geisterhand dieses Schloß bauen; denn da ich in die Lehren der Kabbala eingeweiht bin, habe ich die Macht, den Geistern zu gebieten. Schon tausend Jahre bin ich hier und will ewig hier leben, denn ich kenne das Geheimnis des Steines der Weisen und bin deshalb unsterblich. Wenn ihr einige Jahrzehnte bei mir gewesen seid. will ich euch dieses wunderbare Geheimnis lehren. Meine Rede überrascht euch, und doch ist alles, was ich euch sage, wahr. Ein Mensch, der den Stein der Weisen zu bereiten versteht, kann nicht durch Krankheit sterben. Es ist wahr, man kann ihn ermorden, aber dem kann man ja entfliehen, wenn man sich in ein unterirdisches Gewölbe einschließen oder sich — wie ich — in der Einöde ein Schloß bauen läßt. Hier bin ich sicher. Den Talisman, den ihr über der Tür bemerkt habt, hindert Diebe und Bösewichte, bei mir einzudringen, auch wenn sie tausend achtfüßige Tiere umbringen würden. Nur wenn ein Tugendhafter ein solches Tier tötet, öffnet sich die Tür."

Dann bot der alte König von China dem Prinzen und der Prinzessin seine Freundschaft an. Sie entschlossen sich, in seinem Palast zu bleiben. Er zeigte ihnen zwei Springbrunnen, die sich in zwei große goldene Becken ergossen. In dem einen floß kostbarer Wein, in dem anderen eine Art von Milch, die im Niederfließen gerann und zu einer köstlichen Speise wurde. Der alte König rief drei Geister herbei und befahl ihnen, seine Gäste zu bedienen. Sie richteten eine Tafel mit drei Gedecken und stellten darauf drei Schalen, angefüllt mit jener geronnenen Milch. Der Prinz von Karisme und die Prinzessin von Georgien aßen davon mit dem allergrößten Appetit. Von Zeit zu Zeit kredenzten die dienenden Geister Wein aus kristallenen Schalen. Der alte König aber, der sich seiner langen Nägel wegen nicht selbst bedienen konnte, öffnete nur den Mund, und einer der Geister speiste und tränkte ihn wie ein Kind.

Nach dem Ende des Mahles erzählten die beiden ihm ihre Geschichte. Als sie damit zu Ende waren, sprach er gütig zu ihnen: „Tröstet euch über euer vergangenes Unglück. Ihr seid jung und liebenswürdig, und ihr könnt, wenn ihr einander ewige Treue schwört, euch hier die angenehmste Zukunft bereiten."

Der Prinz und die Prinzessin, die sich schon ewige Liebe geschworen hatten, erneuerten noch einmal ihren Eid und vermählten sich vor dem alten Herrscher von China . . .

Hier schwieg Scheherazade, denn der Morgen graute. In der folgenden Nacht aber fuhr sie fort:

Nach einiger Zeit gebar die Prinzessin zwei kleine Prinzen, schön anzusehen wie der Mond am Himmel. Als sie groß genug waren, um lernen zu können, lehrte sie ein Geist viele wunderbare Dinge. Schon waren sie sechs Jahre alt, als ihre Mutter zu ihrem Gemahl sprach:

„Mein teurer Herr, ich bin des Lebens in diesem Palast überdrüssig. All seine Reize werden mir langweilig, weil ich gezwungen bin, immer darin zu wohnen. Mag der gute König von China uns auch versichern, daß wir niemals sterben würden, seine Versicherung rührt mich wenig. Trotz seines Geheimnisses wird er immer älter, und es ist wirklich mehr ein Leiden als ein Glück, vom Alter geplagt noch fortzuleben. Überdies sehne ich mich danach, meinen Vater wiederzusehen, wenn ihn der Schmerz über meinen Verlust nicht inzwischen getötet hat."

„Meine Fürstin", erwiderte ihr Gemahl, „diese Unsterblichkeit, die der Greis uns versprach, habe ich nur gewünscht, um dich ewig und immer lieben zu können. Auch mich quält die Sehnsucht, meinen königlichen Vater wiederzusehen. Aber was sollen wir tun, um nach Georgien zu kommen?"

„Mein Geliebter", sprach darauf die Tochter des Königs von Georgien, „unsere Barke liegt noch am Ufer des Flusses. Vertrauen wir ihr noch ein zweitesmal unser Geschick an und folgen wir dem Lauf des Flusses. Er wird uns irgendwo hinführen, wo wir vielleicht Gelegenheit finden, an den Hof meines Vaters zu gelangen oder in die Staaten deines Vaters."

„Es sei, wie du willst, Herrin", erwiderte der Prinz. „Aber welchen Kummer wird unsere Abreise dem guten König von China bringen! Er liebt uns wie seine Kinder und wird gewiß untröstlich sein." — „Wir wollen mit ihm reden", sagte die Prinzessin, „und wir werden ihm versprechen, daß wir ihn nicht für immer verlassen."

Als der König hörte, was sie ihm vorzutragen hatten, begann er zu weinen. „O meine Kinder", rief er aus, „muß es denn sein, daß ich euch verliere! Ich werde euch sicherlich nie wiedersehen!"

„Herr", entgegnete der Fürst, „laßt uns dem Trieb unseres Blutes folgen. Wenn wir unsere Väter wiedergesehen haben, wollen wir gern in diese Einsamkeit zurückkehren, um mit dir die Reize der Unsterblichkeit zu genießen."

Doch der Greis las im Inneren ihrer Herzen und wußte, daß sie nicht die Absicht hatten, ihr Wort zu halten. Aus Schmerz rief er den Engel des Todes herbei, den er kraft seiner Macht seit Jahrhunderten von sich fern gehalten hatte und gab sich so selbst den Tod. Kaum hatte er sein Leben ausgehaucht, da entführten ihn die Geister. Im gleichen Augenblick verschwand auch der Palast, und der Prinz und die Prinzessin und ihre Kinder standen mitten auf einem Feld. Sie pflückten einige Früchte, trugen sie in die Barke, stiegen alle vier in das Boot und folgten dann dem Lauf des Flusses.

Vor der Mündung des Flusses entdeckte sie ein Seeräuber. Der Prinz und die Prinzessin waren gezwungen, sich ihm zu ergeben, da sie keine Waffen mit sich führten. Der Räuber nahm sie an Bord seiner Barke und steuerte mit vollen Segeln eine Insel an. Dort setzte er den Prinzen aus und nahm dann mit der Prinzessin und ihren beiden Söhnen wieder Kurs auf die hohe See.

Der Prinz und Prinzessin Dilaram waren untröstlich, voneinander getrennt zu sein. Solange der Prinz noch das Schiff sehen konnte, überschüttete er den Räuber mit bitteren Klagen und Vorwürfen.

„In welchen Winkel der Erde du auch eilen wirst, Schurke", schrie er, „du wirst der gerechten Strafe nicht entgehen!" Dann rief er, die Hände zum Himmel emporgestreckt, aus: „O Himmel, bisher warst du mir so gnädig! Warum hast du mich jetzt verlassen? Ach, wenn du nicht ein neues Wunder an mir tust und mir die wiedergibst, die meinem Herzen so teuer sind, dann kann ich mich über deine frühere Gunst nicht mehr freuen. Weshalb hast du mich aus sovielen Gefahren gerettet? Um mich erst dann sterben zu lassen, wenn ich allen Schmerz des unglücklichen Gatten und Vaters erfahren habe?"

Während er sich so seiner Verzweiflung hingab, sah er mehrere Menschen von seltsamem Aussehen auf sich zukommen. Sie hatten Leiber wie andere Menschen, aber sie waren ohne Kopf. Dafür hatten sie ein weites Maul auf der Brust und ein Auge auf jeder Schulter. Diese Ungeheuer ergriffen den Prinzen und führten ihn vor ihren König.

„Herr", sprachen sie zu ihm, „diesen Fremdling von verdächtigem Aussehen haben wir an der Küste gefunden. Er könnte ein Kundschafter unserer Feinde sein."

„Nun", rief der König, „so bereite man einen Holzstoß und werfe ihn in die Flammen, sobald ich ihn verhört habe!"

Der Prinz erzählte dem König von seiner Herkunft und berichtete ihm seine Abenteuer. Darüber war der Herrscher sehr erstaunt und sprach: „Ich sehe, daß Allah dich seines besonderen Schutzes würdigt. Hätten es mir nicht die seltsamen Begebenheiten, die du erlebt hast, bewiesen, so würden es mir die Gefühle des Mitleids zeigen, die ich plötzlich für dich empfinde. Ja, du sollst leben und an meinem Hofe bleiben. Ich glaube, du kannst mir nützen in dem Krieg, den ich gegen den König der Nachbarinsel führe. Höre den Grund unseres Streits. Er und seine Untertanen sind nicht Menschen ohne Kopf, wie wir, sondern mit Vogelköpfen. Und wenn sie reden, gleicht ihre Stimme so sehr dem Vogelgeschrei, daß wir — sobald einer von ihnen auf unsere Insel kommt — ihn für einen Strandvogel halten und ihn verzehren. Das mißfällt ihrem König, und um sich an uns zu rächen, rüstet er von Zeit zu Zeit eine Flotte und versucht, hier zu landen. Einige Landungen sind schon mißglückt, doch er gibt die Hoffnung nicht auf, uns zu vertilgen, wie auch wir hoffen, ihn und seine Untertanen eines Tages zu verzehren."

Der Prinz von Karisme bot dem König seine Hilfe an und der ernannte ihn zum Befehlshaber seines Heeres. Der junge Feldherr wartete nicht lange, dieses Amt zu übernehmen und sich der Ernennung würdig zu zeigen. Bald erschienen viele Schiffe vor der Insel. Der König der Insel mit den vogelköpfigen Männern versuchte mit den Besten seiner Untertanen eine neue Landung. Der Prinz von Karisme ließ ihm Zeit, die Hälfte seiner Mannschaft auszuschiffen. Dann aber griff er sie mit seinen Truppen an und zwang sie, zurück auf die Schiffe zu fliehen. Viele wurden getötet, andere ertranken, und der König mit dem Vogelkopf mußte sich mit den Resten seines Heeres zurückziehen.

Der Prinz erntete alle Ehren für diesen großen Sieg, und seine Krieger behaupteten, sie seien noch nie so gut geführt worden. Dieses Lob schmeichelte dem Prinzen so sehr, daß er sich noch mehr Ruhm verdienen wollte. Deshalb schlug er dem König vor, nun seinerseits eine Flotte auszurüsten, um damit auf der feindlichen Insel Schrecken zu verbreiten.

Der König ging sofort auf diesen Vorschlag ein. Er ließ hundert Schiffe bauen und ausrüsten. Mit dieser Flotte landete der Prinz von Karisme nachts auf der Insel der Vogelköpfigen. Er stellte sein Heer in Schlachtordnung auf und rückte beim Tagesanbruch gegen die Stadt vor. Deren Einwohner wurden völlig überrascht, überrumpelt und getötet, wenn sie es wagten, Widerstand zu leisten. Den König und seinen ganzen Hofstaat nahm der Prinz gefangen und kehrte dann als Sieger zur Insel der kopflosen Menschen zurück. Dort wurde er von dem jubelnden Volk empfangen. Die Siegesfestlichkeiten dauerten einen ganzen Monat lang. Die Gefangenen wurden unter die Einwohner verteilt und von denen wie Strandvögel verspeist. Den besiegten König selbst setzte man zum Festmahl der Familie des Königs der kopflosen Menschen vor.

Nach diesem Feldzug führte der Prinz von Karisme ein friedliches Leben. Neun Jahre lang blieb er am Hofe des kopflosen Königs, der ihn sehr liebgewann und deshalb eines Tages sagte: „Fürst, ich bin alt und habe keine männlichen Nachkommen. Du sollst meine Krone erben unter der Bedingung, daß du sie mit meiner Tochter teilst."

Der Prinz versuchte, diesem Antrag auzuweichen, doch der König kam immer wieder darauf zurück. Und als er merkte, daß sich der Prinz nicht auf eine solche Ehe einlassen wollte, sprach er: „Alle Dienste, die du mir geleistet hast, werden dich nicht vor meinem Zorn schützen, wenn du dich weigerst, mir zu gehorchen. Du wirst morgen meine Tochter zum Weibe

nehmen, oder ich lasse dir diese Kugel abschlagen, die unaufhörlich auf deinen Schultern schwankt und dir ein so lächerliches Aussehen gibt."

Am Ton des Königs merkte der Prinz, daß es keinen Ausweg für ihn gab. Also willigte er in die Hochzeit ein, die dann auch bald mit aller Pracht gefeiert wurde.

In der Hochzeitsnacht führte man den Prinzen in das Gemach, in dem die kopflose Prinzessin schon auf ihn wartete, und ließ ihn dann allein. Sie trat zu ihm, und schon wollte ihn der Ekel packen, als die Prinzessin mit ruhiger Stimme zu ihm sprach: „Ich weiß sehr wohl, o Herr, daß ein Mann wie du ein Weib wie mich hassen muß. Ich schließe jedenfalls von meinem Gefühl auf das deine. Ich habe gegen dich soviel Abneigung wie du gegen mich. Aber ich werde um dein Glück besorgt sein, wenn du bereit bist, auf das Recht des Gatten zu verzichten."

„Herrin", entgegnete der Prinz, „ich verzichte auf dieses Recht von ganzem Herzen. Aber wie solltest du mich glücklich machen können?"

„Du mußt wissen, daß ich einen Geist liebe, dem ich eine heftige Leidenschaft eingeflößt habe. Sobald er hört, daß mein Vater mich verheiratet hat, wird er mich entführen. Ich werde ihn bitten, dich in dein Vaterland zurückzuführen. Und aus Freude darüber, daß du meinen Wunsch geachtet hast, wird er alles tun, was du willst."

„Du schenkst mir Hoffnung", erwiderte frohen Herzens der Fürst, „und ich werde dem Geist alle Schätze schenken, die für unsere Ehe gedacht waren." Dann legten sich der Prinz und die kopflose Prinzessin jeder auf ein Sofa und schliefen bald ein.

Während sie beide schliefen, erschien der Geist, nahm die Prinzessin und den Prinzen in seine Arme und führte sie rasch fort. Auf einer nahen Insel legte er den Prinzen auf einen Rasen und brachte dann die Geliebte in ein unterirdisches Gemach, das er eigens für sie erbaut hatte.

Bei seinem Erwachen war der Prinz sehr erstaunt, sich auf einer unbekannten Insel zu sehen. Er begriff sofort, daß der Geist ihn hierher getragen hatte, aber er war darüber sehr unglücklich, denn er hatte gehofft, in seine Heimat geführt zu werden. Stattdessen saß er nun auf einer Insel, auf der es vielleicht genauso grausame Menschen gab, wie es die Samsaren waren. Während er noch dumpf vor sich hinbrütete, sah er am Ufer einen Greis, der eben die heilige Waschung vornahm. Der Prinz lief zu ihm und fragte ihn, ob er ein Moslem sei.

„Ja, ich bin es", erwiderte der Greis, „und du, junger Mann, wer bist du? Ich schließe aus deinem edlen Aussehen, daß du nicht gemeiner Herkunft bist."

„Du täuschst dich nicht", sprach der Prinz, „denn ich bin ein Königssohn. Ich nenne mich den Sohn des Königs von Karisme."

„Ist es möglich", unterbrach ihn der Greis, „daß du der unglückliche Fürst bist, der von einem Seeräuber entführt wurde?"

„Woher hast du Kunde von diesem Unglück?"

„Ich muß es wohl wissen, Herr", antwortete der Greis, „denn ich bin im Lande deines königlichen Vaters geboren. Ich bin der Sterndeuter, der dir das Horoskop stellte. Der König, dein Vater, hat sich so sehr über deine Entführung gegrämt, daß er wenige Tage darauf starb. Das Volk beweinte ihn lange und rief dann, an deiner Wiederkehr zweifelnd, einen Prinzen aus deinem Geschlecht auf den Thron. Dieser neue Herrscher ließ die Astrologen zusammenkommen und befahl uns, die Sterne über seine Regierung zu befragen. Was er hörte, mißfiel ihm, und er beschloß, uns töten zu lassen. Doch wir flohen aus unserem Vaterland, und jeder zog sich an einen anderen Ort der Welt zurück. Ich bin durch viele Länder gewandert und habe mich endlich auf dieser Insel niedergelassen. Sie wird von einer gütigen Königin beherrscht."

Während der Greis redete, war der Prinz in Tränen ausgebrochen. Die Nachricht vom Tode seines Vaters erfüllte ihn so sehr mit Verzweiflung, daß der Astrologe ihn trösten mußte: „Herr, zwar habe ich dir traurige Nachrichten bringen müssen, ich habe jedoch auch angenehme für dich. Ich erinnere mich noch, daß der Himmel dir von deinem dreißigsten Lebensjahr an eine glückliche Zukunft verspricht. Du bist jetzt einunddreißig Jahre alt, und dein Unglück muß also vorbei sein. Folge mir, ich werde dich zum Großwesir bringen. Er wird dich der Königin vorstellen, und sie wird dich sicher aufnehmen, wie du es verdienst."

Der Prinz und der Sterndeuter gingen zum Großwesir. Kaum hatte dieser den Namen des Prinzen vernommen, als er mit allen Zeichen des Erstaunens ausrief: „O Allah, nur du allein vermagst solche Wunder zu tun! Komm, Prinz, laß uns zur Königin eilen. Dort wirst du erfahren, weshalb ich so erstaunt bin!"

Er führte den Prinzen in den Königspalast und ließ ihn im Gemach der Königin warten. Dann blieb der Wesir lange bei seiner Herrin. Doch dann erschien sie endlich. Sie blickte ihn an und erkannte ihn auf der Stelle wieder. „O Herr", rief sie und breitete ihre Arme nach ihm aus, „es gibt keine größere Freude als die, dich wiederzusehen!"

Der Prinz erkannte in ihr seine geliebte Dilaram wieder. Außer sich vor Staunen, Liebe und Entzückung, rief er aus: „O, meine Fürstin, ist es wahr, daß ich dich sehe! Was mir der Himmel auch zugefügt hat, seine Güte übertrifft seine Strenge, weil er dich meiner Liebe wiedergibt!" Selig umarmten beide einander. Dann fragte der Prinz nach seinen Kindern.

„Du wirst sie bald sehen, o Herr", erwiderte seine Gattin, „sie werden gleich von der Jagd zurückkehren."

„Und wie bist du Herrscherin dieser Insel geworden?" fragte er weiter.

„Du sollst es sogleich erfahren", antwortete Dilaram. „Als der Seeräuber dich ausgesetzt hatte, steuerte er wieder aufs hohe Meer hinaus. Wir waren noch keine sechs Meilen gefahren, als wir in einen schrecklichen Sturm gerieten. Er warf unser Schiff mit solcher Gewalt gegen die Felsen dieser Insel, daß es zerschellte. Einige Männer der Besatzung erreichten schwimmend das Ufer, die anderen, darunter der Hauptmann, ertranken. Ich erwartete still den Tod und umarmte meine Söhne. Schon wollten die Fluten uns verschlingen, da eilten einige der Inselbewohner in Booten zur Hilfe herbei. Sie zogen uns aus dem Wasser und trugen uns in eine Hütte. Als der König der Insel von unserem Schiffbruch hörte, wollte er uns sehen. Er war ein

Greis von neunzig Jahren und wurde von seinen Untertanen sehr geliebt. Ich erzählte ihm von meiner Herkunft und von meinen Abenteuern. Nachdem er mit größter Aufmerksamkeit zugehört hatte, sagte er: „Meine Tochter, wir müssen tapfer unser Unglück tragen. Es sind dieses die Prüfungen, die der Himmel der Tugend auferlegt hat. Bleibe bei mir, und ich werde für die Prinzen, deine Kinder, sorgen." Er hätte sie nicht mehr lieben können, wenn es seine eigenen gewesen wären. Und die Achtung und die Rücksicht, die er mir angedeihen ließ, konnte nicht größer sein. Er begnügte sich nicht damit, mich mit Ehrenbezeigungen zu überhäufen, er beriet sogar seine Staatsgeschäfte mit mir. Er war des Lobes voll für alles, was ich sagte, mochte es auch noch so wenig passen. So verlebten wir fünf Jahre, bis er eines Tages sagte: „Fürstin, es ist an der Zeit, dir meinen Plan zu eröffnen. Ich wünsche, daß du nach meinem Tode den Thron besteigst. Aber dazu ist es nötig, daß ich dich zum Weibe nehme. Mein ganzes Volk wird meiner Wahl zustimmen und mir dafür danken, daß ich dich zu meiner Erbin eingesetzt habe." Schon um das Wohl meiner Söhne willigte ich in diese Verbindung ein. Wir feierten Hochzeit, und kurze Zeit darauf starb der alte König. Seitdem bin ich Königin dieses Volkes."

Nachdem die Königin das gesagt hatte, sprang sie auf. Ihre Söhne kehrten von der Jagd zurück. „Schnell, meine Söhne", rief sie ihnen entgegen, „umarmt euren Vater, den der Himmel uns wiedergeschenkt hat!" Und sie eilten in die Arme ihres Vaters.

Nach der zärtlichen Begrüßung versammelte der Großwesir die Ältesten des Volkes und trug ihnen die Geschichte des Prinzen von Karisme vor. Dann forderte er sie auf, den Prinzen als König anzuerkennen. Sie willigten einstimmig ein und riefen den Prinzen von Karisme zu ihrem Herrscher aus. Noch lange Zeit regierte er mit der geliebten Prinzessin von Georgien so, daß seine Herrschaft „die glückliche" genannt wurde.

„Ich habe diese Geschichte berichtet, o Herr", sprach der neunte Wesir des Kaisers von Persien weiter, „um zu zeigen, daß die

Kinder der Könige und Mächtigen auf dieser Erde ihrem Stern unterworfen sind wie alle anderen Kinder. Wenn ein unseliger Stern über uns steht, dann verwandelt sich das Gold in unseren Händen in schwarzen Staub und jegliches heilsame Kraut in Gift. Dein edler Sohn Nougehan ist in einer solchen unglücklichen Lage. Er muß das Schlimmste befürchten, denn sein eigener Vater ist sein Feind geworden. Habe deshalb Mitleid mit ihm, o Herrscher, und hüte dich, ihn töten zu lassen, bevor das Ende seiner bösen Zeit gekommen ist."

Die Erzählung des Wesirs verfehlte nicht ihre Wirkung auf Sindbad. Und trotz des Versprechens, das er der Sultanin gegeben hatte, verschob er wiederum die Hinrichtung seines Sohnes. Am Abend machte ihm die Sultanin deswegen Vorwürfe.

„Herrin", erwiderte ihr Sindbad, „ich wage es nicht, mein Versprechen zu erfüllen, denn einer meiner Wesire, ein gelehrter Astrologe, versicherte mir heute morgen, ich würde es bestimmt eines Tages bereuen, wenn ich meinen Sohn jetzt töte."

„Was hat dich wieder zurückgehalten, es zu tun?" entgegnete die Sultanin. „Nourgehan schwebt durch eigene Schuld und nicht wegen eines ihm feindlichen Gestirns in Gefahr. Zur Strafe für ihre Sünden schenkt der Himmel bisweilen den Vätern lasterhafte Kinder. Ach, es gibt wirklich keine Greuel, deren verdorbene Jünglinge nicht fähig wären!"

Und darauf erzählte die Sultanin Sindbad

Die Geschichte vom Schuster und der Königstochter

Es lebte einst in Kasbin ein junger Schuster namens Hassan, den sein Handwerk nur kümmerlich ernährte. Als er eines Tages in seiner Bude saß, sah er einen Derwisch vorübergehen, dessen Pantoffeln zerrissen waren.

„Frommer Derwisch", redete er ihn an, „bleibe eine Weile bei mir, damit ich dein Schuhwerk ausbessern kann, denn es ist zerrissen."

Der Derwisch folgte dieser freundlichen Einladung, ließ sich nieder und genoß die Speisen, die Hassan ihm vorsetzte.

Als der Schuster die Pantoffeln ausgebessert hatte, sprach er: „Zum Lohn für meine Arbeit bitte ich dich um einen guten Rat. Ich möchte reisen, und niemand kann mir dazu besser Rat erteilen als du."

„Mein Sohn", antwortete der Derwisch, „gern will ich dir drei wichtige Lehren geben. Sie sind sehr gut, wie ich aus eigener Erfahrung weiß: Erstens beginne nie eine Reise ohne einen guten Gefährten, denn unser Prophet sagt: ‚Zuerst suche dir einen Gefährten und dann begib dich auf den Weg.' Zweitens verweile nie an einem Ort, an dem es an Wasser mangelt, und drittens gehe nie in eine Stadt nach Sonnenuntergang."

Wenige Wochen darauf, nachdem er gute Gefährten gefunden hatte, trat Hassan seine Reise an. Als sie einige Tage gewandert waren, kamen sie an die Tore einer großen Stadt. Hassans Gefährten eilten hinein, er aber dachte an den Rat des Derwischs und blieb draußen am Ufer eines Stromes. Da er unweit davon einen Gottesacker fand, beschloß er, darauf die Nacht zuzubringen.

Drei Stunden nach Mitternacht bemerkte er einige Männer, die etwas, dessen Umrisse er nicht erkennen konnte, an Seilen über die Stadtmauer herabließen und eiligst in eines der nächsten Gräber trugen. Kaum hatten sie sich entfernt, da lief Hassan dorthin, wo sie ihre Last abgelegt hatten und sah einen Sarg, aus dem an allen Seiten Blut hervorrieselte. Er hob den Deckel des Sarges auf und fand darin eine Frau von seltener Schönheit, ganz in ihrem Blut gebadet und in ein Leichentuch gehüllt. Er glaubte, sie sei tot, und hob das Tuch auf, das sie umhüllte. Da rief sie mit kaum vernehmbarer Stimme aus: „Ich flehe euch an, raubt mir nicht mein Gewand!"

Als Hassan erkannte, daß sie noch lebte, zerriß er seinen Kaftan und verband damit ihre Wunden. Bei Anbruch des Tages ließ er die Fremde in die Karawanserei der Stadt tragen und gab dort an, sie sei seine Schwester und er selbst hätte sie, vom Zorn übermannt, so zugerichtet. Zwei Monate lange pflegte er sie hier mit der zärtlichsten Sorgfalt.

Nachdem diese Zeit verflossen und die Fremde wieder völlig genesen war, ging sie ins Bad. Als sie zurückkam, forderte sie

Schreibzeug, schrieb einige Worte und sprach zu Hassan: „Nimm bitte diesen Brief, bringe ihn auf den Bazar zum Wechsler Jakub und nehme, was er dir geben wird."

Hassan ging eiligst zu dem Wechsler. Als dieser den Brief geöffnet hatte, küßte er ihn, legte ihn auf sein Haupt und übergab Hassan einen Beutel mit fünfhundert Zechinen. Hassan hatte noch nie eine so große Summe gesehen, und aus der Ehrfurcht, mit der der Wechsler den Brief gelesen hatte, merkte er, daß die Schreiberin nicht von niedriger Geburt sein müsse. Nach seiner Rückkehr in die Karawanserei legte er die Börse vor der Fremden hin. Sie bemerkte wohl, wie sehr es ihn gelüstete, zu erfahren, wer sie sei. Doch sie hielt es nicht für ratsam, ihm das Geheimnis schon jetzt zu lüften. Sie sagte ihm nur, er möge das Geld nehmen, um sich gute Kleider und eine wohleingerichtete Wohnung dafür zu kaufen. Hassan folgte ihrem Rat, und da der Wechsler auch weitere von ihr geforderte Summen nicht verweigerte, kaufte sie viele Sklaven und lebte im Überfluß.

Eines Tages gab die Unbekannte Hassan eine Börse und sprach zu ihm: „Leiste mir noch einen sehr wichtigen Dienst. Eile auf den Bazar. Dort wirst du den Laden Abdallahs, des Seidenhändlers, finden. Laß dir ein Stück seines besten Seidenzeugs geben und kaufe es, so teuer es auch sein mag."

Hassan ging auf den Bazar und kaufte im Laden des jungen Kaufmanns ein Stück vom besten Seidenzeug. Die Unbekannte bat ihn noch mehrere Male, von diesem Kaufmann teure Waren zu kaufen. Und so kam es, daß Hassan und der Kaufmann vertraut miteinander wurden und der Kaufmann Hassan zu einem Mittagsmahl einlud.

Nun wurde, so wollte es die Unbekannte, bald darauf Abdallah von Hassan eingeladen. Mit Freuden nahm der Kaufmann die Ehre an, die ihm ein so reicher und vornehmer Mann, für den er Hassan hielt, erwies. Zur bestimmten Stunde kam Abdallah, gekleidet mit seinen schönsten Feiertagskleidern. Hassan empfing ihn, und beide tranken bis spät in die Nacht. Als aber Abdallah sich von seinem Gastgeber verabschieden wollte, gestattete Hassan diesen Abschied nicht. „Wie", sprach er, „du willst zu so später Stunde noch fortgehen? Nein, das kann ich nicht gestatten! Du wirst in meinem Hause übernachten. Ich will dir ein Lager bereiten lassen."

Abdallah sah ein, daß alles Sträuben vergeblich war. Und so begab er sich zur Ruhe in dem Gemach, das ein Sklave ihm anwies. Als er im tiefsten Schlafe lag, kam die Unbekannte und stieß ihm einen Dolch ins Herz. Hassan, von dem Geräusch geweckt, eilte herbei: „Großer Gott", rief er aus, als er den Kaufmann sterben sah, „ich bin zum Mitschuldigen an einer Greueltat geworden! Mörderin, ich verlasse dich! Ich will nicht länger in deinem verruchten Hause leben. Nimm alles wieder hin, was du mir geschenkt hast!"

„Beruhige dich, Hassan", erwiderte die Unbekannte, „ich habe nur einen Verräter zu Recht bestraft. Ich bin die Tochter des Königs. Jenem dort war ich in Liebe ergeben. Durch Vermittlung meiner Amme und durch bestochene Sklaven gelang es mir, ihn in den Harem einzuführen. Mehr als einmal ging ich verkleidet zu ihm und überhäufte ihn mit Wohltaten. Einmal besuchte ich ihn zu einer Zeit, da er mich nicht erwartet hatte. Stelle dir meinen Zorn vor, als ich ihn zusammen mit einer Nebenbuhlerin fand. Ich überhäufte ihn mit Vorwürfen und ließ mich sogar dazu hinreißen, das Mädchen, das ich bei ihm angetroffen hatte, zu schlagen. Da rief er zwei junge Männer herbei, und alle drei fielen mit Messern über mich her. Als sie glaubten, ich sei tot, trugen sie mich auf den Gottesacker, wo du mich gefunden hast. Jetzt, da ich gerächt bin, eile zu meinem Vater, dem König, um ihm zu verkünden, daß seine Tochter noch lebt."

Der ganze Hof war voller Jubel, als er die Nachricht vernahm. Weinend umarmte der König seine Tochter und als er hörte, daß Hassan sie gerettet hatte, gab er sie ihm zur Frau.

„Du siehst aus dieser Geschichte, o mächtiger Herrscher", fügte Chansade hinzu, „zu welchen Greueltaten Jünglinge oft fähig sind." Und wiederum forderte sie den Tod Nourgehans.

Hier bemerkte Scheherazade den Tag und schwieg. In der folgenden Nacht erzählte sie weiter:

DIE ACHTZEHNTE NACHT

Doch am folgenden Morgen, als der Kaiser gerade den Tod seines Sohnes befehlen wollte, trat nochmals ein Wesir vor und flehte um Gnade für Nourgehan. Und um den Einfluß der Sultanin zu schwächen, erzählte er folgende Geschichte von der Bosheit der Weiber:

Der Holzhauer und der Geist

Ahmed, ein armer Holzhauer aus Bagdad, hatte ein widerspenstiges, geiziges, zänkisches Weib. Verdiente er etwas Geld, so gab sie nicht eher Ruhe, bis sie es hatte. Eines Tages hatte Ahmed einige Pfennige beiseite gelegt, um ein Seil dafür zu kaufen. Das Weib sah es und sprach zu ihm:
„Elender, du scheinst ja ein schönes Leben zu führen! Gewiß ist das Geld, das du da versteckst, für eine Geliebte gedacht. Aber warte nur, dich will ich schon zur Ordnung zwingen! Nie wieder sollst du ohne mich ausgehen dürfen!"
Und der arme Holzhauer, der bisher wenigstens bei der Arbeit im Walde seine Ruhe gehabt hatte, sah sich jetzt sogar hier von seiner Frau verfolgt.
Ahmed sann nach, wie er sie loswerden könnte. Da kam ihm plötzlich ein glücklicher Gedanke.
„Liebe Frau", sprach er zu ihr, „da du nun doch einmal hier bist, könntest du mir einen großen Gefallen tun. Schon vor

langer Zeit hörte ich, in diesem Brunnen hier sei ein Schatz verborgen. Binde mich also an dieses Seil und laß mich hinunter."

„Nein", antwortete sie eifrig, „du sollst mich daran binden, ich kann ebenso gut hinabsteigen wie du. Du wärest nämlich imstande, den Schatz für dich allein zu behalten."

Ahmed willigte in diesen Vorschlag ein, band seine Frau an das Seil und ließ sie in den Brunnen hinabgleiten. Als sie auf den Grund gekommen war, ließ er das Seil los und rief hinunter: „Jetzt, liebes Weib, werde ich doch eine Weile Ruhe haben, denn du wirst so lange dort unten bleiben, bis es mir gefällt, dich wieder heraufzuziehen!" Und ohne auf ihre Bitten und Drohungen zu achten, ging er wieder an seine Arbeit. Einige Zeit darauf, als er glaubte, die Lehre, die er ihr erteilt hatte, habe seine Frau nun gebessert, warf er das Seil wieder hinab: „Schnell", rief er ihr zu, „binde dich fest, damit ich dich wieder heraufziehe!" Dann zog er die schwere Last empor. Doch wie staunte er, als er am Ende des Seils einen Geist erblickte!

„Ich bin dir sehr viel Dank schuldig", sagte der Geist, „denn ich bin einer von jenen Geistern, die sich nicht in die Luft emporschwingen können, und ich wohnte in diesem Brunnen bis ein mir feindlicher gesonnener Geist das boshafteste und zänkischste Weib auf Erden zu mir herabließ. Sie machte mich fast rasend, so lange sie bei mir war. Weil du mich nun von ihr befreit hast, will ich mich dankbar zeigen. Höre, was ich für dich tun will: Der König von Indien hat eine reizende Tochter. Ich will hingehen und von ihr Besitz ergreifen, um sie wahnsinnig zu machen. Ihr Vater, der König, wird umsonst alle Ärzte und weisen Männer zu ihrer Heilung aufbieten. Doch ich habe hier einige Blätter. Man braucht sie nur ins Wasser zu tauchen und damit über das Antlitz der Prinzessin zu reiben, so bin ich gezwungen, sie schnell zu verlassen. Ich gebe sie dir, gebrauche sie richtig."

Ahmed dankte dem Geist und machte sich auf den Weg nach der Hauptstadt von Indien. Am Tor der Hauptstadt hörte er, der ganze Hof sei bestürzt, weil die Prinzessin plötzlich dem Wahnsinn verfallen sei, und der König habe vergeblich demjenigen die Hand seiner Tochter versprochen, der sie heilen könne.

Ahmed erklärte sich bereit, die Prinzessin zu heilen. Er befeuchtete einige Blätter, rieb damit das Antlitz der Prinzessin ein, und die Verzauberung wich augenblicklich. Der König belohnte ihm diesen Dienst und gab ihm die Prinzessin zur Frau.

Nachdem der Geist die Prinzessin von Indien verlassen hatte, ließ er sich in dem Körper der Prinzessin von China nieder, die er sehr liebte. Der Kaiser von China, der von der wunderbaren Heilung am Hofe von Indien gehört hatte, sandte einen Hofbeamten dorthin und ließ Ahmed bitten, an seinen Hof zu kommen, um seine Tochter ebenfalls zu heilen. Ahmed machte sich sogleich auf den Weg.

Doch wie sehr wunderte er sich, als er bei seiner Ankunft erkannte, daß die Tochter des Kaisers von China ebenfalls von dem Geist aus dem Brunnen besessen war.

„Du also bist es, Ahmed", sprach der Geist zu ihm. „Ich habe dich mit Wohltaten überhäuft, und nun willst du mir die Prinzessin entreißen, die ich liebe. Nimm dich in acht! Wenn du mich zwingst, von hier zu weichen, dann eile ich auf der Stelle nach Indien und töte deine Gemahlin!"

Ahmed erschrak sehr über diese Drohung. Schon wollte er dem Kaiser von China erklären, hier versage seine Kunst, da verfiel er auf eine List.

„Bei Allah, mein guter Geist", sprach er, „ich bin nicht hier, um die Prinzessin zu heilen, sondern um dich um deinen Beistand zu bitten. Du erinnerst dich doch noch jenes Weibes, mit dem du eine Weile im Brunnen zusammen warst. Nun, es war meine Frau. Ich weiß nicht, wer sie herausgezogen hat, aber sie ist jedenfalls in Freiheit und verfolgt mich überallhin. In wenigen Augenblicken wird sie hier sein. Ich beschwöre dich: helfe mir!"

„Ich soll dir helfen?" erwiderte schnell der Geist. „Allah schütze mich davor, jemals wieder mit einem solchen Weibe zusammenzukommen! Ahmed, mein Freund, hilf dir selbst, ich kann es nicht. Ich mache, daß ich schnellstens von hier fortkomme!" Kaum hatte er das gesagt, als er auch schon forteilte. Die Prinzessin von China wurde wieder gesund, und Ahmed reiste, vom Kaiser reich beschenkt, in das Reich seines Schwiegervaters zurück. –

„Daraus mögest du ersehen, wie groß die Bosheit der Weiber ist", fügte der Wesir hinzu. „Selbst Geister fürchten sich davor, wieviel weniger also können sich Männer davor hüten. Schon seit mehreren Tagen versetzt die Bosheit eines Weibes die Wesire, die Vornehmen und das Volk in Unruhe. Sei vorsichtig gegen diese Ränke und verschiebe den Tod deines Sohnes noch einmal."

Der Kaiser, von dieser Mahnung ergriffen, ließ seinen Sohn ins Gefängnis zurückführen und ritt auf die Jagd.

Bei seiner Heimkehr bat Chansade wieder um Nourgehans Tod. Um das Vertrauen Sindbads zu seinen Wesiren zu erschüttern, erzählte sie ihm

Die Geschichte vom König Papagei

Ein König von Indien hatte von einem Derwisch eine Zauberformel gelernt, die es ihm gestattete, sich in den Körper eines Tieres zu versetzen. Eines Tages, als er sich mit einem seiner Wesire auf der Jagd befand, schoß er einen Rehbock. Um dem Wesir zu zeigen, wie erfahren er auf dem Gebiet der Zauberei sei, sprach er die Formel aus. Sofort sah der Wesir den Körper des Königs leblos zu Boden sinken, während sich der Leichnam des Rehbocks neu belebte und munter zu springen begann. Als der König seine gewöhnliche Gestalt wieder angenommen hatte, bat der Wesir seinen Herrn, ihn diese herrliche Formel zu lehren, und der König war so dumm, dieser Bitte nachzukommen.

Wenig später sah der Wesir bei einem Baum unweit des Palastes einen toten Papagei. Er sprach zum König: „Sage mir, Herr, kannst du mit deiner Formel auch in den Leib eines Vogels übergehen?"

„Gewiß", erwiderte der König, und sofort belebte er den Leichnam des Papageis und setzte sich auf den Baum. Sobald der

Wesir sah, daß der König seinen Körper verlassen hatte, las auch er die Zauberformel, bemächtigte sich des königlichen Körpers und ließ die Seele eines Sklaven in seinen eigenen eingehen. Als der Sultan die Treulosigkeit des Wesirs bemerkte, war er außer sich vor Schmerz und Zorn. In seiner Verwirrung flog er fort, während der Wesir die Herrschaft des Reiches an sich nahm und seine Frechheit sogar so weit trieb, daß er es wagte, in den Harem seines Herrn einzudringen.

Der arme Papagei entschloß sich nach langem Umherirren, in das Haus eines Gärtners zu fliegen. Er ließ sich fangen, in einen Käfig setzen und auf den Markt bringen. Da er sehr geläufig und verständlich sprach und alle Umstehenden durch seine vernünftigen Reden in Erstaunen setzte, wollte ihn jeder besitzen, und einer überbot den anderen. Zuletzt war sein Preis so hoch gestiegen, daß nur noch die Königin sich den kostbaren Vogel kaufen konnte.

Er wurde also in den Harem gebracht und in das Schlafgemach der Königin gesetzt. Hier aber mußte er mit ansehen, wie gegen Mitternacht sein verräterischer Wesir kam, um sich mit der Königin zu vergnügen. Am folgenden Morgen plauderten der Wesir und die Königin miteinander, und der Papagei hörte alle ihre Reden mit an.

„Weißt du", sagte der Wesir, „daß ich die Macht habe, mich in den Körper eines jeden toten Tieres zu versetzen?"

„O Herr und Gebieter", erwiderte die Königin, „eine solche Verwandlung würde ich gerne einmal sehen. Ich bitte dich, bereite mir dieses Vergnügen."

Da ließ der Wesir eine tote Gans herbeibringen und versetzte sich in deren Körper. Sofort sprach der in den Papagei verwandelte König auch die Zauberformel aus, kehrte wieder in seinen eigenen Leib zurück, ergriff die Gans und zerschmetterte sie an der Wand.

„O Herr", rief die Königin, „weshalb bist du so erzürnt?"

Und groß war ihr Erstaunen und ihre Scham, als ihr Gemahl ihr sein grausames Mißgeschick erzählte. —

„Du siehst, o Herr", fügte Chansade hinzu, „wie wenig man

einem Wesir vertrauen kann." Und wieder versuchte sie ihren
Gemahl zu überreden, seinen Sohn töten zu lassen. Der Kaiser
versprach es ihr auch. Doch der Tag verging wieder, ohne daß
sich Sindbad entschließen konnte, das Versprechen zu halten.
Der Tag brach an. Scheherazade bemerkte es und schwieg. In
der folgenden Nacht fuhr sie fort:

DIE NEUNZEHNTE NACHT

Als der Kaiser am Abend Chansades Gemach betrat, hielt
sie ihm eine Giftschale hin und sprach: „Dieses Gift, o
Herr, werde ich trinken, wenn du mir nicht Gerechtigkeit verschaffen willst. Dann wirst du dieses Verbrechen einst vor dem
höchsten Thron zu verantworten haben. Ich weiß sehr wohl,
daß deine Wesire versuchen, dich zu erschrecken. Deshalb erzählen sie dir Märchen von der Arglist meines Geschlechts.
Doch die Falschheit der Männer ist nicht weniger gefährlich.
Zum Beweis dafür höre die Geschichte des Malers von Ispahan."

Die Geschichte Mahmuds, des Malers

Ein Maler sah eines Tages bei einem Freunde das Bild einer
Frau. Er verliebte sich leidenschaftlich in die Schöne und ruhte
nicht eher, als bis er erfuhr, wo diese Frau wohnte, die dem Bild
als Modell gedient hatte. Alsbald trat Mahmud, so hieß der
Maler, diese Reise nach Ispahan an und gönnte sich weder
Rast noch Ruhe, ehe er nicht dort angekommen war. Er nahm
Wohnung bei einem Salbenhändler. Der erzählte seinem Gast,
daß das Reich sehr durch Verfolgungen beunruhigt würde, die
der Sultan gegen die Zauberer vornehmen ließ. Zugleich ent-
deckte Mahmud, daß seine Geliebte eine der Sklavinnen des
Wesirs war und baute darauf seinen Plan.
Mit vielem Räuberwerkzeug ausgerüstet, schlich er sich in einer

Nacht zum Palast des Wesirs. Mit einem Seil konnte er sich Eingang verschaffen. Über ein flaches Dach fand er den Weg in den Hof. Von dort aus konnte er in ein hell erleuchtetes Gemach blicken. Er schritt darauf zu und betrat ein Zimmer, wo er auf einem reich mit Gold und Edelsteinen verzierten Bett ein Mädchen schlafen sah, schön wie die Morgensonne. Als er sich ihr näherte, erkannte er, daß es seine Geliebte war.

Darauf zog er einen Dolch aus dem Gürtel und ritzte ihr an der Hand eine kleine Wunde, so daß sie erwachte. Sie war außer sich vor Furcht, als sie einen Fremden mit einem gezückten Dolch erblickte, denn sie hielt ihn für einen Räuber und flehte ihn an, ihr das Leben zu lassen. Sie bot ihm dafür einen köstlichen Schleier, reich mit Perlen und edlen Steinen bestickt. Mahmud nahm diesen Schleier und verließ eiligst den Palast des Wesirs.

Am nächsten Morgen verkleidete er sich, verbarg den geraubten Schleier unter seinem Gewand und trat vor den Kaiser von Persien: „Mächtigster Herrscher der Erde, ich bin ein Sofi, ein Geistlicher aus Chorasan. Der Ruf deiner Tugenden ist bis zu mir gedrungen, und ich bin hierher gekommen, um unter einem gerechten Herrscher zu leben. Als ich an das Tor der Stadt kam, fand ich es verschlossen. So war ich gezwungen, die Nacht vor der Stadt zuzubringen. Ich legte mich zum Schlafen nieder, doch bald sah ich vier Weiber. Die eine ritt auf einer Hyäne, die zweite auf einem Widder, die dritte auf einer schwarzen Hündin und die vierte auf einem Leoparden. Ich merkte bald, daß es Zauberinnen waren. Eine von ihnen näherte sich mir, trat mich mit den Füßen und schlug mich mit einer Geißel, deren Streiche furchtbar schmerzten. Ich rief mehrere Male den Namen des höchsten Gottes und verwundete sie mit dem Messer an der Hand. Darauf ließ sie mich los. Doch während sie floh, blieb dieser kostbare Schleier in meinen Händen. Für mich hat er freilich keinen Wert, denn ich habe auf alle Freuden der Welt verzichtet."

Nach diesen Worten übergab Mahmud dem Kaiser von Persien den Schleier und ging weg. Der Kaiser erkannte den Schleier sofort, denn er hatte ihn wenige Tage zuvor seinem Großwesir geschenkt, der ihn wiederum seiner Lieblingssklavin gegeben hatte.

Die Sklavin wurde in den Palast geholt. Und als man an ihrer Hand die Wunde entdeckte, von der der Sofi gesprochen hatte, zweifelte man nicht mehr an seiner Aussage. Darauf wurde sie als Zauberin verurteilt, in einer tiefen Grube zu verhungern. Kaum hatte Mahmud von dem Erfolg seiner List gehört, als er auch schon zu der Grube eilte und seine Geliebte befreite. Mit ihr zusammen floh er aus dem Lande und lebte mit ihr glücklich bis ans Ende seiner Tage.

„Da siehst du wieder einen der vielen männlichen Ränke", fuhr Chansade fort.

Den Kaiser hatte ihre Erzählung sehr erregt, und er gab sofort den Befehl, Nourgehan zu töten.

So herrschten einmal die vierzig Wesire, ein andermal die verschlagene Chansade vierzig Tage lang über Sindbad. Nach dem Sonnenaufgang des einundvierzigsten Tages bestieg Sindbad seinen Thron und ließ seinen Sohn vorführen. Auch die vierzig Wesire ließ er gefangennehmen und gebunden vor sich führen. Der Scharfrichter verband Nourgehans Augen mit einem Tuch und fragte den Sultan zweimal, ob er zuhauen solle. Nachdem der Kaiser dás bejaht hatte, sprach der Scharfrichter: „Großer Herrscher, befiehl es noch ein drittes Mal. Doch denke daran, daß eine zu späte Reue nicht wieder gutmachen kann, was du mir jetzt befiehlst."

Eben wollte der Kaiser seinen Befehl wiederholen, als Abumaschar, Nourgehans weiser und erfahrener Lehrer, erschien. Sofort ergriffen ihn des Königs Leibwachen und schleppten ihn vor Sindbads Thron.

„Elender", rief Sindbad ihm zu, „mit deinem Kopf sollst du dafür büßen, daß dein Rat meinem Sohn ein so hartnäckiges Schweigen auferlegte."

„Mächtiger Herrscher", erwiderte Abumaschar, „dein Sohn mußte vierzig Tage lang schweigen, um dem Unglück zu entgehen, mit dem ihn die Sterne bedrohten. Doch jetzt ist die verhängnisvolle Frist abgelaufen und er darf wieder reden."

Nun nahm man Nourgehan die Binde von den Augen und er erzählte, was wirklich zwischen ihm und seiner Stiefmutter gewesen war. Er konnte sich dabei auf die Aussagen der Dienerinnen Chansades berufen, die hinter einer dünnen Wand alles gehört hatten.

Da bereute Kaiser Sindbad aufrichtig, was er getan hatte. Er ließ seinen Sohn zu seiner Rechten sitzen, küßte ihm die Augen und erlaubte auch den vierzig Wesiren, seine Hände und seine Knie zu küssen. Sie legten die Trauergewänder ab, die sie vierzig Tage lang getragen hatten, und kleideten sich in die prächtigen Stoffe, die Sindbad unter ihnen verteilen ließ.

Chansade aber wurde hingerichtet. —

Hier bemerkte Scheherazade das Kommen des Tages und schwieg. In der folgenden Nacht fuhr sie fort:

DIE ZWANZIGSTE NACHT

Als die Geschichte der vierzig Wesire beendet war, sagte der König zu seinem Wesir:

„Du bist neidisch und möchtest, daß ich den Arzt Duban umbringe. Später könnte ich es bereuen, wie Sindbad es bereut haben würde, Nourgehan umgebracht zu haben."

Als der Wesir das hörte, sprach er: „O König, weshalb sollte ich denn den Arzt töten wollen? Ich gebe dir den Rat nur aus Liebe zu dir, aus Sorge um dich. Wenn ich nicht die Wahrheit sage, so mag es mir ergehen wie jenem Wesir, der gegen einen König einmal eine arge List gebrauchen wollte."

„Wer war das?" fragte der König der Griechen. Da erzählte der Wesir

Die Geschichte vom boshaften Wesir

Es war einst ein König. Er hatte einen Sohn, der ein leidenschaftlicher Jäger war. Deshalb hatte der König einem Wesir befohlen, seinen Sohn zu begleiten, wohin er auch gehen möge. Als sie einmal in der Wüste jagten, sahen sie ein wildes Tier, dem der Prinz nach dem Rat des Wesirs so lange nachjagte, bis er sich verirrte. Da sah er auf einmal ein weinendes Mädchen, ging auf sie zu und fragte sie, woher sie komme. Das Mädchen antwortete: „Ich bin die Tochter eines Königs von Indien und war mit einer großen Gesellschaft auf der Reise. Als ich schlief, ließ mich die Gesellschaft allein. Ich wußte nicht mehr, wo ich war und irrte in diesem abgelegenen Lande umher." Als der Jüngling das hörte, ließ er sie hinter sich auf sein Pferd steigen und ritt mit ihr, bis sie zu einer Ruine kamen. Da sagte das Mädchen: „Warte hier eine Weile!" Sie trat in die Ruine. Nach einer Weile ging der Prinz ihr nach. Und siehe: das Mädchen hatte sich in einen Werwolf verwandelt und sagte eben zu seinen Jungen: „Ich habe euch einen schönen fetten Jüngling mitgebracht!" Und die Jungen riefen: „Bring ihn herein. Mutter, damit wir sein Fleisch genießen!"

Als der Prinz das hörte, fürchtete er sich sehr. Er versuchte zu fliehen, doch der Werwolf lief ihm nach. Da hob der Jüngling seine Augen zum Himmel empor und sagte: „O allmächtiger Gott, hilf mir gegen meinen Feind!"

Als der Werwolf dieses Gebet hörte, lief er davon, und der Prinz konnte gesund und munter zu seinem Vater zurückkehren. Dem erzählte er, was ihm begegnet war und daß der Wesir ihm geraten habe, dem Wild nachzujagen und selber zurückgeblieben sei. Der König ließ sofort den Wesir rufen und hinrichten. —

„Der Wesir war wie der Arzt, der hierher gekommen war, o König", fuhr der Wesir fort. „Du hast ihm viel Gutes getan, und jetzt will er dich töten. Denn du mußt wissen, König, er ist ein Spion. Hat er dich nicht geheilt, indem er dir etwas in die Hand gegeben hat?"

„Das ist wahr, Wesir", sagte der König zornig.

„Nun", entgegnete der Wesir, „es könnte leicht sein, daß er dir etwas in die Hand gibt, wovon du sterben müßtest."

Immer noch zornig antwortete der König: „Du hast recht, Wesir, es ist, wie du sagst. Er ist gekommen, um mich zu töten, denn wenn er mich durch etwas heilen konnte, so kann er mich ebenso durch etwas anderes töten. Aber, du ratgebender Wesir, was soll ich mit ihm anfangen?"

„Laß ihn herkommen", antwortete der Wesir. „Und wenn er erscheint, läßt du ihm den Kopf abschlagen. Dann bist du mächtiger als er und hast deinen Zweck erreicht."

Hier bemerkte Scheherazade den Anbruch des Tages, und König Scheherban bat sie, in der folgenden Nacht mit der Erzählung fortzufahren:

DIE EINUNDZWANZIGSTE NACHT

Der König der Griechen schickte sofort nach dem Arzt Duban. Der kam voller Freude, denn der König hatte ihm schon viel Gnade erwiesen und schöne Geschenke gemacht.

„Weißt du, Arzt, weshalb ich dich hierher rufen ließ?"

„Nein, o König", antwortete der Arzt.

„Ich ließ dich rufen, um dich zu töten!"

„Warum, was habe ich verbrochen?"

„Ich hörte, du seist ein Spion", sagte der König, „und hierhergekommen, um mich zu töten. Ich will dir zuvorkommen." Und hierauf rief er dem Scharfrichter zu: „Schlage diesem Arzt den Kopf ab!"

Als der Arzt das hörte, sprach er: „Es gibt keinen Schutz und keine Macht außer bei Allah, dem Erhabenen. Ich habe Gutes getan und es wird mit Bösem vergolten. Lasse mich leben, so wird Gott auch dich erhalten. Bringe mich um, so wird Gott auch dich töten."

Doch schon kam der Scharfrichter herbei, verband dem Arzt die Augen, fesselte ihm die Hände und zog das Schwert.

Als der Arzt nun sah, daß sein Ende bevorstand, bat er: „O König, verschiebe meinen Tod nur so lange, bis ich nach Hause gegangen bin, um anzuordnen, wie man mich beerdigen soll, um mein Erbe zu verteilen, Geschenke zu machen und meine

Bücher Leuten zu geben, die sie verdienen. Auch habe ich ein ausgezeichnetes Buch, das ich dir schenken will."

„Und worin besteht der Wert dieses Buches?" wollte der König wissen.

„Es enthält ungezählte Geheimnisse. Das erste: Wenn du mich hast umbringen lassen, das sechste Blatt öffnest, drei Zeilen von der rechten Seite liest und mich ansprichst, so wird mein Kopf auf alle deine Fragen antworten können."

„Das ist sonderbar: Dein Kopf wird mit mir reden, wenn ich das Buch öffne und drei Zeilen darin lese?" Und der König gab dem Arzt sofort die Erlaubnis, nach Hause zu gehen.

Am anderen Tag kam der Arzt wieder in den Palast, wo die Fürsten, Wesire, Adjutanten und die Großen des Reiches versammelt waren. Der Arzt Duban kam mit einem alten Buch und einem Schächtelchen Pulver, setzte sich und forderte eine Schüssel. Als man sie ihm gebracht hatte, streute er das Pulver hinein und sprach: „O König, nimm dieses Buch, öffne es aber nicht, ehe mir der Kopf abgeschlagen ist. Ist das geschehen, so setze ihn in die Schüssel auf das Pulver. Das Blut wird dann sofort gestillt sein. Öffne dann das Buch und frage meinen Kopf, er wird dir sicher antworten. Es gibt keinen Schutz und keine Kraft außer bei Allah, doch wenn du mich leben läßt, wird er auch dich erhalten."

Hierauf ließ der König ihn enthaupten. Der Kopf wurde in der Schüssel auf das Pulver gesetzt, und das Blut hörte sofort auf zu fließen. Der Arzt Duban öffnete die Augen und sagte: „Nun kannst du das Buch öffnen, o König!"

Der König tat es und blätterte eine Seite nach der anderen um. Da die Blätter aber aneinander klebten, legte er den Finger an die Lippen und befeuchtete ihn. So wendete er die Blätter bis zum siebenten herum, fand aber nichts geschrieben.

„O Arzt, ich finde ja nichts in dem Buch", sagte er.

Der Kopf des Arztes aber antwortete: „Schlage nur weiter um!" Der König schlug immer weiter um und benetzte dabei den Finger, bis er die Arznei, mit der das Buch vergiftet war, abgerieben hatte. Auf einmal begann er zu schwanken und schwindlig zu werden.

Er fiel tot um, und auch der Kopf des Arztes starb.

Hier bemerkte Scheherazade den Tag und schwieg. Am Abend des nächsten Tages erzählte sie weiter:

DIE ZWEIUNDZWANZIGSTE NACHT

Ich vernahm, o König, daß der Fischer zu dem Geist sagte: „Auch dir wird es so ergehen, o Geist: Weil du mich durchaus töten wolltest, werde ich dich wieder in diese Flasche sperren und ins Meer werfen."

„O Fischer, tue das nicht!" schrie der Geist. „Befreie mich und bestrafe mich nicht! Die Handlungen des Menschen müssen immer edler sein als die eines Geistes. Habe ich auch schlecht gehandelt, so tue du Gutes. Denn das Sprichwort sagt: Vergelte Böses mit Gutem, handle nicht so, wie Imama mit Ateka handelte!"

„Was hat Imama Ateka getan?"

„Ich kann es dir erst erzählen, wenn du mich freigelassen hast", sagte der Geist. „Laß mich frei. Ich verspreche, dir nichts Böses zu tun, sondern dir nützlich zu sein. Du sollst reich werden!"

Als er darauf einen Eid geleistet hatte, öffnete der Fischer die Flasche. Rauch stieg in die Höhe und formte sich zu einem Geist. Der zertrat die Flasche mit den Füßen und schob die Reste in das Meer.

Das hielt der Fischer für ein böses Zeichen, doch er faßte Mut und sprach: „O Geist, du hast geschworen und darfst nicht treulos gegen mich werden, sonst wird Gott auch treulos gegen dich sein. Ich wiederhole, was der Arzt Duban sagte: Laß mich leben, Allah wird auch dich erhalten."

Der Geist lachte und sagte: „Folge mir, Fischer!"

Der Fischer folgte ihm voller Angst, denn er glaubte nicht mehr daran, mit dem Leben davonzukommen. Sie gingen durch die Wüste bis zu einem Berg. Dort fanden sie inmitten einer Einöde vier kleine Berge und zwischen diesen einen See. Hier blieb der Geist stehen und sagte dem Fischer, er solle sein Netz auswerfen. Der Fischer tat es, und als er sein Netz wieder einzog, sah er, daß er vier Fische gefangen hatte: einen roten, einen weißen, einen blauen und einen gelben. Der Geist riet: „Gehe damit zu deinem Sultan. Er wird dich reich machen, aber fische ein andermal nicht den ganzen Tag hindurch. Nun entschuldige mich, ich werde Sehnsucht nach dir haben!"

Hierauf stampfte der Geist mit den Füßen. Die Erde öffnete sich und verschlang ihn. Der Fischer aber ging frohen Herzens in die Stadt zurück, trat in den Palast des Sultans und brachte ihm die Fische.

Scheherazde bemerkte den nahenden Tag. Sie schwieg und fuhr am nächsten Abend fort:

DIE DREIUNDZWANZIGSTE NACHT

Als der Sultan die Fische sah, befahl er seinem Wesir: „Bringe diese Fische der Köchin!"

Der Wesir tat es und sagte zu dem Mädchen: „Backe sie recht gut, denn sie sind ein Geschenk für den Sultan."

Dem Fischer aber ließ der Sultan vierhundert Dinar geben, von denen er seiner Familie alles kaufen konnte, was sie brauchte.

Die Köchin nahm die Fische, zerlegte und salzte sie, setzte die Pfanne auf das Feuer und briet die Fische auf einer Seite. Als sie sie jedoch umwendete, öffnete sich auf einmal die Mauer und ein wunderschönes Mädchen trat heraus. Das Mädchen hatte ein Oberkleid aus Atlasseide an mit Kränzen aus ägyptischen Blumen, trug an den Ohren und Armen kostbare Ringe und in der Hand ein indisches Rohr. Sie steckte das Rohr in die Pfanne und sagte mit wohlklingender Stimme: „O Fisch, hältst du dein Versprechen?"

Als die Köchin das sah und hörte, fiel sie in Ohnmacht. Das Mädchen wiederholte noch einmal seine Frage, die Fische hoben ihre Köpfe und entgegneten in klarer Sprache: „Ja, wenn Ihr zählt, so zählen auch wir, wenn Ihr bezahlt, bezahlen auch wir, und wenn Ihr flieht, so haben wir schon genug."

Dann stürzte das Mädchen die Pfanne um und verschwand wieder in der Wand. Als die Köchin aus ihrer Ohnmacht erwachte, waren die Fische verbrannt und in Kohlen verwandelt. Darüber war die Köchin sehr betrübt, und sie fürchtete sich vor dem König.

‚Zu des Sultans Macht gehört auch, daß er alle, die ungehorsam gegen ihn sind, vernichten läßt', sagte sie sich.

Bald kam der Wesir, um die Fische von ihr zu verlangen. Weinend erzählte ihm die Köchin von ihrem Mißgeschick. Ihre Erzählung verwunderte ihn sehr, und er ließ gleich den Fischer holen: „Bringe uns sofort noch einmal die gleichen Fische", forderte er, „denn sie haben uns sehr gefallen!"

Der Fischer ging an den See bei den vier Bergen, warf sein Netz aus und fing vier ähnliche Fische. Er brachte sie dem Wesir, der gab sie der Köchin und befahl ihr: „Backe sie in meiner Gegenwart, denn ich möchte mit ansehen, was geschieht!"

Die Köchin reinigte die Fische, stellte die Pfanne auf den Herd und legte die Fische hinein. Als sie gebacken waren, öffnete sich wieder die Wand und das Mädchen erschien.

„O Fisch, hältst du dein Versprechen?" fragte es auch diesmal. Und wieder streckten die Fische ihre Köpfe in die Höhe und antworteten: „Wohl, wohl, zählt Ihr, so zählen auch wir, zahlt Ihr, so bezahlen auch wir, und flieht Ihr, so genügt es uns."

Hier bemerkte Scheherazade den Tag und schwieg. In der folgenden Nacht fuhr sie fort:

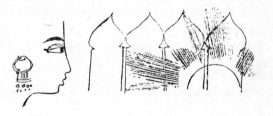

Nachdem die Fische das gesagt hatten, stürzte das Mädchen die Pfanne um und verschwand wieder in der Wand. Da sagte der Wesir: „Davon muß ich dem Sultan berichten."
Er erzählte seinem Herrn, was sich zugetragen hatte.

„Das muß ich mit eigenen Augen sehen", rief staunend der Sultan aus. Er ließ sofort den Fischer kommen und befahl ihm, noch einmal vier der gleichen Fische zu bringen.

Wieder fischte der Fischer vier Fische, die so bunt und so beschaffen waren wie die ersten und brachte sie dem Sultan. Der sprach zum Wesir: „Backe diese Fische in meiner Gegenwart!"
Der Wesir tat Schmalz in die Pfanne und legte die Fische hinein. Sobald jedoch die Fische gebacken waren, öffnete sich wieder die Wand der Küche und ein schwarzer Sklave trat heraus. Er hielt einen grünen Ast in der Hand und sagte mit deutlicher Stimme: „O Fische, bleibt ihr bei eurem Versprechen?"
Die Fische hoben ihre Köpfe und riefen: „Wohl, wohl, zählt Ihr, so zählen wir, bezahlt Ihr, so bezahlen wir, flieht Ihr, so sind wir auch zufrieden."

Darauf stürzte der Sklave die Pfanne um, die Fische verbrannten und wurden zu Kohlen. Der Sklave verschwand wieder in der Wand, und voller Staunen rief der Sultan aus: „Dieser Sache muß ich auf den Grund kommen, denn mit diesen Fischen hat es etwas Besonderes auf sich!" Er ließ den Fischer kommen.

„Wo hast du diese Fische her?" fragte er ihn.

„Aus einem See außerhalb der Stadt bei vier Bergen", antwortete der.

„Kennst du diesen See?" fragte der Sultan den Wesir.

„Nein", entgegnete der, „ich gehe schon seit dreißig Jahren auf Jagd, durchstreife die Ebenen und das Gebirge, doch diesen See habe ich noch nie gesehen."

„Wie weit ist es bis zu diesem See?" fragte der Sultan den Fischer.

„Zwei Stunden", antwortete der.

Darauf befahl der Sultan einigen Solaten und dem Wesir, mit

ihm zu kommen. Der Fischer mußte vorangehen. Sie kamen
an den See mit den bunten Fischen.

„Wie ist es möglich, daß noch niemand diesen Ort gefunden
hat, der doch so nahe der Stadt liegt", staunte der Sultan.
„Bei Allah, ich gehe nicht in die Stadt zurück, ehe ich nicht
erfahren habe, was das Geheimnis dieses Sees ist."

Er befahl seinen Soldaten, von den Pferden abzusteigen und
die Zelte aufzuschlagen. Als es Nacht wurde, ging er heimlich
zu seinem Wesir und sagte zu ihm: „Ich werde mich von den
anderen absondern, um das Geheimnis der Fische zu ergründen.
Ich gehe jetzt fort. Morgen sagst du den Truppen und den
hohen Beamten, ich sei krank und deshalb für niemanden zu
sprechen. Ich werde drei Tage lang fortbleiben, und während
dieser Zeit wirst du in meinem Zelt wohnen."

Dann nahm der Sultan sein Schwert und schlug den Weg jenseits des Berges ein, bis der Morgen zu leuchten begann. Als
die Sonne aufging, sah er in der Ferne etwas Schwarzes. Er
freute sich darüber, denn er hoffte, jemanden zu finden, der
ihm Auskunft erteilen konnte. Als er näher herankam, sah er,
daß es ein Schloß war, aus schwarzen Steinen erbaut und belegt mit eisernen Platten.

Der Morgen nahte und Scheherazade schwieg. Am nächsten
Abend erzählte sie weiter:

DIE FÜNFUNDZWANZIGSTE NACHT

D as Schloß hatte nur eine einzige Tür, und die war geschlossen. Der Sultan klopfte ein paarmal, doch niemand
kam. Schließlich faßte er sich ein Herz und trat durch die Tür
in einen Gang. Dort rief er: „Hört, Bewohner dieses Schlosses,
hier ist ein fremder hungriger Reisender. Wenn ihr etwas zu
essen für mich hättet, so wird euch der Herr aller Sklaven reichlich dafür belohnen!"

Er wiederholte das zweimal, doch er bekam keine Antwort.

Deshalb schritt er weiter durch den Gang in das Innere des Schlosses. Er sah seidene Teppiche, bestickt mit goldenen Sternen. Und er sah schöne Vorhänge und Polster und Sofas. Er kam in einen großen Raum, mit Diwans und Nischen und Nebenzimmern. Er bemerkte einen Springbrunnen mit vier goldenen Löwen, aus deren Rachen Wasser floß, klar wie Perlen und Edelsteine. Allerlei Vögel flogen in dem Saal herum. Doch der Sultan begegnete niemandem, der ihm hätte Auskunft geben können. Aber als er sich niedersetzte, vernahm er eine traurige, seufzende Stimme:

> O Schicksal, verschone mich nicht mehr und laß mich nicht länger leben; mein Dasein schwebt zwischen Qual und Gefahr. Habt Mitleid mit einem Großen seines Volkes, der durch die Liebe erniedrigt wurde, mit dem Reichsten und doch dem Ärmsten unter seinem Volk! Ich wurde von der Luft beneidet, die euch anwehte, aber wo das Schicksal niederfällt, da verdunkelt sich das Gesicht. Was nützt die Kunst des Schützen, wenn er dem Feinde begegnet und die Sehne in jenem Augenblick zerreißt, da er den Pfeil schleudern will?

Der Sultan ging der Stimme nach und trat durch einen Vorhang in ein Zimmer. Dort fand er, auf einem Thron sitzend, einen Jüngling. Er war von schönem Wuchs, hatte eine leuchtende Stirn und rote Wangen mit Flecken wie von Ambra — wie der Dichter sagte:

> Er war hübsch gewachsen; durch seine Haare und seine Stirn wandelte die Welt zugleich in Licht und Dunkelheit. Verachtet nicht das braune Fleckchen auf seiner Wange, denn auch die Anemone hat ein solches.

Voller Freude grüßte der Sultan den Jüngling, der auf dem Kopf eine ägyptische Krone trug. Man merkte ihm an, daß er geweint hatte. Doch er erwiderte freundlich des Sultans Gruß und sprach: „Du verdienst, daß ich vor dir aufstehe, aber entschuldige mich."

„Ich entschuldige dich, o Jüngling", sprach der Sultan, „ich bin hier dein Gast und komme in einer wichtigen Angelegenheit zu dir. Du sollst mir nämlich Auskunft geben über den See und die farbigen Fische, über dieses Schloß, das du allein bewohnst, und über den Grund deiner Trauer."

Als der Jüngling das hörte, brach er wieder in Tränen aus und sprach dann die Verse:

> Sagt denen, die vom Schicksal mißhandelt wurden,
> **wieviel Unglück es schon gebracht hat.**
> Wenn du auch schläfst — das Auge Gottes schläft nicht.
> Wem waren wohl die Zeiten immer günstig?
> Wem dauerte die Welt schon ewig?

Dann weinte er wieder heftig, und der Sultan fragte ihn noch einmal nach dem Grund seiner Trauer.

Da hob der Jüngling den Saum seines Kleides hoch, und der Sultan sah, daß er halb Mensch und halb schwarzer Stein war . . .

Der Tag brach an, doch in der folgenden Nacht fuhr Scheherazade fort:

Der Sultan war entsetzt über diesen Anblick. Er sprach zu
dem Jüngling:
„O Jüngling, du hast meinen eigenen Kummer noch vergrößert. Ich wollte nur Auskunft über die Fische haben, doch nun
muß ich mich auch noch nach deiner Geschichte erkundigen.
Es gibt keinen Schutz und keine Macht außer bei Allah. Erzähle, Jüngling!"

Der Jüngling begann:

Die Geschichte vom verzauberten König

„Es war eine wunderbare Geschichte mit mir und diesen
Fischen. Mein Vater war König dieser Stadt. Er hieß Sultan
Mahmud und regierte ungefähr siebzig Jahre. Als er starb,
regierte ich an seiner Stelle. Ich heiratete meine Base, die mich
so sehr liebte, daß sie weder aß noch trank, wenn ich einmal
abwesend war. Wir lebten fünf Jahre zusammen.
Eines Tages ging sie ins Bad, und ich legte mich nieder, um zu
schlafen. Ich ließ zwei Sklavinnen kommen, mich zu beräuchern. Eine saß zu meinem Haupt, die andere zu meinen
Füßen. Mir war nicht recht wohl, ich hatte die Augen geschlossen, konnte nicht schlafen und atmete schwer. Da hörte
ich, wie die eine Sklavin zur anderen sagte: „O Masuda, sieh
unseren armen Herrn. Wie schade, daß er seine Jugend mit
unserer verfluchten Herrin verschwenden muß!" — „Schweig",
sprach die andere, „Allah verdamme die Verräterinnen und die
Buhlerinnen! Wirklich: ein junger Mann wie unser König paßt
nicht zu einer alten Frau, die keine Nacht zu Hause schläft." —
„Aber unser Herr ist dumm", versetzte die andere wieder, „er
müßte es doch merken, wenn er nachts erwacht und sie nicht
neben sich findet!" — „Wehe dir", sagte die zweite, „Allah verdamme unsere Gebieterin. Sie reicht ihm einen Becher zum
Trinken, so daß er bis zum Morgen schläft. Dann geht sie aus

und bleibt die Nacht über fort. Dann erst weckt sie ihn mit Räucherwerk, das sie ihm vor die Nase hält. Schade um ihn!" Nachdem ich dieses Gespräch der beiden Sklavinnen gehört hatte, wurde ich sehr zornig. Am folgenden Tag konnte ich kaum die Nacht erwarten. Wir aßen ein wenig und gingen dann ins Bett. Sie reichte mir wieder einen Becher, und ich tat, als tränke ich. Doch goß ich den Inhalt aus und stellte mich schlafend. Da sprach sie: „Schlafe und erwache nie wieder, denn deine Gestalt ekelt mich und ich bin deiner satt!" Dann stand sie auf, kleidete sich an, beräucherte sich, nahm mein Schwert, öffnete die Tür und ging hinaus. Ich stand ebenfalls auf und folgte ihr . . .

Hier bemerkte Scheherazade den Tag und schwieg. In der folgenden Nacht erzählte sie weiter:

DIE SIEBENUNDZWANZIGSTE NACHT

Ich folgte ihr durch die ganze Stadt bis an das Tor", berichtete der Jüngling. „Dort sagte sie etwas, das ich nicht verstand. Das Tor öffnete sich, sie ging hinaus, und ich folgte ihr bis zu einer kleinen Hütte aus Ziegelsteinen zwischen den Hügeln. Ich stellte mich hinter ein kleines Gebüsch und sah meine Frau vor einem schwarzen, ganz in Lumpen gekleideten Sklaven stehen. Sie küßte die Erde vor ihm, er hob seinen Kopf zu ihr empor und sagte: „Wo bleibst du so lange? Eben waren unsere schwarzen Vettern da, und jeder vergnügte sich mit seinem Liebchen. Sie haben getrunken und geliebkost, doch ich wollte nicht trinken, weil du nicht da warst."

Da sagte meine Frau: „O Geliebter meines Herzens, weißt du nicht, daß ich mit meinem Vetter verheiratet bin? Ich hasse ihn, weil ich ihn sehen muß. Wenn ich nichts für dich fürchten müßte, so ließe ich die Sonne nicht aufgehen, ehe ich nicht seine Stadt verwüstet und ihre Steine ans Ende der Welt geworfen hätte."

„Du lügst", erwiderte der Schwarze, „ich schwöre dir bei der Ehre der Schwarzen, daß wir von dieser Nacht an nicht mehr mit unseren Vettern zusammenkommen werden. Ich bin nicht mehr dein Freund und werde dich nicht mehr berühren. Denn du spielst nur mit uns, und wir sind nur für deine Lust da!"

Meine Frau begann zu weinen und sagte zu dem Schwarzen: „O Geliebter meines Herzens, was bleibt mir, wenn du mir zürnst? Wer nimmt mich auf, wenn du mich verjagst?" Sie weinte immer heftiger und flehte so lange, bis er wieder gut zu ihr war. Da legte sie einige Kleider ab und sagte: „Mein Herr, hast du nichts zu essen für deine Sklavin?"

Er antwortete: „Öffne nur die Hütte!"

Sie öffnete sie und fand darin ein Stück von einer Maus. Sie aß es, und dann sagte er zu ihr: „In diesem Wassertopf ist noch etwas, trinke es!" Sie trank, wusch ihre Hand und setzte sich dann zu ihm auf das Bündel Rohr mitten unter den Lumpen. Ich trat aus dem Gebüsch heraus und nahm das Schwert, mit dem meine Frau gekommen war. Ich wollte beide töten und hieb zuerst auf den Schwarzen ein. Schon glaubte ich, mit ihm fertig zu sein . . .

Hier bemerkte Scheherazade den Tag und schwieg. In der nächsten Nacht fuhr sie fort:

DIE ACHTUNDZWANZIGSTE NACHT

Als ich dem Schwarzen einen Hieb versetzte", erzählte der junge Mann dem König, „durchschlug ich zwar die Haut, das Fleisch und die Kehle, doch die Halsadern waren nicht durchschnitten. Er schrie laut auf, und meine Frau fiel in Ohnmacht. Ich legte das Schwert nieder, kehrte zur Stadt und ins Schloß zurück und legte mich ins Bett.

Als meine Frau am Morgen zurückkam, sah ich, daß sie sich die Haare abgeschnitten und Trauerkleider angelegt hatte.

„O mein Vetter", sprach sie zu mir, „ich habe die Nachricht erhalten, daß meine Mutter gestorben und mein Vater im Heiligen Krieg umgekommen ist, daß einer meiner Brüder sein
Leben durch einen Schlangenbiß und ein anderer durch einen
Sturz verlor. Deshalb muß ich weinen und trauern."
Als ich das hörte, ließ ich sie gehen. Ein Jahr verbrachte sie mit
Weinen und Trauern. Dann sprach sie zu mir: „Ich möchte,
daß du mir in diesem Hause eine Grabstätte mit einem Zimmer
bauen läßt, damit ich darin allein trauern kann!" Ich erteilte
sofort Befehl und ließ ein Trauerhaus mit einer Kuppel in der
Mitte errichten. Sie brachte den Sklaven in die Grabeshöhle.
Er lebte zwar noch und konnte noch trinken, doch vermochte
er seit dem Tage, da ich ihn verwundet hatte, nicht mehr zu
sprechen. Meine Frau besuchte ihn nun morgens und abends
und brachte ihm Wein und Fleischsuppe.
Ein Jahr lang sah ich mir das geduldig an. Dann ging ich ihr
einmal heimlich nach und hörte, wie sie sprach: „O mein Geliebter, warum sieht dich mein Auge in einem solchen Zustand?
Warum sprichst du nicht mit mir, sage doch etwas!"
Nach dem dritten Jahr ging ich ihr wieder einmal nach. Ich
fand sie bei der Grabeshöhle unter der Kuppel und hörte, wie
sie sagte: „Werde ich denn kein einziges Wort mehr von dir
hören, mein Herr?"
Als ich das hörte, übermannte mich der Zorn. „Wie lange wird
dieser Schmerz noch dauern?" rief ich aus.
Als sie meine Worte hörte, stand sie auf und sagte: „Wehe dir,
du Hund. Du hast den Geliebten meines Herzens verwundet
und hast ihn und mich betrübt. Nun ist er schon drei Jahre
weder tot noch lebendig." Ich antwortete: „O du abscheulichste,
schmutzigste Dirne unter allen, welche Schwarze lieben. Natürlich habe ich es getan!" Dann zog ich mein Schwert und ging
auf sie zu, um sie umzubringen. Als sie das sah, rief sie lachend:
„Verkrieche dich wie ein Hund. Was vorüber ist kehrt nicht
wieder, ehe die Toten wieder zum Leben erwachen. Gott hat
mir Macht gegeben über den, der mir Leid zufügt." Dann
richtete sie sich hoch auf, sprach etwas, was ich nicht verstand
und rief: „Erscheine durch meine Kraft und meinen Zauber,

halb Stein halb Mensch!" Ich wurde auf der Stelle wie du mich nun siehst, o Herr. Ich kann weder stehen noch sitzen oder schlafen. Ich bin nicht tot bei den Toten und lebe nicht bei den Lebendigen ...

Der Tag kam. Scheherazade bemerkte es und schwieg. In der folgenden Nacht fuhr sie fort:

DIE NEUNUNDZWANZIGSTE NACHT

Als ich geworden war, wie du mich jetzt siehst", erzählte der verzauberte König weiter, „erhob sich meine Frau und verzauberte die ganze Stadt mit allen Gärten und allen Marktplätzen. Und das ist der Ort, an dem jetzt die Zelte mit deinen Soldaten stehen. Die Bewohner der Stadt waren Muselmänner, Christen, Juden und Feueranbeter. Sie verzauberte nun die Muselmänner in weiße Fische, die Feueranbeter in rote, die Christen in blaue und die Juden in gelbe. Ebenso verwandelte sie die Inseln des Sees in vier Berge. Aber das genügte ihr noch nicht. Nun kommt sie noch jeden Tag, entkleidet mich, gibt mir hundert Streiche, bis mein Blut fließt und meine Schultern wund sind. Dann umkleidet sie meinen Oberkörper mit einem harten Stoff und hüllt darüber dieses Ehrenkleid." Der Jüngling begann wieder zu weinen und sprach die Verse:

> *Ich trage standhaft deinen Richtspruch, o Allah!*
> *Ich habe Geduld, wenn du an diesem Zustand Gefallen*
> *hast. Man hat mir Unrecht und Gewalt angetan,*
> *doch vielleicht wird mir das Paradies meinen Verlust*
> *ersetzen. Gewiß, mein Herr, entgeht deinem Auge kein*
> *Übeltäter. Deshalb bete ich zu dir, mich gegen*
> *das Unrecht meines Quälers zu schützen!*

Der Sultan sprach zu dem verzauberten Mann: „Zwar hast du meine Wißbegierde gestillt, meinen Kummer jedoch vermehrt. Wo, junger Mann, ist sie jetzt, und wo ist der Sklave?"

„Der Sklave liegt in der Grabstätte unter der Kuppel, und sie ist in dem Saal gegenüber dieser Tür. Sie besucht den Sklaven täglich bei Sonnenaufgang, und wenn sie dann zurückkommt, gibt sie mir die hundert Streiche. Ich schreie und weine, kann mich aber nicht bewegen und habe keine Kraft, mich zu verteidigen. Nachdem sie mich gezüchtigt hat, geht sie wieder zu dem Sklaven, gibt ihm zu trinken und kehrt erst am Morgen zurück."

„Bei Allah, junger Mann, ich werde etwas tun", sprach der Sultan, „wovon man noch lange nach mir überall erzählen wird." Und er setzte sich zu dem Jüngling und sprach mit ihm bis zum Abend. Am Morgen machte sich der Sultan auf, entkleidete sich, nahm sein Schwert und ging zu der Grabstätte. Dort sah er viele Kerzen und Lampen, roch Weihrauch, Öle und andere Aromen. Er näherte sich dem Sklaven, tötete ihn und warf die Leiche in einen Brunnen. Dann zog er die Kleider des Schwarzen an, behielt sein blankes Schwert jedoch unter seinen Gewändern und legte sich tief in die Grabeshöhle.

Nach einer Weile kam die Zauberin. Sie entkleidete ihren Vetter und begann ihn zu schlagen. „Habe Mitleid mit mir!" schrie der Geprügelte. Doch sie antwortete nur: „Hast du mit meinem Geliebten Mitleid gehabt?"

Der Morgen dämmerte, doch in der folgenden Nacht fuhr Scheherazade fort:

DIE DREISSIGSTE NACHT

Nachdem die Zauberin ihren Vetter geschlagen hatte, bis sie müde war, kleidete sie ihn in ein rauhes Gewand, legte darüber ein leinenes und ging dann zu dem Sklaven. Als sie unter die Kuppel trat, begann sie zu weinen und zu klagen: „O Geliebter, es ist doch sonst nicht deine Gewohnheit, mir deine Nähe zu versagen. Stoße mich nicht länger zurück, denn dein Anblick gibt mir Leben. Komme wieder zu mir und sprich mit mir, mein Herr!"

Da sprach der Sultan mit schwerer Zunge und tiefer Stimme, so wie die Schwarzen reden: „Ach, es gibt keinen Schutz und keine Macht außer bei Allah, dem Erhabenen!"

Da sie ihn sprechen hörte, freute sie sich so sehr, daß sie in Ohnmacht fiel. Als sie wieder zu sich gekommen war, fragte sie: „O mein Herr! Hast du wirklich mit mir gesprochen?"

Der Sultan erwiderte: „Du, Verfluchte verdienst nicht, daß jemand dich anredet. Du quälst deinen Gemahl den ganzen Tag. Er weint und schreit, so daß ich nicht schlafen kann. Wäre das nicht, wäre ich schon längst genesen. Deshalb habe ich so lange nicht mit dir gesprochen und dir nicht geantwortet."

„Mit deiner Erlaubnis, Herr, will ich ihn befreien", antwortete sie darauf. Sie ging hinaus, nahm eine Schüssel voll Wasser und sprach etwas darüber, bis es zu kochen und aufzuwallen begann. Dann bespritzte sie damit ihren Gemahl und sagte: „Bei der Wahrheit dessen, was ich soeben gesprochen habe, hat dich Allah so geschaffen oder aus Zorn dir diese Gestalt gegeben, so verändere dich nicht; bist du aber durch meine Zauberkraft so geworden, so nimm durch die Kraft des Schöpfers der Welt deine frühere Gestalt wieder an!"

Sogleich erhob sich der junge Mann, freute sich über seine Befreiung und rief: „Gelobt sei Allah!"

Die Frau aber sagte zu ihm: „Gehe fort von hier und kehre nie mehr zurück, denn sobald ich dich wieder sehe, werde ich dich töten!"

Als er weggegangen war, kehrte sie zur Kuppel zurück, trat

in die Grabeshöhle und sprach: „Komm doch heraus, mein Herr, damit ich deine schöne Gestalt wiedersehe!"

Der Sultan antwortete wieder in der Sprache eines Negers: „Wohl hast du mir jetzt vor dem Zweig Ruhe verschafft, nun aber verschaffe mir auch Ruhe vor dem Stamm!"

„Was ist das für ein Stamm?" fragte sie.

„Wehe dir", versetzte er, „du Verruchte, es sind die Bewohner der Stadt der vier Inseln, denn jede Nacht um Mitternacht strecken die Fische ihre Köpfe in die Höhe, schreien um Hilfe und verfluchen mich. Deshalb kann ich nicht gesund werden. Gehe also schnell hin und befreie sie, kehre dann wieder zurück, gib mir die Hand und hilf mir aufstehen, denn ich bin der Genesung schon sehr nahe."

„Im Namen Allahs, mein Herr", antwortete sie, ging dann zum See und holte etwas Wasser heraus . . .

Am folgenden Abend erzählte Scheherazade weiter:

DIE EINUNDDREISSIGSTE NACHT

Sie sprach einige Worte über dem Wasser. Da fingen die Fische an zu tanzen. Der Zauber löste sich, und sie verwandelten sich wieder in die Stadtbewohner, die kauften und verkauften, gaben und nahmen. Die Zauberin kehrte zur Kuppel zurück und sprach: „O Herr, gib mir deine edle Hand und steh auf!"

„Komm näher", erwiderte der Sultan mit tiefer Stimme.

Als sie nahe vor ihm stand, daß sie ihn berührte, sprang der Sultan auf und spaltete sie mit dem Schwert in zwei Teile. Dann ging er hinaus und fand den entzauberten Mann, der ihn erwartete. Der junge König küßte die Hand des Sultans, dankte ihm und wünschte ihm viel Gutes.

„Willst du in deine Stadt zurückkehren oder willst du mit in meine kommen?" fragte ihn der Sultan.

Da erwiderte der junge Mann: „O Herr der Zeit und Meister

der Jahrtausende, weißt du wohl, wie weit es von meiner Stadt zu der deinigen ist?"

„Eine halbe Tagesreise", antwortete der Sultan.

Doch der junge König sagte zu ihm: „Erwache doch! Man braucht ein volles Jahr von deiner Stadt zur meinigen. Als du hierher kamst, war meine Stadt verzaubert und der Weg dahin so nahe. Jetzt kann ich dich keinen Augenblick verlassen."

„Gelobt sei Gott, der dich mir bescherte", sagte da der Sultan. „Du sollst nun mein Sohn werden, denn bisher bin ich in meinem Leben noch nicht mit einem Sohn beschenkt worden." Sie umarmten und küßten einander. Im Schloß sagte der König den Großen seines Reiches, er wolle nun verreisen. Zehn Tage lang dauerten die Vorbereitungen, dann reiste er zusammen mit dem Sultan ab, dessen Herz sich nach der eigenen Residenz sehnte. Er nahm fünfzig Sklaven mit und hundert Ladungen an Geschenken, Vorräten und Gütern. Sie reisten ein ganzes Jahr lang Tag und Nacht.

Allah hatte ihnen eine glückliche Reise bestimmt. Als sie in der Stadt angelangt waren, ließen sie sofort dem Wesir sagen, daß der Sultan angekommen sei. Der Wesir, die Truppen und die meisten Einwohner zogen voller Freude dem Sultan entgegen. Sie schmückten die Häuser und breiteten seidene Teppiche auf dem Boden aus. Nachdem alle Truppen vorübermarschiert waren, blieb der Wesir beim Sultan. Alle verbeugten sich vor dem Sultan und brachten ihm Glückwünsche dar. Er setzte sich auf den Thron und erzählte dem Wesir, was dem jungen Mann widerfahren war. Er erzählte ihm auch, was er selbst mit der Base getan hatte und wie er dadurch den jungen Mann und die ganze Stadt befreit hatte. Dann verteilte er Ehrenkleider und Geschenke. Er schickte auch nach dem Fischer. Als er erschien, beschenkte er ihn und fragte ihn, ob er Kinder habe. Nachdem der Fischer geantwortet hatte, er habe einen Sohn und zwei Töchter, mußte er sie gleich holen. Der Sultan heiratete die eine Tochter und der junge König die andere. Dann machte der Sultan den Fischer zu seinem Schatzmeister. Dem Wesir verlieh er eine Ehrenkette und schickte ihn als Sultan in die Stadt der schwarzen Inseln, nachdem er ihm geschworen hatte, daß er ihn besuchen wolle. Die fünfzig Sklaven, die er mitgebracht hatte, gab er ihm mit. Das Volk und die übrigen Großen und Statthalter wurden reichlich beschenkt. Dann verabschiedete sich der Wesir, küßte dem König die Hand und reiste ab. Der Sultan und der junge König aber blieben in der Stadt, und der Fischer wurde einer der reichsten Leute jener Zeit . . .

Scheherazade bemerkte den Tag. Sie schwieg. In der folgenden Nacht aber begann sie mit Erlaubnis des Sultans Scheherban:

DIE ZWEIUNDDREISSIGSTE NACHT

Die Erzählung vom Lastträger und den drei Damen

Einst stand ein Lastträger auf dem Markt von Bagdad an seinem Korb gelehnt, als eine unbeschreiblich schöne Frau in kostbaren Kleidern auf ihn zukam, ihren Schleier lüftete, ihm ein paar schwarze, freundlich blickende Augen zeigte und ihn mit zarter Stimme aufforderte: „Nimm deinen Korb, Lastträger, und folge mir!"

„O Tag des Glücks! O Tag der Freude!" rief der Lastträger aus und folgte ihr, bis sie vor einem Hause still stand und an die Tür klopfte. Die Tür öffnete sich in den Laden eines Blumen- und Früchtehändlers. Hier kaufte die Frau die besten Sorten Äpfel, Quitten, Pfirsiche, Gurken, Limonen, Orangen, Myrten, Basiliken, Kamillen, Lilien, Veilchen, Nelken, Rosen und andere wohlriechende Blumen, tat alles in den Korb, ging von dort zu einem Metzger und ließ sich zehn Pfund Schaffleisch abwiegen, kaufte dann noch etwas Kohlen und ließ sich alles von dem staunenden Lastträger nachtragen. Dann kaufte sie noch verschiedene Sorten Oliven, Käse und eingemachte Kräuter, ließ sich in wieder einem anderen Laden Walnüsse, Haselnüsse, Zuckerrohr, Pistazien und andere Früchte geben und tat sie in den Korb. Bei einem Zuckerbäcker kaufte sie das feinste Backwaren und gezuckerte Früchte und gab sie dem Lastträger.

„Hätte ich gewußt, daß Ihr so viele Einkäufe zu machen habt, so hätte ich ein Kamel oder ein Lastpferd mitgenommen", sagte der.

Sie lächelte und ging dann noch zu einem Gewürzhändler, wo sie Moschus, Rosenöl, Weihrauch, Ambra und viele andere Gewürze kaufte. Zuletzt klopfte sie an die Tür eines Hauses, aus dem ein alter Christ herauskam. Er reichte ihr einen großen Krug, sie reichte ihm einiges Geld und tat den Krug in den Korb. Dann mußte ihr der Träger bis vor ein großes Haus mit einer prächtigen, von hohen Pfeilern getragenen Halle folgen. Hier klopfte sie ganz leise an eine elfenbeinerne Tür ...

Scheherazade bemerkte den Tag und schwieg. In der folgenden Nacht fuhr sie fort:

DIE DREIUNDDREISSIGSTE NACHT

Vor Erstaunen ließ der Träger beinahe seinen Korb fallen, denn es öffnete eine Frau, die der ersten an Schönheit noch überlegen war. Sie war schlank von Wuchs, ihr Busen war wohlgeformt und ihre Stirn leuchtete wie der Mond. Sie hatte Augen wie ein Reh, Wangen wie Rosen, Lippen wie Korallen, Zähne wie Perlen, einen Hals wie die Gazelle und einen Mund wie Salomons Siegelring.

Die Einkäuferin und der Lastträger traten ein und kamen in einen prächtigen Saal, der mit vielen Teppichen belegt und von Schränken und kleinen Kabinetten umgeben war. Mitten im Saal stand ein großer Wasserbehälter mit einem kleinen Nachen. Am Ende das Saales stand ein Thron von Ambra, getragen von vier Säulen aus Zypressenholz. Er war mit roter Atlasseide überzogen und mit haselnußgroßen Perlen geschmückt. Auf diesem Thron saß ein Weib mit bezaubernden Augen, eingefaßt von rundgewölbten Augenbrauen. Ihr Atem füllte den ganzen Saal mit Ambraduft, ihr Lächeln war süß wie Zucker und ihre Stirn glich der leuchtenden Sonne, wie ein Dichter sagt:

Man glaubte,
ihr Lächeln käme aus schön gereihten Perlen.
Die Haare, die ihre Stirn umflattern, gleichen der Nacht,
die Stirn aber beschämt den Glanz des Sonnenaufgangs.

Als sie den Träger, die Einkäuferin und die Pförtnerin erblickte, erhob sie sich von ihrem Thron und schritt ihnen langsam entgegen. Die drei Frauen halfen dem Träger, seinen Korb abzunehmen, leerten ihn und ordneten alles, was darin war. Sie legten die Blumen und die wohlriechenden Wasser auf die eine, die Früchte und die übrigen Speisen auf die andere Seite und gaben dem Träger seinen Lohn . . .

Der Tag nahte. Scheherazade bemerkte es und schwieg. Am folgenden Abend fuhr sie fort:

DIE VIERUNDDREISSIGSTE NACHT

Als der Träger das Geld genommen hatte, blieb er noch eine Weile stehen. Da fragte ihn die eine der Frauen: „Was tust du noch hier bei uns? Wenn du deinen Lohn zu gering findest, so soll dir meine Schwester noch einen Dinar geben." Der Träger erwiderte:

„Gott bewahre, ich wünsche nicht mehr Lohn. Ich war nur in Gedanken vertieft, weil ich nicht begreifen kann, wie ihr Frauen so ohne Männer leben mögt. Ihr wißt doch, daß ein fröhliches Mahl aus vier Tischgenossen bestehen muß. Ihr seid aber nur drei. Und so wie eine Männergesellschaft ohne Frauen nicht angenehm ist, so wenig kann es eine Frauengesellschaft ohne Männer sein. Zu einer guten Musik gehören vier Instrumente: eine Harfe, eine Laute, eine Flöte und eine Zither. Zu einem schönen Strauß gehören vierlei Blumen: Rosen Myrthen, Levkojen und Lilien. Zu einem fröhlichen Leben gehören Wein, Gesundheit, Geld und ein geliebter Gegenstand. Da ihr aber nur drei seid, braucht ihr einen vierten, und das muß ein Mann sein."

Den Frauen gefiel die Rede des Trägers, doch sie antworteten ihm: „Wir müssen als Mädchen ganz zurückgezogen leben. Wir wollen nichts mit Männern zu tun haben, denn wir fürchten, verraten zu werden. Weißt du wie ein Dichter sagte: ‚Vertraue niemandem ein Geheimnis an, denn hast du einmal etwas einem Anderen anvertraut, so hast du dein Geheimnis verraten. Hat deine Brust nicht Raum genug, ein Geheimnis zu bewahren, so ist gewiß die eines Vertrauten auch zu eng dafür.'"

„Ihr habt einen erfahrenen, vernünftigen und gebildeten Mann vor euch", antwortete der Träger. „Ich weiß das Schöne zu offenbaren und das Unanständige zu verheimlichen. Ich habe Schriftsteller und Dichter gelesen und gleiche dem, der sagte: ‚Nur edle Menschen wissen ein Geheimnis zu bewahren. Bei diesen aber bleibt es wohl verborgen. Bei mir hat ein Geheimnis ein eigenes Häuschen mit einem Schloß. Die Tür ist fest zu und der Schlüssel verloren.'"

Als die Mädchen das hörten, sprachen sie: „Du weißt, daß wir für diesen Abend viel Aufwand gemacht haben. Du darfst unser Gast sein, wenn du auch deinen Teil beitragen willst. Eine Bekanntschaft, die nichts nützt, ist nichts wert. Hast du etwas, so bist du etwas, hast du nichts, so gehe auch mit nichts um."

Dann sagte die Einkäuferin zu ihren Schwestern: „Ich will gern seinen Teil bezahlen. Laßt ihn bei uns bleiben, denn er hat mich sehr gut bedient."

Der Lastträger freute sich darüber, küßte dem wohlwollenden Mädchen die Füße, dankte ihr vielmals und gestand, daß er außer dem eben erhaltenen Lohn nichts besitze und daß er ihn gern wieder zurückgeben wolle, nicht um als Gast, sondern nur um als Diener bei ihnen bleiben zu dürfen.

Nun forderten beide Schwestern ihn auf, sich zu setzen. Die Wirtschafterin bereitete die Speisen und Getränke vor und wusch die Gemüse am Ufer des Stromes. Dann brachte sie Wein und schenkte ihren Schwestern und dem Träger, der zu träumen glaubte, ein. Die Schwestern tranken eine nach der anderen. Ehe der Träger trank, sprach er die Verse:

> *Trinke nur mit rechtschaffenen Leuten von reiner*
> *Abkunft. Der Wein gleicht dem Winde, der gut wird,*
> *wenn er vor wohlriechenden Pflanzen vorüberweht,*
> *und der übel riecht, wenn er über Leichen streift.*

Als er hierauf den Becher geleert hatte, reichte ihm die Pförtnerin einen anderen. Er weigerte sich anfangs und wollte nicht zuerst trinken. Doch das Mädchen drang so lange in ihn, bis er ihn leerte. Dann füllte er ihn wieder und reichte ihn dem Mädchen. Dabei sagte er: „Siehe, ich überreiche dir, was deinen Wangen an Schönheit gleicht. Beide verbreiten einen lichten Glanz wie Feuerbrand."

Lachend nahm sie den Becher und fragte: „Wie willst du mir meine eigenen Wangen reichen?"

„Trinke nur", erwiderte er, „die Farbe des Weins gleicht meinen blutigen Tränen und seine Klarheit meinem Herzen."

„Wenn du aus Liebe zu mir blutige Tränen weinst, so gib mir den Becher."

So blieben sie lange fröhlich beisammen, aßen, tranken, sangen, liebkosten einander und umarmten sich. Die eine steckte ihm einen süßen Bissen in den Mund, die andere bewarf ihn mit Blumen, die dritte streichelte ihm die Wangen, bis sie alle berauscht waren, daß sie jede Grenze des Anstandes und der Sittlichkeit überschritten. Dann entkleidete sich die Pförtnerin, um in dem hinter dem Hause vorbeifließenden Strom ein Bad zu nehmen. Sie blieb lange im Wasser, kam dann leicht geschürzt wieder, setzte sich zu dem Träger und war ganz ausgelassen. Doch so oft der Träger ein zu kühnes Wort gebrauchte, schlugen alle drei Schwestern nach ihm. Nach einer Weile entkleideten sich auch die beiden anderen Schwestern, nahmen ebenfalls ein Bad und legten sich dann ebenfalls zu dem Träger. Er durfte alles mit ihnen tun, wonach seine Sinne verlangten, und mußte nur in seinen Worten vorsichtig sein. Nun entkleidete sich auch der Träger, um ebenfalls ein Bad zu nehmen. Nachdem er sich rein gewaschen hatte, kam er schnell wieder zu den Schwestern zurück, setzte sich auf den Schoß der einen, umarmte die andere, umschlang die dritte und scherzte und koste mit ihnen auf jede mögliche Weise, bis seine Manneskräfte erschöpft waren und er zurück auf die Polster sank.

Als es dunkel wurde, sagten die Mädchen zu ihm: „Jetzt ist es Zeit, daß du dich wieder ankleidest und uns verläßt!"

„Lieber will ich sterben als euch verlassen", klagte er da, „übrigens ist es schon so spät, daß ich gar nicht wüßte, wohin ich gehen soll. Laßt mich diese Nacht noch bei euch bleiben. Morgen früh will ich dann meines Weges ziehen."

Wieder war es die Einkäuferin, die ihre Schwestern bat, ihn dazulassen.

„Gott weiß", sagte sie, „wann wir wieder so angenehme Gesellschaft bekommen. Er ist ja so unterhaltend und witzig, daß wir uns gewiß noch länger mit ihm vertragen werden."

„Wir willigen ein unter der Bedingung", sagten die Schwestern zu dem Träger, „daß du dich um nichts kümmerst, was immer sich vor dir abspielen mag. Du magst hören oder sehen, was du willst. Wenn es dir auch noch so seltsam erscheinen mag, so darfst du nicht nach der Ursache fragen."

„Ich werde sein, als hätte ich weder Augen noch Ohren", erwiderte der Träger.

Dann führten sie ihn zu einer Tür, auf der mit goldenen Buchstaben geschrieben war:

Wer von Dingen spricht, die ihn nichts angehen,
muß Dinge hören, die ihm nicht angenehm sind.

Dann wurden Wachskerzen und Lampen angezündet und mit Ambra und Aloe bestreut, so daß sich der ganze Saal mit Wohlgerüchen füllte. Darauf wurde zur Nacht gegessen, und man begann wieder zu trinken, spielen, lieben und Verse aufzusagen.

DIE SECHSUNDDREISSIGSTE NACHT

Plötzlich klopfte es an der Tür. Die Pförtnerin ging hinunter, um nachzusehen. Nach einer Weile kam sie wieder und sagte zu ihren Schwestern: „Wenn ihr mir gehorchen wollt, so werden wir eine lustige Nacht haben. An unserer Tür stehen drei halbblinde Kalender, also wilde, zuchtlose Derwische, ohne Haare am Bart, am Haupt und an den Augenbrauen. Man sieht ihnen an, daß sie von einer Reise kommen. Sie waren noch nie in Bagdad und klopften zufällig an unsere Tür, weil sie nicht wissen, wo sie übernachten können. Sie wollen sich mit dem Stall oder einem schlechten Zimmer begnügen. Da schon ihr Äußeres uns lachen machen wird, wollen wir sie hierbehalten und sie erst morgen weiterziehen lassen." Sie bat ihre Schwestern so lange, bis diese ihr endlich erlaubten, die Kalender zu rufen, doch unter der Bedingung, die sie auch dem Träger gemacht hatten. Bald kam sie mit den drei halbblinden Gästen wieder.

„Wie schön ist es hier, bei Allah!" riefen die drei einstimmig aus, als sie den schönen Saal, den mit Speisen und Getränken bedeckten Tisch und die drei Mädchen sahen. Als sie den vom vielen Trinken und Liebesspiel wie bewußtlos daliegenden Träger gewahrten, fragten sie: „Ist das auch ein fremder Derwisch wie wir oder ist er ein abtrünniger Araber?"

Der Träger, der das hörte, sagte: „Hütet euch vor weiterem Gerede! Habt ihr nicht an der Tür gelesen: ,Wer von Dingen spricht, die ihn nichts angehen, muß Dinge hören, die ihm nicht genehm sind!' Wie könnt ihr gleich beim Eintreten eure Zunge gegen mich loslassen?"

Die Kalender baten um Entschuldigung, und die Mädchen stellten wieder den Frieden unter ihren Gästen her. Die Kalender setzten sich zum Essen, die Pförtnerin schenkte Wein ein, und der Träger forderte sie auf, etwas zum besten zu geben für die Unterhaltung.

DIE SIEBENUNDDREISSIGSTE NACHT

Als die Kalender schon den Wein zu spüren begannen, forderten sie Musikinstrumente. Die Pförtnerin brachte ihnen ein Tamburin, eine Laute und eine persische Harfe. Sie fingen an zu spielen und zu singen, aber die Mädchen sangen mit so hellen, wohlklingenden Stimmen, daß sie die Männer weit übertönten. So sangen sie eine Weile, bis wieder an die Tür geklopft wurde. Die Pförtnerin ging, um zu öffnen. Es waren der Kalif Harun al Raschid, sein Wesir Djafar und sein Diener Masrur. Als sie an dem Hause vorbeigegangen waren, hatten sie die Musik, den Gesang und das Lachen gehört.

„Ich hätte wohl Lust, ein wenig bei diesen lustigen Leuten einzutreten", hatte der Kalif zu seinem Wesir gesagt. Vergeblich hatte der ihm vorgehalten, daß sie wahrscheinlich auf Betrunkene stoßen würden. Doch der Kalif bestand darauf und befahl seinem Wesir, ihm durch irgendeine List Zutritt zu verschaffen.

Als nun die Pförtnerin geöffnet hatte, verbeugte sich Djafar vor ihr und sagte: „O Herrin, wir sind Kaufleute aus Mossul und leben schon seit zehn Tagen in einem Khan, wo wir ein Magazin für unsere Waren haben. Heute waren wir bei einem hiesigen Kaufmann eingeladen. Als uns nun die guten Speisen und der Wein so recht aufgemuntert hatten, schickten wir nach Sängern und Tänzerinnen und ließen auch noch einige andere Freunde rufen. Wir waren sehr vergnügt, da wurden wir plötzlich von der Polizei überfallen. Wir mußten schnell fliehen und über eine Mauer springen. Dabei verletzten sich einige und wurden gefangengenommen. Wir anderen kamen glücklich davon. Doch nun können wir den Weg nach Hause nicht finden. Und wenn wir auch glücklich unser Haus erreichten, so würde man uns doch nicht öffnen, denn das ist in diesen Herbergen vor Tagesanbruch niemandem gestattet. Erlaubt uns deshalb, bei euch einzukehren. Wir wollen gern sofort unseren Teil bezahlen und mit euch vergnügt sein. Ist euch aber unsere Gesellschaft nicht angenehm, so laßt uns die Nacht im Hausgang zubringen.

Als die Pförtnerin das gehört hatte und ihnen auch ansah, daß sie vornehme Leute waren, berichtete sie ihren Schwestern von den drei Fremden, ließ sie hereinkommen und alle — die Mädchen, der Träger und die Kalender — gingen ihnen freundlich entgegen.

Da bemerkte Scheherazade den Tag und schwieg. In der folgenden Nacht fuhr sie fort:

DIE ACHTUNDDREISSIGSTE NACHT

Auch zu diesen neu angekommenen Gästen sagten die Mädchen: „Wir können euch nur unter der Bedingung aufnehmen, daß ihr wie Menschen mit Augen ohne Zunge sein wollt. Ihr dürft nach nichts fragen und von nichts sprechen, sonst könnt ihr etwas hören, was euch mißfällt."

Die vornehmen Gäste nahmen diese Bedingung an. Dann mußten sie mit den anderen speisen und zechen. Das Gespräch wurde immer lebhafter. Die Kalender spielten lustige Weisen, und der Becher ging von einem zum anderen. Nach einer Weile sagte die Hausherrin zu ihren Schwestern: „Erhebt euch jetzt, wir dürfen die Arbeit nicht versäumen, die uns auferlegt ist." Die Pförtnerin stand rasch auf, reinigte den Saal und besprengte ihn mit frischen Wohlgerüchen. Dann forderte sie die Kalender auf, an einer Seite des Saales auf einem Sofa Platz zu nehmen. Den Kalifen und seine Begleiter bat sie auf die andere Seite, dem Träger aber rief sie zu: „Auf, du träger Mensch! Gehörst du nicht zum Hause? Hilf uns bei unserer Arbeit!"

Die Einkäuferin öffnete eine Nebentür. Der Träger mußte eine Bank mitten ins Zimmer stellen und zwei schwarze, ganz wund geschlagene Hündinnen herausführen, deren Hals von einer Kette umschlungen war. Als er mit ihnen mitten im Zimmer war, nahm die schöne Hausherrin eine geflochtene Peitsche, entblößte ihren weißen Arm und ließ sich vom Träger eine der Hündinnen vorführen. Die Hündin sträubte sich und fing an zu heulen, so daß der Träger sie mit Gewalt vor ihre Herrin schleifen mußte. Diese begann, die Hündin so lange zu peitschen, bis ihr Arm ermüdet herabsank. Dann warf sie die Peitsche von sich, nahm die Kette dem Träger aus der Hand, drückte die Hündin an sich, bedeckte sie mit Küssen, weinte mit ihr, wischte ihr dann mit einem Tuch die Tränen ab und ließ sie hierauf wieder von dem Träger an ihren Platz bringen und die andere Hündin holen. Auch diese Hündin wurde gepeitscht, geküßt und wieder fortgeführt. Die Anwesenden waren erstaunt über das Tun des Mädchens, denn sie konnten nicht begreifen, weshalb die Tiere erst geschlagen und dann geküßt worden waren. Djafar bemerkte, daß besonders der Kalif sich vor Neugierde kaum noch zu halten wußte, und er erinnerte ihn durch einen Wink daran, daß hier nichts gefragt werden dürfte.

Als die Szene mit den Hunden vorüber war, sagte die Pförtnerin: „Nun will auch ich meine Pflicht erfüllen!"

Hier bemerkte Scheherazade den Anbruch des Tages und schwieg. Doch in der folgenden Nacht fuhr sie fort:

A ls alles still geworden war, setzte sich die Pförtnerin auf einen Stuhl und sagte zu der Einkäuferin: „Steh auf, du weißt schon, was ich von dir verlange!"

Das Mädchen stand auf, ging in ein Nebenzimmer, kam nach einer Weile mit einem Futteral aus gelbem Atlas wieder und reichte es der Pförtnerin. Die öffnete das Futteral, nahm die Laute heraus, stimmte das Instrument und sang folgendes Lied:

O mein Geliebter, du mein einziges Verlangen, meine
einzige Sehnsucht. In deiner Nähe nur ist ewige Selig-
keit, in deiner Ferne ist die brennende Hölle. Alle
meine Gedanken und Gefühle sind bei dir. Es ist gewiß
kein Verbrechen, dich zu lieben. Der Gram hat mich
umhüllt mit dem Gewand der Abzehrung, darum ist
auch meine Schuld kein Geheimnis geblieben. Mein Herz
hat dich vor allen auserkoren; nun fließen Tränen über
meine Wangen, und diese verräterischen Tränen haben
mein Geheimnis enthüllt. O heile doch meine gefähr-
liche Krankheit, du bist zugleich Gift und Gegengift!
Wie lange kann der leiden, der von dir seine Genesung
erwartet? Das Licht deiner Augen hat mich aufgezehrt,
durch die Rosen deiner Wangen bin ich gebleicht.
Die Nacht deiner Haare hat mein Leben verdüstert,
meine sichtbare Pein zeugt gegen mich. Nun gibt's
kein Ende mehr für meinen Gram, mir bleibt nichts mehr
zu wählen übrig; ich suche gar keinen Trost mehr,
denn der Liebe will ich mein ganzes Leben opfern.

Nach ihrem Gesang bat sie die Einkäuferin, fortzufahren. Die ergriff die Laute und sang:

Wie lange noch dies Weigern und Versagen?
Habe ich noch nicht genug Tränen vergossen?
Wie lange wird unsere Trennung noch dauern?
Selbst mein Feind muß schon seine Schadenfreude an
mir gestillt haben. Habe Mitleid mit mir, schon hat die
Liebesqual mich tief gebeugt. O, mein Gebieter,

wann wirst du dich mir wieder liebreich zuwenden?
Wer wird die arme Gefangene trösten, welche der Schlaf
flieht, weil ihre Hoffnung erlosch? Wie kann ich je
wieder froh sein, wenn mein Gebieter durch seine Nähe
andere selig macht? Da ich mir so viele Mühe
gegeben, so muß er mir hold sein, wenn er nicht
grausam sein will.

Scheherazade bemerkte, daß der Morgen dämmerte und
schwieg. Am folgenden Abend fuhr sie fort.

DIE VIERZIGSTE NACHT

Als die Pförtnerin dieses Lied gehört hatte, spendete sie
Beifall. Dann zerriß sie ihr Kleid und fiel in Ohnmacht.
Dabei entblößte sich ihr Busen und die Anwesenden bemerk-
ten, daß er ganz mit Beulen und Narben bedeckt war. Darüber
waren die Kalender so bestürzt, daß einer zum anderen sagte:
„Wären wir doch nie in dieses Haus gekommen. Wir hätten
besser auf der Erde geschlafen, statt solche herzzerreißenden
Dinge anzusehen."
Der Kalif aber brannte darauf, mehr zu erfahren. „Wir sind
sieben Männer, sie sind nur drei Frauen", sagte er zu dem
Träger. „Ich werde sie nun fragen, wer sie sind, und antworten
sie nicht gutwillig, so werden wir sie schon dazu zwingen."
Alle waren damit einverstanden, Gewalt anzuwenden, bis auf
Djafar, der ihnen vorhielt, sie seien als Gäste in diesem Hause
und nur unter der Bedingung aufgenommen worden, daß sie
zu allem schweigen wollten, was sie auch sehen sollten. Er sagte
leise zu dem Kalifen: „Die Nacht ist ja bald vorüber, dann
trennen wir uns. Jeder geht seines Weges. Morgen früh bringe
ich die Mädchen zu dir, und dann kannst du von ihnen verlangen, daß sie dir über alles, was hier vorging, berichten."
Der Kalif aber war so ungeduldig, daß er Djafar zornig anfuhr
und darauf bestand, die Mädchen müßten ihm schon jetzt Auf-

schluß geben. Es wurde noch eine Weile hin- und hergestritten, dann aber wurde beschlossen, der Lastträger solle im Namen aller die Mädchen befragen.

„Diese Leute wünschen", wandte sich der Lastträger an die Mädchen, „daß ihr ihnen erzählt, was es mit den beiden Hündinnen auf sich hat, die ihr so erbärmlich gepeitscht habt, und warum sich die eine von euch so erbärmlich geißelt."

Als die Wirtin das hörte, sagte sie zu den Gästen: „Haben wir euch nicht im voraus gesagt: Wer von Dingen spricht, die ihn nichts angehen, muß Dinge hören, die ihm nicht angenehm sind. Wir haben euch in unserem Haus aufgenommen und unser Mahl mit euch geteilt. Nun wollt ihr uns Gewalt antun? Glaubt ihr, euch alles erlauben zu dürfen, weil wir so närrisch waren, euch unsere Tür zu öffnen?"

Darauf schob sie ihr Kleid zurück, trat dreimal auf den Boden und rief: „Eilt herbei!" Sogleich stürzten aus einem der Kabinetts sieben Sklaven heraus. Jeder hatte ein blankes Schwert in der Hand und jeder fiel über einen der Gäste her. Im Nu waren alle gefesselt, aneinandergebunden und der Reihe nach auf dem Boden in der Mitte des Zimmers hingestreckt. Neben jedem blieb ein Sklave mit gezogenem Schwert stehen und sagte zu der Hausherrin: „O erhabene Gebieterin und mächtige Herrin, du brauchst nur ein Zeichen zu geben und ihre Köpfe werden fallen!"

„Wartet noch", entgegnete die Herrin, „ich will sie zuerst fragen, wer sie sind."

Da schluchzte der Träger und rief:

„O meine erhabene Gebieterin, laß mich nicht die Schuld anderer büßen. Alle haben unrecht gehandelt, nur ich nicht. Wie schön war unser Tag, ehe diese Kalender kamen, die, sobald sie in eine Stadt eingezogen sind, nicht eher ruhen, als bis diese verwüstet ist." Dann fügte er noch weinend hinzu:

Wie doch ziert den Mächtigen die Nachsicht, besonders wenn sein Feind hilflos ist; bei der innigen Freundschaft, die zwischen uns bestand, laßt den Ersten nicht um der Letzten willen sterben.

Die Wirtin, so aufgebracht sie auch war, mußte lachen. Dann wandte sie sich zu den übrigen Gästen und sprach: „Sagt mir, wer ihr seid. Ihr habt nur noch kurze Zeite zu leben, wenn ihr mir nicht beweist, daß ihr vornehmen Standes, hohe Richter oder Häupter eurer Völker seid."

Als der Kalif das hörte, sagte er: „Djafar, entdecke ihr schnell, wer wir sind, sonst könnte sie uns noch umbringen lassen!"

Djafar erwiderte: „Das hättest du wohl zum Teil verdient."

Zornig versetzte der Kalif: „Es ist jetzt keine Zeit, dich über mich lustig zu machen."

Dann fragte die Wirtin die Kalender, ob sie Brüder seien.

„Nein", entgegneten diese „wir sind weder Brüder noch arme Derwische."

„Bist du halbblind geboren?" fragte sie den einen.

„Nein", erwiderte der. „In meinem Leben haben sich so außerordentliche Dinge zugetragen, daß sich jeder daraus belehren könnte. Erst später verlor ich ein Auge, dann ließ ich meinen Bart abschneiden und wurde Kalender."

Nachdem die Wirtin jeden der Kalender das gleiche gefragt hatte und von jedem die gleiche Antwort erhielt und jeder noch hinzusetzte, er sei der Sohn eines Königs und selbst Regent, sagte die Wirtin zu den Sklaven: „Verschonet den, der mir seine Lebensgeschichte erzählt und den Grund, weshalb er hierher gekommen ist. Und bringt denjenigen um, der sich weigert!"

Der Tag war im Kommen. Scheherazade schwieg. Am nächsten Abend fuhr sie fort:

Die Reihe kam zunächst an den Träger, der Folgendes sagte:

„Du weißt, meine Gebieterin, daß ich ein Lastträger bin und daß deine Wirtschafterin mir gebot, ihr zu folgen. Ich ging mit ihr zum Weinhändler, zum Metzger, dann zum Obsthändler, von diesem zu einem, der trockene Früchte verkauft, zum Zuckerbäcker, endlich kam ich hierher, und somit wäre meine ganze Geschichte zu Ende."

Die Wirtin lachte und sagte zu ihm: „Dein Leben sei dir geschenkt, du kannst gehen!"

Er aber wollte noch bleiben, um die Erzählungen der übrigen Gäste zu hören.

Die Geschichte des ersten Kalenders

Nun nahm der erste Kalender das Wort und sprach:

„Du sollst wissen, o Gebieterin, weshalb ich ein Auge und meinen Bart verlor: Mein Vater und mein Oheim waren beide Könige, mein Oheim hatte einen Sohn und eine Tochter. Als ich groß geworden war, besuchte ich meinen Oheim von Zeit zu Zeit und blieb oft monatelang bei ihm, denn mit meinem Vetter war ich eng befreundet. Bei einem dieser Besuche lud mich mein Vetter zu Gast, ließ Schafe schlachten und klaren Wein dazu bringen. Nachdem wir ziemlich viel getrunken hatten, sagte er zu mir: „Ich arbeite schon ein ganzes Jahr an etwas, mit dem ich dich bekanntmachen will. Du darfst aber nicht weiter mit mir davon sprechen. Willst du das beschwören?" Als ich geschworen hatte, verließ er mich einen Augenblick und kehrte zurück mit einer Frau in reicher Kleidung, die so schön war, daß ihr Anblick uns noch mehr als der Wein berauschte. Nachdem wir noch eine Weile zusammen getrunken hatten, bat er mich, mit dieser Frau nach einem mir wohlbekannten Denkmal zu gehen. Ich mußte es tun und durfte — meinem Eide gemäß — nicht einmal fragen, was daraus werden sollte. Wir hatten kaum das Grab mit der Kuppel erreicht und uns dort niedergelassen, als mein Vetter mit einem Töpfchen Wasser kam, einem Säckchen Gips und einer eisernen Hacke. Er öffnete mit der Hacke das Grab, legte die weggebrochenen Steine neben die Kuppel über dem Grab und grub dann den Boden des Grabes auf, bis er auf eine eiserne Platte stieß, so breit und so lang wie die Tür des Grabes. Er hob die Platte weg, und darunter sah man eine Treppe. Dann winkte er der Frau und sagte zu ihr: „Komm hierher, hier findest du, was du wünschst!" Die Frau ging hinunter und entschwand meinen Augen. Dann wandte er sich zu mir und sagte: „Nun erweise mir den letzten Gefallen und schließe das Grab hinter uns!" Der Morgen graute, Scheherazade schwieg. Am Abend erzählte sie weiter:

DIE ZWEIUNDVIERZIGSTE NACHT

Als ich das Grab bedeckt hatte, ging ich in das Haus meines Oheims, der damals auf der Jagd war, und schlief bald ein. Am anderen Morgen fand ich alles, was sich zugetragen hatte, so außerordentlich, daß ich glaubte, geträumt zu haben. Da aber niemand mir zu sagen wußte, was aus meinem Vetter geworden war, ging ich zu der Begräbnisstelle und suchte die Kuppel. Ich konnte sie aber nicht finden, obwohl ich ein Grab nach dem anderen durchwanderte, bis mich endlich die Nacht überfiel. Nun wurde ich immer mehr um meinen Vetter besorgt, denn ich wußte ja nicht, wohin die Treppe unter dem Grabe führte. Die folgenden vier Tage brachte ich auf ähnliche Weise zu: Ich suchte die Kuppel und konnte sie nicht finden. Um nicht melancholisch oder wahnsinnig zu werden, faßte ich den Entschluß, in meine Heimat zu meinem Vater zurückzukehren. Kaum hatte ich jedoch die Stadttore meines Wohnortes erreicht, da fiel man über mich her, legte mich in Ketten und schleppte mich weg. Man sagte mir, der

Wesir habe sich gegen meinen Vater empört, die ganze Armee gewonnen, meinen Vater ermordet, selber den Thron bestiegen und sogleich Befehl erteilt, mich festzunehmen. Als ich das hörte, fiel ich bewußtlos nieder. Als ich wieder aufwachte, stand vor mir der Wesir, der schon seit langem mein Feind war, weil ich ihn einmal als Knabe, da ich mit dem Bogen nach Vögeln schoß, am Auge getroffen hatte. Jetzt riß er mir mit seinen eigenen Händen ein Auge aus. Nachdem das geschehen war, ließ er mich binden und in eine Kiste sperren. Dann befahl er dem Henker meines Vaters, mich mit in die Wüste zu nehmen, damit wilde Tiere und Raubvögel mich dort verzehren sollten. Der Henker ritt mit mir in die Wüste. Dort stieg er vom Pferd und wollte mich töten, doch als er meine Klagen hörte, war er so gerührt, daß er sich entschloß, mich leben zu lassen. „Rette dich, so schnell du kannst", sagte er zu mir, „und komme nie wieder in dieses Land. Erinnere dich der Verse des Dichters:

Fürchtest du eine Gewalttat, so suche dein Leben zu retten. Verlasse schnell die Wohnung, die du gebaut hast, denn leicht kannst du ein Land mit einem anderen vertauschen, ein zweites Leben aber gibt dir keiner.

Dankbar verabschiedete ich mich von dem Henker und reiste wieder zu meinem Oheim. Als ich ihm meine und meines Vaters Geschichte erzählt hatte, erwiderte er: „Auch ich leide, denn mein Sohn ist verschwunden. Und niemand kann mir sagen, was aus ihm geworden ist." Dabei weinte er so sehr, daß ich ihm nicht länger verschweigen konnte, was ich von seinem Sohne wußte. Er freute sich über diese Nachricht und ging sofort mit mir zu den Gräbern. Wie groß war meine Freude, als ich endlich die Kuppel wiederfand! Wir gingen sogleich hinein, öffneten das Grab, bis wir die eiserne Platte fanden, und stiegen dann die Treppe hinunter. Als wir die letzte Stufe erreicht hatten, quoll uns gewaltiger Rauch entgegen, und mein Oheim rief: „Nur Allah, der Erhabene, Mächtige kann uns schützen!" Wir folgten dem Gang, der am Fuß der Treppe begann, bis wir in eine Art Zimmer kamen, das auf Säulen ruhte und durch kleine Türmchen von oben Licht erhielt. Wir fanden hier Nahrungsmittel und Wasser. Mitten im Zimmer stand ein Bett mit einem Vorhang. Als mein Oheim den Vorhang lüftete, fand er darin seinen Sohn und die Frau. Sie hielten einander eng umschlungen und waren schwarz wie Kohlen, als hätten sie lange nahe am Feuer gelegen. Mein Oheim spie seinem Sohn ins Gesicht und sagte: „Du hattest soviel hier zu leiden, nun kommen für dich noch die Qualen des anderen Lebens." Dann zog er die Pantoffel aus und schlug damit seinem Sohn ins Gesicht."

Scheherazade bemerkte den Tag und schwieg. Am nächsten Abend fuhr sie fort:

DIE DREIUNDVIERZIGSTE NACHT

Als mein Oheim", erzählte der Kalender weiter, „seinen Sohn derart geschlagen hatte, fragte ich ihn nach dem Grund dafür. „Du mußt wissen", sagte er, „daß mein Sohn von seiner Kindheit an seine Schwester leidenschaftlich liebte. Ich versuchte, diese Liebe zu bekämpfen, sagte mir jedoch, sie seien ja beide noch Kinder. Als sie aber groß geworden waren und ich hörte, daß sie sich unwürdig betrugen, prügelte ich meinen Sohn derart durch, daß ich nicht mehr wußte, wie er es aushalten konnte. Nachdem sich mein Sohn von seiner Geliebten getrennt sah, ließ er diese unterirdische Wohnung bauen, einen Brunnen graben und verschiedene Lebensmittel hierherbringen. Wahrscheinlich glaubte er, sie hier lange besitzen zu können, aber Allah war wachsam. Nun wirst du an die Stelle meines Sohnes treten."

Nach vielen vergossenen Tränen stiegen wir wieder die Treppe herauf und gingen ins Schloß zurück. Kaum hatten wir uns dort niedergelassen, als wir einen entsetzlichen Lärm von Trompeten, Pauken und Trommeln hörten, Männertritte, Pferdegewieher, Schellengeklingel und Kampfgeschrei. Fußvolk und Reiterei verbreiteten soviel Staub, daß man fast nichts mehr sehen konnte. Wir hörten, daß derselbe Wesir, der das Königsreich meines Vaters an sich gerissen hatte, nun auch dieses Land überfallen und sich die Hauptstadt ihm schon ergeben hatte. Kurz darauf vernahm ich, daß mein Oheim ermordet worden war. Um dem Henker meines Vaters und meinem sicheren Tode zu entgehen, flüchtete ich. Um jedoch nicht erkannt zu werden, mußte ich meinen Bart und meine Augenbrauen abscheren und meine prächtigen Kleider mit denen eines Kalenders vertauschen. So reiste ich unerkannt als Derwisch hierher und hoffte, mein gutes Glück würde mich mit einem Manne bekanntmachen, der mich dem Sultan der Gläubigen, dem Stellvertreter Allahs, vorstelle, damit ich ihm meine Geschichte erzähle. Als ich in der Nacht hier ankam und nicht wußte, wohin ich mich wenden sollte, begegnete ich diesem neben mir sitzenden Kalender. Ich grüßte ihn und fragte ihn, ob er auch ein Kalender sei. Er bejahte es. Als wir miteinander sprachen und am Stadttor waren, kam dieser dritte Kalender und schloß sich uns an. Das ist meine Geschichte."

Die Wirtin schenkte auch ihm das Leben. Aber auch er wollte noch bleiben und die Erzählungen der anderen hören.

Scheherazade sah den Tag grauen und schwieg. Am folgenden Abend fuhr sie fort:

Die Geschichte des zweiten Kalenders

Dann begann der zweite Kalender seine Geschichte:
„Auch ich bin nicht halbblind geboren, und auch mein
Vater war ein König. Er ließ mich in der Schreibkunst und im
Heiligen Koran unterrichten. Ich lernte dieses erhabene Buch
nach allen sieben Lesarten auswendig, wurde mit den Lehren
der verschiedenen Sekten bekannt, las theologische Werke und
beschäftigte mich auch mit Grammatik und arabischer Philo-
logie. Ich schrieb mit solcher Meisterschaft, daß ich alle meine
Zeitgenossen übertraf. Ich wurde so gelehrt, daß man in allen
Ländern und Erdteilen von mir sprach. Alle Könige der Welt
lasen meine Schriften. Mein Ruhm war so groß, daß einst der
Sultan von Indien einen Boten mit königlichen Geschenken
zu meinem Vater schickte und ihn bitten ließ, mir zu erlauben,
für einige Zeit zu ihm zu kommen. Mein Vater schickte mich
mit einem Kurier auf die Reise und gab mir kostbare Geschenke
mit. Wir reisten ungefähr einen Monat lang, als wir vor uns
auf einmal furchtbaren Staub sahen. Er kam immer näher, bis
wir merkten, daß wir es mit fünfzig ungeheuren, schwerbe-
waffneten Reitern zu tun hatten."
Scheherazade bemerkte den Tag und schwieg. In der folgenden
Nacht fuhr sie fort:

DIE FÜNFUNDVIERZIGSTE NACHT

Als wir diese Reiter sahen", erzählte der Kalender weiter,
„wollten wir fliehen. Doch sie eilten mit gezogenen Schwertern und ausgestreckten Lanzen auf uns zu. Vergebens sagten
wir ihnen, daß wir Gesandte des mächtigen Sultans von Indien
seien. Sie töteten alle unsere Leute, und nur ich konnte ent-

fliehen, während sie sich mit der Ladung unserer Kamele beschäftigten. Nun wußte ich aber nicht, wohin ich mich wenden sollte. Mit einem Schlag war ich arm und verlassen, nachdem ich so reich und so vornehm gewesen war."

Hier unterbrach Scheherazade ihre Erzählung auf Wunsch des Sultans Scheherban, der für heute nichts weiteres mehr zu hören wünschte. Doch gestattete er ihr, in der folgenden Nacht fortzufahren:

DIE SECHSUNDVIERZIGSTE NACHT

Nachdem ich den ganzen Tag herumgeirrt war", erzählte der Kalender weiter, „brachte ich die Nacht in einer Höhle auf einem Berg zu. Dann wanderte ich einen Monat, bis ich in eine schöne und wohlbefestigte Stadt kam, in deren Straßen es von Menschen wimmelte. Es war Frühling geworden, und alles in dieser Stadt paßte auf die Verse des Dichters:

> *Sie gleicht einem reichgeschmückten Paradies,*
> *das seinen Bewohnern Wunder eröffnet.*

Doch weil ich müde und von Kummer und Sorgen entstellt war, wandelte ich traurig durch die Stadt, ohne zu wissen wohin. Endlich kam ich an einem Schneiderladen vorbei und grüßte den Schneider. Er bot mir an, Platz zu nehmen, und ich mußte ihm erzählen, wie es mir ergangen war. Da sagte er zu mir: „Hüte dich, junger Mann, irgend jemandem zu sagen, wer du bist, denn der König dieser Länder ist ein großer Feind deines Vaters." Dann brachte er mir etwas zu essen, und wir blieben bei Tische bis spät in die Nacht. Drei Tage brachte ich bei ihm zu. Dann fragte er mich, ob ich denn kein Handwerk erlernt, das mich ernähren könnte. Ich sagte ihm, ich sei ein Gelehrter, aber er erwiderte, das sei in diesem Lande nicht gesucht. „Faß trotzdem Mut", sagte er, „nimm eine Axt und einen Strick, geh in den Wald und schlage Holz. So findest du zu leben, und Allah wird dir weiterhelfen. Aber hüte dich, jemandem zu sagen, wer du bist!" Er kaufte mir eine Axt und einen Strick und empfahl mich einigen anderen Holzhauern. Mit denen haute ich den ganzen Tag Holz, trug es dann abends auf meinem Kopf in die Stadt, verkaufte es für einen halben Dinar und brachte das Geld dem Schneider. So lebte ich ein ganzes Jahr lang bei ihm.

Als ich mich eines Tages von meinen Gefährten trennte, stieß ich auf einen Garten, mit Bäumen bepflanzt und von Bächen durchflossen. Während ich in diesem Garten umherging, erblickte ich den Stamm eines sehr dicken Baumes, und als ich mit meiner Axt die Erde fortgrub, fand ich einen Ring, der an einer hölzernen Tafel befestigt war. Ich hob diese Tafel am Ring auf und entdeckte eine Treppe, die ich hinabstieg. Ich kam an ein Schloß, wie ich es schöner noch nie gesehen hatte. In diesem Schloß begegnete ich nach einer Weile einem Mädchen, so herrlich wie die reinste Perle oder wie die helleuchtende Sonne. Als es zu reden anfing, verscheuchten seine Worte jeden Kummer, sie waren so süß, daß sie das Herz jedes Mannes bezaubern mußten. Das Mädchen war schlank von Wuchs, hatte hübsche Wangen, eine zarte Gesichtsfarbe und ein vornehmes Aussehen. Hell strahlte die Stirn unter den dunklen Locken hervor."

Hier unterbrach Scheherazade die Erzählung, denn der Morgen dämmerte. In der folgenden Nacht fuhr sie fort:

DIE SIEBENUNDVIERZIGSTE NACHT

Das erste, was sie mich fragte, war, ob ich ein Mensch oder ein Geist sei, denn sie weile hier schon fünfundzwanzig Jahre und sei noch nie von einem Menschen besucht worden. Ich antwortete ihr, daß ich gekommen sei, um mein Elend in Glück zu verwandeln, vielleicht auch um ihren Kummer zu

verscheuchen und sie glücklich zu machen. Sie war sehr bestürzt, als sie hörte, was mir zugestoßen war. Dann sagte sie: „Nun sollst du auch meine Lebensgeschichte hören. Du mußt wissen, daß ich die Tochter des Königs Iftimerus bin, des Gebieters über die Insel Ebenus. Mein Vater verheiratete mich mit meinem Vetter. Als ich jedoch in der Hochzeitsnacht zu meinem Gemahl geführt werden sollte, raubte mich ein Geist, brachte mich hierher und versorgte mich mit köstlichen Nahrungsmitteln und allem, was ich brauchte. Da aber seine Leute nichts von unserem Verhältnis wissen dürfen, bringt er nur alle zehn Tage eine Nacht bei mir zu. Brauche ich etwas, so berühre ich nur die zwei an dieses Gewölbe gemalten Zeilen, und bevor ich die Hand wegziehe, ist der Geist schon bei mir. Jetzt ist er schon vier Tage nicht mehr dagewesen, wird also noch sechs Tage ausbleiben. Bleib fünf Tage bei mir und verlasse mich an dem Tag, ehe er wiederkommt!"

Mit Vergnügen ging ich auf dieses Angebot ein. Sogleich nahm sie mich bei der Hand, führte mich ins Bad und legte mir frische Kleider vor. Als ich aus dem Bade kam, mußte ich mich neben sie auf ein Sofa setzen. Wir aßen und tranken. Dann bot sie mir ein Polster an, um darauf zu schlafen. Ich schlief bald ein, und als ich nach einigen Stunden wieder aufwachte, fühlte ich neue Kräfte in mir und hatte meine früheren Leiden vergessen. Als die Schöne merkte, daß ich wieder aufgewacht war, holte sie mir wiederum Wein und Speisen und sprach die Verse:

Hätte ich deine Ankunft im voraus gewußt, ich hätte
das Innerste meines Herzens und das Schwarze meines
Auges vor dir niedergelegt. Ich hätte meine Wangen
wie einen Teppich auf die Erde gebreitet, damit du über
meine Augenlider schreiten könntest.

Die Nacht, die diesem Tage folgte, war die seligste meines ganzen Lebens. Doch auch am nächsten Morgen lebten wir, wie am vergangenen Tage, nur dem Vergnügen. Nachdem ich von dem vielen Wein fast besinnungslos geworden war und kaum noch aufrecht stehen konnte, sagte ich zu ihr: „Komm,

Holde, verlasse diesen Kerker und steige mit mir zur Erde hinauf!" Sie aber sprach: „Bleibe doch ruhig, mein Herr! Genügt es dir nicht, von zehn Tagen neun bei mir zuzubringen?" Ich aber antwortete im Rausch: „Ich werde sogleich auf die Zeilen schlagen und den Geist umbringen, wenn er erscheint!" Als die Schöne das hörte, wurde sie blaß und beschwor mich bei Allah, es nicht zu tun. Sie sprach die Verse:

> O du, der du selbst die Trennung herbeirufst, übereile
> dich nicht! Du kennst doch die Treulosigkeit des
> Schicksals, das jeder Vereinigung mit Trennung droht.

Ich aber war so betrunken, daß ich trotz ihrer Bitten den Talisman berührte."

Scheherazade bemerkte hier den Tag und schwieg. In der folgenden Nacht fuhr sie fort:

DIE ACHTUNDVIERZIGSTE NACHT

Kaum hatte ich das getan", berichtete der Kalender weiter, „da wurde es plötzlich finstere Nacht. Es blitzte und donnerte, und die Erde begann zu beben. Ich fragte die Schöne, was das bedeute. „Der Geist erscheint", erwiderte sie. „Rette dich, so schnell du kannst, zur Oberfläche der Erde!"

Aus Furcht, ertappt zu werden, eilte ich so sehr, daß ich meine Axt und meine Sandalen vergaß. Ich hatte die Treppe noch nicht ganz erstiegen, da spaltete sich der Palast, der Geist trat herein und fragte die Schöne: „Warum hast du mich durch dein ungestümes Rufen erschreckt? Was ist dir?"

„Mein Herr", antwortete sie, „als mir heute nacht nicht ganz wohl war, trank ich, um mich aufzumuntern, ein wenig Wein. Der stieg mir jedoch in den Kopf und ich fiel auf den Talisman." Da der Geist aber meine Sandalen und meine Axt entdeckte, rief er: „Du lügst, elendes Weib, wie kommen Sandalen und Axt hierher?"

„Ich bemerke sie erst jetzt", sagte das Mädchen, „sicher sind sie an Euch irgendwie hängen geblieben und mit hereingeschleppt worden."

„Bei mir hilft deine List nichts", erwiderte der Geist und versuchte, sie durch Folter zu einem Geständnis zu bringen. Da ich ihr Weinen nicht anhören konnte und auch für mich selbst fürchtete, schob ich mich zu der hölzernen Tafel heraus, legte sie wieder an ihren Platz und bedeckte sie mit Erde, wie ich sie gefunden hatte. Betrübt wanderte ich mit einer Ladung Holz zur Stadt zurück. Ich bemerkte mit Schaudern, wie sich nach kurzem Glück mein Leben wieder so zum Schlimmen gewandt hatte, daß mir nichts übrig blieb, als Holzfäller zu werden wie vorher. Ich machte mir die bittersten Vorwürfe.

Mein Freund, der Schneider, freute sich, als er mich wieder sah, denn er hatte sich schon um mich geängstigt. Ich zog mich eine Weile in meine Kammer zurück, um über mein Abenteuer nachzudenken, als der Schneider zu mir hereinkam und sprach: „Draußen steht ein alter Mann mit deiner Axt und deinen Sandalen. Er sagt, er habe sie im Walde gefunden und von den Holzhauern gehört, daß sie dir gehören." Noch bevor ich dem Schneider antworten konnte, spaltete sich das Zimmer und der fremde Alte, der niemand anders als der Geist selber war, trat herein."

Hier unterbrach Scheherazade die Erzählung, denn der Morgen dämmerte. Am Abend aber fuhr sie fort:

K aum war der Geist erschienen", erzählte der Kalender weiter, „da ergriff er mich auch schon und flog mit mir in den Palast, in dem ich eine so schöne Nacht zugebracht hatte. Ich sah die Schöne entkleidet vor mir auf dem Boden hingestreckt, das Blut strömte an ihr herab, und ich mußte bei diesem Anblick heftig weinen. „Hier hast du deinen Liebhaber", sagte der Geist zu dem Mädchen.

„Ich kenne diesen Menschen nicht, ich sehe ihn jetzt zum erstenmal", erwiderte sie.

„Du willst deine Schuld noch immer nicht gestehen?" schrie der Geist, „bist du denn noch nicht genug gepeinigt worden?" Sie aber wiederholte immer wieder, sie kenne mich nicht und wolle lieber zu Tode gepeinigt werden, als lügen.

„Nun gut", sagte da schließlich der Geist, „wenn du ihn nicht kennst, nimm dies Schwert und schlag ihm den Kopf ab!"

Die Schöne ergriff das Schwert und näherte sich mir. Als sie vor mir stand, versuchte ich sie durch einen mitleiderregenden Blick zu erweichen. Aber auch sie gab mir durch einen Blick zu verstehen, daß ich selbst an meinem Tode schuld sei. Wir verstanden uns gegenseitig so gut, daß wohl folgende Verse darauf passen mögen:

> *Statt meiner Zunge spricht mein Auge zu dir und gesteht*
> *dir die Liebe, die ich verbergen wollte. Tränen flossen,*
> *als wir uns begegneten. Ich schwieg, doch die Augen*
> *hatten alles gesagt. Du winkst mir zu, und ich verstehe*
> *dich schon. Ich verändere nur meinen Blick, und schon*
> *weißt du, was ich will. Unsere Augen erledigen alle*
> *Angelegenheiten zwischen uns. Wir schweigen,*
> *aber die Liebe spricht.*

Nach und nach gelang es mir doch, sie mit meinem Blick zu erweichen. Sie warf das Schwert fort und sagte zu dem Geist: „Wie soll ich einen Mann töten, den ich nicht kenne? Weshalb soll ich unschuldiges Blut vergießen?"

Die dreiundsechzigste Nacht

„Du willst ihn nur deshalb nicht umbringen", entgegnete der Geist, „weil du ihn liebst und eine Nacht mit ihm hier zugebracht hast. Darum läßt du dich lieber hart bestrafen, als daß du etwas gegen ihn aussagst. Übrigens weiß ich wohl, daß alle Geschöpfe nur Geschöpfe ihrer Gattung lieben und du mir natürlich einen Menschen vorziehst." Dann fragte er mich, ob ich diese Frau kenne. Ich beteuerte, sie nie gesehen zu haben. Da gab er mir das Schwert und sagte: „Dann bring sie um, damit du wieder frei wirst. So nur glaube ich, daß du sie wirklich nicht kennst!"

Ich nahm hierauf das Schwert und ging auf die Schöne zu."

Der Tag nahte. Scheherazade bemerkte es und schwieg. In der folgenden Nacht erzählte sie weiter:

DIE FÜNFZIGSTE NACHT

Als ich", fuhr der zweite Kalender in seiner Erzählung fort, „mich ihr genähert hatte, warf sie mir einen Blick zu, der deutlich sagte: „Belohnst du so meinen Großmut?" Ich antwortete mit meinen Augen: „Fürchte nichts! Gern geb ich mein Leben für das deine hin." Auf unsere Lage passen am besten die folgenden Verse:

Wie mancher Liebende spricht zu seiner Geliebten mit
den Augen von dem, was sein Herz verbirgt. Mit ihrem
Blick zeigt sie ihm dann an, daß sie ihn wohl verstanden.
Wie schön steht dem Gesicht ein bedeutungsvoller
Blick, wie reizend ist ein Auge, das jeden Wink versteht.
Es ist, als lese der eine mit den Augen, was der andere
mit den Augen schreibt.

Ich warf das Schwert weg und sagte zu dem Geist: „O mächtiger Geist, wenn ein Weib von schwacher Natur, von leichtfertigem Verstande und von übereilter Zunge einen unbekannten Menschen nicht unschuldigerweise erschlagen wollte, wie sollte ich überlegener Mann so etwas tun? Lieber will ich den Todesbecher leeren, als ein solches Verbrechen begehen!" Der Geist erwiderte hierauf: „Ihr werdet gleich erfahren, daß ihr mir nicht ungestraft trotzen könnt!" Dann ergriff er das Schwert und hieb der Schönen erst die rechte, dann die linke Hand ab. Sterbend fiel sie nieder und winkte mir ein letztes Lebewohl zu. Der Geist aber sprach zu mir: „Da ich von deiner Schuld nicht ganz überzeugt bin, darfst du wählen, in welches Tier ich dich verwandeln soll. Du hast die Auswahl unter einem Hund, einem Esel, einem Löwen, einem anderen wilden Tier oder einem Vogel."

Da ich merkte, daß der Geist schon etwas milder gestimmt war, sagte ich zu ihm: „O Geist, wie großmütig wärst du, wenn du mir ganz verzeihen könntest, wie jener Beneidete dem Neider verziehen hat."

Der Geist fragte, was das für eine Geschichte sei. Ich erzählte ihm folgendes:

Die Geschichte vom Neider und vom Beneideten

„Es wohnten einst zwei Männer nebeneinander in einer Stadt. Einer beneidete den anderen und gab sich alle Mühe, seinen Nachbarn zu kränken und ihm allerlei Unangenehmes in den Weg zu legen. Der Neid plagte ihn so sehr, daß er zuletzt, aus lauter Erbitterung über den immer größeren Wohlstand seines Nachbarn, weder essen, trinken, noch schlafen konnte. Als der Nachbar das merkte, beschloß er, die Nähe dieses Menschen zu meiden und die Stadt zu verlassen, um sich an einem fremden Ort niederzulassen. Er kaufte deshalb ein Stück Land in der Nähe einer anderen Stadt und machte es fruchtbar. Hier lebte er still, zurückgezogen und in frommer Andacht. Er war aber so wohltätig, daß man in der nahen Stadt bald über ihn redete und ihn die vornehmsten Leute in seiner Einsamkeit besuchten. Als der neidische Nachbar davon hörte, kam er auf das Gut seines ehemaligen Nachbarn und sagte zu ihm: „Ich habe etwas Wichtiges mit dir zu besprechen. Lasse die Armen, die dich umgeben, sich zurückziehen!"

Nachdem sich die Armen zurückgezogen hatten, gingen die beiden Nachbarn, in Gespräche vertieft, immer weiter, bis sie an eine Zisterne kamen. Da ergriff der Neider den Beneideten und warf ihn hinein. Dann ging er nach Hause mit der Gewißheit, den Beneideten getötet zu haben."

Der Morgen graute, und Scheherazade schwieg. In der folgenden Nacht erzählte sie weiter:

DIE EINUNDFÜNFZIGSTE NACHT

D a aber der Brunnen von Geistern bewohnt war", fuhr der zweite Kalender in seiner Erzählung fort, „fingen die den Beneideten auf und brachten ihn wieder aufs Trockene. Ein Geist erzählte den anderen, wer der Halbertrunkene sei und wie er ohne ihre Hilfe durch die Bosheit seines Nachbarn hätte sterben müssen. Dann berichtete ein anderer, daß der Sultan so viel von der Frömmigkeit und dem heiligen Leben dieses Mannes gehört habe, daß er entschlossen sei, ihn um die Heilung seiner Tochter zu bitten, die von einem bösen Geist besessen sei: vom Geiste Maimun nämlich, der in sie verliebt sei.

Da fragte ein Geist: „Womit könnte die Tochter des Sultans geheilt werden?"

„Der fromme Mann müßte", erwiderte der erste Geist, „aus dem weißen Flecken am Schwanz seiner schwarzen Katze sieben Haare ausreißen und die Prinzessin damit beräuchern. Dann muß der böse Geist sogleich aus ihrem Kopf fahren und wird nie mehr zurückkehren."

Da der Beneidete das ganze Gespräch mit angehört hatte, nahm er nach Anbruch des nächsten Tages sieben Haare aus dem weißen Flecken des Schwanzes seiner schwarzen Katze. Kaum war er mit seinen Freunden, die ihn am Brunnen abgeholt hatten, wieder in sein Haus zurückgekehrt, da trat auch schon der Sultan mit großem Gefolge ein, während eine Abteilung Soldaten vor der Tür stehen blieb. „Lasse deine Tochter herbringen", sagte der fromme Mann zu dem Sultan, „ich hoffe, sie im Augenblick zu heilen."

Sogleich schickte der Sultan jemanden, um seine Tochter zu holen. Als sie gebunden und gefesselt erschien, beräucherte sie der Beneidete mit den sieben Haaren, und der Geist verließ sie sofort mit gräßlichem Geschrei. Die Prinzessin, die alsbald ihren Verstand wiedergewann, bedeckte vor Scham das Gesicht und fragte, wie sie hierher gekommen sei. Als der Sultan sah, daß seine Tochter wieder genesen war, küßte er dem Beneideten vor Freude die Hand und fragte seine Umgebung: „Was verdient wohl ein Mann, der mir einen solchen Dienst erwiesen hat?" Und alle erwiderten: „Er verdient, daß du ihm deine Tochter zur Frau gibst!"

Der Sultan verheiratete seine Tochter mit dem Beneideten. Bald nach der Hochzeit starb der Wesir, und der Sultan verlieh diese Würde seinem Schwiegersohn. Und als der Sultan bald darauf selbst starb, wurde der Wesir einstimmig zum Sultan erhoben."

Der Tag brach an. Scheherazade bemerkte es und schwieg. In der folgenden Nacht erzählte sie weiter:

DIE ZWEIUNDFÜNFZIGSTE NACHT

Eines Tages", fuhr der zweite Kalender in seiner Erzählung fort, „ging der Neider an dem Beneideten vorüber, als der von den Großen des Reiches umgeben war. „Bringt mir diesen Mann, doch erschreckt ihn nicht", befahl der Beneidete. Der Wesir ging, um den Neider, seinen ehemaligen Nachbarn, zu bringen. Dann sagte der Sultan: „Gebt ihm hundert Pfund aus meiner Schatzkammer, packt ihm zwanzig Ladungen Waren zusammen und gebt ihm eine Wache, die ihn in seine Heimat zurückführe!"

Dann entließ er den Neider, und der entfernte sich, ohne daß ihn der Sultan für seine Untat bestraft hätte.

Sieh also, o Geist, wie der Beneidete dem Neider verziehen, so solltest du auch mir verzeihen."

Da antwortete der Geist: „Ich will dich nicht umbringen, doch verdienst du es auch nicht, ungestraft zu entkommen. Deshalb will ich dich verzaubern."

Darauf ergriff er mich und flog mit mir so hoch, daß mir die ganze Welt wie ein weißes Gewölk vorkam. Dann ließ er mich auf einem Berg nieder, nahm etwas Erde, murmelte ein paar Worte darüber, bewarf mich mit dieser Erde und sprach dabei: „Verwandle deine Gestalt in die eines Affen!"

Sogleich wurde ich zu einem Affen, während er verschwand. Ich stieg den Berg hinunter und wanderte einen Monat lang durch eine große Wüste. Endlich kam ich an das Ufer eines Meeres, auf dessen Wogen ein Schiff bei gutem Wind dahinsegelte. Ich winkte, bis das Schiff auf mich zudrehte. Es war ein großes Schiff, mit Kaufleuten und vielen Waren beladen. Als die Kaufleute mich erblickten, sagten sie zu dem Kapitän: „Wegen eines Affen hast du uns vom Wege abgeführt, um eines Affen willen, der, wo er ist, den Segen vermindert." Einer sprach: „Ich will ihn umbringen!", ein anderer: „Ich will ein Stück Holz nach ihm werfen!", ein dritter: „Wir wollen ihn ersäufen!"

Als ich das hörte, lief ich zum Kapitän, ergriff den Saum seines Kleides und weinte so sehr, daß mir die Tränen über das Gesicht liefen. Der Kapitän sprach: „Ihr Kaufleute, dieser Affe hat sich unter meinen Schutz begeben. Wer von euch ihm auch nur ein Haar krümmt, wird mich zum Feinde haben!"

Nun reisten wir fünfzig Tage bei günstigem Wind, bis wir in eine riesengroße, volkreiche Stadt kamen. Als wir in den Hafen eingelaufen waren, kamen uns Boten des Königs entgegen. Sie stiegen auf unser Schiff und sagten: „Kaufleute, unser Sultan grüßt euch und schickt euch ein Blatt Papier, auf das jeder eine Zeile schreiben soll. Denn der König hatte einen gelehrten Wesir, der sehr schön schreiben konnte. Dieser Wesir ist nun tot, und der Sultan hat geschworen, das er niemanden zum Wesir ernennen wird, der nicht ebenso schön schreibt wie der Verstorbene."

Scheherazade bemerkte den Tag und schwieg. In der nächsten
Nacht erzählte sie:

DIE DREIUNDFÜNFZIGSTE NACHT

Dann überreichten die Boten den Kaufleuten ein Blatt
Papier", fuhr der Kalender fort, „das zehn Ellen lang
und eine Elle breit war. Jeder, der schreiben konnte, schrieb
eine Zeile darauf. Da stand ich auf, nahm ihnen das Papier
aus der Hand und schrieb mit schönen großen Zügen sechs
verschiedene Verse in sechs verschiedenen Schriftarten.
Dann nahmen die Schiffsleute das Papier, lasen mit Staunen
meine Schriftzüge und brachten sie dem Sultan. Der fand sie
sehr schön und sprach: „Geht, nehmt dieses Maultier und dieses
Ehrenkleid und bringt es dem, der diese Schriften geschrieben
hat!"
Die Leute lachten, doch als sie sahen, daß der Sultan darüber
in Zorn geriet, sagten sie: „O König der Zeit, ein Affe hat
diese Zeilen geschrieben!" Da schickte der König Boten los und
sagte ihnen: „Nehmt dieses Maultier und dieses Ehrenkleid.
Zieht es dem Affen an und laßt ihn auf dem Maultier herreiten!"
Die Boten kamen auf das Schiff, zogen mir das Ehrenkleid an,
setzten mich auf das Maultier und gingen als Diener nebenher.
Die ganze Stadt war meinetwegen auf den Beinen. Die Leute
liefen von allen Seiten herbei, um mich zu sehen. Kaum war
ich beim König, da hieß es schon überall, der König habe einen
Affen zum Wesir ernannt. Ich aber fiel vor ihm nieder und
machte drei Verbeugungen, dann verneigte ich mich vor den
hohen Beamten und kniete vor ihnen nieder. Alle wunderten
sich über meine Artigkeit, am meisten aber staunte der König.
Er entließ die Großen, blieb allein mit einem Diener und
einem kleinen Sklaven, ließ einen Tisch bringen und winkte
mir, ich solle mit ihm essen. Ich aß ein wenig, nahm das Tin-

tenfaß und die Feder und schrieb auf eine Schüssel mehrere
Verse, in denen ich mein Erstaunen über die zahlreichen und
wohlbereiteten Speisen ausdrückte. Als der König meine Verse
gelesen hatte, dachte er eine Weile darüber nach. Dann nahm
er einen Becher mit bestem Wein, trank davon und reichte mir
das Glas. Ich küßte die Erde, trank und schrieb:

> *Man verbrannte mich im Feuer, um mich sprechen zu*
> *lassen, man fand aber, daß ich jede Qual ertragen kann.*
> *Deshalb wurde ich nachher auf Händen getragen*
> *und habe den Mund der Schönen berührt.*

Als der König das gelesen hatte, sagte er: „Schade, daß sich
diese Bildung nicht in einem Menschen findet, er würde alle
Leute seines Jahrhunderts übertreffen." Dann ließ er ein
Schachspiel bringen und begann, mit mir zu spielen. Ich verlor
die erste Partie, die zweite und dritte aber gewann ich, so daß
der König nicht wußte, was er von mir denken sollte. Ich aber
nahm wieder Tinte und Feder und schrieb:

> *Zwei Mächte bekämpfen einander den ganzen Tag,*
> *und ihr Kampf wird immer heftiger, bis sie Dunkelheit*
> *umhüllt. Dann schlafen beide auf einem Lager.*

Der König war ganz entzückt von mir, als er diese Verse gelesen hatte. Er sagte zu einem Diener: „Geh zu deiner Ge-
bieterin Situlhassan. Sag ihr, sie soll herkommen und diese
wunderbaren Dinge mit ansehen."
Nach einer Weile kam der Diener mit der Prinzessin wieder.
Als sie mich sah, bedeckte sie ihr Gesicht vor mir und sprach:
„O Vater, hat deine Eifersucht so sehr nachgelassen, daß du
mich zu Männern hereinkommen läßt?"
Der König staunte und sagte: „Meine Tochter, es ist niemand
hier außer dem kleinen Sklaven, dem Diener und deinem
Vater. Vor wem verdeckst du also dein Gesicht?"
„Vor diesem jungen Manne", antwortete die Prinzessin, „dem
Sohne des Königs Iftimerus, des Beherrschers der Ebenholz-
inseln. Ein Geist, Sohn der Tochter des Iblis, hat ihn in einen

Affen verzaubert, nachdem er seine Gemahlin, die Tochter des Königs, getötet hat. Der, den du hier als Affen siehst, ist ein gelehrter, verständiger, gebildeter und tugendhafter Mann."

Der König sah mich an und fragte, ob das wahr sei. Ich nickte mit dem Kopf. Dann wandte er sich wieder an seine Tochter: „Sag mir, woher weißt du, daß er verzaubert ist?"

Da antwortete sie: „O mein Vater, als ich noch klein war, kam eine alte Zauberin zu mir. Sie lehrte mich die Zauberkunst. Ich lernte siebzig Kapitel davon auswendig, so daß ich mit dem geringsten Kapitel jeden Stein aus deiner Stadt im Augenblick hinter den Berg Kaf versetzen könnte und die ganze Welt mit dem Ozean überschwemmen."

Der König staunte sehr und sprach: „Wie, du verstehst diese hohe Kunst, ohne daß ich etwas davon weiß? Ich beschwöre dich bei meinem Leben: befreie diesen Affen, damit ich ihn zum Wesir ernennen und mit dir verheiraten kann." — „Recht gern", antwortete die Prinzessin und nahm ein Messer . . . "

Da bemerkte Scheherazade den Tag und schwieg. In der folgenden Nacht erzählte sie weiter:

DIE VIERUNDFÜNFZIGSTE NACHT

Weiter erzählte der Kalender:
„Das Messer war aus Eisen und der Name Allahs in hebräischen Buchstaben darin eingegraben. Mit einem Zirkel zog sie mitten im Schloß einen Kreis und zeichnete Figuren in kufischer Schrift hinein. Dann murmelte sie Beschwörungen und sah mich dabei scharf an. Da wurde es auf einmal dunkel und aus der Dunkelheit kam ein Geist, der die Gestalt eines Löwen und die Größe eines Kalbes hatte. Wir fürchteten uns vor ihm. Die Prinzessin rief ihm zu: „Zurück, du Hund!" Der Löwe antwortete: „O Verräterin, so brichst du deinen Eid? Haben wir nicht geschworen, daß wir einander nicht widersetzen wollen? Du sollst haben, was du verdienst!" Damit öff-

nete er seinen Rachen und stürzte sich auf die Prinzessin. Die aber nahm schnell das Haar von ihrem Kopf, schwenkte es in der Hand hin und her und murmelte etwas dabei. Sofort wurde das Haar zu einem Schwert, mit dem sie den Geist in zwei Teile spaltete. Der Kopf des Löwen wurde zu einem Skorpion, während sich die Prinzessin in eine große Schlange verwandelte. Darauf verwandelte sich der Geist in einen Adler und flog fort. Die Schlange nahm die Gestalt eines Raben an und folgte dem Adler. Beide blieben eine Weile fort. Dann spaltete sich die Erde. Erst kam eine gefleckte Katze heraus, danach ein schwarzer Wolf. Beide kämpften lange miteinander, bis der Wolf Sieger blieb. Da verwandelte sich die Katze in einen Wurm und kroch in einen Granatapfel, der neben einem Springbrunnen lag. Der Granatapfel schwoll bis zur Größe einer Wassermelone an. Da wurde der Wolf zu einem weißen Hahn. Er hob den Granatapfel bis zur Höhe der Tür hinauf und ließ ihn dann auf den Marmorboden fallen, so daß die Körner weit auseinanderspritzten. Der Hahn stürzte sich darüber her und fraß sie alle bis auf ein Korn, das neben dem Brunnen verborgen lag. Der Hahn begann zu krähen und mit den Flügeln zu schlagen, als wollte er fragen, ob nicht noch ein Körnchen übrig sei. Wir verstanden ihn aber nicht. Darauf krähte er so laut, daß wir glaubten, das Schloß werde zusammenstürzen. Endlich entdeckte er jedoch das letzte Körnchen und sprang darauf los, um es aufzupicken."

Scheherazade bemerkte den Tag und schwieg. Am nächsten Abend fuhr sie fort:

O Gebieterin", erzählte der zweite Kalender weiter, „bevor der Hahn das letzte Körnchen fressen konnte, verwandelte es sich in einen kleinen Fisch und tauchte in dem Springbrunnen unter. Darauf nahm der Hahn die Gestalt eines großen Fisches an und tauchte dem Fisch nach. Beide entschwanden unseren Blicken. Nach einer Weile erschreckte uns ein gräßliches Geschrei. Der Geist erschien als Flamme, und die Prinzessin wurde ebenfalls zur Flamme. Beide kämpften miteinander, und es verbreitete sich ein so starker Rauch im Schloß, daß wir glaubten, ersticken zu müssen. Auf einmal schrie der Geist und ging aus dem Feuer als einzelne Flamme hervor. Er schwang sich zu uns und blies uns ins Gesicht. Die Prinzessin jedoch holte ihn ein und schrie ihn an. Aber schon war durch das Blasen des Geistes ein Funke auf mein rechtes Auge gefallen und versengte es. Ein anderer Funke traf den König, verbrannte ihm die Hälfte des Gesichts und seinen Bart mit dem Hals und schlug ihm ein paar Zähne aus. Ein dritter Funke fiel auf den Diener und verbrannte ihn völlig. Wir sahen uns schon verloren, da hörten wir eine Stimme rufen: „Allah ist groß! Allah ist groß! Er hat den Unglauben besiegt und zermalmt!" Und wirklich hatte die Prinzessin den Geist, der zu einem Haufen Asche geworden war, überwunden.

Sie kam zu uns und sprach: „Bringt mir eine Schüssel Wasser!" und zu mir: „Du sollst beim Namen und bei den Eiden Allahs frei sein!", worauf ich sofort wieder zu einem Menschen wurde. Dann rief die Prinzessin: „Ach, das Feuer! Das Feuer! O mein Vater, es tut mir leid um dich, denn ich kann nicht mehr leben, weil mich ein Feuerpfeil getroffen hat! Ich bin nicht gewohnt, mit Geistern zu kämpfen und habe beim Feuer Zuflucht genommen, was selten jemand tut, ohne dabei sein Leben einzubüßen! O das Feuer! Das Feuer!"

Scheherazade bemerkte den Tag und schwieg. Am folgenden Abend fuhr sie fort:

Als die Prinzessin das gerufen hatte", fuhr der Kalender fort, „ergriff ein Funke sie und ließ ihre Kleidung entflammen. Sie schrie immer schrecklicher, bis sie ganz zu Asche verbrannt war. Als ich das sah, wünschte ich, lieber ein Affe geblieben zu sein. Ihr Vater aber schlug sich ins Gesicht und brach bewußtlos zusammen. Als er wieder zu sich kam, waren die Diener herbeigeeilt. Er erzählte ihnen, was seiner Tochter widerfahren war, und sie begannen zu klagen und zu jammern. Sieben Tage lang trauerten sie und bauten ein Grabmal über der Asche der Prinzessin. Die Asche des Geistes aber streuten sie in die Luft.

Der Sultan war einen Monat krank, dann wuchs sein Bart wieder und er genas. Er ließ mich rufen und sagte zu mir: „Höre, junger Mann, wir haben hier ein schönes Leben und angenehme Tage gehabt, bis deine unselige Gegenwart uns Unglück brachte. Um deinetwillen verlor ich meine Tochter und meinen Diener. Nun wünsche ich, daß du in Frieden unser Land verläßt. Sollte ich dich jedoch jemals wieder sehen, so bringe ich dich um!"

Er hatte mir das in heftigem Tone gesagt, und ich verließ weinend die Stadt. Ich war blind und wußte nicht, wohin ich mich wenden sollte. Ehe ich die Stadt ganz verließ, ging ich noch in ein Bad, ließ mir meinen Bart und meine Augenbrauen abscheren und hing mir einen schwarzen Sack um. Noch heute denke ich an den unglücklichen Tod der Prinzessin und an den Verlust meines Auges. Und jedesmal, wenn ich daran denke, spreche ich die Verse:

Ich verlor die Besinnung, das Unglück kam ganz
unerwartet, doch gewiß kennt der Barmherzige meine
Lage. Ich habe daher Geduld, bis Allah anders über mich
verfügen wird, so bitter auch mein Zustand sein mag.

Nun durchreiste ich viele Länder, um nach Bagdad zu kommen, weil ich hoffte, dort jemanden zu finden, der mich dem Fürsten der Gläubigen vorstellen werde, damit ich ihm meine Geschichte erzählen kann. Ich kam diese Nacht an, fand meinen Bruder hier stehen, grüßte und fragte ihn, ob er auch ein Fremder sei. Nach einer Weile kam dieser dritte. Wir gingen miteinander, bis uns die Nacht überfiel. Das Schicksal führte uns dann zu euch. Das ist meine Geschichte."

Da sprachen die Frauen: „Rette dein Leben und geh!"

Er aber erwiderte: „Bei Allah, ich weiche nicht, bevor ich nicht gehört habe, was den übrigen geschehen ist."

Man löste seine Fesseln, und er stellte sich neben den ersten. — Scheherazade verstummte, denn der Morgen dämmerte. In der folgenden Nacht fuhr sie fort:

DIE SIEBENUNDFÜNFZIGSTE NACHT

Die Geschichte des dritten Kalenders

Dann begann der dritte Kalender zu erzählen:
„Gebieterin, meine Geschichte ist nicht wie die der anderen, sondern noch viel wunderbarer. Während meine Freunde vom Schicksal überfallen wurden, habe ich mir mein trauriges Geschick selbst bereitet.

Mein Vater war ein mächtiger König. Nach seinem Tode erbte ich sein Reich. Unsere Stadt war sehr groß. Sie lag am Meer, und in der Nähe waren, mitten im Meer, vier große Inseln. Mein Name war König Adjib, der Wunderbare, Sohn des Königs Hasib, des Reichen. Fünfzig Handelsschiffe fuhren für mich, fünfzig kleinere Lastschiffe und fünfzig Kriegsschiffe. Einmal wollte ich eine Spazierfahrt zu den Inseln unternehmen. Ich nahm für einen Monat Lebensmittel mit, kreuzte einen Monat lang und kehrte dann in mein Land zurück. Darauf bekam ich Lust auf eine zweite Reise, nahm Proviant für zwei Monate mit und kehrte nach zwei Monaten zurück.

Ich gewöhnte mich so sehr an die Seefahrten, daß ich einst mit zehn Schiffen auslief und vierzig Tage lang immer nur fortsegelte. Da kamen wir in der einundvierzigsten Nacht in starke Gegenwinde. Die Wogen wurden immer mächtiger, und es war ganz finster um uns herum. Wir begannen, für unser Leben zu fürchten, und flehten zu Allah, bis der Morgen anbrach. Da schien die Sonne, und das Meer wurde wieder ruhig. Wir näherten uns einer Insel und gingen an Land, blieben dort zwei Tage und reisten dann wieder zehn Tage lang. Wir entfernten uns immer weiter von unserem Lande, so daß der Lenker des Schiffes schließlich nicht mehr wußte, wo wir waren. Da befahl er einem Späher: „Steige in den Mastkorb und sieh dich um!" Der Späher blieb eine Weile oben, kam dann herunter und sprach: „O Hauptmann, zu meiner Rechten habe ich nichts als den Himmel über dem Wasser gesehen, und zu meiner Linken sah ich etwas Schwarzes leuchten, sonst aber nichts."

Als der Hauptmann das hörte, riß er seinen Turban vom Kopf, raufte seinen Bart, schlug sich ins Gesicht und klagte:„ O König, wir sind verloren, denn wir sind vom rechten Weg abgekommen und können nicht mehr zurückkehren. Morgen gegen Mittag werden wir an einen schwarzen Berg kommen, der eine Magnetmine enthält. Das Schiff wird daran zerschellen, und jeder Nagel wird an dem Berg kleben bleiben. Auf dem Berg ist eine Kuppel aus andalusischem Messing, die von zehn Messingsäulen getragen wird. Auf der Kuppel ist ein Pferd und ein Reiter aus Messing, und auf der Brust des Reiters befindet sich eine bleierne Tafel, auf der viele Eidesformeln verzeichnet sind. Dieser Reiter ist es, der alles tötet. Sobald er gefallen ist, werden die Menschen Ruhe haben."

Er weinte wieder heftig, und wir sahen unseren sicheren Untergang vor uns. Einer nahm vom andern Abschied, jeder von uns übergab dem andern sein Testament für den Fall, daß er gerettet würde, und wir schliefen die ganze Nacht nicht. Gegen Morgen waren wir schon nahe am Berg und gegen Mittag zu seinen Füßen. Immer schneller trieben wir auf ihn zu, und dann zerschellten wir an ihm. Manche von uns ertranken, andere kamen mit dem Leben davon. Doch von diesen wußte keiner von dem andern. So, ihr Frauen, hatte Allah mich zu meiner Qual und zu meinem Elend gerettet. Ich bestieg nämlich ein Brett des Schiffes, der Wind trieb es gegen den Berg, und ich fand eine Treppe, die auf die Höhe des Berges führte." Der Morgen graute. Scheherazade bemerkte es und schwieg. Am nächsten Abend fuhr sie fort:

DIE ACHTUNDFÜNFZIGSTE NACHT

Als ich den Pfad sah", erzählte der dritte Kalender weiter, „nannte ich den Namen Allahs und stieg langsam den Berg hinan. Ich kam glücklich auf den Gipfel, trat in die Kuppel, wusch mich dort und dankte Allah, der Gefahr entronnen zu sein. Als ich einschlafen wollte, hörte ich eine Stimme zu mir sagen: „O Adjib, wenn du aus deinem Schlaf erwachst, so grabe unter deinen Füßen. Du wirst dort einen kupfernen Bogen und drei bleierne Pfeile finden, auf denen allerlei Talismane gemalt sind. Nimm den Bogen und die Pfeile und stürze damit den Reiter von seinem Pferd ins Meer. Wenn dann das Pferd neben dir hinfällt, so begrabe es dort, wo der Bogen gelegen hat. So wirst du die Welt von diesem Unheil befreien. Wenn du das getan hast, wird das Meer so hoch steigen, daß es die Kuppel erreicht. Ein Nachen wird auf dich zukommen, in dem ein kupferner Mann sitzen wird. Er hat zwei Ruder in den Händen. Steige in seinen Nachen, nenne aber den Namen Allahs nicht. Zehn Tage wird er mit dir rudern, bis er dich in das Land des Friedens bringt. Dort findest du jemanden, der dich in deine Heimat zurückführen kann. Aber bei allem darfst du nie den Namen Allahs nennen!"
Als ich erwachte, stand ich freudig auf und tat, was mir die Stimme gesagt hatte. Ich warf den Reiter vom Pferd, und er fiel ins Meer. Das Pferd beerdigte ich dort, wo der Bogen gelegen hatte, das Meer stieg zu mir auf, und der Nachen mit

dem kupfernen Mann steuerte auf mich zu. Der Mann trug eine bleierne Tafel auf der Brust, auf der manche Talismane verzeichnet waren. Ich bestieg den Nachen, ohne ein Wort zu sprechen, und der Mann ruderte neun Tage lang mit mir. Schon sah ich Inseln und Berge und damit meine Rettung nahen. Meine Freude war so groß, daß ich Allah, den Erhabenen, lobte und pries.

Kaum jedoch hatte ich das getan, als der Nachen mit mir sank. Ich mußte den ganzen Tag bis zum Abend schwimmen. Als die Nacht kam und meine Arme kraftlos wurden, erhob sich ein heftiger Sturm. Eine riesige Welle hob mich empor und trug mich an festes Land. Ich trocknete meine Kleider und brachte am Strand die Nacht zu.

Am Morgen sah ich, daß ich mich auf einer kleinen, fruchtbaren Insel mitten im Meer befand. Während ich über meine Lage nachdachte, sah ich ein Schiff, das sich der Insel näherte. Ich verbarg mich im Laub eines Baumes, sah das Schiff landen und zehn Sklaven mit Schaufeln und Körben heraussteigen. Als sie mitten auf der Insel waren, gruben sie die Erde auf, bis sie auf eine Platte stießen. Dann kehrten sie zum Schiff zurück, brachten Brot und andere Lebensmittel, Mehl, einen Wasserschlauch, Öl, Honig, mehrere Schafe, Früchte, allerlei Hausgerät, Schüsseln, Betten, Teppiche, Matten und was man sonst in einer Wohnung braucht. Die Sklaven gingen zwischen dem Schiff und der Höhle hin und her, bis sie alles herbeigebracht hatten. Zuletzt kamen sie mit einem ganz alten Mann, den das Schicksal hart mitgenommen zu haben schien, denn er glich einem in blaue Lumpen gehüllten Gegenstand, den der Wind hin und her bläst — wie der Dichter sagt:

Ich zittere vor dem Schicksal, denn es ist mächtig und furchtbar. Früher konnte ich gehen, ohne zu ermüden, jetzt bin ich müde, auch wenn ich mich nicht bewege.

Der alte Mann führte an der Hand einen wunderschönen Jüngling. Er glich einem grünen Baumzweig und übertraf alle Leute an Reizen und an Tugenden — wie der Dichter sagt:

Er kam, sich mit der Schönheit selbst zu messen, und sie
beugte beschämt ihr Haupt. Als man sie fragte:
O Schönheit, hast du je so etwas gesehen?
antwortete sie: Nein, niemals.

Alle gingen zusammen zur Höhle und blieben zwei Stunden darin. Dann kam der Alte mit den Sklaven wieder herauf, der Jüngling aber war nicht mehr bei ihnen. Sie schaufelten die Erde wieder eben, wie sie gewesen war, gingen aufs Schiff und segelten davon.

Als sie fort waren, ging ich zur Höhle, grub die Erde wieder weg, bis ich an die Platte kam, schob diese beiseite und sah eine Treppe. Ich stieg sie hinab und kam in ein sauberes Zimmer mit Betten, Teppichen und Seidenstoffen. Der Jüngling saß auf einem hohen Polster und hielt einen Fächer in der Hand. Um ihn herum lagen Früchte, Gemüse und wohlriechende Kräuter. Er erblaßt, als er mich sah. Ich aber grüßte ihn und sprach: „Erschrecke nicht, mein Herr, es geschieht dir nichts. Ich bin ein Mensch wie du, auch Sohn eines Königs, wie du. Das Schicksal hat mich hierher getrieben, um dir in deiner Einsamkeit Gesellschaft zu leisten. Nun erzähle mir, weshalb du hier so einsam unter der Erde wohnst!"

Scheherazade schwieg, denn der Tag brach an. In der nächsten Nacht erzählte sie weiter:

DIE NEUNUNDFÜNFZIGSTE NACHT

Als ich den Jüngling nach seiner Geschichte fragte", fuhr der dritte Kalender fort, „und er sich überzeugt hatte, daß ich seinesgleichen war, ließ er mich nähertreten und sagte: „O mein Bruder, meine Geschichte ist wunderbar. Mein Vater ist Juwelenhändler und besitzt viele Güter und Sklaven. Auch hat er Kaufleute, die für ihn mit Schiffen umherreisen, und macht Geschäfte mit Königen. Doch lange wartete er vergeblich darauf, einen Sohn zu haben.

Eines Nachts träumte er, daß ihm ein Sohn geschenkt würde, der aber nicht lange leben könnte. In der gleichen Nacht wurde meine Mutter schwanger, und als ihre Zeit gekommen war, gebar sie mich zur großen Freude meines Vaters. Doch die Sterndeuter, die meine Geburt aufzeichneten, sagten zu meinem Vater: „Dein Sohn wird fünfzehn Jahre leben, dann wird er in Gefahr kommen. Entgeht er ihr, ist ihm ein langes Leben sicher." Als Beweis fügten sie noch hinzu, es gäbe im Ozean einen Berg, den man den Magnetberg nenne, auf dem ein kupfernes Pferd und ein kupferner Reiter seien mit einer bleiernen Tafel am Halse. Sein Sohn werde fünfzig Tage, nachdem der Reiter vom Pferd gefallen sei, sterben. Und zwar werde der, der den Reiter vom Pferd geworfen habe und Adjib, Sohn des Königs Hasib, heiße, ihn umbringen.

Mein Vater war darüber sehr betrübt. Trotzdem gab er mir bis zu meinem fünfzehnten Lebensjahr die sorgfältigste Erziehung mit. Vor zehn Tagen erhielt mein Vater Nachricht, der kupferne Reiter sei von Adjib, Sohn des Königs Hasib, gestürzt worden. Als er das hörte, ließ er dieses Haus unter der Erde bauen, nahm dann ein Schiff und belud es mit allem, was ich für viele Tage brauche. Nun sind von den fünfzig Tagen schon zehn vorbei. Es bleiben mir nur noch vierzig gefährliche Tage, dann wird mein Vater mich wieder holen, denn alles geschah nur aus Furcht vor dem König Adjib, Sohn des Königs Hasib." Als ich, o meine Gebieterin, das hörte, dachte ich bei mir: ,Ich habe ja den Reiter gestürzt und heiße Adjib, aber — bei Allah —

ich werde diesen hier nicht umbringen!' Ich sagte dann zu ihm: „Du wirst nicht sterben und vor jedem Übel bewahrt bleiben. Fürchte nichts und mache dir keine Sorgen. Ich werde diese vierzig Tage bei dir bleiben, dich bedienen und dich unterhalten. Dann werde ich mit dir in dein Land gehen, und von dort wirst du mich in mein Land führen lassen."

Der Jüngling freute sich über meine Rede, und wir unterhielten uns den größten Teil der Nacht. Dann legten wir uns schlafen. Am Morgen weckte ich ihn und wusch ihm das Gesicht. Er dankte mir und sprach: „Bei Allah, wenn ich Adjib, Sohn des Königs Hasib, glücklich entkomme, so wird mein Vater dich durch alle möglichen Wohltaten fürstlich belohnen."

„O möge Allah ein Unglück, das dir begegnen soll, mir einen Tag früher zuschicken!" sagte ich. Dann aßen, spielten und scherzten wir miteinander, bis es dunkel wurde.

So lebten wir Tag und Nacht. Ich gewöhnte mich so sehr an ihn, daß ich meinen Kummer und alles, was mir an Leid begegnet war, vergaß. Ich dachte, die Sterndeuter hätten gewiß gelogen, als sie seinem Vater sagten, Adjib, Sohn des Königs Hasib, werde seinen Sohn umbringen.

Als der vierzigste Tag kam, freute sich der Jüngling über seine Rettung und sprach: „O mein Bruder, nun sind vierzig Tage vorüber. Gelobt sei Allah, der mich vom Tode befreit hat. Das verdanke ich deiner Ankunft bei mir. Nun aber bitte ich dich noch, mir Wasser zu wärmen, damit ich mich wasche und meine Kleider wechsle."

Ich machte Wasser warm, ging dann mit dem Jüngling in sein Gemach, wusch ihn, zog ihm andere Kleider an, machte ihm ein hohes Lager zurecht und breitete ein Bettuch darüber. Er kam und legte sich aufs Bett, denn das Bad hatte ihn schläfrig gemacht, und sagte: „Mein Bruder, zerschneide doch eine Wassermelone und streue ein wenig Zucker darauf."

Ich holte eine schöne große Melone, legte sie auf eine Schüssel und sagte: „Mein Herr, wo ist das Messer?" Er antwortete mir: „Es liegt vielleicht auf dem Gesims über meinem Kopf." Ich tat einen Schritt über ihn und zog das Messer aus der Scheide. Als ich aber wieder zurückschreiten wollte, glitt mein Fuß aus und ich fiel auf den Jüngling. Das Messer, das ich in der Hand hielt, drang ihm ins Herz, und er starb auf der Stelle.

Als ich sah, daß er tot war und ich selber ihn getötet hatte, fing ich laut an zu schreien, schlug mir ins Gesicht, zerriß meine Kleider und rief: „O ihr Geschöpfe Allahs! Von den vierzig Tagen blieb nur noch dieser einzige — und an diesem mußte ich ihn mit eigener Hand töten! Allah verzeihe mir! Wäre ich doch vor ihm gestorben!"

Hier schwieg Scheherazade, denn es dämmerte der Morgen. Am Abend aber erzählte sie weiter:

DIE SECHZIGSTE NACHT

Als ich mich von seinem Tod überzeugt hatte", fuhr der Kalender fort, „ging ich die Treppe hinauf, legte die Platte an ihren Ort und bedeckte sie wieder mit Erde. Dann blickte ich auf das Meer hinaus und sah das Schiff zurück zur Insel kommen. Ich dachte, wenn sie den Jüngling tot fänden, würden sie bestimmt auch mich umbringen. Deshalb suchte ich wieder einen Baum aus und verbarg mich in seinem Laub.

Kaum war ich oben, als auch schon das Schiff landete. Die Sklaven mit dem Alten, dem Vater des Jünglings, stiegen heraus, gingen zur Höhle, gruben die Erde weg und waren erstaunt, als sie sie so locker fanden. Dann stiegen sie hinunter und fanden den Jüngling, und in seinem Herzen steckte das Messer. Da weinten, jammerten und wehklagten sie alle. Der Vater lag lange in Ohnmacht, so daß die Sklaven glaubten, er sei auch gestorben. Endlich erwachte er und kam mit den Sklaven herauf. Den Jüngling und alles, was in der Höhle gewesen war, trugen sie auf das Schiff. Als der Alte seinen Sohn dort auf dem Boden ausgestreckt sah, streute er Erde auf sein Haupt und fiel wiederum in Ohnmacht. Da nahm ein Sklave ein seidenes Kissen, legte den Alten darauf und setzte sich ihm zu Häupten. Ich sah alles, was sie taten. Mein Herz wurde vor meinen Haaren grau wegen meines großen Kummers und Unglücks. Der Alte aber, o Gebieterin, erwachte nicht vor Sonnenuntergang aus seiner Ohnmacht."

Hier bemerkte Scheherazade den Tag und schwieg. In der folgenden Nacht erzählte sie:

DIE EINUNDSECHZIGSTE NACHT

Einen Monat lang lebte ich nun auf dieser Insel", fuhr der Kalender fort. „Bei Tage streifte ich umher, und abends ging ich in das Gemach. Einmal bemerkte ich, wie gegen Sonnenuntergang das Wasser immer austrocknete und abnahm. Und es dauerte keinen Monat, da war das Wasser ganz fort. Ich durchwanderte das, was jetzt Land war. Endlich sah ich in der Ferne ein großes Feuer. Ich ging darauf zu und sprach dabei die Verse:

> *Vielleicht wird das Schicksal nun seine Zügel anders lenken und mir Gutes bringen, denn die Zeit ist wandelbar. Vielleicht wird es meine Hoffnungen begünstigen und alles zum Besseren wenden. Gewiß wird aus Leid eines Tages Freude werden.*

Als ich aber dem näher kam, was ich für ein Feuer gehalten hatte, sah ich, daß es ein mit rotem Kupfer beschlagenes Schloß war. Ich war glücklich darüber und setzte mich davor. Kaum aber hatte ich Platz genommen, da traten mir zehn gutgekleidete Jünglinge und ein sehr alter Mann entgegen. Allen Jünglingen war das rechte Auge ausgestochen. Als sie mich erblickten, grüßten sie mich freudig und fragten mich nach meiner Geschichte. Ich erzählte ihnen alle Unglücksfälle, die mir begegnet waren, und sie staunten sehr darüber. Dann führten sie mich in das Schloß, wo ich zehn Sofas fand und auf jedem Sofa ein blaues Polster mit einer blauen Decke. Zwischen diesen größeren Sofas war noch ein ganz kleines, das ebenfalls ganz blau war. Als wir in den Saal getreten waren, setzte sich jeder Jüngling auf ein solches Sofa, und der Alter ließ sich auf das kleinere, das in der Mitte stand, nieder. Sie sprachen zu mir: „Junger Mann, setze dich auf den Boden und frage nicht, weshalb unsere Gesichter halb geblendet sind!"

Der Alte stand dann auf und reichte jedem sein Essen, auch mir. Dann gab es Wein, und wir tranken. Wir unterhielten uns, bis der größte Teil der Nacht verstrichen war. Dann sagten die Jünglinge zu dem Alten: „O Alter, es ist nun Zeit, daß du uns bringst, was unsere Pflicht erfordert, denn ist ist schon die Stunde des Schlafens."

Der Alte ging in ein Nebenzimmer und brachte zehn Schüsseln, jede mit einer blauen Decke zugedeckt. Er reichte jedem Jüngling eine. Dann zündete er zehn Wachskerzen an und steckte eine auf jede Schüssel. Darauf nahm er den Deckel fort, und es waren Asche, Kohlenstaub und Ruß in den Schüsseln. Damit beschmierten sich die Jünglinge die Gesichter, zerrissen ihre Kleider und sagten weinend: „Es war uns so wohl, da ließ uns der Übermut keine Ruh'!"

So fuhren sie bis zum Morgen fort. Dann machte ihnen der Alte warmes Wasser, die Jünglinge wuschen sich und zogen andere Kleider an. Ich zerbarst vor Ungeduld und fragte sie, was das alles zu bedeuten habe. Sie antworteten: „Junger Mann, laß dich von deiner Jugend nicht verleiten und höre auf, uns auszufragen." Dann erhoben sie sich und brachten etwas zu essen.

In der folgenden Nacht wiederholten sie, was sie schon in der Nacht vorher getan hatten. Ich blieb einen Monat bei ihnen. Jede Nacht taten sie das gleiche, und morgens wuschen sie sich wieder. Stets erstaunte ich von neuem und wurde zuletzt so neugierig und ungeduldig, daß ich nicht mehr essen und trinken mochte. Da sagte ich zu ihnen: „O ihr Jünglinge, wollt ihr meinen Kummer nicht verscheuchen und mir nicht sagen, weshalb ihr euer Gesicht so beschmiert und dabei sagt ‚Wir waren so glücklich, da ließ uns der Übermut keine Ruh'?' Sagt ihr es mir nicht, so will ich lieber fortgehen und zu meiner Familie zurückkehren, damit ich diesen seltsamen Anblick nicht mehr ertragen muß. Das Sprichwort sagt: ‚Was das Auge nicht sieht, betrübt das Herz nicht'. Darum ist es besser, ich entferne mich von euch."

Als sie das hörten, sprachen sie: „O Jüngling, nur aus Mitleid mit dir haben wir es dir bisher verborgen. Folge unserm Rat, frage nicht mehr, sonst wirst du einäugig werden wie wir!" Da ich aber nicht nachgab, sagten sie: „Wenn es dir so geht, wie wir es voraussehen, werden wir dich nicht mehr beherbergen, dann darfst du nicht mehr bei uns wohnen."

Dann gingen sie, schlachteten ein Lamm, zogen ihm die Haut ab und sprachen zu mir: „Nimm dieses Messer und lege dich in diese Haut. Wir werden dich einnähen, fortgehen und dich liegenlassen. Dann wird der Vogel Roch kommen und mit dir gen Himmel fliegen. Wenn du merkst, daß er dich auf einem Berg niedergelegt hat, schlitzest du die Haut mit diesem Messer auf und schlüpfst heraus. Der Vogel wird davonfliegen, sobald er dich sieht. Mache dich dann gleich auf und gehe einen halben Tag lang, bis du ein hohes Schloß findest, das in der Luft steht. Es ist mit rotem Gold beschlagen und mit Smaragden und vielen Edelsteinen verziert und aus Sandelholz und Aloe erbaut. Gehe in das Schloß hinein, und du wirst haben, was du begehrst; denn weil wir dort eintraten, müssen wir unsere Gesichter beschmieren und haben wir jeder ein Auge verloren. Wollten wir dir Näheres erzählen, so würde unsere Geschichte zu lange dauern, denn jedem von uns ist sein Auge auf eine andere Weise ausgestochen worden."

Scheherazade bemerkte hier den Tag und schwieg. In der folgenden Nacht erzählte sie:

DIE ZWEIUNDSECHZIGSTE NACHT

Die Jünglinge nähten mich also in die Haut ein", fuhr der Kalender fort, „und gingen ins Schloß. Nach einer Weile kam der Vogel, trug mich fort und legte mich auf dem Berg nieder. Ich zerschlitzte die Haut und schlüpfte heraus. Der Vogel flog davon, und ich ging sogleich auf das Schloß zu. Da die Tür offen war, trat ich ein und fand es so schön und geräumig wie eine Rennbahn. Ringsherum waren hundert Schatzkammern mit Türen von Sandelholz und Aloe, mit rotgoldenen Platten belegt und mit silbernen Ringen. Mitten im Schloß sah ich vierzig Mädchen. Sie waren schön wie der Mond, und ich konnte sie nicht genug ansehen. Sie trugen die kostbarsten Kleider und den reichsten Schmuck. Als sie mich sahen, sagten alle auf einmal: „Willkommen! Wir freuen uns, Euch, unsern Herrn, zu sehen. Schon seit Monaten erwarten wir einen Jüngling wie dich. Gelobt sei Allah, daß er uns jemanden brachte, der unserer ebenso würdig ist wie wir seiner!"

Darauf liefen sie mir entgegen, ließen mich auf ein hohes Polster sitzen und sprachen: „Du bist nun unser Herr und Richter, wir sind deine ergebenen Sklavinnen. Du kannst befehlen, was du willst!" Einige reichten mir Essen, andere wuschen mir Hände und Füße, brachten mir neue Kleider und schenkten mir Wein ein. Man sah, wie sehr sie sich über meine Ankunft freuten. Dann setzten sie sich und erkundigten sich nach meinem Geschick, bis die Nacht hereinbrach."

Da bemerkte Scheherazade den Tag und schwieg. In der folgenden Nacht erzählte sie weiter:

Als es Nacht war, o Gebieterin", fuhr der Kalender fort. „versammelten sie sich wieder um mich. Wir setzten uns und tranken, einige sangen, andere spielten Zither, Laute und andere Instrumente. Ich war so vergnügt, daß ich allen Kummer der Welt vergaß. Wir blieben beisammen, bis ein Teil der Nacht vorüber und wir alle betrunken waren. Dann tanzten die Mädchen miteinander, je zwei und zwei, mit unübertrefflicher Grazie. Als auch das zu Ende war, sprachen sie: „Unser Herr, wähle dir eine von uns, welche die Nacht mit dir zubringen soll. Dann darf sie aber vierzig Nächte lang nicht mehr bei dir sein!"

Ich wählte eine mit hübschem Gesicht, mit Augen wie Kohlen, mit schwarzen Haaren, mit Zähnen wie Eis und dichten Augenbrauen wie der Zweig vom Basilikum. Sie ergötzte das Auge und entzückte das Herz — wie der Dichter sagt:

> Sie ist schmiegsam wie die Zweige des Ban, den der
> Zephyr bewegt. Wie reizend und anziehend sie ist, wenn
> sie geht! Bei ihrem Lächeln glänzen ihre Zähne, so daß
> wir sie für einen Blitzstrahl halten können, der neben
> Sternen leuchtet. Ihre kohlschwarzen Locken vermögen
> den hellen Mittag in die Wolken der Nacht zu hüllen.
> Zeigt sie aber ihr Angesicht in der Finsternis, so be-
> leuchtet sie alles von Osten bis Westen. Zu Unrecht ver-
> gleicht man ihren Wuchs mit dem biegsamen Zweig
> und ihre Augen mit denen einer Gazelle. Wo sollte eine
> Gazelle diesen schönen Ausdruck hernehmen?
> Ihre weiten Augen, in der Liebe so gefährlich, fesseln
> den von ihr Verwundeten. Ich fühlte eine wilde,
> heidnische Liebe zu ihr; kann man aber über den sich
> wundern, der alles über seiner Leidenschaft vergißt?

Ich legte mich dann nieder, und nie habe ich eine schönere Nacht gehabt."

Hier nahte der Tag. Scheherazade bemerkte es und schwieg. In der folgenden Nacht fuhr sie fort:

Als ich am Morgen aufstand", so erzählte der Kalender weiter, „gingen die Mädchen mit mir in ein Bad, wuschen mich, kleideten mich in kostbare Kleider und brachten mir zu essen. Wir aßen und tranken. Der Becher kreiste bis zur Nacht, dann sagten sie: „Wähle eine von uns, die diese Nacht bei dir bleiben soll. Wir stehen dir alle zu Diensten!" Ich wählte hierauf ein sanftes Wesen mit zarten Hüften — wie ein Dichter sagte:

Ich sah an ihrem Busen zwei fest geschlossene Knospen,
die der Liebende nicht umfassen darf. Sie bewacht sie mit
Pfeilen ihrer Blicke, die sie dem entgegenschleudert,
der Gewalt braucht.

Abermals verbrachte ich eine herrliche Nacht. Am Morgen ging ich wieder ins Bad und zog frische Kleider an. Kurz, meine Gebieterin, ich verlebte die schönste Zeit bei ihnen, wählte jede Nacht ein anderes der vierzig Mädchen, und so verging ein ganzes Jahr. Aber zu Beginn des folgenden Jahres fingen die Mädchen an zu wehklagen, sich an mich zu klammern und weinend Abschied zu nehmen. Ich fragte sie, was denn vorgefallen sei, und sie antworteten: „O hätten wir dich nie gekannt! Wir haben schon viele kennengelernt, doch niemand, der so angenehm war wie du. Du allein kannst nun die Ursache unserer Trennung werden. Gehorchst du uns, so werden wir uns nie trennen, bist du aber ungehorsam, so müssen wir Abschied voneinander nehmen. Unser Herz aber sagt uns, daß du uns nicht gehorchen wirst, und darum weinen wir. — Wisse, o Herr und Gebieter, wir sind alle Königstöchter und leben hier schon viele Jahre beisammen. Jedes Jahr müssen wir vierzig Tage von hier abwesend sein, dann kehren wir zurück und bleiben das ganze Jahr hier. Was nun deinen Ungehorsam gegen uns betrifft, so hat es damit folgende Bewandtnis: Wir werden dir während unserer vierzigtägigen Abwesenheit alle Schlüssel des

Schlosses überlassen. Du findest darin hundert Schatzkammern. Öffne sie, unterhalte dich damit, esse und trinke. Jede Tür, die du öffnest, wird dir für einen Tag Unterhalt gewähren. Nur eine einzige Schatzkammer darfst du nicht öffnen, dich ihr nicht einmal nähern, sonst sind wir auf immer geschieden. Aber du hast ja über neunundneunzig Schatzkammern zu gebieten, kannst sie öffnen und dich darin vergnügen. Doch öffnest du die hundertste Kammer, die mit der Tür von rotem Gold, so müssen wir ewig getrennt bleiben."

Da bemerkte Scheherazade den Tag und schwieg. In der folgenden Nacht erzählte sie weiter:

DIE FÜNFUNDSECHZIGSTE NACHT

Die vierzig Mädchen ermahnten mich lange", fuhr der Kalender fort, "sie baten mich, während der vierzig Tage Geduld zu haben, bis sie wiederkehren würden. Dann gaben sie mir die Schlüssel und wiederholten noch einmal: „Hüte dich, die eine Schatzkammer zu öffnen!" Dann umarmte mich eines der Mädchen und sprach die Verse:

> *Als sie zum Abschied sich nahte, war ihr Herz zwischen*
> *Liebe und Verzweiflung geteilt. Sie weinte frische*
> *Perlen, und aus meinen Augen flossen blutige Tränen,*
> *sie bildeten zusammen eine Schnur auf ihrem Halse.*

Ich nahm Abschied von ihnen und versprach, die Tür niemals zu öffnen. Dann gingen sie fort und warnten mich noch durch Handbewegungen. Ich blieb allein im Schloß und nahm mir fest vor, diese Tür nicht zu öffnen, um niemals von den vierzig Mädchen getrennt zu werden. Dann ging ich und öffnete die erste Schatzkammer. Als ich hineinkam, fand ich darin einen Garten wie ein Paradies. Mein Herz weidete sich bei diesem Anblick. Ich lief zwischen den Bäumen hindurch, atmete den

Wohlgeruch der Blumen und Früchte, hörte die Gespräche der Vögel, die den einzigen, mächtigen Gott priesen — wie ein Dichter von Äpfeln sagte:

Am Apfel sind zwei Farben vereinigt. Die Wangen des Liebenden hängen mit denen der Geliebten zusammen. Sie umarmen sich in der Mitte. Die Röte deutet auf Vereinigung, das Gelbe auf Trennung.

Dann sah ich die Birnen, die besser als Julep und Zucker schmecken und angenehmer als Moschus und Ambra riechen — so wie ein Dichter von den Quitten sagt:

Quitten vereinigen in sich alle Freuden der Welt. Sie schmecken wie Wein, haben den Wohlgeruch des Moschus, ihre Farbe ist golden und ihre Form wie die des Mondes.

Ich sah auch Aprikosen, die wie Rubine aussahen, verließ dann aber diesen Garten und schloß die Tür.

Am nächsten Morgen öffnete ich eine andere Tür. Hier sah ich einen großen Platz mit einem Bach in der Mitte, der im Kreise floß. Ringsherum waren allerlei wohlriechende Blumen gepflanzt: Rosen, Jasmin, Narzissen, Veilchen, Anemonen und Lilien. Der ganze Raum war mit Wohlgerüchen erfüllt, und ich vergnügte mich hier und vergaß dabei meinen Kummer. Dann ging ich fort, schloß auch diese Tür und öffnete eine dritte. Hier fand ich einen großen Saal mit allerhand Marmor und mit kostbaren Steinen ausgeschmückt. Darin waren Käfige von Sandel- und Aloeholz mit singenden Vögeln, Nachtigallen, Perlhühnern, Turteltauben und noch vielen anderen Tieren. Auch hier vergaß ich meinen Kummer. Ich ging schlafen und öffnete am folgenden Morgen die vierte Tür. Hier stand ein großes Haus mit vierzig Schatzkammern ringsherum, deren Türen alle geöffnet waren. Ich ging hinein und sah Perlen, Smaragde, Rubine, Karfunkel und ganze Haufen von Silber und Gold. Mir schwindelte bei diesem Anblick der Kopf und ich dachte, solche Reichtümer könnten nur großen Königen gehören. Ich dachte: „Jetzt bin ich der König meiner Zeit, der Herr so schöner Farben, Reichtümer und Mädchen, die niemand außer mir hat!"

So, meine Gebieterin, brachte ich meine Tage und Nächte zu bis neununddreißig Tage vorüber waren. Es blieb also nur noch ein Tag übrig, und nur die hundertste Tür, die man mir verboten hatte, hatte ich noch nicht geöffnet. Diese verschlossene Tür beunruhigte und quälte mich, der Teufel bemächtigte sich meiner, und ich hatte nicht Kraft genug, zu widerstehen." Hier schwieg Scheherazade, denn der Morgen nahte. Am Abend aber fuhr sie fort:

DIE SECHSUNDSECHZIGSTE NACHT

Der Teufel überwältigte mich", erzählte der Kalender weiter, „und ich öffnete die mit rotem Gold beschlagene Tür. Als ich eintrat, umfing mich ein so feiner und zugleich starker Geruch, daß ich zu Boden stürzte. Ich schöpfte aber wieder Mut und ging ganz in die Schatzkammer hinein, deren Boden mit Safran bestreut war. Ich sah wohlriechende Wachskerzen und goldene und silberne Lampen, ich sah zwei große Rauchfässer mit Kohlen und Weihrauch, aus denen der Dampf des Moschus und des Safran in die Höhe stieg.

Dann bemerkte ich ein Pferd, das noch schwärzer war als die Nacht. Vor ihm stand eine Krippe, die eine Seite gefüllt mit geschältem Sesam, die andere Seite mit Rosenwasser. Das Pferd war gezäumt und hatte einen goldenen Sattel auf, so daß ich dachte, es müsse einen hohen Rang haben. Der Teufel trieb mich wieder: Ich führte das Pferd ins Freie und bestieg es. Es wich aber nicht von der Stelle. Das versetzte mich in Zorn, und ich schlug es mit der Peitsche. Als es den Hieb fühlte, wieherte es wie Donner, entfaltete zwei Flügel und flog mit mir in die Luft, bis man das Schloß nicht mehr sehen konnte. Dann ließ es sich mit mir auf dem Dach eines anderen

Schlosses nieder, schüttelte mich von seinem Rücken ab, schlug mir heftig mit dem Schweif ins Gesicht, so daß mein Auge auslief und ich halb blind wurde. So hatte ich also nicht geruht, bis ich wie die anderen jungen Leute geworden war.

Als ich vom Dach herunter ins Schloß stieg, sah ich, daß es das Schloß der zehn halbblinden Jünglinge war. Kaum hatte ich mich auf einem der zehn blau überzogenen Sofas niedergelassen, da kamen auch schon die zehn Jünglinge mit dem Alten herbei. Als sie mich sahen, begrüßten sie mich nicht, sondern sprachen: „Bei Allah, wir beherbergen dich nicht mehr, denn auch du bist nicht der Gefahr entronnen!"

Ich erwiderte ihnen: „Es geschah, weil ich nicht ruhte, euch nach der Ursache eurer Gesichter zu fragen."

Sie aber sagten: „Es ging jedem von uns so wie dir. Auch wir hatten das schönste und angenehmste Leben, aber auch wir konnten uns nicht gedulden, bis die vierzig Tage herum waren, um dann wieder ein Jahr zu essen, zu trinken und uns zu belustigen, auf seidenen Stoffen zu schlafen, den Wein aus kristallenen Gefäßen zu trinken und uns an einem schönen Busen auszuruhen. Wir begnügten uns nicht in unserem Übermut, bis unsere Augen ausgeschlagen waren. Und nun weinen wir über das, was vorüber ist."

Da sagte ich zu ihnen: „Reicht mir die Schüssel mit Ruß, damit auch ich mein Gesicht schwärze!"

Sie aber sprachen: „Bei Allah, wir beherbergen dich nicht. Du kannst nicht bei uns bleiben. Ziehe fort nach Bagdad. Dort findest du vielleicht Hilfe gegen dein Mißgeschick."

Darüber war ich so verzweifelt, daß ich meinen Bart und meine Augenbrauen abscheren ließ, der Welt entsagte und als halbblinder Kalender ins Land Allahs wallfahrte. Allah ließ mich nun glücklich diesen Abend nach Bagdad gelangen, wo ich diese beiden fand, die nicht wußten, wohin sie wollten. So trafen wir drei Halbblinde zu unserem größten Erstaunen zusammen. Dieses, o Gebieterin, ist der Grund, weshalb ich mein Auge verloren und meinen Bart abgeschoren habe."

Da sprach das Mädchen: „Dein Leben ist dir geschenkt, ziehe fort mit deinen Kameraden und dem Träger!"

Aber alle riefen: „Bei Allah, wir weichen nicht von hier, bis wir die Geschichten unserer anderen Gefährten vernommen haben!" Da wandte sich das Mädchen zum Kalifen, zu Djafar und Masrur und sagte zu ihnen: „Erzählt mir eure Geschichte!" Djafar begann:

„Wir sind mit Waren aus Mossul hierher gekommen. Als wir in eurem Lande Handel trieben, lud uns diese Nacht einer eurer Kaufleute zu einem Mahl ein und mit uns alle, die in dem selben Wirtshaus wohnten. Wir gingen zu ihm und vergnügten uns ausgezeichnet, bis es zu einem Wortwechsel zwischen verschiedenen Gästen kam. Ein Wächter erschien und nahm einige von uns fest, während andere die Flucht ergriffen. Zu den letzteren gehörten auch wir. Doch wir fanden unsere Herberge geschlossen und wußten nicht, wohin wir uns wenden sollten. Da leitete uns das Geschick zu euch. Wir hörten Gesang und Musik und dachten, hier würde ein großes Fest gefeiert. Deshalb beschlossen wir, bei euch einzutreten. Jetzt wißt ihr, weshalb wir hierher gekommen sind."

Da riefen die Kalender: „Schenke auch diesen drei Leuten das Leben, o Gebieterin!"

Und sogleich wandte sich das Mädchen an die ganze Gesellschaft und sagte: „Es sei so!"

Darauf verließen alle das Haus.

Dann fragte der Kalif die Kalender, wohin sie wollten, da doch die Morgenröte noch nicht angebrochen sei. Sie wußten es nicht. „Kommt, schlaft bei uns", antworteten darauf die anderen.

Da sagte der Kalif heimlich zu Djafar: „Diese Leute werden bei dir übernachten. Bringe sie aber morgen zu mir, damit wir die Geschichte und die Abenteuer jedes einzelnen aufschreiben."

Djafar befolgte den Befehl des Kalifen.

Am nächsten Morgen setzte sich der Kalif auf den Thron und sagte zu dem Wesir Djafar: „Wir wollen keine Zeit verlieren. Hole mir schnell die Frauen, damit wir erfahren, was es mit den beiden schwarzen Hunden auf sich hat. Bring auch die Kalender mit, aber schnell!"

Djafar eilte fort und kam nach einer Weile mit den drei Mädchen und den drei Kalendern wieder. Er stellte die Mädchen
vor den Kalifen und die Kalender hinter einen Vorhang. Dann
sprach Djafar: „Wir sind gnädig gegen euch, denn ihr habt
Güte und Gastfreundschaft gegen uns gezeigt. Ihr wißt wahrscheinlich nicht, vor wem ihr hier steht? Nun, ich will es euch
sagen: Ihr befindet euch in Gegenwart des Siebenten der Abas-
siden, ihr steht vor Raschid, Sohn des Mahdi, Sohn des Hadi,
Bruder des Saffah, Sohn des Mansur. Seid also aufrichtig und
meidet die Lüge. Sage du nun dem Kalifen zunächst, weshalb
du die beiden Hunde mißhandeltest und nachher mit ihnen
weintest."

An dieser Stelle bemerkte Scheherazade den Tag und schwieg.
In der folgenden Nacht fuhr sie fort:

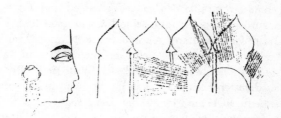

Die Geschichte des ersten Mädchens

Als die Frau hörte, daß Djafar im Namen des Kalifen mit ihr sprach, sagte sie:

„Ich habe etwas erlebt, was als Warnung und Lehre für jeden dienen könnte: Die beiden schwarzen Hündinnen sind meine Schwestern. Wir waren drei Schwestern von einem Vater und einer Mutter, und diese beiden Mädchen, von denen eine Spuren von Schlägen trägt und die andere Wirtschafterin ist, sind von einer anderen Mutter. Als unser Vater starb, gingen diese beiden Schwestern zu ihrer Mutter, nachdem das Erbe des Vaters aufgeteilt war.

Etwas später starb auch unsere Mutter und hinterließ uns dreitausend Dinar. Jede von uns bekam tausend Dinar. Ich war die Jüngste. Meine beiden Schwestern heirateten und statteten sich aus. Der Gemahl der ältesten nahm sein und ihr Vermögen, kaufte Waren ein und reiste damit fort. Fünf Jahre blieb er aus, verpraßte das ganze Vermögen und kam dann wieder zurück. Aber er hatte seine Frau nicht mehr bei sich, sondern im fremden Land gelassen. Sie reiste in der Welt umher, und ich wußte nichts mehr von ihr. Nach fünf Jahren kam sie als Bettlerin zu mir zurück. Ich führte sie ins Bad, zog ihr die schönsten Kleider an, gab ihr zu essen und zu trinken und bediente sie einen Monat lang. Dann sagte ich zu ihr: „O meine Schwester, du bist unsere Älteste und stehst nun an Mutters Stelle. Hier ist mein Vermögen, nimm es hin, wir wollen gleich sein!"

Ich bezeigte ihr die größten Wohltaten, und ein Jahr blieb sie bei mir. Dann kam auch unsere andere Schwester zurück, noch elender als die erste. Und ich tat noch mehr für diese als für jene. Eines Tages aber sagten mir beide, sie wollten nicht ledig bleiben, sondern wieder heiraten. Ich antwortete ihnen: „Ihr habt kein Glück in der Ehe. Es gibt wenig gute Männer. Bleibt lieber bei mir, wir werden uns gegenseitig trösten. Die Ehe hat euch bisher nichts Gutes gebracht."

Sie hörten aber nicht auf meinen Rat und heirateten, ohne mich zu fragen. Ich mußte ein zweitesmal für ihre Aussteuer sorgen. Es dauerte nicht lange, da nahmen ihnen ihre Männer alles, was sie hatten, und verließen ihre Frauen. Meine Schwestern kamen wieder zu mir und entschuldigten sich bei mir. Sie sagten: „O Schwester, du bist jünger an Jahren, aber älter an Verstand. Nie mehr werden wir davon sprechen, wieder zu heiraten. Nimm uns als Sklavinnen zu dir, nur, damit wir zu leben haben!"

Ich wendete mich ihnen wieder in Liebe zu und ehrte sie noch mehr als früher. So lebten wir drei Jahre lang, und mit jedem Tage nahm mein Vermögen zu und besserten sich meine Verhältnisse. Da wollte ich einmal Waren nach Basra verschicken. Ich nahm ein Schiff und verlud die Waren. Dann fuhren wir zwanzig Tage ununterbrochen, bis ich merkte, daß wir uns verirrt hatten. Am zwanzigsten Tage stieg ein Späher in den Mastkorb und hielt Ausschau. „Gute Aussicht", sagte er, „ich habe in der Ferne eine Stadt gesehen!" Nach knapp einer Stunde hatte unser Schiff die Stadt erreicht. Ich ging an Land, um mir die Stadt anzusehen. Am Stadttor erblickte ich Menschen mit Bündeln in der Hand. Ich näherte mich ihnen und sah, daß sie versteinert waren. Als ich in die Stadt ging und in die Nähe des Bazars kam, war auch dort alles versteinert. Keiner besuchte den anderen, niemand blies Feuer an. Alle Menschen in der Stadt glichen Bildsäulen.

Da erblickte ich eine mit rotem Gold beschlagene Tür mit einem seidenen Vorhang und einer Lampe darüber. Ich trat hinein und fand einen leeren Saal. Von diesem Saal ging ich noch in viele andere, bis ich endlich ins Frauengemach kam. Alle Wände waren mit goldgestickten Vorhängen verziert, und ich sah eine Königin schlafen, geschmückt mit haselnußgroßen Perlen und einer edelsteinbesetzten Krone."

Hier bemerkte Scheherazade den Tag und schwieg. In der folgenden Nacht erzählte sie weiter:

Der Fußboden war mit goldgeblümten Seidenteppichen bedeckt", erzählte das Mädchen dem Kalifen weiter. „Mitten im Saal stand ein mit Gold belegter Elfenbeinthron, darüber hing ein mit Perlen bestickter Vorhang. Hinter diesem Vorhang leuchtete ein Licht hervor. Ich bestieg den Thron, steckte meinen Kopf durch den Vorhang und sah, o Fürst, einen Edelstein, so groß wie ein Straußenei. Er lag auf einem kleinen Stuhl und glänzte so stark, daß man davon geblendet wurde. Außerdem bemerkte ich ein Bett mit einer seidenen Decke darüber. Neben dem Kopfkissen brannten zwei Kerzen, doch niemand war zu sehen. Ich ging weiter, kam in eine Küche, dann in die königlichen Vorratskammern und ging so immer weiter von einem Gemach ins andere, bis ich mich selbst vergaß über all dem Wunderbaren, was ich mit meinen Augen schauen konnte.

Es wurde Nacht. Eine Weile irrte ich im Dunkeln umher und wußte nicht, wohin ich mich wenden sollte. Da sah ich wieder den Thron und den Vorhang mit dem Licht dahinter. Ich legte mich auf das Bett und deckte mich mit der Decke zu, konnte aber nicht einschlafen. Um Mitternacht hörte ich eine zarte Stimme etwas vorlesen. Ich stand auf und folgte der Stimme, bis ich an eine verschlossene Tür kam. Ich blickte durch einen Spalt der Tür und sah eine Art Kapelle mit hängenden Lampen und einem Lesepult mit Kerzen. Auf einem kleinen Teppich saß ein schöner Jüngling. Er hatte einen Koran vor sich liegen und las. Ich verstand nicht, weshalb dieser Jüngling als einziger dem Schicksal des Versteinertseins entkommen war. Deshalb öffnete ich die Tür, trat ein, grüßte ihn und sprach: „Gelobt sei Allah, der mich zu dir geführt hat, damit du uns und unser Schiff rettest und wir nach Hause zurückkehren können. O Herr, ich beschwöre dich bei der Wahrheit dessen, was du eben gelesen hast, mir zu antworten!"

Der Jüngling sah mich lächelnd an und entgegnete: „O Mädchen, erzähle mir erst, wie du hierher gekommen bist. Dann

werde ich dir auch meine Geschichte und die dieser versteiner-
ten Stadt erzählen."
Ich erzählte ihm, wie unser Schiff zwanzig Tage umhergeirrt
war. Als ich berichtet hatte, legte er sein Buch beiseite, um
mir von sich zu erzählen."
Scheherazade bemerkte hier den Tag und schwieg. In der
folgenden Nacht fuhr sie fort:

DIE NEUNUNDSECHZIGSTE NACHT

Er ließ mich neben sich sitzen", berichtete das Mädchen, „und
jetzt sah ich erst richtig, wie schön er war. Gott hatte ihn
in das Gewand der Vollkommenheit gekleidet — wie ein Dichter sagte:

> *Ich schwöre beim Feuer seiner Augen, bei seinem edlen
> Wuchs, bei den tödlichen Pfeilen, die seine Reize ver-
> senden, bei seiner weißen Stirn und seinen schwarzen
> Haaren, bei den Augenbrauen, die mir den Schlaf
> geraubt, die mir Vermittler seiner Gebote und Verbote
> sind, Trennung mit Tod bedrohen, bei den Rosen seiner
> Wangen und den Myrten seiner Schläfen, bei dem
> Karneol seines Mundes und den Perlen seiner Zähne,
> bei dem Wohlgeruch seines Atems und dem süßen Wasser
> seines Speichels, wo Honig mit klarem Weine gepaart,
> bei seinem Halse und dem schönen Bau der Granat-
> äpfel auf seiner Brust, bei seinen Schenkeln, welche
> zittern, wenn er sich bewegt oder ruht, und bei der Fein-
> heit seiner Hüften, bei der Seide seiner Haut und der
> Zartheit seines Geistes und bei allem, was er an Schön-
> heit umschließt, bei seiner freigiebigen Hand und auf-
> richtigen Zunge, bei seinem edlen Stamm und seinem
> erhabenen Rang. Wie Moschus duftet sein Leib, und der
> Geruch der Ambra ist von ihm entnommen. Selbst die
> leuchtende Sonne steht so tief unter ihm wie einer
> seiner abgeschnittenen Nägel.*

Mit dem ersten Blick verliebte ich mich in ihn. Ich sagte ihm: „O Herr, Geliebter meines Herzens! Erzähle mir die Geschichte deiner Stadt!" und er erwiderte: „Wisse, o Magd Allahs, diese Stadt gehörte meinem Vater. Er ist der schwarze Stein, den du bei der Königin, meiner Mutter, im Schlafgemach sahst. Die Einwohner dieser Stadt waren Magier, die das Feuer anbeteten und beim Feuer schworen anstatt bei Allah, dem Allmächtigen. Mein Vater war gut zu mir. Als ich heranwuchs, lehrte mich eine alte Frau, die bei uns wohnte, den Koran, ohne daß mein Vater oder einer seiner Leute etwas davon wußten. Eines Tages hörten wir eine furchtbare Stimme rufen: ‚Ihr Bewohner dieser Stadt, hört auf, das Feuer anzubeten! Betet zu Allah dem Allmächtigen!' Sie aber ließen sich nicht bekehren.

Diese Stimme kam drei Jahre nacheinander dreimal wieder. Nach dem letzten Jahr war die Stadt auf einmal wie du sie jetzt siehst. Ich allein kam davon und verbringe nun meine Zeit damit, Allah zu dienen. Ich wollte schon die Geduld verlieren, weil ich niemanden habe, der mich tröstet!"

Da sagte ich zu ihm: „Willst du mit mir nach Bagdad kommen? Du siehst mich als Sklavin, doch ich bin Herrin unter meinem Volk. Ich besitze viele Güter und Waren. Nur ein Teil davon füllt das Schiff, das so lange herumirrte, bis Gott es hierher geworfen hat, damit ich mich mit deiner Jugend vereinige." Ich liebkoste ihn und redete ihm zu, bis er einwilligte. In jener Nacht schlief ich zu seinen Füßen. Am Morgen standen wir auf und nahmen von den Schätzen seines Vaters diejenigen mit, die am kostbarsten und am leichtesten zu tragen waren. Als wir vom Schloß in die Stadt kamen, fanden wir meine Schwestern, den Kapitän des Schiffes und die Diener, die mich suchten. Ich erzählte ihnen die Geschichte des Jünglings und der Stadt. Doch als meine Schwestern den Jüngling sahen, beneideten sie mich und beschlossen Böses gegen mich. Wir gingen alle aufs Schiff und warteten, bis guter Wind kam, um dann abzusegeln."

Der Morgen brach an, und Scheherazade schwieg. In der Nacht aber erzählte sie weiter:

W ir segelten ab," fuhr das Mädchen fort, „setzten uns an
Deck und plauderten miteinander. Da fragten mich
meine Schwestern: „O sag, was willst du mit diesem Jüngling
anfangen?"

Ich antwortete: „Ihn zum Manne nehmen." Und ich ging gleich
zu ihm und sprach: „Mein Herr, ich hoffe, du wirst mir einen
Wunsch gewähren und gleich bei unserer Ankunft in Bagdad
mein Mann werden!"

„Recht gern", antwortete der Jüngling, „ich werde dir gehorchen
und dich dazu noch als meine Herrin und Gebieterin ansehen."

Ich wandte mich zu meinen Schwestern und sagte: „Das ist
mein Gewinn, ihr aber könnt alles behalten, was wir aus der
Stadt mitgenommen haben!"

Trotzdem hegten sie weiter böse Gedanken gegen mich. Sie
waren blaß vor Neid wegen des Jünglings. Wir hatten guten
Wind, bis wir in den Strom kamen. Eines Nachts, wir waren
schon in der Nähe von Basra, hoben mich meine Schwestern
mit meinem Bette hoch und warfen mich in den Strom. Danach taten sie das gleiche mit dem Jüngling. Er ertrank, ich
aber erreichte eine kleine Insel. Als der Tag hereinbrach trocknete ich meine Kleider, aß von den Früchten der Insel, trank
ein wenig Wasser und ruhte mich aus.

Plötzlich kam eine lange Schlange auf mich zu, dick wie ein
Dattelbaum. Sie schlich langsam herbei. Ich sah, wie sie die
Zunge eine Spanne weit herausstreckte und die Erde aufwühlte. Hinter ihr gewahrte ich einen dünnen Basilisk, nicht
dicker als eine Lanze, aber so lang wie zwei. Er hatte schon
den Schwanz der Schlange erreicht. Sie floh vor ihm und sah
sich mit weinenden Augen nach rechts und nach links um. Da
bekam ich Mitleid mit der Schlange, nahm einen großen Stein
und schlug damit auf den Basilisk ein, bis er tot war. Sogleich
entfaltete die Schlange zwei Flügel und flog davon. Ich setzte
mich, um auszuruhen. Da überkam mich der Schlaf.

Als ich erwachte, sah ich eine schwarze Sklavin mit zwei schwarzen Hündinnen. Ich stand auf und sagte: „Wer bist du, meine Schwester?"

Sie antwortete mir: „Du hast mir viel Gutes erwiesen, denn ich bin die Schlange, die eben hier war und deren Feind du erschlagen hast. Um dich zu belohnen, holte ich das Schiff ein und befahl einem meiner Gehilfen, es untergehen zu lassen. Zuvor aber hatte ich alles, was darin war, in dein Haus gebracht, denn ich wußte sehr wohl, wie deine Schwestern, denen du immer nur Gutes getan hast, an dir gehandelt haben. Ich habe das Schiff versenkt und sie in diese beiden schwarzen Hündinnen verwandelt."

Darauf verwandelte sich die Sklavin in einen großen Vogel, flog mit mir und meinen Schwestern davon und setzte uns auf meinem Hause ab. Hier fand ich alles wieder, was auf dem Schiff gewesen war. Sie sagte mir dann noch: „Ich gebiete dir bei dem, der die beiden Meere vereinigte — und wenn du mir nicht gehorchst, werde ich auch dich zur Hündin machen —: du mußt jeder von ihnen jede Nacht dreihundert Prügel geben, um sie für ihre Schandtat zu strafen!"

Ich versprach, ihr zu gehorchen, und sie verschwand. Und seitdem strafe ich meine Schwestern jede Nacht, bis das Blut fließt. Es tut mir zwar im Herzen weh, doch ich habe keine andere Wahl. Darum peinige ich sie und weine dann mit ihnen. Das ist meine Geschichte."

Der Tag war nahe. Scheherazade bemerkte es und schwieg. In der folgenden Nacht fuhr sie fort:

Es heißt, der Kalif sei höchst erstaunt gewesen, als er das hörte. Er befahl nun Djafar, das andere Mädchen zu fragen, weshalb es sich seine Brust und seine Seiten zerschlage. Das andere Mädchen begann:

Die Geschichte des zweiten Mädchens

„O Fürst der Gläubigen! Als mein Vater starb, hinterließ er mir ein großes Vermögen. Ich heiratete einen der vornehmsten Männer von Bagdad, und wir lebten ein Jahr lang einträchtig zusammen. Dann starb er und hinterließ mir neunzigtausend Dinar. Ich lebte im Reichtum, ließ mir viele Kleider machen, putzte mich und gab viel Geld aus. Überall redete man von mir.

Als ich einmal zu Hause saß, kam eine steinalte Frau mit runzeligem Gesicht, grauen Augenbrauen, hohlen, triefenden Augen, abgebrochenen Zähnen, weißen Haaren, aussätzigem Körper, gebücktem Rücken und fließender Nase.

Sie grüßte mich, küßte die Erde vor mir und sprach: ‚O Gebieterin, ich habe eine Tochter, die ohne Vater ist. Heute nacht ist ihre Hochzeit. Wir sind fremd in dieser Stadt, kennen keinen ihrer Bewohner. Das tut uns von Herzen weh. Deshalb würdest du dir großen Verdienst erwerben, wenn du zu uns kämest, damit die Frauen dieser Stadt es hören und auch zur Ausschmückung meiner Tochter kommen. Es wird meiner Tochter Herz stärken, wenn du uns mit deiner Anwesenheit beehrst!" Dann setzte sie noch folgende Verse hinzu:

> Eure Gegenwart macht uns Ehre, auch werden wir
> dadurch bekannt; bleibt Ihr aber fern, so kann Euch
> niemand ersetzen.

Sie bat und weinte so lange, bis ich ihre Bitte gewährte und ihr zudem noch versprach, ihre Tochter mit meinem Schmuck zu zieren. Die Alte fiel mir vor Freude vor die Füße, küßte sie und sagte: „Allah wird dich dafür belohnen und dein Herz ebenso stärken, wie du meines gestärkt hast. Doch, meine Gebieterin, du brauchst deine Bedienung nicht sogleich zu bemühen. Du hast Zeit bis zum Abend, dich vorzubereiten. Dann werde ich kommen und dich abholen!"

Nachdem sie gegangen war, begann ich, die Perlen zu ordnen, die goldgestickten Kleider und den übrigen Schmuck zurechtzulegen, denn ich hatte eine seltsame Vorahnung. Als die Nacht hereinbrach, kam die Alte und sagte: „O Gebieterin, schon sind die meisten Frauen der Stadt versammelt, um dich zu erwarten."

Ich kleidete mich an, verschleierte mich, ging hinter der Alten her, und einige Sklavinnen folgten mir. Wir kamen in eine hübsche, sauber gekehrte und besprengte Straße. Ich sah einen schwarzen Vorhang, der eine Tür bedeckte. Über der Tür hing eine goldene, durchbrochene Lampe. Und es stand dort der Vers:

Ich bin die Wohnung der Freuden, bei mir ist ewiges
Vergnügen. Hierinnen ist ein Springbrunnen, aus dem
süße Ruhe fließt. Auch findest du hier allerlei
Wohlgerüche, Rosen, Kamillen und Myrte.

Die Alte klopfte an, und es wurde sogleich geöffnet. Wir traten ein und sahen brennende Wachskerzen, die in zwei Reihen von der Tür bis zum oben gelegenen Saal aufgestellt waren. Auf dem Boden lag ein seidener Teppich. Wir gewahrten einen edelsteinbesetzten Elfenbeinthron mit einem perlenbestickten Atlasvorhang. Und hinter diesem trat ein Mädchen hervor — ein Mädchen, o Fürst der Gläubigen, schöner als der Vollmond. Ihre Stirn leuchtete wie der anbrechende Morgen, wie ein Dichter sagte:

Sie ist zart gebaut. Sanft und sehnsuchtsvoll sind ihre
Blicke. Alles Schöne und Liebliche ist in ihr vereint.
Die Locken auf ihrer Stirn gleichen der Nacht der Sorgen,
die über den Tag der Freuden sich breitet.

Das Mädchen sprach: „Sei tausendmal willkommen, teure Schwester!" Und dann fügte sie die Verse hinzu:

Würde das Haus den kennen, der es besucht, so würde
es sich freuen und die Stelle küssen, die dein Fuß
berührte. Es würde mit der Zunge des Geistes sagen:
Seid mir willkommen, ihr edlen vornehmen Gäste!

Sie kam mir entgegen und sprach: „O hohe Dame, ich habe einen Bruder, der schöner ist als ich. Er hat dich auf einem Fest gesehen, und dein Anblick hat schlimme Folgen für ihn gehabt. Da er gehört hat, daß du eine der Vornehmsten unter dem Volke bist und er ebenfalls ein großer Herr unter den seinigen ist, will er mit dir einen Bund schließen und dein Mann werden."
Ich antwortete: „Wohl denn, ich sehe kein Hindernis, seinen Willen zu erfüllen."
Kaum hatte ich das gesagt, als sich ein Kabinett öffnete, aus welchem ein jugendfrischer Mann von schönem Wuchs heraustrat. Er war sauber gekleidet, hatte Augenbrauen wie ein Bogen und herzbetörende Augen — wie ein Dichter sagt:

Sein Gesicht gleicht dem Monde;
es verbreitet Seligkeit wie der Mond in dunkler Nacht.

Ich hatte ihn kaum gesehen, da liebte ich ihn schon. Er setzte sich neben mich, und wir unterhielten uns miteinander. Dann klatschte das Mädchen wieder, und abermals öffnete sich ein Kabinett. Der Kadi mit vier Zeugen trat heraus, und alle setzten sich, um den Ehe-Kontrakt zu unterschreiben. Der Jüngling machte zur Bedingung, daß ich außer ihn niemand anders mehr anblicken dürfe. Ich mußte sogar einen hohen Eid darauf schwören.
Das alles machte mich sehr glücklich, und ich konnte kaum die Nacht erwarten, um mit ihm allein zu sein. Und wirklich verbrachte ich mit ihm die schönste Nacht meines Lebens. Morgens stand er auf und behandelte mich voller Ehrerbietung. Wir

liebten einander und lebten einen ganzen Monat in höchster Seligkeit.

Eines Tages bat ich meinen Mann um die Erlaubnis, einen schönen Stoff zu kaufen und ging mit einer alten Frau und zwei Sklavinnen auf den Markt. Als ich in das Haus der Seidenstoffe kam, sagte mir die Alte: „Hier wohnt ein junger Kaufmann. Er hat ein großes Lager, und du wirst alles bei ihm finden, was du begehrst. Niemand hat schönere Waren als er, und wir wollen uns zu ihm setzen und bei ihm einkaufen."

Wir setzten uns zu dem Kaufmann. Er war ein hübscher, geschmeidiger Jüngling — wie einer, von dem der Dichter sagte:

> *Er ist leicht gebaut, durch seine Haare und sein Gesicht*
> *wandelt die Welt zugleich in Finsternis und Licht.*
> *Verkennt auch nicht das braune Fleckchen auf seinen*
> *Wangen, denn ihr findet ein solches an jeder Anemone.*

Ich sagte zu der Alten, der Kaufmann möge uns seine Ware zeigen. Als sie mich fragte, warum ich es ihm nicht selbst sagen wollte, antwortete ich ihr: „Weißt du nicht, daß ich meinem Mann geschworen habe, mit keinem Fremden zu sprechen?" Die Alte sagte es dem Kaufmann, und der holte Waren herbei, von denen mir manches sehr gut gefiel. Ich sprach wieder zu der Alten: „Wie teuer ist dieses?" Als sie ihn fragte, sagte er: „Dieses verkaufe ich nicht für Silber und nicht für Gold. Nur für einen Kuß auf ihre Wangen gebe ich's her!" Ich rief: „Allah bewahre mich davor!" Doch sagte die Alte: „O meine Gebieterin, du brauchst ja nicht mit ihm zu sprechen. Neige nur dein Gesicht zu ihm hin. Er gibt dir einen Kuß und sonst nichts!" Ich dachte bei mir, dabei sei nichts Böses und neigte also meine Wangen — da biß er mich mit seinen Zähnen so, daß die Spuren auf der Wange blieben. Ich fiel in Ohnmacht und als ich wieder aufwachte, fand ich den Laden geschlossen. Der Kaufmann war fort und das Blut lief mir übers Gesicht. Die Alte aber war aufs tiefste bestürzt."

Da bemerkte Scheherazade den Tag und schwieg. In der folgenden Nacht erzählte sie:

Nun sprach die Alte", fuhr das zweite Mädchen fort: „Fasse Mut, meine Gebieterin! Geh nach Hause, stelle dich krank, decke dich zu, und ich werde Pulver und Pflaster bringen, so daß deine Wange in drei Tagen geheilt ist."

Wir machten uns auf und gingen langsam nach Hause. Dort schlüpfte ich unter die Decke und trank Wein. Als es Nacht wurde, kam mein Mann zu mir und sagte: „O meine Teure, was hast du?"

Ich antwortete: „Kopfschmerzen!"

Er entzündete eine Kerze, trat näher, sah mir ins Gesicht und bemerkte die Wunde auf meiner Wange. „Wer hat dir das getan?" fragte er. Ich antwortete: „Ich ging auf den Bazar, um mir verschiedene Stoffe abschneiden zu lassen. Da drängte sich ein Träger mit einer Ladung Holz an mir vorbei und verletzte mich." Da sagte er: „Morgen werde ich den Stadtaufseher bitten, alle Träger aufzuhängen." Ich erwiderte: „O mein Herr, das geht nicht, die Leute so einfach zu hängen. Ich bin selbst schuld daran, denn ich ritt auf einem Mietesel. Der Eseltreiber trieb ihn zu stark, er stolperte mit mir, und ich fiel mit dem Gesicht auf die Erde, wo zufällig ein Stück Glas lag, das meine Wange ritzte." Da sagte er: „Bei Allah, ehe die Sonne aufgeht, lasse ich alle Eseltreiber und alle Straßenkehrer hängen!" Ich bat: „O mein Herr, meinetwegen sollst du niemand hängen lassen!" Da fragte er: „Nun, woher kommt dann die Wunde auf deiner Wange?" und ich sagte: „Allahs Urteil und Bestimmung hat sie getroffen."

Immer wieder suchte ich ihm auszuweichen, doch er drang so lange in mich, bis ich die Wahrheit sagte. Da schrie er mich an: „Du hast deinen Eid gebrochen!"

Auf diesen Ruf kamen drei schwarze Sklaven herbei. Er befahl ihnen, mich aus dem Bett und auf den Rücken mitten im Zimmer hinzuwerfen. Der eine setzte sich über meinen Kopf, der andere mir zu Füßen und der dritte entblößte sein Schwert. Mein Mann sagte ihm: „Spalte sie in zwei Teile und werft sie in den Tigris, damit die Fische sie fressen. Das ist der Lohn für ihren Meineid!" Dann rief er im heftigsten Zorn noch die Verse aus:

> *Muß meine Liebe ich mit einem Dritten teilen, so ver-*
> *schmäht mein Herz ein solches Gefühl, und müßte ich*
> *auch vor Gram sterben. Ich rufe meiner Seele zu:*
> *Mein Tod ist edel! Nichts Gutes ist an einer Liebe,*
> *die man teilen muß.*

Als er dem Sklaven noch einmal befahl, mich zu töten, fragte der mich: „Hast du noch etwas auf dem Herzen?" Ich sagte: „Ich möchte meinem Manne noch etwas sagen." Und weinend sprach ich die Verse:

> *Ihr habt Liebe in mir erregt und seid dabei ruhig*
> *geblieben. Ihr habt mein wundes Auge geweckt und*
> *habt selbst geschlafen. Wie kann mein Herz Euch*
> *vergessen, wie können meine Tränen sich verbergen?*
> *Ihr habt mir ewige Treue geschworen, und sobald Ihr im*
> *Besitz meines Herzens wart, habt Ihr mich verraten.*
> *Ich liebte Euch als Kind, ehe ich noch die Liebe kannte.*
> *Noch bin ich eine Schülerin — schonet mich!*

Dann sah ich ihn wieder an und setzte die Verse hinzu:

> *Du hast mir den höchsten Gram aufgebürdet, während*
> *ich zu schwach bin, nur mein Hemd zu tragen.*
> *Ich wundere mich nicht, wenn ich den Geist aufgebe.*
> *Nur darüber wundere ich mich, wie man, nachdem du*
> *dich von mir trenntest, meinen Körper noch kennt.*

Als er das hörte, beschimpfte und schmähte er mich und sprach:

> *Du hast dich einer anderen Liebschaft zugewandt und*
> *unsere Trennung verschuldet. Bin ich dir zuwider, so ver-*
> *lasse ich dich und lebe fern von dir, wie du von mir.*
> *Jeder wähle eine Andere zur Geliebten und werfe dir*
> *die Schuld an unserer Trennung zu, nicht mir.*

Dann schrie er noch einmal dem Sklaven zu: „Zerspalte sie und schaffe uns Ruhe vor ihr, denn ihr Leben ist ohnehin nichts mehr wert!"

Da kam plötzlich die Alte, warf sich meinem Mann zu Füßen und rief weinend: „Bei der Erziehung, die ich dir gab, bei dem Busen, den ich dir entblößte, um dich zu säugen, und bei den Diensten, die ich dir sonst geleistet habe: schenke mir ihr Leben! Du bist jung und würdest eine große Schuld auf dich laden. Auch sagt man: ‚Wer jemand tötet, wird wieder getötet'. Laß sie aus deinem Kopf und deinem Herzen!"

Sie weinte so lange, bis er milder gestimmt wurde, doch sprach er: „Ich will ihr ein Zeichen mitgeben, das nie vergeht."

Da ließ er mich durch die Sklaven entkleiden und auf den Boden hinstrecken. Die Sklaven setzten sich auf mich, und mein Mann nahm einen Stock aus Quittenbaumholz. Er schlug mich so lange, bis ich das Bewußtsein verlor. Darauf befahl er den Sklaven, mich in ein Haus zu bringen, das ihnen die Alte zeigen würde. Die Sklaven warfen mich in das Haus und ließen mich allein. Meine Ohnmacht dauerte die ganze Nacht. Am Morgen pflegte ich mich und gebrauchte Pflaster und Arzneien. Mein Körper war von den Schlägen ganz geschwollen. Vier Monate blieb ich krank im Bett liegen. Als ich genas und wieder in mein Haus kam, war es eine Ruine und die ganze Straße verwüstet. Ich ging dann zu meiner Schwester, die die beiden Hündinnen hat, und erzählte ihr meine Geschichte. Sie sprach den Vers:

> *Das ist des Lebens Lauf. Drum habe Geduld, ob du mit*
> *Gütern beschenkt oder mit der Trennung von dem*
> *Geliebten heimgesucht wirst.*

Sie erzählte mir auch ihre Geschichte, o Fürst der Gläubigen, und was mit ihren Schwestern gewesen war. Wir blieben dann beisammen und sprachen nicht mehr über die Männer. Diese junge Wirtschafterin leistet uns Gesellschaft. Sie geht jeden Tag auf den Markt, um für uns einzukaufen. Heute kam sie mit dem Träger zurück, und wir lachten die ganze Nacht über

ihn. Als ein Viertel der Nacht vorüber war, kamen diese drei
Kalender. Wir nahmen sie auf und unterhielten uns mit ihnen.
Kaum war ein Drittel der Nacht vorüber, da kamen drei vor-
nehme Kaufleute aus Mossul und erzählten uns ihre Geschichte.
Wir legten ihnen Bedingungen auf, die sie nicht hielten. Zur
Strafe mußten sie uns ihre Geschichten erzählen. Wir verzie-
hen ihnen, und sie gingen fort. Heute nun wurden wir auf
einmal zu dir gerufen. Das ist unsere Geschichte."
Der Kalif war höchst verwundert darüber.
Da bemerkte Scheherazade den Tag und schwieg. In der fol-
genden Nacht erzählte sie weiter:

DIE DREIUNDSIEBZIGSTE NACHT

Nach langem Staunen sagte der Kalif zu der ersten Frau:
„Erzähle mir die Geschichte der Schlange, die deine
Schwestern verzaubert und in Hunde verwandelt hat. Weißt
du, wo sie geblieben ist? Oder hat sie dir gesagt, wann sie
wieder zu dir kommen wird?"
Die erste Frau erwiderte: „Sie hat mir ein Büschel Haare gegeben und mir gesagt: ,Wenn du nach mir verlangst, so verbrenne zwei Haare, und ich werde sofort erscheinen.'
Der Kalif fragte: „Wo sind diese Haare?" und sie überreichte
sie ihm. Der Kalif nahm die Haare und verbrannte sie. Da
erbebte das ganze Schloß, die Schlange kam hervor und sprach:
„Friede sei mit euch! O Fürst der Gläubigen, du mußt wissen,
daß diese Frau mir eine Wohltat erwiesen hat, so daß ich sie
nicht genug belohnen kann. Ich wußte, was ihre Schwestern
ihr getan hatten. Darum verzauberte ich sie in Hündinnen.
Nun aber befreie ich sie gern, wenn du es wünschst, o Fürst der
Gläubigen!"
„Befreie sie, o Geist", sagte da der Kalif. „Laß uns ihrem Gram
ein Ende machen. Dann bleibt nur diese geschlagene Frau hier
als die einzige Leidende. Vielleicht mag der erhabene Allah

auch sie noch rechtfertigen, indem er mich von der Wahrheit überzeugt."

Da sprach wieder der Geist: „O Fürst der Gläubigen, ich befreie auch diese hier und werde dir auch den zeigen, der sie so mißhandelt hat. Er ist dir sehr nahe verwandt."

Darauf nahm die Schlange eine Schale, murmelte einige unverständliche Worte und besprizte die beiden Schwestern mit Wasser. Sogleich nahmen sie ihre früheren Gestalten wieder an. Dann sprach der Geist: „Dein Sohn Amin ist es, der Bruder des Mamun, der sie so sehr geschlagen hat. Er hatte von ihrer Schönheit und Liebenswürdigkeit gehört. Er hat sie gesetzmäßig geheiratet. Auch geschlagen hat er sie nicht zu Unrecht, denn sie hatte einen hohen Eid geschworen, daß sie keine Untreue begehen wolle, und hat diesen Eid gebrochen. Er wollte sie mit dem Tode bestrafen, fürchtete aber Allah, züchtigte sie lieber auf diese Weise und ließ sie dann in ihr Haus führen. Das ist die Geschichte der Zweiten."

Als der Kalif diese Worte des Geistes hörte, wunderte er sich sehr und sprach: „Gelobt sei der erhabene Allah, der mich dazu bestimmt hat, die zwei Mädchen von ihrem Zauber und ihrer Pein zu befreien und auch die Geschichte dieser Frau zu hören. Bei Allah, ich will so handeln, daß man es nach mir aufzeichnen wird!"

Dann ließ er sogleich seinen Sohn Amin kommen und fragte ihn nach allem. Dann mußten der Kadi, die Zeugen, die drei Kalender, das geschlagene Mädchen und die Wirtschafterin erscheinen. Er verheiratete die drei Schwestern — die zwei verzauberten und die andere — mit den drei Kalendern, den Prinzen. Er machte die Prinzen zu hohen Beamten an seinem Hof, schenkte ihnen Pferde und Schlösser in Bagdad und machte sie zu seiner auserwählten Gesellschaft. Er verheiratete das geschlagene Mädchen wieder mit seinem Sohne Amin, erneuerte den Ehe-Kontrakt und ließ ihr Haus wieder schöner aufbauen, als es gewesen war. Dann nahm er die dritte Frau, die Wirtschafterin, und heiratete sie selbst. Und alle Leute bewunderten den Edelmut und die Freigiebigkeit des Kalifen. Der aber ließ alle Geschichten aufzeichnen.

Der Morgen dämmerte bereits, als Scheherazade diese Erzählung beendete.

DIE VIERUNDSIEBZIGSTE NACHT

In der folgenden Nacht sprach Dinarsad zu ihrer Schwester Scheherazade: „O Schwester, wie schön war diese Geschichte! Man kann nie eine schönere hören! Doch erzähle noch eine andere, damit wir das, was von der Nacht zu wachen bleibt, kurzweilig verbringen."

Und Scheherazade erwiderte: „Recht gern, wenn der König es erlaubt."

Und als der König sagte: „Erzähle schnell deine Geschichte!", begann Scheherazade.

Die Erzählung von den drei Äpfeln

Es heißt, o König der Zeit, der König Harun Arraschid habe einmal in der Nacht seinen Wesir Djafar rufen lassen und ihm gesagt: „Wir wollen in die Stadt gehen und hören, was es in der Welt Neues gibt. Wir wollen die Leute über die Urteile der Richter ausfragen, den absetzen, über den man sich beklagt, und den belohnen, den man lobt."

Sie gingen also miteinander durch die Straßen und die Bazars, der Kalif, Djafar und der Diener Masrur. Da sahen sie am Ende einer Straße einen alten Mann mit einem Netz, einem Korb und einem Stock auf dem Kopf. Der Kalif sprach zu Djafar: „Das ist gewiß ein armer, bedürftiger Mann!"

Dann fragte er den Alten, wer er denn sei, und der antwortete hierauf:

„Mein Herr, ich bin ein Fischer, habe Familie, bin heute mittag von zu Hause weggegangen und habe bis jetzt nichts gefangen. Ich habe nichts, was ich verpfänden könnte, um meiner Familie

ein Nachtessen dafür zu bringen. Ich bin verzweifelt, hasse das Leben und wünsche mir den Tod!"

Da entgegnete der Kalif: „Willst du wohl, o Fischer, mit uns zum Tigris zurückkehren und das Netz auf mein Glück auswerfen? Ich gebe dir hundert Dinar für deinen Fang!"

„Recht gern, mein Herr!" entgegnete freudig der Alte.

Sie gingen an den Tigris, der Fischer warf sein Netz aus, zog dann die Schnur zusammen und brachte eine große verschlossene Kiste heraus. Der Kalif gab dem Fischer zweihundert Dinar, und Masur trug die Kiste ins Schloß. Als die Kiste öffneten, fanden sie einen Korb aus Palmblättern, zugemacht mit roter Wolle. In dem Korb war ein Stück Teppich, und als sie den aufhoben, erblickten sie einen viermal zusammengelegten Mantel und darunter ein junges Mädchen, rein wie Silber — aber in Stücke zerhauen.

Scheherazade bemerkte den Tag und schwieg. In der folgenden Nacht fuhr sie fort:

DIE FÜNFUNDSIEBZIGSTE NACHT

Als der Kalif das in neunzehn Stücke zerhauene Mädchen erblickte, brach er in Tränen aus, wandte sich dann zornig an Djafar und sagte:

"Du Hund unter den Wesiren! Man bringt die Leute in meiner Stadt um und wirft sie in den Strom, wo sie bis zum Tage der Auferstehung auf meiner Verantwortung lasten. Bei Allah, ich will dieses Mädchen an ihrem Mörder rächen und ihn auf die grausamste Weise hinrichten lassen. Findest du ihn nicht, so werde ich dich und vierzig deiner Vettern aufhängen!"

Djafar bat um drei Tage Frist und ging betrübt in die Stadt. Er wußte nicht, was er tun sollte. Schließlich ging er nach Hause und blieb bis zum dritten Tag gegen Mittag dort. Da schickte der Kalif nach ihm und fragte ihn: „Wo ist der Mörder der jungen Frau?"

Djafar antwortete: „Bin ich der Vertraute der Mörder, o Fürst der Gläubigen?"

Doch der Kalif schrie ihn zornig an und befahl, man solle ihn unten am Schloß aufhängen und in ganz Bagdad ausrufen: „Wer den Wesir Djafar und vierzig seiner Vettern hängen sehen will, soll ans Schloß kommen!"

Dann kamen der Stadtaufseher, einige Offiziere und der Vater Djafars. Man stellte sie unter den Galgen und wartete nur noch auf ein Signal vom Schloß. Das Volk weinte bitterlich über ihr Schicksal. Da erschien plötzlich ein gutgekleideter junger Mann mit einem Gesicht wie der helle Mond, weiten Augen, glänzender Stirn, roten Wangen, hellen Locken und einem Leberfleckchen wie ein Ambrakügelchen. Er drängte sich durch das Volk bis vor Djafar, küßte ihm die Hand und sagte: „Ich befreie dich von dieser schändlichen Strafe. Steh auf, o Herr der Wesire! Hänge mich statt der Verurteilten und räche die Erschlagene an mir, denn ich bin ihr Mörder!"

Als Djafar das hörte, freute er sich über seine Rettung, war aber betrübt über das Schicksal des Jünglings. Während er noch mit ihm sprach, kam ein sehr alter Mann, drängte sich durch die Leute, bis er vor Djafar stand, und rief: „O großer Herr und Wesir! Glaube nicht, was dieser junge Mann sagt. Nicht er hat die junge Frau getötet, sondern ich. Räche sie also an mir!"

Der junge Mann erwiderte: „Kein anderer als ich hat die junge Frau getötet!"

Da sprach der Alte: „O mein Sohn, ich bin alt und lebenssatt. Ich will mein Leben für deines hingeben. Ich habe die junge Frau getötet, drum hänge man mich schnell, denn ich mag doch nicht mehr leben, seit sie mich verlassen hat!"

Djafar staunte sehr über diesen Streit. Er führte den Alten und den Jüngling zum Kalifen und sagte: „Jeder dieser beiden Männer behauptet, die junge Frau getötet zu haben."

Da sprach der Kalif: „So laß sie beide hängen!"

Djafar aber erwiderte: „O Fürst der Gläubigen, wenn sie doch nur einer getötet hat, so würde der andere ungerechterweise gehängt."

Da sagte der junge Mann: „Bei dem, der den Himmel gewölbt hat: Ich habe sie getötet! Ich legte sie in einen Korb von Palmenblättern, deckte sie mit einem Mantel zu, legte ein Stück Teppich darum und nähte es mit roter Wolle zu. Räche also ihren Tod an mir!"

Erstaunt fragte der Kalif: „Warum hast du sie getötet und dich in eine solche Lage gebracht?"

Da antwortete der Jüngling: „O Fürst der Gläubigen, mir ist etwas widerfahren, woraus jeder lernen könnte!"

Der Kalif sagte: „Erzähle mir deine Geschichte!"

Darauf antwortete der junge Mann: „Allah und dem Fürsten der Gläubigen gebührt Gehorsam!" und berichtete hierauf.

Scheherazade bemerkte hier den Tag und schwieg. In der folgenden Nacht erzählte sie mit den Worten des jungen Mannes:

DIE SECHSUNDSIEBZIGSTE NACHT

Du mußt wissen, o Fürst der Gläubigen, die erschlagene Frau war mein Weib, Mutter meiner Kinder und meine Base. Dieser Alte ist mein Onkel und ihr Vater. Er verheiratete sie mit mir, als sie noch Jungfrau war. Elf Jahre lang waren wir glücklich. Sie gebar mir drei Söhne, führte einen reinen Lebenswandel und bediente mich so gut wie nur möglich. Als sie einmal sehr krank wurde, pflegte auch ich sie aufs sorgfältigste. Nach und nach ging es ihr wieder besser. Da sagte sie eines Tages, ehe sie ins Bad ging, zu mir: „O mein Vetter, mich gelüstet es nach einem Apfel, um daran zu riechen und einen Bissen davon zu essen. Danach möchte ich ruhig sterben!"

Ich ging und suchte in ganz Bagdad und konnte keinen Apfel finden. Es tat mir sehr leid, ihr diesen Wunsch nicht erfüllen zu können. So ging ich nach Hause und sagte zu ihr: „Ich habe, bei Allah, keinen Apfel finden können."

In jener Nacht nahm ihre Krankheit wieder zu. Daher suchte ich am nächsten Morgen in allen Gärten und konnte noch immer nichts finden. Da sprach zu mir ein alter Gärtner: „Mein Sohn, du wirst nirgends Äpfel finden außer im Garten des Fürsten der Gläubigen zu Basra. Der Verwalter hat einen großen Vorrat davon."

Nun reiste ich einen halben Monat Tag und Nacht nach Basra und zurück und brachte drei Äpfel mit, die ich für drei Goldstücke vom Verwalter gekauft hatte. Ich überreichte sie meiner Frau, sie aber dachte gar nicht mehr daran, warf sie neben sich und wurde zehn Tage lang immer schwächer und immer noch kränker.

Eines Tages saß ich in meinem Laden und handelte mit Waren. Da kam plötzlich ein großer, starker und häßlicher Sklave auf den Markt. In der Hand hielt er einen der drei Äpfel, derentwegen ich einen halben Monat lang gereist war. Ich sagte zu dem Sklaven: „Woher hast du diesen Apfel?"

Er antwortete: „Ich habe ihn von meiner Geliebten. Sie ist krank. Und als ich sie heute besuchte, fand ich drei Äpfel bei ihr. Sie sagte mir, ihr Mann habe eine Reise gemacht, um sie ihr zu bringen. Ich aß und trank mit ihr und nahm einen der drei Äpfel mit."

Als ich das hörte, wurde mir schwarz vor Augen. Ich schloß sogleich den Laden und eilte außer mir vor Zorn und Wut nach Hause. Ich sah nach den Äpfeln und fand wirklich nur zwei. Ich fragte meine Base, wo denn der dritte Apfel sei. Sie antwortete: „Bei Allah, mein Vetter, ich weiß es nicht."

Da nahm ich ein scharfes Messer, trat von hinten an sie heran, sagte kein Wort, bis ich auf ihr saß und schnitt ihr dann den Kopf ab. Ich legte sie dann schnell in einen Korb, nähte einen Mantel um sie und darüber noch ein Stück Teppich, legte sie in eine Kiste, nahm diese auf den Kopf und warf sie in den Tigris. Nun, o Fürst der Gläubigen, räche sie an mir, sonst werde ich einst vor Gott Rache für sie von dir fordern, denn als ich nach Hause kam, sah ich, wie mein ältester Sohn schrie, und als ich fragte, was er wolle, sagte er zu mir: „Mein Vater, ich habe heute morgen meiner Mutter einen der drei Äpfel gestohlen und bin damit auf die Straße gegangen. Da kam ein schwarzer Sklave und nahm ihn mir weg. Ich rief ihm zu: ‚O guter Sklave, dieser Apfel gehört meiner Mutter! Mein Vater hat eine Reise von einem halben Monat nach Basra gemacht, um meiner kranken Mutter drei Äpfel von dort zu holen. Bringe mich daher nicht in Verlegenheit!' Er aber schlug mich und lief fort. Aus Furcht vor der Mutter blieb ich mit meinen Brüdern den ganzen Tag vor der Stadt. Nun wird es aber Nacht, und ich fürchte mich so sehr vor ihr. O mein Vater, sagt ihr nichts, damit sie nicht noch kränker wird!"

Als ich das gehört hatte, wußte ich, daß ich meine Frau unschuldig ermordet und daß der Sklave gelogen hatte. Ich weinte und schluchzte mit meinen Kindern. Da kam dieser alte Mann, ihr Vater, mein Onkel. Ich erzählte ihm alles, was vorgefallen war. Wir weinten miteinander bis Mitternacht und trauerten drei volle Tage lang. Das ist meine Geschichte mit der Ermordeten. Nun laß mich hinrichten, denn ich mag nicht mehr leben. Räche das Unrecht, das ich begangen habe!"

Als der Kalif das gehört hatte, sagte er —

Scheherazade bemerkte hier den Tag und schwieg. In der folgenden Nacht erzählte sie weiter:

DIE SIEBENUNDSIEBZIGSTE NACHT

Der Kalif sagte: „Ich werde niemanden als den verruchten Sklaven hängen lassen! Geh, Djafar, schaffe ihn herbei, sonst laß ich dich köpfen!"

Djafar ging weinend fort und sagte:

„Mein Tod ist nahe, doch vielleicht wird mich der Allmächtige auch diesmal retten. Ich werde wieder drei Tage nicht aus dem Hause gehen, und Allah mag entscheiden, wie er will."

Er blieb also bis zum Mittag des dritten Tages. Dann schrieb er sein Testament und nahm weinend von seinen Töchtern Abschied. Zuletzt kam die jüngste Tochter zu ihm. Er liebte sie am meisten von allen. Er drückte sie an seine Brust, küßte sie und weinte über die Trennung. Als er sie so recht fest an sich drückte, fühlte er etwas Hartes. Er fragte: „Was hast du in der Tasche, meine Tochter, das ich hier spüre?"

Da sagte die Kleine: „Einen Apfel, auf dem der Name des Herrn, unseres Kalifen, geschrieben steht. Unser Sklave Rihan hat ihn gebracht, wollte ihn mir aber nur für zwei goldene Dinar geben."

Djafar schrie auf, zog den Apfel aus der Tasche seiner Tochter, erkannte ihn, ließ sogleich den Sklaven rufen und sagte zu ihm: „Wehe dir, Rihan, wo hast du diesen Apfel her?" Da sagte der Sklave: „Bei Allah, mein Herr, wenn Lüge etwas hilft, so hilft doch die Wahrheit doppelt so viel. Ich habe diesen Apfel nicht in deinem Schlosse, nicht in Chadras Schloß und nicht im Garten des Kalifen gestohlen. Als ich vor vier Tagen durch die Stadt ging, sah ich Kinder spielen. Ein kleiner Knabe ließ diesen Apfel fallen. Ich schlug den Kleinen und nahm ihm den Apfel weg. Er sagte weinend: ‚Der Apfel gehört meiner Mutter. Mein Vater mußte ihr drei von einer Reise mitbringen, und ich habe einen davon genommen. Gib ihn mir also zurück!' Ich aber brachte ihn hierher und verkaufte ihn meiner kleinen Gebieterin für zwei Dinar. Das ist die Wahrheit."

Als Djafar das gehört hatte, ergriff er den Sklaven, führte ihn zum Kalifen und erzählte ihm die ganze Geschichte vom Anfang bis zum Ende. Der Kalif lachte und sprach: „Dein Sklave ist also der Urheber des ganzen Unglücks?"

„Freilich", antwortete Djafar, „doch wundere dich nicht zu sehr über diese Geschichte, sie ist nicht befremdlicher als die des Wesirs Ali aus Kahira und Bedruddin Hassans aus Basra. Doch ich erzähle sie nur unter einer Bedingung."

Der Kalif wünschte sehr, die Geschichte zu hören. Deshalb sagte er: „Nun, wenn sie noch schöner und wunderbarer ist als diese, so schenke ich dir das Leben deines Sklaven. Ist sie es nicht, so lasse ich ihn umbringen. Erzähle also, o Wesir, deine Geschichte!"

Nun erzählte Djafar dem Kalifen Harum Arraschid —

Hier bemerkte Scheherazade den Tag und schwieg. In der folgenden Nacht fuhr sie fort:

Die Geschichte des Wesirs Ali aus Kahira
und Bedruddin Hassans aus Basra

Einst lebte in Ägypten ein gerechter, wohltätiger Sultan, ein Freund der Armen und Gönner der Schriftgelehrten. Er hatte einen alten verständigen und erfahrenen Wesir, der in manchen Wissenschaften bewandert war. Dieser Wesir hatte zwei Söhne von vollkommener Schönheit. Der Ältere hieß Schemsuddin Mohammed und der Jüngere Nuruddin Ali. Nuruddin Ali war besser als sein Bruder. Er war das edelste Geschöpf unter den Lebenden.

Als der Wesir starb, ließ der Sultan dessen beide Söhne zu sich kommen, beschenkte sie mit dem Ehrenkleid ihres Vaters und sagte zu ihnen: „Ihr sollt nun an eures Vaters Stelle treten und gemeinschaftlich das Amt eines Wesirs von Ägypten versehen!" Kaum war ein Monat seit dem Tod ihres Vaters vergangen, da bekleideten sie auch schon dieses Amt und lösten sich Woche um Woche gegenseitig im Dienst ab. Ebenso begleiteten sie auch abwechselnd den Sultan auf seinen Reisen. Beide Brüder bewohnten ein Haus und hatten nur einen Willen und einen Wunsch.

Nun begab es sich, daß die Reihe, den Sultan auf einer seiner Reisen zu begleiten, an dem Älteren war. In der Nacht vor seiner Abreise, als beide vertraulich zusammensaßen und plauderten, sagte er zu seinem Bruder: „Möchtest du wohl, mein Bruder, daß wir zwei Schwestern heiraten, den Ehe-Kontrakt am gleichen Tag unterzeichnen und in ein und derselben Nacht unsere Ehe vollziehen?"

Nuruddin antwortete: „Tue, was du willst, mein Bruder, denn du führst alles zu einem guten Ende. Sobald du von deiner Reise zurückkehrst, wollen wir um zwei Schwestern werben, und Allah wird uns dazu seinen Segen verleihen."

Hierauf fuhr der Ältere fort: „Wenn wir nun an einem Tage heiraten, unsere Frauen zur gleichen Zeit guter Hoffnung

werden und an einem Tage nierderkommen, dann deine Frau
einen Knaben und meine ein Mädchen zur Welt bringt, willst
du dann deinen Sohn mit meiner Tochter vermählen?"

„Gewiß, recht gern, mein Bruder", entgegnete Nuruddin, „aber
wieviel Mitgift müßte mein Sohn mitbringen?"

„Ich würde nicht weniger nehmen", antwortete der Ältere, „als
dreitausend Dinar, drei Gärten und drei Sklaven — außer dem,
was gewöhnlich einer Frau verschrieben wird."

Hierauf versetzte Nuruddin: „Wozu forderst du eine solch hohe
Mitgift? Sind wir nicht Brüder und beide Wesire? Jeder von
uns kennt schon seine Pflicht. Du hättest wohl deine Tochter
meinem Sohn ohne Mitgift zur Frau geben können, denn der
Mann ist doch edler als das Weib. Du kommst mir vor wie
jener, von dem man einen Dienst verlangte und der darauf
erwiderte: ‚Morgen, so Allah will', und dann den Vers sagte:

> *Verweist man dich in einer Angelegenheit auf morgen,*
> *so kannst du, bist du verständig, daraus schließen,*
> *daß man dich los sein will.*

Darüber war Schemsuddin sehr aufgebracht und sprach: „Du
solltest dich schämen, zu sagen, dein Sohn sei edler als meine
Tochter. Wie wagst du es nur, ihn mit ihr zu vergleichen? Auch
sagst du, wir seien beide Wesire, dabei duldé ich dich nur als
Gehilfen neben mir, um dich nicht zu kränken. Nun aber
schwöre ich bei dem Allmächtigen: Meine Tochter soll deinen
Sohn nicht heiraten für alles Gold, das du mir geben willst.
Nie werde ich deinen Sohn als Schwiegersohn annehmen, und
sollte ich den Todeskelch leeren müssen!"

Über diese Worte seines Bruders geriet Nuruddin gleichfalls
in heftigen Zorn und er fragte noch einmal: „Wie, mein Bruder,
du würdest deine Tochter meinem Sohn verweigern?"

„Nie werde ich zu einer solchen Ehe meine Einwilligung geben",
antwortete der Ältere, „müßte ich nicht morgen abreisen, so
würde ich dich gleich wegen deines Übermutes bestrafen lassen.
Sobald ich aber von meiner Reise zurückkomme, werde ich dir
zeigen, was meine Ehre erfordert."

Nuruddins Zorn wurde immer heftiger. Doch er verbarg ihn und erst, als er bewußtlos hinstürzte, hörte sein Bruder auf zu drohen. Als Schemsuddin am Morgen den Sultan zu den Pyramiden begleitete, ging der von seinem Bruder so tief gekränkte Nuruddin in die Schatzkammer, füllte einen kleinen Sack mit Gold und sprach die Verse:

> *Reise! Leicht findest du andere Leute für die, die du*
> *verläßt. Streife in der Welt umher, denn darin besteht*
> *des Lebens Reiz. Nur in der Fremde, nicht zu Hause,*
> *sammelt man Ruhm oder Erfahrung. Drum verlasse die*
> *Heimat und wandre umher. Leicht verdirbt die Ober-*
> *fläche eines stehenden Wassers. Nur wenn dieses Wasser*
> *in Bewegung kommt, bleibt es frisch. Bliebe die Sonne*
> *immer fest am Firmament stehen, so würden alle*
> *Menschen, Araber und andere, ihrer bald überdrüssig*
> *werden. Und könnte man nicht aus den Veränderungen*
> *des Mondes wahrsagen, so würde kein Beobachter zu ihm*
> *hinaufschauen. Der Löwe fände keine Beute, wenn er den*
> *Wald nicht verließe, und der Pfeil würde nichts treffen,*
> *wenn er am Bogen bliebe. Gold liegt wie Staub im*
> *Schachte, und Aleo ist nicht mehr als anderes Holz, da,*
> *wo es wächst. Jenes wird gesucht, wenn es der Erde*
> *entrissen, und dieses wird zu Gold in fremdem Land.*

Nachdem er diese Verse gesprochen hatte, befahl er einem seiner Diener, seiner Mauleselin den mit Silber verzierten Sattel aufzulegen. Dann sagte er zu seinen Sklaven und Dienern: „Ich will mich auf dem Lande zerstreuen, ich will die Gegend von Kaliub und andere Gegenden bereisen. Ich werde daher einige Tage ausbleiben. Es braucht mir aber niemand von euch zu folgen." Dann versah er sich mit Lebensmitteln und nahm den Weg in die Wüste.

Gegen Mittag kam er in die Stadt Bilbeis, ruhte sich dort ein wenig aus und machte sich dann wieder auf den Weg. Gegen Abend kam er nach Saidije. Er hielt an der Post, fütterte sein Tier, aß selber etwas, legte einen Quersack unter den Kopf, ein Kissen auf den Boden und breitete seinen Teppich darüber aus. Je mehr er über das Betragen seines Bruders nachdachte,

desto mehr geriet er in Zorn und er schwor, nicht zurückzukehren, und sollte er auch bis Bagdad reisen.

Am Morgen ritt er weiter und gelangte glücklich nach Basra.
Vor den Toren der Stadt traf er zufällig den Statthalter von
Basra persönlich. Als der den jungen Mann erblickte und sah,
daß er von edler Geburt sein müsse, grüßte er und fragte nach
seinem Reiseziel. Nuruddin erzählte ihm alles und auch, daß
er geschworen habe, nicht nach Hause zurückzukehren, ehe er
nicht die ganze Welt gesehen habe.

Als der Wesir das hörte, sprach er zu ihm: „Tue das nicht, mein
Sohn, denn viele Länder sind unsicher. Dir könnte leicht ein
Unglück begegnen."

Dann nahm er ihn mit nach Hause und erwies ihm viele Ehren,
da er ihn schnell sehr liebgewonnen hatte. Eines Tages sagte
er zu ihm: „Du weißt, mein Sohn, daß ich schon sehr alt bin
und keine männlichen Nachkommen, sondern nur eine einzige
Tochter habe. Sie gleicht dir an Schönheit, und ich habe schon
viele Freier abgewiesen. Nun frage ich dich: Willst du wohl
meine Tochter als Sklavin annehmen, damit sie deine Frau
werde und du ihr Mann? Ich werde dich dann als meinen Sohn
anerkennen und den Sultan bitten, daß er dich an meiner
Stelle zum Wesir mache. Ich selbst will mich in mein Haus
zurückziehen, denn ich bin schwach und alt. Du wirst daher
wie mein Kind mein Vermögen verwalten und dem Wesir-Amt
der Provinz Basra vorstehen."

Nuruddin antwortete, er sei bereit, alles zu tun, was der Wesir
befehle. Der freute sich darüber sehr und befahl sogleich, alles
für eine Festlichkeit zu richten. Nachdem diese Befehle ausgeführt waren, ließ der Wesir seine Freunde und die Großen
des Reiches versammeln und alle Vornehmen der Stadt Basra
kommen. Dann sprach er zu ihnen: „Ich hatte einen Bruder in
Ägypten, der dort Wesir war. Ihm hat Allah einen Sohn geschenkt und mir, wie ihr wißt, nur eine Tochter. Da nun mein
Neffe und meine Tochter heiratsfähig sind, hat mein Bruder
seinen Sohn, den ihr hier vor euch seht, zu mir geschickt, um
ihn mit meiner Tochter zu vermählen. Jetzt soll die Hochzeit
hier bei mir gefeiert werden. Dann werde ich ihn mit allem

Nötigen für die Rückreise ausstatten und ihn mit meiner Tochter nach Hause zurückkehren lassen."

Alle antworteten: „Das ist ein glücklicher Gedanke und ein lobenswertes Vorhaben! Allah wird diese Hochzeit mit seiner Gnade krönen und den Weg segnen, den du gehst!"

Der Morgen brach an, und Scheherazade schwieg. In der folgenden Nacht fuhr sie fort:

DIE NEUNUNDSIEBZIGSTE NACHT

Nach einer Weile kamen die Zeugen. Erst speiste man zusammen, dann wurde der Ehe-Kontrakt geschlossen und der Saal mit feinstem Räucherwerk durchduftet. Die Gäste zogen sich zurück, und der Wesir befahl seinen Dienern, Nuruddin ins Bad zu führen. Während er im Bad war, schickte ihm der Wesir einen Anzug, der eines Königs würdig gewesen wäre. Als er das Bad verließ, war er schön wie der Vollmond oder der heranleuchtende Morgen — wie ein Dichter sagte:

> Der Atem ist Moschus, die Wangen sind Rosen, die Zähne
> Perlen, der Speichel ist Wein, der Wuchs der Zweig
> eines Baumes, die Haare sind die Nacht und das Gesicht
> der Vollmond.

Dann ging er zu seinem Schwiegervater und küßte ihm die Hand. Der ließ ihn neben sich setzen und sprach: „Erzähle mir nun, weshalb du dein Vaterland verlassen hast. Sage die Wahrheit und verhehle mir nichts, merke dir die Worte des Dichters:

> Bleibe immer bei der Wahrheit, sollte sie dich auch mit
> dem Feuer der Hölle brennen. Suche nur den Beifall
> des Herrn, denn wehe dem, der, um Sklaven zu gefallen,
> den Herrn erzürnt.

Nuruddin erzählte ihm, was zwischen ihm und seinem Bruder vorgefallen und wie er heimlich nach Basra gekommen war. Der Wesir fand Gefallen an dieser Erzählung. Er lachte und sprach: „Wie, ihr habt schon Streit gehabt, ehe ihr geheiratet und Kinder gezeugt hattet? Doch lassen wir das! Gehe jetzt zu deiner Gemahlin. Morgen werde ich dich dem Sultan vorstellen und ihm deine Geschichte erzählen, und ich hoffe, Allah wird dir seinen Segen nicht entziehen."

Nuruddin aber begab sich zu seiner Gemahlin, wie es ihm sein Schwiegervater befohlen hatte.

Gleich nach seiner Rückkehr wollte der Sultan Nuruddin zu sich rufen lassen. Man sagte ihm jedoch, Nuruddin habe eine lange Reise angetreten. Er habe zwar gesagt, er werde nur wenige Nächte fortbleiben, doch man habe nichts mehr von ihm vernommen. Als der Sultan das hörte, war er sehr betrübt. „Gewiß ist ihm ein Unglück widerfahren", dachte er. Deshalb beschloß er, Nuruddin überall zu suchen. Doch alle Boten kamen ohne Nachricht zurück. Schemsuddin verlor bald alle Hoffnung, seinen Bruder jemals wiederzusehen. „Gott verzeihe mir", dachte er, „ich habe ihm zuviel angetan, als wir von unserer Hochzeit sprachen."

Nach einiger Zeit vermählte sich Schemsuddin mit der Tochter eines vornehmen Mannes aus Kahira, und der Zufall wollte es, daß er seine Gemahlin in der gleichen Nacht heimführte wie sein Bruder in Basra die seine. Und Allah fügte es, daß Schemsuddins Frau eine Tochter und Nuruddins Frau einen Sohn gebar. Nuruddins Sohn war so schön, daß er Mond und Sonne beschämte. Seine Stirn war leuchtend, rot seine Wangen, marmorn sein Hals, und auf seiner rechten Wange war ein braunes Fleckchen gleich einem Ambrabogen, wie ein Dichter ihn beschrieben hat:

Schlank ist sein Wuchs, sein schönes Gesicht und seine schwarzen Haare verbreiten abwechselnd Licht und Finsternis in der Welt. Verkennt auch nicht das dunkle Fleckchen auf seinen Wangen, denn auch bei der Rose findet ihr ein solches wieder.

Die Anmut und sein ganzes Wesen bezauberten alle, die ihn kennenlernten. Nuruddin nannte diesen Knaben Bedruddin Hassan. Sein Großvater, der Wesir von Basra, hatte seine helle Freude an ihm. Es wurde eine große Mahlzeit gegeben, und der Wesir machte seinem Schwiegersohn Geschenke, die eines Königs würdig gewesen wären. Dann ging er mit ihm zum Sultan, verbeugte sich vor ihm und sprach die Verse:

Dein Leben und dein Ruhm mögen so lange dauern als
Morgen und Abend miteinander wechseln. Mögest du
in ununterbrochenem Glück fortleben, so lange
es eine Nacht gibt.

Darauf erzählte der Wesir dem Sultan Nuruddins ganze Lebensgeschichte und fügte hinzu: „Lasse, o König, diesen Mann an meiner Stelle Wesir werden. Ich, dein Sklave, bin schon sehr alt. Mein Geist hat abgenommen, mein Gedächtnis ist schwach geworden, darum wünsche ich von der Gnade des Sultans, daß mein Schwiegersohn nun meinen Platz einnehme."

Dann küßte er den Boden vor dem Sultan, der Nuruddin sogleich liebgewann. Er ließ deshalb ein Ehrenkleid herbeibringen und bekleidete Nuruddin selbst damit. Auch schenkte er ihm eine seiner besten Mauleselinnen und setzte ihm sogleich ein hohes Jahresgehalt fest. Darauf kehrte der alte Wesir wieder mit seinem Schwiegersohn nach Hause zurück, und im Übermaß ihrer Freude sagten sie zueinander: „Dieses Glück bringt uns allein das neugeborene Kind!"

Am nächsten Tag trat Nuruddin sein neues Amt als Wesir an. Keine Aufgabe wurde ihm zu schwer, und es war, als hätte er in allem schon eine lange Übung. Der Sultan liebte ihn immer mehr, und Nuruddin war glücklich über diese Huld. So vergingen viele Tage und Nächte, und Bedruddin, Nuruddins Sohn, wurde größer und schöner. Als er aber das vierte Lebensjahr erreicht hatte, starb sein Großvater. Man bereitete die Trauermahlzeit und trauerte einen ganzen Monat lang.

Als Bedruddin sieben Jahre alt war, führte ihn sein Vater in die Schule und sagte dem Lehrer: „Gib wohl acht auf dieses

Kind und vernachlässige weder seinen Unterricht noch seine moralische Bildung." So wurde der Kleine immer klüger, verständiger, gebildeter und beredter und hatte schon nach zwei Jahren sehr viel gelernt.

Scheherazade bemerkte hier den Tag und schwieg. In der folgenden Nacht erzählte sie:

DIE ACHTZIGSTE NACHT

Im Alter von zwölf Jahren", berichtete Djafar dem Kalifen weiter, „hatte der Kleine schon Schönschreiben, Theologie, Grammatik, arabische Literatur, Arithmetik und den Koran gelernt. Auch ließ ihn Gott immer schöner und liebenswürdiger werden, so daß folgende Verse auf ihn zutreffen:

> *Sein schlanker Wuchs gleicht einem kräftigen Baum-*
> *stamm. Der Mond scheint von seiner leuchtenden Stirn*
> *aufzugehen. Die Sonne geht in den Rosen seiner*
> *Wangen unter. Er ist der König der Schönheit, und die*
> *Schönheit alles Geschaffenen ist von ihm entliehen.*

Als ihn sein Vater zum erstenmal hübsch kleidete und sich mit ihm auf den Weg machte, um ihn zum Sultan zu führen, drängten sich alle Leute um sie herum, um diesen schönen Knaben besser zu sehen. Der Sultan war von seiner Schönheit entzückt, denn er war wirklich wie ein Dichter sagte:

> *Gepriesen sei der, der ihn so schön geschaffen!*
> *Er ist der König aller Schönheit. Alle Menschen sind ihm*
> *ergeben. Sein Speichel ist fließender Honig, seine Zähne*
> *sind aufgereihte Perlen. Er allein vereinigt alles*
> *Schöne in sich, und alle Menschen verirren sich in seiner*
> *Anmut. Die Schönheit hat auf seine Stirn geschrieben:*
> *Ich bezeuge, daß nur er wahrhaft schön ist.*

Als er zwanzig Jahre zählte, wurde sein Vater krank. Er ließ seinen Sohn zu sich kommen und sprach zu ihm: „Diese Welt ist ein vergänglicher Aufenthaltsort, jenes Leben aber dauert ewig. Ich will dir deshalb fünf Dinge empfehlen über die ich lange nachgedacht habe!" Er erinnerte sich auch seiner Heimat und an seinen Bruder Schemsuddin und sagte zu seinem Sohn: „Wisse, daß du einen Onkel hast, der Wesir in Kahira ist. Ich habe mich gegen seinen Willen von ihm getrennt."

Hierauf nahm er Papier und schrieb alles, was zwischen seinem Bruder und ihm vorgefallen war, nieder. Auch notierte er alles, was ihm in Basra widerfahren war, den Tag seiner Hochzeit und sein Alter, legte dann dieses Papier zusammen, versiegelte es, gab es seinem Sohne und befahl ihm, es wohl aufzubewahren. —

Da bemerkte Scheherazade den Tag und schwieg. In der folgenden Nacht fuhr sie fort:

DIE EINUNDACHTZIGSTE NACHT

Hassan nahm das Papier und nähte es in seine Kappe ein. Dann weinte er um seinen Vater, der im Todeskampfe lag. Als der sich ein wenig erholt hatte, sprach er: „Das Erste, was ich dir anempfehle ist, daß du nicht mit jedem Verbindungen anknüpfst. Nur so entgehst du vielem Übel. Wer ruhig leben will, muß Zurückgezogenheit lieben, wie ein Dichter sagte:

> *Es gibt niemand in deiner Zeit, von dem du wahre*
> *Freundschaft erwarten kannst. Kein Freund bleibt dir*
> *treu, wenn das Glück dich verläßt. Lebe einsam und*
> *baue auf niemanden. Das ist mein Rat, es bedarf*
> *keines weiteren.*

Zweitens: tue niemandem Unrecht, sonst könnte das Schicksal auch dir Unrecht tun, denn das Schicksal ist heute für dich und morgen gegen dich. Die Welt ist ein geliehenes Gut, das man wieder zurückgeben muß. Ein Dichter hat gesagt:

> *Besinne dich und folge nicht zu rasch deiner*
> *Leidenschaft. Sei barmherzig gegen Menschen, so*
> *werden sie dich den Milden nennen. Gottes Hand ist*
> *über jede Hand erhaben. Niemand übt eine Gewalttat*
> *aus, dem sie nicht wieder vergolten wird.*

Drittens: Gewöhne dich, zu schweigen und vergiß anderer Leute Fehler bei deinen eigenen. Es gibt ein Sprichwort: ‚Wer Schweigen kann, entgeht vieler Gefahr.' Du weißt auch, wie es bei einem Dichter heißt:

> *Schweigen ist eine Zierde, Stillsein ein Heil. Sei*
> *nicht voreilig im Sprechen, denn kannst du es auch*
> *einmal bereuen, geschwiegen zu haben, so wird es dich*
> *oft reuen, zuviel gesprochen zu haben.*

Viertens: Hüte dich vor dem Weintrinken, denn der Wein ist Anlaß zu viel Unheil, weil er den Verstand raubt. Nimm dich in acht und denke an die Worte des Dichters:

> *Ich meide den Wein und mag ihn nicht trinken.*
> *Dieses Getränk verwirrt den Pfad des Rechts*
> *und öffnet die Pforte zu allem Bösen.*

Fünftens, mein Sohn: Bewahre dein Vermögen, es wird dich vor vielem Übel schützen. Verschwende nicht, was du hast, sonst wirst du noch bei schlechten Menschen Hilfe suchen müssen. Hüte dein Geld wohl, denn es ist ein sicheres Heilmittel. Ich weiß, daß ein Dichter sprach:

> *Ist mein Vermögen gering, so will niemand mein*
> *Freund sein. Ist es groß, so nennen sich alle Leute meine*
> *Freunde. Wie mancher Freund leistete mir Gesellschaft,*
> *wenn es galt, mein Geld zu verschwenden, und wie viele*
> *ließen mich allein, als ich mein Vermögen verlor.*

Dann empfahl er ihm noch andere Tugenden, bis er in den Armen seines Sohnes verschied.

Nach dem Tode seines Vaters trauerte Bedruddin zwei Monate lang. Seine Trauer war so groß, daß er darüber sein Amt beim Sultan vernachlässigte. Darüber war der Sultan so erzürnt, daß er einen seiner Schloßhüter zum Wesir ernannte und ihm befahl, mit Gefolge in das Haus des verstorbenen Wesirs zu gehen und alles, was er hinterlassen hatte, zu nehmen und zu versiegeln und keinen Heller zurückzulassen.

Der neue Wesir machte sich sofort mit einem Gefolge von Kämmerern und Schreibern auf den Weg und fragte nach dem Hause des Wesirs Nuruddin Ali. Unter den Leuten, die er fragte, war auch ein Sklave Nuruddins. Der eilte sofort zu Bedruddin, warf sich vor ihm nieder, küßte ihm die Hand und sprach: „O mein Herr, der Sultan ist gegen dich aufgebracht und hat befohlen, dich zu verhaften. Schon kommen seine Leute. Rette dich deshalb schnell, damit du ihnen nicht in die Hände fällst, denn sie werden dich nicht schonend behandeln."

Hassan erglühte vor Zorn, doch dann wurde er bleich und fragte den Sklaven: „Habe ich denn nicht mehr soviel Zeit, um ins Haus zu gehen und alles zu ordnen?"

„Nein", erwiderte der Sklave, „verlasse dein Haus und mache dich gleich auf den Weg." Dann sprach er die Verse:

> Rette nur dein Leben schnell, wenn du Gewalt
> befürchtest und lasse das Haus leer stehen vor dem,
> der es gebaut hat. Leicht findest du ein anderes Land
> für das deine, aber für dein Leben findest du keinen
> Ersatz.

Schnell schlüpfte der junge Mann in seine Pantoffeln und schlug die Schleppe seines Kleides vor sein Gesicht, um nicht erkannt zu werden. Da er nicht wußte, wohin er sich wenden sollte, ging er zum Grab seines Vaters und ließ dann sein Oberkleid wieder herunter. Daran waren goldgestickte Knöpfchen, auf denen geschrieben stand:

O du mit leuchtendem Gesicht wie Sterne oder Tau,
ewig daure dein Ruhm und deine Ehre!

Als er gedankenverloren fortwanderte, begegnete er einem Juden, der eben zur Stadt zurückkehren wollte. Es war ein Geldwechsler, und er trug einen Korb in der Hand.
Scheherazade bemerkte den Tag und schwieg. In der folgenden Nacht erzählte sie:

DIE ZWEIUNDACHTZIGSTE NACHT

Als der Jude Bedruddin sah, grüßte er ihn und küßte ihm die Hand. Dann fragte er ihn, wohin er so spät wolle und warum er so verstört aussähe. Hassan antwortete ihm: „Ich habe ein wenig geschlafen. Da erschien mir im Traum mein Vater. Als ich nun aufwachte, wollte ich noch vor der Nacht schnell sein Grab besuchen."
Darauf entgegnete der Jude: „Ich weiß, daß dein Vater, unser Herr, vor seinem Tode Waren auf dem Meer hatte. Es müssen nun bald mehrere Schiffe mit seinen Ladungen ankommen. Ich bitte dich, sie keinem anderen als mir zu verkaufen. Ich gebe dir sogleich tausend Dinar, wenn du die Ladung des zuerst einlaufenden Schiffes mir verkaufen willst."
Als Bedruddin einwilligte, nahm er einen Beutel aus dem Korb, öffnete ihn und wog Bedruddin tausend Dinar vor. Dann bat er ihn, ein paar Worte über den Kauf aufzuschreiben. Hassan nahm ein Stück Papier und schrieb: „Hiermit verkauft Bedruddin Hassan dem Juden Ishak die Ladung des ersten einlaufenden Schiffes um tausend Dinar, die er bereits erhalten hat."
Dann bat ihn der Jude, das Papier in den Sack zu werfen, den er hierauf wieder zuband, versiegelte und sich umhängte. Nun verließ Bedruddin den Juden, ging zum Grab seines Vaters, ließ sich darauf nieder, weinte und sprach die Verse:

*Seitdem Ihr vom Hause fern seid, ist kein Bewohner
mehr darin. Wir haben keine Nachbarn mehr, seitdem
Ihr abwesend seid. Der Freund, mit dem ich mich dort
unterhielt, ist nicht mein Freund; sogar der Mond,
der uns beschien, scheint mir nicht mehr derselbe zu
sein. Ihr seid fern, darum ist es der ganzen Welt
unheimlich. Die weitesten Länder und Gegenden sind
von Dunkelheit umgeben. O hätte doch der Rabe,
der unsere Trennung verkündete, niemals Federn gehabt, hätte nie ein Nest ihn geduldet! Meine Ruhe ist
geschwunden, mein Körper verfällt. Welch manchen geheimen Schleier hat der Trennungstag schon durch-
brochen! Bald wirst du vergangene Nächte wiederkehren sehen, denn bald wird eine Wohnung, das Grab,
uns wieder umschließen.*

Bedruddin weinte noch lange. Dann legte er sein Haupt auf
das Grab seines Vaters und schlief ein. Nun wohnte an dieser
Begräbnisstätte ein Geist. Als der hervorkam, um sich in die
Lüfte zu schwingen, sah er einen angekleideten Menschen auf
dem Rücken liegen und brach über seine Schönheit in die
höchste Bewunderung aus.
Scheherazade bemerkte hier den Tag und schwieg. In der folgenden Nacht erzählte sie:

Das ist gewiß eine Huri, ein göttliches Geschöpf', dachte der Geist bei dem Anblick. Er betrachtete ihn noch eine Weile und erhob sich dann so hoch in die Luft, bis er in der Mitte zwischen Himmel und Erde schwebte. Hier stieß er auf die Flügel eines anderen Geistes. Er fragte: „Wer ist da?" — „Eine Fee", wurde ihm geantwortet. „Willst du, o Fee", erwiderte hierauf der Geist, mit mir auf meine Gräber kommen? Du wirst dort sehen, was für einen Menschen der erhabene Allah geschaffen hat!"

Sie ließen sich zusammen auf das Grab nieder. Da sprach der Geist zu der Fee: „Hast du je einen schöneren Jüngling gesehen?" Als sie ihn näher betrachtet hatte, sprach sie: „Gelobt sei der, dem nichts ähnlich ist! Bei Allah, mein Bruder, erlaube mir, dir eine wunderbare Begebenheit zu erzählen, die ich in dieser Nacht in Ägypten erlebt habe: Du mußt wissen, daß der König von Kahira einen Wesir hat, der Schemsuddin Mohammed heißt. Dieser hat eine Tochter, die nun bald zwanzig Jahre alt wird und diesem Jüngling hier sehr ähnlich ist. Als der Sultan von diesem Mädchen sprechen hörte, ließ er den Wesir rufen und sagte zu ihm: ‚Ich vernahm, daß du eine schöne Tochter hast. Ich begehre sie von dir zur Gattin!' Der Wesir antwortete: ‚Entschuldige, mein König, daß ich deinem Wunsche nicht entsprechen kann. Du weißt, daß ich einen Bruder habe, der Nuruddin heißt und neben mir in deinem Dienste Wesir war. Einst sprachen wir über die Ehe und unsere zukünftigen Kinder. Dabei gerieten wir so heftig in Streit, daß mein Bruder am nächsten Tag entfloh. Nachdem ich zwanzig Jahre lang keine Nachricht von ihm bekam, hörte ich vor kurzem, daß er in Basra als Wesir gestorben ist und einen Sohn hinterlassen hat. Nun hatte ich aber meine Tochter vom Tage ihrer Geburt an meinem Neffen bestimmt. Mein Herr, der Sultan, kann ja unter vielen anderen Frauen und Mädchen wählen.'

Hier bemerkte Scheherazade den Tag und schwieg. In der folgenden Nacht fuhr sie fort:

Diese Antwort erzürnte den Sultan sehr. ,Wehe dir!' schrie er seinen Wesir an, ,ein Mann wie ich will deine Tochter heiraten, und du weisest mich ab! Ich schwöre, daß sie den letzten meiner Sklaven heiraten soll!'

Da sah der Sultan im Hof zufällig einen jungen Stallknecht, der vorn und hinten bucklig war. Er ließ ihn herbeirufen, bestellte Zeugen, und der Wesir wurde gezwungen, den Ehe-Kontrakt zwischen dem Buckligen und seiner Tochter auf der Stelle zu unterschreiben. Der Sultan schwor hierauf, daß der Bucklige sie noch diese Nacht umarmen müsse, nachdem er mit seiner Braut den Hochzeitszug in der Stadt gehalten haben würde. Dann wurden Mamelucken mit Wachskerzen abgeschickt, die an der Tür des Bades den Buckligen erwarten sollten, um vor ihm herzugehen. Der Tochter des Wesirs wurden Kammerzofen gesandt, um sie anzukleiden und zu schmücken, und mit Grausen erwartete ihr Vater den Augenblick, wo der Bucklige zu seiner Tochter kommen würde. Ich sah dieses Mädchen, und nie hatte mein Auge etwas Schöneres erblickt!"

„Du lügst", erwiderte hierauf der Geist, „dieser Jüngling ist schöner als sie!"

„Beim Herrn des Himmels", versetzte hierauf die Fee, „nur dieser Jüngling ist ihrer würdig, und es wäre schade, wenn sie in die Hände jenes Buckligen fiele."

Hierauf erwiderte der Geist: „Wenn du willst, werden wir die beiden jungen Leute vereinen und diesen Jüngling zu der Braut des Buckligen tragen. Du bringst ihn dann wieder zurück!" Und sogleich umfaßte er Bedruddin und flog mit ihm in die Höhe. Dann ließ er sich mit ihm am Stadttor von Kahira nieder und setzte ihn auf einen Schemel. Als ihn die Fee weckte, wollte er gleich fragen, wo er denn sei. Doch der Geist ließ ihm dazu keine Zeit, sondern überreichte ihm gleich eine dicke Wachskerze mit den Worten: „Gehe in dieses Bad und mische dich unter die Besucher und ihre Sklaven. Folge ihnen bis ins Hochzeitsgemach. Dann gehst du mit deiner Wachskerze wie ein

Fackelträger voraus zur Rechten des buckligen Bräutigams. Und so oft dir Diener und Sänger begegnen, greifst du in deine Tasche und wirfst ihnen eine Handvoll Geld zu. Wundere dich nicht über meinen Rat, denn er kommt von Allah, der zeigen will, wie er das, was seine Weisheit beschlossen hat, unter den Menschen ausführt!" Hassan tat alles, wie es der Geist ihm befohlen hatte.

Scheherazade bemerkte den Tag und schwieg. In der folgenden Nacht erzählte sie weiter:

DIE FÜNFUNDACHTZIGSTE NACHT

Als Hassan so dem Hochzeitszug voranschritt und dabei Gold unter Sänger und Sklaven ausschüttete, wußten die Leute nicht, was sie von ihm halten sollten. Über seine Schönheit waren sie ebenso entzückt wie über seine Freigebigkeit. Als sie nun vor das Haus des Wesirs, seines Onkels, kamen, und die Türsteher denen, die nicht zur Hochzeit gehörten, den Eingang versperrten, weigerten sich die Sängerinnen, das Haus zu betreten, wenn dieser fremde junge Mann nicht auch hineingelassen würde. Als die Türsteher das hörten, ließen sie Bedruddin eintreten. Er setzte sich einen Augenblick auf die Bühne, die der Bucklige einnahm, und zwar zu seiner Rechten. Dann ging er in den Saal, wo die Frauen der Fürsten, der Wesire, der Kammerbeamten und der übrigen Großen zwei Reihen bildeten. Jede Frau trug eine große Wachskerze und alle bewunderten den schönen Hassan. Sie winkten ihm freundlich zu und wurden so bezaubert, daß jede von ihnen sich an seine Seite wünschte. Dann aber sagten alle: „Kein anderes Weib als unsere Braut ist dieses jungen Mannes würdig. Wie schade, daß sie diesem verkrüppelten Buckligen preisgegeben werden soll. Allahs Fluch erreiche den, der daran schuld war!" Und alle verwünschten laut den Sultan. Dann verspotteten die Frauen den Buckligen, der mit gesenktem Kopf dasaß. Nach einer Weile kamen die Sängerinnen, die Tänzerinnen mit Tamburinen und führten die Braut in den Saal.

Scheherazade bemerkte hier den Tag und schwieg. In der folgenden Nacht fuhr sie fort:

DIE SECHSUNDACHTZIGSTE NACHT

Während Bedruddin neben dem Buckligen auf einer Tribüne saß, kamen die Dienerinnen mit seiner Base. Sie war schöner als der Mond, wenn er in der vierzehnten Nacht des Monats scheint. Die Kammermädchen zündeten vor ihr weiße Wachskerzen an, doch überstrahlte ihr Antlitz das Licht der Kerzen. Ihre Augen waren schärfer als ein gezogenes Schwert, rosig ihre Wangen, sanft schmiegten sich ihre Hüften, über den Ausdruck ihrer Augen konnte man die Sinne verlieren. So zog sie, umringt von vielen musizierenden Mädchen, daher. Und als der Bucklige seine Braut küssen wollte, kehrte sie ihm den Rücken und warf sich vor ihrem Vetter Hassan nieder. Als alle Anwesenden darüber laut aufschrien, griff Hassan wieder in seine Tasche und warf Hände voll Gold unter die Leute, so daß sie ihn alle segneten und ihm bezeugten, sie alle wünschten, er möge diese schöne Braut heimführen. Alle Frauen freuten sich mit ihm und ließen den Buckligen allein sitzen. Als Hassan die Braut näher betrachtete, war er entzückt über ihre Schönheit, mit der Gott sie vor allen anderen Geschöpfen auszeichnete.

Hier schwieg Scheherazade, denn der Morgen dämmerte, am Abend aber fuhr sie fort:

Die Braut trug ein rotes Atlaskleid. Das kleidete sie so gut, daß sie nicht nur den Männern, sondern sogar den Frauen die Sinne verwirrte. Nach einer Weile jedoch nahm man ihr dieses Kleid ab und legte ihr ein blaues an. In diesem Kleid konnte man folgende Verse auf sie anwenden:

Sie erschien in einem blauen Gewand,
azurfarben wie der Himmel.
Aus ihrem Kleide sah ich einen Sommermond mitten
aus einer Winternacht hervorleuchten.

Als sie ihr nun ein drittes Kleid anzogen, ließen sie ihre langen schwarzen Haarflechten über ihren Hals und einen Teil ihres Gesichts herabfallen. Ihre Blicke drangen gleich Pfeilen in jedes Herz. In diesem Gewand erschien sie, wie folgende Verse sagen:

Als sie hereinkam und die Haare ihr Gesicht bedeckten,
fragte ich: ,Hat sie wohl den Morgen mit der Nacht
verhüllt?' Man antwortete mir: ,Nein, sondern es ver-
dunkeln Wolken den Vollmond!'

Als sie das vierte Kleid anzog, glich sie der aufgehenden Sonne. Sie gefiel so, daß ihr Anblick wie ein Pfeil das Herz der An-wesenden durchbohrte. Am besten ist sie mit folgenden Versen beschrieben:

Die Sonne ihrer Schönheit umstrahlt so lieblich die Welt,
daß, wenn sie mit lächelndem Gesicht sich zeigt,
die helle Tagessonne sich hinter Wolken verbirgt.

Im fünften Kleid glich sie einem Zweige des Baumes Ban oder einer zarten Gazelle. Durch ihre Bewegungen wußte sie ihre stillsten Reize hervorzuheben. Am besten ist sie mit folgenden Versen beschrieben:

Sie erscheint wie der Vollmond in einer freundlichen
Nacht, mit zarten Hüften und schlankem Wuchs.
Ihr Auge fesselt die Menschen durch ihre Schönheit.
Die Röte ihrer Wangen gleicht dem Rubin.
Schwarze Haare fallen bis zu ihren Füßen herab.
Hüte dich wohl vor diesem dichten Haar!
Schmiegsam sind ihre Seiten, doch ihr Herz ist fester
als Felsen. Aus ihren Augenbrauen schleudert sie
Pfeile, die immer richtig treffen und nie fehlen,
so fern sie auch sein mögen.

Das sechste Kleid, das sie anlegte, war grün. Und so war sie
schöner als der leuchtende Mond. Die Sonne schämte sich vor
ihren Wangen, die Kirschen glichen, von grünen Blättern bedeckt.
Scheherazade bemerkte hier den Tag und schwieg. In der folgenden Nacht fuhr sie fort:

DIE ACHTUNDACHTZIGSTE NACHT

So oft die Braut in einem neuen Kleid erschien, kehrte sie
dem Buckligen den Rücken zu und trat vor Hassan, der
dann die Sängerinnen mit Gold überschüttete. Als man ihr nun
das siebente Kleid angezogen hatte, verabschiedeten sich alle
Gäste. Nur der Bucklige, Hassan und einige Hausbewohner
blieben zurück. Die Hausbewohner gingen mit der Braut in ein
Nebenzimmer, entkleideten sie und lösten den glänzenden
Schmuck aus ihrem Haar. Da sagte der Bucklige zu Hassan:
„Du hast uns durch deine angenehme Gesellschaft unterhalten.
Nun aber bitte ich dich, dich zu entfernen!"
„In Allahs Namen!" rief Hassan und verließ das Gemach.
Kaum war er im Hausgang, da traten die Geister zu ihm und
fragten: „Wohin willst du? Gleich wird der Bucklige das Kabi-
nett verlassen. Benutze diesen Augenblick und erscheine wieder
im Gemach. Wenn die Braut dich erblickt und dich anspricht,

so sage, du seist ihr Mann und der Sultan habe mit dem Buckligen nur einen Scherz getrieben. Geh dann zu ihr und genieße
dein Glück!"

Während sie das sagten, trat der Bucklige zur Tür heraus. Als
er sich nach einiger Zeit wieder dem Saale nähern wollte, kam
der Geist in Gestalt einer Katze aus einer Ecke des Hausgangs
hervor und begann zu miauen. Der Bucklige wollte sie verscheuchen, doch sie wuchs immer mehr an, bis sie fast die Größe
eines jungen Esels erreichte. Der Bucklige erschrak und schrie
um Hilfe. Die Katze aber war bald so groß wie ein Büffel und
sprach mit einer Menschenstimme: „Weh dir, Buckliger, die
Welt wird dir zu eng werden. Wie kannst du es wagen, meine
Geliebte zu heiraten?"

„Was kann ich dafür, mein Herr Büffel?" entgegnete der Bucklige. „Ich bin ja dazu gezwungen worden. Auch wußte ich nicht,
daß sie schon einen Büffel zum Geliebten hat. Befehle nur, was
ich tun soll!"

„Nun", antwortete der Geist, „du sollst bis Sonnenaufgang diesen Ort nicht verlassen, oder ich werde dich erwürgen. Nach
Sonnenaufgang kannst du deines Weges gehen, komme aber
nie mehr in dieses Haus zurück, sonst werde ich dir ein schnel-
les Ende bereiten!"

Hierauf nahm er den Bucklingen bei den Beinen, stellte ihn auf
den Kopf und sprach: „Ich werde hier bei dir Wache halten.
Rührst du dich vor Sonnenaufgang, so nehme ich dich bei den
Beinen und schlage dich in die Wand als wärst du ein Nagel!"

Während dieser Unterhaltung versteckte sich Hassan hinter
dem Fliegenvorhang des Bettes. Nicht lange danach trat die
Braut mit einer alten Frau aus einem Nebengemach. Die Alte
blieb bei dem Vorhang stehen und sagte: „Hier hast du sie, du
schmutziger Krüppel!" und verließ das Gemach.

Als die Braut, die Sittulhassan hieß, Bedruddin Hassan erblickte, sagte sie: „O mein Geliebter, bist du noch da? Ich
wünschte, daß du mein Gatte wärst oder daß du es wenigstens
gemeinsam mit dem Bucklingen sein könntest!"

„Wie", erwiderte Bedruddin Hassan, „dieser verdammte Bucklige soll neben mir dein Gatte sein? Er ist doch nicht dein

Mann! Wir haben nur gescherzt. Hast du nicht bemerkt, wie die Kammerzofen und Sängerinnen dich immer nur mir vorstellten, als sie dich schmückten und den Buckel verspotteten? Dein Vater weiß nicht, daß wir den Bucklichen um zehn Silbermünzen und eine Schüssel voll Speisen gemietet und ihn nun wieder entfernt haben."

Als Sittulhassan das hörte, lächelte sie und sagte: „Ich freue mich darüber unaussprechlich, du hast mit diesen Worten ein höllisches Feuer in mir ausgelöscht. Komm und nimm mich in deine Arme!"

Bedruddin wickelte den Geldbeutel des Juden vorsichtig in seine Kleider und legte diese unter die Kissen. Den Turban legte er auf einen Stuhl zu dem übrigen und behielt nur ein kleines Käppchen auf dem Kopf. Dann streckte Sittulhassan ihre Arme aus und sprach: „Komm und beglücke mich mit deiner Nähe!" Und er nahm sie und genoß ihre Jugend viele Male in dieser Nacht.

Der Morgen brach an, und Scheherazade schwieg. Am Abend aber fuhr sie fort:

Bedruddin und Sittulhassan hielten sich in seligem Entzücken umschlungen. Folgende Verse mögen auf sie zutreffen:

> *Geh zu deiner Geliebten und frage nichts nach dem*
> *Gerede mißgünstiger Leute, die nie der Liebe Hilfe*
> *gewähren. Keinen schöneren Anblick schuf der*
> *Allmächtige als den zweier Liebender, die sich fest um-*
> *schlungen halten. Hat einmal ein Herz der Liebe sich*
> *geweiht, so vermag kein Mensch dieses Band zu zerreißen.*
> *O ihr, die ihr die Liebenden tadelt, könnt ihr so leicht*
> *ein krankes Herz heilen?*

Als das Paar einige Stunden geschlafen hatte, sagte der Geist zu der Fee: „Geh, nimm Bedruddin Hassan und trage ihn vor Tagesanbruch wieder an den Ort, wo er gestern war."
Die Fee ergriff ihn und flog mit ihm davon, so wie er war, im Hemd und mit Käppchen. Doch als der erhabene Allah die Morgenröte heranbrechen ließ, schleuderten die Engel einen feurigen Stern gegen die Geister. Der männliche Geist verbrannte, die Fee aber ließ Bedruddin schnell auf den Boden nieder und flog davon. Der Zufall wollte es, daß die Fee Bedruddin unmittelbar vor einem der Tore von Damaskus niedergelegt hatte. Nach Tagesanbruch wurden die Tore geöffnet und viele Menschen strömten heraus. Sie versammelten sich um den Schlafenden und sagten lachend: „Seht, die Geliebte hat diesem Jüngling nicht einmal Zeit gelassen, sich wieder anzukleiden." Und einer meinte: „Dieser Arme gehört zum Volk. Gewiß war er betrunken, ist auf die Straße gegangen und hat sein Haus nicht wiederfinden können!" So vermutete jeder etwas anderes.
Endlich erhob sich ein leichter Wind. Er wehte Bedruddins leichte Kleidung hoch und zeigte den Leuten seinen schönen Körper. Da schrien sie alle: „Ach wie schön!" und von diesem

Geschrei erwachte er. Als er die Augen aufschlug und bemerkte, daß er von vielen Leuten umringt auf der Straße lag,
fragte er die Umstehenden: „Wo bin ich und was wollt ihr
von mir?"

Einige antworteten: „Bei Tagesanbruch fanden wir dich hier
liegen. Weiter wissen wir nichts von dir. Sage du selbst, wo du
diese Nacht geschlafen hast!" — „Bei Allah, ich habe in Kahira
geschlafen", antwortete er. — „Bist du närrisch", versetzten die
Leute. „Du willst die Nacht in Kahira zugebracht haben und
bist am Morgen in Damaskus? Du wirst das geträumt haben!"
— „Nein", rief er aus, „es war kein Traum. Gestern war mein
Hochzeitstag in Kahira. Wo ist denn der Beutel mit Gold? Wo
ist mein Turban, mein Oberkleid, mein Schwert?" Vor Verwirrung war er ganz außer sich.

Scheherazade bemerkte hier den Tag und schwieg. In der folgenden Nacht fuhr sie fort:

DIE NEUNZIGSTE NACHT

Die Leute begannen zu schreien: „Er ist ein Narr!" und
Bedruddin Hassan lief vor ihnen davon. Er lief in die Stadt
und durch viele Straßen, immer von viel Volk bedrängt, bis er
in den Laden eines Kochs floh, der ehemals ein gefürchteter
Räuber und noch jetzt allen Bewohnern von Damaskus ein
Schrecken war. Da zerstreuten sich Hassans Verfolger. Hassan
erzählte dem Koch seine ganze Geschichte.

„Deine Erzählung ist wunderbar", sagte der Koch, nachdem
Hassan geendet hatte, „doch verheimliche sie, bis dir Allah
seinen Beistand verleihen wird. Bleibe indessen hier bei mir
im Laden. Ich habe kein Kind und will dich an Kindesstatt
annehmen."

Als Hassan einwilligte, kaufte der Koch sogleich Kleider für
ihn und erklärte vor Zeugen, daß er ihn als Sohn anerkenne.
So galt er dann in der ganzen Stadt als der Sohn des Kochs.

Was nun seine schöne Base Sittulhassan betrifft, so erwachte sie bei Tagesanbruch. Als sie Hassan nicht an ihrer Seite fand, dachte sie, er würde bald zurückkommen. Sie setzte sich im Bett auf und wartete auf ihn. Da kam ihr Vater Schemsuddin. Er blieb an der Tür des Kabinetts stehen und rief: „Sittulhassan!"

„Hier bin ich zu deinen Diensten!" antwortete sie, schlaftrunken noch nach den Wonnen dieser Nacht, und sprang aus dem Bett. Sie lief ihm entgegen und küßte den Boden vor seinen Füßen. Durch die Umarmungen hatte ihr Gesicht noch an Schönheit und Glanz zugenommen.

Als ihr Vater sie so munter sah, rief er aus: „Verdammtes Weib, wie kannst du dich mit diesem verfluchten Bucklichen so freuen!"

Hier bemerkte Scheherazade den Tag und schwieg. In der folgenden Nacht fuhr sie fort:

DIE EINUNDNEUNZIGSTE NACHT

Als Sittulhassan das hörte, lächelte sie und sagte: „O mein Vater, laß es endlich bei dem Scherz von gestern bewenden. Ich habe genug Furcht ausgestanden, den Bucklichen heiraten zu müssen. Ich schwöre bei Allah, daß ich in meinem Leben keine schönere Nacht zugebracht habe als diese. Erwähne also den Bucklichen nicht mehr, der nur gemietet worden war, um die Schönheit meines Gemahls noch mehr hervorzuheben!"

Voller Erstaunen fragte ihr Vater: „Was sagst du da? Hat nicht der Bucklige die Nacht bei dir zugebracht?"

Und Sittulhassan erwiderte: „Allah verdamme den Bucklichen! Ich habe in den Armen des schönen Gatten mit schwarzen Augen und Augenbrauen geruht. Mit ihm habe ich die Nacht zugebracht, und seine Abwesenheit kann nur von kurzer Dauer sein!"

Der Wesir ging hinaus, um ihn zu suchen, fand aber statt seiner

den Bucklingen mit dem Kopf auf dem Boden und die Füße in
die Höhe gestreckt. Ganz erstaunt fragte er ihn: „Was soll diese
Stellung bedeuten? Wer hat das getan?"

„Warum", erwiderte betrübt der Bucklige, „habt Ihr mich mit
der Geliebten der Büffel und Geister vermählt?"

Scheherazade bemerkte hier den Tag und schwieg. In der folgenden Nacht fuhr sie fort:

DIE ZWEIUNDNEUNZIGSTE NACHT

Nun sagte der Wesir: „Komm doch heraus. Was treibst du
in diesem engen Raum?"

„Ich darf diesen Ort nicht verlassen", erwiderte der Bucklige,
„bis nach Sonnenaufgang. Denn gestern stellte sich mir eine
schwarze Katze in den Weg, welche die Größe eines Büffels
annahm. Dann sagte sie mir etwas in die Ohren. Doch lasse
mich jetzt meines Weges gehen. Allah wird meine Unschuld
belohnen und meine junge Frau verdammen!"

Der Bucklige ging sofort zum Sultan, um ihm über alles Bericht
zu erstatten. Der Wesir hingegen kehrte zu seiner Tochter zurück. Nach einigem tiefem Nachdenken fragte er sie noch einmal, was denn in der letzten Nacht vorgefallen sei.

„Ich weiß von nichts anderem, mein Vater", erwiderte sie, „als
daß ich bei dem gewesen bin, in dessen Gegenwart ich geschmückt wurde. Auch liegen hier auf dem Stuhl sein Turban,
sein Kaftan und sein Schwert. Und hier sind seine Beinkleider,
in denen etwas eingewickelt ist, das ich nicht kenne."

Als der Wesir den Turban seines Neffen Bedruddin Hassan
betrachtete, sagte er: „Wahrhaftig, das ist der Turban eines
Wesirs!" Er nahm dann auch das, was in der Kappe eingenäht
war, dann fand er in den Beinkleidern einen Beutel mit tausend Dinar. Er öffnete das Papier, das darin war, und las:
„Hiermit verkauft Hassan aus Basra dem Juden Ishak die
Ladung des ersten Schiffes für tausend Dinar, die er schon

erhalten hat." Als er das gelesen hatte, fiel er ohnmächtig zu Boden.

Scheherazade bemerkte hier den Tag und schwieg. In der folgenden Nacht fuhr sie fort:

DIE DREIUNDNEUNZIGSTE NACHT

Als der Wesir wieder zu sich kam", erzählte Djafar dem Kalifen weiter, „wendete er sich an seine Tochter und sprach: „Weißt du, wer dich diese Nacht umarmte? Es war dein Vetter! Gelobt sei der Allmächtige, denn er hat alles so geleitet, wie es vor meinem Streit mit meinem Bruder Nuruddin geschehen sollte!" Dann las er in seines Bruders Papieren dessen ganze Lebensgeschichte und weinte laut.

Darauf ging er mit dem Papier und dem Beutel zum Sultan und erzählte ihm, was vorgefallen war. Der Sultan war sehr erstaunt darüber und befahl, alles in die Chronik aufzunehmen. Dann nahm er Tinte und Papier und schrieb darauf ein Verzeichnis von allem, was im Zimmer war, ließ es dann forträumen und legte auch den Turban, den Beutel und die Beinkleider dazu.

Scheherazade bemerkte hier den Tag und schwieg. In der folgenden Nacht aber fuhr sie fort:

DIE VIERUNDNEUNZIGSTE NACHT

Nach neun Monaten gebar die Tochter des Wesirs von Kahira einen Sohn, den man Adjib nannte. Als der sieben Jahre alt war, schickte ihn sein Großvater in die Schule. Nach einigen Jahren begann er, die übrigen Schulkinder mit Schlägen und Schimpfereien zu plagen. Die Kinder beklagten sich darüber bei ihrem Lehrer und der sagte zu ihnen: „Ich weiß, wie ihr Adjib von euch fernhalten könnt. Wenn er morgen wieder zur Schule kommt, so setzt euch um ihn herum, schlagt ein Spiel vor und sagt dann, es dürfe nicht mitspielen, wer nicht den Namen seines Vaters und seiner Mutter wüßte, denn wer den Namen seiner Eltern nicht kenne sei ein Bastard."

Als Adjib, Hassans Sohn, am folgenden Tage in die Schule kam, taten die Kinder, wie der Lehrer ihnen geraten hatte. Dann sagte eines nach dem anderen: „Ich heiße so, mein Vater heißt so und meine Mutter so!" Da die Reihe an Adjib kam, sagte der: „Ich heiße Adjib, meine Mutter heißt Sittulhassan und mein Vater Schemsuddin."

Da schrien die Kinder: „Der ist in Wahrheit nicht dein Vater! Du kennst deinen Vater nicht, und wer seinen Vater nicht kennt, darf nicht mit uns spielen!"

Als Adjib sah, daß alle Kinder von ihm fortrückten, begann er heftig zu weinen. Da sagte ihm der Lehrer: „Weißt du nicht, daß der Wesir Schemsuddin nicht dein Vater, sondern dein Großvater, Vater deiner Mutter Sittulhassan, ist? Deinen Vater aber kennt niemand, denn als der Sultan deine Mutter mit einem Bucklichen verheiratete, kam ein Geist und schlief bei ihr. Da also dein Vater unbekannt ist, darfst du als Bastard nicht mit den übrigen Kindern spielen!"

Scheherazade bemerkte den Tag und schwieg. In der folgenden Nacht fuhr sie fort:

DIE FÜNFUNDNEUNZIGSTE NACHT

Als Adjib das hörte, verließ er die Schule und lief weinend zu seiner Mutter. Er erzählte ihr, was vorgefallen war und fragte sie, wer sein Vater sei. „Der Wesir von Kahira", entgegnete Sittulhassan.

„Du lügst", erwiderte Adjib, „der Wesir ist dein Vater und mein Großvater. Wer aber ist mein Vater?"

Dadurch wurde Sittulhassan wieder schmerzlich an ihren Gatten, den Vater des Kindes, erinnert. Sie dachte an die Nacht, die sie mit ihm verbracht hatte, begann zu weinen und sprach die Verse:

> *Sie haben mein Herz der Liebe geöffnet und mich dann*
> *verlassen. Nun steht die Wohnung leer ohne meinen*
> *Geliebten. Entfernt hat er sich vom Hause und seinen*
> *Bewohnern, er besucht uns nicht mehr und es ist,*
> *als besuche uns niemand mehr. Seitdem die Freunde*
> *sich entfernten, sind meine Freude, mein Trost*
> *und meine Hoffnung dahin.*
> *O Freunde, wie lange wird das noch dauern,*
> *wie lange werdet ihr mich noch fliehen?*

Als sie diese Verse gesprochen hatte und mit ihrem Sohn zusammen weinte, trat ihr Vater ins Zimmer und fragte sie nach dem Grund ihrer Trauer. Sittulhassan erzählte ihm alles, er ging hierauf zum Sultan und erstattete ihm Bericht. Darauf bat er den Sultan um die Erlaubnis, nach Basra zu reisen, um seinem Neffen nachzuforschen. Der Sultan gab seiner Bitte statt und gab ihm viele Empfehlungsschreiben mit auf den Weg. Dann traf der Wesir die Vorbereitungen und verließ mit seiner Tochter und ihrem Sohn Adjib Kahira.
Scheherazade bemerkte den Tag und schwieg. Am folgenden Abend erzählte sie weiter:

DIE SECHSUNDNEUNZIGSTE NACHT

Nach zwanzig Tagen kam der Wesir von Kahira mit seiner Tochter und seinem Enkel nach Damaskus. Er fand dort Flüsse und Vögel — wie ein Dichter sagte:

> *Ich verbrachte in Damaskus Tage und Nächte wie nie*
> *mehr in späteren Zeiten. Wir schliefen unter*

den Fittichen der Nacht, bis der lächelnde Morgen
uns von der Geliebten trennte. Der Schatten unter jenen
Bäumen gleicht Perlen, die Zephir herunterschüttelt.
Der See war wie ein Blatt, und die Vögel schienen
zu lesen, was der Wind darauf schrieb, während
die Wolken die Punkte hinzusetzten.

Der Wesir schlug sein Zelt auf einer Wiese vor dem Tor auf und sagte zu seinen Freunden: „Wir wollen hier einige Tage ausruhen!" Einige Diener gingen in die Stadt, um Besorgungen zu machen. Auch Adjib ging mit einem Sklaven in die Stadt, um sich ein wenig zu zerstreuen. Der Diener folgte ihm mit einem roten Haselholzstock, der so dick war, daß ein Kamel, hätte man es damit geschlagen, bis zum Lande Yemen geflohen wäre. Als die Bewohner von Damaskus den schönen jungen Adjib sahen, auf den das Gedicht zutraf:

Sein Atem ist Moschus, seine Zähne sind Perlen,
seine Wangen Rosen, sein Speichel Wein, sein Wuchs
ein Zweig, sein Gesäß ein Sandhügel, seine Haare
sind die Nacht und sein Gesicht der Vollmond . . .

da liefen sie vor und hinter ihm her, um ihn zu sehen, bis nach Allahs Ratschluß sein Diener am Laden seines Vaters stehenblieb. Adjib war damals zwölf Jahre alt. Sein Bart begann bereits zu wachsen, und er hatte schon viel Verstand. Der Koch, der seinen Vater an Kindesstatt angenommen hatte, war längst tot und hatte seinem Adoptivsohn den Laden und sein ganzes Vermögen hinterlassen.
Hier bemerkte Scheherazade den Tag und schwieg. In der folgenden Nacht fuhr sie fort:

Als Adjib vor dem Laden seines Vaters Bedruddin Hassan stand, setzte den die Schönheit seines Sohnes in großes Erstaunen. Durch die geheime Macht des Herrn fühlte er sich mächtig zu dem Jungen hingezogen. Hassan hatte an diesem Tage gerade Granatäpfelbeeren gekocht. Er wandte sich daher mit Tränen in den Augen an seinen Sohn Adjib und sagte: „Herr, willst du nicht meine Speisen kosten?" Dann erinnerte er sich an seinen früheren Rang als Wesir und sprach die Verse:

> O meine Freunde! Meine Tränen fließen vor
> Liebesschmerz. Ich sehe euch und ziehe mich von euch
> zurück, obgleich schon ein Teil meiner Sehnsucht
> nach euch mich töten könnte. Ich trenne mich nicht
> aus Haß oder aus Lust, euch zu vergessen. Nur die
> Vernunft gebietet mir, meine Liebe zu verbergen!

Als Adjib diese Verse hörte, bemitleidete er den Koch und sagte zu einem Eunuchen: „Es scheint, als habe dieser Mann einen Sohn oder einen Bruder verloren. Laß uns daher bei ihm einkehren und sein Herz stärken. Vielleicht wird Allah mich durch diese gute Tat wieder mit meinem Vater vereinen."
Der Sklave antwortete darauf voller Zorn: „Bei Allah, wie kann der Sohn eines Wesirs bei einem öffentlichen Koch speisen wollen! Während ich mit meinem Stock die Leute hindern muß, Euch zu nahe zu treten, wollt Ihr Euch in einen öffentlichen Laden setzen?" Als Hassan das hörte, sprach er zu seinem Sohn:

> Ich staune, daß man dich durch einen Diener
> von den Leuten trennte und nicht wußte, daß schon
> deine Schönheit dich absondert. Deine Locken sind
> Basilisk, deine Wangen Rubin, das braune Fleckchen
> darauf Ambra und deine Zähne Edelsteine.

Hierauf sagte er dem Diener noch manches Angenehme und bewog ihn dadurch lediglich, mit in den Laden zu treten. Dann

setzte er Adjib und dem Eunuchen eine Schüssel voller Granatäpfel und andere süße Speisen vor. Adjib aber sprach zu seinem
Vater: „Setz dich und iß mit uns. Vielleicht wird uns Allah wieder mit denen, die wir lieben, vereinigen."

Darauf fragte ihn Hassan: „Wie? Trotz deiner Jugend hast du
schon Trennungsschmerz ertragen müssen?"

„Es ist so", erwiderte Adjib, „und jetzt bin ich mit meinem
Großvater auf der Reise, um einen Verlorenen wiederzufinden!"

Sie aßen noch eine Weile, und dann setzten der Diener und
Adjib ihren Weg fort. Dem Koch aber war, als verließe ihn sein
Lebensgeist. Er schloß deshalb den Laden und folgte ihnen. —
Da bemerkte Scheherazade den Tag und schwieg. In der fol-
genden Nacht fuhr sie fort:

DIE   ACHTUNDNEUNZIGSTE NACHT

Ohne zu wissen, daß Adjib sein Sohn war, lief Bedruddin
Hassan ihm nach und holte ihn am Tor von Damaskus
ein. Doch als Adjib und sein Diener ihn bemerkten, wurden
sie beide zornig. Sie gingen bis zur Wiese, wo ihr Zelt war. Als
Adjib dort den Koch immer noch hinter sich sah, fürchtete er,
sein Großvater könnte erfahren, daß er in einen öffentlichen
Laden gegangen war, und darüber böse werden. Er blickte auf
Hassan, der wie ein Körper ohne Geist aussah. Da hielt er ihn
für einen Spitzbuben, hob einen halbpfündigen Stein auf und
warf ihn Hassan an den Kopf, so daß dessen Stirn von einem
Auge zum andern gespalten wurde, ihm das Blut vom Gesicht
herabströmte und er ohnmächtig zu Boden sank. Adjib ließ
ihn liegen und ging mit dem Diener ins Zelt. Als Hassan nach
einer Weile wieder zu sich kam, wusch er das Blut ab und verband die Wunde mit der Binde seines Turbans. Er machte
sich selbst Vorwürfe darüber, sich so benommen zu haben, daß
ihn der junge Mann für einen Spitzbuben halten mußte.

Traurig kehrte er in seinen Laden zurück und sehnte sich nach seiner Mutter in Basra.

Scheherazade unterbrach hier die Erzählung auf Wunsch des Sultans von Indien und schwieg. In der folgenden Nacht erzählte sie weiter:

DIE NEUNUNDNEUNZIGSTE NACHT

Während Bedruddin Hassan wieder Speisen in seinem Laden verkaufte, reiste sein Onkel nach dreitägiger Ruhepause von Damaskus nach Homs. Von dort kam er nach Hama und später nach Aleppo. Dort hielt er sich zwei Tage auf und reiste dann über Mardin, Mossul, Sandjar und Diarbekr nach Basra. Hier ging er sogleich zum Sultan, erzählte ihm die ganze Geschichte und verschwieg auch nicht, daß er der Bruder seines ehemaligen Wesirs Nuruddin aus Kahira sei. Der Sultan hatte Mitleid mit ihm und sagte ihm, daß der Wesir vor ungefähr zwei Jahren gestorben sei und einen Sohn hinterlassen habe, von dem er aber seit einem Monat nach des Vaters Tod nichts mehr gehört habe. „Seine Mutter", fuhr der Sultan fort, „ist noch hier bei uns. Sie ist die Tochter eines Großwesirs."

Als Schemsuddin das hörte, bat er um die Erlaubnis, zu ihr zu gehen. Er begab sich hierauf in die Wohnung seines Bruders Nuruddin, küßte vor Freude die Hausschwelle und sprach folgende Verse:

Ich möchte Tag und Nacht vor diesem Hause zubringen und seine Mauern küssen. Doch nicht Liebe zum Haus füllt mein Herz, sondern zu denen, die es bewohnen.

Als er sich im Innern des Hauses umsah, fand er an den Wänden den Namen seines Bruders mit Goldbuchstaben und Azurfarbe geschrieben. Er küßte die Schrift, erinnerte sich wieder an die Trennung und weinte.

Dann öffnete der Wesir eine Tür und fand seine Schwägerin, die Mutter Bedruddin Hassans. Nachdem ihr Sohn verschwunden war, hatte sie in diesem Zimmer ein Grabmahl für ihn errichten lassen, vor dem sie saß.

Er begrüßte sie, sagte ihr, daß er ihr Schwager sei und erzählte ihr seine ganze Geschichte.

Scheherazade bemerkte den Tag und schwieg. In der folgenden Nacht fuhr sie fort:

DIE EINHUNDERTSTE NACHT

Als Bedruddin Hassans Mutter hörte, daß ihr Sohn vielleicht noch lebe und einen Sohn habe, richtete sie sich weinend auf und sprach die Verse:

> *Allah segne den Boten, der mir ihre Ankunft verkündet,*
> *denn er bringt mir die schönste Nachricht. Verlangte*
> *er danach, so gäbe ich ihm statt eines Ehrenkleides*
> *ein Herz, das die Trennung zerrissen hat.*

Dann umarmte sie Adjib und küßte ihn. Als sie darauf wieder zu weinen begann, sprach der Wesir: „Jetzt ist keine Zeit zum Weinen. Mache dich reisefertig und komme mit nach Ägypten. Vielleicht finden wir meinen Neffen, deinen Sohn!"

So geschah es. Sie reisten über Aleppo nach Damaskus, wo sie außerhalb der Stadt wieder das Zelt aufschlugen und Schemsuddin zu seinen Leuten sagte: „Wir werden hier einige Tage verweilen, um Geschenke für den Sultan einzukaufen."

Als er in die Stadt gegangen war, um seine Geschäfte zu erledigen, brachen auch Adjib und der Eunuch auf, um in Damaskus spazierenzugehen. Zur Stunde des Nachmittagsgebetes standen sie vor Hassans Laden. Adjib hatte Mitleid mit ihm, als er das blaue Mal sah, das der Stein auf seiner Stirn hinterlassen hatte. Deshalb sagte er zu ihm: „Friede sei mit dir!

Mein Herz ist bei dir!" Hassan beugte sich demütig vor Adjib
und sprach die Verse:

> Ich sehnte mich nach dem, den ich liebe. Und als ich
> ihn fand, verstummte ich und war nicht mehr Herr
> meiner Zunge und meiner Augen. Aus Ehrfurcht
> schlug ich die Augen vor ihm nieder und suchte ihm
> zu verbergen, was ich empfand. Doch es blieb ihm
> nicht verborgen. Viele Worte hatte ich in meinem Herzen,
> doch als ich beim Geliebten war, verstummte meine Zunge.

Dann sagte er zu Adjib: „Vertreibe den Kummer, den du mir
bereitet hast. Komme mit deinem Begleiter zu mir herein und
koste meine Speisen. Als ich dich gesehen hatte, klopfte mir
das Herz. Nur aus Unüberlegtheit bin ich dir gefolgt."
Scheherazade bemerkte den Tag und schwieg. In der folgenden
Nacht fuhr sie fort:

DIE EINHUNDERTERSTE NACHT

Hierauf erwiderte Adjib: „Wir werden nichts bei dir genießen, wenn du uns nicht schwörst, uns nie mehr nach-
zulaufen!" Hassan sagte: „Bei Gott, ich schwöre es euch." Dann
setzten sie sich in den Laden und aßen. Während des Mahles
aber blickte Bedruddin Hassan seinen Sohn unverwandt an,
bis der sagte: „Du wirst mir lästig, weshalb gaffst du mich so an?"
Hassan wurde verlegen und sprach die Verse:

> Dein Anblick verzaubert die Herzen, o du, der du den
> leuchtenden Mond durch deine Schönheit beschämst,
> dessen Reize dem anbrechenden Morgen gleichen.
> Man wird mit immer neuer Sehnsucht immer wieder
> zu dir hingezogen. Ich zerschmelze vor Liebesglut,
> und doch ist dein Gesicht mein grünes Paradies.
> Ich sterbe vor Durst, und doch ist dein Mund der Quell
> des Lebens.

Nachdem sie gegessen und sich gewaschen hatten, verließ Hassan den Laden und kam mit zwei Portionen eines kühlen Getränks, mit Schnee und Zucker bereitet, wieder. Adjib trank davon und reichte es dem Diener. Dann dankten sie Hassan für alles und eilten zurück zu ihrem Zelt.

Adjib ging hierauf zu seiner Großmutter, der Mutter Hassans. Sie küßte ihn und dachte dabei an ihren Sohn. Dann stellte sie Adjib zu essen vor, und das Schicksal wollte es, daß auch sie gerade Granatäpfel gekocht hatte, die jedoch nicht so süß waren wie die Hassans.

Hier bemerkte Scheherazade den Tag und schwieg. In der folgenden Nacht fuhr sie fort:

DIE EINHUNDERTZWEITE NACHT

Adjib und der Diener begannen zu essen. Da sie jedoch beide sehr satt waren und die Speise nicht süß genug fanden, sagte Adjib: „Oh, was ist das für eine schlechte Speise!"

„Ich selbst habe diese Speise zubereitet", sagte verwundert die Alte, „und niemand außer meinem Sohn Bedruddin Hassan aus Basra kommt mir in der Kochkunst gleich!"

Adjib erwiderte darauf: „Soeben haben wir die gleiche Speise bei einem Koch in der Stadt gegessen. Sie war köstlich zu bereitet und deine kann mit ihr nicht verglichen werden."

Als die Frau das hörte, wurde sie zornig und sagte zu dem Diener: „Du verdirbst mir meinen Sohn, läufst mit ihm in der Stadt herum und besuchst mit ihm öffentliche Wirtshäuser!"

Sie geriet ganz außer sich und erzählte alles ihrem Schwager. Der rief dem Diener zu: „Wehe dir, erzähle, wo du mit dem Kleinen warst!"

Der Diener, aus Furcht, umgebracht zu werden, wollte jedoch nicht die Wahrheit sagen. Doch Adjib selber zwang ihn, alles zu gestehen. „Wahrhaftig, Großvater", sagte er, „wir haben in einem Laden bei einem Koch gegessen, bis wir so satt waren von den Granatäpfeln. Er brachte uns dann noch zwei Portionen Schnee und Zucker."

Der Wesir wurde immer aufgebrachter. Er befahl einem anderen Diener, dem Eunuchen die Bastonade zu geben. Das geschah sogleich. Als die Schmerzen ihn quälten, schrie er: „Es ist wahr, mein Gebieter, wir waren in dem Laden des Kochs und haben dort bessere Granatäpfel gegessen als diese hier!"

Darüber geriet Hassans Mutter wieder in Zorn und rief aus: „Bei Allah, den ich anflehe, mich wieder mit meinem Sohne zu vereinigen: Du mußt uns von diesem Koch eine Schüssel voller Granatäpfel bringen. Dein Herr muß sie essen und dann darüber urteilen, welche besser gekocht sind!"

Sie gab dem Diener sogleich eine Schüssel und einen halben Dinar, er lief damit zum Koch, ließ sich die Schüssel mit Granatäpfeln füllen und kehrte damit ins Zelt zurück. Hassans Mutter kostete davon und erkannte an dem vorzüglichen Geschmack sogleich, wer sie zubereitet hatte. Sie schrie laut auf und fiel in Ohnmacht. Der Wesir eilte ihr zu Hilfe und bespritzte sie mit Wasser. Als sie wieder zu sich kam, rief sie: „Wenn mein Sohn noch am Leben ist, so hat niemand anders als er diese Speise gekocht. Niemand außer ihm kennt diese Zubereitung!"

Scheherazade bemerkte den Tag und schwieg. In der folgenden Nacht fuhr sie fort:

DIE EINHUNDERTDRITTE NACHT

Voller Freude rief der Wesir aus: „Gott wird uns gewiß wieder mit meinem Neffen vereinen!" Sogleich rief er alle seine Leute zusammen, an die fünfzig Mann, und sagte zu ihnen: „Geht in den Laden des Kochs, zerschlagt alles Geschirr, was ihr dort findet, verwüstet den Laden, bindet den Koch dann mit seinem Turban und fragt ihn, ob er diese schlechten

Granatäpfel zubereitet hat. Ich gehe indessen in den Palast der Regierung. Keiner von euch soll ihn aber schlagen oder sonstwie mißhandeln. Bindet ihn nur und bringt ihn hierher!" Die Leute freuten sich des Auftrags.

Der Wesir ritt in den Palast. Dort traf er den Gouverneur von Damaskus, dem er seine Empfehlungsschreiben zeigte. Der Gouverneur küßte sie und fragte dann: „Wer ist der Schuldige?" — „Ein Koch", erwiderte der Wesir.

Darauf schickte der Gouverneur sogleich seinen Adjutanten mit vier anderen Offizieren, vier Janitscharen und sechs Polizeisoldaten ab. Als sie aber in den Laden des Kochs kamen, war schon alles zertrümmert, denn während der Wesir im königlichen Palast war, liefen seine Leute in den Laden Hassans und zerbrachen dort, ohne ein Wort zu sagen, alle seine Schüsseln, Teller und Häfen.

„Was bedeutet das?" fragte Hassan entsetzt.

„Bist du es nicht", erwiderten sie ihm, „der die Granatäpfel zubereitet hat, die eben ein Diener hier kaufte?"

„Freilich war ich das", antwortete Hassan. „Niemand kann sie so gut zubereiten wie ich, außer meiner Mutter, die in einem fernen Land weilt."

Doch sie nahmen schon die Binde seines Turbans, fesselten ihn damit und schleppten ihn mit Gewalt aus dem Laden.

Scheherazade bemerkte hier den Tag und schwieg. In der folgenden Nacht fuhr sie fort:

DIE EINHUNDERTVIERTE NACHT

Als sie mit dem gefesselten Hassan in die Nähe des Zeltes kamen, wurden sie von dem Adjutanten des Sultans und seinen Schergen eingeholt. Er trieb die Leute weg, die sich um Hassan versammelt hatten, und fragte ihn: „Warst du es, der die Granatäpfel zubereitet hat?" Er schlug ihn dabei mit dem

Stock, und Hassan taten die Schläge so weh, daß er weinend fragte: „Was ist denn bloß mit diesen Granatäpfeln?"

Der Adjutant stieß und beschimpfte ihn und sagte zu seinen Leuten: „Bringt diesen Hund nur fort!"

So wurde Hassan unter Toben, Schimpfen und Schlägen in das Zelt geschleppt. Bald kam der Wesir vom Statthalter zurück und man stellte ihm Hassan vor. Als Bedruddin Hassan seinen Onkel Schemsuddin sah, weinte er wieder und fragte, was er verbrochen habe.

„Hast du nicht die Granatäpfel zubereitet?" erwiderte der Wesir. „Ja", entgegnete Hassan, „doch sagt mir endlich, welches Verbrechen ich damit begangen habe!"

„Du sollst es bald erfahren", antwortete der Wesir. Dann gab er seinen Leuten Befehl, aufzubrechen. Sie sperrten Hassan in eine Kiste, schlossen sie zu und luden sie auf ein Dromedar. Die Reise ging immer fort, bis sie nach Ägypten kamen. Vor der Stadt Kahira ließ der Wesir die Kamele niederknien und Hassan aus der Kiste herauskriechen. Dann ließ er Holz herbeischaffen, rief einen Schreiner und befahl dem: „Mache mir einen hölzernen Galgen!" Hassan fragte: „Mein Herr, was willst du mit diesem Galgen?" — „Dich hängen, daran nageln und dich dann so in der Stadt herumführen lassen", erwiderte der Wesir. „Weil du so schlechte Granatäpfel gekocht und zu wenig Pfeffer dazu genommen hast!"

Scheherazade bemerkte den Tag und schwieg. In der folgenden Nacht fuhr sie fort:

Verdient ein solches Vergehen eine so grausame Strafe?" fragte Hassan voller Verzweiflung. „Nie ist einem Menschen Ähnliches begegnet. Man schlägt mich, verwüstet meinen Laden und will mich hängen, weil ich die Granatäpfel nicht genug gepfeffert habe! Allah verdamme die Granatäpfel! Wäre ich doch gestorben, ehe ich sie kochte!" Immer heftiger flossen seine Tränen, als er schon die Nägel vor sich liegen sah, womit er angenagelt zu werden fürchtete.

Als aber die Nacht hereinbrach, ließ der Wesir ihn wieder in die Kiste sperren, schloß sie zu und sagte zu ihm: „Heute haben wir keine Zeit mehr, dich festzunageln. Du kannst also diese Nacht noch in der Kiste bleiben!" Jammernd vernahm es Hassan.

Der Wesir ließ die Kiste wieder auf ein Dromedar laden und sie in die Stadt tragen, wo schon alle Bazare geschlossen waren. Dann ließ er das Dromedar vor seinem Hause halten, vor dem auch die übrigen Kamele schon ruhten. Während alles abgeladen wurde, sagte der Wesir zu seiner Tochter Sittulhassan: „Meine Tochter, gelobt sei Allah, der dich wieder mit deinem Gatten und Vetter vereint! Laß im Hause sogleich alles wieder so richten, wie es vor zwölf Jahren in deiner Hochzeitsnacht war!"

Alles wurde an den gleichen Ort gestellt wie vor zwölf Jahren, auch der Turban Hassans wurde auf den Stuhl gelegt, die Beinkleider sowie Beutel mit tausend Dinar wurden ebenso unter die Matratze gelegt. Darauf sagte der Wesir zu seiner Tochter: „Gehe in das Nebenzimmer und ziehe dich so aus wie in der Nacht, als dein Gatte bei dir war. Sage dann zu ihm: ‚Du hast wohl lange die frische Morgenluft geatmet, mein Herr!' Bitte ihn auch, sich wieder hinzulegen und unterhalte dich mit ihm bis morgen früh. Dann erst wollen wir ihm die ganze Geschichte erzählen."

Scheherazade bemerkte den Tag und schwieg. In der folgenden Nacht fuhr sie fort:

D er Wesir", erzählte Djafar dem Kalifen weiter, „ging
dann zu Bedruddin Hassan, löste dessen Fesseln und entkleidete ihn bis auf das Hemd. Dann ging Hassan in das Zimmer, in dem man vor zwölf Jahren die Braut vor seinen Augen
geschmückt hatte. Er erkannte den Vorhang, das Bett und den
Stuhl und wurde durch diesen Anblick ganz wirr. „Gelobt sei
Allah der Erhabene!" rief er aus. „Wache oder träume ich?"

Da hob Sittulhassan den Vorhang ein wenig in die Höhe und
sagte: „O mein Herr, du hast so lange frische Luft geschöpft.
Lege dich nun wieder ins Bett!"

Als Hassan ihre Stimme hörte und ihr Gesicht sah, rief er
lachend: „Bei Allah, das ist gut! Ich bin wirklich lange fortge-
blieben!"

Sittulhassan aber fragte: „Was lachst du, Herr? Und weshalb
bist du so verwundert?"

Als er das hörte, lachte er wieder und fragte: „Wie lange bin
ich denn ausgeblieben?"

Sittulhassan antwortete: „Hast du den Verstand verloren? Erst
vor einer kurzen Weile hast du mich verlassen, um etwas
frische Luft zu schöpfen!"

Da lachte er wieder und sagte: „Du hast recht, meine Liebe.
Trotzdem ist mir, als sei ich lange von dir fortgewesen. Wahrscheinlich habe ich in der frischen Morgenluft die Besinnung
verloren. Mir ist, als sei ich in Damaskus gewesen und habe
dort als Koch gelebt. Dann kam ein Knabe mit einem
Sklaven . . . " Hier griff Hassan mit der Hand an die Stirn und
fühlte die Narbe, die Adjib ihm verursacht hatte. Er sagte:
„Es ist doch wahr, bei Allah. Er hat mit einem Stein nach mir
geworfen und mich an der Stirn verletzt. Ich muß also doch
gewacht haben."

„Was hast du denn noch im Traum gesehen?" fragte Sittulhassan, „erzähle mir alles!"

„Herzensweib", erwiderte er, „wenn ich nicht schnell erwacht
wäre, so hätten sie mich an den Galgen genagelt!"

„Und weshalb?" fragte Sittulhassan. „Weil ich die Granatäpfel nicht genug gepfeffert habe", antwortete er. „Deshalb haben sie auch meinen Laden verwüstet und einen Galgen bestellt. Gottlob, daß mir das alles nur im Traume, nicht aber in Wirklichkeit widerfahren ist!" Sittulhassan lachte und drückte ihn an ihr Herz. Da sagte er wieder: „Und doch habe ich alles wachend erlebt. Ich kann aus dieser Geschichte nicht klug werden. Es gibt keine Zuflucht und Macht außer bei Allah!" Hier bemerkte Scheherazade den Tag und schwieg. In der folgenden Nacht erzählte sie weiter:

DIE EINHUNDERTSIEBTE NACHT

So verbrachte Hassan die Nacht. Mal sagte er, er habe geträumt, dann wieder, er habe gewacht. Es herrschte Verwirrung, bis am Morgen sein Onkel kam und ihm einen guten Tag wünschte. Als Bedruddin Hassan ihn sah und in ihm den Wesir vom Tag zuvor erkannte, rief er erschrocken: „O weh, hast du nicht befohlen, mich zu fesseln und anzunageln, weil meine Granatäpfel nicht genug gepfeffert waren?"
Der Wesir antwortete ihm: „Du sollst die Wahrheit wissen. Du bist mein echter Neffe, und alles, was ich getan habe, tat ich nur, um die Wahrheit zu ergründen. Du hast meine Tochter in jener Nacht umarmt. Du kennst deinen Turban und deine Beinkleider, den Brief, den dein Vater, mein Bruder, geschrieben hat, und den du in dem Käppchen aufbewahrtest. Es ist kein Zweifel mehr, daß du es bist!" Dann sprach er den Vers:

Wechselvoll ist das Schicksal. Bald bringt es Trauer,
bald Freude.

Darauf ließ er Hassans Mutter kommen. Als sie ihren Sohn sah, umarmte sie ihn weinend. Dann lobten sie Gott und dankten ihm für ihre Wiedervereinigung.

Am folgenden Tag berichtete der Wesir alles dem Sultan. Der wunderte sich sehr und ließ die Geschichte aufschreiben. Der Wesir aber, seine Tochter und sein Neffe lebten noch viele Jahre glücklich miteinander. Sie aßen, tranken, liebten und vergnügten sich, bis sie den Todeskelch trinken mußten. Dieses, Beherrscher der Gläubigen, ist die Geschichte des Wesirs aus Kahira und des Wesirs aus Basra!"

„O Djafar, diese Geschichte ist wunderbar!" sagte der Kalif Harun Arraschid und ließ sie sogleich aufschreiben. Dann schenkte er seinem Sklaven die Freiheit und noch eine seiner schönsten Sklavinnen dazu. Er gab ihm, was er zum Leben brauchte und behandelte ihn als Freund, bis der Tod sie voneinander trennte.

Scheherazade bemerkte hier den Tag und schwieg. In der folgenden Nacht erzählte sie:

DIE EINHUNDERTACHTE NACHT

Die Geschichte von dem Buckligen

Einst lebte in Kaschgar ein Schneider mit einer schönen Frau. Als er einmal in seinem Laden saß, kam ein Buckliger, setzte sich neben den Laden, begann zu singen und schlug dabei auf eine Trommel. „Der könnte doch mit in mein Haus kommen und mich und meine Leute diese Nacht belustigen", dachte der Schneider und lud den Buckligen ein.

Der Bucklige folgte ihm gern. Zu Hause gab der Schneider ihm Fisch zu essen. Während des Essens nahm der Schneider ein Stück Fisch und stopfte es ihm in den Mund. Dabei blieb dem Buckligen eine Gräte im Halse stecken und er starb daran. Da der Schneider sich sehr fürchtete, ging er mit seiner Frau zu einem jüdischen Arzt, der in der Nähe wohnte, und klopfte an dessen Tür. Eine Sklavin öffnete. Der Schneider sagte zu ihr: „Gehe zu deinem Herrn und sage ihm, hier sei ein kranker

Mann, den er untersuchen möge!" und gab ihr zugleich einen halben Dinar. Während die Sklavin sich entfernte, trug der Schneider den Bucklichen die Treppe hinauf, ließ ihn oben liegen und machte sich mit seiner Frau aus dem Staube.

Die Sklavin ging indessen zu ihrem Herrn. Als der Jude sah, daß man ihm einen halben Dinar gab, nur um die Treppe hinunterzusteigen, freute er sich so sehr, daß er aufsprang und ohne Licht schnell hinuntereilen wollte. Doch bei seinem ersten Schritt stolperte er über den Bucklichen, verlor das Gleichgewicht und stürzte die Treppe hinunter. Da rief er erschrocken der Sklavin, sie solle schnell ein Licht bringen. Als die Sklavin das Licht gebracht hatte und der Jude den toten Bucklichen sah, schrie er: „O Eleasar! O Moses! O Aran! O Josua! Ich bin über diesen kranken Menschen gestolpert. Er ist daran gestorben. Wie kann ich nun, selbst wenn Eleasars Esel mir zu Hilfe kämen, den Erschlagenen aus meinem Hause bringen?"

Er trug dann den Toten ins Zimmer und erzählte die ganze Geschichte seiner Frau. Die sagte zu ihm: „Was zögerst du? Bald wird es Tag. Ist dann der Tote noch bei uns, dann ist es um uns geschehen. Du bist ein unbeholfener Mensch und weißt dir nicht zu helfen!"

Scheherazade bemerkte den Tag und schwieg. In der folgenden Nacht fuhr sie fort:

DIE EINHUNDERTNEUNTE NACHT

Dann sagte die Frau zu ihrem Mann, dem Juden: „Besinn dich nicht lange! Wir wollen den Toten gleich unters Dach tragen und ihn in das Haus unseres Nachbarn, des ledigen Muselmanns, werfen!"

Der Nachbar des Juden aber war Aufseher über die Küche des Sultans. Er brachte oft Lebensmittel mit nach Hause und wurde deshalb sehr von Katzen und Mäusen geplagt. Der Jude und seine Frau trugen also den Bucklichen auf das Dach und ließen ihn senkrecht hinab, bis er mit den Füßen den Boden berührte. Dann lehnten sie ihn an die Wand und gingen davon.

Nach Mitternacht kam der Aufseher von einem Essen mit Freunden zurück. Er trug eine brennende Kerze in der Hand. Als er in sein Zimmer kam und dort an der Mauer unter dem Luftloch einen Menschen stehen sah, sagte er: „Bei Allah, jetzt sehe ich, daß nicht nur Katzen und Mäuse, sondern auch Menschen mir mein Schmalz, mein Fleisch und mein Aloeholz stehlen. Aber mit meiner eigenen Hand werde ich dich bestrafen!"

Darauf nahm er einen schweren Hammer, sprang auf den Buckligen zu und schlug ihn gegen die Brust, so daß er umfiel. Als er ihm dann aber ins Gesicht sah und ihn tot fand, schrie er vor Schreck und klagte: „Wehe mir, ich habe ihn erschlagen! Nur bei Allah gibt es nun Schutz und Kraft! Allah verdamme das Schmalz und das Aloeholz!"

Scheherazade bemerkte den Tag und schwieg. In der folgenden Nacht erzählte sie weiter:

DIE EINHUNDERTZEHNTE NACHT

Als der Aufseher bemerkte, daß der Erschlagene bucklig war, sagte er: „Mußtest du mit deinem Buckel in mein Haus kommen, um mich zu bestehlen? Doch was fange ich an? O Beschützer, hilf mir!"

Gegen Ende der Nacht nahm er den Buckligen auf seine Schulter und trug ihn an den Anfang des Bazars. Dort stellte er ihn in einer dunklen Straße an die Seite eines Ladens und ging davon. Nach einer Weile kam ein großer christlicher Schreiber, ein verständiger Mann und der Makler des Sultans. Er hatte sich zu Hause betrunken und wollte nun ins Bad gehen, da er trotz seines Rausches wußte, daß die Zeit des Morgengebets nahe war. So ging er, hin- und herschwankend,

bis zu dem Buckligen und blieb dort stehen, um ein Bedürfnis zu verrichten. Als er den Toten sah, glaubte er, es handele sich um einen Dieb, der ihm seinen Turban stehlen wollte. Deshalb packte er den Buckligen am Hals, warf ihn zu Boden, rief die Wache zu Hilfe und schlug dabei immer weiter auf den Liegenden ein.

Als die Wache kam, sagte der Christ: „Er hat meinen Turban rauben wollen!" Da näherte sich die Wache dem Buckligen, fand ihn tot und rief aus: „Das ist ein starkes Stück! Ein Christ bringt einen Muselmann um!" Und sogleich ergriff sie den Makler, legte ihn in Fesseln und brachte ihn noch in der Nacht in das Haus des Verwalters der Polizei.

Der Christ war entsetzt und konnte nicht begreifen, daß er durch die wenigen Schläge den Mann umgebracht haben sollte. Als sein Rausch verflogen war, begann er ernsthaft über die Angelegenheit nachzudenken. Er blieb dann mit dem toten Buckligen bis zum Morgen im Hause des Beamten.

Der Beamte ging am Morgen gleich ins Schloß und sagte dem König von China, sein Schreiber, der Christ, habe einen Muselmann umgebracht. Der König befahl, den Christen zu hängen. Der Beamte beauftragte den Scharfrichter, das bekannt zu machen und einen Galgen zu errichten.

Der Scharfrichter warf dem Christen einen Strick um den Hals und wollte ihn schon hochziehen, da drängte sich auf einmal der Aufseher durch die Volksmenge und sagte zu dem Scharfrichter: „Tue das nicht! Der Schreiber hat ihn nicht umgebracht, sondern ich habe ihn erschlagen!" Darauf erzählte er seine ganze Geschichte und schloß mit den Worten: „Es ist genug, daß ich einen Muselmann ums Leben gebracht habe. Jetzt soll nicht auch noch ein Christ durch meine Schuld am Galgen sterben!"

Scheherazade bemerkte den Tag und schwieg. In der folgenden Nacht fuhr sie fort:

Als der Beamte den Aufseher gehört hatte, sagte er zu dem Henker: „Laß den Christen los und hänge dafür diesen hier!" Der Henker stellte den Aufseher unter den Galgen, warf ihm den Strick um den Hals und wollte ihn aufhängen. Da kam der jüdische Arzt, den die zusammenlaufende Menge herbeigelockt hatte, und sagte: „Hängt ihn nicht, denn er hat niemanden getötet! Ich war es, der diesen Buckligen ums Leben gebracht hat! Er wurde als kranker Mann zu mir gebracht. Ich stolperte über ihn und tötete ihn dadurch. Meine Frau und ich nahmen ihn dann und beförderten ihn in die Wohnung des Aufsehers. Dort stellten wir ihn aufrecht in eine Ecke. Deshalb glaubte der Aufseher, als er nach Hause kam, er sei ein Dieb und schlug mit dem Hammer auf ihn ein. Es ist genug, daß ich unschuldigerweise einen Muselmann umgebracht habe. Jetzt soll aber nicht mit meinem Wissen noch ein anderer für meine Schuld sterben. Hängt ihn also nicht, denn ich bin der Mörder des Buckligen!"

Scheherazade bemerkte den Tag und schwieg. In der folgenden Nacht fuhr sie fort:

DIE EINHUNDERTZWÖLFTE NACHT

Als der Beamte den Juden gehört hatte, sagte er zu dem Henker: „Laß den Aufseher los und hänge den Juden!" Der Henker warf das Seil um den Hals des Juden. Da drängte sich der Schneider durch die Leute und sprach zu dem Henker: „Töte ihn nicht, denn nicht der Jude, sondern ich habe den Buckligen getötet!" Dann erzählte er, wie er den Buckligen eingeladen und ihm Fisch zu essen gegeben hatte; wie dann der Muselmann gestorben war und wie sie ihn vor die Tür des jüdischen Arztes gelegt hatten.

Als der Statthalter die Rede des Juden hörte, wunderte er sich sehr über diese Begebenheiten und sprach: „Das alles muß einen wunderbaren Grund haben und verdient es, mit goldener Tinte aufgeschrieben zu werden." Dann sagte er zu dem Henker: „Laß den Juden los und hänge den Schneider!"

Der Henker ließ den Juden los, stellte den Schneider unter den Galgen, warf ihm den Strick um den Hals und sprach: „Nun bin ich bald müde vom Auf- und Abziehen." Schon wollte er das Ende des Seils durch den Ring ziehen, um den Schneider zu hängen. Doch der Bucklige war der Spaßvogel und Hausfreund des Sultans von China, der sich von ihm keinen Augenblick trennen konnte.

Scheherazade bemerkte den Tag und schwieg. In der folgenden Nacht fuhr sie fort:

DIE EINHUNDERTDREIZEHNTE NACHT

D a aber der Bucklige in jener Nacht betrunken gewesen war, hatte er nicht beim Sultan erscheinen können. Und als dieser auch am folgenden Tag den Buckligen bis zum Mittag vergeblich erwartete, fragte er nach ihm bei seinem Hausgesinde. Da erzählte ihm einer, was sich inzwischen in der Stadt begeben hatte. Als der König von China das hörte, sagte er zu einem seiner Türwächter: „Lauf geschwind zum Statthalter und bringe ihn, den Erschlagenen und die Mörder hierher!"

Der Pförtner lief los und traf gerade in dem Augenblick beim Galgen ein, als der Henker dem Schneider das Seil um den Hals geworfen hatte. „Hänge ihn nicht!" rief der Pförtner und teilte dem Statthalter den Befehl des Königs mit. Sogleich ging der Statthalter mit dem Bucklichen, dem Schneider, dem Juden, dem Aufseher und dem Christen zum König. Er stellte sie ihm alle vor und wiederholte die ganze Geschichte des Bucklichen vom Anfang bis zum Ende. Der König befahl, alles aufzuschreiben und sagte zu den Umstehenden: „Habt ihr je eine wunderbarere Geschichte gehört als diese?"

Da trat der Christ vor, küßte die Erde und sprach: „O König der Zeit, wenn du erlaubst, will ich dir eine Geschichte erzählen, die mir selbst passiert ist und über die sogar Steine weinen müssen!"

Der König von China sagte: „Erzähle!"

Die Erzählung des christlichen Händlers

Der Christ begann: „Bevor ich in dieses Land kam, gehörte ich zu den Kopten Ägyptens. Mein Vater war ein großer Makler, und nach seinem Tode setzte ich sein Geschäft zwei Jahre lang fort. Eines Tages saß ich in Kahira auf dem Getreidemarkt, als ein schöner, junger, herrlich gekleideter Mann auf einem Esel angeritten kam und mich grüßte. Ich stand vor ihm auf, er zeigte mir ein Tuch voll Sesam und fragte mich: „Was ist wohl der Zentner davon wert?"

Scheherazade bemerkte den Tag und schwieg. In der folgenden Nacht fuhr sie fort:

DIE EINHUNDERTVIERZEHNTE NACHT

Wohl hundert Drachmen", sagte ich zu ihm. „Nun", entgegnete er, „so hole die Träger und das Maß und komme an das Siegestor in den Khan Abiwali. Dort wirst du mich finden."

Dann verließ er mich und setzte seinen Weg fort.

Ich machte mich auf die Beine, nahm die Probe und ging damit zu den Getreidehändlern und anderen Kaufleuten. Man bot mir einhundertzehn Drachmen für den Zentner. Dann nahm ich vier Träger und ging mit ihnen nach der Herberge Abiwali, wo mich der junge Mann erwartete.

Er ging vor mir ins Magazin und sagte: „Laß die Messer hereinkommen und messen und die Träger die Esel beladen!"

Die Träger gingen ein und aus, bis das Magazin leer war. Es enthielt fünfzig Zentner für fünftausend Drachmen. Dann sagte er zu mir: „Du bekommst zehn Drachmen pro Malter als Maklergeld, bewahre mir also viertausendfünfhundert Drachmen auf. Wenn ich mit dem Verkauf all meiner Magazine fertig bin, werde ich zu dir kommen und sie abholen."

Ich willigte ein, küßte ihm die Hand, und er verließ mich. Ich erwartete ihn einen ganzen Monat lang, bis er endlich kam und mich fragte: „Wo ist das Geld?"

Ich hieß ihn willkommen und bat ihn, ein wenig bei mir einzukehren und etwas zu genießen. Er aber wollte nicht und sagte: „Geh und bereite das Geld vor, während ich fortgehe. Ich komme bald wieder zu dir, um es zu holen." Dann ritt er auf seinem Esel fort.

Ich brachte das Geld herbei und wartete. Diesmal blieb er drei Monate aus. Dann kam er wieder angeritten, gekleidet in die kostbarsten Gewänder, und sah aus, als käme er eben aus dem Bad.

Scheherazade bemerkte den Tag und schwieg. In der folgenden Nacht fuhr sie fort:

DIE EINHUNDERTFÜNFZEHNTE NACHT

Als ich ihn erblickte, ging ich auf ihn zu und sagte: „Kommst du denn nicht, dein Geld zu holen?"

Er antwortete: „Was habe ich zu eilen? Wenn ich alle meine Geschäfte erledigt habe, komme ich noch diese Woche, um es zu holen."

Dann entfernte er sich wieder. Er blieb aber ein ganzes Jahr fort. Ich handelte mit seinem Geld und gewann ein großes Vermögen damit. Am Ende des Jahres kam der junge Mann wieder. Als ich ihn sah, ging ich ihm entgegen und beschwor ihn beim Evangelium, er möge doch mein Gast sein und bei

mir essen. Er sagte: „Gut! Aber nur unter der Bedingung, daß
es nicht von meinem Geld geht!"
Ich war zufrieden, ging mit ihm ins Zimmer und ließ Teppiche
vor ihm ausbreiten. Als er Platz genommen hatte, lief ich auf
den Markt, kaufte allerlei Getränke, gefüllte Hühner und
süße Speisen und legte sie ihm vor. Er näherte sich dem Tisch,
und als ich „Im Namen Allahs" sagte, streckte er seine linke
Hand aus und aß mit mir. Ich wunderte mich sehr über ihn
und dachte: ‚Nur Allah ist vollkommen. Dieser junge Mann ist
so freigiebig und so schön, doch so hochmütig, daß er vor Stolz
nicht mit der rechten Hand ißt.'
Scheherazade bemerkte den Tag und schwieg. In der folgenden Nacht fuhr sie fort:

DIE EINHUNDERTSECHZEHNTE NACHT

Als wir gegessen hatten und uns zu unterhalten anfingen,
sagte ich zu ihm: „Mein Herr, zerstreue meinen Kummer
und sage mir, weshalb du mit der linken Hand gegessen hast.
Hast du vielleicht irgendein Übel an der rechten Hand?"
Als der Jüngling das hörte, weinte er und sprach den Vers:

> *Nur ungern brachte ich die Nächte fern von Salma zu.*
> *Doch mußte ich dem Zwang mich fügen und die*
> *Ungeliebte wählen.*

Dann zog er die rechte Hand aus seiner Tasche und zeigte sie
mir. Und siehe: sie war am Ellenbogen abgeschnitten. Als er
meinen Schreck bemerkte, sagte er: „Wundere dich nicht und
denke nicht, ich habe aus Hochmut mit der linken Hand gegessen. Höre vielmehr die Geschichte, wie ich meine Hand
verlor:
Du mußt wissen, daß ich in Bagdad geboren bin. Mein Vater
gehörte zu den Vornehmsten der Stadt. Als ich das Mannes-

alter erreicht hatte und Wunderdinge über Ägypten erzählen hörte, verankerten sich diese Gedanken in meinem Herzen. Ich behielt sie in mir, bis mein Vater starb und ich ihn beerbte. Da packte ich eine Partie Bagdader und Mosuler Waren zusammen, nahm auch tausend Stück Seidenstoff mit und reiste damit nach Kahira. In Kahira ließ ich mich mit meinen Waren im Khan Masrur nieder. Ich packte meine Ladung aus und ging damit in die Magazine, gab meinem Diener Geld, um etwas Essen zuzubereiten, und ruhte mich aus. Dann ging ich ein wenig spazieren und legte mich anschließend schlafen. Nachdem ich mich völlig ausgeruht hatte, nahm ich einige Warenproben, bepackte damit meine Träger, zog mein schönstes Kleid an und ging auf den Markt der Cirkassier. Als ich eintrat, kamen mir die Makler, die schon von meiner Ankunft wußten, entgegen, nahmen die Muster meiner Waren und riefen sie aus. Aber niemand wollte dafür bieten, was sie mich gekostet hatten. Da sagten die Makler zu mir: „Wir wissen einen Rat, wie du nicht nur nichts verlieren, sondern auch noch etwas gewinnen kannst."

Hier bemerkte Scheherazade den Tag und schwieg. In der folgenden Nacht fuhr sie fort:

Du mußt nämlich", sagten die Makler, „deine Waren in kleinen Partien und nach bestimmten Terminen verkaufen, wie es die anderen Kaufleute tun. Dann kannst du jeden Montag und Donnerstag dein Geld von den Leuten holen und dich an den übrigen Tagen in Kahira unterhalten oder dich am Nil ergötzen!"

Ich tat wie sie mir geheißen, verkaufte die Waren einzeln, ließ mir Handschriften von den Käufern geben und übergab diese den Geldwechslern zum Einkassieren. Dann kehrte ich wieder in den Khan zurück, blieb einige Tage dort, frühstückte jeden Tag einen Becher voll Wein, Hammelfleisch, Tauben und süße Speisen und lebte so einen ganzen Monat hindurch.

Nun kam der zweite Monat, in dem ich mein Geld einzufordern hatte. Ich ging jeden Montag und Donnerstag auf den Markt und setzte mich zu einigen Kaufleuten, bis der Geldwechsler mit dem Schreiber mir das Geld brachte. Nach dem Nachmittagsgebet zählte ich das Geld zusammen, versiegelte es und ging wieder in den Khan.

Nachdem ich eine Zeitlang so gelebt hatte, ging ich einmal montags früh ins Bad. Als ich herauskam, zog ich herrliche Kleider an, salbte mich mit wohlriechenden Essenzen und ging auf den Markt. Dort setzte ich mich neben einen Kaufmann, den man Bedruddin, den Gärtner, nannte. Nachdem ich mich eine Weile mit ihm unterhalten hatte, kam eine reichgekleidete Frau mit großem Gefolge, die die Luft um sich her mit Wohlgerüchen erfüllte. Als sie ihren Schleier lüftete und ich ihre großen schwarzen Augen sah, war mein Herz von ihr hingerissen. Sie grüßte Bedruddin, auch er hieß sie freundlich willkommen und unterhielt sich mit ihr. Der Wohllaut ihrer Stimme ließ meine Liebe zu ihr immer heftiger werden.

Sie fragte Bedruddin: „Hast du wohl einen Stoff mit goldenen Jagdzeichnungen?" Bedruddin zeigte ihr ein solches Stück, das er für zwölfhundert Dinar von mir in Kommission hatte. Sie sagte zu dem Kaufmann: „Ich will dieses Stück nehmen. Ich gehe nur in den nächsten Bazar und schicke dir sogleich das Geld."

Der Kaufmann entgegnete ihr aber: „Das geht nicht, meine Gebieterin, denn hier ist der Eigentümer der Waren, dem ich noch heute viel Geld bezahlen muß."

„Pfui", antwortete sie, „komme ich nicht oft zu dir und nehme Waren mit, zahle dir, was du verlangst, und schicke dir das Geld später?" „Das stimmt", sagte Bedruddin, „aber ich muß eben heute noch das Geld für diesen Stoff haben!"

Als sie das hörte, wurde sie zornig, warf die Ware mitten in den Laden und sagte: „Allah strafe deine Sippe! Ihr wißt niemanden zu schätzen!"

Scheherazade bemerkte den Tag und schwieg. In der folgenden Nacht fuhr sie fort:

DIE EINHUNDERTACHTZEHNTE NACHT

Als ich sah, daß die Frau fortgehen wollte", erzählte der junge Mann weiter, „war mir, als würde ich einen Teil meines Herzens verlieren. Ich sagte also zu ihr: „Bei Allah, meine Gebieterin, tu' mir den Gefallen und komme mit mir." Sie drehte sich um, lächelte und erwiderte: „Deinetwegen kehre ich zurück" und setzte sich mir gegenüber in den Laden.

Ich aber sprach zu Bedruddin: „Wie teuer habe ich dir dieses Stück gelassen?" — „Um zwölfhundert Dinar", antwortete er. „Nun", sagte ich zu ihm, „ich zahle dir hundert Dinar Profit. Gib Papier her, du sollst es sofort schriftlich haben."

Er gab mir Papier, und ich machte den Handel perfekt. Dann nahm ich das Stück Ware, reichte es der Dame und sagte zu ihr: „Hier, meine Gebieterin, wenn du willst, bringst du mir das Geld auf den nächsten Markt. Wenn nicht, so nehme es als Geschenk von mir an."

Sie antwortete: „Allah belohne dich dafür, beschere dir alles, was ich habe, und erhalte dich nach mir! Mögen die Tore des

Himmels sich dir öffnen und möge ganz Ägypten von dir reden!"

Darauf sagte ich zu ihr: „O meine Gebieterin, nimm dieses Stück Ware und noch viele andere, aber laß mich dein Gesicht sehen!"

Sie wandte mir ihr Gesicht zu, nahm den Schleier ab und warf mir einen Blick zu, der böse Folgen für mich hatte, denn ich verlor durch ihn meinen Verstand. Dann umhüllte sie sich wieder mit ihrem Tuch, nahm die Waren und sprach: „Mein Herr, wie sehr werde ich deine Nähe vermissen!" und verschwand.

Ich fragte den Kaufmann nach der Dame, und er sagte mir: „Sie ist die Tochter eines Fürsten und hat von ihrem Vater ein großes Vermögen geerbt."

Dann verließ ich den Kaufmann und ging in den Khan zurück. Ich konnte weder essen noch schlafen, weil ich nur an sie dachte. Am nächsten Morgen kleidete ich mich an, frühstückte etwas und ging wieder in den Laden Bedruddins.

Scheherazade bemerkte den Tag und schwieg. In der nächsten Nacht erzählte sie weiter:

DIE EINHUNDERTNEUNZEHNTE NACHT

Als ich eine Weile in Bedruddins Laden gesessen hatte, kam die Dame wieder. Diesmal war sie von einer Sklavin begleitet. Sie grüßte mich freundlicher als ich es verdiente und sagte dann: „Mein Herr, ich schicke jemanden, um dein Geld zu holen." Ich erwiderte: „Das hat keine Eile." Sie antwortete: „O mein Geliebter, könnten wir doch immer zusammen sein!"

Dann überreichte sie mir mein Geld, setzte sich, und ich unterhielt mich mit ihr in doppelsinnigen Reden, aus denen sie entnehmen konnte, wie sehr ich sie zu besitzen wünschte. Da stand sie plötzlich auf und ging fort, und mein Herz blieb an ihr hängen. Ich ging auf die Straße hinaus, als plötzlich eine schwarze Sklavin zu mir trat und sagte: „Mein Herr, meine

Gebieterin will dich sprechen. Es ist jene, mit der ihr heute im Laden des Kaufmanns war."

Ich ging mit ihr bis zu dem Haus eines Bankiers. Als ihre Herrin mich sah, winkte sie mir, an ihre Seite zu kommen und sprach: „O mein Teurer, du hast mein Herz so sehr für dich eingenommen, daß ich seit dem Tage, da ich dich zuerst gesehen, kein Essen und kein Getränk mehr zu mir genommen habe."

„Mir geht es ebenso", erwiderte ich. Sie fragte dann: „Mein Geliebter, sollen wir bei dir oder bei mir zusammenkommen?" Ich antwortete ihr: „Ich bin fremd hier und wohne in einem Khan. Es ist also wohl besser, wenn wir bei dir zusammenkommen."

Scheherazade bemerkte hier den Tag und schwieg. In der folgenden Nacht fuhr sie fort:

DIE EINHUNDERTZWANZIGSTE NACHT

„Gut", sagte die Frau, „besteige morgen nach dem Gebet einen Esel und frage nach der Wohnung des Fürsten Abu Schama. Laß aber nicht zu lange auf dich warten!" „In Gottes Namen", antwortete ich und trennte mich von ihr. Ich konnte kaum den Anbruch des folgenden Morgens erwarten. Dann stand ich auf, nahm ein Bad, rieb mich mit wohlriechenden Ölen ein und legte fünfzig Dinar in ein Tuch. Ich ging zum Tor Suweila, bestieg einen Esel und sagte zu dem Treiber, er solle mich in das Quartier der Gottesfurcht führen. Als wir da ankamen, sagte ich ihm, er möge sich nach der Wohnung des Fürsten Abu Schama erkundigen. Er blieb eine Weile fort, kam dann wieder und sagte: „In Allahs Namen!"

Ich stieg vom Esel, er ging mir bis zu der Wohnung voran, wo ich ihm einen Viertel Dinar gab und ihm sagte, er solle morgen früh wiederkommen und mich zum Khan Masrur zurückbringen. Dann verließ er mich, und ich klopfte an die Tür. Zwei junge weiße Sklaven kamen heraus. Sie sagten: „Komm in

Allahs Namen! Unsere Gebieterin hat vor Sehnsucht nach dir die ganze Nacht nicht geschlafen."

Ich trat in den Vorhof und sah eine sieben Stufen über der Erde erbaute Wohnung, rings von Gittern umgeben, die auf einen Garten gingen. Es war eine Lust, diesen Garten anzusehen, denn in ihm waren köstliche Früchte, viele Vögel und eine Anzahl Bäche. In der Mitte stand ein Springbrunnen, an dessen Ecken vier aus Gold gegossene Schlangen waren, die aus ihren Rachen so klares Wasser spien als wären es Perlen oder Edelsteine.

Scheherazade bemerkte den Tag und schwieg. In der folgenden Nacht fuhr sie fort:

DIE EINHUNDERTEINUNDZWANZIGSTE NACHT

Ich ging in die Wohnung und setzte mich. Da kam die Dame, behangen mit dem kostbarsten Schmuck und geziert mit den leuchtendsten Farben. Sie lächelte mich an und flog dann in meine Arme.

„Bist du wirklich bei mir, mein Herz?" sagte sie. Und ich antwortete: „Ja, dein Sklave ist bei dir!"

Ich saß kaum eine Weile, da brachte man eine Schüssel mit den köstlichsten Speisen: Fleisch mit saurer Soße, gebackene Fische, Honig, Hühner mit Zucker und Pistazien gefüllt. Wir aßen, bis wir satt waren, dann nahm man den Tisch weg und wir wuschen unsere Hände. Die Dame setzte sich dann wieder zu mir, und wir unterhielten uns. Schon war meine Liebe zu ihr fest verwurzelt und alles, was ich besaß, schien mir nichts neben ihr. Wir liebkosten einander bis in die Nacht. Dann brachte man Wein und ein vollständiges Mahl. Wir tranken miteinander bis Mitternacht und verbrachten den Rest der Nacht voll Liebeslust. Am Morgen warf ich das Tuch mit den fünfzig Dinar unter ihr Bett und nahm weinend Abschied von ihr.

„Wann sehe ich dich wieder?" fragte sie mich, als ich ging. „Heute abend werde ich wieder bei dir sein", antwortete ich. Sie begleitete mich bis zur Tür und sagte dann: „Mein Herr, bringe heute das Nachtessen mit dir!"

Auf der Straße wartete schon der Eseltreiber auf mich. Ich ließ mich bis zum Khan bringen. Dort entließ ich den Treiber mit dem Auftrag, bei Sonnenuntergang wiederzukommen. Nachdem ich ein wenig gefrühstückt hatte, ging ich, um Geld für meine Waren einzufordern, ließ dann ein Schaf braten, einiges Gemüse zubereiten und süße Speisen kaufen, legte alles in den Korb eines Trägers und schickte es der Dame. Ich ging dann so lange meinen Geschäften nach, bis der Eseltreiber kam. Wieder legte ich 50 Dinar in ein Tuch, einen halben dazu für den Treiber und ritt zur Wohnung der Dame. Dort bezahlte ich den Eseltreiber und ging ins Haus, das ich noch schöner aufgeputzt fand als am Tag vorher.

Als die Dame mich sah, küßte sie mich und sagte: „Ich habe mich heute sehr nach dir gesehnt!"

Auch diese Nacht war herrlich wie die Nacht vorher.

Am Morgen stand ich auf, reichte ihr das Tuch mit den 50 Dinar, ritt wieder in den Khan, ließ ein paar Enten braten, mit Pilaw gefüllt, und Colocassia backen statt Honigseim. Auch ließ ich Wachskerzen, Früchte und Blumen kaufen, schickte alles wieder der Dame, folgte am Abend selbst nach, und es war wieder wie in den vorigen Nächten.

Scheherazade bemerkte den Tag und schwieg. In der folgenden Nacht erzählte sie weiter:

So lebte ich fort, gab ihr jeden Abend fünfzig Dinar und Wein und Speisen, bis ich keinen einzigen Dinar mehr hatte. Da ging ich aus und wußte nicht mehr, woher ich Geld nehmen sollte. Ich sagte mir: Es gibt keine Macht und keinen Schutz außer bei Allah, dem Erhabenen. Alles, was ich getan hatte, schien ein Werk des Teufels gewesen zu sein.

Als ich aber an das Tor Suweila kam, war dort ein großes Gedränge, so daß man nicht durch das Tor konnte. Nun wollte es das Schicksal, daß ich gegen einen Soldaten gedrückt wurde und meine Hand dabei auf seinen Gürtel kam. Ich fühlte ein Bündel unter meiner Hand, blickte hin und sah, daß eine grüne Schnur zum Gürtel heraushing. In diesem Augenblick besiegte mich der Teufel: Ich zog an der Schnur, und siehe da, es kam ein blauseidener Beutel heraus, in dem etwas klimperte. Als ich den Beutel genommen hatte, drehte sich der Soldat um, griff in den Gürtel und bemerkte den Verlust. Er drehte sich zu mir und schlug mir mit seiner Axt auf den Kopf. Ich fiel zu Boden, alle Leute umringten mich, ergriffen den Rock des Soldaten und sagten zu ihm: „Schlägst du diesen Mann nur, weil hier ein solches Gedränge ist?"

„Er ist ein Dieb", sagte der Soldat.

Ich hatte mich indessen wieder aufgerichtet, die Leute sahen mich und sagten: „Bei Gott, das ist ein vornehmer Jüngling. Der hat nichts gestohlen!"

Es wurde hin- und hergestritten, und zuletzt wollte mich das Volk von dem Soldaten befreien, als der Statthalter und der Befehlshaber der Polizei mit ihrem Gefolge zum Tor hereinkamen. Sie erkundigten sich nach dem Grund unseres Streits, und er wurde ihnen gesagt. Da fragte der Statthalter den Soldaten: „War noch jemand bei dem Jüngling?" Als der Soldat das verneinte, befahl der Befehlshaber der Polizei, mich nackt auszuziehen. Das geschah, man fand den Beutel in meinen Kleidern — und ich fiel in Ohnmacht.

Scheherazade bemerkte den Tag und schwieg. In der folgenden Nacht fuhr sie fort:

DIE EINHUNDERTDREIUNDZWANZIGSTE NACHT

Als der Aufseher der Polizei den Beutel sah, nahm er das Geld heraus — zwanzig Dinar. Er winkte den Offizieren. sie führten mich zu ihm hin, und er sagte: „Weshalb hast du dich in dieses Vergehen gestürzt? Du hast doch den Beutel gestohlen. Sage die Wahrheit!" Ich nickte mit dem Kopf und sagte: „Ja, ich habe ihn gestohlen!"

Als der Aufseher der Polizei das hörte, befahl er dem Henker, mir die rechte Hand abzuschlagen. Alle Leute bemitleideten mich. Auch das Herz des Soldaten wurde weich. Und als mir auf Befehl des Richters auch noch der rechte Fuß abgehackt werden sollte, flehte der Soldat für mich, und der Aufseher der Polizei ließ mich laufen. Das Volk blieb um mich, und man gab mir einen Becher voll Wein. Der Soldat aber schenkte mir den Beutel und sagte: „Du bist ein vornehmer Jüngling und hast es nicht nötig, zu stehlen." Dann ging auch er fort. Ich wickelte meine Hand in ein Tuch und ging zur Wohnung der Frau. Dort warf ich mich auf ein Bett. Als sie mich sehr blaß fand, weil ich viel Blut verloren hatte, fragte sie: „Was hast du, Geliebter?" — „Ich habe Kopfschmerzen", antwortete ich. Sie war sehr betrübt darüber und sagte: „Dein Gesicht drückt vieles aus. Drum setze dich zu mir und erzähle, was dir heute passiert ist." Doch ich schwieg und erwiderte nichts auf alles, was sie zu mir sagte.

Als es Nacht wurde und man das Nachtessen brachte, aß ich nichts, weil ich fürchtete, sie könnte bemerken, daß ich mit der linken Hand esse. Deshalb sagte ich: „Ich habe keinen Appetit." Da sprach sie noch einmal: „Erzähle mir doch, was heute mit dir vorgegangen ist und warum du so verstimmt bist."

„Nun", sagte ich, „es bleibt mir keine Wahl. Ich will dir alles
erzählen."

Scheherazade bemerkte den Tag und schwieg. In der folgenden
Nacht fuhr sie fort:

DIE EINHUNDERTVIERUNDZWANZIGSTE
NACHT

Da fragte die Dame: „Warum weinst du, mein Gebieter,
und nimmst den Becher, den ich dir reiche, mit der linken
Hand?"

„Ich habe an der rechten Hand ein Geschwür", erwiderte ich
ihr.

Sie sagte: „Nimm die Hand heraus, ich will es sehen."

Ich antwortete: „Es ist noch nicht reif." Dann trank ich und
berauschte mich absichtlich. Als ich darauf einschlief, stand die
Dame auf und sah nach meiner Hand. Sie sah aber nur den
Ellenbogen ohne Vorderarm. Dann untersuchte sie mich näher,
fand auch den Beutel und meine in ein Tuch gebundene Hand
und war die ganze Nacht über tief bestürzt.

Als ich erwachte, hatte sie mir schon eine Suppe von fünf
Hühnern gekocht. Sie reichte mir auch Wein dazu. Ich trank,
legte den Beutel ab und wollte wieder gehen. Da sagte sie:
„Wohin willst du? Bleibe noch sitzen. Ich sehe, daß deine Liebe
zu mir so stark geworden ist, daß du dafür deinen ganzen Besitz geopfert und zuletzt noch deine Hand verloren hast. Ich
rufe hiermit Allah als Zeugen an, daß ich nicht anders als unter
deinen Füßen sterben will. Und du sollst einst sehen, daß ich
die Wahrheit gesagt habe."

Sie ließ sogleich Zeugen kommen, den Ehe-Kontrakt schreiben
und sagte zu dem Schreiber: „Schreibt, daß alles, was ich besitze, diesem Mann gehören soll!" Dann gab sie den Zeugen
ihren Lohn, stand auf, faßte mich bei der Hand, führte mich
vor eine Kiste und sagte: „Hier sind die Tücher, in denen du
mir dein ganzes Vermögen gebracht hast. Du bist der liebste,

beste Mann. Ich kann dich nicht genug belohnen. Dein Vermögen ist erhalten geblieben."

Sie öffnete die Kiste mit meinem Geld, ich freute mich, und mein Kummer schwand. Als ich ihr dankte, sprach sie: „Bei Allah, wenn ich dir mein Leben schenken würde, so wäre das noch zu wenig."

Wir blieben nicht ganz einen Monat beisammen. Dann wurde sie krank, und nach nicht ganz fünfzig Tagen starb sie. Ich wurde ihr Erbe und fand unschätzbare Reichtümer, darunter auch die Sesam-Magazine, die ich dir verkaufte, du Christ. — Hier bemerkte Scheherazade den Tag und schwieg. In der folgenden Nacht fuhr sie fort:

DIE EINHUNDERTFÜNFUNDZWANZIGSTE NACHT

Da ich nun mit vielen anderen Dingen beschäftigt war", erzählte der junge Mann weiter, „fand ich keine Zeit, bei dir mein Geld zu holen. Jetzt bin ich fertig mit allem, was meine Frau mir hinterlassen hat. Nun aber, du Christ, da ich in dein Haus gekommen bin und deine Speisen gegessen habe, nimm das Geld für den Sesam als ein Geschenk von mir an. Es gehört zu dem vielen, was mir Allah geschenkt hat. Und nun weißt du, weshalb ich mit der linken Hand gegessen habe."

Dann sagte er: „O Christ, willst du wohl eine Reise in fremde Länder mit mir machen? Ich habe schon Waren eingepackt." Ich willigte ein und versprach ihm, in einem Monat mitzureisen. Auch ich kaufte dann Ware ein und reiste mit dem jungen Mann in euer Land. Der junge Mann kaufte hier andere Ware ein und ging damit nach Ägypten, ich aber blieb hier. Das ist meine Geschichte, o König. Ist sie nicht wunderbarer als die des Buckligen?"

„Nein", sagte der König, „sie ist es nicht."

Nun trat der Küchenaufseher vor und sagte zu dem König von

China: „O glückseliger König, wenn ich dir eine Geschichte erzähle, die mir gestern, bevor ich dem Buckligen begegnet bin, passiert ist, und dir meine Geschichte besser gefällt als die des Buckligen, wirst du uns dann das Leben schenken und uns freilassen?"

„Gut", entgegnete der König, „wenn sie wunderbarer ist als die Geschichte des Buckligen, so schenke ich euch Vieren das Leben."

Die Erzählung des muselmanischen Küchenverwalters

Nun erzählte der Aufseher: „O König der Zeit, ich war gestern nacht bei Leuten, die den Koran studiert und deshalb die Theologen und viele andere Leute aus der Stadt bei sich versammelt hatten. Nachdem man fertig war, wurden mehrere Speisen aufgetragen, unter anderem auch Sirbadj. Als einer der Gäste diese Speise sah, zog er sich zurück und wollte nichts essen. Wir drangen in ihn ein und beschworen ihn, mitzuessen. Er aber sagte: „Zwingt mich nicht. Es hat mich schon genug gekostet, Sirbadj gegessen zu haben." Und dann sprach er die Verse:

> *Nimm deine Trommel auf die Schulter und wandere umher. Und gefällt dir die Farbe des Kohels, so färbe deine Augen damit.*

Wir sagten zu ihm: „Erzähle uns doch, weshalb du keinen Kümmel essen willst!"

Der Hauswirt aber sprach: „Ich schwöre bei diesem und jenem, daß du Sirbadj essen mußt!"

Da erwiderte er: „Es gibt keinen Schutz und keine Macht außer bei Allah, dem Erhabenen. Wenn es sein muß, so will ich meine Hand vierzigmal mit Wasser, vierzigmal mit Seife und vierzigmal mit Salzen, im Ganzen hundertzwanzigmal, waschen."

Scheherazade bemerkte hier den Tag und schwieg. In der folgenden Nacht fuhr sie fort:

Der Hauswirt", erzählte der Aufseher dem König von China weiter, „befahl seinem Jungen, Wasser zu bringen. Der wusch sich, wie er es vorher erwähnt hatte, setzte sich dann zu uns, tunkte furchtsam einen Bissen in den Sirbadj und aß. Dabei zitterte er mit der Hand und am ganzen Leib. Wir sahen, daß der Daumen seiner Hand abgeschnitten war, so daß er mühselig mit vier Fingern essen mußte, wobei ihm die Speisen zwischen den Fingern hindurchfielen. Wir fragten ihn, ob Allah ihn so ohne Daumen geschaffen oder ob er ihn durch einen Unfall verloren habe.

„Bei Allah", sagte er, „nicht nur der Daumen dieser Hand fehlt mir, sondern auch der an der anderen Hand. Und an beiden Füßen habe ich keine Zehen."

Er zeigte uns seine beiden Hände und seine Füße, und es war, wie er gesagt hatte. Wir fragten ihn, wie das gekommen sei und weshalb er seine Hände hundertzwanzigmal wasche. Darauf sprach er:

„Zu Zeiten des Kalifen Harun Arraschid war mein Vater einer der größten Kaufleute von Bagdad. Er trank aber so gern Wein und hörte so gern Musik, daß er bei seinem Tode nichts hinterließ. Ich trauerte lange um ihn. Nach einiger Zeit öffnete ich den Laden wieder, fand darin aber nur wenige Waren, auf denen außerdem noch Schulden lasteten. Ich bat die Gläubiger um Geduld, kaufte und verkaufte von einer Woche zur andern, bezahlte nach und nach alle Schulden und hatte schließlich ein eigenes Vermögen, das von Tag zu Tag zunahm. Als ich eines Morgens zu Hause saß, kam ein hübsches Mädchen, wie ich nie zuvor eines gesehen hatte. Sie war mit viel Schmuck behangen und ritt auf einem Maultier. Vor ihr her ging ein Sklave und hinter ihr zwei andere. Am Markttor hielt sie und stieg ab. Als sie eben in den Bazar gehen wollte, kam ein ehrwürdiger Diener hinter ihr her und wollte sie zurückhalten. Sie sah sich um und entdeckte, daß alle Läden, außer meinem,

geschlossen waren. Da trat sie mit dem Diener in meinen
Laden, setzte sich und grüßte mich.

Hier bemerkte Scheherazade den Tag und schwieg. In der
folgenden Nacht erzählte sie weiter:

DIE EINHUNDERTSIEBENUNDZWANZIGSTE
NACHT

Als sie ihr Gesicht enthüllte, warf ich einen Blick auf sie,
der für mich böse Folgen hatte. Sie fragte mich: „Hast
du noch Tuche für Kleider?"

Ich antwortete: „Dein Sklave ist arm; warte bis die anderen
Kaufleute ihre Läden öffnen. Dann will ich dir holen, was du
nur wünschst."

Wir unterhielten uns eine Weile, und sie verzauberte mich
immer mehr mit ihrem Anblick. Als die Kaufleute öffneten,
ging ich und holte ihr, was sie verlangte. Der Preis betrug
fünftausend Drachmen. Ich zahlte sie, der Diener nahm alles
und ging nun mit der Frau zu den Sklaven hinaus. Sie ritt
fort, ohne mir gesagt zu haben, woher sie war. Sie war so schön,
daß ich mich schämte, mit ihr zu sprechen. Deshalb auch hatte
ich mir diese hohe Schuld von fünftausend Drachmen auf-
geladen, denn ich hatte nicht gewagt, das Geld von ihr zu
fordern. Ich ging nach Hause und war so liebestrunken, daß
ich eine Woche lang weder essen noch trinken oder schlafen
konnte.

Scheherazade bemerkte den Tag und schwieg. In der folgenden
Nacht fuhr sie fort:

Nach einer Woche forderten die Kaufleute das Geld für die Waren von mir. Ich bat sie um Geduld. In der darauffolgenden Woche kam das Mädchen plötzlich wieder, wie beim erstenmal von einem Diener und zwei Sklaven begleitet. Sie setzte sich zu mir und sagte: „Wir haben mit dem Geld etwas gesäumt. Bringe nun den Geldwechsler und nimm dein Geld." Ich holte einen Geldwechsler, und der Eunuch gab ihm das Geld. Er nahm es und ich unterhielt mich mit ihr, bis der Bazar geöffnet wurde. Dann bezahlte ich jedem, was ihm gebührte. Darauf sagte sie zu mir: „Mein Herr, kaufe mir dieses und jenes!"

Ich ging wieder fort und holte, was sie begehrte. Sie verließ mich dann, ohne von Geld zu sprechen. Ich bereute es nachher. denn diesmal hatte sie für tausend Dinar Waren geholt, die ich nun bei den Kaufleuten schuldig geblieben war. Ich dachte, sie sei gewiß eine gerissene Betrügerin.

Diesmal blieb sie länger als einen Monat fort. Da ich keine Hoffnung mehr hatte, das Mädchen wiederzusehen, wollte ich meine Güter versteigern lassen, um die Kaufleute bezahlen zu können. Ich war in der größten Verzweiflung, als sie plötzlich wieder erschien und zu mir sprach: „Bringe eine Waage und nimm dein Geld!"

Nachdem ich das Geld genommen hatte, unterhielt ich mich wieder mit ihr. Sie hatte an meiner Rede Wohlgefallen, und als ich das bemerkte, hätte ich vor Freude fliegen mögen. Sie fragte mich dann: „Bist du verheiratet?"

Ich sagte: „Ich bin es nicht und war es nie" und fing an zu weinen.

Sie fragte: „Warum weinst du?"

Ich sagte, es hätte nichts zu bedeuten, nahm etwas Geld, gab es ihrem Bedienten und bat ihn, den Vermittler zwischen ihr und mir zu machen. Der Diener lachte und sagte: „Bei Allah, sie liebt dich noch mehr als du sie liebst. Auch braucht sie die

Waren gar nicht, die sie bei dir geholt hat. Sie hat es nur aus Liebe zu dir getan. Sprich nur selbst mit ihr wie du willst."

Da faßte ich mir ein Herz und erzählte ihr, was ich für sie fühlte. Sie erwiderte meine Liebeserklärung und sagte: „Ich werde dir meinen Diener schicken. Tue, was er dir sagt!"

Darauf ging sie fort. Ich bezahlte den Kaufleuten ihr Geld und konnte die ganze Nacht nicht schlafen.

Scheherazade bemerkte den Tag und schwieg. In der folgenden Nacht erzählte sie weiter:

DIE EINHUNDERTNEUNUNDZWANZIGSTE NACHT

Nach einigen Tagen kam endlich der Diener zu mir und sagte mir, seine Herrin sei krank aus Liebe zu mir. Ich fragte ihn, wer sie sei.

Er antwortete: „Sie ist ein Mädchen, das von der Herrscherin Zubeida, der Gemahlin des Kalifen, erzogen worden ist. Sie ist der Liebling der Herrscherin, sie geht für sie aus und besorgt ihr alle Geschäfte. Und, bei Allah, sie hat Zubeida schon das Abenteuer mit dir erzählt und sie gebeten, dich heiraten zu dürfen. Zubeida hat geantwortet, sie wolle dich selbst sehen. Wenn du ihr gefällst, so wird sie dich mit ihr verheiraten. Ich werde dich in das Schloß bringen. Kommst du glücklich hinein, so wirst du deine Geliebte heiraten, wirst du aber entdeckt, so verlierst du deinen Kopf. Was sagst du dazu?"

Ich antwortete, daß ich es wagen wolle. Dann sagte mir der Diener: „Gehe heute nacht in die Moschee, die Zubeida am Ufer des Tigris hat bauen lassen!"

Abends ging ich zur Moschee, betete das Nachtgebet und blieb dort. Als der Morgen anbrach, kamen in einem Nachen Diener mit leeren Kisten. Sie ließen die Kisten in der Moschee und gingen wieder fort. Einer von ihnen aber blieb zurück. Es war der Diener, den ich kannte. Kurze Zeit darauf kam auch meine

Freundin, das Mädchen, zu uns herein. Wir setzten uns zusammen und plauderten. Sie weinte, forderte mich auf, mich in eine der Kisten zu setzen und schloß die Kiste zu. Dann kamen die Diener mit vielen Gegenständen, die sie in die anderen Kisten packten. Als alles gepackt war, schlossen sie die Deckel, trugen die Kisten wieder in den Nachen und fuhren mit uns nach dem Hause Zubeidas. Ich dachte schon, ich sei verloren, begann zu weinen, Allah anzurufen und Rettung zu erflehen. Die Diener fuhren immer weiter, bis sie mit den Kisten an der Pforte des Kalifen vorübergingen. Sie trugen meine Kiste mit den übrigen. Schon waren wir an den Dienern, denen der Harem anvertraut war, vorbei, da kamen sie zu einem, der aussah, als wäre er das Oberhaupt der anderen. Er erwachte aus seinem Schlaf.

Hier bemerkte Scheherazade den Tag und schwieg. In der folgenden Nacht fuhr sie fort:

DIE EINHUNDERTDREISSIGSTE
NACHT

Als er erwachte, schrie er den Leuten zu: „Geht nicht weiter! Die Kisten müssen geöffnet werden!"

Nun war die Kiste, in der ich mich befand, ausgerechnet die erste. Ich verlor die Besinnung, aber das Mädchen trat vor und sprach: „O Wächter, du verdirbst mich, den Kaufmann und Zubeidas Waren. Denn in dieser Kiste sind gefärbte Kleider und eine Flasche Sesamwasser. Wenn die Flasche umstürzt und ihr Inhalt über die Kleider läuft, werden die Farben verwischt."

Er antwortete: „Nun, so nimm die Kiste und gehe!"

Man trug mich schnell fort, und die übrigen Kisten kamen nach. Da hörte ich auf einmal rufen: „Wehe! Wehe! Der Kalif!" Ich starb fast vor Angst in meiner Haft und hörte, wie der Kalif fragte: „Was ist in diesen Kisten?"

„Kleider für meine Gebieterin Zubeida", antwortete das Mädchen. Da sagte der Kalif: „Öffne sie, damit ich sie sehe!"
Darauf erwiderte das Mädchen: „O Fürst der Gläubigen, in
diesen Kisten sind Kleider und andere Sachen für die Herrscherin. Sie hat nicht gern, daß jemand sie sieht."
Der Kalif aber befahl: „Die Kisten müssen geöffnet werden.
Ich will sehen, was sie enthalten!" Dann brachte man eine
Kiste nach der andern vor den Kalifen. Eine nach der andern
wurde geöffnet, und er sah die Stoffe, die darin waren. Nun
blieb nur noch meine Kiste, und man trug auch sie vor ihn hin.
Ich nahm vom Leben Abschied und fühlte mich dem Hängen
sehr nahe. Der Kalif sagte: „Öffnet, damit ich auch noch sehe,
was in dieser Kiste ist!"
Hier bemerkte Scheherazade den Tag und schwieg. In der folgenden Nacht erzählte sie weiter:

DIE EINHUNDERTEINUNDDREISSIGSTE
NACHT

Da kam das Mädchen herbei und rief: „Nur in Gegenwart
Zubeidas kannst du sehen, was in dieser Kiste ist, denn
sie enthält etwas ganz Besonderes!"
Als der Kalif das hörte, sprach er zu den Dienern: „Tragt also
diese Kiste hinein!" Die Diener taten es, und ich glaubte nicht
mehr an eine Rettung. Als aber die Kiste im Zimmer des
Mädchens, meiner Freundin, war, öffnete sie den Deckel und
sagte: „Lauf schnell die Treppe hinauf!"
Ich erhob mich und hatte kaum den Fuß aus der Kiste, als das
Mädchen sie wieder schloß. Nun kamen auch die Diener mit
den übrigen Kisten und der Kalif. Er setzte sich auf die Kiste,
in der ich gewesen war, stand dann auf und ging in seinen Harem.
Ich erholte mich ein wenig, das Mädchen kam bald zu mir und
sprach: „Nun, mein Herr, hast du nichts mehr zu befürchten.
Bleibe hier, bis Zubeida dich sieht. Vielleicht kannst du dein
Glück bei uns machen."

Ich ging dann hinunter und setzte mich in einen kleinen Saal. Da kamen zehn Sklavinnen, schön wie der Mond, und stellten sich in eine Reihe. Dann kamen zwanzig Jungfrauen, und in ihrer Mitte ging Zubeida, die vor lauter Schmuck kaum gehen konnte. Man brachte ihr einen Stuhl, sie setzte sich, und die Sklavinnen begannen zu singen. Ich näherte mich Zubeida und küßte die Erde vor ihr. Sie unterhielt sich mit mir und fragte mich nach meiner Familie. Ich beantwortete alle ihre Fragen, sie freute sich darüber und sagte: „Bei Allah, er ist unseres Zöglings würdig! Nun sei das Mädchen, das wir wie ein eigenes Kind betrachteten, als ein göttliches Unterpfand bei dir!"

Scheherazade bemerkte den Tag und schwieg. In der folgenden Nacht fuhr sie fort:

DIE EINHUNDERTZWEIUNDDREISSIGSTE NACHT

Nachdem ich zehn Tage und zehn Nächte bei ihnen zugebracht hatte, ohne das Mädchen zu sehen, bat Zubeida den Kalifen um die Erlaubnis, das Mädchen zu verheiraten. Er erlaubte es und sprach ihr zehntausend Dinar zu. Dann ließ Zubeida die Schreiber holen, man schrieb unseren Ehe-Kontrakt, feierte die Verlobung und bereitete eine herrliche Mahlzeit aus lauter Süßigkeiten zu. Zehn weitere Tage dauerten die Feiern.

Nach den zwanzig Tagen ging das Mädchen ins Bad. Mir brachte man in jener Nacht unter anderen Speisen auch eine Schüssel von Sirbadj mit geschälten Pistazien, Juleb und Zukker vermischt. Ich aß, bis ich genug hatte und trocknete meine Hand ab. Nun vergaß ich aber, sie zu waschen. Ich blieb sitzen, bis es dunkel wurde. Dann zündetete man die Wachskerzen an. Es kamen Sängerinnen vom Schlosse. Sie sangen und schlugen das Tamburin. Währenddessen schmückte man die Braut und bedeckte sie mit Seidenstoffen und Gold. Als sie in den Saal kam, wo ich mich befand, entkleidete man sie und ließ sie allein mit mir.

Kaum wollte ich sie aber umarmen, da roch sie an meiner Hand den Sirbadj und schrie so laut, daß die Sklavinnen von allen Seiten herbeigelaufen kamen. Ich erschrak, denn ich wußte nicht, warum sie so schrie. Die Sklavinnen fragten sie: „Was hast du, o Schwester?"

Sie antwortete: „Führt diesen tollkühnen Menschen hinaus!"

Ich konnte nicht erraten, weshalb sie so zornig war, und fragte sie daher: „O Gebieterin, was habe ich begangen?"

Sie antwortete: „Warum hast du Sirbadj gegessen, ohne danach deine Hand zu waschen? Bei Gott, ich werde dich dafür bestrafen, daß du dich einer Dame meines Standes näherst, während deine Hand nach Sirbadj riecht!"

Darauf rief sie ihren Sklavinnen zu: „Werft ihn zu Boden!"

Als die Sklavinnen es getan hatten, nahm sie eine geflochtene Peitsche und prügelte meinen Rücken, bis ihr der Arm schmerzte. Dann sagte sie zu den Sklavinnen: „Laßt ihn aufstehen und schickt ihn zum Richter, damit der ihm die Hand abhaue, mit der er Sirbadj gegessen und die er nachher nicht gewaschen hat!"

Scheherazade bemerkte den Tag und schwieg. In der folgenden Nacht erzählte sie weiter:

Nun kamen die Sklavinnen und sagten zu der jungen Frau: „Dieser Mann kannte deinen Rang nicht. Verzeih ihm deshalb!"

Doch sie antwortete: „Ich muß ihn bestrafen, damit er beim nächsten Mal nicht mehr Sirbadj ißt, ohne sich die Hände danach zu waschen." Sie beschimpfte und schmähte mich und entfernte sich dann mit den Sklavinnen.

Zehn Tage lang bekam ich sie nicht zu sehen. Man brachte mir während dieser Zeit gute Speisen und guten Wein. Dabei erzählte man mir, meine Frau sei krank, weil ich Sirbadj gegessen und meine Hand nicht gewaschen habe. Nach zehn Tagen sagte man mir, die Dame ginge jetzt ins Bad, würde morgen bei mir sein, und ich solle mich auf ihren Zorn gefaßt machen. Als sie wirklich zu mir kam, ging sie sofort auf mich los und sprach: „Allah schwärze dein Angesicht, du sollst keinen Augenblick mehr Ruhe haben. Und ehe ich mich mit dir versöhne, will ich dich bestrafen!"

Sie rief ihre Sklavinnen. Diese umringten und fesselten mich. Dann stand sie auf, nahm ein scharfes Rasiermesser und schnitt mir damit die Daumen und Zehen ab. Ich fiel in Ohnmacht. Sie strich dann verschiedene Pulver und Pflaster auf die Wunden, um das Blut zu stillen. Als ich meine Augen wieder öffnete, gaben mir die Sklavinnen Wein, und ich sagte zu der Dame: „Sei mein Zeuge, daß ich nie mehr Sirbadj essen will, ohne nachher meine Hand hundertzwanzigmal zu waschen!"

„Nun wirst du es gewiß nicht mehr vergessen", antwortete sie. Hierauf nahm sie mir meinen Eid auf mein Versprechen ab. Nun wißt ihr, weshalb ich so blaß geworden bin, als ihr mir eine Speise mit Sirbadj reichtet. Und als ihr mich gezwungen habt, davon zu essen, tat ich, was ich tun mußte, um meinen Eid nicht zu brechen."

Scheherazade bemerkte den Tag und schwieg. In der folgenden Nacht fuhr sie fort:

Dann fragte ihn die Gesellschaft: „Und wie ist es dir nachher mit ihr ergangen?"

Er antwortete: „Als meine Wunde ganz zugeheilt war, kam sie zu mir, ich schlief bei ihr und blieb noch den ganzen Monat bei ihr im Palast. Dann sagte sie zu mir: „Im Palast des Kalifen ist doch nicht Platz genug für uns. Deshalb hat mir Frau Zubeida fünfzigtausend Dinar gegeben. Kaufe uns dafür ein schönes Haus!" Sie gab mir also zehntausend Dinar. Ich kaufte ein schönes Haus, und dort lebten wir glücklich miteinander, bis sie starb. Nun wißt ihr, weshalb meine Daumen abgeschnitten sind."

„Wir aßen miteinander", fuhr der muselmanische Küchenverwalter fort, dann ging jeder nach Hause, und mir begegnete die Geschichte mit dem Buckligen."

Der König von China antwortete darauf: „Bei Gott, auch diese Geschichte ist nicht wunderbarer als die des Buckligen!"

Nun stand der jüdische Arzt auf, küßte die Erde und sagte: „Ich will eine Geschichte erzählen, die wunderbarer ist als diese."

„Erzähle", sagte der König von China.

Hier bemerkte Scheherazade den Tag und schwieg. In der folgenden Nacht erzählte sie weiter:

Die Erzählung des jüdischen Arztes

Der Jude sprach: „O König der Zeit, ich erzähle dir das Wunderbarste, das mir widerfahren ist. Als ich in Damaskus war und dort Medizin studierte, kam eines Tages ein Sklave und holte mich zum Fürsten von Damaskus. Als ich in das Haus kam, sah ich oben im Saal einen Thron, auf dem ein schwächlicher junger Mann lag — ein Jüngling, wie ich schönner noch nie einen gesehen hatte.

Ich setzte mich zu ihm und grüßte ihn. Er winkte mir mit den Augen. Ich sagte zu ihm: „Mein Herr, reiche mir deine Hand, damit du genesest!" Er streckte mir die linke Hand zu, und ich wunderte mich sehr darüber. Ich fühlte seinen Puls, verschrieb ihm ein Rezept und besuchte ihn zehn Tage lang, bis er wieder gesund war. Dann ging ich mit ihm ins Bad, und als wir wieder herauskamen, schenkte er mir ein Ehrenkleid und ernannte mich zum Aufseher des Spitals.

Als ich mit ihm allein im Bad war und er nackt dastand, sah ich, daß seine rechte Hand ganz vor kurzem erst abgeschnitten worden war und daß er deshalb so krank gewesen war. Wie ich ihn näher betrachtete, bemerkte ich an seinem Körper Spuren von Schlägen. Er hatte schon Öle, Salben und Arzneien gebraucht, doch blieb noch ein Mal an der Stirn. Das betrübte mich so sehr, daß er es mir anmerkte und sagte: „O Arzt, wundre dich nicht über mich. Ich werde dir bei Gelegenheit eine seltsame Geschichte erzählen."

Wir wuschen uns dann, gingen nach Hause zurück, aßen Suppe und ruhten uns aus. Dann sagte der Jüngling: „Hast du Lust, im Freien spazierenzugehen?" Und als ich ja sagte, befahl er den Sklaven, das Nötige mitzunehmen, darunter auch ein gebratenes Lamm und Früchte.

Wir gingen in einen Garten, setzten uns und aßen. Als wir damit fertig waren, brachte man uns einige Süßigkeiten, die

wir auch verzehrten. Dann wollte ich ein Gespräch mit ihm an-
knüpfen, er jedoch kam mir zuvor und sagte: „Wisse, o Arzt,
ich bin aus Mossul. Als mein Großvater starb, hinterließ er
zehn Söhne. Mein Vater war der Älteste. Alle zehn wuchsen
heran und heirateten. Auch mein Vater nahm eine Frau. Allah
bescherte ihm mich, während die übrigen neun Brüder keine
Kinder zeugten. Und so wuchs ich bei meinen Onkeln auf.
Scheherazade bemerkte den Tag und schwieg. In der folgenden
Nacht fuhr sie fort:

DIE EINHUNDERTSECHSUNDDREISSIGSTE
NACHT

Als ich das Mannesalter erreicht hatte, ging ich mit meinem
Vater an einem Freitag in die Moschee zu Mossul und
betete das Freitagsgebet. Nach dem Gebet blieb ich noch mit
meinem Vater und meinen Onkeln in einem Kreis von Leuten.
Wir saßen beisammen und sprachen von den Wundern der
Länder und den Seltenheiten der Städte. Da sagten einige
meiner Onkel: „Man behauptet, es gibt auf der Erde kein
schöneres Land als Ägypten!"
Das machte mir Lust, Ägypten zu sehen. Andere aber sagten:
„Bagdad ist die Stadt des Friedens und die Mutter der
Welt."
Da sprach mein Vater, der Älteste unter ihnen: „Wer die Stadt
Kahira nicht gesehen hat, hat die Welt nicht gesehen. Ihre
Erde ist Gold, ihre Weiber sind ein Zauber, und der Nil ist
ein Wunder. Sein Wasser ist so weich und so süß — wie ein
Dichter sagte:

Ein Fremder kommt, euch heute Glück zu wünschen
zur treuen Rückkehr an den Nil. Der Nil ist nichts
als meine Tränen, die ich aus Trennungsschmerz um euch
vergieße. Ihr lebt in Wonne, ich allein bin der Verbannte.

Wenn eure Augen dieses Land gesehen hätten, wie es mit Blüten geschmückt ist, und wenn ihr die Nil-Insel sehen würdet, wo man eine so herrliche Aussicht hat, so würden eure Augen vor Entzücken krank werden. Die Nil-Kanäle mit ihren grünen Rändern gleichen dem mit Silber eingefaßten Smaragd. Allah segne den, der diese Verse darüber gedichtet hat:

> *Göttlich war mein Tag am Teiche Habasch, als wir*
> *zwischen Licht und Dunkel saßen. Das Wasser zwischen*
> *den Pflanzen glich einem Schwerte vor den Augen*
> *eines Zitternden.*

Scheherazade bemerkte den Tag und schwieg. In der folgenden Nacht fuhr sie fort:

DIE EINHUNDERTSIEBENUNDDREISSIGSTE NACHT

Als mein Vater Kahira, den Nil und den Habasch-Teich beschrieben hatte, sagte er: „Wer das gesehen hat, gesteht, daß es für die Augen keinen größeren Genuß geben kann. Und siehst du die Insel Schoda mit ihren schattigen Bäumen, so wirst du in freudiges Entzücken versetzt. Stehst du bei Kahira am Nil, wenn er sich bei Sonnenuntergang mit dem Gewand der Sonne umhüllt, so wirst du neu belebt."

Nach dieser Schilderung von Ägypten schlief ich die ganze Nacht nicht. Und als dann meine Onkel eine Ladung Waren nach Ägypten bringen wollten, ging ich zu meinem Vater und weinte, bis er auch mir Waren zusammenpackte und mich mit meinen Onkeln schickte. Er sagte ihnen aber: „Laßt ihn nicht nach Ägypten gehen, sondern verkauft seine Waren schon in Damaskus!"

So reisten wir von Mossul fort und hielten uns nirgends auf, bis wir nach Halep kamen. Auch da blieben wir nur einige

Tage und reisten dann nach Damaskus, eine schöne, gesegnete Stadt mit Flüssen, Bäumen und Vögeln, wie ein grüner Garten mit vielen Früchten. Wir kehrten in einem Khan ein. Meine Onkel verkauften meine Waren so gut, daß ich für einen Dinar fünf erhielt. Ich freute mich über diesen Gewinn. Nun ließen meine Onkel mich in Damaskus und reisten weiter nach Ägypten.

Als sie fort waren, mietete ich mir einen großen marmornen Saal mit einem Springbrunnen und Nebenzimmern. Es war die Wohnung des Abd Urrahman, und ich bezahlte dafür zwei Goldstücke monatlich. Ich aß, trank und ging spazieren, bis ich fast all mein Geld verschwendet hatte. Als ich eines Tages an der Tür meiner Wohnung saß, kam ein reichgekleidetes hübsches Mädchen in meine Nähe. Nie hatte ich ein schöneres Mädchen gesehen. Ich blinzelte ihr zu, und ehe ich mich versah, war sie schon im Zimmer.

Scheherazade bemerkte den Tag und schwieg. In der folgenden Nacht fuhr sie fort:

DIE EINHUNDERTACHTUNDDREISSIGSTE NACHT

Sie schloß die Tür und legte ihren Schleier und ihren Mantel ab. Ich fand sie schön wie den Mond und entbrannte in Liebe zu ihr. Ich holte Sorbet und Früchte und andere Speisen. Wir aßen miteinander. Als es Nacht wurde, zündeten wir Wachskerzen an und tranken dann Wein, bis wir berauscht waren. Dann brachte ich die schönste Nacht meines Lebens bei ihr zu. Am Morgen legte ich ihr zehn Dinar hin. Sie aber machte ein ernstes Gesicht und sagte: „Pfui, du Mossulaner, bin ich für Geld bei dir?"

Dann nahm sie zehn Dinar aus ihrer Tasche und schwor, nie wiederzukehren, wenn ich sie nicht nehmen würde. Schließlich sagte sie: „Erwarte mich in drei Tagen zwischen dem Abend-

und dem Nachtgebet. Nimm hier noch zehn Dinar und treffe wieder alle Vorbereitungen!" Sie ging fort, und mein Herz folgte ihr.

Mit Ungeduld erwartete ich den dritten Tag. Nach Sonnenuntergang kam sie, herrlich geschmückt und wohlriechend. Ich hatte schon alles vorbereitet. Wir aßen, tranken, spielten und lachten bis in die Nacht. Dann schliefen wir zusammen bis zum Morgen. Da stand sie auf, nahm wieder zehn Dinar heraus und sagte: Es bleibt alles beim alten!"

Nach drei Tagen kam sie wieder, und alles wiederholte sich. Als wir beim Trinken waren, sagte sie: „Ich beschwöre dich bei Allah, mein Herr, bin ich nicht schön?"

Ich antwortete: „Ja, bei Allah!"

Da sagte sie: „Erlaubst du mir, ein Mädchen mitzubringen, das noch schöner und jünger ist als ich? Du kannst mit ihr lachen und sie erheitern. Sie hat mich schon einige Male gebeten, ich möge sie mitnehmen und bei mir übernachten lassen."

„Recht gern, bei Allah", antwortete ich.

Am Morgen gab sie mir fünfzig Dinar und sagte dann: „Ich bringe jemanden mit, und du hast mehr Ausgaben. Die Mahlzeit und alles andere aber soll sein wie bisher."

Scheherazade bemerkte den Tag und schwieg. Am folgenden Abend fuhr sie fort:

DIE EINHUNDERTNEUNUNDDREISSIGSTE NACHT

Gegen Sonnenuntergang des dritten Tages kam sie mit dem anderen Mädchen. Ich entschleierte das Mädchen und pries den Schöpfer wegen ihrer Schönheit. Wir setzten uns und aßen. Sie sah mich an und lachte. Als wir gegessen hatten, tranken wir. Meine alte Freundin merkte, daß ich ein Auge auf das neue Mädchen geworfen hatte und ebenso das Mäd-

chen auf mich. Sie scherzte und sagte lachend: „Sage, mein
Teurer, ist das Mädchen nicht schöner und liebenswürdiger wie
ich?"

„Ja, bei Allah", antwortete ich.

Dann fragte sie: „Willst du bei ihr schlafen?"

Ich sagte: „Ja, bei Allah."

Sie sagte: „Bei meinem Leben, so bleibe sie diese Nacht als
unser Gast bei uns."

Dann stand sie auf und machte das Bett zurecht. Ich umarmte
das junge Mädchen und schlief die ganze Nacht mit ihm. Als
ich am Morgen erwachte, fühlte ich mich ganz naß. Zunächst
dachte ich, das sei der Schweiß, doch dann sah ich, daß der
Kopf des jungen Mädchens am Hals abgeschnitten war.

Ich war so entsetzt, daß ich fast die Besinnung verlor. Schnell
stand ich auf und suchte meine Freundin. Ich fand sie aber
nicht und wußte nun, sie hatte aus Eifersucht dem Mädchen
den Kopf abgeschnitten. Ich dachte eine Weile nach und zog
dann dem Mädchen die Kleider aus. Ich fürchtete, die Freundin
würde gewiß die Verwandten der Erschlagenen gegen mich
aufhetzen, denn wer ist gegen Frauenlist sicher? Deshalb grub
ich mitten im Saal ein Loch, legte das Mädchen mit ihrem
Schmuck hinein und bedeckte es dann wieder mit Erde und
Marmorplatten. Ich zog reine Kleider an, legte alles, was ich
hatte, in die Kiste, verließ meine Wohnung, schloß sie ab und
versuchte, mir Mut einzureden. Ich gab dem Hausbesitzer die
Miete für ein Jahr und sagte ihm, ich wolle zu meinen Onkeln
nach Ägypten reisen. Dann mietete ich Kamele aus dem Khan
Sultan und reiste ab.

Scheherazade bemerkte den Tag und schwieg. In der folgenden
Nacht fuhr sie fort:

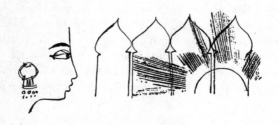

Ich kam auch zu meinen Verwandten nach Kahira und sah, daß sie ihre Waren verkauft hatten. Sie freuten sich, mich zu sehen, und ich sagte, ich hätte Sehnsucht nach ihnen gehabt, weil ich so lange nichts mehr von ihnen gehört hätte. Ich blieb bei ihnen, aß und trank und verschleuderte mein übriges Geld. Als meine Onkel abreisen wollten, verbarg ich mich, und sie fanden mich nicht. Da dachten sie, ich sei wieder nach Damaskus zurückgekehrt und reisten ab.

Ich blieb noch drei Jahre in Kahira, bis ich nichts mehr zu leben hatte. Jedes Jahr hatte ich mein Mietgeld nach Damaskus geschickt, jetzt aber konnte ich das nicht, weil mir nur noch das Nötigste für die Reise blieb. Ich mietete Kamele, und Allah ließ mich glücklich nach Damaskus kommen.

Ich ging in meine Wohnung. Der Hausherr, ein Juwelenhändler, freute sich über meine Rückkehr. Als ich das Zimmer öffnete und die Siegel aufriß, fand ich unter den Kleidern des Mädchens, mit dem ich geschlafen hatte, eine goldene Kette mit einem Schloß aus Edelsteinen und mit zehn Perlen von solcher Pracht, daß man den Verstand darüber verlieren konnte. Ich nahm den Schmuck und bewahrte ihn auf. Dann reinigte ich das Zimmer und richtete alles wie früher her.

Nach zwei oder drei Tagen ging ich auf den Bazar, nahm den Halsschmuck mit und gab ihn einem Händler. Als er ihn sah, küßte er mir die Hand und sagte: „Bei Allah, der ist schön! Das ist ein guter, gesegneter Morgen!"

Dann ließ er mich neben den Eigentümer meiner Wohnung sitzen und bat mich, Geduld zu haben, bis die Versteigerung beginnen konnte. Doch er nahm den Schmuck und rief ihn aus, ohne es mir zu sagen. Es wurden zweitausend Dinar geboten. Der Makler aber kam zu mir und sprach: „Mein Herr, wollt ihr ihn mir für fünfzig Dinar geben? Wir glaubten, es sei gutes Gold, nun ist es aber falsch."

Ich sagte: „Nimm fünfzig Dinar dafür, ich dachte mir gleich, daß es Kupfer sei."

Dadurch bemerkte der Makler, daß hier irgend etwas nicht stimmen mußte. Er ging fort, sprach mit dem Obersten des Bazars, ging zum Richter der Stadt und erzählte ihm, der Schmuck sei ihm gestohlen worden und er habe den Dieb als Kaufmann verkleidet gefunden.

Als ich wieder zu Hause war und an nichts Böses dachte, kamen auf einmal die Gerichtsdiener und führten mich zum Richter. Der fragte mich nach dem Schmuck. Ich sagte ihm, was ich auch dem Makler gesagt hatte. Der Richter lachte und schloß daraus, daß ich ihn gestohlen hätte. Ich wurde sogleich entkleidet und geprügelt. Vor lauter Schmerzen mußte ich lügen und sagen: „Ja, ich habe ihn gestohlen!"

Da schrieb man mein Geständnis auf und hackte mir die Hand ab. Ich lag einen halben Tag ihn Ohnmacht. Dann gab man mir Wein. Mein Hausherr trug mich fort und sagte: „Mein Sohn, du bist ein vornehmer junger Mann und hast eigenes Vermögen. Was brauchst du zu stehlen und dadurch die Leute gegen dich aufzubringen? Nun bist du ein geächteter Mensch. Verlaß mich also und suche dir eine andere Wohnung!"

Mein Herz wollte brechen und ich bat ihn, mir wenigstens drei Tage Frist zu lassen. Er willigte ein und ging fort. Ich aber versank in tiefes Nachdenken und weinte bitterlich und dachte: ‚Nie werde ich mit abgeschnittener Hand nach Hause zurückkehren können!'

Scheherazade bemerkte den Tag und schwieg. In der folgenden Nacht fuhr sie fort:

DIE EINHUNDERTEINUNDVIERZIGSTE
NACHT

Zwei Tage war ich krank, dann kam auf einmal mein Hausherr mit Gerichtsdienern, fünf Soldaten und dem Makler, der den Schmuck von mir gekauft hatte. Sie legten mich in Ketten und sagten: „Der Schmuck, den du hattest, gehört dem

Befehlshaber von Damaskus. Er vermißt ihn schon seit drei Jahren und seine Tochter dazu."

Ich ging sofort mit ihnen und beschloß, dem Befehlshaber die Wahrheit zu sagen. Als der Befehlshaber mich sah, sagte er zu den Kaufleuten: „Laßt ihn frei! Ist er es, der meinen Schmuck verkauft hat?" Sie sagten: „Ja!" Da erwiderte der Befehlshaber: „Der hat ihn nicht gestohlen. Warum habt ihr dem armen Mann ungerechterweise die Hand abgeschnitten?"

Das gab mir Mut und ich sagte: „Mein Herr, ich habe ihn nicht gestohlen. Man hat sich gegen mich verschworen. Nur weil der Richter mich so arg prügeln ließ, habe ich gegen mich selbst gelogen."

Sogleich winkte er dem Kaufmann, der mir den Schmuck weggenommen hatte, und sagte: „Du mußt ihn für die abgeschlagene Hand entschädigen, sonst lasse ich dich prügeln, bis keine Haut mehr an dir bleibt!" Dann ergriffen seine Leute den Kaufmann und führten ihn fort.

Als ich nun allein mit dem Befehlshaber war, sagte er zu mir: „Mein Sohn, erzähle mir die Wahrheit. Denn nur sie kann dich retten!"

Da erzählte ich ihm die ganze Geschichte mit den beiden Mädchen. Als er das hörte, begann er zu weinen, schlug die Hände übereinander und sagte: „Ich gehöre Allah und nehme zu ihm meine Zuflucht!" Dann wandte er sich zu mir und sagte: „Mein Sohn, ich will dir alles erzählen!"

Scheherazade bemerkte den Tag und schwieg. In der folgenden Nacht fuhr sie fort:

DIE EINHUNDERTZWEIUNDVIERZIGSTE NACHT

Der Befehlshaber sagte also zu dem Jüngling: „Du mußt wissen, daß das Mädchen, das dich zuerst besuchte, meine ältere Tochter ist. Ich hatte sie sehr streng bewachen lassen.

Sie heiratete einen Vetter in Ägypten. Er starb aber bald, und sie kam zurück, nachdem sie in Ägypten ganz verdorben worden war. Sie ging nun drei- oder viermal zu dir und brachte zuletzt auch ihre Schwester, meine mittlere Tochter, mit. Die beiden waren von einer Mutter und liebten einander so sehr, daß sie keinen Augenblick voneinander getrennt bleiben konnten. Doch als nun meine mittlere Tochter bei dir schlief, wurde meine ältere Tochter eifersüchtig. Sie tötete ihre Schwester und kam wieder nach Hause, ohne daß ich etwas von allem wußte. Ich vermißte meine Tochter erst, als man an jenem Tage zu Tisch ging. Als ich nach ihr fragte, begann meine ältere Tochter zu weinen und sagte: „Mein Vater, ich weiß nur, daß sie mit Mantel und Kette und sonstigem Schmuck ausging, als man zum Gebet rief."

So vergingen Tage und Nächte, und die Tränen der älteren Tochter trockneten nicht mehr seit jenem Tage. Sie aß und trank nicht mehr und sagte: „Bei Allah, ich werde weinen, bis ich den Todeskelch leere!" Und sie machte ihr Versprechen wahr.

Du siehst nun, was Menschen wie mir und dir widerfahren kann. Diese Welt ist nur eine Täuschung und der Mensch ein Bild, das jede Gestalt annehmen muß. — Nun, mein Sohn, möchte ich, daß du sogleich gehorchst. Da dich das Schicksal deiner Hand beraubt hat, so nimm mein Haus und heirate meine jüngste Tochter, die von einer anderen Mutter ist. Ich will dir viele Güter und Waren als Mitgift geben und dir auch ein gutes Einkommen bestimmen. Du sollst die Stelle eines Sohnes bei mir einnehmen."

Ich sagte: „Mein Herr, was kann ich mehr verlangen! Ich willige gern ein!"

Er ging dann sogleich mit mir in sein Haus, ließ Zeugen kommen und den Ehe-Kontrakt schreiben. Ich wurde der Gatte seiner Tochter. Dann schenkte er mir viele Güter, und ich hatte das schönste Leben bei ihm.

Am Anfang des nächsten Jahres erhielt ich die Nachricht, daß mein Vater gestorben sei. Ich sagte es meinem Schwiegervater, und er schickte einen Diener nach Ägypten um ein Beglaubigungsschreiben vom Sultan. Dieses sandte er mit einem Boten nach Mossul, um mir das ganze Vermögen meines Vaters zu holen. Nun weißt du, o Arzt, weshalb ich meine rechte Hand verlor."

Ich wunderte mich sehr über diese Geschichte, blieb noch einige Tage bei ihm, bis er zum zweitenmal ins Bad ging. Dann schenkte er mir eine große Summe, gab mir Lebensmittel und sagte mir Lebewohl. Ich reiste von da nach Bagdad, durchzog das persische Irak, bis ich zu euch hierher kam und hier recht glücklich lebte. Da passierte mir die Geschichte mit dem Bucklinen. Ist meine Geschichte nicht wunderbarer als seine?"

Scheherazade bemerkte den Tag und schwieg. In der folgenden Nacht erzählte sie weiter:

DIE EINHUNDERTDREIUNDVIERZIGSTE NACHT

Als der König von China die Geschichte des jüdischen Arztes gehört hatte, schüttelte er den Kopf und sagte: „Nein, diese Geschichte ist nicht wunderbarer. Ich werde euch also alle vier umbringen lassen, weil ihr den Bucklinen umgebracht und Geschichten erzählt habt, die nicht erstaunlicher sind als die seine. Es sei denn, daß du, Schneider, der Urheber des ganzen Unglücks, noch eine sehr wunderbare Geschichte erzählst."

Die Erzählung des Schneiders

Da sagte der Schneider: „O König der Zeit. Das Wunderbarste ist mir gestern widerfahren, ehe ich diesen Bucklinen traf. Ich war vormittags mit vielen anderen Leuten bei einer Mahlzeit. Als wir beim Essen saßen, kam der Hausherr mit einem schönen hinkenden Jüngling. Aus Ehrerbietung vor dem Wirt standen wir auf. Doch da der Jüngling sich setzen wollte, bemerkte er unter den Gästen einen Barbier und wollte sogleich wieder fortgehen. Der Gastgeber aber hielt ihn fest und beschwor ihn, zu sagen, weshalb er gekommen sei und nun so schnell wieder fort wolle. Da sagte der Jüngling: „Sei nicht böse, mein Herr. Dieser verdammte Barbier hier ist schuld daran mit seinem schwarzen Gesicht, seinem schlechten Lebenswandel und seinem abscheulichen Benehmen. Wo er erscheint, bedeutet das Unglück."

Scheherazade bemerkte den Tag und schwieg. In der folgenden Nacht fuhr sie fort:

DIE EINHUNDERTVIERUNDVIERZIGSTE NACHT

Der Schneider erzählte weiter: „Wir forderten den Jüngling auf, uns mehr über den Barbier zu berichten. Da sprach er: „In meiner Stadt, in Bagdad, ist mir mit diesem Barbier etwas passiert, das die Ursache meines Hinkens ist. Ich habe seinetwegen Bagdad verlassen und werde diese Nacht auch von hier fortgehen, weil ich ihn bei euch sitzen sehe.

Mein Vater war einer der ersten Aufseher in Bagdad und hatte kein anderes Kind außer mir. Als ich herangewachsen war und schon Verstand hatte, starb er und hinterließ mir ein großes Vermögen. Ich kleidete mich vornehm und lebte in Freuden, doch nichts war mir verhaßter als das weibliche Geschlecht. Eines Tages spazierte ich durch die Straßen Bagdads und begegnete einer Gesellschaft Frauen. Ich flüchtete in eine Straße, die keinen Durchgang hatte. Kaum saß ich hier eine Weile, als sich ein Fenster öffnete und ein Mädchen herausblickte, wie mein Auge noch nie ein schöneres gesehen hatte. Als sie mich sah, lächelte sie. Sie zündete eine Flamme in meinem Herzen an, und mein Weiberhaß wurde in Liebe verwandelt. Ich blieb bis gegen Sonnenuntergang sitzen. Da kam der Kadi der Stadt auf einem Maultier geritten und stieg vor dem Hause ab. Daraus schloß ich, daß er ihr Vater sein müsse, ging betrübt nach Hause und warf mich fieberkrank auf meinem Bett umher.

Einige Tage verbrachte ich in diesem Zustand, und meine Familie weinte um mich. Da kam eine alte Frau zu mir, setzte sich neben mich und sagte: „Sei guten Mutes, mein Sohn! Ich werde dich mit der Geliebten vereinigen."

Scheherazade bemerkte den Tag und schwieg. In der folgenden Nacht fuhr sie fort:

DIE EINHUNDERTFÜNFUNDVIERZIGSTE NACHT

Dann sprach die Alte folgende Verse:

Bei der leuchtenden Stirn und den roten Rosen
der Wangen: Als er kam, um Abschied zu nehmen,
konnte mein Blick sich nicht von ihm trennen. Ich stand
auf und ging ihm nach, unsicheren Schrittes, denn ich sah
nichts mehr. Ich strauchelte und schwankte ihm nach,
der hart und gefühllos ist, als wäre er von Stein.
Heiße Flammen durchglühen mein Inneres. Höllische
Pein martert mein Herz. Ich lebe allein, abgeschlossen
von den Meinen, decke meine Wangen mit Erde,
und meine Tränen fließen wie Regen. Ich rufe Tage an,
die auf immer vorüber sind, während doch meine
Leidenschaft stetig wächst. Wehe über meinen Verlust!
Wehe über meinen Wahnsinn! Was nützen meine Klagen?
Ich war tot, als er von mir schied, nur war ich noch nicht
im Grabe. Zerfließe vor Schmerz, o mein Innerstes.
Spalte dich, o Herz! Solange ich lebe, wird sein Andenken
nicht erlöschen . . . Mich hat seine Liebe getötet,
es bleibt mir keine Hoffnung mehr. Kann wohl mein
vergangenes, heiteres, frisches Leben wiederkehren?
Es bleibt mir keine Entschuldigung, wenn Tadler
mir Vorwürfe machen. Welchen Trost soll ich meinem
Herzen reichen, wie Geduld schöpfen? Ich kann nie

den vergessen, der mir einen schönen Anblick gewährte.
Seine Schönheit war so blendend, daß sie aller Menschen
Verstand raubte. Wenn ich ihn umarmte, war sein Gesicht
wie der heranbrechende Morgen. Das Licht entfloh
vor uns. Wir waren im Garten so innig vereint
wie helle Locken um zarte Wangen. Ich umfaßte seine
Wangen wie der Kaufmann seine Ware, als wären sie
ein Goldstück in der Hand eines armen Geizhalses.

Hier bemerkte Scheherazade den Tag und schwieg. In der folgenden Nacht fuhr sie fort:

DIE EINHUNDERTSECHSUNDVIERZIGSTE NACHT

Dann sagte die Alte: „Erzähle mir deine Geschichte, mein Sohn!"
Als ich sie erzählt hatte, sprach sie: „Mein Sohn, sie ist die Tochter des Kadi von Bagdad und wird sehr streng bewacht. Der Ort, an dem du sie gesehen hast, ist der untere große Saal. Sie ist ganz allein in diesem Stockwerk. Ich werde dafür sorgen, daß du zu ihr gelangst. Fasse nur Mut!"
Am folgenden Morgen kam die Alte wieder zu mir, hatte aber ein völlig entstelltes Gesicht. Sie sagte: „Frage mich nicht, was mir das Mädchen getan hat, als ich von dir sprach. Sie sagte mir: ‚Wenn du nicht schweigst, du verdammtes altes Weib, und nur noch ein Wort sprichst, werde ich dich behandeln, wie du's verdienst. Ich werde dich umbringen lassen, wenn du noch einmal von so etwas redest!' Doch, mein Sohn, ich werde noch einmal zu ihr zurückkehren, mag auch geschehen was da wolle!"
Als ich das gehört hatte, wurde ich so krank, daß alle Ärzte an mir verzweifelten. Eines Tages aber kam die Alte wieder, setzte sich mir zu Häupten und sagte leise: „Du mußt mir etwas geben für die gute Botschaft, die ich dir bringe."

Ich setzte mich aufrecht und sagte: „Du sollst einen guten Lohn für deine Nachricht haben."

Da sprach sie: „Mein Herr, das Mädchen hat gesehen, wie meine Augen weinten und wie mein Herz zerknirscht war. Ich habe zu ihr gesagt: ‚O meine Gebieterin, ich komme eben von einem kranken Jüngling, an dessen Leben seine Familie schon verzweifelt. Bald liegt er in Ohnmacht, bald kommt er wieder zu sich. Er wird gewiß deinetwegen sterben'! Da ihr Herz gerührt war, fragte sie: ‚Und was geht das dich an?' Ich antwortete ihr: ‚Er ist mein Sohn. Seitdem er dich am Fenster gesehen hat, liebt er dich und weint immerzu. Er ist es, der folgende Verse gedichtet hat:

Bei deinem lebendigen Angesicht beschwöre ich dich,
nicht den durch deine Abneigung zu töten, der dich
liebt. Liebeskrankheit hat meinen Körper geschwächt,
und mein Herz ist vom Becher deiner Liebe berauscht.
Dein Wuchs gleicht einer geraden, doch biegsamen Lanze.
Vor deinem Mund errötet die glänzende Perle vor
Scham. Aus dem Bogen deiner Augenbrauen schleuderst
du Pfeile, die nie mehr von meinem Herzen weichen und
die ich dir nie wieder entgegenschleudere. Dein schlanker
Wuchs gleicht einem zarten Baumzweig. Wer hilft nun
dem vor Liebe Rasenden, dem Verzweifelten? Bei dem
bezaubernden Fleckchen auf deinen Wangen, erbarme
dich dessen, den du getötet hast! Deine Lippen sind
Wein, Honig und in Korallen gefaßte Perlen. Deine Füße
vertreiben den Tod und die Pein. Gott gebe dir den
schönsten Trost in der Liebe!

Scheherazade bemerkte den Tag und schwieg. In der folgenden Nacht fuhr sie fort:

Nun', sagte ich zu dem Mädchen, ,ist er so krank geworden, daß er das Bett nicht mehr verlassen kann und wahrscheinlich sterben wird.' Da sagte sie erblassend: ,Und das alles meinetwegen?' Ich antwortete: ,Ja, meine Herrin! Und was beschließt du jetzt über ihn?' Hierauf sagte sie: ,Bring ihn Freitag vor dem Mittagsgebet hierher. Ich werde ihm die Tür öffnen und ihn zu mir in den Saal lassen. Dann werden wir eine Weile zusammenbleiben. Er muß sich aber entfernen, ehe mein Vater zurückkehrt.'"

Als ich, o ihr Leute, die Worte der Alten hörte, waren all meine Schmerzen vorüber. Sie setzte sich zu mir und sagte: „Bereite dich auf Freitag vor, so Allah will!"

Sie ging fort, und alle meine Leiden waren verschwunden. Ich freute mich auf Freitag, da kam die Alte und erkundigte sich nach meinem Befinden. Ich sagte, daß mir sehr wohl wäre. Dann stand ich auf, kleidete mich an, beräucherte und parfümierte mich. Sie fragte mich: „Warum gehst du nicht ins Bad und wäschst dich rein von den Spuren der Krankheit?"

Ich antwortete ihr: „Ich habe keine Lust, ins Bad zu gehen und habe mich schon gewaschen. Aber ich brauche einen Barbier, der mich rasiert."

Sogleich wandte sie sich an einen Diener und sagte zu ihm: „Bringe mir einen verständigen Barbier, der nicht zuviel schwatzt, damit er mir mit Reden nicht den Kopf verwirrt!"

Der Diener ging und brachte mir diesen schlechten Alten da. Er grüßte mich beim Hereinkommen, und nachdem ich seinen Gruß erwidert hatte, sagte er: „Mein Herr, du siehst sehr mager aus!" und fragte dann: „Soll ich dir die Haare schneiden oder dich schröpfen?"

Ich antwortete: „Rasiere mir nur den Kopf und laß das Plaudern, denn ich bin noch geschwächt von meiner Krankheit."

Scheherazade bemerkte den Tag und schwieg. In der folgenden Nacht fuhr sie fort:

Als ich das gesagt hatte", fuhr der junge Mann in seiner Erzählung fort, "steckte er die Hand in seinen Beutel und zog ein siebenfaches, mit Silber beschlagenes Sternenalbum heraus. Damit ging er in den Innenhof des Hauses in die Sonne, sah hinein und sagte: "Wisse, mein Herr, daß heute Freitag der achtzehnte Saffar, 653 der Hedjira, 7320 der Epoche Alexanders ist. Nach meiner Berechnung der Stellung des Mars mit Merkur deutet alles darauf, daß das Rasieren dir Glück bringt, zugleich aber bedeutet es, daß du irgendein Treffen vorhast, aus dem ein Unglück entstehen kann."

Ich sagte zu ihm: "Du machst mich bange und quälst mich mit deiner Weissagung. Ich habe dich nicht rufen lassen, damit du mir die Sterne deutest, sondern daß du mir die Haare schneidest. Tue also das, sonst laß ich einen anderen Barbier holen!"

Der Barbier antwortete: "Du solltest Allah danken, denn er hat dir nicht nur einen Barbier, sondern auch einen Sterndeuter geschickt, der tief in die Wissenschaften eingedrungen ist. Ich kenne viele Künste und habe mich mit allem beschäftigt. Ich rate dir nur, zu tun, was ich dir nach meiner astrologischen Berechnung sagen werde. Ich verlange keinen Lohn von dir, denn was ich für dich tue, ist wenig für deinen Rang und den Platz, den du in meinem Herzen einnimmst. Dein Vater liebte mich sehr, weil ich nicht viel Unnötiges schwatzte. Darum ist es meine Schuldigkeit, dich zu bedienen."

Als ich das hörte, sagte ich zu ihm: "Du bringst mich mit deinem Geschwätz noch um."

Scheherazade bemerkte den Tag und schwieg. In der folgenden Nacht fuhr sie fort:

Hierauf sagte der Barbier: „Mein Herr, nennen mich die Leute nicht den Schweigenden, weil ich so wenig rede? Ich rede weniger als meine sieben Brüder. Der Älteste heißt Bakkub, der zweite Hadar, der dritte Bakaibak, der vierte Kus, der fünfte Naschar, der sechste Schakaik, und mich nannte man Sammat, den Schweigenden, weil ich so wenig rede!"

Nun, ihr Leute, als der Barbier so immer weiter schwatzte, zersprang mir fast die Galle. Ich war so aufgebracht, daß ich meinem Diener sagte: „Gib ihm vier Dinar und laß ihn in Gottes Namen gehen; ich will mich heute nicht rasieren lassen."

Als der Barbier das hörte, sagte er: „Was sagst du da? Der muselmännische Glaube verbietet mir, Lohn zu nehmen, ohne dich zu bedienen. Ich muß dich bedienen, ganz gleich, ob du mir Lohn gibst oder nicht. Und weißt du mich auch nicht zu schätzen, mein Herr, so weiß ich doch, was ich dir deines Vaters wegen schuldig bin." Dann sprach er die Verse:

> Ich komme zum Herrn, um Blut zu schröpfen; ich kann
> den Augenblick nicht erwarten, da er wieder wohl ist.
> Ich setze mich zu ihm und unterhalte ihn von wunder-
> baren Dingen und krame vor ihm meine Kenntnisse und
> meinen Verstand aus. Er hört mir gern zu und sagt zu
> mir: O Fundgrube der Wissenschaft, du bist mehr als
> verständig!

Dein Vater schätzte mich und pflegte stets zu seinem Diener zu sagen: ‚Gib ihm hundertdrei Dinar und ein Kleid.' Ich nahm dann das Horoskop, das sehr gut stand, schröpfte ihn, und dann konnte ich nicht umhin, deinen Vater zu fragen, weshalb er mir hundertdrei Dinar gebe. Er antwortete mir: ‚Ein Dinar für die Weissagung, ein Dinar für das Erzählen, ein Dinar für das Schröpfen und hundert Dinar und das Ehrenkleid für dein Lob.' Er schwatzte immer weiter und ich wurde so zornig, daß ich sagte: „Allah habe kein Mitleid mit Leuten von deiner Art!"

Scheherazade bemerkte den Tag und schwieg. In der folgenden Nacht fuhr sie fort:

DIE EINHUNDERTFÜNFZIGSTE NACHT

Noch einmal bat ich", erzählte der Jüngling, „den Barbier: Laß das viele Reden, du stiehlst mir meine Zeit!" Doch lachte mich der Barbier nur aus und sagte: „O mein Herr, ich glaube, dich hat die Krankheit ganz verändert. Dein Verstand scheint abgenommen zu haben, obwohl sonst bei Leuten, die älter werden, das Gegenteil der Fall ist. Ich hörte, wie einst ein Dichter sagte:

> *Sei mild gegen Arme, wenn das Schicksal dir günstig ist.*
> *Du wirst dafür einst reichen Lohn ernten. Armut ist*
> *eine Krankheit, für die es kein Heilmittel gibt. Reich-*
> *tümer sind eine Zierde für das Auge, wenn sie sich zu*
> *einem schönen Charakter gesellen. Verbreite Segen unter*
> *dem Volk, in dessen Mitte du lebst. Strebe danach, den*
> *Ruf deiner Eltern rein zu erhalten. Ihre Augen haben*
> *aus Angst um dich manche Nacht durchwacht. Aber*
> *Allahs Auge schläft nie.*

Du weißt, daß dein Vater und Großvater nie etwas unternahmen, ohne mich um Rat zu fragen. Auch sagte ein Dichter:

> *Hast du ein Geschäft vor, so frage einen Erfahrenen*
> *und zürne ihm nicht!*

Du findest keinen erfahreneren Menschen als mich. Ich stehe willig vor dir, um dich zu bedienen. Du hast keinen Grund, dich über mich zu ärgern."

Ich sagte ihm: „Du hast jetzt lange genug geschwatzt. Bediene mich nun! Die Stunde, die ich erwarte, ist schon nahe. Tue also in Allahs Namen deine Arbeit und mach dann, daß du fortkommst!"

Ich riß dann meine Kleider auf, und als er das sah, nahm er sein Messer und rasierte mir einige Haare vom Kopf. Dann hob er die Hand und sagte: „Mein Herr, allzugroße Eile ist eine Sache des Teufels:

> *Gehe langsam zu Werke und übereile dich nicht. Habe*
> *Mitleid mit den Menschen, dann findest auch du einen*
> *Barmherzigen. Es gibt keine Hand, die nicht unter Gottes*
> *Hand steht, keinen Übeltäter, der nicht durch einen*
> *anderen bestraft wird.*

Ich glaube, du weißt mich nicht zu würdigen und verkennst mich, meinen hohen Rang, meine Kenntnisse und meine Wissenschaften. Übereile dich nicht, die Eile ist eine Teufelssache und hat oft Reue in der Folge. Dein Zustand kommt mir verdächtig vor. Ich möchte wissen, was du vorhast. Ich fürchte, du hast etwas Unvorsichtiges im Sinn. Es bleiben ja noch drei Stunden bis zum Gebet. Ich muß die Zeit aber ganz genau wissen, denn es ist eine Schande, zweifelhafte Worte zu sprechen, besonders für einen Mann wie mich."

Scheherazade bemerkte den Tag und schwieg. In der folgenden Nacht fuhr sie fort:

Noch einmal befahl ich ihm zu schweigen. Da nahm der Verdammte wieder das Messer, rasierte abermals zwei Haare ab und sagte: „Wenn du mir nur sagen würdest, was du vorhast, so würde es gewiß zu deinem Besten sein!"

Da ich nun keinen anderen Ausweg sah, von der lästigen Fragerei befreit zu werden, sagte ich zu ihm: „Laß doch das viele Reden, denn ich muß zu einer Mahlzeit eines meiner Freunde."

Als er aber etwas von einer Mahlzeit hörte, sagte er: „Dieser Tag bei dir bringt mir Segen. Du erinnerst mich daran, daß ich gestern eine Gesellschaft zum Essen eingeladen und dann ganz vergessen habe. Nun habe ich gar keine Anstalten getroffen, und es wird eine Schande für mich werden."

Ich sagte ihm: „Mach dir deshalb keine Sorgen, denn da ich heute eingeladen bin, kannst du alle Speisen und Getränke nehmen, die ich im Hause habe. Mach nur schnell und rasiere mich!"

Er antwortete: „Allah belohne dich dafür. Doch sage mir, was du mir geben willst, damit ich weiß, was ich meinen Gästen anbieten kann."

Ich sagte ihm: „Ich habe fünferlei Gerichte, fünf gebackene Hühner und ein gebratenes Lamm."

Er sagte: „Laß es herbringen, damit ich es sehe!", und ich befahl einem meiner Jungen, alles herbeizuschaffen. Als der Barbier die Speisen sah, sagte er: „Das sind die Speisen, wo aber sind die Getränke?"

Ich antwortete: „Ich habe einen oder zwei Krüge Wein."

Er forderte: „Laß sie herbringen!" Und als der Junge sie brachte, meinte der Barbier: „Das wären die Speisen und die Getränke. Es fehlen nur noch Früchte und Süßigkeiten."

Ein Diener brachte auch das, und der Barbier sagte: „Bei Allah, ich nehme es nicht, bevor ich nicht eines nach dem andern durchgesehen habe."

Ich sagte dem Diener, er solle den Korb öffnen. Da warf der Barbier das Sternalbum fort, setzte sich hin und wühlte alles durcheinander, so daß mir der Atem ausging. Dann nahm er wieder das Schermesser, rasierte ein Härchen ab und sprach:

So wie die Bäume nach ihrem Stamm wachsen,
ist auch der Sohn dem Vater ähnlich.

Dann sagte er: „Bei Allah, mein Herr, meine ganze Mahlzeit werde ich deiner Güte verdanken. Ich habe keinen einzigen Gast, der so etwas verdient. Doch besuchen mich nur würdige Männer, die alle, wie dein Knecht, nicht gern viel reden: der Badwirt, der Küchenerbsenverkäufer, der Bohnenhändler, der Kräuterhändler, der Kameltreiber, der Gassenkehrer, der Lohnbediente, der Nachtwächter und der Stallknecht."
Scheherazade bemerkte den Tag und schwieg. In der folgenden Nacht erzählte sie weiter:

DIE EINHUNDERTZWEIUNDFÜNFZIGSTE NACHT

Der Küchenerbsenhändler aber", fuhr der Barbier fort, „bringt noch mehr Kenntnisse mit als alle die anderen. Wenn er tanzt und singt: ‚O Herrin, o Seufzende, was säumst du so lange?', dann muß jeder lachen. Wenn der Gassenkehrer singt, dann bleiben die Vögel stehen. Er ist ein kluger, gebildeter Mann. Ich habe über ihn die Verse gedichtet:

Ich möchte mein Leben hingeben für den geliebten
Gassenkehrer. Er hat süße Tugenden und ist so schmiegsam
wie der Zweig eines Baumes. Das Schicksal war mir eine
Nacht günstig, und ich sagte ihm, während ich die immer
wachsende Liebe an ihm stillte: ‚Du hast in meinem
Herzen ein großes Feuer entzündet.' Und er antwortete:
‚Es schadet nichts, wenn ein Gassenkehrer auch Feuer-
anzünder wird.'

Jeder von ihnen hat so viele Eigenschaften, daß man vor vielem Lachen über ihre Späße fast toll wird. Mein Herr kann nun wählen, ob er mit mir zu meinen Freunden gehen will. Wo du verabredet bist, könntest du, kaum genesen, zu Schwätzern kommen, die von vielen Dingen reden, die sie nichts angehen. Und da du noch zu schwach bist, könnte es dir schaden."

Trotz meines Zornes mußte ich lachen: „Du erteilst einen Rat, den du selber nicht befolgst. Doch vielleicht kann das an einem anderen Tag stattfinden. Mache nun, daß du fertig wirst und gehe dann zu deinen Freunden."

Er sagte: „O mein Herr, wie gern würde ich dich mit diesen klugen Leuten bekanntmachen, von denen keiner ein Schwätzer ist. Es wäre mir lieb, wenn du heute mit mir zu meinen Freunden gingest. Kannst du aber durchaus auf deine Freunde nicht verzichten, so bringe ich meinen Freunden nur zu essen und zu trinken, komme dann wieder hierher und gehe mit dir zu deinen Freunden."

Ich sagte: „Es gibt keinen Schutz und keine Macht außer bei Allah! Geh du zu deinen Freunden und laß mich zu meinen Freunden gehen, die mich erwarten. Der Ort, wohin ich gehe, ist eng und hat keinen Raum für dich."

Er versetzte: „Ich glaube, du hast eine Zusammenkunft mit einer Dame, denn zu einer Mahlzeit würdest du mich sicher mitnehmen. Ein Mann wie ich ist bei Mahlzeiten, Festlichkeiten und Belustigungen an seinem Platz. Kommst du aber mit jemandem zusammen, mit dem du gern allein bist, so kann ich dir dazu behilflich sein."

Scheherazade bemerkte den Tag und schwieg. In der folgenden Nacht fuhr sie fort:

Ich werde dafür sorgen", fuhr der Barbier fort, „daß dich niemand in das Haus des Mädchens gehen sieht!"
Ich wollte auffahren, doch da ich befürchtete, dieser Barbier könnte mir durch sein Geschwätz bei meinen Leuten und Nachbarn einen bösen Namen machen, schwieg ich. Als aber die Mittagsstunde herannahte und nun auch mein Haupt rasiert war, sagte ich ihm: „Geh jetzt, bringe diese Speisen und Getränke in dein Haus für deine Freunde. Ich will hier warten, bis du wiederkehrst und dich dann mit mir nehmen." Ich sagte ihm noch manches Angenehme in der Hoffnung, ihn loszuwerden.

Er aber antwortete: „Mir ist, als wolltest du mich hintergehen und dich in eine Gefahr stürzen, aus der es keine Rettung gibt. Bei Gott, gehe nicht weg, ehe ich nicht wieder da bin, um dich zu begleiten. Ich muß wissen, was aus dir wird, und daß man keine List gegen dich gebraucht."

Ich sagte: „Gut, aber beeil' dich!"

Nun nahm der Verdammte alles, was ich ihm geschenkt hatte und ging fort, um es mit einem Träger nach Hause zu bringen. Sobald er verschwunden war, kleidete ich mich schnell an und ging in die Straße, in der das Mädchen wohnte. Vor dem Hause erwartete mich schon die Alte und führte mich in den oberen Stock, wo das Mädchen wartete. Ich war noch nicht lange im Hause, da kehrte der Hausherr schon wieder vom Gebet zurück, ging ins Haus und verriegelte die Tür. Und als ich zum Fenster hinaussah, stand der Barbier, den Allah verdamme, vor der Tür. Ich dachte: ,Woher weiß der Teufel das?' Nun aber traf es sich, daß der Hausherr einen Sklaven und eine Sklavin, die Unrechtes getan hatten, schlug. Beide schrien — und nun glaubte der verdammte Barbier, ich sei geschlagen worden. Er fing an zu schreien, zerriß seine Kleider und rief um Hilfe. Immer mehr Volk versammelte sich um ihn, während er immer wieder rief: „Mein Herr wird im Hause des Kadi

totgeschlagen!" Er lief dann fort, schrie immer weiter und benachrichtigte meine Familie und meine Diener von dem Vorfall. Auf einmal kamen sie alle mit zerrissenen Kleidern und
wüsten Haaren und schrien: „O unser Herr!"
Hier bemerkte Scheherazade den Tag und schwieg. Am nächsten Abend fuhr sie fort:

DIE EINHUNDERTVIERUNDFÜNFZIGSTE
NACHT

Als der Hausherr den Lärm vor seiner Tür hörte, befahl er
seinem Diener: „Sieh einmal, was es gibt!" Der Diener
ging und erstattete seinem Herrn Bericht. Dem Kadi kam das
sonderbar vor. Er ging selber an die Tür, erschrak, als er die
vielen Menschen sah und fragte: „O ihr Leute, was wollt ihr?"
Sie antworteten: „Du Verdammter! Warum mißhandelst du
unseren Herrn?"
Er entgegnete: „Was hat mir denn euer Herr getan, daß ich
ihn mißhandeln soll? Hier, mein Haus steht euch offen!"
Da sagte der Barbier: „Du hast ihn eben mit der Peitsche geschlagen. Ich habe gehört, wie er geschrien hat!" Sei nicht so
scheinheilig, ich weiß alles! Deine Tochter liebt ihn, und er
liebt sie wieder. Und weil du das erfahren hast, hast du deinen
Dienern befohlen, ihn zu schlagen. Bei Allah, der Sultan soll
zwischen uns entscheiden. Gib unsern Herrn sofort heraus,
oder ich gehe ins Haus und hole ihn!"
Da sagte der Kadi empört: „Komm doch und hole ihn heraus!"
Verzweifelt suchte ich nach einem Fluchtweg und nach einem
Ort, an dem ich mich verbergen könnte. Ich fand nichts als
eine große Kiste im Zimmer, sprang hinein und schloß den
Deckel über mir. Als der Barbier in das obere Stockwerk kam
und die Kiste sah, nahm er sie schnell auf den Kopf und trug
sie fort. Ich hatte schon fast die Besinnung verloren. Deshalb

öffnete ich die Kiste, sprang auf die Erde und verrenkte mir dabei ein Bein. Nun wurde die Haustür vor uns geöffnet, und ich sah eine große Volksmenge. Da ich aber viel Geld bei mir in meinem Ärmel trug, das ich für diesen Tag eingesteckt hatte, streute ich es unter die Leute aus. Sie waren damit beschäftigt, es aufzuheben, während ich durch die Straßen von Bagdad humpelte — und der verdammte Barbier immer hinter mir her.

Scheherazade bemerkte den Tag und schwieg. In der folgenden Nacht fuhr sie fort:

DIE EINHUNDERTFÜNFUNDFÜNFZIGSTE NACHT

D er Barbier lief hinter mir her und rief: „O mein Herr, wo willst du jetzt hin? Hätte mich Allah nicht dir zur Hilfe geschickt, so wärest du ihnen nicht entgangen!"

Er verfolgte mich durch alle Straßen und schrie so laut, daß ich mich fast zu Tode ärgerte. Ich lief in einen Khan mitten im Bazar und bat den Eigentümer, dem Barbier den Eintritt zu verwehren. Dann setzte ich mich in ein Magazin und dachte: ‚Gehe ich wieder nach Hause, so werde ich diesen verdammten Barbier nicht los. Er wird Tag und Nacht bei mir bleiben. Ich aber will und kann ihn nicht mehr sehen.'

Deshalb schickte ich sogleich nach Zeugen, schrieb für meine Familie ein Testament, teilte den größten Teil meines Vermögens aus und befahl einem Verwalter, mein Haus und meine Güter zu verkaufen. Ich nahm einen Teil meines Vermögens mit mir, verließ noch am gleichen Tag den Khan und reiste hierher, um den Barbier loszuwerden. Als ich eurer Einladung folgte und diesen verdammten Barbier unter den Gästen fand, konnte es mir bei euch nicht mehr behagen. Habe ich doch seinetwegen mein Bein verrenkt, die Geliebte verloren. mein Vaterland und meine Familie verlassen."

Der junge Mann beharrte darauf, sich nicht zu setzen. Wir hatten staunend seine Geschichte vernommen, waren sehr betrübt darüber und fragten den Barbier: „Ist es wahr, was der junge Mann erzählt hat? Und warum hast du all das getan?"

Da erhob sich der Barbier und sagte: „Was ich getan habe, geschah mit Absicht und Vorbedacht, denn ohne mich wäre er zugrunde gegangen. Bei Allah, ich war kein Schwätzer! Ich rede am wenigsten von meinen sechs Brüdern und bin der Klügste von ihnen. Ich will euch erzählen, was mir widerfahren ist, damit ihr mir glaubt, daß ich wenig rede:

Die Geschichte des Barbiers

Ich war einmal zu Zeiten des Kalifen Mustansar, Sohn des Mustadi, in Bagdad. Der Kalif liebte die Armen, die Gelehrten und die Rechtschaffenen. Es traf sich nun, daß er über zehn Leute zu richten hatte und den Befehlshaber von Bagdad beauftragte, sie am Feiertag vor ihn bringen zu lassen.

Hier bemerkte Scheherazade den Tag und schwieg. In der folgenden Nacht fuhr sie fort:

DIE EINHUNDERTSECHSUNDFÜNFZIGSTE NACHT

Die zehn Männer waren Straßenräuber. Der Befehlshaber schiffte sie auf einem kleinen Nachen ein, und als ich sie sah, dachte ich, sie seien sicher irgendwo zusammen eingeladen oder wollten den Tag essend und trinkend auf diesem Nachen zubringen. Und niemand außer mir sollte sie unterhalten — so wollte ich es. Also ging ich zu ihnen auf das Schiff.

Als sie am Ufer in Bagdad an Land gingen, kamen sofort Polizeidiener und legten sie in Fesseln. Auch um meinen Hals warf man eine Kette. Doch ich schwieg und sagte kein Wort. Man führte uns miteinander in Ketten vor den Ersten der Gläubigen, und der befahl, alle zehn zu köpfen. Der Scharfrichter fing an, einen nach dem andern zu köpfen, bis er zehn Köpfe abgeschlagen hatte und nur ich noch übrig war. Da sah der Kalif den Scharfrichter an und sagte zu ihm: „Warum hast du nur neun geköpft?"

Der antwortete: „Bewahre mich Allah davor, nur neun Köpfe abzuschlagen, wenn du mir befiehlst, zehn Menschen zu köpfen!"

Der Kalif versetzte: „Hier steht ja noch der Zehnte vor dir!"

Aber der Scharfrichter antwortete: „Bei Allah und deiner Gnade, ich habe zehn geköpft!"

Dann zählten sie die Köpfe und fanden zehn. Da sah mich der Kalif an und sagte zu mir: „Wehe dir, warum schweigst du in einem solchen Falle? Wie kommst du zu diesen bösen Menschen? Du bist doch ein alter Mann, weshalb hast du so wenig Verstand?"

Ich richtete mich auf und sagte: „O Fürst der Gläubigen, ich bin der Schweigende, obwohl ich beredter bin und besser antworten kann als andere Leute. Unerreichbar und unbeschreiblich aber ist die Festigkeit meines Verstandes, die Kürze meiner Worte, die Vortrefflichkeit meiner geistigen Kräfte. Als ich gestern diese zehn Leute in einen Nachen steigen sah, dachte ich, sie seien irgendwo eingeladen und gesellte mich zu ihnen. Und nun widerfuhr ihnen und mir, was du schon weißt. So geht es mir immer in meinem Leben: ich erweise den Menschen Gutes, und sie vergelten es mit Schlechtem."

Als der Kalif das gehört hatte, lachte er so heftig, daß er auf den Rücken fiel. Dann sagte er: „Sind deine sechs Brüder auch so wie du?"

Ich antwortete: „Ihr Leben und ihre Taten gleichen den meinen nicht, ebensowenig wie ihre äußere Gestalt mir gleicht. Jeder von ihnen hat einen körperlichen Fehler: der eine ist bucklig, der andere hat eine Zahnlücke, der dritte ist blind, der vierte halbblind, der fünfte hat abgeschnittene Ohren und der sechste abgeschnittene Lippen. Glaube nicht, daß ich gern viel rede. Ich möchte im Gegenteil zeigen, daß ich ernster bin als sie alle. Jeder von ihnen hat ein Abenteuer erlebt, durch das er verstümmelt wurde. Der Älteste war ein Schneider.

Scheherazade bemerkte den Tag und schwieg. In der folgenden Nacht fuhr sie fort:

DIE EINHUNDERTSIEBENUNDFÜNFZIGSTE NACHT

Die Geschichte des ersten Bruders des Barbiers

Er arbeitete in Bagdad in einem Schneiderladen, den er gemietet hatte, und unten war eine Mühle", fuhr der Barbier fort. „Als nun eines Tages mein buckliger Bruder beim Nähen aufsah, erblickte er an einem Fenster eine Frau, die so schön war wie der aufgehende Mond. Sofort entbrannte ein Feuer in seinem Herzen. Den ganzen Tag wartete er darauf, sie noch einmal zu sehen, und am Abend ging er traurig nach Hause. Am nächsten Tag setzte er sich auf den gleichen Platz, um sie sehen zu können, und nach einer Weile kam sie nach ihrer Gewohnheit an das Fenster. Er erblickte sie, fiel in Ohnmacht und ging, nachdem er wieder zu sich gekommen war, in traurigster Verfassung davon.

Am dritten Tag, als er wieder auf seinem Platz saß, bemerkte die Frau, daß er zu ihr herübersah. Sie lachte ihm zu, und er erwiderte ihr Lachen. Dann verschwand sie und schickte ihm ihre Sklavin mit einem Tuch, in das der Stoff zu einem Kleid eingewickelt war. Die Sklavin sagte: „Meine Herrin grüßt dich und bittet dich, aus diesem Tuch ein Kleid zu schneiden und zu nähen." Mein Bruder sagte: „Ich stehe zu Diensten!" schnitt sogleich das Kleid zurecht und nähte es noch am selben Tag. Am nächsten Morgen kam die Sklavin wieder und sagte: „Meine Herrin grüßt dich und läßt dich fragen, wie du die Nacht zugebracht hast. Ihr Herz ist so sehr mit dir beschäftigt, daß sie keinen Schlaf finden konnte. Sie läßt dir auch sagen, du mögest ihr zu ihrem Kleid Beinkleider schneidern." Er sagte: „Ich werde ihrem Befehl gehorchen!" Er nähte sie so schnell wie möglich. Nach einer Weile zeigte sich die Dame wieder am Fenster, grüßte ihn und ließ ihm keine Ruhe, bis er die Beinkleider fertiggenäht und gebracht hatte. Dann ging er voller Unruhe nach Hause, denn er hatte nichts zu essen. Er lieh sich Geld von seinem Nachbarn und kaufte dafür Lebensmittel ein.

Kaum hatte er am Morgen den Laden betreten, war die Sklavin sogleich wieder da und sagte: „Mein Herr bittet dich, zu ihm zu kommen!" Als er hörte, daß sie von ihrem Herrn sprach, fürchtete er sich sehr. Doch die Sklavin sagte ihm: „Fürchte dich nicht, du wirst bei ihm nur Gutes finden, denn meine Gebieterin hat ihn schon mit dir bekannt gemacht." Er machte sich freudig auf, grüßte den Herrn, der erwiderte den Gruß, holte eine Menge ägyptischer Leinwand und sagte: „Schneide mir Hemden daraus!"

Scheherazade bemerkte den Tag und schwieg. In der folgenden Nacht fuhr sie fort:

DIE EINHUNDERTACHTUNDFÜNFZIGSTE NACHT

Der Barbier erzählte weiter: „Mein Bruder schnitt zwanzig Hemden und ebensoviele Beinkleider aus der Leinwand. Er arbeitete unentwegt bis zum Abend, ohne etwas zu sich zu nehmen. Dann fragte der Mann ihn: „Was begehrst du als Lohn?" Er antwortete: „Zwanzig Dirham Silber!" Sogleich befahl der Mann der Sklavin, die Waage zu bringen. Doch da wurde die Dame zornig gegen meinen Bruder, weil er das Geld nehmen wollte. Als mein Bruder das merkte, sagte er: „Bei Allah, jetzt nehme ich nichts!" und ging ohne einen roten Heller fort.

Drei Tage lang lebte er mit nur zwei Laib Brot und starb fast vor Hunger. Dann kam die Sklavin wieder und fragte ihn, was er gemacht habe. Er antwortete: „Alles ist fertig!" und ging mit ihr zu dem Gemahl der jungen Dame. Dieser wollte meinem Bruder seinen Lohn geben, aber aus Furcht vor ihr wollte der nichts annehmen. Er ging wieder nach Hause und konnte vor Hunger die ganze Nacht nicht schlafen.

Am Morgen kam die Sklavin abermals und holte ihn zu ihrem Herrn. Mein Bruder wurde beauftragt, fünf Überröcke zu schneidern. Traurig nahm er den Stoff und ging – von Hunger und Schulden geplagt – in seinen Laden und arbeitete an den Röcken. Dann ging er wieder zu dem Manne, und der fand sie gut genäht. Als er aber in den Geldbeutel langte, um meinen Bruder zu entlohnen, gab die Dame meinem Bruder zu verstehen, er solle nichts nehmen. Deshalb sagte er zu ihrem Mann: „Es eilt nicht, die Zeit wird mich schon bezahlen!" und ging wieder fort – voller Sehnsucht nach dem Geld und nach der Dame.

Doch er verlor den Mut nicht, denn er wußte nicht, daß die Dame ihrem Mann gesagt hatte, der Schneider liebe sie, und daß sie sich verabredet hatten, ihn deshalb umsonst arbeiten zu lassen. Immer, wenn ihm jemand Lohn geben wollte, hinderte sie ihn daran, diesen anzunehmen.

Dann verschworen sie sich gegen ihn und verheirateten ihn mit ihrer Sklavin. In der Nacht, da die Vereinigung stattfinden sollte, sagten sie zu ihm: „Schlafe diese Nacht in der Mühle; morgen soll die Hochzeit sein." Er blieb allein in der Mühle, und der Gemahl seiner Geliebten schickte den Müller hinter ihm her. Der kam um Mitternacht zu meinem Bruder und sagte: „Was ist das für ein faules Maultier, das schon wieder stehenbleibt und die Mühle nicht dreht, wo wir doch soviel Frucht zu mahlen haben?" Dann füllte er den Kasten mit Weizen, ging mit erhobener Peitsche auf meinen Bruder zu und spannte ihn an ...

Scheherazade bemerkte den Tag und schwieg. In der folgenden Nacht fuhr sie fort:

Nachdem mein Bruder angespannt war, schlug der Müller gegen seine Beine, bis er herumlief und das Mehl mahlte. So oft er ruhen wollte, schlug ihn der Müller und rief: „Mir ist, als hättest du zuviel gefressen, du faules Tier!"

Als der Morgen heranbrach, ging der Müller nach Hause und ließ meinen Bruder zu Tode erschöpft zurück. Am Vormittag kam die Sklavin und sagte zu ihm: „Es tut mir und meiner Herrin leid, daß dir so etwas widerfahren ist. Wir tragen deinen Kummer mit dir." Vor Müdigkeit und wegen der vielen Prügel hatte er keine Stimme, um ihr zu antworten.

Als mein Bruder dann nach Hause ging, kam der Schreiber, der den Ehe-Kontrakt geschrieben hatte, grüßte ihn und sagte: „Allah grüß dich! Sieht man so aus, wenn man sich vergnügt, Liebesfreuden genießt und sich umarmt?" Darauf erzählte mein Bruder dem Schreiber die ganze Geschichte, und der Schreiber antwortete: „Dein Stern trifft nicht mit ihrem zusammen." Dann ging mein Bruder wieder in seinen Laden und wartete darauf, etwas verdienen zu können.

Da kam abermals die Sklavin und sagte: „Meine Gebieterin will dich sprechen." Er antwortete: „Ich habe nichts mehr mit euch zu tun." Die Sklavin ging und berichtete das ihrer Herrin. Auf einmal sah diese meinen Bruder am Fenster weinen und fragte ihn: „Was ist dir widerfahren, o Freude meiner Augen?" Mein Bruder antwortete nicht. Da begann sie zu schwören, sie sei an seinem Unglück nicht schuld. Als mein Bruder sie wieder so schön und liebenswürdig sah, vergaß er alles, nahm ihre Entschuldigung an und freute sich, sie wiederzusehen.

Nach einigen Tagen kam die Sklavin wieder zu ihm und sagte: „Meine Gebieterin grüßt dich und läßt dir sagen, ihr Mann wolle diese Nacht bei einem seiner Freunde verbringen. Sobald er weggegangen ist, kannst du kommen, um bei ihr zu ruhen." Ihr Mann hatte sie nämlich gefragt, ob der Schneider von ihr gelassen habe, worauf sie geantwortet hatte: „Ich will ihm

noch einen Streich spielen, durch den er in der ganzen Stadt bekannt wird!"

Abends kam die Sklavin zu ihm und führte ihn in ihrer Herrin Haus. Als die Dame meinen Bruder sah, hieß sie ihn willkommen und sagte: „Mein Herr! Allah weiß, wie sehr ich dich liebe!"

Scheherazade bemerkte den Tag und schwieg. In der folgenden Nacht fuhr sie fort:

DIE EINHUNDERTSECHZIGSTE NACHT

Mein Bruder sagte zu ihr: „O meine Dame, gib mir schnell einen Kuß!" Aber kaum hatte er das gesagt, da kam ihr Gemahl aus einem Zimmer heraus und sagte: „So weit treibst du es also? Ich werde dich nicht entkommen lassen, sondern dich zum Befehlshaber der Stadt führen!"

Er führte meinen Bruder zum Befehlshaber, ließ ihm hundert Prügel geben, ihn auf einem Kamel in der Stadt umherführen und vor ihm ausrufen: „Das ist der Lohn für den, der einen fremden Harem betritt!" Schließlich ließ er meinen Bruder aus der Stadt verweisen. Mein Bruder wußte nicht, wohin er gehen sollte. Ich lief ihm nach und holte ihn wieder zurück.

Der Kalif mußte über meine Erzählung lachen. Er ließ mir dann ein Geschenk geben und entließ mich. Ich aber sagte: „Bei Allah, o Fürst der Gläubigen, ich nehme nichts an, ehe ich dir nicht die Abenteuer meinen übrigen Brüder erzählt habe. Zunächst die Geschichte meines zweiten Bruders, der Bakbak hieß und eine Zahnlücke hatte:

Die Geschichte des zweiten Bruders des Barbiers

Bakbak war einst in Geschäften unterwegs, als ihm eine alte Frau entgegenkam und zu ihm sagte: „Halt, mein Freund, ich habe dir einen Vorschlag zu machen. Behagt er dir, so erflehe

Allahs Segen dazu! Hast du etwas dagegen, wenn ich dich an einen schönen Ort bringe? Du darfst aber nicht viel reden! Es gibt dort ein schönes Haus, einen Garten mit Wasser und Früchten, klaren Wein und ein Gesicht, schön wie der Mond, das du küssen darfst!"

Mein Bruder folgte der Alten, sehr begierig auf alles, was ihn erwarten sollte. Die Alte sagte dann zu ihm: „Die Dame, zu der ich gehe, liebt den Gehorsam und verabscheut jeden Widerspruch!" — „Ich werde nicht widersprechen", versicherte mein Bruder.

Er folgte der Alten, und sie brachte ihn in ein großes Haus mit vielen Dienern. Als die ihn sahen, fragten sie ihn: „Was tust du hier?" Die Alte sagte: „Laßt ihn ein, er ist ein Künstler und wir brauchen ihn!" Dann ging mein Bruder in einen großen Hof, in dessen Mitte ein wunderschöner Garten war. Die Alte ließ meinen Bruder sich auf eine schöne Bank setzen. Es dauerte aber nicht lange, da hörte er einen gewaltigen Lärm. Und siehe da: es kamen viele Sklavinnen und in ihrer Mitte war ein Mädchen, schön wie der Vollmond. Als mein Bruder sie sah, stand er auf und stellte sich zu ihren Diensten. Sie hieß ihn willkommen und sich setzen und sagte: „Allah erhebe dich! Ist etwas Gutes an dir?" Mein Bruder antwortete: „Meine Gebieterin, in mir ist alles Gute!" Dann ließ sie ihm zu essen bringen und ging wieder zu ihren Sklavinnen. Sie tat so, als lache sie mit diesen, doch mein Bruder bemerkte bald, daß sie über ihn lachte. Sie hatte nur ihren Spaß mit ihm, während sich seiner schon die größte Liebe zu ihr bemächtigt hatte. Und er zweifelte nicht, daß die Dame auch ihn liebe und seinen Wunsch befriedigen werde.

Als sie gegessen hatten, brachte man Wein. Dann kamen zehn Sklavinnen wie der Mond. Jede hatte eine Laute in der Hand und sie fingen an, mit lauter Stimme zu singen. Mein Bruder war entzückt darüber. Als dann die Dame einen Becher voll getrunken hatte, reichte sie ihn meinem Bruder.

Hier bemerkte Scheherazade den Tag und schwieg. In der folgenden Nacht fuhr sie fort:

DIE EINHUNDERTEINUNDSECHZIGSTE NACHT

Als mein Bruder aufstand und trank, schlug ihm die Dame auf den Nacken. Meinem Bruder mißfiel das, doch die Alte machte ihm ein Zeichen, und er ließ sich nichts anmerken. Dann mußte er sich setzen, die Dame schlug ihn wieder und befahl auch ihren Sklavinnen, ihn zu schlagen. Sie sagte zu der Alten: „Ich habe nie etwas Schöneres als dieses erlebt", und die Alte antwortete: „Gewiß, meine Gebieterin!" Dann befahl sie den Sklavinnen, meinen Bruder zu beräuchern und mit Rosenwasser zu bespritzen. Schließlich sagte sie: „Da du in mein Haus gekommen bist, hast du ja eingewilligt, mir in allem zu gehorchen. Denn wer sich widersetzt, wird fortgejagt, wer aber ausharrt, erreicht sein Ziel." — „O meine Gebieterin, ich bin dein Sklave!" antwortete mein Bruder.

Dann rief sie eine Sklavin und sagte zu ihr: „Nimm hier die Freude meiner Augen wohl in acht. Tu mit ihm, was ich befohlen habe, und bring ihn mir dann sogleich wieder!" Mein Bruder entfernte sich mit der Sklavin, ohne zu wissen, was mit ihm geschehen solle. Die Sklavin färbte ihm die Augenbrauen und schnitt ihm den Schnurrbart ab und färbte seine Wangen mit roter Farbe.

Da sagte die Alte zu meinem Bruder: „Freue dich, denn sie hat das alles nur aus heftiger Liebe zu dir getan. Habe noch ein wenig Geduld, so erreichst du dein Ziel!"

Mein Bruder ging dann wieder mit der Sklavin zur Herrin. Die freute sich und lachte, bis sie sich auf dem Boden wälzte. Sie sagte: „O mein Herr, du hast durch deine schönen Tugenden mein Herz besiegt!" Dann beschwor sie ihn, doch ein wenig zu tanzen. Er stand auf und tat es. Währenddessen nahmen sie und die Sklavinnen alles, was im Zimmer war, und schlugen ihn damit, bis er in Ohnmacht fiel. Als er wieder zu sich kam, sagte die Alte: „Nun wird dein Wunsch gleich erfüllt werden."

Scheherazade bemerkte den Tag und schwieg. In der folgenden Nacht fuhr sie fort:

DIE EINHUNDERTZWEIUNDSECHZIGSTE
NACHT

Der Barbier berichtete weiter: „Nun bleibt nur noch eine Sache zu tun übrig", sagte die Alte zu meinem Bruder. „Es ist nämlich eine Gewohnheit meiner Gebieterin, sich nur noch langem Sträuben und völlig entkleidet der Umarmung eines Geliebten zu überlassen, wenn sie berauscht ist!" Mein Bruder glaubte das. Und als er sie entkleidet von einem Zimmer nach dem anderen entfliehen sah, lief er ihr nach, völlig entblößt und mit aufgerichtetem Glied. Mehr und mehr entflammte sich seine Leidenschaft. Die Dame zog sich an einen dunklen Ort zurück. Er folgte ihr auch dorthin, doch plötzlich trat er auf einen schwachen, dünnen Boden, fiel durch und befand sich plötzlich mitten auf dem Ledermarkt, wo man Häute kaufte und verkaufte. Als die Leute ihn in seinem Zustand sahen, nackt, mit ausgezupftem Bart, gefärbten Wangen und aufgerichtetem Glied, schrien sie und schlugen mit den Händen und mit Leder auf ihn ein, bis er in Ohnmacht fiel. Dann luden sie ihn auf einen Esel. Am Stadttor begegneten sie dem Stadtvorsteher und sagten zu ihm: „Dieser Mann ist in diesem Zustand aus dem Haus des Wesirs gefallen!"

Der Stadtvorsteher ließ meinem Bruder hundert Prügel geben und ihn aus Bagdad verweisen. Aber ich ging ihm nach und brachte ihn wieder heimlich in die Stadt. Auch gab ich ihm etwas, wovon er leben konnte. Ohne mich wäre er gestorben.

Scheherazade bemerkte den Tag und schwieg. In der folgenden Nacht fuhr sie fort:

DIE EINHUNDERTDREIUNDSECHZIGSTE NACHT

Die Geschichte des dritten Bruders des Barbiers

Mein dritter Bruder aber, o Fürst der Gläubigen, der war blind. Das Schicksal brachte ihn an ein großes Haus, und er klopfte an. Es näherte sich jemand, öffnete die Tür und fragte: „Was willst du?" Mein Bruder antwortete: „Ich möchte ein Almosen!" Der Hausherr sagte: „O Unglücklicher, reiche mir deine Hand!"

Mein Bruder reichte ihm die Hand und glaubte, er würde etwas bekommen. Der Hausherr führte ihn ins Haus und stieg mit ihm sämtliche Treppen bis unters Dach empor. Dort setzten sie sich, und der Hausherr sagte noch einmal zu meinem Bruder: „Was willst du, Unglücklicher?" Er antwortete: „Ich will etwas um Allahs willen, ein Almosen." Er antwortete: „Allah helfe dir!" Da sagte mein Bruder: „O, weshalb hast du mir das nicht gleich unten gesagt? So führe mich doch wieder die Treppe hinunter!" Der Hausherr antwortete: „Der Weg liegt frei vor dir."

Mein Bruder stand auf und wollte hinuntergehen. Doch als er noch etwa zwanzig Stufen von der Tür entfernt war, stolperte er, fiel gegen die Tür und verletzte sich den Kopf. Er ging aus dem Hause fort und wußte nicht, wohin er ging. Da begegnete ihm einer seiner Freunde und fragte ihn, was ihm begegnet sei. Mein Bruder erzählte ihm sein Abenteuer und sagte: „Ich will etwas von dem Geld nehmen, das wir zusammen haben, und davon leben."

Ohne daß mein Bruder es gemerkt hätte, hatte der Hausherr das gehört. Mein Bruder ging nach Hause, und der Hausherr folgte ihm. Dann setzte sich mein Bruder, um seine Freunde zu erwarten. Als sie kamen, sagte er zu ihnen: „Schließt das Haus, untersucht aber erst, ob kein Fremder hier ist." Der Mann hörte das, er hängte sich an einen Strick, der an der Terrasse befestigt war, und verbarg sich so. Einer der Freunde meines Bruders ging durchs ganze Haus und fand niemanden. Dann sagte mein Bruder zu seinen Freunden, er brauche seinen Anteil von dem, was sie erworben hätten. Jeder von ihnen brachte etwas Geld aus einer Ecke hervor, und als mein Bruder alles vor sich hatte und wog, waren es zehntausend Dirham. Mein Bruder nahm davon, was er brauchte, und sie steckten das übrige wieder unter die Erde. Dann aßen sie etwas, und dabei hörte mein Bruder neben sich einen Fremden kauen. Er sagte zu seinen Kameraden: „Bei Allah, es ist ein Fremder unter uns!", streckte dann seine Hand aus und berührte damit die Hand des Fremden. Nun schlugen sie sich eine Weile, und mein Bruder hielt ihn fest. Zuletzt schrien sie: „O Muselmänner, es ist ein Dieb zu uns gekommen, der unser Geld stehlen will!" Es versammelten sich viele Leute um sie herum. Aber der Fremde behauptete dasselbe von ihnen, was sie von ihm sagten. Er stellte sich blind, wie die anderen es waren, und niemand zweifelte an seiner Aussage. Auch er schrie: „O Muselmänner! Bei Allah und beim Sultan!"

Während dieses Durcheinanders kamen Polizeidiener und führten sie alle mit meinem Bruder vor den Polizeiobersten. Da sagte der Nichtblinde: „Allah gebe dem Sultan Ruhm! Du wirst hier Dinge entdecken, doch nur durch Foltern auf die Wahrheit kommen. Du magst mit mir beginnen, dann aber nehme diesen vor, der mich hierhergebracht hat!" — und deutete dabei auf meinen Bruder. Nun wurde der Nichtblinde hingestreckt und bekam vierhundert Prügel.

Scheherazade bemerkte den Tag und schwieg. In der folgenden Nacht fuhr sie fort:

Als der Sehende seine vierhundert Prügel bekommen hatte, schmerzte ihn sein Rücken so sehr, daß er ein Auge öffnete. Und als man immer noch fortfuhr, ihn zu prügeln, öffnete er auch das andere.

Da sagte der Oberst: „Was ist das, du Verdammter?" Der Nichtblinde antwortete: „Mein Herr, wir sind vier gut sehende Männer und stellen uns nur vor den Leuten blind, um in ihre Häuser zu kommen und ihre Frauen zu sehen und zu verführen. Auf diese Weise haben wir zehntausend Dirham zusammengebracht. Nun hatte ich zu meinen Kameraden gesagt, sie sollten mir meine zweitausendfünfhundert geben. Da schlugen und mißhandelten sie mich und nahmen mir mein Vermögen. Willst du dich überzeugen, daß ich die Wahrheit gesprochen habe, so laß jeden von ihnen doppelt so viel prügeln als mich. Dann werden auch die ihre Augen öffnen."

Der Oberste gab sogleich den Befehl zur Züchtigung. Man begann mit meinem Bruder und band ihn an eine Treppe. Mein Bruder rief: „Bei Allah und dem Sultan, keiner von uns kann sehen!" Aber man prügelte ihn doch, bis er in Ohnmacht fiel. Da sagte der Oberste: „Laßt ihn, bis er wieder zu sich kommt. Dann prügelt ihn wieder!" Darauf ließ er auch den anderen jedem mehr als dreihundert Prügel geben, und der Nichtblinde sagte immer: „Öffnet eure Augen, sonst werdet ihr dreifach geprügelt!" Dann sagte er zu dem Obersten: „Schicke jemanden mit mir, der das Geld hierherbringt, da diese Leute ihre Augen doch nicht öffnen werden!"

Der Oberste ließ es holen, gab ihm zweitausendfünfhundert Dirham, da er das für seinen Anteil hielt, nahm das übrige für sich und wies die drei Blinden aus der Stadt. Nun, o Fürst der Gläubigen, ging ich meinem Bruder nach, brachte ihn heimlich wieder in die Stadt zurück, gab ihm etwas für den Lebensunterhalt, so daß er im Verborgenen essen und trinken konnte."

Der Kalif lachte über meine Erzählung und sagte: „Gebt ihm ein Geschenk und laßt ihn gehen!"

Die Geschichte des vierten Bruders des Barbiers

Ich sagte jedoch: „Bei Allah, o Fürst der Gläubigen, ich rede ja nicht viel. Aber mein vierter Bruder war halbblind. Er war ein Metzger, verkaufte Fleisch in Bagdad und mästete Hammel. Die vornehmen und reichsten Leute kamen, um bei ihm zu kaufen. Er erwarb sich ein großes Vermögen und kaufte Häuser und Güter. Als er einmal in seinem Laden war, kam ein Mann mit einem langen Bart zu ihm, gab ihm Geld und sagte: „Gib mir Fleisch dafür!" Mein Bruder schnitt ihm Fleisch ab, und der Alte ging weiter. Da betrachtete mein Bruder das Geld und sah, daß es glänzend weiß war.

Fünf Monate lang kam der Alte, und mein Bruder legte das Geld von ihm gesondert in eine Kiste. Doch als er dann das Geld nehmen wollte, um Schafe dafür zu kaufen, und die Kiste öffnete, fand er nichts als rundes, versilbertes Papier darin. Er schlug sich vor den Kopf und schrie. Sogleich versammelten sich viele Leute um ihn, denen er erzählte, was ihm begegnet war. Danach schlachtete er ein Lamm, nahm davon zerschnittenes Fleisch, hing es außen an seinen Laden und sagte dabei: „O Herr! Wenn doch nur der verruchte Alte käme!"

Nach einer Weile kam wirklich der Alte wieder mit seinem Geld in der Hand. Mein Bruder hielt ihn fest und schrie: „O Muselmänner, kommt her und hört, was dieser Verdammte mir angetan hat!" Der Alte aber sagte: „Du tätest gut daran, mich gehen zu lassen, sonst mache ich dir vor allen Leuten Schande!" — „Und womit?" fragte mein Bruder. „Damit, daß du Menschenfleisch für Schaffleisch verkaufst", antwortete der Alte. „Du lügst", rief mein Bruder, „und wenn es so ist, wie du behauptest, so will ich gern mein Leben und all meinen Besitz hingeben!" Hierauf rief der Alte: „O ihr versammelten Leute, wollt ihr euch von der Wahrheit meiner Rede überzeugen, so geht in seinen Laden!"

Sogleich stürmten die Leute in meines Bruders Laden — und wirklich hatte sich das geschlachtete Lamm in einen aufgehängten Menschen verwandelt. Als die Leute das sahen, schlugen sie meinen Bruder und schrien ihn an: „Wie, du gibst uns Menschenfleisch zu essen?" Der Alte schlug ihm ein Auge aus, die Leute trugen den Geschlachteten zum Polizeiobersten und der Alte sagte: „O Fürst! Dieser Mann schlachtet Menschen und verkauft ihr Fleisch als Schaffleisch. Wir bringen dir ihn, damit du Allahs Rache an ihm ausführst!"

Mein Bruder versuchte, alles zu erklären, doch man hörte nicht auf seine Worte, sondern gab ihm über fünfhundert derbe Prügel. Dann nahm man all sein Geld, seine Schafe und seinen Laden und verwies ihn aus der Stadt. Und hätte er nicht so viel Vermögen besessen, so wäre er umgebracht worden. Nur dadurch, daß er die Wächter mit seinem Geld bestach, kam er — nachdem man ihn drei Tage öffentlich in der Stadt ausgestellt hatte — mit dem Leben davon.

Scheherazade bemerkte den Tag und schwieg. In der folgenden Nacht fuhr sie fort:

DIE EINHUNDERTFÜNFUNDSECHZIGSTE NACHT

Nun beschloß mein Bruder, die Stadt zu verlassen. Er wollte an einen Ort gehen, wo ihn niemand kannte. In der Ferne lebte er eine Weile in günstigen Umständen, doch dann wurde er wieder arm und geriet in große Verlegenheit.

Als er einmal spazierenging, hörte er hinter sich das Geräusch vieler Pferde. Er suchte einen Platz, um sich zu verbergen, fand aber nichts als eine verschlossene Tür. Er stieß dagegen, und sie fiel ein. Dahinter sah er einen langen Gang. Als er eintrat, hielten ihn plötzlich zwei Männer an und sagten: „Gelobt sei Allah, daß er dich, du Feind Allahs, in unsere Gewalt gebracht hat! Schon drei Nächte läßt du uns nicht schlafen und läßt uns

Todesangst ausstehen." Mein Bruder fragte: „Was habt ihr, Leute?" Da sagten sie zu ihm: „Du willst unserem Hausherrn den Hals abschneiden. Genügt es dir nicht, daß du und deine Freunde ihn in Armut gestürzt haben? Gib jetzt das Messer heraus, mit dem du uns jede Nacht drohst!" Sie durchsuchten meinen Bruder, und als sie ein Messer bei ihm fanden, sagte er: „O ihr Leute, fürchtet Allah! Mir ist eine wunderbare Geschichte begegnet!" Aber einer von ihnen sagte: „Er will nur erzählen, weil er glaubt, daß wir ihn dann gehen lassen." Sie hörten meinen Bruder nicht länger an, sondern schlugen ihn und zerrissen seine Kleider. Als sie dabei die Spuren der früheren Prügel entdeckten, sagten sie zu ihm: „Du Verfluchter, hier sind Spuren von Prügeln!" – und führten ihn dem Polizeiobersten vor.

Der Oberste fuhr ihn an: „Du Ruchloser, was hat dich bewogen, in das Haus dieser Leute zu gehen und sie mit dem Tode zu bedrohen?" Mein Bruder sagte: „Ich bitte dich bei Allah, höre mir zu! Übereile nichts, sondern laß dir meine Geschichte erzählen!" Aber die Leute sagten zu ihm: „Willst du die Worte eines Diebes hören, auf dessen Rücken man die Spuren von Prügeln bemerkt?" Als der Oberste diese Spuren sah, ließ er meinem Bruder hundert Peitschenhiebe geben. Dann wurde mein Bruder auf ein Kamel gesetzt und man rief vor ihm her: „Das ist der Lohn für den, der in fremde Wohnungen eindringt!" Schließlich wurde mein Bruder aus der Stadt gewiesen. Er erzählte mir seine Geschichte, ich nahm ihn heimlich wieder mit zurück und gab ihm zu leben. Alles, was ich meinen Brüdern tue, ist eine Folge meiner männlichen Entschlossenheit!"

Der Kalif Harun Arraschid lachte, bis er auf den Rücken fiel. Dann befahl er, mir etwas zu schenken. Ich aber sagte: „Bei Allah, mein Herr! Ich rede nicht viel, doch muß ich dir auch die Abenteuer meiner anderen Brüder erzählen."

Scheherazade bemerkte den Tag und schwieg. In der folgenden Nacht fuhr sie fort:

Die Geschichte des fünften Bruders des Barbiers

M ein fünfter Bruder", erzählte der Barbier weiter, „der abgeschnittene Ohren hatte, war ein armer Mann, der in der Nacht bettelte und bei Tage von den Almosen lebte. Mein Vater hatte uns, als er starb, siebenhundert Dirham hinterlassen, so daß jeder hundert Dirham bekam. Als mein fünfter Bruder das Geld nahm, wußte er nicht, was er damit anfangen sollte. Da kam er auf den Gedanken, Glaswerk dafür zu kaufen. Das Glaswerk legte er in einen großen Korb und stellte sich damit auf, um es wieder zu verkaufen. Dabei lehnte er sich an eine Mauer und dachte: ,Ich werde dieses Glaswerk für zweihundert Dirham verkaufen. Dann kaufe ich für zweihundert Dirham neues Glaswerk und verkaufe es für vierhundert. So handle ich immer weiter, bis ich viertausend Dirham gewonnen habe. Dann kaufe ich Waren, bringe sie dahin und dorthin und verkaufe sie für achttausend Dirham. Mit zehntausend Dirham kaufe ich dann Juwelen und Parfümerien, die mir ungeheuren Gewinn bringen. Unterdessen schaffe ich mir auch ein schönes Haus an, Sklaven, Diener und Pferde, esse, trinke, belustige mich und lasse keinen Sänger und keine Sängerin in der Stadt verweilen, ohne sie zu mir einzuladen. Bald werde ich, so Allah will, ein Kapital von hunderttausend Dirham zusammenbringen.'
So weit rechnete er, während der Korb mit Glaswerk für hundert Dirham neben ihm stand. Doch er rechnete noch weiter und dachte: ,Dann werde ich einen Makler beauftragen, für mich um die Tochter des Wesirs zu werben. Tausend Dinar werde ich für die Hochzeitsnacht geben. Willigen sie nicht ein, so entführe ich sie mit Gewalt, und ist sie erst einmal bei mir zu Hause, so kaufe ich zehn Knaben als Diener, schaffe mir königliche Kleider an und lasse mir einen edelsteinbesetzten goldenen Sattel anfertigen. Dann lasse ich Mamelucken vor

und hinter mir herreiten und reite so in der Stadt herum, wo alle Leute mich grüßen und mir Glück wünschen. Wenn ich nun zum Wesir komme, mit Mamelucken zur Rechten und zur Linken, so läßt er mich auf seinem Platz sitzen und setzt sich unter mich, weil ich sein Schwiegersohn bin. Ich habe dann zwei Diener bei mir, die Beutel mit zweitausend Dinar tragen, die ich für die Hochzeitsnacht bestimmt habe. Ich nehme nämlich tausend Dinar mehr mit als versprochen, damit sie meine Männlichkeit und meinen Stolz erkennen und sehen, wie klein in meinen Augen die Welt ist. Dann gehe ich wieder nach Hause, und kommt jemand mit einem Auftrag von meiner Frau zu mir, so gebe ich ihm schöne Kleider und mache ihm allerlei Geschenke. Kommt aber jemand mit einem Geschenk, so nehme ich es nicht an. Ich lasse mich dann von meinen Dienern ankleiden, meine Braut in der Stadt herumführen und mein Haus schön aufputzen. Und wenn die Zeit kommt, da ich mit meiner Frau allein bleiben soll, so ziehe ich mein kostbarstes Kleid an und setze mich auf einen seidenen Diwan. Und wenn meine Frau, schön wie der Mond, in ihrem Schmuck vor mir steht, werde ich sie nicht mit Bewunderung ansehen, so daß alle Anwesenden sagen werden: ‚O unser Herr, wende dich doch deiner Frau und Sklavin zu. Es schadet ihr, wenn sie so lange steht und du ihr keinen gnädigen Blick schenkst!‘ Während nun die Leute mit der Braut ins Schlafzimmer gehen, wechsle ich meine Kleider und ziehe noch schönere an. Und wenn meine Frau im zweiten Kleide kommt, sehe ich sie wieder nicht eher an, bis man mich einige Male darum gebeten hat. Dann werfe ich einen flüchtigen Blick auf sie, sehe dann wieder zur Erde und so immer fort, bis ihr ganzer Putz vorüber ist!

Scheherazade bemerkte den Tag und schwieg. In der folgenden Nacht fuhr sie fort:

Dann', dachte mein Bruder weiter, ,befehle ich einem meiner Diener, fünfhundert Dinar unter die Dienerinnen zu verteilen und befehle, daß man mich mit meiner Frau allein läßt. Im Schlafgemach lege ich mich neben sie, spreche aber aus Geringschätzung kein Wort mit ihr. Dann kommt ihre Mutter, küßt mir die Hand und sagt: ,O mein Herr, blicke doch auf deine Sklavin herab. Sie sehnt sich nach deiner Nähe, stärke doch ihr Herz!' Ich gebe ihr aber keine Antwort, und wenn sie das bemerkt, küßt sie mir einige Male die Füße und sagt: ,O mein Herr, meine Tochter ist jung und hat nie einen Mann gesehen. Deine Zurückhaltung bricht ihr das Herz. Wende dich ihr doch zu!' Wenn sie nun zu mir kommt, lasse ich sie vor mir stehen, während ich auf meinen Diwan angelehnt bleibe. Aus Hochmut sehe ich sie gar nicht an, bis sie sagt, ich sei ein sehr vornehmer Mann von edler Seele. Ich lasse sie stehen, bis sie sich erniedrigt fühlt und merkt, daß ich ihr Herr bin. Dann sagt sie: ,Mein Herr, ich beschwöre dich bei Allah, weise mich nicht zurück! Ich bin ja deine Sklavin!' Und wenn sie dann weiter in mich dringt, fahre ich ihr mit der Hand ins Gesicht, trete sie mit den Füßen und mache so — — —'

Als er das dachte, stampfte er mit den Füßen und kam dabei mit einem Fuß in den Korb, so daß der umfiel und alles Glaswerk zerbrach. Da schrie sein Nachbar: „Das alles kommt von deinem Hochmut, du schändlichster der Kuppler! Bei Gott, hätte ich über dich zu gebieten, ich ließe dir hundert Prügel geben und deine Geschichte in der ganzen Stadt bekanntmachen!"

Mein Bruder schlug sich ins Gesicht, zerriß seine Kleider und weinte. Die Leute, die gerade zum Freitagsgebet gingen, sahen ihn an. Die einen bemitleideten ihn, die andern lachten ihn aus. Da kam eine schöne Frau, von vielen Dienern begleitet, auf einem Maulesel geritten. Sie bemitleidete meinen Bruder und fragte ihn nach dem Grund seiner Trauer. Als er ihr alles erzählt hatte, rief sie einen ihrer Diener und sagte: „Gib ihm, was du bei dir hast!" Er gab meinem Bruder einen Beutel, in dem fünfhundert Dinar waren. Er starb fast vor Freude, wünschte ihr viel Segen und ging reich nach Hause, wo er sich wieder hinsetzte und nachdachte.

Da klopfte es an die Tür. Als mein Bruder öffnete, stand eine alte Frau vor ihm, die er nie zuvor gesehen hatte. Sie sagte zu ihm: „Du weißt, mein Sohn, daß die Gebetzeit nahe ist. Da ich mich noch nicht gewaschen habe, möchte ich mich gern in deinem Hause waschen." Mein Bruder erwiderte: „Recht gern!" und hieß sie ins Haus kommen. Nachdem er ihr ein Waschbekken gegeben hatte, band er sein vieles Geld in einen Beutel ein. Danach und nachdem die Frau gebetet hatte, wünschte sie ihm viel Glück und dankte ihm.

Scheherazade bemerkte den Tag und schwieg. In der folgenden Nacht fuhr sie fort:

DIE EINHUNDERTACHTUNDSECHZIGSTE NACHT

Mein Bruder nahm zwei Dinar von seinem Geld und wollte sie ihr als Almosen geben. Sie aber sagte: „Siehst du mich für eine Bettlerin an? Behalte dein Geld. Ich brauche es nicht, verwende es für dich. Doch ich habe in dieser Stadt eine reiche, schöne und liebenswürdige Freundin —" Mein Bruder unterbrach sie: „Und was soll ich mit der?" Die Alte fuhr fort: „Nimm all dein Geld und folge mir. Sei nur recht liebenswürdig gegen sie, so wirst du von ihrer Schönheit und ihrem Reichtum alles erlangen."

Mein Bruder, vor Freude außer sich, nahm all sein Geld und folgte ihr bis an eine große Tür. Die Alte klopfte, und eine griechische Sklavin öffnete. Sie kamen in einen prachtvollen, mit Teppichen und Vorhängen geschmückten Saal. Mein Bruder setzte sich, legte das Geld vor sich hin, nahm den Turban ab und legte ihn auf seinen Schoß. Auf einmal erschien das schönste Mädchen, das er je gesehen hatte. Er stand auf, und als sie ihn sah, lachte sie ihm freudig entgegen. Dann schloß sie die Tür, trat auf meinen Bruder zu, nahm ihn an der Hand und ging mit ihm in ein abgelegenes Gemach. Dort setzte sie sich neben ihn und scherzte eine Weile mit ihm. Dann sagte sie: „Bleibe hier, bis ich wiederkomme!"

Als das Mädchen gegangen war, kam ein schwarzer Sklave mit einem Schwert und sagte: „Weh' dir, was tust du hier?" Vor lauter Entsetzen konnte mein Bruder nicht sprechen. Der Sklave entkleidete ihn, berührte ihn mit dem Schwert und schlug so lange auf ihn ein, bis er niederfiel und der Sklave ihn für tot hielt.

Da hörte er, wie der Sklave sagte: „Wo ist die Salzschüssel?" Sogleich kam eine Sklavin mit einer großen Schüssel voll Salz. Damit wuschen sie die Wunden meines Bruders, bis er die Besinnung verlor. Danach ging die Sklavin fort und fragte: „Wo ist die Kellermeisterin?" Sogleich erschien die Alte, schleppte meinen Bruder an den Füßen fort, öffnete den Keller und warf ihn zu vielen anderen Erschlagenen.

Zwei Tage lang blieb er ohnmächtig liegen, ohne sich zu bewegen. Aber Allah der Erhabene hatte ihn durch das blutstillende Salz am Leben erhalten. Er kam wieder zu sich und konnte sich bewegen. Furchtsam und leise verließ er den Keller und ging im Dunkeln weiter, bis er in den Gang kam. Dort wartete mein Bruder, bis die verfluchte Alte am Morgen wieder auf Jagd ausging. Er folgte ihr, ohne daß sie es bemerkte, und fand so den Weg nach oben. Einen Monat lang blieb er zu Hause und pflegte sich, bis er wieder ganz genesen war. Während dieser Zeit beobachtete er die Alte fortwährend und sah, wie sie einen nach dem andern einfing und in jenes Haus führte. Als er wieder ganz gesund war, machte er aus Lumpen einen Sack und füllte ihn mit Glas.

Hier bemerkte Scheherazade den Tag und schwieg. In der folgenden Nacht fuhr sie fort:

Er verkleidete sich als Fremder, nahm den Sack auf seine Schultern und ein Schwert unter das Kleid, näherte sich der Alten und sagte: „Ich bin hier fremd. Hast du vielleicht eine Goldwaage, darauf fünfhundert Dinar abzuwiegen?" Die Alte antwortete: „O Fremder, ich habe einen Sohn, der Geldwechsler ist und vielerlei Waagen hat. Komm schnell mit mir, ehe er in seinen Laden geht. Er wird dein Gold wiegen."

Sie ging mit meinem Bruder bis zu jener Tür und klopfte dort an. Es kam wieder dasselbe Mädchen heraus. Die Alte lachte ihr zu und sagte: „Heute bring ich fettes Fleisch!" Dann nahm das Mädchen meinen Bruder bei der Hand, brachte ihn in die Wohnung, in der er schon einmal war, setzte sich eine Weile zu ihm und sagte schließlich: „Warte hier, bis ich zurückkomme!" Als sie gegangen war, kam wieder der Schwarze mit dem Schwert in der Hand und sagte zu meinem Bruder: „Steh auf, du Verfluchter!" Mein Bruder aber griff nach dem Schwert, das er unter dem Kleid hatte, und trennte dem Schwarzen den Kopf vom Rumpf. Dann schleppte er ihn an den Füßen zum Keller. Als die Sklavin mit der Schüssel voll Salz kam und meinen Bruder mit dem Schwert in der Hand sah, wollte sie fliehen. Mein Bruder holte sie jedoch ein und köpfte auch sie. Dann kam die Alte, und als mein Bruder sie sah, sagte er zu ihr: „Kennst du mich, du Alte des Unheils?" Sie entgegnete: „Nein, mein Herr!" Da sagte mein Bruder: „Ich bin der Herr des Hauses, in dem du gebetet hast und den du dann hierher locktest!" Sie flehte: „Erbarmen! Erbarmen!" Er jedoch hörte nicht auf sie und hieb sie in vier Teile.

Dann suchte mein Bruder das Mädchen auf. Sie bat ihn um ihr Leben und er versprach, sie nicht zu töten. Er fragte sie: „Wie bist du zu diesem Schwarzen gekommen?" Das Mädchen antwortete: „Ich war Sklavin bei einem Kaufmann, und die Alte besuchte mich oft, so daß wir enge Vertraute wurden. Eines Tages sagte sie: „Wir haben heute eine Hochzeit, wie sie noch niemand gesehen hat. Es wäre mir lieb, wenn du sie sehen wolltest." Ich sagte: „Recht gern!", kleidete mich an, nahm meinen Schmuck und einen Beutel voll Gold und ging mit ihr. Sie führte mich zu diesem Haus und ließ mich eintreten. Kaum war ich im Hause, da ergriff mich der Schwarze. Und so mußte ich durch die List der Alten, die Allah verdammen möge, drei Jahre bei ihm bleiben."

Dann fragte mein Bruder sie, ob der Schwarze wohl Geld oder sonst etwas im Hause hätte. Sie antwortete: „Sehr viel! Danke Allah, wenn du alles wegbringen kannst!" Darauf öffnete sie mehrere Kisten, die mit Beuteln gefüllt waren. Mein Bruder hatte sich noch nicht von seiner Verwunderung erholt, da sagte das Mädchen zu ihm: „Ich will hierbleiben, gehe du und hole jemanden, der das Geld von hier wegbringen kann!" Er ging auch sogleich und mietete zehn Leute. Als er zurückkam, fand er jedoch kein Mädchen und keine Geldbeutel mehr, nur Kleinigkeiten waren zurückgeblieben. Da merkte mein Bruder, daß das Mädchen ihn betrogen hatte, beschloß aber, alles mitzunehmen, was sie zurückgelassen hatte. Er öffnete die Magazine, nahm alle Kleider und ähnlichen Sachen, ließ nichts im Hause zurück und durchlebte eine fröhliche Nacht. Als er jedoch am Morgen aufstand, fand er zwanzig Soldaten an der Tür. Sie nahmen ihn fest und sagten, der Polizeioberste lasse ihn holen. Mein Bruder bat sie, ihn doch freizulassen und versprach ihnen Geld. Doch sie legten ihn in Ketten und führten in fort.

Scheherazade bemerkte den Tag und schwieg. In der folgenden Nacht erzählte sie weiter:

Als der Polizeioberst meinen Bruder sah, fragte er ihn, woher er auf einmal die vielen Sachen habe. Mein Bruder erzählte ihm die ganze Geschichte vom Anfang bis zum Ende. Dann sagte er: „Mein Herr, alles was ich dort genommen habe, ist in meinem Hause. Nimm davon, was du willst und laß mir nur etwas zum Leben übrig!"

Da ließ der Polizeioberste einige Untergebene mit meinem Bruder gehen und ihm viele Waren und alles Gold nehmen. Da er aber doch fürchtete, der Sultan könnte davon erfahren, sagte er zu meinem Bruder: „Ich wünsche, daß du diese Stadt verläßt. Tust du es nicht, so lasse ich dich umbringen!"

Mein Bruder entgegnete: „Ich bin bereit, zu gehorchen" und wanderte in ein fremdes Land. Dort überfielen ihn Räuber und plünderten ihn gänzlich aus. Als ich davon hörte, brachte ich ihm Kleider. Er zog sie an und kehrte heimlich mit mir in die Stadt zurück, wo ich ihn zu meinen anderen Brüdern gesellte.

Die Geschichte des sechsten Bruders des Barbiers

Mein sechster Bruder aber, der mit den gespaltenen Lippen, war früher reich und verarmte später. Als er einmal ausging, sah er ein schönes Haus mit einem großen Eingang und einer hohen Tür, an der viele Diener standen, denen allerlei Befehle erteilt wurden. Er fragte, wessen Haus das sei, und man antwortete ihm, es gehöre einem Nachkommen der Barmekiden. Hierauf ging mein Bruder zu den beiden Pförtnern und verlangte ein Almosen. Sie sagten: „Tritt ein, der Hausherr wird dir geben, was du verlangst!"

Er betrat eine wunderschöne Wohnung mit einem Garten in der Mitte. Der Boden war mit Teppichen bedeckt und die Wände mit Vorhängen verziert. Endlich kam mein Bruder an die Tür eines Saales. Er trat ein und sah mitten im Saal einen schönen Mann mit einem Bart. Mein Bruder bat den Mann um Hilfe. Der versprach meinem Bruder alles Gute und sagte

dann: „Du mußt mich aber ein wenig unterhalten!" Mein
Bruder antwortete: „Mein Herr, ich bin so hungrig, daß ich
keine Kraft dazu habe." Sogleich rief der andere: „Diener,
bringe den Krug und das Waschbecken, damit wir unsere Hände
waschen!" Aber mein Bruder sah weder Krug noch Waschbekken noch sonst jemanden. Dann sagte der Hausherr: „Komm,
mein Bruder, und wasche dich!" Dabei machte er eine Bewegung, als ob er sich die Hände wüsche. Endlich schrie er:
„Bringt den Tisch!" und deutete mit der Hand dorthin, wo
man decken sollte. Doch mein Bruder sah nichts. Dann sagte
er: „Mein Gast, bei meinem Leben: iß und lange kräftig zu!",
tat, als wenn er äße und wiederholte dabei: „Bei meinem Leben, iß nur nicht zu wenig, ich weiß ja, wie hungrig du bist!"
Mein Bruder tat nun ebenfalls, als wenn er äße. Der Hausherr
sagte: „Sieh dieses Brot, wie weiß es ist!" Aber mein Bruder
sah nichts und dachte, dieser Mann scherze gern mit den Leuten. Deshalb erwiderte er: „Mein Herr, ich habe in meinem
Leben kein weißeres und schmackhafteres Brot gegessen!"
Hierauf sagte der Hausherr: „Dieses Brot wurde von einem
Mädchen gebacken, das mich fünfhundert Dinar gekostet
hat!"
Hier bemerkte Scheherazade den Tag und schwieg. In der folgenden Nacht fuhr sie fort:

DIE EINHUNDERTEINUNDSIEBZIGSTE
NACHT

D er Barbier erzählte weiter: „Alsdann rief der Hausherr
wieder nach dem Diener und befahl ihm, eine saure
Speise und eine in Fett gebratene Ente zu bringen. Zu meinem
Bruder sagte er: „Iß nur, ich weiß doch, daß du hungrig bist!"
Mein Bruder kaute und schmatzte, als äße er, und der Hausherr bestellte ein Gericht nach dem andern und hieß ihn essen,
ohne daß etwas gebracht wurde. Er bestellte fette Hähne, mit

Pistazien gemästet — während meinen Bruder so hungerte, daß er mit einem Stück Gerstenbrot zufrieden gewesen wäre.

Endlich sagte mein Bruder: „Nun habe ich genug gegessen!" Da rief der Hausherr: „Tragt die Speisen ab und bringt die Süßigkeiten!" und fuhr, zu meinem Bruder gewandt, fort: „Iß von diesen eingemachten Datteln und Trauben, denn sie sind sehr gut!" Mein Bruder setzte immer nur seinen Mund in Bewegung und sagte schließlich wieder, er habe genug und könne nicht mehr essen. Der Hausherr rief noch: „Bringt Wein!" und tat, als reichte er meinem Bruder einen Becher. Mein Bruder tat, als tränke er — bis er sich betrunken stellte und sagte: „Mein Herr, o ich kann nicht mehr", und dem Hausherrn einen Schlag auf die Wange versetzte, daß das ganze Zimmer davon widerhallte. Schon hob er die Hand zum zweitenmal, da sagte der Hausherr: „Was soll das, du Niederträchtiger?" Mein Bruder antwortete: „Mein Herr, du hast deinem Sklaven soviel zu trinken gegeben, daß er jetzt berauscht ist und nicht mehr weiß, was er tut. Nun mußt du seine Grobheit ertragen und sein Benehmen entschuldigen!"

Als der Hausherr das hörte, lachte er laut und sagte: „Ich treibe schon seit langem diesen Scherz mit den Leuten, aber außer dir habe ich noch keinen gefunden, der so gut darauf einging. Ich verzeih dir gern!"

Scheherazade bemerkte den Tag und schwieg. In der folgenden Nacht fuhr sie fort:

DIE EINHUNDERTZWEIUNDSIEBZIGSTE NACHT

Der Barbier berichtete weiter: „Nun sei aber wirklich mein Gast", sagte der Barmekide zu meinem Bruder. Dann ließ er wirklich alle Gerichte kommen, die er vorher nur erwähnt hatte, und sie aßen miteinander, bis sie satt, und tranken, bis sie berauscht waren. Der Mann liebte meinen Bruder wie einen eigenen Bruder und schenkte ihm herrliche Ehrenkleider. Sie aßen und tranken zehn Tage lang. Dann übertrug der Mann meinem Bruder die Verwaltung aller seiner Güter. Mein Bruder blieb zwanzig Jahre bei ihm, bis der Mann starb.

Nach dem Tode des Mannes ließ der Sultan alles, was er hinterlassen hatte und auch den Besitz meines Bruders wegnehmen. Nun war mein Bruder wieder arm und mußte auswandern. Unterwegs nahmen ihn Beduinen gefangen und zogen mit ihm zu ihrem Stamme. Der, der ihn gefangengenommen hatte, schlug auf ihn ein und rief: „Kaufe dich mit Geld von mir los!" Mein Bruder entgegnete weinend: „Ich besitze nichts mehr und bin dein Gefangener. Mach also mit mir, was du willst!" Da nahm der Beduine ein Messer, durchschnitt meines Bruders Lippe und forderte immer dringlicher Geld von ihm.

Dieser Beduine hatte eine schöne Frau, die, so oft ihr Mann ausging, meinen Bruder aufforderte, sie zu lieben. Aber er wies sie stets zurück. Als er ihr einmal nachgab und sie auf seinem Schoß saß und ihn liebkoste, kam plötzlich der Mann nach Hause. Als er meinen Bruder bei seiner Frau fand, nahm er ein Messer, schnitt meinem Bruder das Glied ab, lud ihn auf ein Kamel und legte ihn am Fuße eines Berges nieder. Da kamen Reisende vorbei, die ihn kannten. Sie gaben ihm zu essen und zu trinken und erzählten mir, was ihm widerfahren war. Ich brachte ihn in die Stadt und gab ihm seinen Lebensunterhalt. Nun bin ich zu dir gekommen, o Fürst der Gläubigen, denn sonst wäre ich zugrundegegangen und meine sechs Brüder mit mir."

Als der Kalif meine ganze Erzählung gehört hatte, lachte er sehr und sagte: „Du hast recht, o Schweigender, du sprichst wenig und liebst das Überflüssige nicht. Doch verlasse jetzt die Stadt und ziehe in eine andere!" Dann erteilte er den Befehl, mich aus der Stadt zu weisen.

Ich reiste in der Welt herum, bis ich hörte, daß er gestorben und ein anderer Kalif geworden war. Da kehrte ich wieder in die Stadt zurück. Alle meine Brüder waren schon gestorben. Dort traf ich diesen jungen Mann. Ich behandelte ihn so gut, und er belohnte mich so schlecht, doch wäre er ohne mich bestimmt zugrundegegangen. Hier fand ich ihn wieder, und nun verdächtigt er mich in einer Weise, wie ich es nicht verdiene, indem er mich für einen Schwätzer erklärt!"

Scheherazade bemerkte den Tag und schwieg. In der folgenden Nacht fuhr sie fort:

DIE EINHUNDERTDREIUNDSIEBZIGSTE NACHT

Ende der Geschichte des Barbiers,
des Schneiders und des Buckligen

Der Schneider sagte zu dem König von China:
"O König, nachdem wir nun die Geschichte des Barbiers vernommen und ihn eingesperrt hatten, setzten wir uns und aßen bis zwei Stunden vor Sonnenuntergang. Dann ging ich nach Hause. Doch meine Frau machte ein mürrisches Gesicht und sagte: "Du lebst in Saus und Braus, und ich muß zu Hause sitzen. Wenn du nicht mit mir ausgehst, so lange noch Tag ist, werde ich mich von dir scheiden lassen!"

Nun ging ich bis abends mit ihr spazieren. Auf dem Heimweg begegneten wir dem buckligen Lügner, der berauscht umherwankte. Wir luden ihn zum Fischessen ein, und dabei erstickte er an einem Stück, in dem eine Gräte war. Ich schlug ihm auf die Schultern und griff ihm in den Hals, aber er war tot. Da schaffte ich ihn in das Haus des jüdischen Arztes, der ihn zum Aufseher warf. Dieser aber brachte ihn zu dem christlichen Makler. Das ist die Geschichte dessen, was mir gestern widerfahren ist. Ist sie nicht wunderbarer als die des buckligen Lügners?"

Als der König von China die Worte des Schneiders hörte, schüttelte er den Kopf vor Entzücken und sagte: "Die Geschichte mit dem jungen Mann und dem geschwätzigen Barbier ist schöner als die des Buckligen!"

Dann befahl der König einem seiner Offiziere, ins Gefängnis zu gehen und den Barbier zu befreien, und sagte: „Ich möchte diesen Barbier sehen und ihn sprechen hören, denn er ist doch die Ursache eurer Rettung. Dann wollen wir den Bucklingen begraben und ihm einen Denkstein errichten."

Bald war der Offizier mit dem Barbier zurück. Der König von China sah ihn an und merkte, daß er schon über neunzig Jahre alt war. Der König lachte, als er den Barbier sah, und sagte: „Du Schweigender, erzähl mir eine deiner Geschichten!" Der Barbier antwortete: „Was ist, o König der Zeit, mit diesem Christen, dem Juden, dem Muselmann und dem Bucklingen? Was vereint sie hier?"

DIE EINHUNDERTVIERUNDSIEBZIGSTE NACHT

Scheherazade erzählte weiter: Der König von China befahl nun seinen Leuten, dem Barbier die Geschichte des Bucklingen vom Anfang bis zum Ende zu erzählen. Der Barbier schüttelte ungläubig den Kopf und sagte: „Das ist höchst sonderbar! Deckt einmal den Bucklingen auf!"

Er setzte sich neben den Bucklingen, nahm dessen Kopf in seinen Schoß, betrachtete sein Gesicht und wollte sich vor Lachen ausschütten. Die Leute des Königs erschraken über das Benehmen des Barbiers, und der König von China fragte ihn, was er habe. Der Barbier antwortete: „Bei deiner Huld, es ist noch Leben in diesem Bucklingen!"

Dann zog er einen Beutel hervor, nahm eine Salbenbüchse heraus und rieb den Hals und die Adern des Bucklingen ein. Darauf nahm er ein langes Eisen, fuhr damit in den Hals des Bucklingen und zog das Stück Fisch mit der Gräte heraus. Kaum war der Bucklige davon befreit, sprang er auf und rieb sich das Gesicht vor Freude.

Der König von China befahl sodann, die Geschichte des Buckligen aufzuzeichnen. Dem Aufseher, dem Schneider, dem Christen und dem Juden machte er reiche Geschenke und entließ sie. Den Barbier aber behielt er bei sich und sorgte königlich für seinen Lebensunterhalt. Sie blieben Freunde, bis der Tod sie überraschte.

Da bemerkte Scheherazade den Morgen und brach ihre Erzählung ab. Dinarsad sagte zu ihr: „O meine Schwester, wie schön und wunderbar sind deine Erzählungen!" Sie erwiderte: „Was ist das alles im Vergleich zu der Geschichte des Krämers Abul Hassan und Alis und dem, was ihnen mit Schems Unnahar widerfahren ist! Ich werde sie morgen erzählen, wenn ich noch lebe. Es ist eine Geschichte, die jeden entzückt!"

Und am folgenden Abend erzählte sie auf Geheiß des Königs Scheherban folgendes:

DIE EINHUNDERTFÜNFUNDSIEBZIGSTE NACHT

Die Erzählung von Ali, dem Sohne Bekars,
und der Schems Unnahar

Einst gab es in der Stadt Bagdad einen reichen und vornehmen Krämer namens Abul Hassan, Sohn Tahers. Er führte einen sauberen Lebenswandel, war ein guter Gesellschafter und deshalb überall gern gesehen. Oft ging er in das Schloß des Kalifen Harun Arraschid, und dessen meiste Frauen und Sklavinnen ließen sich von ihm ihre Besorgungen erledigen. Auch waren oft die Söhne der Fürsten und der Großen bei ihm. Unter diesen war auch ein junger persischer Prinz mit Namen Ali, Sohn des Bekar. Er war schön und anmutig, seine Beredsamkeit war bezaubernd, sein Verstand und seine Tapferkeit unübertroffen. Dieser Prinz konnte sich schließlich von Abul Hassan nicht mehr trennen.

Als sie einmal zusammensaßen, sahen sie auf dem Markt zehn junge Sklavinnen, schön wie der Mond, und in ihrer Mitte strahlte ein Mädchen, das den Vollmond beschämte. Sie war wie ein Dichter sagt:

> Sie ist ein so vollkommenes Bild der Schönheit, daß man
> sie nicht anders geschaffen wünschen könnte. Sie hat weder
> zuviel noch zuwenig. Es ist, als wäre sie aus Perlenwasser
> gebildet. Ein Mond leuchtet aus allen ihren Gliedern
> hervor. Ihre Stirn ist der Vollmond, ihr Wuchs der Zweig
> des Ban, ihr Atem ist Moschus; kein Mensch gleicht ihr.

Als sie an den Laden Abul Hassans kam, stand dieser vor ihr auf, küßte die Erde und ließ sie auf ein seidenes, mit Gold besticktes Kissen sitzen. Dann blieb er vor ihr stehen, um sie zu bedienen. Sie befahl ihm, sich zu ihr zu setzen, und als er es tat, verlangte sie von ihm, was sie brauchte.
Inzwischen hatte der junge Ali schon seinen Verstand verloren. Er wurde bald rot, bald blaß, und wollte vor Liebe vergehen. Er versuchte aufzustehen, doch sie winkte mit ihren Narzissenaugen und ihren Zuckerlippen und sagte: „Gefallen wir dir nicht, so daß du vor uns entfliehen willst?"
Ali küßte die Erde und sprach: „O meine Gebieterin, als ich dich sah, habe ich meinen Verstand verloren. Ich kann nur sagen, was schon ein Dichter sagte:

> Sie ist die Sonne, ihre Wohnung ist der Himmel. Er
> tröste sein Herz mit dem schönsten Trost, denn er kann
> nicht zu ihr hinauf- und sie nicht zu ihm heruntersteigen.

Dann sagte sie: „O Abul Hassan, woher kennst du diesen Jüngling und welchen Rang hat er inne?"
Abul Hassan antwortete: „Er heißt Ali, Sohn Bekars, und ist ein Prinz von Persien."
Da fuhr sie fort: „Wenn meine Sklavin zu dir kommt, dann komme mit ihm zu uns. Wir wollen ihn in unserem Hause bewirten, damit er nicht sagen kann, in Bagdad herrsche keine

Gastfreundschaft. Wenn du nicht gehorchst, werde ich dich nie mehr grüßen!"

Abul Hassan antwortete: „Allah bewahre mich vor deinem Zorn, o Königin aller Sklaven!"

Hierauf verließ sie den Laden und ritt davon. Ali blieb sitzen und wußte nicht, ob er auf der Erde oder im Himmel war. Noch ehe der Tag verflossen war, kam eine Sklàvin zu Abul Hassan.

DIE EINHUNDERTSECHSUNDSIEBZIGSTE NACHT

Scheherazade erzählte weiter: Die Sklavin sagte zu Abul Hassan: „Komme mit deinem Freunde Ali zu meiner Gebieterin Schems Unnahar, der Freundin des Fürsten der Gläubigen, Harun Arraschid!"

Sie folgten dann der Sklavin und kamen zum Hause des Kalifen. Hier zeigte sie ihnen die Wohnung Schems Unnahars. Darin sah der Jüngling Teppiche, Kissen und Diwans, wie er noch nie welche in seinem Leben gesehen hatte. Als er und Abul Hassan Platz genommen hatten, brachte man ihnen einen Tisch mit den köstlichsten Speisen, und eine schwarze Sklavin blieb zu ihrer Bedienung bei ihnen stehen. Als sie satt waren, wuschen sie ihre Hände in zwei goldenen Waschbecken. Dann beräucherten und parfümierten sie sich und setzten sich wieder. Nach einer Weile hieß sie die Sklavin aufstehen und führte sie in einen anderen Saal, dessen Kuppel von hundert Säulen getragen wurde. Die Säulen waren mit goldenen Tieren und Vögeln verziert, der Boden mit kostbarsten Teppichen belegt. Die beiden setzten sich und sahen, daß der ganze Boden des Saals aus Gold war. Überall sah man Gemälde und chinesische Gefäße aus Gold und Kristall, besetzt mit prachtvollen Edelsteinen. Am oberen Ende des Saales waren viele Fenster. Vor jedem stand ein Diwan, bezogen mit den feinsten Stickereien und jeder von einer anderen Farbe. Diese Fenster gingen auf einen Garten, dessen Boden dem Grund der Teppiche glich. Ringsherum floß Wasser aus einem großen Teich in einen kleineren. Die Ufer des Teichs waren mit Narzissen, Basiliken und anderen seltenen Pflanzen in edelsteinverzierten Vasen besetzt. Die Bäume im Garten waren dicht ineinander verschlungen, die Früchte darauf so reif, daß sie bei jedem Säuseln des Windes auf die Wasseroberfläche fielen. Die vielen Vögel im Garten zwitscherten in allen möglichen Tönen. Auf beiden Seiten des Teiches standen Stühle aus Ebenholz, mit Silber ausgelegt. Auf jedem Stuhl saß ein kostbar gekleidetes schönes Mädchen mit einer Laute oder einem anderen Instrument. Der Gesang der Mädchen vereinigte sich mit dem der Vögel, mit dem Säuseln des Windes und dem Plätschern des Wassers.

Während Ali und Abul Hassan diese Schönheit bewunderten und von der Anmut und Lieblichkeit in höchstes Entzücken versetzt waren, sagte Ali zu Abul Hassan: „Wisse, mein Freund, der größte und verständigste Weise muß hiervon entzückt und hingerissen sein. Wieviel mehr noch ist es ein Mensch in meinem Zustand, dessen Herz vor Liebe überfließen will. Doch ich frage mich, wie hoch der Rang dessen sein muß, der ein so herrliches Gut besitzt!"

Der Morgen dämmerte, und Scheherazade schwieg. In der folgenden Nacht fuhr sie fort:

DIE EINHUNDERTSIEBENUNDSIEBZIGSTE NACHT

Abul Hassan antwortete: „Das ist auch mir ein Geheimnis, doch wir werden es bald erfahren."

Während sie so redeten, erschien eine Sklavin und befahl den Mädchen, die auf den Stühlen saßen, zu singen. Eine von ihnen stimmte ihre Laute an und sang:

Noch ehe ich die Liebe kannte, wurde ich an ihn gefesselt,
und das Feuer der Trennung glühte in meiner Brust und
in meinem Herzen. Gegen meinen Willen enthüllen
meine Tränen jedermann mein Geheimnis.
Mit der leisesten Hoffnung neige ich mich liebend zu dir.
Doch was helfen den Liebenden Sehnsuchtsseufzer, deren
kältester ein Feuerbrand ist?

Der Jüngling seufzte tief und sagte: „O Mädchen, du hast
wahr und schön gesungen!" Er wiederholte dann die Verse und
bat sie, weiterzusingen. Da sprach sie:

O du, zu dem meine Liebe stetig wächst, bemächtige dich
meines Herzens wie du willst. Lösche durch deine Nähe
die Flamme eines Herzens, das Entfernung und Trennung
zerfließen machten.

Ali weinte und wiederholte die Verse. Auf einmal erhoben sich
alle Mädchen, stimmten ihre Instrumente und sangen im Chor:

Allah ist groß! Nun ist der Vollmond aufgegangen, und die
Geliebte ist mit dem vereint, der sie so innig liebt. Wer
hat je die Sonne und den leuchtenden Vollmond im Garten
der Ewigkeit oder in dieser Welt beisammen gesehen?

Überrascht blickten Ali und Abul Hassan auf die Mädchen.
Doch ihre Überraschung vergrößerte sich noch, als sie die Sklavin, die bei Abul Hassan im Laden war und die sie hierhergebracht hatte, am Ende des Gartens erblickten. Ihr folgten zehn
Sklavinnen, die einen großen, aus Silber gegossenen Thron
trugen. Sie stellten ihn zwischen die Bäume und sich selbst dahinter. Nach ihnen kamen zwanzig Mädchen mit Instrumenten in den Händen und in Kleidern, die von Juwelen und Perlen strahlten. Alle sangen, bis sie den Thron erreichten, als
hätten sie nur eine Stimme. Dann stellten sie sich, ohne ihr
Spiel zu unterbrechen, zu beiden Seiten des Thrones auf. Dann
kamen noch zehn andere Mädchen, deren Schönheit eine Versuchung für jeden Mann bedeutete. Diese blieben an der Tür

stehen. Dann kamen noch zehn, die den vorigen ähnlich waren, und in ihrer Mitte Schems Unnahar.

Hier bemerkte Scheherazade, daß der Morgen dämmerte, und schwieg. In der folgenden Nacht fuhr sie fort:

DIE EINHUNDERTACHTUNDSIEBZIGSTE NACHT

Schems Unnahar erstrahlte unter diesen Mädchen, wie die Sonne hinter den Wolken hervorstrahlt. Sie hatte einen blauen, goldbestickten Mantel umgeworfen, der erraten ließ, welche kostbaren Kleider und Juwelen darunter verborgen sein mußten. Majestätisch schritt sie bis zum Thron und ließ sich dann darauf nieder. Als Ali das gesehen hatte, wandte er sich an den Krämer und sprach die Verse:

> Hier ist der Anfang meines Leidens. Hier beginnen mein
> Gram und mein Liebesschmerz. Nach diesem Anblick
> kann mein Herz keinen Augenblick mehr seine Ruhe
> wiederfinden. O Seele, beim erhabenen Gott, sage dem
> durch Liebespein geschwächten Körper Lebewohl und
> verlasse mich in Frieden!

Dann sagte er zu dem Krämer: „Hättest du mir vorher etwas von diesen Herrlichkeiten gesagt, so wäre ich dir nicht gefolgt und wäre trotz meiner Leidenschaft standhaft geblieben!"

Der Krämer antwortete: „Ich habe dir nur Gutes tun wollen. Ich fürchtete mich davor, dir die Wahrheit zu sagen, weil dich sonst allzugroße Liebe und Sehnsucht daran gehindert hätten, sie zu sehen und dich mit ihr zu vereinigen. Sei nun frohen Herzens und verzage nicht, denn sie wird dir bald entgegenkommen!"

Ali fragte: „Nun, wer ist sie denn?" Abul Hassan, der Krämer, antwortete: „Sie ist Schems Unnahar, die Sklavin des Raschid. Und der Ort, an dem du dich aufhältst, ist sein neuer Palast,

der unter dem Namen ‚Palast der ewigen Freuden‘ bekannt ist.
Ich habe viel List brauchen müssen, bis ich euch hier zusammenbringen konnte. Nun möge Allah ein gutes Ende herbeiführen!"

Ali war sehr betroffen. Das Mädchen aber blickte auf ihn, und in ihren Blicken lagen Liebe und Schmerz. Auch er drückte mit den Augen seine Liebe aus, und so verstanden sie sich, obwohl beide schwiegen. Nachdem sie einander eine Weile betrachtet hatten, befahl Schems Unnahar den Lautenspielerinnen, sich auf ihre Stühle zu setzen. Dann ließ sie durch die Sklavinnen Stühle unter die Fenster stellen, an denen Ali und der Krämer saßen, und befahl den Mädchen, die mit ihr herausgekommen waren, sich auf diese Stühle zu setzen. Als sie saßen, winkte sie einem dieser Mädchen und befahl ihr, zu singen. Das Mädchen stimmte ihre Laute an und sang die Verse:

> Der Geliebte neigt sich zur Geliebten, und die Liebe macht
> aus beiden Herzen ein einziges. Sie stehen am Meer der
> Liebe. Es ist jedoch ein süßes Meer, und deshalb schöpfen
> sie reichen Vorrat. Während Tränen über ihre Wangen
> fließen, sagen sie: Beim Schicksal liegt die Schuld und
> nicht bei dem, der dieses Meer befährt.

Der Morgen brach an, und Scheherazade schwieg. In der folgenden Nacht erzählte sie weiter:

DIE EINHUNDERTNEUNUNDSIEBZIGSTE
NACHT

Als das Mädchen seinen Gesang beendet hatte, wandte sich Schems Unnahar an eine andere und befahl ihr, diese Verse zu singen:

> Er sah deine beiden Augen und seufzte. Er schmachtete
> und wurde liebeskrank. Unter allen Menschen verlangt
> er nur nach dir.

Als das Mädchen diese Verse mit viel Kunst gesungen hatte, seufzte Schems Unnahar und bat das ihr am nächsten sitzende Mädchen, folgende Verse zu singen:

Wenn du meine Seufzer nicht hörst, so weißt du nicht, was Mitleid ist. Bei deiner Liebe! Ich kann das Warten nicht länger ertragen, doch wie lange werde ich wohl noch Geduld haben müssen?

Das Mädchen sang, und die beiden Liebenden schwammen im Entzücken.

Ali vergoß Tränen und seufzte tief. Als Schems Unnahar seine Tränen sah, konnte sie sich nicht länger zurückhalten. Sie stand auf, um in den Saal zu gehen. Ali ging ihr bis zur Tür entgegen und streckte seine Arme nach ihr aus. Sie umarmten sich, und wer noch niemals sah, wie die Sonne den Mond umfing, erblickte nie ein schöneres Bild. Die Mädchen umgaben das schöne Paar und legten es auf die Polster im Saal. Schems Unnahar wandte sich dann zur Rechten und zur Linken und suchte den Krämer, der sich hinter den Mädchen verborgen hielt. Als er vortrat, grüßte sie und hieß ihn willkommen.

Hier bemerkte Scheherazade den Tag und schwieg. In der folgenden Nacht fuhr sie fort:

DIE EINHUNDERTACHTZIGSTE NACHT

Schems Unnahar dankte Abul Hassan vielmals und sagte zu ihm: „Deine Güte gegen mich hat den höchsten Gipfel erreicht. Ich weiß nicht, wie ich dich belohnen soll. Du stehst niemandem nach, wenn es sich darum handelt, eine schöne Tat zu vollbringen!" Dann wandte sie sich an Ali und sagte: „Mein Herr, wenn auch deine Liebe den höchsten Gipfel erreicht hat, so ist doch meine nicht geringer. Es bleibt uns nichts, als auf Allah zu vertrauen und bei allen Versuchungen standhaft zu bleiben."

Ali antwortete: „O meine Gebieterin! Mein Zusammensein mit dir und dein Anblick können das Feuer nicht löschen und das, was ich empfinde, nicht vertreiben. Nur mit dem Tod werde ich aufhören, dich zu lieben. Nur wenn mein Herz vergeht, wird auch meine Liebe vergehen." Dann weinten beide und die Tränen flossen wie Perlen über ihre Wangen.

Da sagte Abul Hassan: „Euer Zustand ist seltsam. Wenn ihr schon so seid beim Beisammensein, was wollt ihr dann beginnen, wenn ihr voneinander entfernt seid? Seid fröhlich und verscheucht den Kummer. Liebende müssen ihre Zeit gut benützen!"

Sie hörten auf zu weinen, und Schems Unnahar machte der ersten Sklavin ein Zeichen. Die ging schnell weg und kam mit zwei Sklavinnen wieder, die ein silbernes Tischchen trugen, das sie vor Ali und den Krämer stellten. Dann setzten sie sich zu Tisch, und Schems Unnahar begann zu essen und Ali Speisen vorzulegen. Nach dem Essen brachte man ein silbernes Waschbecken mit einer goldenen Kanne; sie wuschen ihre Hände und gingen dann wieder auf ihren Platz. Dann kamen drei Sklaven mit goldenen Platten. Auf jeder stand eine goldverzierte Kristallflasche mit köstlichem Wein. Jedem wurde eine Platte vorgestellt. Nun befahl Schems Unnahar zehn Sklavinnen, sich an die Seiten des Krämers und Alis zu stellen, ließ zehn Sängerinnen kommen und forderte alle übrigen auf, sich zu entfernen. Sie nahm einen Becher, füllte ihn und ließ ein Mädchen die Verse singen:

Ich gebe mein Leben hin für den, der meinen Gruß lachend erwidert. Nach der Verzweiflung hat er mir wieder Lust zur Liebe gegeben. Sobald er erscheint, entdeckt die Sehnsucht meine Geheimnisse und zeigt denen, die mich tadeln, was ich im Herzen trage. Die Tränen meiner Augen bilden eine Scheidewand zwischen mir und dem Geliebten — als wenn die Tränen ihn ebenso eifersüchtig liebten wie ich!

Sie trank den Becher aus, füllte einen anderen mit Wein und reichte ihn ihrem geliebten Ali. Er nahm ihn und bat eine Sklavin, folgende Verse zu singen:

Wie dieser Wein fließen auch meine Tränen. Wer hat wohl, wie ich, aus dem Auge wie aus einem Becher getrunken? Ich kann nicht sagen, ob meine Augen Wein vergießen oder ob ich meine Tränen getrunken habe.

Der junge Mann trank, Schems Unnahar füllte einen dritten Becher und reichte ihn Abul Hassan. Abul nahm ihn an, sie ergriff die Laute eines der Mädchen und sagte: „Ich selbst werde zu diesem Becher singen; es ist das wenigste, was ich für dich tun kann." Sie sang dann die Verse:

Die Tränen werden von seinen Wangen verscheucht, denn das Feuer der Liebe brennt in seiner Brust. Wenn die Freunde nahe sind, weint er aus Furcht vor ihrer Entfernung, so daß Tränen fließen, sie mögen nahe oder fern ihm sein.

Die beiden Liebenden schwebten in höchstem Entzücken. Sie sang mit einer so himmlischen Stimme, daß es Ali schien, ihre Stimme habe den Vögeln ihre Flügel geraubt. Als sie so eine Weile zusammengesessen hatten, kam eine Sklavin herbeigerannt, zitterte wie die Spitze eines Dattelbaums und rief: „O meine Gebieterin! Die Diener des Fürsten der Gläubigen sind an der Tür mit Masrur, Afif und Wasif!"
Vor Schreck und Furcht versanken alle fast in den Boden. Der Mond ihrer Freuden verdüsterte sich, und die Sterne ihrer Wonne gingen unter. Sie fürchteten, alles könnte schon entdeckt sein.
Der Tag brach an und Scheherazade schwieg. In der folgenden Nacht fuhr sie fort:

Schems Unnahar aber lachte über die Furcht Alis und Hassans und sagte zu ihrer Sklavin: „Halte sie ein wenig zurück, damit sie nichts merken!"

Sie stand auf und ließ die Vorhänge an den Fenstern herunter. Dann ging sie in den Garten, während Ali und der Krämer blieben, wo sie bisher waren. Schems Unnahar ließ die Stühle forttragen, setzte sich auf ihren Thron und ließ sich von einer Sklavin die Füße reiben. Endlich gab sie Erlaubnis, die Angemeldeten hereinzulassen. Diese erschienen, von zwanzig Dienern begleitet, und brachten ihr den schuldigen Gruß dar. Sie kam ihnen freundlich und ehrerbietig entgegen und fragte dann Masrur, was er Neues bringe.

Masrur antwortete: „Der Fürst der Gläubigen läßt sich nach deinem Wohl erkundigen und dir seine Sehnsucht künden. Er will heute einen fröhlichen Tag verleben und wünscht, diese Nacht mit dir zu beschließen. Bereite dich deshalb auf seine Ankunft vor und laß deinen Palast ausschmücken."

Sie antwortete: „Ich gehorche Allah und dem Fürsten der Gläubigen!"

Darauf ließ sie durch ein Mädchen ihre Hausklavinnen rufen und verteilte diese im Garten und im Palast, um den Leuten zu zeigen, daß sie, wie befohlen, Vorkehrungen treffen ließ. Dann sagte sie zu den Dienern: „Geht nun und berichtet dem Fürsten der Gläubigen, was ihr gesehen habt, und er möge nur etwas später kommen, bis sein Zimmer und sein Lager in Ordnung gebracht sind."

Die Diener gingen fort. Schems Unnahar aber kehrte zu ihrem Geliebten und seinem Freund zurück, die vor Angst wie Vögel zitterten. Sie drückte Ali fest an sich, weinte dabei und sagte: „O mein Herr, dieser Abschied wird mich töten! Allah gebe mir Geduld, bis ich dich wiedersehen kann, oder er nehme mir das Leben, wenn du dich entfernt hast! Was dich betrifft, so wirst du unversehrt und ungesehen von hier fortkommen. Du kannst leicht deinen Liebesgram verbergen, so daß dich niemand durchschaut. Aber ich gehe meinem Unheil und meinem bösen Geschick entgegen. Der Kalif wird merken, daß ich nicht wie sonst zu ihm bin. Mit welcher Stimme soll ich ihm vorsingen, mit welchem Herzen bei ihm sein, mit welcher Kraft ihn bedienen, womit ihn unterhalten und zufriedenstellen?"

Abul Hassan sagte zu ihr: „Fasse dich in Geduld und verliere nicht den Mut! Allah in seiner Güte wird euch wieder vereinen!"

Während sie so sprachen, kam eine Sklavin und sagte: „O meine Gebieterin, die Diener sind schon wieder zurück, und du bist noch hier?" Schems Unnahar rief: „Wehe uns! Eile, und bring diese beiden schnell in das Sommerhaus, das in den Garten geht. Wenn es dunkel wird, sorgst du dafür, daß sie wegkommen!" Dann sagte Schems Unnahar ihnen Lebewohl und verließ sie voller Verzweiflung. Die Sklavin brachte die beiden in das Sommerhaus, das von der einen Seite in den Garten und auf der anderen Seite zum Tigris hinausgeht, ließ sie dort sitzen, schloß die Tür und ging fort.

DIE EINHUNDERTZWEIUNDACHTZIGSTE NACHT

Scheherazade erzählte weiter:
Hassan und Ali blieben allein. Es war schon Nacht geworden, und sie wußten nicht, was aus ihnen werden sollte. Als sie in den Garten hinausblickten, sahen sie mehr als hundert Diener, jeder festlich gekleidet und mit einem Schwert an der Seite. Ihnen folgten mehr als hundert Sklaven mit weißen Wachskerzen in den Händen. In ihrer Mitte war der Kalif Raschid, zwischen Masrur und Masif vor Trunkenheit hin- und herschwankend. Dahinter kamen zwanzig kostbar gekleidete Sklavinnen, denen zwischen den Bäumen andere, Laute spielende Sklavinnen entgegenschritten. An ihrer Spitze ging

Schems Unnahar. Sie küßte die Erde vor dem Kalifen Raschid, und der hieß sie willkommen. Er stützte sich auf ihre Schultern und ging bis zu dem silbernen Thron, auf den er sich dann setzte. Danach ließ Schems Unnahar die Stühle an der Seite des Teiches aufstellen, und der Kalif befahl den Sklavinnen, die mit ihm gekommen waren, sich darauf zu setzen. Als alle Platz genommen hatten, setzte sich Schems Unnahar ihm gegenüber. Die Diener holten Trinkgefäße herbei. Ali war ganz verwirrt von dem, was er sah. Seine Bewegungen wurden immer matter, er blickte mit gebrochenen Augen umher, sein Herz war krank und zerrissen.

Hassan sagte zu ihm: „Siehst du den König?" Er antwortete: „Ja, und damit sehe ich unser Unglück! Nichts rettet uns mehr vor dem Untergang. Doch mich töten vor allem die Liebe, die Trennung, die Furcht, die Gefahr und die Schwierigkeit unserer Rettung. In meinem Zustand muß ich Allah allein um Hilfe anflehen!" Hassan antwortete: „Nur Geduld kann helfen, bis Allah deinen Kummer mildert." Dann sah er wieder zu dem Kalifen hin, der eben einer Sklavin seines Gefolges zu singen befahl:

> *Hätte man je Wangen gesehen, die von herabrieselnden Tränen grünten, so würden die meinen Laub und Gras hervorbringen. Obwohl ich nur Tränen weine, ist es mir doch, als ob mit ihnen alle meine Lebensgeister schwänden. Und weil ich nirgends Ruhe finden kann, rief ich schon dem Tod: Sei mir willkommen!*

Die beiden im Sommerhaus sahen, daß Schems Unnahar bei diesen Versen zu zittern begann und auf ihrem Stuhl in Ohnmacht sank. Die Sklavinnen sprangen ihr bei und trugen sie hinweg. Ali ließ kein Auge von ihr. Und als der Krämer ihn ansah, lag auch er in Ohnmacht. Da sagte Abul Hassan: „Das Schicksal hat es gut mit diesen beiden gemeint, denn es hat sie in den gleichen Zustand versetzt!" Aber bald darauf packte ihn lähmende Angst. Eine Sklavin kam, begoß Ali mit Rosenwasser und rieb seine Hände, bis er zu sich kam. Sein Freund.

der Krämer, sagte zu ihm: „Erwache schnell, ehe du untergehst und uns ins Verderben stürzst!"

Dann trugen sie ihn aus dem Sommerhaus fort. Die Sklavin öffnete eine kleine eiserne Tür, die auf einen Kanal führte. Sie klatschte in die Hände, und ein kleines Boot mit einem Ruderer kam herbei. Ali, der Krämer und die Sklavin stiegen ein. Der liebende Jüngling streckte eine Hand nach dem Schlosse aus, legte die andere auf sein Herz und sprach mit schwacher Stimme die Verse:

> *Zum Abschied strecke ich eine schwache Hand aus und lege die andere auf die Glut, die in meinem Herzen brennt. Möge doch diese Zusammenkunft mit Euch nicht die letzte sein und dieser Genuß Eurer Reize nicht der einzige bleiben!*

Dann ruderte der Schiffer rasch mit den Dreien davon.

DIE EINHUNDERTDREIUNDACHTZIGSTE NACHT

Scheherazade erzählte weiter:

Als sie über den Strom gesetzt und an Land gestiegen waren, sagte die Sklavin zu den anderen: „Ich muß euch jetzt verlassen!" Ali und Hassan blieben also allein. Ali war noch so schwach, daß er sich kaum bewegen konnte. Hassan hatte aber in jener Gegend mehrere Freunde. Bei einem von ihnen klopfte er an die Tür. Der Herr des Hauses öffnete sofort und freute sich, als er Hassan erkannte. Er ließ die beiden in seine Wohnung, und als sie auf weichen Polstern ruhten, fragte er sie, woher sie zu so später Stunde kämen. Hassan antwortete: „Ich hatte ein Geschäft mit einem abzumachen, von dem ich gehört hatte, daß er nach meinem Vermögen trachte. Da ich in der Nacht zu ihm gehen mußte und nicht überlistet werden wollte, nahm ich diesen jungen Herrn mit. Unterwegs wurde dem Herrn unwohl, und ich wußte nicht, wohin mit ihm. Daher kamen wir zu dir, um uns bei dir zu erholen."

Darauf ließ sie der Mann vortrefflich bedienen, und sie blieben die ganze Nacht bei ihm. Am Morgen verließen sie das gastliche Haus und gingen an den Fluß. Sie mieteten ein Boot und setzten über den Strom. Ali folgte Hassan in dessen Haus und schlief zunächst vor lauter Kummer ein. Als er erwachte, ließ der Krämer Alis Freunde und Sängerinnen kommen. Am Abend lebte man lustig und war guter Dinge. Doch als die Sängerinnen Verse sangen, fiel Ali wieder in Ohnmacht. Erst als die Morgenröte heranbrach und alle schon die Hoffnung verloren hatten, ihn je wieder lebendig zu sehen, kam er zu sich. Dann ließ sich Ali die Laute nach Hause bringen, und Hassan wollte seinen Wünschen nicht widersprechen aus Furcht vor den unglücklichen Folgen. Ali bestieg sein Maultier, und Hassan folgte ihm. Als Hassan Ali ruhig und still in seinem Hause sah, lobte er Allah den Erhabenen und nahm Abschied von ihm.

DIE EINHUNDERTVIERUNDACHTZIGSTE
NACHT

Scheherazade erzählte weiter:
Als Hassan weggehen wollte, sagte Ali zu ihm: „O mein Freund, hast du keine Nachricht von meiner Geliebten? Du hast gesehen, in welchem Zustand sie war, als wir den Garten verließen. Wir müssen uns nach ihr erkundigen."

Hassan antwortete: „Sicher wird ihre Sklavin zu uns kommen und uns Nachricht bringen."

Endlich verließ er Ali und ging in seinen Laden, um dort auf eine Botschaft zu warten. Doch die Sklavin kam nicht. Nach der Morgenwaschung ging er wieder in Alis Wohnung. Viele Leute umringten das Bett des Jünglings, auch Ärzte waren darunter, von denen ein jeder ein anderes Mittel zur Heilung verordnete.

Hassan begrüßte Ali ehrerbietig und fragte ihn, wie sein Zustand sei und was die vielen Leute bedeuten sollten. Ali antwortete: „Meine Leute haben erzählt, ich sei krank und hilflos. Da kamen viele Menschen, um mich zu besuchen. Ich konnte sie doch nicht wieder fortschicken. Aber jetzt sage mir, ob du die Sklavin gesehen hast!"

Hassan verneinte das, doch machte er Ali Hoffnung, sie würde im Laufe des Tages sicher noch kommen. „Vertraue Allah", sagte er, „er wird dich heilen! Du bist nicht der erste oder der einzige, dem so etwas widerfährt."

Dann verließ Hassan Ali, um auf den Bazar zu gehen und seinen Laden zu öffnen. Ehe er noch recht damit fertig war, kam die Sklavin und grüßte ihn. Aber ihre Schönheit war verschwunden und ihr Herz gebrochen. Er erzählte ihr, wie es ihm und seinem Freunde ergangen war und fragte sie dann nach ihrer Herrin.

Sie antwortete: „Meine Herrin befindet sich in einem schrecklichen Zustand. Als ich euch fortgebracht hatte und zurückkehrte, lag sie auf dem Boden und erkannte oder hörte niemanden. Der Fürst der Gläubigen saß bei ihr und wußte nicht, was er davon halten sollte. Ringsherum standen die Diener, die einen lachten, die anderen weinten. Endlich erwachte sie und stand auf. Raschid fragte sie, was ihr fehle. Als sie seine Stimme vernahm, küßte sie seine Füße und sprach: ‚O Fürst der Gläubigen, Allah nehme mein Leben für deines hin! Mir ist unwohl geworden und mir war, als brenne ein Feuer in meinem Körper. Ich fiel vor Schmerzen in Ohnmacht und wußte nicht mehr, wo ich war.'

Der Kalif fragte sie dann, was sie den Tag über getan habe. Sie erzählte das Gegenteil der Wirklichkeit, stellte sich wieder stark, bestellte Wein und trank ihn. Dann bat sie den Fürsten der Gläubigen, die unterbrochenen Lustbarkeiten fortzusetzen. Als er wieder seinen Platz eingenommen und sie sich an eines der Fenster des Palastes zurückgezogen hatte, ging ich zu ihr hinein. Sie fragte mich nach euch, und ich erzählte ihr, was

aus euch geworden war. Auch wiederholte ich ihr die Verse
Alis. Sie weinte, und eine Sklavin mit dem Namen Lihazulus-
cak, Blick der Liebe, sang die Verse:

> *Bei meinem Leben! Nach der Trennung von euch ist das*
> *Leben mir nicht mehr süß. O wüßte ich doch, wie ihr*
> *nach mir leben werdet! Es ziemt mir wohl, nach eurem*
> *Verlust Blut zu weinen, wenn ihr um mich Tränen*
> *vergossen habt.*

Dann fiel sie wieder in ihren früheren Zustand zurück, und
vergebens rüttelte ich sie hin und her."
Der Morgen dämmerte, und Scheherazade schwieg. Am Abend
erzählte sie weiter:

DIE EINHUNDERTFÜNFUNDACHTZIGSTE
NACHT

Die Sklavin berichtete dem Krämer ferner: „Ich spritzte ihr
Rosenwasser ins Gesicht, bis sie erwachte. Ich sagte ihr:
,Du wirst dich diese Nacht ins Verderben stürzen samt allen,
die in diesem Hause sind. Bei dem Leben deines Geliebten, sei
mutig und habe Geduld!'
Doch sie fiel wieder ihn Ohnmacht. Der Fürst der Gläubigen
lief erschrocken auf sie zu und bemerkte, daß sich ihre Seele
von ihm trennen wollte. Er ließ den Wein wegtragen und befahl den Mädchen, in den Harem zu gehen. Er aber blieb die
ganze Nacht bei ihr. Erst am Morgen kam sie wieder zu sich.
Der Fürst ließ Ärzte rufen, befahl ihnen, sie zu pflegen, und
merkte vor lauter Liebe nicht, was ihr eigentlich fehlte. Als er
glaubte, sie sei wieder gestärkt, kehrte er unruhigen Herzens
in seinen Palast zurück, ließ aber viele Diener bei ihr. Kaum
jedoch war er fort, befahl sie mir, zu dir zu gehen und mich
nach deinem Herrn Ali, Sohn des Bekar, zu erkundigen."
Als Hassan die Sklavin gehört hatte, sagte er zu ihr: „Ich habe

dir schon erzählt, wie es ihm geht. Grüße sie also und bemühe dich, sie zu überreden, ihren Zustand zu verbergen. Ich
aber werde Ali Bericht erstatten." Sie dankte Abul Hassan,
sagte ihm Lebewohl und ging.

Am Abend erzählte Hassan Ali, daß das Mädchen bei ihm
gewesen war und was es zu berichten gehabt hatte. Die Schilderung tat Ali sehr weh. Er jammerte, klagte, weinte und
sagte: „Was sollen wir bloß tun?" Dann bat er Hassan, bei
ihm zu übernachten.

Hassan willigte ein, schlief aber nur wenig und verließ beim
Leuchten der Morgenröte Ali, um wieder in seinen Laden zu
gehen. Er wollte ihn eben öffnen, als er eine Sklavin davor-
stehen sah. Sie war von der Herrin gesandt worden, um sich
nach Alis Wohl zu erkundigen. Sogleich fragte Hassan nach
dem Befinden ihrer Herrin.

Das Mädchen sagte: „Ihr Zustand ist noch immer der gleiche,
ja, er ist sogar noch schlimmer geworden! Ich habe hier einen
Brief, den sie an Ali geschrieben hat. Sie hat mir befohlen,
mit einer Antwort zu ihr zurückzukehren und überhaupt alles
zu tun, was Hassan mir befehlen würde." Da führte Hassan
die Sklavin nach Alis Haus.

DIE EINHUNDERTSECHSUNDACHTZIGSTE
NACHT

S cheherazade erzählte weiter:
Als sie zu Alis Haus kamen, trat Hassan sogleich ein und
hieß die Sklavin draußen warten. Ali fragte ihn, was es Neues
gäbe. Hassan antwortete: „Gutes! Die Sklavin deines Freundes ist draußen. Ihr Herr hat sie mit einem Brief zu dir geschickt, in dem er seine Sehnsucht nach dir ausdrückt und sich
entschuldigt, daß er dich noch nicht besucht hat. Wenn du es
erlaubst, wird sie vor dir erscheinen!"

Als Ali das Mädchen sah, pochte sein Herz vor Freude. Dann

fragte er, ihr zunickend: „Wie ist das Befinden deines Herrn?
Gott schenke ihm Gesundheit!"
Sie nahm ihr Briefchen heraus und gab es ihm. Er küßte es
und reichte es dann Hassan. Hassan öffnete den Brief und las
darin die folgenden Verse:

> *Was ich meinem Boten gesagt habe, wird dir meinen*
> *Zustand beschreiben. Begnüge dich mit dem, was er dir*
> *hinterbringt, statt mich zu sehen. Du hast ein Herz ver-*
> *lassen, das vor Sehnsucht und Liebesqual vergeht, und*
> *ein Auge, dem nur das Wachen wohltut. Sei geduldig im*
> *Unglück. Niemand kann die Fügungen des Schicksals*
> *von sich abwehren. Sei frohen Mutes, denn bist du auch*
> *meinen Augen fern, so wirst du doch nie aus meinem*
> *Herzen weichen.*

Dann stand da in Prosa: „Mein Herr, mein Herz, mein Geist
und mein Körper wären nicht mehr, wenn ich nicht wünschte,
Dir zu zeigen, in welchen Zustand sie durch Dich gekommen
sind; denn mein Körper könnte dieses Ziel nicht erreichen, wäre
nicht die Lust, Dir die Sehnsucht zu zeigen, die mich seit unserer Trennung peinigt. Wer mich sieht, dem brauche ich meinen Zustand nicht zu schildern: Mein Auge wacht, mein Herz
denkt immer nach, die Wehmut scheidet nicht aus meiner
Brust, meine Seele träumt, meine Gedanken haben nur einen
kranken Körper zur Wohnung und gehen an einem seufzen-
den Herzen hervor. Mir ist, als hätte ich nie Gesundheit gekannt und wäre immer krank gewesen, als hätte ich nie frisch
ausgesehen und nie ein vergnügtes Leben genossen!
Möge Allah uns doch durch die Wiedervereinigung erfreuen.
Er möge allen helfen, die leiden! Und nun, mein Herr und
Gebieter, beglücke mich mit einer edlen Antwort! Sie wird als
mein Freund mir Gesellschaft leisten und als Vertrauter mich
trösten. Sei nur geduldig, bis uns Allah wieder zusammen-
führt. Grüße auch Hassan!"
Diese Worte rührten Hassan so sehr, daß er sich entschloß, die
Wahrheit zu verbergen. Er sagte nur zu Ali: „Der Mann hat

schön und zierlich geschrieben. Beeile dich also, ihm zu antworten!"

Da sagte Ali mit schwacher Stimme: „Wie soll ich schreiben, wenn meine Schwäche und mein Jammer so groß sind!" Doch setzte er sich schließlich auf und legte Papier vor sich hin.

Der Morgen dämmerte, und Scheherazade schwieg. In der folgenden Nacht fuhr sie fort:

DIE EINHUNDERTSIEBENUNDACHTZIGSTE NACHT

Ali sagte zu Hassan: „Leg ihren Brief vor mich hin!" Er öffnete ihn, sah eine Weile hinein, ohne zu lesen, und schrieb dann, bis er fertig war. Er gab seinen Brief Hassan und sagte: „Sieh es einmal durch und gebe es dann der Sklavin!" Hassan nahm den Brief Alis und las:

> *Im Namen Allahs, des Barmherzigen! Ich erhielt einen Liebesbrief vom Mond, der sein Licht in meine Augen goß. Dieser Brief wird immer schöner, je länger mein Auge auf ihm ruht, als wären seine Worte von Blumen zusammengestellt. Bei meiner Liebe und meiner Ehrfurcht vor dir: ich hoffte nicht so viel, als du mir gesagt hast. Nach unserer Trennung wird meine Liebe nie mehr einem anderen gehören.*

„Dein Briefchen, o Gebieterin, ist mir zuvorgekommen und hat meiner Seele Ruhe gebracht. Es hat mein Herz geheilt, das vor Sehnsucht und Liebe krank war, es hat meine Zunge wieder zum Reden gebracht und das düstere Nachdenken in Fröhlichkeit verwandelt. Je mehr ich darin las, desto inniger freute ich mich. Immer neue Gedanken fand ich, und dadurch wurde die Trennung wieder schmerzlicher, meine Krankheit wurde wieder schlimmer und meine Sehnsucht verdoppelte sich. Kurz, jetzt ist meine Lage so, daß meine Leiden noch alle meine Klagen übertreffen. Ich klage nicht, um den Schmerz zu stillen, sondern um Dich von meiner übermächtigen Sehnsucht zu überzeugen. Mein Herz bleibt durch die Trennung vernichtet, bis die Wiedervereinigung seinen Brand löschen und ihm volle Genesung bringen wird. Friede sei mit Dir!"

Alis Worte drangen Hassan tief ins Herz. Er gab den Brief der Sklavin, und als sie ihn nahm, sagte Ali zu ihr: „Erzähle deinem Herrn, daß ich wohlauf bin, daß ich aber an der Liebeskrankheit leide und daß die Sehnsucht mir Mark und Bein aufzehrt. Sage ihm, daß ich ein unglücklicher Mensch bin." Dann nahm die Sklavin Abschied und ging weinend fort. Hassan begleitete sie ein Stück ihres Weges, verabschiedete sich dann auch von ihr und ging in seinen Laden.

Der Morgen dämmerte, und Scheherazade schwieg. In der folgenden Nacht fuhr sie fort:

DIE EINHUNDERTACHTUNDACHTZIGSTE NACHT

Hassan blieb den ganzen Tag über in seinem Laden und dachte verzweifelt über die beiden Liebenden nach. Erst am nächsten Tag ging er wieder zu Ali. Er wartete, bis die vielen Leute, die wie üblich bei ihm waren, den Jüngling verlassen hatten, setzte sich dann zu Ali und sagte zu ihm: „Noch nie habe ich eine Liebe wie deine gesehen, noch davon gehört. Solchen Liebesschmerz und solche Leiden findet man für gewöhnlich nur bei unerwiderter Liebe. Wenn du in diesem Zustand verharrst, wird sich der Mond deines Geheimnisses verdüstern und deine Liebe aller Welt bekannt werden. Zerstreue dich doch! Steh auf, besuche Gesellschaften und reite spazieren! Trage dein Schicksal mit Ergebenheit und vernachlässige darüber nicht alle anderen Dinge!"

Hassans Rede machte Eindruck auf Ali. Er dankte seinem Freund dafür, der Krämer verließ ihn und ging wieder in seinen

Laden. Nun hatte aber Hassan einen Freund, der alle seine Angelegenheiten kannte und dem nicht verborgen geblieben war, was es zwischen Hassan und Ali gegeben hatte. Dieser Freund kam nun zu Hassan in den Laden und fragte ihn nach dem Mädchen. Hassan erzählte ihm alles und sagte zuletzt: „Du weißt, daß ich ein angesehener Mann bin, der mit vielen vornehmen Männern und Frauen Geschäfte macht. Da ich nun nicht sicher bin, ob nicht das Verhältnis dieser beiden jungen Leute entdeckt wird, und da die Entdeckung den Verlust meines Lebens und meines Vermögens nach sich ziehen würde, habe ich mich entschlossen, meine Angelegenheiten hier zu ordnen und nach Basra zu gehen, um dort abzuwarten, wie es ihnen hier gehen wird und was Allah über sie bestimmt hat. Schon ist die Liebe dieser beiden jungen Leute so heftig, daß sie nicht mehr voneinander getrennt werden können, ohne dadurch zugrunde zu gehen. Sie haben als Vertraute eine Sklavin, die um alle ihre Geheimnisse weiß. Wie leicht aber könnte diese einen Groll gegen die beiden fassen, das Geheimnis aufdecken und sie ins Verderben stürzen. Deshalb ist es gut, wenn ich schnell ausführe, was ich beschlossen habe, ehe ich mit untergehe."

Der Freund erwiderte: „Du hast mir da etwas sehr Wichtiges offenbart. Vor derlei Dingen fürchtet sich der Kluge, und es scheut sie der Verständige. Ich sehe die Sache nicht anders an als du. Allah stehe dir bei gegen das, was du befürchtest und verleihe dem Ganzen einen guten Ausgang!"

Der Tag brach an, und Scheherazade schwieg. In der folgenden Nacht setzte sie ihre Erzählung fort:

Nach diesem Gespräch zwischen dem Krämer Hassan und seinem Freunde, dem Juwelier, ging letzterer wieder seinen Geschäften nach. Als er nach vier Tagen wieder Hassans Laden aufsuchen wollte, fand er diesen geschlossen. Darauf ging der Juwelier zur Wohnung Alis und entschuldigte sich bei dem Jüngling, daß er ihn nicht schon früher besucht hatte. Ali dankte ihm herzlich und fragte ihn, was es Wichtiges gäbe.

Da sagte der Juwelier: „Wisse, zwischen mir und Hassan herrscht seit langer Zeit die innigste Freundschaft. Ich liebte ihn sehr und vertraute ihm alle Geheimnisse an, wie auch er mir seine Geheimnisse anvertraute. Nun hatte ich einige Tage so viel zu tun, daß ich ihn nicht besuchen konnte. Als ich heute zu ihm gehen wollte, fand ich seinen Laden geschlossen, und einer seiner Nachbarn sagte mir, er sei in Geschäften nach Basra gereist. Ich konnte mich mit dieser Auskunft jedoch nicht zufriedengeben. Da ich weiß, daß es keine vertrauteren Freunde gibt als euch beide, bin ich zu dir gekommen, um von dir die Wahrheit zu erfahren und mich nach Hassan zu erkundigen."

Als Ali die Worte des Juweliers hörte, wurde er ganz blaß, zitterte am ganzen Körper und sagte: „Ich habe von alldem nichts gewußt, bevor du jetzt zu mir kamst. Ist es so, wie du sagst, so macht es mich krank und schwächt alle meine Glieder."

Dann befahl er einem seiner Diener: „Geh in Hassans Wohnung und erkundige dich, ob er zu Hause oder abgereist ist. Frage dann, wohin er sich gewandt hat!"

Der Diener entfernte sich, und Ali unterhielt sich eine Zeitlang mit dem Juwelier. Bald kam der Diener zurück und berichtete: „Mein Herr, die Leute haben mir gesagt, Hassan sei vor zwei Tagen nach Basra gegangen. Ich sah die Sklavin an der Tür seines Hauses stehen, die nach ihm fragte. Als sie mich sah, erkannte sie mich, obwohl ich sie nicht kenne. Sie fragte mich, ob ich nicht der Diener Alis sei. Ich bejahte das. Übrigens glaube ich, daß sie einen Brief für dich hat, sie steht jetzt vor deiner Tür!"

Ali befahl, sie hereinzuführen. Sogleich erschien ein Mädchen von wunderbarer Schönheit. Der Juwelier erkannte sie sofort, hatte sie Hassan ihm doch beschrieben.

DIE EINHUNDERTNEUNZIGSTE NACHT

Scheherazade erzählte weiter:
Das Mädchen näherte sich Ali, grüßte ihn und flüsterte ihm etwas zu. Der Juwelier konnte nur verstehen, daß Ali dem Mädchen schwor, er hätte nichts davon gewußt. Dann verabschiedete sich die Sklavin und ging wieder. Ali war so verwirrt, als brenne ein Feuer in ihm. Nun versuchte der Juwelier ein Gespräch mit ihm anzuknüpfen und sagte: „Anscheinend wird aus dem Hause des Kalifen etwas von dir begehrt. Hast du Geschäfte mit dem Kalifen?"

Ali fragte: „Woher weißt du das?"

Der Juwelier antwortete: „Ich kenne diese Sklavin."

Ali fragte: „Wem gehört sie denn?"

Der Juwelier antwortete: „Sie gehört Schems Unnahar, der Sklavin des Raschid, die die Vornehmste, die Verständigste und die Schönste von allen ist. Ich habe einmal einen ihrer Briefe gesehen." Dann beschrieb er Ali, wie schön sie in Versen und in Prosa schreiben könne.

Entsetzt entgegnete ihm der Jüngling: „Ich beschwöre dich bei Allah: Woher weißt du das alles? Ich lasse dich nicht gehen, bevor du mir nicht die Wahrheit gesagt hast!"

Der Juwelier antwortete ihm: „Damit du nicht an mir zweifelst und mich nicht ungehorsam findest, damit du dich nicht schämst und dir nichts verborgen bleibt, schwöre ich bei Allah, daß ich nichts verraten, sondern dir mit gutem Rat helfen werde."

Darauf erzählte ihm der Juwelier, was er wußte, und sagte ihm, daß er nur aus Besorgnis und aus Liebe zu ihm in sein Haus gekommen sei. Er versicherte wiederholt, er sei bereit, Leben und Vermögen für Ali zu opfern, er werde sein Geheimnis treu bewahren und versuchen, sein Herz zu erleichtern. Ali dankte dem Juwelier und fragte dann: „Weißt du, was die Sklavin gesagt hat?"

Der Juwelier verneinte es. Da sagte Ali: „Sie glaubt, ich habe Hassan veranlaßt, wegzureisen, und sei darin mit ihm einverstanden. In dieser Meinung ging sie fort, denn sie wollte nicht glauben, daß ich von nichts weiß. Nun weiß ich nicht, was ich tun soll!"

Der Juwelier sagte: „Wenn du glaubst, daß ich dir helfen kann, dann will ich dir allen weiteren Kummer ersparen. Ich werde es so einzurichten wissen, daß das Geheimnis bewahrt bleibt und kein Unglück daraus entsteht. Mache dir das Herz nicht schwer. Ich werde nichts unversucht lassen, die Erfüllung deiner Wünsche herbeizuführen!"

Sie umarmten und küßten einander, und der Juwelier verließ Ali.

Der Tag brach an, und Scheherazade schwieg. In der folgenden Nacht fuhr sie fort:

Nachdem der Juwelier Ali verlassen hatte, überlegte er lange, wie er das Mädchen wissen lassen sollte, daß er mit dem Verhältnis vertraut war. Wie er so in Gedanken versunken des Weges ging, fand er plötzlich einen offenen Brief, nahm ihn auf und las: „Im Namen Allahs, des Barmherzigen und Allmilden!

Der Bote kam mit froher, erquickender Nachricht, doch ich glaubte immer, es sei nur ein Wahn. Ich konnte mich nicht freuen, wurde nur noch trauriger, weil ich wußte, daß er deine Worte nicht recht verstand.

Ich habe gehört, mein Herr, wie die Bande des Vertrauens sich gelöst haben und wie sich der Schutz entfernte, dem Du volle Liebe schenktest. Wenn Dich das Vertrauen auch verlassen hat, so bleibe doch standhaft. Ist auch Dein Freund mit Deinem Geheimnis davongegangen, so hast Du doch jemand, der es treu bewahrt und Dir ein wahrer Freund ist. Du bist nicht der erste, der seinen Freund verloren, nicht der erste, den das Schicksal vom Ziel seiner Sehnsucht getrennt hat. Allah möge Dein Herz bald aufheitern! Friede sei mit Dir!"

Während der Juwelier dieses Briefchen las und darüber nachdachte, wer es wohl verloren haben könnte, kam außer sich vor Schrecken eine Sklavin angelaufen, sah sich nach allen Seiten um und bückte sich zur Erde nieder. Als sie aber bemerkte, daß der Juwelier einen Brief in der Hand hielt, ging sie auf ihn zu und sagte: „Mein Herr, ich habe diesen Brief verloren! Sei so gut und gib ihn mir zurück!"

Der Juwelier antwortete ihr nicht und setzte seinen Weg fort. Sie folgte ihm bis an sein Haus, trat mit ihm ein und sagte: „O Herr, ich weiß nicht, was dieser Brief dir nützen kann. Du weißt nicht, von wem er kommt und für wen er bestimmt ist. Warum nimmst du diesen Brief?"

Der Juwelier hieß das Mädchen sich setzen und sagte: „Sei ruhig und höre mich an! Ist dieses nicht die Schrift deiner Herrin Schems Unnahar, die an Ali schreibt?"

Das junge Mädchen wurde ganz blaß, zitterte und sagte: „Er hat uns und sich geschändet! Die Heftigkeit der Liebe hat ihn in das Meer der Torheit geworfen, so daß er seine Leiden Freunden geklagt hat, ohne an die Folgen zu denken!"

Sie wollte dann fortgehen, der Juwelier aber fürchtete, es könne ein schlechtes Licht auf Ali werfen, wenn sie in diesem Zustand weglaufe, und Alis ganze Sache verderben. Deshalb sagte er: „O, die menschlichen Herzen stehen einander als Zeugen gegenüber. Es ist möglich, alles zu verheimlichen, was verborgen bleiben soll. Nur die Liebe kann nicht verborgen bleiben. Es gibt zuviel, was sie verrät, zuviele Zeugen, die von ihr sprechen. Du hast Hassan im Verdacht, doch der ist unschuldig. Auch Ali hat keines eurer Geheimnisse verraten, und du hast ihm mit deiner Rede Unrecht getan. Ich sage dir etwas, das dich erfreuen wird. Dein Mißtrauen wird schwinden, seine Unschuld klar zutage treten. Doch mußt du mir versprechen, mir immer alles zu sagen, denn ich weiß Geheimnisse zu bewahren, bei Gefahren standhaft zu bleiben, für den Freund zu wirken und stets als wackerer Mann zu handeln."

Sie war erfreut über diese Rede des Juweliers und sagte: „Ein Geheimnis, das du bewahrst, ist nicht verloren. Ich werde dir einen Schatz anvertrauen, den man nur dem zeigen kann, der es verdient. Sprich auch du offen zu mir. Allah und seine Engel sind mir dann Zeugen, daß ich dir alles mitteilen werde!"

Hier dämmerte der Morgen, und Scheherazade schwieg. Am Abend aber fuhr sie fort:

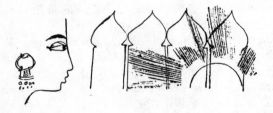

Als der Juwelier dem Mädchen dasselbe erzählt hatte, was er auch Ali erzählte, und ihr sagte, daß er eben bei Ali gewesen war, setzte er noch hinzu: „Das gefundene Briefchen beweist, daß ich es gut meine und diese Liebe nicht stören will." Dann nahm er den Brief und versiegelte ihn.

Die Sklavin sprach: „Ich werde Ali sagen, meine Herrin habe mir einen versiegelten Brief gegeben und wünsche eine Antwort darauf, die ich dann auch mit deinem Siegel verschließen werde. Nun gehe ich zu ihm und komme wieder zu dir, ehe ich ihr seine Antwort bringe." Dann nahm sie Abschied von dem Juwelier und ließ in ihm ein brennendes Feuer zurück.

Es dauerte nicht lange, und sie kam mit dem versiegelten Brief in der Hand wieder. In dem Brief stand geschrieben:

Der Bote, bei dem unsere Geheimnisse verborgen waren,
hat sie enthüllt. Nun schenkt mir einen anderen Ver-
trauten, der Aufrichtigkeit für besser hält als Lügen.

„Ich war nicht treulos, habe nicht mir Anvertrautes verraten, ich habe kein Versprechen gebrochen und keinen Liebesbund entzweigerissen. Ich habe von dem, den ihr erwähnt, nichts gehört und keine Spur von ihm gesehen. Nun möchte ich wieder einmal in eurer Nähe sein, doch fern ist der Gegenstand meiner Sehnsucht. Könntet ihr mich sehen, so würde mein Anblick euch schon genug sagen. Friede sei mit euch!"

Als sie den Brief gelesen hatten, mußten der Juwelier und die Sklavin weinen. Sie sagte: „Geh nicht zu Ali, bis ich morgen wiederkehre. Ich habe ihn im Verdacht gehabt, doch er ist unschuldig. Nun will ich alles tun, um beide zu vereinen."

Die Sklavin verließ den Juwelier und kam am nächsten Morgen freudestrahlend wieder zu ihm: „Ich war bei meiner Gebieterin und habe ihr seinen Brief gegeben. Ich habe ihr gesagt: „Fürchte nichts und denke nicht, daß Hassans Fernsein eurer Sache schadet, denn wir haben schon jemanden gefunden, der ihn ersetzt! Ich erzählte ihr dann von deiner Unterhaltung mit Ali, dann von dem Brief, den ich verloren hatte, und von deinen Versicherungen, das Geheimnis wahren zu wollen. Sie wunderte sich darüber und sagte: ,Ich möchte diesen Mann selbst kennenlernen und mit ihm sprechen, damit ich mich ein wenig aufheitere und durch seine Güte in meinem Vorsatz noch fester werde.' Komm also mit Allahs Segen!"

Als der Juwelier das hörte, dachte er, dieses sei eine ernste Sache, mit der man nichts zu tun haben sollte. Daher sagte er zu der Sklavin: „Ich gehöre zum Mittelstand und darf nicht, wie Ali, Eingang in die Wohnung des Kalifen finden. Er hat mich einmal angeredet, und ich zittere heute noch, wenn ich daran denke. Wünscht deine Herrin mich zu sprechen, so darf das nicht im Hause des Fürsten der Gläubigen sein. Mein Herz befiehlt mir, dir nicht zu gehorchen."

Sie sprach ihm Mut zu und versicherte ihm, er werde unbeschadet davonkommen und alles bleibe verborgen. Sooft er ihr aber nachgeben wollte, begannen seine Hände zu zittern und versagten ihm seine Füße den Dienst. Endlich sprach sie: „Dann warte! Sie wird zu dir kommen!"

Darauf lief sie fort, kam bald wieder zurück und sagte: „Achte gut darauf, daß niemand im Hause ist, der uns verraten kann." Der Juwelier versprach, alle Vorsicht walten zu lassen. Die Sklavin ging wieder und kehrte alsbald mit einem anderen Mädchen zurück, dem zwei Sklavinnen folgten. Das Mädchen, das mit ihr kam, war so schön, daß das ganze Haus von ihrer Erscheinung erstrahlte. Als sie ein wenig geruht hatte, entschleierte sie ihr Gesicht, das wie die Sonne oder wie der Mond leuchtete. Doch ihre Bewegungen zeugten von großer Schwäche. Sie wandte sich zu dem Mädchen, das sie hergebracht hatte, und fragte sie: „Ist es dieser?" Als das Mädchen bejahte, sagte sie: „Mein Vertrauen zu dir hat mich bewogen, dein Haus zu betreten, dir unser Geheimnis anzuvertrauen und darauf zu bauen, daß du es wohl bewahren wirst. Ich denke nur Gutes von dir, weil ich dich für einen verständigen und rechtschaffenen Mann halte."

Darauf erkundigte sie sich nach den Lebensverhältnissen des Juweliers, nach seiner Familie und seinen Bekanntschaften. Er gab ihr über alles genau Auskunft. Sie ließ sich die Geschichte seiner Bekanntschaft mit Hassan erzählen. Als der Juwelier damit zu Ende war, bedauerte sie den Verlust dieses guten Mannes sehr. Dann sagte sie: „Ich weiß, daß alle Menschen den Leidenschaften verfallen, so verschieden sie auch voneinander sind. Ihre Wünsche sind so ziemlich die gleichen, so sehr auch ihre Handlungen voneinander abweichen mögen. Doch keine Tat gelingt, über die man sich nicht vorher verständigt hat. Kein Ziel erreicht man ohne Mühe und findet keine Ruhe ohne vorangegangene Arbeit."

Der Morgen dämmerte, und Scheherazade schwieg. In der folgenden Nacht fuhr sie fort:

DIE EINHUNDERTDREIUNDNEUNZIGSTE NACHT

Schems Unnahar sprach weiter: „Dieses Mädchen hier steht hoch in meiner Gunst. Sie bewahrt mein Geheimnis und leitet meine Angelegenheiten. Traue ihr in allem, was sie sagt und wozu sie dich bereden will. Du kannst ruhig und ohne Furcht sein, denn sie wird dich nirgends hinführen, ohne vorher alles gesichert zu haben. Sie wird dir Nachricht von mir bringen und unsere Vermittlerin sein!"

Dann erhob sich Schems Unnahar, obwohl sie vor Schwäche kaum stehen konnte. Der Juwelier begleitete sie bis an die Haustür, dann wechselte er seine Kleider, ging aus dem Haus und begab sich zu Ali. Der Juwelier fand den Jüngling auf seinen Polstern ausgestreckt. Er sprang jedoch sofort auf, hieß den Besucher willkommen und sagte: „Du warst lange nicht hier und hast meinen Kummer dadurch noch vergrößert. Seitdem du mich verlassen hast, habe ich kaum ein Auge geschlossen. Gestern kam ein Mädchen mit einem versiegelten

Briefchen!" Und dann erzählte er dem Juwelier, was wir schon wissen. Schließlich sagte er: „Ich weiß mir nun keinen Rat mehr. Ich finde keine Kraft und keine Überlegung mehr, die mich auf den Weg der Freude führen könnte. Hassan war ein sehr freundlicher Mann. Er erkannte meine Gefühle so gut, weil er sich selbst darüber freute." Als er das gesagt hatte, lachte der Juwelier. Ali fragte: „Du lachst, nachdem ich dir mein Elend geklagt habe?" Darauf sprach er die Verse:

> *Er lacht, wenn er mich weinen sieht. Er würde mit mir weinen, wenn ihm widerfahren wäre, was mir begegnet ist. Nur ein Mann, der selbst viel gelitten hat, bemitleidet die Leiden eines Unglücklichen.*

Als der Juwelier diese Verse hörte, gab er sich alle Mühe, Ali seiner aufrichtigen Anteilnahme zu versichern. Er bat ihn, geduldig und ruhig anzuhören, was zwischen ihm und Schems Unnahar gewesen war, seit er ihn nicht mehr gesehen hatte. Hierauf hörte ihn Ali ruhig an, und als er geendigt hatte, begann Ali heftig zu weinen und sagte: „Ich gehe bestimmt zugrunde! O möge doch Allah meinen Tod beschleunigen, denn jede Überlegung ist von mir gewichen. Ohne dich wäre ich schon vor Kummer und Schmerz gestorben. Nur du stehst mir noch bei. Dafür sei Gott gepriesen und gelobt! Hier liege ich nun als dein Gefangener vor dir. Ich werde dir in nichts widersprechen und mich deinem Willen nicht widersetzen."
Der Juwelier aber erwiderte: „Mein Herr, ein solches Feuer kann nur durch die Vereinigung gelöscht werden, jedoch an einem Ort, da keine Gefahr zu befürchten ist. Den Palast Schems Unnahars dürft ihr, weil es zu gefährlich ist, nicht mehr betreten. Ich habe einen sicheren Ort ausgewählt. Es ist mein Wunsch, euch zu vereinigen. Ihr sollt miteinander sprechen, euren Liebesbund erneuern und einander eure Schmerzen und eure Freuden klagen."
Als er das gesagt hatte, umarmte ihn Ali voller Entzücken und sprach: „Durch dieses Versprechen rettest du einen unglücklichen Liebenden vor dem Tode, dem er sich schon geweiht

hatte. Tu also, was du für gut befindest!" Der Juwelier blieb in jener Nacht bei Ali und unterhielt ihn bis zur Morgenröte. Die Nacht war zu Ende, doch am Abend erzählte Scheherazade weiter:

DIE EINHUNDERTVIERUNDNEUNZIGSTE NACHT

Am folgenden Morgen ging der Juwelier nach Hause. Kaum dort angelangt, erschien das Mädchen wieder bei ihm. Er erzählte ihr, was zwischen ihm und Ali gewesen war und daß er ihm Hoffnung gemacht habe, Schems Unnahar recht bald zu sehen. Sie antwortete: „Ich bin hier, um das mit dir zu besprechen. Sorge nur für einen guten und sicheren Ort. Hier scheint es mir am geborgensten und am bequemsten für die Zusammenkunft."

„Sie könnten sich hier wohl treffen", entgegnete der Juwelier, „damit sie aber ganz ungestört bleiben, will ich ein anderes Haus, das mir gehört und in dem augenblicklich niemand wohnt, zu ihrem Empfang einrichten lassen, wenn deine Gebieterin damit einverstanden ist."

Sie sagte: „Wie du es anordnest, ist es gut. Ich werde jetzt gehen, um Schems Unnahars Einwilligung einzuholen und dir in kurzer Zeit ihre Antwort zu bringen."

Sie ging und war bald wieder zurück, um dem Juwelier mitzuteilen, ihre Gebieterin werde sich gegen Abend an dem verabredeten Ort einfinden. Dann sagte sie: „Bereite alles vor, wie es sich für solche Gäste geziemt!" Sie nahm einen gefüllten Beutel aus der Tasche, reichte ihn dem Juwelier und sprach: „Schaffe damit wohlschmeckende Speisen und Getränke herbei." Der Juwelier aber beteuerte, daß er damit keine Auslagen haben werde, und das Mädchen nahm den Beutel zurück.

Dann zeigte er ihr das Haus, in dem die Liebenden zusammenkommen sollten. Nachdem sie wieder fortgegangen war, überlegte sich der Juwelier, was er alles vorbereiten sollte. Er richtete jeden Stuhl und jeden Tisch her, und es gab keinen Freund, von dem er nicht ein Geschenk erbat. Er borgte goldenes und silbernes Geschirr, Tapeten, reiche Kissen und anderes zur Ausschmückung des Hauses. Er schaffte Eßwaren, Getränke, Früchte und was immer er brauchte, an. Als das Mädchen wiederkam und alles sah, gefiel es ihr außerordentlich.

Nachdem er alle Anordnungen getroffen hatte, ging der Juwelier zu Ali. Als der hörte, daß der Juwelier kam, um ihn zum Treffen mit Schems Unnahar abzuholen, glich seine Freude dem ungestümen Meer. Sogleich vergaß er alle Sorgen und Leiden, legte ein prächtiges Kleid an und ging mit dem Juwelier durch mehrere abgelegene Gassen, wo sie niemand beobachtete, bis zu dem Haus. Bei seinem Eintritt verbeugte sich der Juwelier ehrerbietig vor seinem Gast, ließ ihn auf einem Diwan sitzen, legte ihm das Beste von allem vor und unterhielt ihn bis zur Ankunft Schems Unnahars so gut wie möglich.

Die sehnsuchtsvoll Geliebte ließ nicht lange auf sich warten. Sie kam gleich nach dem Sonnenuntergangsgebet, begleitet von ihrer Vertrauten und zwei anderen Sklavinnen. Als Ali und Schems Unnahar sich wiedersahen, waren beide einem Schwächeanfall nahe. Der Juwelier mußte Ali beistehen, und das Mädchen mußte Schems Unnahar stützen, bis sie wieder zu sich kamen und neue Kräfte sie belebten. Dann unterhielten sie sich eine Weile mit matter Stimme. Sie sagten einander so zärtliche Dinge, daß der Juwelier, die Vertraute und die beiden Sklavinnen weinten. Dann aßen und tranken sie. Danach fragte der Juwelier, ob sie noch mehr Wein wollten und führte sie in einen anderen Saal, wo sie sich sehr behaglich fühlten und sich von ihren Leiden erholten. Sie freuten sich über alles, was der Juwelier für sie getan hatte, fanden es sehr gütig und begannen zu trinken. Dann fragte Schems Unnahar den Juwelier: „Hast du eine Laute oder ein anderes Instrument?" Der Juwelier bejahte es und brachte ihr eine Laute. Sie stimmte das Instrument und sang dann mit süßer Stimme.

Der Tag brach an, und Scheherazade schwieg. In der folgenden Nacht setzte sie ihre Erzählung fort:

Schems Unnahar sang folgende Verse:

> *Bist du ein treuer Bote, so laß alle Ausschmückungen.*
> *Sage nichts anderes als das, was dir aufgetragen wurde.*
> *Heile mit Wahrheit den Liebeskranken. Ist dein Auftrag*
> *eine Weigerung, so wird Standhaftigkeit eines fernen*
> *Tages schöne Früchte tragen.*

Dieser Gesang war so bezaubernd, wie menschliche Ohren ihn
nie gehört hatten. Doch auf einmal erhob sich ein schrecklicher
Lärm. Es schrie und polterte vor der Tür. Plötzlich trat einer
der Diener des Juweliers ein, der innerhalb der Tür Wache gehalten hatte, und sagte: „Man hat unsere Tür eingebrochen
und wir wissen nicht, wer in der Nacht daherkommt!"
Während er das sagte, schrie ein Mädchen, das auf der Terrasse stand, und zehn mit Dolchen und Schwertern bewaffnete
Männer drangen in den Saal. Ihnen folgten zehn andere, ebenso bewaffnet wie die ersten. Der aufgeschreckte Juwelier aber
sprang zur Tür hinaus und drückte sich, ohne bemerkt zu werden, an eine Mauer.
Er entfloh aus dem Hause und flüchtete sich zu einem Nachbarn, denn er war fest davon überzeugt, daß dieser jähe Über-
fall nur auf Befehl des Kalifen geschähe, dem ohne Zweifel
die Zusammenkunft seiner Favoritin mit Ali verraten worden
war. Als der Hausherr des Nachbarhauses herunterkam und
jemand in seinem Hausgang sah, kehrte er erschrocken um,
kam mit einem Säbel zurück und sagte: „Wer bist du?" Der
Juwelier antwortete: „Ich bin dein Freund und Nachbar."
Da steckte der Hauseigentümer sein Schwert in die Scheide
und sagte: „Mir tut dieser Vorfall sehr leid. Allah in seiner
Güte wird dir alles wieder ersetzen." Dann fuhr er fort: „Ich
möchte wissen, wer die bewaffneten Leute sind, die dich so un-
versehens überfallen haben, aber ich halte sie für Räuber, die

bei dir plündern und morden, weil sie gestern gesehen haben, daß viele kostbare Gegenstände in dein Haus gebracht wurden."

Sie blieben in dem Haus des Nachbarn bis Mitternacht. So lange dauerte der Lärm nebenan. Als alles wieder ruhig schien, bat der Juwelier seinen Nachbarn um einen Säbel und näherte sich, so bewaffnet, der Tür seines Hauses. Er hörte niemanden und trat in den Hof, wo ihn zu seinem Schrecken ein Mann anrief und ihn fragte, wer er sei. An der Stimme erkannte er aber sogleich seinen Sklaven. Er fragte ihn, wie er es gemacht habe, daß er nicht von der Wache ergriffen worden sei. „Herr", antwortete ihm der Sklave, „ich hatte mich in einem Winkel des Hofes versteckt und bin erst wieder herausgekrochen, als ich keinen Lärm mehr hörte. Aber Ihr seid im Irrtum, wenn Ihr die Einbrecher für die Wache haltet. Es waren Räuber, die während der letzten Tage schon ein anderes Haus in der Nähe geplündert haben. Der Reichtum der Gefäße, die man hierhergebracht hatte, hat sie zu dieser Tat angestiftet."

Als der Juwelier in sein Haus trat, fand er die Aussage des Sklaven bestätigt: Alles war ausgeplündert und leer, die Fenster waren aufgerissen, die Türen eingebrochen. Alle prächtigen Geräte waren ausgeräumt, das Gold- und Silbergeschirr weggetragen und nicht das Geringste übriggelassen. Der Juwelier begann darüber nachzudenken, wie er sich bei den Leuten entschuldigen sollte, von denen er alles ausgeliehen hatte. Er dachte auch an Schems Unnahar und Ali und fürchtete, der Kalif könnte durch einen Diener etwas über sie erfahren haben. Seine Kraft und sein Mut verließen ihn, und trostlos rief er aus: „O Himmel, ich bin verloren! Was soll ich tun? Wer rät mir?"

Sein Sklave bemühte sich, ihn zu trösten und sagte: „Habt Geduld, vertraut auf Allah, den Beschützer der Gläubigen. Was Schems Unnahar und Ali betrifft, so wird es den Räubern genügt haben, sie auszuplündern. Sie wird in ihren Palast und er in seine Wohnung zurückgekehrt sein. Damit dürft Ihr hoffen, daß der Kalif nie von dem Abenteuer erfahren wird. Freilich müßt Ihr Euren Freunden den Wert der geraubten Sachen ersetzen, aber Allah sei Dank, habt Ihr dafür doch noch genug

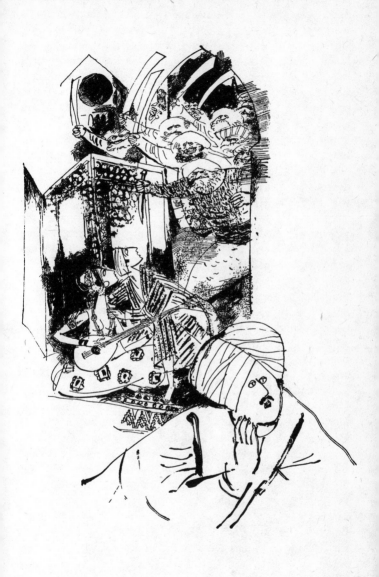

Vermögen. Ihr müßt das Ganze als ein unvermeidliches Unglück betrachten!"

Hier brach der Tag an, und Scheherazade schwieg. In der folgenden Nacht fuhr sie fort:

DIE EINHUNDERTSECHSUNDNEUNZIGSTE NACHT

Der Juwelier sagte sich: ‚Hassan war wohl gescheiter als ich. Er hat das Unglück, in das ich mich blindlings gestürzt habe, vorausgesehen. Wollte Allah, ich hätte mich nie in diesen Liebeshandel gemischt. Er wird mich noch das Leben kosten!

Bei Tagesanbruch verbreitete sich das Gerücht von der Plünderung mit großer Geschwindigkeit in der Stadt und zog eine Menge von Freunden und Nachbarn herbei, die das Haus des Juweliers bestürmten. Zu seinem Troste hörte er niemanden von ihnen über Schems Unnahar und Ali sprechen. Das erweckte in ihm die Hoffnung, sie müßten beide zu Hause oder an einem sicheren Ort geborgen sein. Er verbrachte den ganzen Tag, ohne etwas zu genießen.

Da kam einer seiner Knaben herein und sagte ihm, vor der Haustür hätte ein unbekannter Mann nach ihm gefragt und erwarte ihn nun. Der Juwelier ging hinaus. Der Fremde begrüßte ihn und sagte: „Du kennst mich zwar nicht, aber ich kenne dich und habe in einer wichtigen Sache mit dir zu reden."

Der Juwelier ließ ihn eintreten. Doch der Fremde wollte nicht und forderte ihn auf, mit ihm in sein anderes Haus zu gehen. „Woher weißt du, daß ich noch ein anderes Haus besitze?" fragte der Juwelier.

Der andere erwiderte: „Ich weiß es, ich weiß alles und bitte dich nur, mir zu folgen! Ich bringe dir Trost."

Der Juwelier folgte ihm. Unterwegs erzählte er dem Unbekannten, wie sein Haus geplündert worden war und entschuldigte sich, daß er ihn darin nicht habe empfangen können. Als sie zusammen an sein anderes Haus kamen und der Fremde die zerbrochene Tür sah, sagte er: „Hier ist ja keine Tür, hier können wir nicht sprechen. Ich sehe nun sehr wohl, daß du mir die Wahrheit gesagt hast. Folge mir, ich will dich an einen anderen Ort führen."

So gingen sie von einem Haus zum anderen, von einer Straße in die andere, ohne irgendwo einzutreten. Sie gingen ohne Aufenthalt den ganzen Rest des Tages, bis es Nacht wurde.

Endlich führte ihn der Fremde an das Ufer eines Flusses und sagte: „Folge mir nur!"

Der Juwelier ging ihm nach, bis sie an eine Stelle kamen, an der ein Nachen lag. Sie stiegen ein und ließen sich zum jenseitigen Ufer übersetzen. Der Fremde ergriff die Hand des Juweliers und führte ihn in ein Stadtviertel, das er noch nie betreten hatte. Er wußte nicht mehr, in welchem Teil Bagdads er sich befand. Endlich blieb der Unbekannte vor der Tür eines Hauses stehen, und als diese sich öffnete, hieß er den Juwelier eintreten und schloß sie hinter sich mit einem starken eisernen Riegel. Der Fremde führte ihn in ein Zimmer, in dem zehn Bucklige saßen, die sich alle völlig ähnlich waren, die ihm aber ebenso unbekannt waren wie sein Begleiter.

Die Männer begrüßten ihn und baten ihn, sich zu setzen. Man brachte ihm frisches Wasser, er wusch sich, man brachte Wein und zu essen und alle ließen sich's schmecken. Als die Mahlzeit beendet war, begab sich jeder wieder an seinen Platz. Der Juwelier setzte sich zu ihnen, und sie fragten ihn: „Kennst du uns?"

Er antwortete: „Nein, ich kenne weder euch noch den Fremden, der mich hergeführt hat. Auch weiß ich nicht, wo ich mich befinde."

„Erzähle uns dein Abenteuer aus der vergangenen Nacht!" forderten sie ihn auf. „Verschweige uns aber nichts!"

Erschrocken antwortete der Juwelier: „Mir scheint, ihr kennt mein Abenteuer schon?"

„Das stimmt", entgegneten sie, „gestern sahen wir den jungen Mann und die schöne Frau, die bei dir waren. Sie haben uns davon erzählt, wir aber wollen alles aus deinem Munde hören."

Das überzeugte den Juwelier davon, daß er sich bei den Räubern befinden müsse. „Ich bitte euch", rief er aus, „sagt mir, wo sich der junge Mann und die junge Frau befinden! Ich mache mir ihretwegen große Sorgen!"

Darauf wiesen sie auf zwei gegenüberliegende Zimmer und sagten: „Sei ihretwegen unbesorgt, sie befinden sich wohl, und jeder hat sein Zimmer. Sie behaupten einstimmig, außer dir habe niemand Kunde von ihren Angelegenheiten. Aus Rücksicht gegen sie und dich drangen wir nicht länger in sie und haben sie — da wir ihrer vornehmen Kleidung wegen auf ihren hohen Stand schließen — mit der größten Achtung behandelt und uns bemüht, ihnen so viel Gutes zu erweisen, wie unsere Lage es zuläßt. Was dich betrifft, sichern wir dir das gleiche zu. Du kannst uns also getrost vertrauen. Aber sage uns nun die ganze Wahrheit, denn nur unter dieser Bedingung wird dir dein Leben zugesichert!"

Der Morgen dämmerte, und Scheherazade schwieg. In der folgenden Nacht setzte sie ihre Erzählung fort:

DIE EINHUNDERTSIEBENUNDNEUNZIGSTE NACHT

Der Juwelier beschloß, die Räuber durch Schmeicheleien noch in ihrem guten Willen zu bestärken und sagte zu ihnen: „Ich kann euch nicht genug für die Güte danken, die mir die Bekanntschaft mit euch verschafft hat. Nur Menschen eurer Art sind imstande, ein ihnen anvertrautes Geheimnis zu bewahren. Im Vertrauen auf eure Einsicht habe ich keine Bedenken, euch meine Geschichte und die der Personen, die bei mir waren, zu erzählen." So sprach der Juwelier noch lange zu den Räubern und erwog dabei für sich, daß es unter solchen Umständen besser sei, die Wahrheit zu sagen als sie zu verbergen, da am Ende doch alles an den Tag kommt. Also erzählte er ihnen die ganze Liebesgeschichte Alis und Schems Unnahars vom Anfang bis zu der Zusammenkunft in seinem Haus.

Als er geendet hatte, riefen die Räuber erstaunt: „Ist es möglich, daß der junge Mann Ali, Sohn Bekars, und die junge Frau die berühmte Schems Unnahar ist!" Sie waren sehr erschrocken, gingen sogleich zu Ali und Schems Unnahar, warfen sich ihnen zu Füßen und flehten um Verzeihung. Dann kamen sie wieder zum Juwelier und sagten zu ihm: „Vieles von dem, was bei dir geraubt wurde, ist noch da. Einiges aber fehlt, und das tut uns sehr leid. Begnüge dich mit dem Gold- und Silberzeug, das wird dir sogleich wiedergeben werden."

Der Juwelier war überglücklich über dieses Entgegenkommen. Hierauf baten die Räuber Ali und Schems Unnahar, herauszutreten und sagten zu ihnen, nachdem sie dem Juwelier alle Gold- und Silbergeräte wieder zurückgegeben hatten: „Es ist unsere Pflicht, alles wieder an seinen Ort zu bringen. Vorher aber müßt ihr euch durch einen Schwur verpflichten, uns niemandem zu verraten."

Ali und Schems Unnahar erwiderten darauf, daß sie sich auf ihr Wort verlassen könnten, die Räuber gaben sich damit zufrieden, und alle verließen sodann das Haus.

Ali und Schems Unnahar vermochten sich kaum aufrechtzuhalten. Nur die Freude, wieder befreit zu sein, gab ihnen die Kraft dazu. Unterwegs vermißte der Juwelier die Vertraute und die beiden Sklavinnen. Er erkundigte sich deswegen bei Schems Unnahar und fragte sie, was aus ihnen geworden sei.

„Ich weiß nichts von ihnen", antwortete sie. „Ich weiß nur, daß man uns aus Eurem Hause wegführte."

Die Räuber geleiteten alle drei an das Ufer des Flusses, ließen sie einen Nachen besteigen und ruderten mit ihnen nach dem entgegenliegenden Ufer. Als Ali, Schems Unnahar und der Juwelier ans Land stiegen, hörten sie das Geräusch der Wache zu Pferd, die gerade in dem Augenblick vorbeikam, als der Nachen der Räuber wieder abgestoßen hatte. Als sich die drei von Reitern umringt sahen, blieben sie bewegungslos stehen.

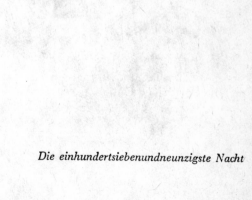

Die einhundertsiebenundneunzigste Nacht

Der Befehlshaber näherte sich ihnen und fragte Ali und den Juwelier, woher sie so spät kämen und wer sie seien.

Zunächst schwiegen sie still, doch dann faßte sich der Juwelier als erster und antwortete: „Die dort über den Fluß setzen sind Räuber. Wir aber sind rechtschaffene Menschen aus der Stadt. Sie haben uns eben ausgesetzt und eilen jetzt zurück, um euch zu entkommen. In der letzten Nacht plünderten sie das Haus aus, in dem wir waren, und nahmen uns mit in ihre Wohnung. Nachdem es uns dort gelungen war, ihr Mitleid zu erwecken, geleiteten sie uns hierher. Wie ihr seht, haben sie uns sogar einen Teil ihres Raubes wieder ausgehändigt." Dabei zeigte der Juwelier auf das Silberzeug.

Der Anführer begnügte sich nicht mit dieser Antwort des Juweliers. Er betrachtete sie, einen nach dem andern, von oben bis unten. „Sagt mir aufrichtig", fragte er dann, „wer ist diese Frau? Woher ist sie? Woher kennt ihr sie? Und in welchem Stadtviertel wohnt ihr?"

Sie gerieten durch diese Fragen in Verlegenheit und wußten nicht, was sie darauf antworten sollten. Doch Schems Unnahar machte dieser Verlegenheit bald ein Ende. Sie nahm den Anführer zur Seite und hatte kaum einige Worte mit ihm gesprochen, als er auch schon mit allen Anzeichen großer Ehrerbietung und zuvorkommender Höflichkeit vom Pferde stieg und seinen Leuten sogleich Befehl gab, zwei Boote herbeizuschaffen. Darauf ließ er Schems Unnahar in das eine, Ali und den Juwelier aber in das andere Boot steigen, ordnete jedem einige seiner Leute als Begleiter bei, und die Boote fuhren, den Befehlen des Anführers gemäß, in verschiedenen Richtungen davon. Zu ihrem größten Erstaunen aber mußten Ali und der Juwelier bald sehen, daß ihr Boot nach dem Palast des Kalifen ruderte. Der Befehlshaber ließ vor dem Palast anlegen, und sie fürchteten, vor den Kalifen gebracht zu werden. Doch dem war nicht so, denn als sie ans Land gestiegen waren, wurden ihnen zwei Mann von der Leibwache des Kalifen mitgegeben, die sie nach der weitab vom Fluß gelegenen Wohnung Alis geleiteten und sich dann verabschiedeten. Beinahe bewußtlos ließen sich Ali und der Juwelier auf einem Diwan nieder. Alles wirkte auf den Jüngling so niederschlagend, daß er alsbald in Ohnmacht fiel. Seine Leute standen laut jammernd umher und waren bemüht, ihn wieder ins Leben zurückzurufen. Als sich gegen Abend der Juwelier zuerst erholte, umringten ihn Alis Leute und drangen in ihn, zu erzählen, was ihrem Herrn begegnet war. Und sie riefen dem Juwelier zu: „Du bist unseres Herrn Untergang und Verderben!"

DIE EINHUNDERTACHTUNDNEUNZIGSTE
NACHT

Scheherazade erzählte weiter:
Der Juwelier antwortete ihnen: „Leute, fordert nichts Unmögliches. Sachen von solcher Wichtigkeit lassen sich vor so vielen Zeugen nicht erzählen!"
In diesem Augenblick erwachte Ali und bewegte sich. Man rieb ihn mit Rosenwasser und Moschuspulver ein, er blieb aber, obwohl bei Bewußtsein, so schwach, daß er nicht antworten konnte. Auf alle Fragen antwortete er nur mit müden Handbewegungen. Dann bedeutete er zweien seiner Leute, dem Juwelier das von den Räubern zurückgegebene Silbergerät nach Hause zu tragen.
Als die Leute des Juweliers ihren Herrn so verändert zurückkommen sahen, zerrauften sie ihre Haare und schrien laut, denn sie vermuteten, ihm sei Arges begegnet. Er gebot ihnen zu schweigen und ruhte sich die ganze Nacht von seiner Erschöpfung aus. Am anderen Morgen standen seine Frau, sein Kind und seine Freunde um ihn herum und bestürmten ihn mit Fragen über die Ereignisse des vorigen Tages. Er erwiderte ihnen, daß er zuviel getrunken hatte und deshalb in diesen Zustand geraten sei.
Zwei Tage erholte er sich zu Hause. Am dritten Tag begab er sich zunächst ins Bad und machte dann einen Spaziergang. Er gab seinen Freunden ihr Eigentum wieder zurück und ver-

sprach, das Fehlende zu ersetzen. Sie aber sagten ihm, daß einiges von dem Gestohlenen von einem Mann, der sich schnell wieder entfernte, in den Hausgang geworfen worden sei. Der Juwelier war begierig, etwas über das Schicksal Alis und Schems Unnahars zu erfahren, doch er wagte nicht, sich der Wohnung Alis zu nähern. In diesem Zustand gelobte er Allah, wieder sein früheres Leben zu führen und versuchte, sich über den erlittenen Verlust zu trösten.

Zunächst ging er auf den Leinwandmarkt zu einem seiner Freunde, mit dem er sich lange unterhielt. Als er von ihm Abschied nahm, erblickte er eine Frau, die ihm winkte und erkannte in ihr sofort die Vertraute Schems Unnahars. Da ihm der Ort für eine Unterhaltung nicht geeignet schien, entfernte er sich schnell und wußte, daß sie ihm folgte. Er lief so lange, bis er eine Moschee erreichte, die er unbesucht wußte. Dort erreichte ihn das Mädchen, und jeder wollte sofort die Geschichte des andern wissen. Nachdem der Juwelier alles berichtet hatte, begann die Vertraute zu erzählen:

„Sobald ich die Räuber kommen sah und sie zu den Liebenden ins Zimmer drangen, flüchtete ich mich auf das Dach des Hauses. Die beiden Sklavinnen folgten mir auf dem Fuße. Wir stiegen von Dach zu Dach und kamen endlich zu dem Haus braver Leute, die Mitleid mit uns fühlten und uns gut aufnahmen. Am nächsten Morgen gingen wir nach Schems Unnahars Palast zurück. Dort gelang es uns, alles geheimzuhalten und die verstörten Frauen zu beruhigen, indem wir vorgaben, unsere Herrin sei bei einer Freundin geblieben und werde uns schon wieder rufen lassen, wenn sie zurückkommen wolle.

Den Tag brachte ich in der größten Unruhe zu. Als es aber Nacht wurde, öffnete ich die kleine Tür, die zum Flusse führt, rief den Schiffer eines kleinen Bootes herbei und bat ihn, den Fluß nach allen Seiten zu befahren und genau achtzugeben, ob er nicht einen Nachen mit einer vornehmen Frau erblicke. Bis gegen Mitternacht wartete ich voller Ungeduld mit den beiden Sklavinnen. Dann näherte sich endlich ein Nachen mit zwei Männern und einer Frau. Als der Nachen angelegt hatte, halfen die Männer der Frau aussteigen, und zu meiner freudigsten Überraschung erkannte ich in der Frau meine verehrte Gebieterin Schems Unnahar und war außer mir vor Entzücken über ihre Rettung."

Hier brach der Tag an, und Scheherazade schwieg. Am Abend aber erzählte sie weiter:

DIE EINHUNDERTNEUNUNDNEUNZIGSTE NACHT

Ich reichte meiner Herrin die Hand, um sie beim Aussteigen ans Land zu unterstützen", berichtete das Mädchen dem Juwelier. „Vor Schwäche konnte sie sich kaum aufrechthalten. Bevor sie sich von mir in den Palast geleiten ließ, befahl sie mir, einen Beutel mit tausend Dinar zu holen und ihren beiden Begleitern zu geben. Ich holte schleunigst den Beutel, den ich auch dir geben wollte, den du aber nicht annahmst. Dann dankte ich ihnen im Namen meiner Herrin für die treue Begleitung. Als ich auch den Schiffer bezahlt und alle drei entlassen hatte, eilte ich, um den beiden Mädchen beizustehen, die mit Schems Unnahar beschäftigt waren. Wir trugen sie in ihre Gemächer, wo sie die übrige Nacht und den folgenden Tag in einem todähnlichen Zustand blieb.

Ihre Rückkehr ins Bewußtsein war nur der Anfang neuer Leiden. Sie verschmähte es, etwas zu sich zu nehmen und weinte zum Steinerweichen. Wenn der Wein, den ich ihr von Zeit zu Zeit einflößte, ihr nicht neue Kräfte gegeben hätte, wäre sie sicher gestorben. Nachdem es mir endlich gelungen war, ihr etwas Speise einzuflößen, fand sie schließlich ihre Sprache wieder. Ich bat sie, mir zu erzählen, was ihr widerfahren sei. Zunächst weigerte sie sich, denn die Erinnerung drohte ihr neue Schmerzen zu bereiten. Doch endlich schilderte sie mir ihr trostloses Abenteuer:

‚Als die Räuber in unser Gemach drangen, glaubte ich, unser letzter Augenblick sei gekommen und hatte keinen anderen

Wunsch als den, mit dem Geliebten zu sterben. Doch statt uns zu töten, bewachten sie uns nur, um uns an einer Flucht zu hindern. Sie packten alles zusammen, was sie in den Zimmern fanden, und führten uns in ihre Wohnung. Als sie mich unterwegs fragten, wer ich sei, gab ich mich für eine Sängerin aus, während Ali behauptete, er sei ein Mann aus dem Volke.

In ihrer Wohnung betrachteten sie uns genauer und beim Anblick meiner Kleider und meines Schmucks riefen sie aus: „Du hast uns deinen wahren Stand verheimlicht! Sage uns die Wahrheit!" Doch ich schwieg. Auch Ali verbarg standhaft seinen Stand und seine Herkunft. Nun wollten sie den Namen des Hauseigentümers wissen, in dessen Wohnung sie uns gefunden hatten. Wir nannten ihnen seinen Namen. „Ich kenne diesen Juwelier und weiß, wo er wohnt", sprach darauf einer von ihnen. „Er besitzt noch ein anderes Haus, denn er wohnt nicht in dem, das wir eben verlassen haben. Wenn die Stunde mir günstig ist, will ich ihn sogleich hierherbringen. Ihr werdet aber nicht eher losgelassen", wandte er sich an uns, „als bis wir wissen, wer ihr seid."

Sie beschlossen jedoch, uns nicht beisammen zu lassen und sperrten Ali und mich in zwei verschiedene Gemächer. Als am andern Tag der Juwelier gebracht wurde und unser Geheimnis lüftete, entschuldigten sie sich bei uns und versicherten, sie hätten uns nicht überfallen, wenn sie gewußt hätten, wer wir wären. Dann führten sie uns an den Fluß, ließen uns ein Boot besteigen und setzten uns ans andere Ufer über. Doch kaum hatten wir das Land betreten, da umzingelte uns auch schon eine Schar der berittenen Nachtwache. Ich gab darauf dem Anführer ein Zeichen, winkte ihn beiseite, gab mich ihm zu erkennen und sagte, ich sei am verflossenen Abend von den Leuten im Boot angehalten und von ihnen mit in ihre Wohnung genommen worden. Sie hätten mich und meine Bekannten aber wieder freigelassen, nachdem ich ihnen meinen Stand und meinen Namen genannt hätte. Da ließ er sogleich zwei Boote kommen und ließ mich von zwei Männern nach dem Palast führen.

Was aus Ali und dem Juwelier, die in das andere Boot steigen mußten, geworden ist, weiß ich nicht. Ich hoffe aber bei Allah, daß ihnen nichts zugestoßen ist, denn in meinem Herzen brennt ihretwegen ein heftiges Feuer, hauptsächlich wegen Alis Freund, der soviel verloren hat. Nimm deshalb zwei Beutel mit Geld und bringe sie ihm als Beweis meiner Freundschaft und als Ersatz für seinen Verlust. Vergiß aber nicht, dich bei ihm nach Ali zu erkundigen.'

Als meine Gebieterin ihre Erzählung beendet hatte, versuchte ich sie zu bewegen, ihre Neigung zu Ali, die ihr doch schon soviel Unheil gebracht hatte, zu bekämpfen. Sie aber fuhr mich zornig an und befahl mir, das zu tun, was sie mir gesagt hatte. Nun ging ich nach deinem Haus, traf dich aber nicht an. Zu Ali wagte ich nicht zu gehen. Das Geld, das ich dir bringen soll, damit du deinen Freunden das Verlorene ersetzen kannst, habe ich im Vorbeigehen bei einem Bekannten gelassen und gehe nun, es zu holen."

„Gut, ich werde dich an der Moschee erwarten", sagte der Juwelier, und sie entfernte sich.

Der Tag brach an, und Scheherazade schwieg. In der folgenden Nacht fuhr sie fort:

DIE ZWEIHUNDERTSTE NACHT

Als das Mädchen zu dem Juwelier an die Moschee kam, gab sie ihm zwei schwere, mit Geld gefüllte Beutel. Er wog sie in der Hand und sagte: „Das ist weit mehr als nötig ist, um meine Freunde zu bezahlen. Aber ich will es als Andenken an den Großmut deiner Gebieterin behalten. Hast du mir wieder etwas von Schems Unnahar mitzuteilen, so suche mich in dem Hause auf, wo wir uns zum erstenmal gesehen haben. Ich werde dafür sorgen, daß dein Aufenthalt dort gesichert ist."

Der Juwelier verabschiedete sich und trug das Geld nach Hause. Er fand in den Beuteln zweitausend Dinar, ging mit seinen Dienern in sein anderes Haus und ließ neue Türen und Fenster einsetzen. Um das Haus zu hüten, ließ er einige Mädchen darin. Vor lauter Freude, von seinen Sorgen befreit zu sein, vergaß er das erlittene Ungemach und ging frohen Mutes zu Ali.

Er fand ihn in einem bemitleidenswerten Zustand auf seinem Lager ausgestreckt. Der Juwelier setzte sich neben ihn und ergriff seine Hand, worauf Ali seine Augen öffnete und ihn schweigend begrüßte. Der Juwelier drückte sein Bedauern aus, daß seine Dienste, die er in der besten Absicht habe leisten wollen, keine besseren Früchte getragen hätte. „Doch", fuhr er fort, „vergessen wir das Vergangene und beschäftigen wir uns mit der Gegenwart. Das Wichtigste ist deine Gesundheit, und ich bitte dich sehr, endlich Nahrung zu dir zu nehmen!"

Der Zuspruch des Juweliers wirkte belebend auf Ali. Er richtete sich mühsam auf, ließ Wein und Speisen kommen, genoß reichlich von beidem, erhob sich dann von seinem Lager, wechselte die Kleider und versuchte, einige Schritte im Zimmer zu gehen. Doch mit seinen körperlichen Kräften stellten sich auch die Sehnsucht und das Verlangen nach der Geliebten wieder ein. Und so war es nur natürlich, daß er sich zunächst nach ihr und ihrem Schicksal erkundigte.

Der Juwelier erzählte, was er von der Vertrauten Schems Unnahars erfahren hatte. Der Prinz weinte während dieser Erzählung ununterbrochen. Und als der Juwelier geendet hatte, sagte er: „So niederdrückend auch dieses ganze Geschick auf mich wirkt, so vergesse ich über meinem Kummer doch nicht die Freundschaftsdienste, die du mir geleistet hast. Ich will also meine Freundespflicht erfüllen und dir den erlittenen Verlust ersetzen."

Hierauf rief er seine Leute, ging selbst in seine Schatzkammer, ließ Betten, allerlei Hausgerät sowie goldene und silberne Gefäße zusammenpacken und sagte zu dem Juwelier. „Nimm dieses wenige als einen schwachen Beweis meiner nie ersterbenden Freundschaft und Dankbarkeit!"

Der Juwelier, beschämt durch diese Freigiebigkeit, weigerte sich zunächst, die prachtvollen Geschenke anzunehmen und sagte, sein Verlust sei schon durch Schems Unnahar wettgemacht worden. Aber Ali ließ sich nicht abweisen, und da der Juwelier nicht den Zorn des Jünglings reizen wollte, nahm er schließlich doch die Gaben an. Gerührt stammelte er seinen Dank und sagte: „Mein einziges Bestreben soll in Zukunft sein, dir zu gefallen. Verfüge also über mich und meinen Besitz. Aus Liebe zu dir werde ich mich vor keiner Gefahr fürchten."

Er blieb hierauf noch den ganzen Tag und die folgende Nacht bei Ali, weil auf den die Erzählung von Schems Unnahars Leiden so gewirkt hatte, daß man neue Anfälle seines leidenden Gemüts befürchten mußte.

DIE ZWEIHUNDERTERSTE NACHT

Scheherazade erzählte weiter:

Als der Morgen anbrach, sprach Ali zu dem Juwelier: „O wäre ich doch tot und vergessen, oder könnte ich mich trösten und ruhig werden! Nun war ich schon zweimal mit ihr zusammen, und jedesmal ging es schlimm aus. Wie kann ich einer dritten Zusammenkunft mit Ruhe entgegensehen? Ich weiß nicht mehr, wo ich mein Heil suchen soll. Wenn ich nicht Allah fürchtete, so würde ich meinem Tode vorgreifen. Aber wir sterben ja doch, ich und sie, nur hat unser Tod seine vorbestimmte Zeit." Dann weinte er und sprach die Verse:

> *Kann der Betrübte etwas anderes tun als weinen? Wie*
> *groß muß meine Liebe sein, da ich euch mein Geheimnis*
> *anvertraute. Mir ist, als hätte die Nacht zu den Sternen*
> *gesagt: Bleibet und weichet nicht, wenn der Morgen ruft!*

Der Juwelier sprach Ali Mut zu und sagte: „Mein Herr, sei ein Mann! Sei in der Trauer wie in der Freude ruhig!" Um ihn zu trösten, machte er ihm Hoffnung, doch wieder mit Schems Unnahar zusammenzutreffen. Er vermutete, die Vertraute sei schon bei ihm gewesen, um Nachrichten von Schems Unnahar zu überbringen. Er wolle deshalb sofort nach Hause gehen. Als er Abschied nahm, sagte Ali zu ihm: „Ich lasse dich gehen, aber eile, daß du bald wieder kommst, denn du siehst, in welchem Zustand ich mich befinde. Solltest du die Vertraute sehen, so bitte ich dich, Schems Unnahar sagen zu lassen, daß ich sie, obgleich ich bald sterben werde, bis zum letzten Atemzug und noch im Grabe liebe."

Kaum war der Juwelier zu Hause angekommen, da erschien auch schon die Sklavin, doch mit verstörter Miene und tränenverschleiertem Blick. Mit fast erstickter Stimme erzählte sie: „Alles ist verloren! Was du befürchtet hast, ist eingetroffen. Meine Herrin, Ali, du und ich — wir werden alle zugrunde gehen! Als ich dich verließ und zu Schems Unnahar in den Palast zurückkehrte, erteilte sie eben den Befehl, eine der beiden Sklavinnen, die bei jenem Abenteuer bei uns waren, eines Vergehens wegen zu züchtigen. Die aber entfloh durch eine offene Tür des Palastes und lief zu einem Türwächter, der uns ohnehin nicht wohlgesonnen war. Er verbarg die Sklavin und entlockte ihr das ganze Geheimnis und die Vorgänge jener beiden Nächte.

Hierauf ging er mit ihr sogleich zum Fürsten der Gläubigen. Dieser zwang sie durch Drohungen, alles zu gestehen. Sie tat es und erzählte alle Einzelheiten. Heute wurde Schems Unnahar nun in die Wohnung des Kalifen gebracht, ohne daß ich mir einen anderen Grund dafür als den eben angeführten denken kann. Ich eilte hierher, um dir alles mitzuteilen und dich um deinen Rat zu bitten. Ich bin, wie du weißt, ihre einzige Freundin und als solche in alle ihre Geheimnisse eingeweiht. Ich bitte dich nun, sofort zu Ali zu gehen, ihn zu benachrichtigen, ihn zur Vorsicht aufzufordern und ihm nahezulegen, seine Güter zu retten. Sonst mußt du aber gegen jedermann das größte Stillschweigen bewahren!"

Der Juwelier antwortete: „Dieses Unglück ist so groß, daß es mich zu zerschmettern droht. Ich habe kaum Kraft genug, die nötige Fassung zu bewahren. Ich will sogleich zu Ali gehen und alles tun, was in meinen Kräften steht."

Die Vertraute verließ ihn, und der Juwelier eilte schnell zu

Ali. Als der den Juwelier hereinstürzen sah, wurde er blaß vor Schreck. Der Juwelier begann: „Umhülle dich mit Geduld und umgürte dich mit Standfestigkeit! Wandle den Weg der Tapferkeit! Denn es werden Stürme über dich hereinbrechen, wie du sie noch nie zu bestehen hattest. Es ist etwas vorgefallen, durch das du dein Leben und dein Gut verlieren kannst. Nimm alle deine Sinne zusammen und höre einmal auf, dich zu grämen."

DIE ZWEIHUNDERTZWEITE NACHT

Scheherazade erzählte weiter:
Der durch die lange Anrede des Juweliers beinahe zu Tode gemarterte Ali antwortete: „O mein Bruder, so sag doch endlich, was geschehen ist!"

Der Juwelier erzählte ihm, was er von der Vertrauten vernommen hatte und fügte hinzu: „Packe deine kostbarsten Sachen zusammen, wähle die treuesten unter deinen Dienern aus und bereite dich vor, die Stadt so schnell wie möglich zu verlassen, um dem sicheren Untergang zu entfliehen. Ich werde dich begleiten, es ist aber keine Zeit zu verlieren! Wir gehen zusammen nach Anbar am Euphrat. Vor Tagesanbruch wollen wir dort sein."

Die große Gefahr verlieh Ali Kraft und Besonnenheit. Er ordnete seine Geschäfte, so gut er konnte, ließ Geld und Juwelen zusammenpacken, nahm herzlichen Abschied von seiner Mutter, ermahnte seine Leute, wählte seine Begleiter aus und traf noch alle Anordnungen für eine lange Abwesenheit. Dann verließ er an der Spitze seiner Leute und wohlbewaffnet mit dem Juwelier Bagdad.

Sie reisten den ganzen Tag und die ganze Nacht ohne Unterbrechung. Erst vor Tagesanbruch, als ihre Pferde und Lasttiere kaum mehr laufen konnten, machten sie halt, um sich auszuruhen. Arglos legten sie sich nieder. Kaum aber waren

sie eingeschlafen, als sie durch ein Geräusch, das von Bewaffneten zu kommen schien, aufgeschreckt wurden. Sie sprangen auf und griffen zu den Waffen, aber noch ehe sie sich richtig zur Verteidigung rüsten konnten, waren sie umzingelt und wurden von einer Menge schwerbewaffneter Männer angefallen. Der ungleiche Kampf war schnell entschieden. Alis Leute wurden alle getötet, er und der Juwelier gezwungen, sich zu ergeben. Die Räuber nahmen alle Pferde, die Lasttiere, das Gepäck und die Kostbarkeiten, zogen die beiden ganz aus, entfernten sich und ließen sie nackt zurück.

Als sie fort waren, sagte Ali zu dem Juwelier: „Was sagst du zu diesem neuen Abenteuer? Was sollen wir jetzt anfangen? Außer dem nackten Leben haben uns die Schurken nichts gelassen. Hätte ich Tor den Tod nicht in Bagdad erwarten können, wo er mir durch die Nähe der Geliebten versüßt worden wäre?"

„Nur Allah kann jetzt helfen", erwiderte der Juwelier. „Ergeben wir uns ohne Murren in unser Schicksal und betrachten wir es als Prüfung. Doch hier wollen wir nicht länger verweilen, denn die Räuber könnten zurückkommen und auch noch nach unserem Leben trachten. Wir wollen mitleidige Menschen suchen und sie um ihren Beistand anflehen."

Sie gingen durch die Nacht, bis sie eine offene Moschee erblickten, eintraten und bis zum Morgen in einer Ecke ruhten. Bei Tagesanbruch kam ein Mann herein, um zu beten. Als er geendet hatte und sich umblickte, bemerkte er Ali und den Juwelier.

Die Nacht war vorüber, und Scheherazade schwieg. Am Abend fuhr sie fort:

Dieser Mann grüßte höflich und redete sie dann an: „O ihr von der Gemeinde Allahs, ihr seid Fremdlinge?"
Der Juwelier erwiderte: „Du irrst dich nicht. Wir sind heute nacht von Räubern angefallen und all unserer Habe beraubt worden. Nun brauchen wir Unterstützung und kennen hier niemand, an den wir uns in unserer Not wenden könnten."
Der Unbekannte entgegnete: „Wenn ihr mit in mein Haus kommen wollt, so werde ich euch gern nach besten Kräften helfen!"
Da neigte sich der Juwelier zu Ali und sagte leise zu ihm: „Wie es scheint, kennt uns dieser Mann nicht. Es können aber leicht andere kommen, denen wir nicht unbekannt sein dürften. Es wird also das klügste sein, wir folgen der Einladung."
Als der Mann sah, daß der Juwelier und Ali noch Bedenken hatten, trat er einige Schritte zurück. Nach einigen Augenblicken näherte er sich ihnen wieder und fragte sie, wozu sie sich entschlossen hätten. Der Juwelier antwortete: „Wir sind bereit, dir zu folgen. Nur befinden wir uns in Verlegenheit, weil wir ganz nackt sind und uns schämen müssen, in diesem Zustand die Moschee zu verlassen."
Da zog der Unbekannte einen Teil seiner Kleider aus und gab jedem etwas, um seine Blöße bedecken zu können.
Als sie an seiner Wohnung waren, klopfte er an die Tür, und ein kleiner Diener öffnete. Der Mann führte sie in ein Zimmer und ließ sogleich anständige Kleider herbeischaffen. Als sie diese angezogen hatten, trugen Sklavinnen verschiedene Speisen auf, worauf der Herr des Hauses, der glaubte, sie wollten gern allein sein, sagte: „Esset! Der Segen Allahs sei mit euch!" und das Zimmer für einige Zeit verließ. Sie aßen aber fast nichts. Besonders Ali war sehr niedergeschlagen und überhaupt in einem Zustand, der den Juwelier für sein Leben fürchten ließ.
Am Abend verließ sie der Herr des Hauses bald, um sie nicht der so sehr nötigen Ruhe zu berauben. Als sie wieder allein

waren, sprach Ali zu dem Juwelier: „Ich werde bald sterben und will deshalb meine letzten Anordnungen treffen. Es war mein einziger Wunsch, in den Armen meiner geliebten Mutter mein trostloses Leben auszuhauchen. Auf seine Erfüllung muß ich nun verzichten. An ihrer Stelle wirst du mir die Augen zudrücken. Bezeige ihr meinen Schmerz, ohne Abschied von ihr sterben zu müssen, und bitte sie, meinen Leichnam nach Bagdad bringen zu lassen, wo ich ruhen will."

Da der Juwelier sah, daß Alis Zustand wirklich bedenklich war, rief er den Wirt zur Hilfe. Bei dessen Anblick sprach Ali zu ihm: „Ich danke dir für die Aufnahme in deinem Hause und für die mir erwiesene Freundschaft. Es tut mir nur leid, sie nicht erwidern zu können, doch du siehst, wie es um mich steht. Ich habe nur noch eine Bitte an dich: Bewahre meinen Leichnam so lange auf, bis meine Mutter ihn abholen läßt."

Der Morgen dämmerte, und Scheherazade schwieg. In der folgenden Nacht fuhr sie fort:

DIE ZWEIHUNDERTVIERTE NACHT

Nachdem Ali geendet hatte, fiel er in Ohnmacht. Als er wieder erwachte, hörte er eine weibliche Stimme die Verse singen:

> *Schnell kam für uns der Abschied nach einer kurzen Zeit des Glücks. Wie bitter ist Trennung nach Vereinigung! Möge sie doch nie mehr über einen Liebenden verhängt werden! Die Todespein währt nur eine kleine Weile, dann ist's vorüber. Aber die Trennung der Freunde nagt immer am Herzen. Allah vereinige alle Liebenden und beginne mit mir, denn ich sehne mich nach ihm.*

Kaum waren die letzten Töne der Stimme verhallt, da starb Ali. Der Juwelier blieb noch zwei Tage bei dem Leichnam und schloß sich dann einer nach Bagdad zurückkehrenden Karawane an, wo er wohlbehalten ankam. Er wechselte in seinem Haus schnell die Kleider, ging dann in die Wohnung des toten Ali und verkündete seiner Mutter dessen Ableben. Die Schmerzensausbrüche des trostlosen Mutterherzens erneuerten auch bei dem Juwelier die Trauer um den Hingeschiedenen, so daß ihm die Tränen kamen.

Nachdem sie sich etwas erholt hatte, ließ sie sich die Umstände des Todes ihres Sohnes in allen Einzelheiten schildern. Mit tränenerstickter Stimme sagte der Juwelier: „Die Liebe hat ihn getötet. Er hauchte sein Leben in meinen Armen — in den Armen seines besten Freundes — aus. Nur Allah kann meinen Schmerz ermessen und vermag ihn zu lindern!" Dann erzählte er ihr alles, was sich zugetragen hatte.

Die bekümmerte Mutter fragte ihn hierauf: „Da er dir alle seine Geheimnisse anvertraute, so hat er dir wohl vor seinem Tode noch einen Auftrag an mich gegeben?"

Der Juwelier bejahte das und machte sie mit Alis letztem Willen bekannt. Als die Mutter solche Beweise kindlicher Liebe und Verehrung vernahm, brach sie wieder in Tränen aus und rief: „Ja, mein Sohn, dein letzter Wunsch soll mir heiliges Gebot sein! Gleich morgen in aller Frühe werde ich mich auf den Weg machen, die mir teuren Überreste abholen und hierherbringen, damit dein verklärter Geist Ruhe findet!"

Der Juwelier verließ sie darauf, um nach Hause zu gehen. In tiefe Gedanken versunken, bemerkte er kaum, daß unterwegs jemand seine Hand ergriff. Als er aufblickte, sah er eine Frau in Trauergewändern mit gramverhärmtem Gesicht vor sich stehen. Er erkannte in ihr die Vertraute Schems Unnahars. Stillschweigend ging er mit ihr bis in seine Wohnung. Dort erzählte er ihr von Alis Tod. Als sie seine Erzählung vernommen hatte, brach sie in großen Jammer aus und rief: „Wie, Ali ist tot? Dann hat er seine Geliebte nicht lange überlebt! Ihre beiden Seelen sind wieder vereint, um nie mehr getrennt zu werden. Nun können sie sich ewig lieben!"

Mit gramerfüllter Stimme rief der Juwelier aus: „Schems Unnahar ist auch tot? Was hat sich zugetragen, nachdem der Kalif sie zu sich gerufen hatte?"

Da begann die Vertraute: „Der Fürst der Gläubigen hatte —
wie ich dir schon erzählt habe — Schems Unnahar in seinen
Palast bringen lassen, weil er von dem Liebesverhältnis zwischen ihr und Ali durch die entsprungene Sklavin erfahren
hatte. Aber er geriet nicht in Zorn oder Wut, wie zu erwarten
war, und machte nicht einmal Anstalten, Ali verfolgen zu lassen. Ohne ihr den mindesten Vorwurf zu machen, empfing er
sie mit freundlichem Entgegenkommen, und nur als er Schwermut und tiefe Trauer auf ihrem Antlitz sah, sprach er mit
gütiger, aber betrübter Stimme: ‚Schems Unnahar, du weißt,
wie sehr ich dich liebe. Ich werde dich lieben trotz aller Ver-
leumdungen, die mir von deinen Feinden zu Ohren gekommen
sind. Dagegen erwarte ich von dir, daß du den Kummer, der
an dir nagt, unterdrückst, damit du nicht länger vor Gram so
abgehärmt bist. Lasse deinen Geist wieder in heller Klarheit
unter den übrigen deines Geschlechts glänzen und unterhalte
mich heute abend wie sonst.‘
So sprach er noch lange zu ihr. Dann führte er sie in eines
seiner Prunkgemächer, wo er sie bat, ihn heute abend zu erwarten. All das wirkte mit furchtbarer Gewalt auf das emp-
fängliche Gemüt Schems Unnahars. Tiefe Dankbarkeit und
die untilgbare Neigung zu Ali kämpften einen schweren Kampf
in ihrem Innern, ohne daß sie zu einem entscheidenden Entschluß kommen konnte. Sie fühlte wohl, daß sie nun für immer von Ali, ohne den sie nicht mehr leben konnte, getrennt
werden sollte.
Was ich dir hier erzählte“, fuhr die Vertraute fort, „hörte ich
von meinen Freundinnen. Ich selbst war damals gerade auf
dem Weg zu dir, um dir den Vorfall mitzuteilen. Was sich
aber am Abend, nachdem ich von dir in den Palast zurückgekehrt war, zutrug, habe ich mit eigenen Augen gesehen.
Ich begab mich sogleich in das eben erwähnte Zimmer, um sie
zu benachrichtigen, daß ihr Auftrag ausgeführt sei. Darauf
sagte sie zu mir, ohne daß jemand anders es hätte hören können: ‚Ich danke dir für den Liebesdienst, den du mir erwiesen
hast. Ich hoffe, er wird der letzte gewesen sein.‘
Als der Tag zu Ende war, trat der Kalif, begleitet von den

Frauen Schems Unnahars, zu ihr herein. Er nahm sie bei der Hand, führte sie zu einem Diwan und setzte sich neben sie, um den anderen Frauen zu zeigen, wie hoch sie noch in seiner Gunst stand. Sie schien ruhig und ließ sich alles gefallen. Niemand aber wußte besser als ich, was sie in diesem Augenblick litt. Sie schien abwesend, und der Kalif versuchte vergeblich, durch bezaubernde Musik ihre Munterkeit wieder zu wecken. Als aber eine der Frauen folgende Verse sang, konnte sie die Fassung nicht länger bewahren:

> Die Liebe hat Tränen in mir hervorgerufen; sie fließen
> nun reichlich über meine Wangen. Meine Wimpern
> ermüden und können nicht tragen, was in den Augen ist.
> Sie offenbaren, was ich verheimlichen möchte und ver-
> bergen, was ich offenbare. Wie kann ich versuchen, meine
> Liebe zu verschleiern, da meine Pein um dich alles
> enthüllt! Nach der Trennung vom Geliebten wäre mir der
> Tod eine Wohltat. Nur möchte ich wissen, ob es ihm
> nach mir wohl wird.

Tränen stürzten aus Schems Unnahars Augen, und sie sank bewußtlos nieder. Alle Bemühungen, sie wieder ins Leben zu rufen, blieben vergebens: Sie war tot.
Der Kalif befahl, alle Instrumente, denen er die Schuld an ihrem Tod gab, zu zerbrechen und ließ dann ihren Leichnam in sein Gemach tragen, wo er die ganze Nacht bei ihm wachte. Am Morgen erteilte er Befehl, Schems Unnahar in einem prächtigen Grabmal zu bestatten.
Nun hörte ich von dir, daß Alis Überreste von seiner Mutter geholt und hier beigesetzt werden sollen. Sage mir, wann das geschehen wird, damit ich Anstalten treffen kann, daß die Leiber der Liebenden, deren Seelen längst wieder vereinigt sind, in ein Grabmal kommen." Der Juwelier antwortete: „Das kann nicht geschehen. Bedenke, welches Aufsehen das machen würde und daß man es vor dem Kalifen nicht geheimhalten könnte!"
Die Vertraute aber entgegnete: „Du hältst es für unmöglich,

mußt aber wissen, daß der Kalif allen Frauen Schems Unnahars die Freiheit mit einem ansehnlichen Jahresgehalt schenkte
und mir die Aufsicht über das Grab seiner Favoritin übertrug,
wo ich den Rest meines Lebens zuzubringen gedenke. Auch ist
nicht zu erwarten, daß der Kalif etwas dagegen haben wird,
da ihm doch das Verhältnis der beiden Liebenden nicht mehr
unbekannt ist."

„Wenn sich die Sache so verhält", erwiderte der Juwelier, „habe
ich nichts gegen deinen Plan einzuwenden. Führe mich deshalb gleich an den Begräbnisplatz!"

Als er dort ankam, sah er zu seinem Erstaunen eine Menge
Volk, so daß er sich nur mühsam durchdrängen konnte. Er verrichtete sein Gebet, trat dann zu der Vertrauten und sprach zu
ihr: „Wir wollen jetzt die ganze Liebesgeschichte der beiden
Verstorbenen bekanntmachen, wobei wir besonders erwähnen
werden, daß beide im gleichen Augenblick gestorben sind.
Dann werden alle Bewohner Bagdads verlangen, daß die Leiber der Liebenden zusammen begraben werden sollen."

So geschah es auch. Als am vierten Tage die Nachricht von der
Ankunft des Leichnams aus Anbar sich verbreitete, gingen
Tausende von Menschen dem Zug meilenweit entgegen. Und
als die Mutter Alis sich den Toren Bagdads näherte, bat man
sie um die Vereinigung der beiden Leichen, und sie willigte ein.
Viele, viele Menschen nahmen an der Beisetzung teil. Die
Vertraute und der Juwelier fehlten nicht. Es war ein Tag, wie
Bagdad ihn noch nicht erlebt hatte.

Von Geschlecht zu Geschlecht vererbte sich die Geschichte fort,
und die Verehrung der Muselmänner für dieses Grabmal ist
so groß, daß keiner diese Stadt betritt, ohne nicht sein Gebet
am Grabe der Liebenden zu verrichten.

„Das ist", schloß Scheherazade, „die Geschichte Alis, Sohn Bekars und Schems Unnahars. Doch wenn Ihr gestattet, o großer
König, werde ich in der kommenden Nacht eine noch viel selt-
samere Begebenheit erzählen:

Die Geschichte Nureddins und der schönen Perserin

Zur Zeit des Kalifen Harun Arraschid herrschte in Bassora, der Hauptstadt eines dem Kalifen zinspflichtigen Reiches, ein König namens Mohammed Suleiman. Er war ein Vater der Armen und Bedürftigen und regierte mit Weisheit und Milde seine Untertanen. Sein ganzes Streben ging dahin, seine Untertanen glücklich zu machen. Ein Dichter beschrieb ihn folgendermaßen:

> *Er war ein König, der feindliche Scharen mit schneidenden Waffen empfing. Wenn er auf sie einhieb, schien er mit Schwert, Lanze und Pfeil zu schreiben, indem er den feindlichen Linien Vokale und Punkte beifügte. Die Vokale schrieb er mit Säbelhieben, die Punkte mit Lanze und Pfeil. Seine Reiter schwammen wie in einem Meer, dessen Wellen die Scharen der Gegner und dessen Quelle das aus den Wunden der Feinde strömende Blut war. Dieses Meer schien mit einem Wald von Schiffen bedeckt: Die Lanzen waren die Mastbäume, die Fahnen die Segel. Die Zeit hatte geschworen, einen ihm Ähnlichen wieder hervorzubringen, aber, o Zeit, du wirst meineidig, denn du wirst deinen Schwur nicht halten können.*

Um sein Reich besser regieren zu können, übertrug er die Verwaltung zwei Wesiren. Der eine hieß Muin, Sohn Sawis, der andere Badhl, Sohn Chakans. Badhl war einer der besten Menschen seiner Zeit. Mit seltener Treue verwaltete er sein hohes Amt. Er war mild und nachsichtig, großzügig und freigiebig und hatte überall Freunde. Sein tugendhafter Lebenswandel erwarb ihm die Achtung aller Untergebenen. Man verehrte und liebte ihn von ganzem Herzen, denn er war der Schirmherr alles Guten und ein Schutz gegen alles Böse — wie ein Dichter ihn beschreibt:

Er ist ein Mann wie ein Fels, dessen Charakter aus Gottes-
furcht und Hoheit besteht, so daß seine Zeit stolz auf
ihn ist. Nie nahte sich ihm vertrauensvoll ein Unglück-
licher, der nicht an seinen Türen Trost fand.

Muin aber hatte einen ganz anderen Charakter. Er war mür-
risch, mißtrauisch, geizig, schmutzig, verschmitzt, boshaft und
dumm zugleich. Er suchte nur Böses zu tun und behandelte
alle Leute schnöde, so daß jedermann ihn mied und scheute.
Die größte Verachtung aber zog er durch seinen Haß gegen
Badhl auf sich, dessen Handlungsweise er stets falsch auszulegen suchte und den er verleumdete, wo er nur konnte, um
seine Stellung zu untergraben, wobei er listiger als ein Fuchs
zu Werke ging. Ein Dichter sagte von ihm:

Er ist ein Auswürfling; er ist ein schlechter Sohn des
Schattens. Ein Vagabund, der seinen Ursprung Hin- und
Herreisenden verdankt. Kein Haar an seinem Leibe
wächst, das nicht das Zeichen seiner Herkunft trüge.

Als einmal der König Mohammed von seinem Thron stieg und
sich mit seinen beiden Wesiren und den Großen des Reiches
unterhielt, wurde auch von der Wahl und den Eigenschaften
der Sklavinnen gesprochen. Der König mußte von seiner Umgebung die verschiedensten Ansichten darüber hören. Der eine
behauptete, eine Frau müsse nur körperlich schön sein, um
ihrer Bestimmung, den Anforderungen des Mannes zu genügen, zu entsprechen. Alle anderen Eigenschaften seien mehr
schädlich als nützlich, weil eine Frau, die zugleich Verstand
und Bildung besitzt, sich in die Handlungen des Mannes
mische, die sie nichts angehen, und daher nur störend wirken
müsse.
Andere wollten das Gegenteil beweisen und behaupteten, eine
Frau von ausgesprochener Schönheit müsse auch ausgezeichnete geistige Eigenschaften besitzen, um den Ansprüchen des
Mannes zu genügen. Sie müsse gebildet sein, um am Schicksal
und an den Geschäften des Mannes teilnehmen zu können,

damit er sich abends mit ihr über die Geschäfte des Tages unterhalten könne. Diese Eigenschaften, meinten sie, erhöhen eher die Lebensgenüsse, denn das sei ja der Vorzug des Menschen vor dem Tier, den die Frau ebenso wie der Mann besitze. Wolle man aber der ersten Meinung zustimmen, so würdige man damit den Menschen zum Tier herab und würde die Vernunft, mit welcher der Mensch begabt ist, mit Füßen treten. So äußerte sich Badhl, während Muin die andere Meinung vertrat.

Der König pflichtete Badhl bei und sagte: „Ich möchte schon lange ein Mädchen besitzen, bei dem die Schönheit des Körpers mit der Schönheit der Seele verbunden ist und das Eigenschaften hat, wie du sie eben schildertest. Sie müßte nicht nur an Schönheit, sondern auch an Verstand und Tugend alle übertreffen. Versuche deshalb, mir ein solches Mädchen zu kaufen."

Muin wurde eifersüchtig auf Badhl, weil der König diesen mit einem solchen Auftrag beehrt hatte. Er wandte sich an den König und sagte: „Ein Mädchen mit so ausgezeichneten Eigenschaften wird sich wohl schwerlich finden lassen. Findet sich aber eine solche, so kostet sie bestimmt zehntausend Dinar."

„Du hältst diese Summe für eine Sklavin viel zu hoch. Das kann sein, da du so hohe Anforderungen an ein Mädchen nicht stellst. Mir aber kommt diese Summe nicht zu hoch vor", erwiderte der König. Hierauf rief er sogleich seinen Schatzmeister und befahl ihm: „Gib Badhl aus meinem Schatze zehntausend Dinar!"

Der Schatzmeister holte das Geld, zählte es vor, und als Badhl es in Empfang genommen hatte, schickte er es nach Hause. Dann begab er sich jeden Tag auf den Markt und beauftragte alle Makler, die schönste und gebildetste Sklavin für ihn auszusuchen und keine verkaufen zu lassen, wenn sie auch zehntausend Dinar oder mehr koste, die ihm nicht vorgestellt worden sei.

Kein Makler verkaufte eine Sklavin, ohne sie vorher dem Wesir vorzustellen, aber der hatte immer etwas auszusetzen. Eines Tages, als er gerade auf dem Weg in den Palast war, trat ein Makler auf ihn zu und redete ihn an: „Großer Wesir, was wir so lange für dich gesucht haben, ist nun gefunden. Ein persischer Kaufmann hat eine Sklavin gebracht, die über alles erhaben ist, was man bisher an weiblicher Vollkommenheit gesehen hat. Doch bei aller Schönheit hat sie sämtliche Vorzüge eines gebildeten Geistes und umfassender Kenntnisse."

Der Wesir freute sich über diese Nachricht und antwortete: „Bringe sie zu mir, ich werde sogleich wieder zurückkommen." Dann setzte er seinen Weg fort.

Als er nach Hause gekommen war, erschien der Makler mit der Sklavin, von der man wirklich sagen konnte, daß sie ein Bild weiblicher Vollkommenheit war. Ein Dichter sagt von ihr:

> *Sie ist wunderbar. Die Schönheit ihres Gesichts gleicht*
> *Mond und Sternen. Sie ist die erste und vornehmste aus*
> *ihrem Stamme und verdunkelt alle, die mit ihr auf-*
> *gewachsen sind. Allah, der erhabene Besitzer des*
> *Himmelsthrons, hat ihr die höchsten Güter des Lebens*
> *geschenkt: Seelenadel, Hoheit, Anmut und glänzenden*
> *Verstand. An dem Himmel ihres Angesichts prangen*
> *sieben Sterne gleich den Wächtern ihrer Wangen. Wenn*
> *ihr jemand durch begehrendes Anschauen Blicke ent-*
> *locken will, sollte auch sein Blick dem eines Faunen*
> *gleichen, so versengt sie ihn durch die Glut ihrer Sterne.*

Als der Wesir die Sklavin sah, war er von ihrem Anblick so hingerissen, daß er sie nur noch ‚die schöne Perserin' nannte. Da er selber ein Mann von Geist und Gelehrsamkeit war, erkannte er aus der Unterhaltung mit ihr sehr bald, daß er vergeblich nach einer anderen Sklavin suchen würde, welche sie in irgendeiner der von dem König verlangten Eigenschaften überträfe. Daher wandte er sich an den Makler und fragte ihn, welchen Preis der persische Kaufmann dafür verlange.

Der Makler antwortete: „Herr, er ist ein Mann, der nicht mit sich handeln läßt. Er verlangt zehntausend Dinar und hat geschworen, daß sie allein für soviel Geld junge Hähne gegessen und Wein getrunken habe, und daß man mit dieser Summe nicht einmal die Geschenke bezahlen könnte, die ihren Lehrern gemacht worden sind. Da er gleich bei ihrem Ankauf in ihrer frühesten Kindheit erkannte, daß sie einmal eines Königs würdig sein würde, hat er an ihrer körperlichen und geistigen Ausbildung nicht gespart."

Der Wesir, der sogleich den Wert der schönen Perserin erkannte, war entschlossen, den Handel ins reine zu bringen und ließ den Kaufmann rufen. Da kam ein ausländisch gekleideter Mann, der schon manche Jahre hinter sich hatte. Die Zeit schien ihn hart mitgenommen und sein Glücksstern ihm nicht viel übriggelassen zu haben. Er glich einem alten Adler oder einer dem Einsturz nahen Mauer. Auf ihn paßten die Worte eines Dichters, der von sich selber spricht:

> *Wie heftig hat mich die Zeit erschüttert, die gewaltige, ernste Zeit! Einst konnte ich laufen und springen, ohne zu ermüden. Jetzt bin ich müde, ohne einen Schritt getan zu haben.*

Der Wesir sprach zu ihm: „Ich möchte deine Sklavin hier kaufen. Nicht für mich, sondern für den König. Aber du mußt mit dem Preis heruntergehen, wenn aus dem Handel etwas werden soll."

„Herr", erwiderte der Kaufmann, „ich würde mir eine große Ehre daraus machen, sie dem König zum Geschenk anzubieten, wenn meine Umstände es erlaubten, Geschenke von solchem Wert zu machen. Ich verlange nicht mehr, als was ich auf ihre Erziehung und Bildung verwendet habe. Dafür macht der König einen Kauf, mit dem er zufrieden sein wird."

Da der Wesir schon vorher entschlossen gewesen war, die verlangte Summe zu bezahlen, feilschte er nicht länger mit dem Kaufmann, sondern gab sogleich Befehl, das Geld herbeizubringen.

Der Tag brach an, und Scheherazade schwieg. In der folgenden Nacht erzählte sie weiter:

DIE ZWEIHUNDERTSIEBTE NACHT

Nachdem der Kaufmann mit dem Geld weggegangen war, sagte der Makler zu dem Wesir: „Herr, da ich vernommen habe, daß diese Sklavin für den König bestimmt ist, bin ich der Meinung, daß du sie ihm heute noch nicht vorführen solltest, denn sie kommt eben von einer Reise, und trotz ihrer Schönheit sieht man ihr doch die Ermüdung an. Laß sie daher lieber vierzehn Tage in deinem Harem, bis ihre Reize wieder aufgefrischt sind. Dann läßt du sie ins Bad führen, legst ihr die schönsten Kleider an und gehst mit ihr zum König. Ich bin gewiß, daß du mir für meinen Rat dankbar sein wirst!"

Der Wesir überlegte die Worte des Maklers und fand sie gut. Deshalb ließ er die schöne Perserin in seinen Harem bringen, wies ihr darin ein besonderes Zimmer neben dem seiner Gemahlin an und bat die letztere, sie als eine Frau, die dem König gehöre, anzusehen und zu behandeln. Er sorgte dafür, daß die Sklavin Tag für Tag Wein, junge Hähne und verschiedene schöne Kleider erhielt, und so verging einige Zeit. Der Wesir hatte aber einen Sohn, der so schön war wie das Bild, das ein Dichter von ihm entwarf:

Er entzückt wie der Mond mit seinen Blicken. Er ist schmiegsam wie ein Baumzweig, verführerisch, wenn er sich bewegt. Er glänzt wie Gold, nur seine Haare sind schwarz. Süß ist sein ganzes Wesen, sein Wuchs gleicht einer Lanze. So stark sein Herz ist, so zart ist die

459

Bewegung seiner Glieder. O, warum wendest du dich nicht mir zu? Wäre die Zartheit der Bewegung in seinem Herzen, er würde niemals eine Liebende grausam behandelt haben. O du, der mich tadelt, weil ich ihn liebe, verstehe mich doch: Schon hat die Liebe einen zu festen Wohnsitz in meinem Herzen. Niemand ist schuldig als mein Blick und mein Herz. Doch wen klage ich an? Mich selbst?

Der Jüngling wußte nicht, wozu die Sklavin bestimmt war. Zu ihr aber hatte sein Vater gesagt: „Es kann kein größeres Glück für dich geben als das, welches ich dir verschaffen will. Ich habe dich für den König Mohammed gekauft, der glücklich sein wird, dich zu besitzen. Damit ich aber meinen Zweck vollkommen erreiche, muß ich dir sagen, daß ich einen Sohn habe, dem es zwar nicht an Geist fehlt, der aber jung, flatterhaft und so leidenschaftlich ist, daß er bei deinem Anblick in Flammen geraten könnte und nicht ablassen würde, bis er sein Ungestüm mit einer Torheit gekühlt hätte. Nimm dich also in acht vor ihm, hüte dich, ihm dein Gesicht zu zeigen oder ihn deine Stimme hören zu lassen. Bedenke immer, wofür du bestimmt bist." Die schöne Perserin dankte dem Wesir für diese Warnung, und nachdem sie ihm versichert hatte, sie werde ihm gehorchen, verließ er sie.

Nun wollte es aber der Zufall, daß die Sklavin eines Tages ins Bad ging, das im Hause war und die Frau des Wesirs für sie bereitet hatte. Einige Sklavinnen begleiteten sie, um sie zu bedienen. Das Bad goß das Gewand der Anmut über sie und erhöhte den Glanz ihrer Schönheit, indem es die letzten Spuren der Reise beseitigte. Nach dem Bad reichte man ihr ein Kleid, das würdig war, die herrlichen Formen zu umgeben. Dann eilte die schöne Perserin, um sich ihrer Herrin vorzustellen.

Die Frau des Wesirs empfing sie mit den Worten: „Meine Tochter, du bringst eine Schönheit mit, die so weit über dem steht, was du vorher schienst, daß selbst ich Mühe habe, dich wiederzuerkennen. Wüßte ich, daß das Bad noch reinlich genug wäre, so würde ich es mir auch zunutze machen, denn ich bin in einem Alter, das erfordert, mich öfters des Bades zu bedienen."

„Erhabene Gebieterin", erwiderte die schöne Perserin, „ich weiß auf die unverdiente Ehre, die du mir erweisest, nichts zu entgegnen. Was aber das Bad anbelangt, so ist es wunderschön und wird dir bestimmt wohltun. Die Zeit ist angemessen, das Wasser sehnt sich nach deiner Jugend, und wenn du Lust hast, hinzugehen, so darfst du nicht länger zögern."

Die Gemahlin des Wesirs, die seit mehreren Tagen nicht im Bad gewesen war, beschloß, die Gelegenheit zu nutzen. „So kommt denn, im Namen Allahs!" sagte sie, und die Sklavinnen folgten ihr, während die Perserin Anis Aldjalis in ihr Zimmer ging. Bevor sich jedoch die Gemahlin des Wesirs entfernte, gebot sie zwei kleinen Sklavinnen, vor der Tür der schönen Perserin Wache zu halten und sagte zu ihnen: „Gebt wohl acht, daß niemand sich nähert und hineingeht!"

Während nun die Gemahlin Badhls im Bade war und Anis Aldjalis sich allein in ihrem Zimmer ausruhte, erschien Nureddin Ali, der Sohn des Wesirs, in den Gemächern seiner Mutter. Als er diese hier nicht fand, ging er rasch auf das Zimmer der schönen Perserin zu, vor dessen Tür er die beiden zurückgelassenen Sklavinnen traf. Er fragte sie, wo seine Mutter und ihre Frauen seien.

Die Nacht ging zu Ende, und Scheherazade schwieg. Am Abend aber fuhr sie fort:

DIE ZWEIHUNDERTACHTE NACHT

Alle sind im Bad", entgegneten die beiden Sklavinnen. „Und die schöne Perserin?" fuhr Nureddin fort, „ist sie auch im Bad?"

„Sie ist in ihrem Zimmer", erwiderten die Sklavinnen, „aber wir haben Befehl von unserer Gebieterin, deiner Mutter, niemanden hineinzulassen."

Das Zimmer der schönen Perserin war nur durch einen Vorhang verschlossen. Nureddin trat vor, um einzutreten, aber die beiden Sklavinnen stellten sich davor, um ihn daran zu hindern. Als Anis Aldjalis die Stimme Nureddins hörte, sagte sie bei sich selber: ‚Ich möchte doch wissen, wie der junge Mann aussieht, der da draußen spricht. Vielleicht ist es der, vor dem man mich so gewarnt hat und vor dem keine Jungfrau sicher sein soll.‘

Damit erhob sie sich von ihren Polstern, trat unter den Eingang des Zimmers und erblickte Nureddin, der eben die beiden Sklavinnen an den Armen ergriff und sie beiseite schob, um den Eintritt zu erzwingen. Ein einziger Blick genügte, um sie ganz für den schönen Jüngling einzunehmen, und als sein Blick auf ihre herrliche Gestalt fiel, war auch sein Schicksal entschieden.

Nureddin trat einige Schritte vor und fragte Anis Aldjalis: „Bist du die Sklavin, die mein Vater für mich gekauft hat?"

In der Meinung, der Wesir habe seinen Sinn geändert und sie statt, wie er ihr früher gesagt hatte, für den König Mohammed nun für seinen Sohn Nureddin bestimmt, rief die Sklavin mit freudigem Erschrecken aus: „Bei Allah, mein Herr, ich bin's!" Da stürzte er wonnetrunken auf sie zu. Er legte ihre Beine um seinen Leib, sie schlang die schönen Arme fest um seinen Hals und kam ihm mit glühenden Küssen entgegen. Halb zog, halb trug sie Nureddin in dieser Umarmung ins Zimmer und aufs Bett, wo er ihr unter Liebkosungen die Mädchenschaft nahm.

Als die beiden Sklavinnen das sahen, liefen sie jammernd zum Bad, wo sie ihrer Gebieterin verkündeten, was vorgefallen war. Die Gemahlin des Wesirs verließ sofort das Bad und kleidete sich schnell an. Doch als sie in das Zimmer der schönen Perserin kam, war Nureddin schon wieder fort und hatte die Flucht ergriffen. Anis Aldjalis aber war aufs äußerste erstaunt, die Frau des Wesirs in Tränen aufgelöst hereintreten zu sehen. „Gebieterin", sagte sie zu ihr, „darf ich fragen, weshalb du so bestürzt bist? Was ist dir begegnet und weshalb hast du das Bad so schnell wieder verlassen?"

„Wie?" rief die Gemahlin des Wesirs aus, „du fragst mich das

so ruhig, als wenn nichts geschehen wäre? Und doch ist mein Sohn Nureddin in dein Zimmer eingedrungen und allein bei dir geblieben! Rede, meine Tochter, was ist zwischen euch vorgefallen?"

Anis Aldjalis antwortete: „Meine Herrin, ich saß hier, ohne an etwas Schlimmes zu denken. Plötzlich hörte ich Lärm vor meiner Tür, und als ich hinaustrat, um zu sehen, was es wäre, trat ein schöner Jüngling auf mich zu und fragte, ob ich wohl die Sklavin sei, die sein Vater ihm gekauft habe. Bei Allah, Herrin, ich glaubte, er spräche wahr, und sagte zu ihm: ‚Ich bin's!' Da stürzte er auf mich zu und küßte mich."

„Sonst hat er nichts von dir gewollt?" forschte die Gemahlin des Wesirs weiter. Als die Sklavin betroffen schwieg und mit einer Antwort zögerte, fuhr sie fort: „Wehe mir und ihm, wenn meine Vermutung wahr ist! Ein größeres Unglück könnte uns nicht begegnen!"

„Erlaube, Gebieterin", versetzte Anis Aldjalis, „welches Unglück kann für dich und Nureddin aus dem entstehen, was er getan hat?"

„Wie", erwiderte die Gemahlin des Wesirs, „hat dir mein Mann nicht gesagt, daß er dich für den König gekauft hat? Und hat er dich nicht vor Nureddin gewarnt?"

„Ich habe es nicht vergessen, Herrin", antwortete darauf die schöne Perserin, „aber Nureddin sagte mir, sein Vater habe seinen Sinn geändert und ihm selber mit meiner Person ein Geschenk gemacht. Ich glaubte es, und da ich eine Sklavin und seit meiner frühesten Jugend an strengen Gehorsam gewöhnt bin, so kannst du wohl denken, daß ich mich seinem Willen nicht widersetzen konnte oder durfte. Ich gestehe sogar, daß ich es um so weniger mit Widerwillen getan habe, als ich für den Jüngling gleich auf den ersten Blick eine starke Neigung faßte. Ich verzichte gern auf die Hoffnung, dem König zu gehören, und würde glücklich sein, könnte ich mein ganzes Leben mit Nureddin zubringen."

Darauf sagte die Gemahlin des Wesirs: „Wollte Allah, daß es wahr wäre, was du sagst. Ich würde mich sehr darüber freuen. Aber glaube mir: Nureddin ist ein Betrüger. Unmöglich hat ihm sein Vater dieses Geschenk gemacht. Ach, der Unglückliche! Und wie unglücklich ich bin! Welche traurigen Folgen muß sein Vater, müssen wir alle fürchten! Weder meine Tränen noch meine Bitten werden imstande sein, ihn zu erweichen und seine Verzeihung zu erflehen. Weh' mir, Nureddin ist verloren! Denn sein Vater wird ihn in seinem gerechten Zorn aufopfern, sobald er erfährt, was zwischen euch gewesen ist. Und abermals weh' mir, denn ich werde auch dich verlieren. Badhls Grimm wird das Werkzeug der Gewalt nicht scheuen, denn sein Ansehen ist aufs Spiel gesetzt und sein Plan zerstört!" Nach diesen Worten begann die Gemahlin des Wesirs bitterlich zu weinen. Alle ihre Sklavinnen weinten mit, denn sie fürchteten sich sehr vor dem Zorn des Wesirs.

Während sie so jammerten, kam Badhl und war erstaunt, sie alle so niedergeschlagen zu sehen. Er sah sie der Reihe nach an und fragte sie: „Wehe euch! Was hat sich zugetragen?" Anstatt ihm aber zu antworten, verdoppelten seine Gemahlin und die Sklavinnen ihr Klagen und ihre Tränen, und niemand wagte, ihm das Vorgefallene zu erzählen.

Scheherazade schwieg, denn der Morgen dämmerte. In der folgenden Nacht erzählte sie weiter:

DIE ZWEIHUNDERTNEUNTE NACHT

Mit strenger Miene trat Badhl vor seine Frau und sagte zu ihr: Ich verlange, daß du mir erklärst, weshalb ihr weint. Aber ich fordere, daß du die Wahrheit sagst!"

Da begann die trostlose Frau: „Ich werde dir nichts erzählen, wenn du mir nicht schwörst, alles, was ich dir zu sagen habe, ruhig anzuhören und es mich nicht entgelten zu lassen, denn ich habe keine Schuld daran. Während ich mit meinen Frauen im Bade war, ist dein Sohn gekommen und hat der schönen Perserin eingeredet, daß du sie nicht mehr dem König geben wolltest, sondern ihm mit ihr ein Geschenk gemacht habest.

Anis Aldjalis hat dieser Vorspiegelung geglaubt und in sein ungestümes Begehren eingewilligt. Das ist der Grund für meine Betrübnis um dich und um meinen Sohn, für den ich nicht wage, dich um Verzeihung anzuflehen."

Nur mit Mühe hatte sich der Wesir zusammengenommen, bis seine Frau ihren Bericht beendet hatte. Dann aber brach sein Zorn mit doppelter Stärke hervor. Er warf sich wütend auf die Polster, schlug sich auf Brust und Wangen, biß sich in die Hände und riß sich so viele Haare seines Bartes aus, daß ein ganzes Büschel in seinen Fingern blieb. Dazwischen rief und stöhnte er: „Ha! Auf diese Weise also, mein unseliger Sohn, stürzest du deinen Vater von der höchsten Stufe seines Glücks in den Abgrund! So verdirbst du ihn und dich mit ihm! Unheilvolle Tat! Der König wird sich nicht mit seinem noch mit meinem Blut begnügen, um sich für diese Beleidigung zu rächen. Vernichtet bin ich und ein Spott meiner Feinde! Mein Haus liegt in Trümmern, und mein eigener Sohn hat meinem Namen einen Schandpfahl errichtet!"

Seine Gemahlin, die ihn gut kannte und wohl wußte, daß er nach diesem Ausbruch der Leidenschaft wieder der Vernunft und der Klugheit Gehör geben würde, ließ den ärgsten Sturm vertoben. Erst dann bemühte sie sich, den unglücklichen Badhl zu trösten und begann: „Mein lieber Herr und Gemahl, wozu das Wüten und Toben? Willst du dich selbst umbringen? Dadurch wird das Geschehene doch nicht ungeschehen und das Schlimme nur noch schlimmer. Laß uns vielmehr nachdenken, wie wir die gefährlichen Folgen der Unüberlegtheit Nureddins abwenden und noch größeres Unglück verhüten können. Anis Aldjalis kannst du freilich dem König nicht mehr vorstellen. Aber betrübe dich darüber nicht allzusehr: Ich kann ja leicht für zehntausend Dinar Schmuck verkaufen. Dafür aber kaufst du dann eine andere Sklavin, die noch schöner und des Königs noch würdiger ist."

Badhl hob sein schmerzverzerrtes Antlitz zu ihr auf und erwiderte: „Meinst du denn, daß ich mich über den Verlust von zehntausend Dinar so betrüben könnte? Was liegt mir am Wert der Sklavin? Es handelt sich hier um meine Ehre, die mir teurer ist als alle Güter der Welt. Es handelt sich um die Vollziehung des ehrenvollsten Auftrags, der je einem Diener von seinem Herrn gegeben wurde! Aber nun, da ich außerstande bin, das zu leisten, wozu ich mich erboten hatte, wird die Bosheit ihr Haupt erheben und meine gute Absicht in den Staub treten!"

Doch die Gemahlin des Wesirs hatte bemerkt, daß Badhls Besinnung zurückkehrte. Deshalb wagte sie ihm zu widersprechen und sagte: „Ich glaube, daß alles, was man mit Geld wieder gutmachen kann, nicht von so großer Wichtigkeit ist."

„Ach", entgegnete der Wesir, „weißt du nicht, daß dieser Muin unser Todfeind ist? Hast du vergessen, daß er jede Gelegenheit ergreift, um mir zu schaden und mein Ansehen zu schwächen? Glaubst du nicht, daß er, sobald er von diesem Handel erfährt, zum König gehen und über mich triumphieren wird? ‚Großmächtiger König‘, wird er zu ihm sagen, ‚du sprichst immer nur von der Ergebenheit und dem Diensteifer Badhls, doch jetzt zeigt der, wie wenig er einer solchen Auszeichnung würdig ist. Bekam er nicht zehntausend Dinar um dir eine Sklavin zu kaufen? Er hat sich auch wirklich dieses Auftrags entledigt, und noch niemals hat man eine so schöne Sklavin gesehen. Aber anstatt sie dir, seinem Herrn, der allein Anspruch darauf hat, zuzuführen, hat er es für geeigneter gehalten, seinem Sohn damit ein Geschenk zu machen. ‚Mein Sohn‘, hat er zu ihm gesagt, ‚nimm sie hin, du verdienst sie eher als der König. Sein Sohn‘, wird er boshaft fortfahren, ‚hat sie genommen und ergötzt sich nun täglich mit ihr‘. — „Meinst du nicht", schloß der Wesir, „daß auf eine solche Anklage hin die Leute des Königs jeden Augenblick kommen können, um mit Gewalt in mein Haus zu dringen und die Sklavin wegzuführen?"

„Mein Herr", versetzte die Frau des Wesirs auf die Worte ihres Mannes, „ich kenne die Bosheit Muins und weiß, wozu er imstande ist. Aber kann er oder irgendjemand anders wissen, was im Innern deines Hauses vorgeht?"

„Gut", entgegnete der Wesir, „Muin mag wirklich nichts davon erfahren, was in meinem Hause geschehen ist. Aber er hat überall seine Kundschafter. Die Makler wußten alle davon, daß ich eine solche Sklavin suche. Meinem Feind wird nicht verborgen geblieben sein, daß und um welchen Preis ich sie gekauft habe. Gelingt es ihm nur einigermaßen, den Verdacht des Königs anzuregen, so wird er nicht nachlassen, bis dieser ihm Vollmacht gibt, die Sklavin zu holen und ihm vorzustellen. Der König wird sie ausfragen, und sie wird nichts leugnen können. Muin aber wird zum König sagen: ‚Siehst du nun Herr, daß ich es gut mit dir meine? Aber mein Diensteifer wird von dir verkannt, weil andere deine Gunst besitzen, von denen sie schändlich mißbraucht wird. Heute ist es mir gelungen, einen Betrug, den man an dir verübt hat, aufzudecken!'"

Als die Gemahlin des Wesirs ihren Mann so reden hörte, sagte sie: „Sollte der König wirklich Verdacht schöpfen, wird er dann nicht so gerecht sein, dich auch vorher über die Sache zu hören? Er hat dich stets ihm treu ergeben gefunden. Schon oft sind die böswilligen Einflüsterungen deiner Feinde bei ihm auf ein taubes Ohr gestoßen. Wird er dich ohne Untersuchung verdammen? Nein, er wird dich rufen lassen, ehe er befiehlt, mit Gewalt gegen dich vorzugehen. Kannst du dann nicht sagen: allerdings habest du die Sklavin für den König gekauft, nachdem du sie aber geprüft habest, dich davon überzeugt, daß sie seiner doch nicht würdig sei; der Kaufmann habe dich betrogen, denn sie sei zwar sehr schön, aber es fehle ihr an Geist. Der König wird deinen Reden Glauben schenken und Muin wird beschämt sein, wie er es in ähnlicher Lage schon so oft gewesen ist. Und glaubst du noch etwas weiteres tun zu müssen, um ganz sicher zu gehen, so laß die Makler rufen. Sage ihnen, du seist mit der schönen Perserin nicht zufrieden, und trage ihnen auf, dir eine andere Sklavin zu verschaffen. Das wird deinen Aussagen vor dem König die größte Wahrscheinlichkeit geben und Muins Absichten gewiß vereiteln."

Da dieser Rat dem Wesir Badhl vernünftig erschien, beruhigte er sich ein wenig und beschloß, ihn zu befolgen. Wenn aber auch die Furcht vor den üblen Folgen nach und nach verschwand, so verminderte das doch nicht im geringsten den Zorn gegen den Übeltäter.

Nureddin war aus dem Haus seines Vaters geflohen und ließ sich den ganzen Tag nicht sehen. Er ging aus der Stadt und in einen Garten, wo er noch nie gewesen war und wo man ihn nicht kannte. Erst sehr spät am Abend kam er heim, als er wußte, daß sein Vater sich schon in sein Zimmer begeben hatte. Die Frauen seiner Mutter öffneten ihm, und er legte sich schlafen. Schon vor dem Morgengebet, ehe sein Vater aufgestanden war, ging er wieder aus. Zwei Monate war er so genötigt, diese Vorsicht zu gebrauchen, um dem Zorn seines Vaters auszuweichen. Denn die Frauen verhehlten ihm nicht, der Wesir sei immer noch so aufgebracht, daß er ihn töten würde, wenn er ihm vor die Augen käme.

Durch ihre Frauen wußte die Gemahlin des Wesirs, daß Nureddin jeden Tag nach Hause kam. So sehr aber auch ihr mütterliches Herz darunter litt, wagte sie es doch lange nicht, ihren Gemahl um Verzeihung für ihn zu bitten. Sie sann hin und her, wie das alte Verhältnis zwischen Vater und Sohn wohl wieder herzustellen sei. Endlich gab ihr ihre Klugheit ein Mittel in die Hand, von dem sie hoffte, daß es seine Wirkung nicht verfehlen würde. Sie faßte sich ein Herz und sprach eines Tages zu ihrem Gemahl, dem Wesir: „Mein Herr und Gemahl, ich habe es bisher nicht gewagt, mit dir von deinem Sohn zu sprechen. Doch jetzt, nach zwei Monaten, bitte ich dich, mir zu sagen, was du mit ihm zu machen gedenkst. So kann und darf es nicht bleiben. Es ist wahr, kein Sohn kann schuldiger gegen seinen Vater sein, als Nureddin es gegen dich ist. Anis Aldjalis ist für deine Zwecke durch seine Schuld verloren. Aber willst du mit der Sklavin auch deinen Sohn verlieren? Willst du ihn umbringen? Fürchtest du nicht, daß die böse Welt bei ihrer neugierigen Frage, weshalb dein Sohn vor dir flieht, die wahre Ursache erraten könnte, die du doch so geheimzuhalten trachtest? Und wenn man dann dem eigentlichen Zusammenhang der Sache auf den Grund kommt, würde dadurch nicht gerade das Unglück über dich und dein Haus hereinbrechen?"

„Liebe Frau", erwiderte der Wesir, „was du da sagst, ist vernünftig. Aber ich kann mich nicht entschließen, Nureddin zu verzeihen, ohne ihn bestraft zu haben, wie er es verdient."

„Er soll auch bestraft werden", sagte die Frau, „und ich denke, seine Strafe wird nicht zu leicht sein, wenn du tust, was mir eben einfällt: Jede Nacht, wenn du schon in deinem Schlafzimmer bist, kommt dein Sohn nach Hause. Er schläft hier und geht wieder aus, ehe du aufgestanden bist. Warte heute abend auf ihn, bis er kommt. Sobald er zur Tür hereintritt, ergreifst du ihn und tust, als wolltest du ihn töten. Ich eile dann herbei, reiße ihn von dir los und bitte für ihn um Gnade und Verzeihung. Dann sagst du ihm, daß du ihm auf meine Bitte das Leben schenkst, und nötigst ihn zugleich, die schöne Perserin zu solchen Bedingungen zur Frau zu nehmen, die dir gefallen."
Badhl erklärte sich bereit, diesem Rat zu folgen. Als die Zeit kam, da Nureddin ins väterliche Haus zu schleichen pflegte, verbarg er sich hinter dem Eingang an einem dunklen Ort. Bald darauf klopfte es an der Tür. Eine Sklavin öffnete geräuschlos, und sowie der Jüngling eintrat, fühlte er sich ergriffen und zu Boden geworfen. Nureddin drehte den Kopf herum, um zu sehen, wer ihn überfallen hatte. Und da erkannte er in dem unerwarteten Gegner seinen eigenen Vater.

Badhl setzte seinem Sohn Nureddin ein Knie auf die Brust, zog einen Dolch aus seinem Gürtel und drückte dem Erschrockenen die Kehle zusammen.

In diesem Augenblick kam Nureddins Mutter dazu, fiel dem Wesir in den Arm und rief aus: „Was willst du tun, Herr?"

„Laß mich los", versetzte der Wesir mit gespieltem Grimm, „damit ich diesen unwürdigen Sohn töte!"

„Ach, Herr", fuhr die Mutter fort, „tötet lieber mich. Ich werde niemals zugeben, daß du deine Hand in dein eigenes Blut tauchst!"

Nureddin benutzte diesen Zeitpunkt und rief mit Tränen in den Augen aus: „Mein Vater, wird es dir so leicht, deinen einzigen Sohn zu töten?" Da bemerkte er, daß auch in Badhls Augen Tränen schwammen. Ermutigt durch dieses Zeichen der rückkehrenden Vaterliebe, fuhr er fort: „Mein Vater, ich flehe deine Gnade und dein Erbarmen an! Gewähre mir die Verzeihung, um welche ich dich im Namen desjenigen bitte, von dem du sie an dem Tage erwartest, da wir einst alle vor ihm erscheinen werden!"

Trotz seiner Rührung zögerte Badhl noch, seinem Sohn zu verzeihen. Und um den Jüngling noch einmal die ganze Schwere seines Vergehens fühlen zu lassen, hielt er ihm in vorwurfsvollem Ton entgegen: „Undankbarer Sohn, war es dir so leicht, deines Vaters Leben, Vermögen und Ehre aufs Spiel zu setzen, nur um ein mutwilliges Gelüst zu befriedigen? Ein Dichter hat gesagt:

> *Erlaß mir meine Schuld, denn stets vergeben die Verständigen den Schuldigen ihre Vergehen. Wenn ich auch alle Arten von Untugend in mir vereinige, so verbinde doch du alle Tugenden mit der schönsten, der Großmut! Bedenke, daß, wer Verzeihung erhofft von dem, der über ihm ist, auch denjenigen ihre Schuld vergeben muß, die unter ihm sind.*

Dann stand der Wesir von der Brust seines Sohnes auf und ließ sich den Dolch aus der Hand winden. Sobald er sich frei fühlte, warf sich Nureddin zu seinen Füßen und küßte sie zum Zeichen seiner Reue.

„Nureddin", sprach sein Vater zu ihm, „danke deiner Mutter: Ihr zuliebe verzeihe ich dir. Ja, ich will dir sogar die schöne Perserin geben, aber nur unter der Bedingung, daß du mir mit einem Eid gelobst, sie gut zu behandeln. Du mußt sie nicht als deine Sklavin, sondern als deine Gemahlin betrachten. Das heißt: du darfst sie niemals verkaufen oder verstoßen, noch eine andere neben ihr heiraten. Da sie unendlich viel mehr Verstand, Geist und Lebensart hat als du, bin ich überzeugt, daß sie dein jugendliches Ungestüm mäßigen wird, das dich noch zugrunderichten kann."

Nureddin hatte nicht zu hoffen gewagt, mit solcher Milde behandelt zu werden. Noch unerwarteter kam ihm der Vorschlag, Anis Aldjalis zur Gattin zu nehmen. Da er sie jedoch gleich beim ersten Blick liebgewonnen hatte und die zwei Monate Trennung seine Neigung noch verstärkten, besann er sich nicht lange. Er dankte seinem Vater von Herzen und leistete ihm gern den Eid, den er von ihm verlangte. Darauf begab er sich zu Anis Aldjalis, um ihr eilends diese frohe Botschaft zu bringen.

Erst wollte sie ihren Ohren nicht trauen. Doch dann überließ sie sich ganz dem Entzücken, das die Erfüllung des höchsten Wunsches im Gemüt erregt.

Die schöne Perserin und Nureddin waren sehr zufrieden mit dieser günstigen Wendung ihres Geschicks. Und der Vater freute sich über ihre herzliche Einigkeit und bereute es nie, den verständigen Rat seiner Gemahlin befolgt zu haben. Um jedoch alle möglichen schlimmen Folgen der Begebenheit zu verhüten und seinen Feinden beim König zuvorzukommen, wartete der Wesir nicht ab, bis Mohammed über den erteilten Auftrag mit ihm spräche, sondern fing bei der nächsten besten Gelegenheit selber davon an. Er sagte dem König, es sei ihm trotz aller Bemühungen bisher nicht gelungen, eine des Königs würdige Sklavin zu finden. Er wußte es so geschickt einzuleiten, daß Mohammed nicht nur nicht das geringste von dem Vorfall ahnte, sondern auch bald gar nicht mehr an die Sache dachte.

Doch Muin hatte trotzdem etwas von dem erfahren, was vorgefallen war. Da er aber sah, daß Badhl immer höher in der Gunst des Königs stieg, wagte er nicht, dem etwas davon zu sagen.

Über ein Jahr nach dem glücklich überstandenen Abenteuer ging der Wesir einmal ins Bad. Eine wichtige Angelegenheit nötigte ihn aber, es schnell wieder zu verlassen. Erhitzt trat er in die kühle Witterung hinaus, die kalte Luft schlug ihm auf die Brust und verursachte ein heftiges Fieber, das ihn nötigte, sich ins Bett zu legen. Seine vom Alter geschwächte Natur vermochte dem Anfall nicht zu widerstehen und bald fühlte er, daß der letzte Augenblick seines Lebens nicht mehr fern war. Da ließ er seinen Sohn Nureddin rufen und sprach zu ihm: „Mein Sohn, ich weiß nicht, ob ich den richtigen Gebrauch von den Reichtümern gemacht habe, die Allah mir verlieh. Mein einziger Trost ist, daß ich mir bewußt bin, bei ihrer Verwendung nie eine unlautere oder niedrige Absicht gehabt zu haben. Wäre das nicht, so könnte ich nicht ruhig sterben, denn du siehst, daß alle meine Schätze mich nicht vor dem Tod bewahren können. Darum weiß ich dir jetzt, da ich sie dir hinterlasse, nichts Besseres zu empfehlen als: Prüfe bei allem, was du tust, deine Absicht und bedenke die Folgen. Die Dauer des menschlichen Lebens ist im Himmel beschlossen, und weder irdische Größe und Macht, noch alle Schätze der Welt vermögen den Todeskelch an uns vorbeizuführen, den jeder trinken muß, der vom Staube geboren ist. Ich gedenke der Verse des Dichters, der da sagt.

Ich fühle meinen Tod; erhaben ist nur der, der nie stirbt.
Ich aber kann dem Tode nicht entgehen. Wahrlich, in
der Hand des Erhabenen hört ein König auf, König zu
sein. Ein König aller Könige ist nur der, der nie stirbt.

Zuletzt bitte ich dich noch, dein mir gegebenes Versprechen betreffs der schönen Perserin zu halten. Ich sterbe zufrieden, wenn ich weiß, daß du es nie vergessen wirst."

Nureddin, der untröstlich darüber war, daß seines Vaters Tod bevorstehen sollte, erwiderte mit von Tränen erstickter Stimme: „Mein Vater! Mein Vater! Ich gelobe dir nochmals feierlich, daß ich nie vergessen werde, was ich dir versprochen habe. Ich hoffe bei Allah, daß er deine Wünsche erhören und mich in der Erfüllung meines Gelübdes stärken wird."

Der sterbende Greis drückte Nureddin noch einmal zum Abschied die Hand, legte sein Haupt in die Kissen zurück und verschied wenige Augenblicke später. Sein Tod versetzte sein Haus, den Hof und die Stadt in unaussprechliche Trauer. Nureddin war ganz betäubt und niedergeschmettert. Er brauchte lange Zeit, bis er sich soweit erholt hatte, daß er imstande war, als Sohn die letzten Pflichten gegenüber dem dahingeschiedenen Vater zu erfüllen. Dann bereitete er alles zur feierlichen Bestattung vor. Niemals wurde in Bassora ein glänzenderes Leichenbegängnis gesehen. Als der Leichnam mit Erde bedeckt war, hielt einer der Anwesenden eine Trauerrede, in der die Verse vorkamen:

> *Am Donnerstag nahm ich nun von meinen Freunden*
> *Abschied, und man wusch mich auf dem Waschgerüst.*
> *Man zog mir dann die Kleider aus, mit denen ich bedeckt*
> *war und legte mir ein Gewand an, welches nicht das*
> *meinige war. Auf vier Schultern trug man mich nach*
> *dem Betorte, und einige beteten für mich ein Gebet,*
> *wobei kein Niederfallen ist. Allah sei euch gnädig, euch*
> *allen, die ihr meine Freunde wart! Nun brachte man mich*
> *in ein gewölbtes Gemäuer, an welchem die Zeit vor-*
> *übergeht und dessen Tür nie mehr geöffnet wird.*

Als die Begleitung sich entfernt hatte und Nureddin, von Schmerz und Kummer ganz gebeugt, wieder nach Hause gekommen war, gedachte er folgender Verse eines Dichters:

> *Am Donnerstagabend ist er geschieden, und wir haben*
> *einander auf immer Lebewohl gesagt. Auch seine Seele*
> *folgte ihm, und als sie entfloh, rief ich ihr nach: ,Kehre*

in ihn zurück, o teure Seele!' ,Wie soll ich', war ihre
Antwort, ,in einen Leib zurückkehren, dem es an Fleisch
und Blut gebricht, an dem sich nichts als trockene
Gebeine finden? Dessen Augen viele Tränen blind gemacht
und dessen heute taube Ohren früher so viel Tadel
hören mußten?'

Nureddin zog sich ganz von der menschlichen Gesellschaft zurück und ließ sich lange Zeit von niemandem sehen.

Der Tag brach an, und Scheherazade schwieg. In der folgenden
Nacht fuhr sie fort:

DIE ZWEIHUNDERTELFTE NACHT

Als Nureddin einst im Hause seines Vaters saß, klopfte jemand in die Tür und begehrte Einlaß. Nureddin ließ an-
fragen, wer es sei, und als er erfuhr, daß es sich um einen seiner vertrauten Freunde handelte, erlaubte er, zu öffnen.

Nachdem der Freund und Nureddin sich herzlich begrüßt hatten, bezeugte der Freund seine Verwunderung darüber, Nureddin noch immer so niedergeschlagen und einsam zu sehen und
versuchte, ihm Trost zuzusprechen. „Wer einen Sohn hinter-
läßt wie dich, der stirbt nicht", sagte er. „Darum laß das
Trauern. Allerdings würden wir uns gegen die Gesetze der
Natur und auch gegen bürgerliche Einrichtungen versündigen,
wenn wir unseren Vätern nicht nach ihrem Tode die Pflichten
der kindlichen Zärtlichkeit leisteten, und man würde uns mit
Recht für gefühllos halten. Aber wenn wir uns dieser Pflichten
entledigt haben, müssen wir unsere alte Lebensweise wieder
aufnehmen und in der Welt leben, wie man eben darin lebt.
Trockne also deine Tränen und nimm wieder das fröhliche
Wesen an, das stets überall, wo du hingekommen bist, Freude
verbreitet hat."

Bei diesen Worten seines Freundes fand Nureddin Trost und würde sich auch bei der Befolgung dieser verständigen Ratschläge wohl befunden und alles Mißgeschick, das ihn später traf, vermieden haben. Er ließ sich ohne Mühe bereden, bewirtete seinen Freund und bat ihn, am folgenden Tag wiederzukommen und drei oder vier andere gemeinsame Freunde mitzubringen. So bildete sich mit der Zeit eine Gesellschaft von zehn Freunden, sämtlich Kaufleute und alle etwa im gleichen Alter wie Nureddin. Mit ihnen zusammen veranstaltete er Feste und Lustbarkeiten, die er sich ungeheure Summen kosten ließ. Und es verging kaum ein Tag, an dem nicht jeder Freund obendrein noch mit einem kostbaren Geschenk von Nureddin nach Hause zurückkehrte.

Um seinen Freunden noch mehr Unterhaltung zu bieten, ließ Nureddin manchmal die schöne Perserin kommen. Aus Gefälligkeit gegen ihn gehorchte sie, billigte aber die übermäßige Verschwendung keineswegs und sagte ihm auch unumwunden ihre Meinung darüber. „Ich zweifle nicht", sprach sie zu ihm, „daß dir der Wesir, dein Vater, große Reichtümer hinterlassen hat. Aber wie groß sie auch sein mögen, sie werden bald zur Neige gehen, wenn du weiter ein solches Leben führst. Man kann manchmal seine Freunde bewirten und mit ihnen fröhlich sein, aber eine tägliche Gewohnheit daraus machen heißt, auf der breiten Heerstraße in das tiefste Elend hinabrennen. Für deine Ehre und deinen Ruf wäre es besser, in die Fußstapfen deines verstorbenen Vaters zu treten, um auch zu den Würden zu gelangen, in denen er sich soviel Ruhm und Ansehen erworben hat."

Nureddin hörte die schöne Perserin lächelnd an, und als sie geendet hatte, entgegnete er: „Liebreizende Anis Aldjalis, lassen wir dieses Gespräch und reden wir nur davon, wie wir uns das Leben angenehm machen wollen. Mein verstorbener Vater hat mich stets zu kurz gehalten. Seine Strenge hat meine Jugend verkümmert. Ich freue mich, endlich die Freiheit zu genießen, nach der ich vor seinem Tode so oft geschmachtet habe. Ich werde immer noch Zeit genug haben, mich auf ein regelmäßiges Leben einzuschränken. Ein Mensch in meinem

Alter darf keine Gelegenheit versäumen, die Freuden der Jugend zu genießen."

Was noch mehr dazu beitrug, seine Vermögenslage zu zerrütten, war, daß er niemals von einer Rechnung mit seinem Verwalter hören wollte. Jedesmal, wenn der mit seinem Buch kam, schickte er ihn wieder fort, indem er sagte: „Ich verlasse mich ganz auf dich. Sorge nur dafür, daß ich jeden Tag eine wohlbesetzte Tafel habe."

„Du hast zu gebieten, Herr", erwiderte der Verwalter. „Erlaube jedoch, daß ich dich an das Sprichwort erinnere, das da sagt: ‚Wer immer ausgibt, ohne zu rechnen was, kommt zum Schluß an den Bettelstab, ohne zu wissen wie. Verschwendung', sagt ein anderes Sprichwort, ‚schöpft auch den tiefsten Brunnen aus.'"

„Geh, sag ich dir", entgegnete ihm unwillig Nureddin, „von all dem will ich kein Wort mehr hören. Fahre fort, mir zu essen zu schaffen, und kümmere dich nicht um das übrige! Weißt du nicht, wie der Dichter sagt:

> *Wenn ich Reichtümer besitze und damit nicht freigiebig bin, so möge meine Hand sich nie öffnen und mein Fuß nie auf dem Boden stehn. Zeige mir einen Geizigen, der mit seinem Geize Ruhm erworben hätte, oder einen Freigiebigen, der in Verachtung gestorben wäre.*

Alles, was ich von dir fordere, ist: So lange du noch hast auf morgen, mach mir heute keine Sorgen!"

Auf die Frage des Verwalters, ob das seines Gebieters letztes Wort sei, antwortete Nureddin mit einem kurzen Ja, und der Verwalter ging seines Weges.

Nureddin fuhr in seinem Leichtsinn fort. Seine Freunde aßen von seinen Speisen, tranken von seinem Wein, und dabei schmeichelten sie ihm, lobten ihn und alles was er tat oder sagte, auch das Geringste und Unbedeutendste. Dabei kamen sie auf ihre Rechnung.

„Herr", sprach der eine zu ihm, „als ich neulich spazierenging, führte mich mein Weg an einem Landgut vorüber, das mir durch seine Schönheit sogleich auffiel. O, sagte ich mir, das muß ein Mann von großer Weisheit und ebensolchem Geschmack angelegt haben. Da traf ich auf jemanden, der mir ein Gärtner zu sein schien. ‚Guter Freund‘, redete ich ihn an, ‚kannst du mir wohl sagen, wer der Besitzer dieses reizenden Aufenthaltes ist?‘ Ich erschrak beinahe vor Freude, als er mir antwortete: ‚Dieses Landgut gehört meinem Herrn und Gebieter, dem großen und weisen Nureddin Ali.‘ Der Sklave führte mich überall herum und zeigte mir alles Sehenswerte. Selten habe ich vergnüglichere Stunden zugebracht als auf deinem Landgut. Nichts kann prächtiger und zweckmäßiger angelegt sein als das Haus. Und der Garten dabei ist das reinste Paradies. Du erlaubst mir doch, manchmal hinzugehen und meine Augen an diesem Anblick zu weiden?“

„Es freut mich, daß es dir gefällt“, erwiderte Nureddin. „Es ist wahr, ich habe an nichts gespart, um es meines Standes und meines Reichtums würdig einzurichten. Aber es wäre Verrat an der Freundschaft, wollte ich dir nur erlauben, es mit den Augen eines Fremden anzusehen. Man bringe mir Feder, Tinte und Papier. Ich will nicht mehr weiter davon reden hören. Es ist dein, ich schenke es dir!“

Nachdem es so dem einen durch Schmeichelei gelungen war, ein so ansehnliches Besitztum zu erwerben, zögerten auch die anderen nicht, ihrem Freunde nach und nach das Wertvollste, was er besaß, abzuschwatzen. So ging eines von Nureddins Häusern nach dem andern in den Besitz dieses oder jenes seiner Freunde über. Bald waren die Bäder, bald auch die öffentlichen Herbergen, die ihm gehörten und große Einkünfte abgeworfen hatten, nicht mehr sein, denn wenn sein Herz guter Dinge war, brauchte man ihn nur zu preisen und zu rühmen. Sogleich glaubte er, es der Ehre und Freundschaft schuldig zu sein, dem Lober ein Geschenk zu machen.

Anis Aldjalis ergriff die Gelegenheit, ihm Vorstellungen zu machen. So sehr sie ihn liebte und so sehr sie alles Unangenehme von ihm zu entfernen bemüht war, so ließ sie doch nicht ab, ihn zu warnen, und um ihn zu besserer Einsicht zu bringen, sang sie ihm eines Tages folgende Strophen vor:

Wenn deine Tage schön sind, so bist du fröhlichen Mutes
und fürchtest nicht das Böse, mit dem das Geschick
dich bedroht. Wenn deine Nächte ruhig sind, so läßt du
dich täuschen. Aber bedenke, daß in der heitersten
Nacht oft plötzlich Sturm und Gewitter entstehen.

Aber Nureddin hörte nicht auf die gutgemeinten Ermahnungen seiner geliebten Anis Aldjalis, dachte nur an neue Vergnügungen und fuhr in seiner Verblendung fort, zu verschenken und zu vergeuden, was er noch übrig hatte. Seine Gesellschaften dauerten vom Sonnenaufgang bis zum Sonnenuntergang, und oft fand man ihn sogar noch um Mitternacht mit seinen Freunden zusammen. Da es ein ganzes Jahr so fortdauerte, war es kein Wunder, daß sogar die großen Güter schwanden, die seine Vorfahren und der Wesir, sein Vater, mit so viele Sorgen und Mühe erworben oder erhalten hatten.

Das Jahr war eben abgelaufen, als es eines Tages plötzlich an die Tür des Saales klopfte, wo er zu Tische saß. Er hatte seine Sklaven weggehen lassen und sich mit seinen Freunden eingeschlossen, um ganz ungestört und in voller Freiheit zu sein. Nureddin ging selber, um zu öffnen.

Scheherazade schwieg, da der Morgen dämmerte. In der folgenden Nacht fuhr sie fort:

Zu seinem größten Erstaunen sah Nureddin zu so unge-
wöhnlicher Stunde draußen seinen Verwalter stehen. Er
las in dem Gesicht des Dieners, daß dieser ihm etwas Außer-
gewöhnliches mitzuteilen hatte, und um zu hören, was es
wäre, ging er auf ihn zu und ließ die Tür hinter sich halb
offen stehen. Einer seiner Freunde war jedoch neugierig geworden und schlich sich, von Nureddin unbemerkt, zwischen
den Vorhang und die Tür und hörte das folgende Gespräch
zwischen dem Verwalter und seinem Herrn mit an:

„Mein Herr und Gebieter", sagte der Verwalter zu Nureddin,
„verzeihe deinem Sklaven, wenn er dich bei deinen Vergnügungen stört. Doch was ich dir mitzuteilen habe, ist von so großer Wichtigkeit, daß es keinen Aufschub verträgt. Du wirst
dich erinnern, daß ich dir jederzeit ungelegen kam, wenn ich
mit dir über diesen Gegenstand sprechen wollte, und daß du
mir ausdrücklich verboten hast, früher vor dir zu erscheinen,
als bis der Augenblick da wäre, wo du es notwendig erfahren
müßtest. Jetzt komme ich, meine letzte Rechnung vorzulegen,
und was ich seit langer Zeit voraussah und wovor ich dich
mehrmals warnte, ist eingetroffen."

„Wie soll ich deine Worte verstehen?" fragte Nureddin betroffen.

„Herr", fuhr der Verwalter fort, „laß es deinem Sklaven nicht
entgelten, wenn er dir sagen muß, was deine Ohren ungern
vernehmen werden. Es ist nichts mehr da, wovon du morgen
leben könntest. Nicht ein Dirham mehr von all den Summen,
die du mir gegeben hast, um deinen Haushalt zu bestreiten."

„So verpfände meine Häuser, entlehne Geld auf meine Gärten,
laß dir Vorschuß von Pächtern geben!" fuhr Nureddin auf.

„Herr", erwiderte der Verwalter, „alle Einkünfte, die du mir
angewiesen hast, sind erschöpft, und deine Pächter und alle
jene, die dir Zinsen zahlen mußten, haben mir schwarz auf
weiß von deiner Hand die Abtretung deiner Forderungen an
andere vorgelegt, so daß ich nicht mehr bei ihnen einziehen

kann. Hier sind meine Rechnungen. Prüfe sie! Und wenn du willst, daß ich dir weiter dienen soll, so weise mir andere Mittel an, Geld für dich zu erheben. Willst du das nicht, so erlaube, daß ich meinen Abschied nehme."

Nureddin war so bestürzt über diese Rede, daß er keine Silbe darauf antworten konnte. Auf einmal war Gewißheit geworden, was er seit einem ganzen Jahr stets von sich fernzuhalten bemüht gewesen war. Er war so niedergeschlagen, daß es ihm unmöglich war, in diesem Zustand zu der Gesellschaft zurückzukehren. Erst mußte er wieder Fassung erringen.

Währenddessen trat der Freund, der die Unterhaltung zwischen Nureddin und dem Verwalter belauscht hatte, wieder zu den übrigen Freunden und teilte ihnen seine Entdeckung mit. „Ich habe es euch nun gesagt", beendete er seinen Bericht, „und ihr braucht nicht mehr daran zu zweifeln, daß Nureddin jetzt ein Bettler ist. Tut, was ihr wollt. Ich jedenfalls bin heute zum letztenmal hier."

„Wenn es so ist", erwiderten die anderen, „so haben auch wir hier nichts mehr zu suchen. Wir wollen sehen, wie wir uns auf schickliche Weise von ihm trennen können."

In diesem Augenblick kehrte Nureddin, der aus seiner dumpfen Betäubung erwacht war und sich im Vertrauen auf die Hilfe Allahs und seiner Freunde gestärkt hatte, in den Saal zurück. Doch welche heitere Miene er auch annahm, um die unterbrochene Fröhlichkeit zurückzurufen, so konnte er sich doch nicht so gut verstellen, daß sie nicht deutlich genug bestätigt sahen, was sie eben vernommen hatten. Er hatte sich kaum wieder auf seinen Platz gesetzt, als einer der Freunde aufstand und sagte: „Herr, es tut mir leid, dir nicht länger Gesellschaft leisten zu können. Ich bitte dich, mir nicht übelzunehmen, wenn ich mich entferne."

„Was zwingt dich, uns jetzt schon zu verlassen?" fragte Nureddin.

„Herr", antwortete der andere, „meine Frau ist der Entbindung nahe. Du weißt wohl, daß in solchen Fällen der Mann nicht zu lange von zu Hause weggehen soll." Damit machte er eine tiefe Verbeugung und ging fort.

Bald folgten ihm die übrigen, einer nach dem andern. Jeder hatte einen anderen Vorwand — bis kein einziger der zehn Freunde übrig blieb, die bis zu dieser Stunde Nureddin Gesellschaft geleistet hatten. Doch selbst als der sich ganz verlassen sah, argwöhnte er noch nichts Böses. Er ging in das Zimmer der schönen Perserin und sagte zu ihr: „Als du mein Haus betratest, Anis Aldjalis, da ahntest du noch nichts von dem, was heute eingetroffen ist!" Dann erzählte er ihr, was er von seinem Verwalter gehört hatte, und beteuerte dabei immer wieder, wie leid es ihm täte, seine Vermögenslage so zerrüttet zu sehen.

„Herr", sprach Anis Aldjalis zu ihm, „jetzt teilst du das Schicksal derer, die den Rat ihrer guten Freunde überhören, bis sie endlich durch Schaden klug werden. Dann ist es aber meistens zu spät. Da du dir deine Meinung nicht nehmen lassen wolltest, blieb mir zuletzt nichts übrig, als zu schweigen und dich gewähren zu lassen."

„Ich bekenne", versetzte Nureddin, „daß ich übel daran tat, deinen Rat nicht zu befolgen. Aber du bedenkst nicht, daß ich all mein Gut mit auserwählten Freunden verzehrt habe, die ich schon seit langem kenne. Es sind Männer voll Ehrgefühl und Dankbarkeit. Ich bin sicher, daß sie mich nicht im Stich lassen werden."

„Herr", entgegnete Anis Aldjalis, „wenn du keine anderen Hilfsmittel hast als die Dankbarkeit deiner Freunde, so ruht deine Hoffnung auf einem schlechten Grund, und du wirst mir nächstens etwas von enttäuschtem Vertrauen zu erzählen wissen."

„Licht meiner Augen", sagte Nureddin hierauf, „du urteilst zu hart über Männer, deren Charakter ich seit Jahren kenne. Ich habe eine bessere Meinung als du von der Hilfe, die sie mir gewähren werden. Gleich morgen will ich sie alle besuchen, und du wirst mich mit einer hübschen Geldsumme zurückkommen sehen. Dann werde ich meine Lebensweise ändern, die Vergnügungen aufgeben und das Geld in irgendeinem Handel vorteilhaft anlegen."

Am nächsten Morgen machte sich Nureddin gleich auf den

Weg und suchte das Quartier der Stadt auf, in dem seine zehn Freunde wohnten. Zuerst ging er zu dem, der einer der reichsten war. Als er an die Tür klopfte, erschien eine Sklavin und fragte, wer er sei. „Sage deinem Herrn", antwortete Nureddin, „Nureddin Ali, der Sohn des verstorbenen Wesirs Badhl, läßt ihm seinen Gruß entbieten und küßt ihm die Hand."

Die Sklavin öffnete, führte ihn in einen Vorsaal und ging in das Zimmer ihres Herrn, dem sie Nureddin anmeldete.

„Nureddin?" antwortete der Herr in verächtlichem Ton und so laut, daß Nureddin es hörte, „geh und sag ihm, ich sei nicht zu Hause. Und sooft er wiederkommt, sag ihm dasselbe!"

Die Sklavin kam zurück und gab Nureddin den Bescheid, sie hätte geglaubt, daß ihr Herr zu Hause sei, doch sie habe sich geirrt.

Der Tag brach an, und Scheherazade schwieg. Am Abend aber erzählte sie weiter:

DIE ZWEIHUNDERTDREIZEHNTE NACHT

Voller Scham ging Nureddin wieder weg und murmelte vor sich hin: „Der treulose, schändliche Mensch! Gestern beteuerte er mir, ich hätte keinen besseren Freund als ihn, und heute läßt er sich vor mir verleugnen. O Anis Aldjalis, solltest du recht haben? Nein, der erste Versuch ist zwar mißlungen, aber noch bleiben mir neun von zehn. Sie werden nicht alle so sein wie dieser Undankbare."

Er ging weiter und klopfte an die Tür eines anderen Freundes. Auch hier kam eine Sklavin und fragte ihn nach seinem Namen. Nachdem sie ihn erfahren hatte, ging sie hinein, um ihn zu melden. Bald darauf kam sie zurück, und abermals mußte er hören: „Mein Herr ist nicht zu Hause."

So erging es ihm an jeder Tür, an die er klopfte. Zehnmal ließen sich seine alten Freunde verleugnen. Erst nachdem es zum zehntenmal geheißen hatte: „Mein Herr ist nicht zu

Hause", erkannte Nureddin seine Torheit, die ihn verleitet hatte, auf falsche Freunde zu vertrauen.

„Es ist wohl wahr", sagte er mit Tränen in den Augen:

> *Der Mensch zur Zeit seines Glücks gleicht einem Baum:*
> *Solange er Früchte hat, sammeln sich Menschen um*
> *ihn. Sind sie aber abgenommen, so gehen die Leute*
> *davon und überlassen ihn den Stürmen und dem Staub.*
> *Pfui über die Menschen dieser Zeit! Sie sind gemein*
> *und schlecht. Unter zehn ist nicht ein einziger gut.*

Nachdem Nureddin heimgekommen war, überließ er sich ganz seinem Jammer. Aber dann ging er, um bei Anis Aldjalis Trost zu suchen. Als er bei ihr eintrat, erkannte sie an seiner Niedergeschlagenheit sogleich, daß er bei seinen Freunden nicht die erhoffte Hilfe gefunden hatte. „O Herr", fragte sie, „bist du nun von der Wahrheit dessen überzeugt, was ich dir vorausgesagt habe?"

„Ach, meine Teure", rief er aus, „du hast nur zu sehr recht gehabt! Wehe mir Unglücklichem, nicht nur mein Gut, sondern auch den Glauben an die Menschheit habe ich verloren! Ich bin so verzweifelt, daß ich fürchte, eine meiner unwürdige Handlung zu begehen, wenn du mir nicht beistehst mit deinem Rat!"

„Herr", erwiderte die schöne Perserin, „hättest du dich früher warnen lassen, so stünde es besser um dich. Jetzt ist in der Tat guter Rat teuer. Doch du brauchst deshalb nicht zu verzweifeln. Wer sich nicht selbst verliert, hat noch nicht alles verloren. Zunächst aber sehe ich kein anderes Mittel, als deine Sklaven und dein Hausgerät zu Geld zu machen, dich auf das Notwendigste einzuschränken und auf diese Art so lange zu leben, bis der Himmel dir einen anderen Weg zeigt, dich aus dem Elend zu ziehen."

So hart Nureddin dieses Mittel schien, so fand er nach einigem Nachdenken doch, daß ihm in seiner Lage kein anderer Ausweg blieb, um sich am Leben zu erhalten. „Meine Sklaven", überlegte er, „sind jetzt nichts für mich als unnütze Esser. Anis Aldjalis hat recht — ich will sie verkaufen."

Der Erlös aus dem Verkauf der Sklaven reichte für einige Zeit hin, die Haushaltskosten zu decken. Aber lange konnte es nicht dauern, so sehr er sich auch bemühte, nur das Notwendigste zu brauchen. Ans Wohlleben gewöhnt, fielen ihm die Entbehrungen äußerst schwer. Bekümmerten Herzens ließ er sein Hausgerät auf den Markt bringen, wo es weit unter dem wahren Wert verkauft wurde, obgleich sehr kostbare Stücke darunter waren, die ungeheure Summen gekostet hatten. Davon konnte er wieder eine Zeitlang leben, aber endlich versiegte auch diese Hilfsquelle, und er besaß nun nichts mehr, was er zu Geld machen konnte. So sagte er zu der schönen Perserin: „Du hast mich auf den Beistand des Himmels vertröstet, Anis Aldjalis, aber er hat sich unserer noch nicht erbarmt, obwohl wir schon so lange schmachten. Weißt du auch jetzt noch Rat, so sprich. Wenn nicht, so laß mich sterben, denn mein Leben ist zur Last geworden."

„Herr", sagte da Aldjalis zu ihm, „du irrst dich, wenn du glaubst, du besäßest nichts mehr. Ich bin deine Sklavin, und du weißt, daß dein Vater, der Wesir, mich für zehntausend Dinar gekauft hat. Zwar weiß ich wohl, daß ich jetzt nicht mehr so viel wert bin wie damals. Doch bin ich überzeugt, daß ich noch immer für eine ziemlich hohe Summe verkauft werden kann. Folge meinem Rat, führe mich auf den Markt und verkaufe mich. Mit dem Geld, das du für mich bekommst, läßt sich schon etwas anfangen. Nimm es und geh damit in irgendeine Stadt, wo du unbekannt bist und Handel treiben kannst. Auf diese Weise wirst du Mittel finden, glücklich und zufrieden zu leben."

„Ach, liebenswürdige, schöne Anis Aldjalis", rief Nureddin aus, „wie konntest du nur diesen Gedanken fassen? Habe ich dir so wenig Beweise von Liebe gegeben, daß du mich einer solchen Treulosigkeit für fähig hältst? Und wenn ich wirklich niederträchtig genug dazu wäre, könnte ich es nicht tun, ohne meineidig zu werden, denn ich habe meinem Vater geschworen, dich nie zu verkaufen. Ich will lieber sterben, als dem zuwiderhandeln und mich von dir trennen, die ich mehr als mich selbst liebe. Dadurch, daß du mir einen solchen Vorschlag

machst, gibst du mir zu erkennen, daß du mich bei weitem
nicht so liebst wie ich dich liebe."

„Herr", erwiderte die schöne Perserin, „ich bin überzeugt, daß
du mich so sehr liebst, wie du sagst. Und Allah weiß, wie sehr
ich auch dich liebe. Du ahnst nicht, welche Überwindung es
mich gekostet hat, den Vorschlag zu machen, der dich so empört. Um den Einwand, den du dagegen hast, zu entkräften,
darf ich dich nur an das Sprichwort erinnern: ‚Not kennt kein
Gebot!' oder an die Worte des Dichters:

> *Die Not nimmt manchmal ihre Zuflucht zu Wegen,*
> *die sonst dem feinen Leben nicht ziemen.*

Ich liebe dich so sehr, daß du mich unmöglich mehr lieben
kannst. Ich werde nie aufhören, dich so zu lieben, welchem
Herrn ich auch gehören mag. Ja, es wird für mich die größte
Freude auf der Welt sein, mich wieder mit dir zu vereinigen,
sobald du mich wieder kaufen kannst. Es ist freilich, ich bekenne es, eine grausame Notwendigkeit für dich und für mich.
Aber ich sehe kein anderes Mittel, uns beide dem Elend zu
entreißen."

Nureddin, der sich lange weigerte, die Wahrheit dessen anzuerkennen, was Anis Aldjalis ihm vortrug, mußte endlich zugeben, daß es keinen anderen Weg gab, der schmählichen
Armut zu entgehen. So entschloß er sich denn, diesen Weg
einzuschlagen und führte seine geliebte Anis Aldjalis auf den
Markt, wo die Sklavinnen verkauft wurden. So lange sie
unterwegs waren, vermochte er nicht, sie anzublicken oder in
Worten seiner beklommenen Brust Luft zu machen.

Als sie nun auf dem Platz angekommen waren, sah er sie mit
einem Blick voll Kummer und Liebe an und sprach die Verse
zu ihr:

> *Noch einmal, ehe du dich von mir trennst, beglücke*
> *mich mit einem Blick von dir, um mein Herz zu stärken,*
> *welches die Trennung von dir dem Tode nahebringt.*

Doch sollte das zu sehr dich schmerzen, so unterlaß es:
Gern will ich sterben vor Liebesleid, kann ich dadurch
dir diesen Schmerz ersparen.

Hierauf wandte er sich an einen Ausrufer namens Hadschi
Hassan und sprach zu ihm: „Hadschi Hassan, hier ist eine
Sklavin, die ich verkaufen will. Sieh zu, wie du sie ausbieten
kannst. Je mehr, je lieber!"

Hadschi Hassan versprach, keinen Vorteil unbenützt lassen
zu wollen und hieß Nureddin mit der schönen Perserin in ein
Gemach eintreten, um die Sklavin mit prüfenden Augen betrachten zu können. Kaum hatte aber Anis Aldjalis auf seine
Aufforderung den Schleier vom Gesicht genommen, als Hadschi
Hassan verwundert ausrief: „Herr, täusche ich mich nicht? Ist
dieses nicht die Sklavin, die der selige Wesir, dein Vater, für
zehntausend Dinar gekauft hat?"

Als Nureddin versicherte, es sei die gleiche, machte ihm Hadschi
Hassan gute Hoffnung und sagte: „Dann hat es keine Not,
Herr. Von der schönen Perserin und den zehntausend Dinar ist
lange nachher auf dem Markt die Rede gewesen, und man hat
sogar behaupten wollen: Wären die Kaufleute nicht der Meinung gewesen, der Wesir, dein seliger Vater, habe sie für
unseren König bestimmt, so hätte er sie nimmer so billig erhalten. Das kommt uns zustatten, Herr. Und wenn auch ein
paar Jahre darüber hingegangen sind, so gedenke ich doch
noch ein hübsches Sümmchen herauszuschlagen und werde all
meine Mühe aufbieten, sie so teuer wie nur irgend möglich zu
verkaufen."

Hadschi Hassan verließ mit Nureddin das Gemach und verschloß die schöne Perserin darin. Hierauf ging er herum, die
Kaufleute aufzusuchen und sie einzuladen, seine Sklavin anzusehen. Da sie aber alle damit beschäftigt waren, Nubierinnen,
Europäerinnen, Griechinnen, Türkinnen, Tatarinnen und
andere einzukaufen, hielt er es für geraten, zu warten, bis sie
ihren Handel abgeschlossen hatten. Nachdem es so weit war
und der Ausrufer sah, daß sie nun nach ihrer Gewohnheit auf
dem Markt zusammenstanden und sich von ihren Geschäften

488

unterhielten, glaute er, daß der richtige Zeitpunkt für seine Absicht gekommen sei und trat unter sie.

Da der Morgen dämmerte, schwieg Scheherazade. Doch in der nächsten Nacht fuhr sie fort:

DIE ZWEIHUNDERTVIERZEHNTE NACHT

Hadschi Hassan sprach zu den Kaufleuten mit fröhlichem Gesicht und lustigen Gebärden: „Ihr hochmögenden Herren, ihr habt in eurem Leben wohl manche Sklavin gesehen und gekauft. Aber keinem von euch ist jemals eine begegnet, die mit der verglichen werden könnte, die ich euch jetzt anbiete. Sie ist die Perle aller Sklavinnen der Welt! Ihr dürft mich nicht so ungläubig ansehen. Kennt ihr den Hassan nicht? Überzeugt euch mit euren eigenen Augen! Kommt und folgt mir! Ich will sie euch zeigen! Ihr selber sollt mir bestimmen, zu welchem Preis ich sie zuerst ausrufen soll!"

Die Kaufleute folgten Hadschi Hassan in das Gemach, in dem die schöne Perserin war. Sie betrachteten sie mit Bewunderung, und nachdem sie ihre Prüfung beendet hatten, kamen sie darin überein, daß das Ausgebot nicht unter viertausend Dinar sein könne. Dann verließen sie das Zimmer, Hadschi Hassan, der mit ihnen herauskam, schloß wieder die Tür und rief mit lauter Stimme aus: „Für die persische Sklavin — viertausend Dinar — zum Ersten!"

Keiner der Kaufleute hatte ein Gebot getan, und sie berieten noch, wie hoch sie hinauftreiben wollten, als der Wesir Muin vorüberkam. Er bemerkte Nureddin auf dem Markt und sagte sich: ‚Was hat der Sohn Badhls auf dem Markt zu tun? Sollte der Verschwender noch so viel übrig haben, daß er Sklavinnen kaufen könnte? Vermutlich hat er wieder einiges Hausgerät zu Geld gemacht und will dafür eine Sklavin erhandeln.'

Er näherte sich, als Hadschi Hassan eben zum zweitenmal rief: „Für die persische Sklavin — viertausend Dinar — zum Ersten!"

Aus diesem hohen Preis schloß Muin, daß die Sklavin ganz besonders schön sein müsse. Doch zugleich fuhr ihm noch ein anderer Gedanke durch den Kopf: ‚Ha‘, dachte er, ‚nicht kaufen, sondern verkäufen wird er, der Taugenichts. Sicher ist die ausgerufene Sklavin jene Perserin, die Badhl für den König gekauft und dann seinem Sohn überlassen hat. Ich bin doch neugierig, die berühmte Schönheit zu sehen, die zehntausend Dinar gekostet hat und doch des Königs nicht für würdig befunden wurde. Ist sie es, so sind viertausend Dinar billig, und verkauft Nureddin sie aus Not, so wollen wir schon sehen, daß wir sie noch billiger bekommen. O, welche Genugtuung wird es für mich sein, über den Sohn meines Erzfeindes zu triumphieren!‘

Er ritt mit seinem Pferd auf Hadschi Hassan zu und fuhr ihn barsch an: „Öffne die Tür und laß mich die Sklavin sehen!“ Der Ausrufer fiel vor dem Wesir auf die Erde nieder und küßte sie.

Nun war es nicht Brauch, nachdem die Kaufleute eine Sklavin gesehen hatten und darum handelten, diese sonst noch jemand zu zeigen. Aber die Kaufleute hatten nicht den Mut, ihr Recht gegen den Wesir zu verteidigen. Und was sollte Hadschi Hassan anderes tun als gehorchen? Er stand daher auf und sagte: „In Gottes Namen, gestrenger Herr!“ Dann öffnete er die Tür und gab der schönen Perserin ein Zeichen, hervorzutreten, damit Muin sie sehen könnte, ohne von seinem Pferd zu steigen.

Muin war sprachlos, als er eine Sklavin sah, die an Schönheit alles übertraf, was er bisher gesehen hatte. Sofort stand sein Entschluß fest, sich in den Besitz des Mädchens zu setzen. Und so sagte er zu dem Makler: „Hadschi Hassan, habe ich recht gehört? Du bietest diese Sklavin für viertausend Dinar aus?“

„Ja Herr“, antwortete der. „Die Kaufleute, die du hier siehst, sind kurz vorher übereingekommen, daß ich sie für diesen Preis ausrufen soll. Das ist aber natürlich nur das niedrigste Angebot. Es ist zu erwarten, daß sie draufschlagen und sich bis zu einem sehr hohen Preis steigern.“

„Für viertausend Dinar nehme ich sie“, fuhr Muin fort, „wenn

niemand mehr bietet." Das sagte der Wesir so laut, daß alle Umstehenden es hören mußten. Zugleich sah er die Kaufleute mit einem Blick an, der deutlich zu erkennen gab, er rechne darauf, daß sie ihn nicht steigerten.

Seine Erwartung trog nicht: Er war von aller Welt so gefürchtet, daß sie sich wohl hüteten, den Mund aufzutun, selbst nicht einmal, um sich zu beklagen, daß er ihr Vorrecht verletzte. Alles blieb stumm.

Hadschi Hassan wußte nicht, was er tun sollte. Doch während er noch unschlüssig dastand, warf ihm Muin einen grimmigen Blick zu und fuhr ihn an: „Was besinnst du dich noch? Geh zu deinem Verkäufer und schließ den Handel mit ihm ab! Viertausend Dinar sind geboten, und für diesen Preis kaufe ich!"

Hadschi Hassan beeilte sich, die Tür des Gemachs zu verschließen, bat den Wesir, eine Weile Geduld zu haben und ging, um sich mit Nureddin darüber zu besprechen. Unterwegs sann er auf ein Mittel, den unrechtmäßigen Handel zu hintertreiben, denn erstens bedauerte er Nureddin und zweitens hätte er die Sklavin jedem anderen, nur nicht dem gewalttätigen Wesir gegönnt. Er nahm Nureddin beiseite und sagte zu ihm: „Herr, es tut mir leid, daß ich dir eine böse Nachricht bringen muß: Deine Sklavin soll für ein Spottgeld verkauft werden."

„Wieso?" fragte Nureddin.

„Herr", erwiderte Hadschi Hassan, „zunächst ging alles sehr ordentlich, und die Kaufleute beratschlagten, wie hoch sie steigern sollten, als der Wesir Muin dazukam. Du kennst den Trotz und den Geist dieses Mannes. Kaum hatte er mich ausrufen hören, als er sich einmischte und die Sklavin zu sehen verlangte. Sie gefiel ihm und überdies vermute ich, daß ihn noch etwas anderes bewog, sogleich als Käufer aufzutreten. Wenn mich nämlich nicht alles trügt, weiß er, daß die schöne Perserin dir gehört. In den Winkeln seiner Augen lauerten Bosheit und Rachsucht. Aber was sollte ich tun? Seine Gegenwart stopfte den Kaufleuten den Mund, die ich schon geneigt sah, die Sklavin bis zu jenem Preis hochzutreiben, den auch dein seliger Vater, der Wesir, für sie bezahlt hat. Als der Wesir

Muin sah, daß er sein Ziel erreicht und die Kaufleute einge-
schüchtert hatte, blieb er bei dem ersten Angebot stehen und
war nicht geneigt, mehr als viertausend Dinar zu geben. Gegen
meinen Willen und gegen meine Erwartungen bin ich gezwungen, dir dieses Angebot zu unterbreiten. Trotzdem wäre der
Handel nicht so schlimm, wenn man sicher sein könnte, daß
dir Muin die viertausend Dinar sofort ausbezahlen läßt. Aber
ich kenne seine Ungerechtigkeit und möchte dir nicht raten,
ihn als Käufer anzuerkennen. Statt Bargeld würde er dir Anweisung geben und demjenigen, auf den sie lautet, sagen:
‚Halte Nureddin hin so lange es möglich ist, und hüte dich, ihm
seine Forderung zu bezahlen.' So oft du dann kämest, dein
Geld zu holen, würde es heißen: ‚Die Anweisung ist gut, aber
heute kann ich nicht bezahlen, komm morgen!' So würde man
dich von einem Tag auf den andern vertrösten, bis du die Geduld verlierst und vor lauter Zorn die Anweisung zerreißt.
Dann Gute Nacht! Sklavin und Geld wären verloren. Du wärest
nicht der erste, mit dem er es so gemacht hat."
„Hadschi Hassan", erwiderte Nureddin, „ich danke dir für
deinen Rat. Aber sei unbesorgt: Ich werde meine Sklavin nicht
an den Feind meines Hauses verkaufen lassen. So nötig ich
auch das Geld brauche, so will ich doch lieber in Armut sterben als zugeben, daß sie ihm ausgeliefert wird. Aber was muß
ich jetzt tun, um das zu verhindern?"
„Nichts ist leichter als das, Herr", erwiderte Hadschi Hassan.
„Tu so, als hättest du im Zorn geschworen, deine Sklavin auf
den Markt zu bringen, aber nicht die Absicht gehabt, sie wirklich zu verkaufen, sondern dies nur getan, um deines Eides
quitt zu werden. Muin wird nichts dagegen einwenden können.
Komm in dem Augenblick, da ich sie Muin zuführe, als geschähe es mit deiner Einwilligung, reiße sie zurück, indem du
ihr einige Streiche gibst, und führe sie wieder nach Hause."
„Dein Rat scheint gut zu sein", sagte hierauf Nureddin, „du
wirst sehen, wie ich ihn befolge."
Hadschi Hassan kehrte nach der Bude zurück, öffnete sie und
trat hinein. Während die Umstehenden neugierig das Ende des
Handels erwarteten und Muin, der innerlich schon über das

Gelingen seiner List frohlockte, unverwandt nach der Tür blickte, aus der die Sklavin heraustreten mußte, fand Hassan Zeit, der schönen Perserin zuzuflüstern, sie solle nicht über das erschrecken, was vorgehen würde. Dann nahm er sie am Arm, führte sie zu Muin und sagte: „Herr, hier ist die Sklavin, sie ist dein, nimm sie!"

Hadschi Hassan hatte diese Worte kaum ausgesprochen, da trat Nureddin, der sich unbemerkt genähert hatte, hervor, ergriff die schöne Perserin, riß sie an sich und gab ihr eine Ohrfeige.

Scheherazade schwieg, denn es dämmerte der Morgen. In der folgenden Nacht fuhr sie fort:

DIE ZWEIHUNDERTFÜNFZEHNTE NACHT

Hierher, du Schamlose", schrie Nureddin die Sklavin an, „komm zu mir, wo du hingehörst! Deine Launen hatten mich zwar dahin gebracht, daß ich schwor, dich auf den Markt zu führen, aber verkaufen will ich dich darum doch nicht. Ich brauche dich noch. Doch wenn du mich wieder ärgerst, so weißt du nun, was dir bevorsteht. Aufgeschoben ist nicht aufgehoben. Aber jetzt hab ich kein Geld nötig."

Sofort brauste der Wesir Muin auf: „Du elender Wüstling, willst du uns einreden, daß dir noch mehr zu verkaufen übrig bleibt als diese Sklavin? Hast du nicht schon all dein Hausgerät zu Geld gemacht?"

Zugleich gab er seinem Pferd die Sporen und preschte auf Nureddin zu, um ihm die Perserin gewaltsam zu entreißen.

Nureddin ließ Anis Aldjalis los, hieß sie auf ihn warten, ergriff das Pferd am Zaum, zerrte es drei oder vier Schritte zurück und sagte dann zu dem Wesir: „Graubärtiger Schurke, ich würde dir auf der Stelle die schwarze Seele aus dem Leib reißen, wenn mich nicht die Achtung vor diesen Leuten hier zurückhielte."

Da der Wesir bei allen verhaßt war, gab es niemanden, den

Nureddins Auftritt nicht freute. Als dieser sich im Kreise der Umstehenden umsah, erblickte er auf den Gesichtern der Kaufleute, Makler, Ausrufer und Käufer nur Zustimmung. Ja, einige wagten sogar, ihm zuzuwinken und ihm Zeichen zu geben, er könne sich rächen, wie es ihm beliebe, es werde ihm niemand in den Weg treten. Nureddin packte den Wesir, zog ihn aus dem Sattel, warf ihn in die schmutzige Gosse und prügelte ihn tüchtig durch. Dann versetzte er ihm noch einen heftigen Faustschlag auf den Mund, so daß sogleich das Blut zu fließen begann. Zehn Mamelucken aus Muins Begleitung wollten mit gezogenen Säbeln über Nureddin herfallen, aber die Kaufleute traten dazwischen und hinderten sie daran, „Was wollt ihr denn“, sagten sie zu ihnen. „Seht ihr nicht, daß der eine ein Wesir und der andere der Sohn eines Wesirs ist? Laßt sie den Streit untereinander ausmachen und mischt euch nicht ein. Vielleicht vertragen sie sich nach einigen Tagen wieder, und wenn ihr euch dann eingemischt habt, kämet ihr zwischen die Reibsteine. Oder wollt ihr Nureddin umbringen? Das würde euch noch übler bekommen, denn glaubt ihr, daß der Mord unbestraft bleiben würde? Und könnte euch euer Herr, so mächtig er auch ist, vor der Gerechtigkeit schützen?“

Da steckten die Mamelucken ihre Säbel wieder ein und sahen dem ungleichen Kampf zu. Nureddin wurde endlich müde, auf den Wesir einzuschlagen. Er ließ ihn mitten in der Gosse liegen, nahm die schöne Perserin und kehrte mit ihr unter den freudigen Zurufen des Volkes in sein Haus zurück.

Der zerschlagene Muin erhob sich mühsam und war ganz von Kot und Blut besudelt. Er stützte sich auf zwei Stöcke, die man ihm reichte, und ging in diesem Zustand direkt zum königlichen Palast. Als er unter dem Zimmer des Königs angekommen war, begann er erbärmlich zu schreien und zu rufen: „Gerechtigkeit, mein Herr und König! Gerechtigkeit, mir ist Gewalt geschehen!“

Der König gab Befehl, den Mann, der da unten so schrie, heraufzuführen. Als man Muin vor ihn brachte, erkannte er seinen Großwesir und fragte erstaunt: „Muin, was ist geschehen? Wer hat dich so zugerichtet?“

Da stürzten dem Wesir vor Wut und Schmerz die Tränen aus den Augen, während er seine Klage mit dem Vers begann:

Soll mir Unrecht geschehen in der Zeit, da du lebst?
Sollen mich Wölfe fressen, da doch du ein Löwe bist?
Soll ich, während an den Quellen deiner Wohltaten
jeder Durstige Erholung schöpft, allein unter deinem
Schutz verschmachten, da du doch einem erquickenden
Regen gleichst?

„An meinem Schutz soll es dir nicht fehlen", unterbrach ihn der König. „Sage mir nur, wie es kommt, daß ich dich in einem solchen Zustand sehen muß."

Muin, ein Meister der Heuchelei und der Verstellung, hatte trotz seiner Schmerzen auf dem ganzen Weg vom Markt bis zum Palast nur darüber nachgedacht, wie er die Geschichte zu seinem eigenen Vorteil und zum Verderben seines Gegners darstellen könnte. Er tat daher, als müßte er sich erst mühsam sammeln und begann nach einer Weile folgendermaßen:

„Herr, ich ritt auf den Sklavenmarkt, um mir eine Köchin zu kaufen. Als ich dorthin kam, wurde gerade eine Sklavin für viertausend Dinar ausgerufen. Ich ließ mir die Sklavin vorführen, und siehe: es war die schönste, die man je gesehen hat. Nachdem ich sie lange genug betrachtet hatte, fragte ich, wem sie gehöre. Dabei hatte ich aber nicht die Absicht, sie für mich zu kaufen, sondern dachte: ‚Für den Wesir Muin ist sie viel zu schön und kostbar, das ist etwas für deinen Herrn, den König, der sich freuen würde, sie als Geschenk aus deinen Händen anzunehmen.' Da nannte man mir als Verkäufer Nureddin, den Sohn des verstorbenen Wesirs Badhl.

Erinnere dich nun, mein Herr und König, daß du diesem Wesir vor zwei oder drei Jahren zehntausend Dinar auszahlen ließest mit dem Auftrag, dir für diese Summe eine Sklavin zu kaufen. Er hat auch wirklich eine dafür gekauft, nämlich diese hier, achtete dich derselben aber nicht für würdig und machte sie seinem Sohn zum Geschenk. Seit dem Tode des Vaters hat nun der Sohn sein ganzes, großes Vermögen versoffen, verfressen und vergeudet. Zuletzt blieb ihm nichts mehr übrig, als diese Sklavin zu verkaufen. Und man verkaufte sie auch wirklich in seinem Namen.

Ich ließ ihn daher kommen, in der Absicht, mit ihm wegen der Sklavin zu verhandeln und ihn bei dieser Gelegenheit auf die schonendste Weise auf bessere Wege zu bringen und seiner bemitleidenswerten Lage zu entreißen. Ohne ihm die Übervorteilung und Treulosigkeit seines Vaters gegen dich vorzuhalten, ohne auch im geringsten auf seine eigene Lebensweise und Lage anzuspielen, sagte ich höflich zu ihm: ,Nureddin, wie ich höre, haben die Kaufleute auf deine Sklavin ein Angebot von viertausend Dinar gesetzt. Ich zweifle nicht, daß sie einander überbieten und den Preis hochtreiben werden. Überlaß sie mir für viertausend Dinar. Ich will sie kaufen, um dem König, unserem Herrn und Meister, damit ein Geschenk zu machen. Bei dieser Gelegenheit will ich dich ihm bestens empfehlen. Das wird dir unendlich mehr Vorteile bringen als das, was dir die Kaufleute geben könnten.'

Du wirst mir gestehen, Herr, daß ich nicht ehrlicher und schonender mit Nureddin verfahren konnte. Anstatt mir aber zu antworten und Höflichkeit mit Höflichkeit zu vergelten, blickte mir der Unverschämte stolz ins Gesicht."

Der Tag brach an und Scheherazade schwieg. Am Abend erzählte sie weiter:

Der Wesir Muin fuhr in seinem Lügenbericht fort: ‚Nichtswürdiger Alter!' rief Nureddin. ‚Lieber wollte ich meine Sklavin an einen Juden oder Christen verschenken, als sie an dich verkaufen!'

‚Aber Nureddin', fuhr ich fort, ohne mich aufzuregen, ‚du bedenkst nicht, daß du durch solche Reden den König beleidigst, der doch deinen Vater zu dem gemacht hat, was er war.'

Das reizte ihn noch mehr. Er stürzte sogleich wie ein Rasender auf mich los, riß mich von meinem Pferd, schlug mich, solang es ihm gefiel und versetzte mich in den Zustand, in dem du mich jetzt siehst. Ich flehe dich nun an, zu erwägen, daß ich deinetwegen eine so abscheuliche Beschimpfung erlitten habe."

Mit diesen Worten warf sich der Wesir auf den Boden, weinte und zitterte und gebärdete sich, als wenn er die Besinnung verlöre und ohnmächtig würde.

Der König, durch die Darstellung Muins getäuscht und gegen Nureddin eingenommen, war voller Grimm. Eine flammende Röte überzog sein Gesicht. Er wandte sich an den Hauptmann der Leibwache und sprach zu ihm: „Nimm vierzig Mann von meiner Wache und begib dich mit ihnen sofort in die Wohnung Nureddin Alis. Laß alles ausplündern und das Haus niederreißen. Ihn selbst aber ergreife mitsamt seiner Sklavin und schleppe sie beide hierher zu mir!"

Die Soldaten schickten sich an, dem Befehl des Königs zu folgen. Aber noch hatte der Hauptmann der Wache das Zimmer des Königs nicht verlassen, als ein Türhüter, der das Gespräch mit angehört hatte, ihm zuvorkam. Es war Ilm Addin Sandjar. Er war früher Sklave des Wesirs Badhl gewesen, der ihn in den Palast des Königs gebracht hatte, wo er allmählich emporgestiegen war. Sandjar, voller Erkenntlichkeit gegen seinen alten Herrn und voller Eifer für Nureddin, hatte den Befehl mit Schaudern angehört. ‚Nureddins Handlung kann so schwarz nicht sein wie Muin sie darstellt', sagte er bei sich selber. ‚Gewiß hat er wie gewöhnlich das Urteil des Königs durch Unwahrheit beeinflußt, und der König in seinem Wahne wird Nureddin hinrichten lassen, ohne ihm Zeit zu gönnen, sich zu rechtfertigen!'

Seine Gedanken reiften schnell zur Tat. Unbemerkt verließ er das Zimmer des Königs und lief so schnell, daß er noch zeitig genug bei Nureddin ankam, um ihn davon zu benachrichtigen, was eben beim König vorgegangen war und ihm Gelegenheit zu geben, sich mit der schönen Perserin zu retten. Nureddin öffnete ihm selber. Er war freudig erstaunt, als er die bekannten Züge des ehemaligen Dieners seines Vaters erblickte. „Was führt dich zu mir, treuer Sandjar?" fragte er. „Kommst du vom König? Und warum so eilig?"

„Mein lieber Herr", antwortete Sandjar, „ich habe mich heimlich fortgemacht, um dir einen Wink zu geben. Du bist nicht mehr sicher in Bassora. Flieh und rette dich, ohne einen Augenblick zu verlieren! Muin hat eben dem König nach seinem Belieben erzählt, was zwischen ihm und dir vorgefallen ist. Nun ist der Hauptmann der Leibwache mit vierzig Soldaten unterwegs, um sich eurer zu bemächtigen."

Zugleich erinnerte Sandjar ihn an die wohlbekannten Verse eines Dichters:

> *Fürchtest du eine Gewalttat, so suche dein Leben zu*
> *retten. Verlasse eilig die Wohnung, die du gebaut hast!*
> *Denn leicht kannst du ein Land mit einem anderen*
> *vertauschen, für dein Leben aber gibt es kein zweites.*
> *Sende keinen Boten in einer ernsten Angelegenheit, denn*
> *wo es das Leben gilt, kann keiner den anderen vertreten.*
> *Nur deshalb ist des Löwen Nacken so stark, weil er für*
> *sich selbst einsteht.*

Sandjar griff hierauf in den Gurt, zog vierzig Dinar heraus und reichte sie Nureddin mit den Worten: „Da, nimm diese vierzig Dinar und suche irgendeinen Zufluchtsort zu erreichen. Gern würde ich dir mehr geben, wenn ich es könnte. Entschuldige, wenn ich nicht länger verweile, aber wir haben keine Zeit zu verlieren. Macht, daß ihr fortkommt, und Allah sei mit euch! Ich kehre schnell auf meinen Posten zurück, damit der Hauptmann mich nicht sieht."

Damit verließ Sandjar Nureddin. Der treue Diener schlug die abgelegensten Straßen der Stadt ein, als wenn er das größte Verbrechen begangen hätte, war sich aber in seinem Innern bewußt, eine gute Tat getan und die Pflicht der Dankbarkeit erfüllt zu haben. Er kam unbemerkt in den Palast des Königs zurück, wo man ihn zum Glück auf seinem Posten noch nicht vermißt hatte.

Nureddin eilte zu Anis Aldjalis und berichtete ihr von der Notwendigkeit, augenblicklich mit ihm zu entfliehen. Die schöne Perserin war bereit, ihm zu folgen, und ginge es auch bis ans Ende der Welt. Ihre Reisevorbereitungen waren schnell getroffen, sie warf nur ihren Schleier über und ließ sich von ihm aus dem Haus geleiten. Sie hatten das Glück, nicht nur aus der Stadt zu kommen, ohne daß jemand ihre Flucht bemerkte, sondern auch das Ufer des Flusses zu erreichen und sich auf einem Fahrzeug einzuschiffen, das eben im Begriff war, die Anker zu lichten. Als sie anlangten, stand der Schiffshauptmann auf dem Deck unter den Reisenden und rief: "Kinder, seid ihr alle hier oder hat noch jemand einen Einkauf zu machen, Abschied zu nehmen oder sonst etwas auf dem Lande zu besorgen?" Als sie antworteten, sie seien alle da, rief er seinen Matrosen zu: "Segel ab und Anker auf!" Sofort geriet alles auf dem Schiff in Bewegung, so daß Nureddin kaum noch Gelegenheit hatte, den Hauptmann zu fragen, wohin die Reise gehe. "Nach Bagdad, der Wohnung des Friedens", war die Antwort.

Scheherazade schwieg, denn der Tag brach an. In der folgenden Nacht fuhr sie fort:

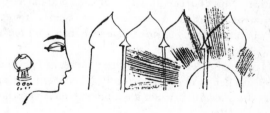

Nureddin freute sich sehr, daß die Reise nach Bagdad gehen sollte, denn dort konnte er hoffen, am meisten Schutz und Sicherheit zu finden. Der Schiffshauptmann freute sich, daß die beiden noch an Bord gekommen waren. Über den Preis der Überfahrt wurde nicht lange verhandelt, da Nureddin gern bezahlte, was verlangt wurde, nur um fortzukommen. Ein herrliches Gefühl von Rettung und Freiheit strömte in diesem Augenblick durch Nureddins Brust, während er der Worte des Dichters gedachte:

> Sieh dieses Schiff und staune ob des wunderbaren Bildes:
> Es kommt in seinem Lauf dem Wind zuvor. Es gleicht
> einem Vogel, der seinem Nest entsteigt und mit Blitzes-
> schnelle über das Wasser streicht.

Ein frischer Wind begünstigte die Fahrt, und bald hatten sie Bassora aus dem Blickfeld verloren. In Bassora aber ging währenddessen folgendes vor:

Der Hauptmann der Wache kam an Nureddins Haus und klopfte an. Als niemand öffnete, ließ er die Tür einschlagen und seine Soldaten drangen haufenweise ein. Sie durchsuchten alle Winkel, fanden aber weder Nureddin noch seine Sklavin. Nachdem der Hauptmann sich überzeugt hatte, daß alle Nachforschungen vergeblich waren, nachdem auch die Nachbarn keine Auskunft geben konnten und wollten (denn die ganze Stadt sprach schon voll heimlicher Freude von dem Streit Nureddins mit Muin), brachte der Hauptmann dem König die Nachricht, Nureddin sei mit seiner Sklavin entflohen, und niemand wisse, welchen Weg sie eingeschlagen hätten. „Man suche sie überall, wo sie sich versteckt haben könnten", sagte der König, „ich muß sie haben!"

Der Hauptmann der Wache ging fort, um neue Nachforschungen anzustellen, und der König entließ den Wesir Muin, nachdem er ihn wiederholt seiner königlichen Gnade versichert und ihn mit einem Ehrenkaftan beschenkt hatte. „Geh", sagte er zu ihm, „kehre zurück in dein Haus und sei unbesorgt wegen Nureddins Bestrafung. Was dir widerfahren ist, betrachte ich als mir selbst geschehen, und ich selber will dich wegen seiner Unverschämtheit rächen."

Einigermaßen beruhigt, aber doch unzufrieden, weil Nureddin entwichen war, begab sich Muin auf Umwegen nach Hause, denn er wollte sich nicht dem Gespött der Leute aussetzen. Nach einigen Stunden kam der Hauptmann abermals zurück und meldete dem König: „Herr, es ist alles vergeblich. Die Flüchtigen sind nirgends zu finden, und ich habe auch keine Spur entdeckt, die uns verraten könnte, wohin sie sich gewendet haben. Die Sache ist nicht mit rechten Dingen zugegangen. Ich kann mir kaum denken, daß sie unbemerkt aus der Stadt entkommen sein sollen. Ich vermute vielmehr, daß sie noch hier sind und irgendwo versteckt gehalten werden, um sie der gerechten Strafe zu entziehen."

Da ließ der König durch die öffentlichen Ausrufer in der ganzen Stadt bekanntmachen, derjenige sollte ein Ehrenkleid und tausend Dinar bekommen, der ihm Nureddin und die Sklavin brächte, während der empfindlich bestraft werde, der sie etwa verborgen hielte. Doch welche Mühe er sich gab und welche Sorgfalt er auch anwenden ließ, es war ihm nicht möglich, eine Kunde von ihnen zu bekommen. Und der Wesir Muin mußte sich damit begnügen.

Nureddin und die schöne Perserin segelten währenddessen weiter und erreichten glücklich Bagdad. Als das Schiff ein wenig unterhalb der Stadt angelegt hatte, stiegen die Reisenden an Land, und jeder begab sich in seine Herberge. Nureddin bezahlte dem Hauptmann fünf Dinar für die Überfahrt und verließ mit Anis Aldjalis das Schiff. Da er aber noch niemals in Bagdad gewesen war, wußte er nicht, wo er einkehren sollte. Sie schlenderten deshalb eine Weile umher, und der Zufall führte sie in die Gärten, die ans Ufer des Tigris stießen. Bald kamen sie an einen Garten, der von einer schönen langen Mauer eingeschlossen war. Daran gingen sie entlang und kamen dann in einen wohlgeebneten, reinlich geputzten Gang.

Dort erblickten sie das Tor zum Garten und einen schönen Springbrunnen. Nureddin ging auf das Tor zu und versuchte es zu öffnen. Aber er fand es verschlossen.

DIE ZWEIHUNDERTACHTZEHNTE NACHT

Scheherazade fuhr fort:
Das Tor war sehr prächtig und mit einer Vorhalle geziert, in der auf jeder Seite ein Diwan stand. „Bei Allah", sagte Nureddin zu Anis Aldjalis, „das ist ein schöner und lieblicher Ort. Die herrlichen Düfte aus dem Garten schmeicheln dem Geruchssinn, und das Plätschern des Springbrunnens ladet zur Ruhe ein."

Die schöne Perserin entgegnete: „Hier sind ja üppige Polster, um die ermüdeten Glieder aufzunehmen. Komm, laß uns ein wenig ausruhen."

„Du hast recht, meine Teure", versetzte Nureddin. „Die Nacht kommt heran, und ich weiß in der Stadt keinen Weg zu finden. Da wir schon auf dem Schiff gespeist haben, könnten wir die Nacht hier verbringen. Morgen früh haben wir Zeit genug, uns nach einer Wohnung umzusehen."

„Du weißt, mein Herr, daß dein Wille auch der meine ist. Bleiben wir also hier, wenn es dir beliebt", antwortete die schöne Perserin. Sie erfrischten sich Hände und Gesicht mit dem klaren Quell und legten sich dann auf einen der beiden Diwans, wo sie sich noch eine Weile unterhielten. Endlich entschlummerten sie bei dem angenehmen Geplätscher des Wassers.

Der Garten gehörte dem Kalifen Harun Arraschid und hieß ,Garten der Freuden'. Mitten darin war ein großer Saal, der Gemäldesaal genannt, weil seine Hauptzierde aus persischen Gemälden bestand. Dieser große und prächtige Saal hatte achtzig Fenster mit einem Kronleuchter an jedem. Und diese achtzig Kronleuchter wurden nur angezündet, wenn Harun Arraschid den Abend hier zubrachte, was gewöhnlich geschah, wenn ihn die Last der Regierungssorgen zu sehr drückte und er ein Bedürfnis nach Ruhe und Zerstreuung hatte. Brannten dann die achtzig Kronleuchter, so bildeten sie eine herrliche Beleuchtung, die von der einen Seite auf weite Entfernung in einem großen Teil der Stadt zu sehen war. In der Mitte des Saales hing noch ein riesiger goldener Leuchter, bei dem sich der Kalif mit seinem Gesellschafter Abu Ishak niederzulassen pflegte. Dann versammelte sich eine große Zahl von Sklavinnen um sie, um den Kalifen mit Musik und Gesang so lange zu unterhalten, bis die Wolken von seiner Stirn verschwunden waren.

Es wohnte in diesem Garten niemand als ein Aufseher namens Scheich Ibrahim, dem der Kalif diese Stelle als Belohnung für vieljährige treue Dienste gegeben hatte. Wenn er ausgegangen war, um in der Stadt etwas zu besorgen, fand er bei seiner Rückkehr in der Nähe des Gartens häufig Leute, die sich dort belustigten und die Ruhe störten. Das verdroß den alten Mann, und er berichtete dem Kalifen davon. Harun Arraschid gab ihm daher den strengsten Befehl, keinerlei Leute in den Garten einzulassen und auch nicht zu dulden, daß sich jemand auf die beiden Diwans vor dem Tore setze oder lege. Mit jedem, den er darauf anträfe, solle er nach Gutdünken verfahren.

An diesem Tag nun war der Aufseher auch wieder geschäftlich unterwegs gewesen. Als er zurückkam und das Tor erreichte, war es gerade noch hell genug, um die beiden Personen zu erblicken, die auf dem einen Diwan schliefen. Sie hatten ein Tuch über den Kopf gezogen, um sich vor den Mücken zu schützen.

Scheich Ibrahim öffnete leise die Tür und ging in den Garten. Einen Augenblick später kam er mit einem dicken Stock in der Hand zurück, den er im Gebüsch geschnitten hatte. Er hatte die Ärmel hochgestreift und näherte sich behutsam den Liegenden. Dann erhob er die Hand mit dem Stock und holte gewaltig aus, um auf sie loszuschlagen. Plötzlich aber hielt er inne und verharrte in seiner drohenden Stellung, während er bei sich überlegte: ‚Wie kann ich diese Leute schlagen, ohne zu wissen, ob es nicht Fremdlinge sind, die den Befehl des Kalifen nicht kennen? Vielleicht sind es Reisende, die das Schicksal hierhergeworfen hat und die in der Stadt keine Bleibe gefunden haben. Es wird doch besser sein, sich vorher zu überzeugen, wer sie sind.'

Damit ließ er den Arm mit dem Stock sinken, hob das Tuch, mit dem sie verhüllt waren, vorsichtig auf und geriet in die höchste Verwunderung, als er einen so wohlgebildeten Jüngling und ein so schönes Mädchen erblickte. „Bei Gott!" rief er halblaut aus, „das sind zwei hübsche Kinder!" und deckte ihr Gesicht wieder zu. Dann zog er den jungen Mann sanft an den Füßen, um ihn aufzuwecken.

Nureddin fuhr sogleich auf und öffnete die Augen. Als er einen ehrwürdigen Greis mit einem langen weißen Bart zu seinen Füßen erblickte, richtete er sich verschämt empor, erfaßte die Hand des Greises, küßte sie ehrfurchtsvoll und sagte: „Allah erhalte dich, guter Vater! Wünschest du etwas?"

„Mein Sohn", erwiderte Scheich Ibrahim, dessen Ärger durch den Anblick der beiden und das bescheidene, zutrauliche Benehmen des Jünglings verflogen war, „wer seid ihr? Wo kommt ihr her?"

„Wir sind Fremde", antwortete Nureddin, und Tränen schossen ihm aus den Augen. „Wir sind eben hier angekommen und wußten nicht, wohin wir uns wenden sollten. Deshalb ließen wir uns vom Zufall leiten. Nachdem wir eine Zeitlang zwischen den Gärten umhergeirrt waren, kamen wir hierher, und da es bereits dunkelte, beschlossen wir, die Nacht hier zuzubringen."

„Es ist kein angenehmer Ort zum Übernachten", erwiderte Scheich Ibrahim. „Kommt herein, ich will euch ein bequemes Nachtlager geben. Bis es bereitet ist, könnt ihr ein wenig im Garten lustwandeln."

„Und wem gehört dieser Garten, dessen Schönheit ich schon von außen bewundert habe?" fragte Nureddin.

„Mir gehört er", antwortete Ibrahim, um sie nicht zu beunruhigen und dadurch vom Eintritt abzuhalten. „Es ist ein Erbteil meiner Väter. Kommt nur herein, es wird euch nicht reuen!"

Nureddin stand auf und ergriff die Hand der schönen Perserin, die während des Gesprächs erwacht und erschrocken aufgesprungen war. Ibrahim öffnete die Tür, und sie traten in den Garten. Nachdem er wieder geschlossen hatte, ging er langsam voran, um dem Fremden Zeit zu lassen, die Schönheiten der Anlagen zu bewundern.

Nureddin hatte schon viele schöne Gärten gesehen, aber in seinem ganzen Leben noch keinen, der mit diesem zu vergleichen gewesen wäre. Den Eingang bildete ein Gewölbe, hoch und weit wie ein Saal und über und über mit Reben bedeckt. Die Türschwellen waren aus edlem buntem Gestein. Als sie an die Baumgruppen, Staudengewächse und Blumenbeete kamen, fanden sie doppelte und einfache Dattelpalmen, beladen mit süßen Früchten, Mandelbäume, die ihre schmackhaften Kerne hinter üppigem Grün verbargen, Aprikosen gleich den Wangen eines schönen Mädchens, Orangen gleich goldenen Pokalen, Kirschen schwarz und rot, zu ganzen Büscheln zwischen dem Laub hindurchschimmernd, und Feigen rot und weiß, die ihre Süßigkeit dem Beschauer wie mit Händen entgegenstreckten. Aus der Höhe hörte man das Gurren der Turteltauben, und im Schatten des dichteren Laubwerks verscheuchte die Nachtigall mit ihrem lieblichen Lied jeden Kummer. Am Boden glänzte die Rose, rot wie Rubin, und das Veilchen glühte dem Auge entgegen wie Schwefel, den man ans Feuer hält. Der Frühling hatte seinen Glanz über alles verbreitet, und während die Erde mit Blüten aller Farben übersät war, prangten die Zweige mit reifer Frucht. Die Bäche murmelten leise, mild säuselte die Luft, und überall schwelgte die Natur im Genuß der freundlichsten Jahreszeit.

Scheich Ibrahim führte seine Gäste auf eine kleine Anhöhe, von der aus sie mit einem Blick die Anlage, die Größe und die Schönheit des ganzen Gartens übersehen konnten. Nachdem sie alles aufmerksam betrachtet hatten, wandte sich Nureddin an den Aufseher und fragte ihn nach seinem Namen. Dann fuhr er fort: „Scheich Ibrahim, das ist ein wundervoller Garten! Allah erhalte dich lange darin! Wir können dir nicht genug dafür danken, daß du uns diesen herrlichen Ort gezeigt hast. Es ist nur billig, daß wir uns dafür in irgendeiner Weise erkenntlich zeigen. Nimm, hier sind zwei Dinar. Ich bitte dich, uns etwas zu essen zu verschaffen, damit wir uns zusammen erfreuen können!"

Beim Anblick der beiden Goldstücke schmunzelte Scheich Ibrahim, der dieses Metall sehr liebte, in seinen Bart. Und als er Nureddin und die schöne Perserin verließ, um den Auftrag zu erfüllen, sprach er sehr vergnügt bei sich selber: „Das sind brave Leute, und es wäre unbesonnen gewesen, sie zu mißhandeln oder fortzujagen. Wie oft habe ich schon gehört, daß man mit Höflichkeit in der Welt weiter kommt als mit Grobheit. Mit dem zehnten Teil dieses Geldes kann ich sie fürstlich bewirten, und der Rest gehört dann mir für meine Mühe und Arbeit."

Während Scheich Ibrahim fort war, um etwas zum Abendessen einzukaufen, gingen Nureddin und die schöne Perserin durch den Garten und kamen zu dem Saal der Gemälde, der in der Mitte stand. Sie bewunderten ihn eine Zeitlang von außen und bekamen dann Lust, auch einen Blick ins Innere zu tun. Sie stiegen über eine große Marmortreppe zur Tür hinauf, fanden sie aber verschlossen. Sie stiegen eben die Treppe wieder herab, als Scheich Ibrahim, mit Lebensmitteln beladen, ankam. Nureddin war es aufgefallen, daß der Besitzer eines solchen Gartens keinen Sklaven haben sollte, um etwas holen zu lassen. Auch zeigte Scheich Ibrahim bei aller Gefälligkeit nicht den Grad von Bildung und Gewandtheit, den man von dem Besitzer einer solchen Anlage erwarten konnte. Deshalb sagte Nureddin zu ihm: „Sagtest du nicht, daß der Garten dir gehöre?"

„Ich habe es gesagt", antwortete Scheich Ibrahim, „und ich wiederhole es nochmals. Weshalb fragst du?"

„Und dieser prächtige Saal? Gehört er ebenfalls dir?" fuhr Nureddin fort, ohne Ibrahims Frage zu beachten.

Darauf war Scheich Ibrahim nicht gefaßt und schien jetzt ein wenig verlegen. Doch dann sagte er: „Der Saal gehört zum Garten, und beides ist mein Besitz!"

„Wenn das so ist", fuhr Nureddin fort, „und du dir nicht nehmen lassen willst, uns heute nacht als Gäste bei dir zu sehen, dann tu' uns bitte auch den Gefallen und zeige uns das Innere des Saales. Denn nach dem Äußeren zu urteilen, muß es von außerordentlicher Pracht sein."

Es wäre unhöflich von Scheich Ibrahim gewesen, Nureddin diese Bitte abzuschlagen. Außerdem bedachte er, daß der Kalif keine Nachricht geschickt hatte, nach der er heute abend kommen wollte. So konnte er, der Scheich, heute sogar seine Gäste im Saal bewirten und dort mit ihnen essen. Er holte also den Schlüssel zur Saaltür und öffnete diese.

Nureddin und die schöne Perserin traten ein und wurden nicht müde, die Schönheit und den Reichtum der Einrichtung zu bewundern. Denn, von den Gemälden und den Kronleuchtern abgesehen, waren auch die Diwans und die silbernen Armleuchter mit den Wachskerzen von außerordentlicher Pracht. Nureddin konnte alle diese Dinge nicht ansehen, ohne sich des Glanzes zu erinnern, in dem er einst gelebt hatte.

Scheich Ibrahim brachte indessen die Speisen herein und richtete den Tisch. Nachdem alles bereit war, setzten sich Nureddin und die schöne Perserin und aßen miteinander.

Nach dem Essen brachte Scheich Ibrahim frisches, klares Wasser. Als er aber die verdrießliche Miene Nureddins bemerkte, ahnte er, daß er einen Mißgriff getan hatte und fragte: „Oder möchtest du vielleicht Sorbet? Ich habe den künstlichen Sorbet, aber du weißt, mein Sohn, daß man ihn nicht nach dem Abendessen trinkt."

„Ich weiß es wohl", erwiderte Nureddin, „aber ich meine auch nicht Sorbet, sondern Wein. Bringe uns eine Flasche, denn du weißt, daß man ihn nach dem Abendessen trinkt, um sich die Zeit bis zum Schlafengehen zu vertreiben."

„Allah bewahre mich, mein Sohn", rief Scheich Ibrahim aus, „daß ich Wein im Hause habe oder daß ich auch nur einen Ort ahnen sollte, wo er zu haben ist. Hat nicht der Prophet den verflucht, der ihn trinkt oder keltert, kauft, verkauft oder trägt? Nein, ein Mann, der wie ich viermal die Wallfahrt nach Mekka gemacht hat, verzichtet für sein ganzes Leben auf den Wein."

„Trotzdem würdest du uns einen Gefallen tun, wenn du welchen herbeischaffen könntest", fuhr Nureddin fort. „Ich will dich auch ein Mittel lehren, wie du zu Wein kommen kannst, ohne in eine Schenke zu treten oder Hand an das zu legen, was es dort gibt. Irgendwo im Garten haben wir einen Esel angebunden gesehen. Vermutlich gehört er dir. Hier sind noch zwei Dinar. Nimm nun den Esel mit seinen Körben und treibe ihn vor dir her bis zur ersten besten Schenke, ohne dich ihr weiter zu nähern als es dir beliebt. Dann gibst du einem Vorübergehenden einen Dirham und bittest ihn, mit dem Esel zur Schenke zu gehen, dort zwei Krüge Wein zu kaufen, in jeden Korb einen hineinzutun und dir den Esel zurückzubringen, nachdem er den Wein von dem Geld gekauft hat, das du ihm mitgegeben hast. Dann brauchst du den Esel nur wieder herzutreiben, und wir nehmen den Wein dann selber aus den Körben. Auf diese Weise hättest du nichts getan, was dir bedenklich sein könnte."

Die beiden neuen Goldstücke verfehlten ihre Wirkung auf Scheich Ibrahim nicht. Deshalb sagte er lächelnd: „Ei, mein Sohn, du verstehst es! Bei Allah, ich habe noch nie einen feineren Mann gesehen als dich! Ohne dich wäre ich nie auf dieses Mittel verfallen! Dank deinem Scharfsinn bin ich nicht genötigt, unhöflich meinen Gästen gegenüber zu erscheinen und ihnen eine Bitte abzuschlagen."

Er verließ sie und erledigte seinen Auftrag in kürzester Zeit. Als er zurückkam, nahm Nureddin die beiden Krüge aus den Körben und trug sie in den Saal. Als Scheich Ibrahim den Esel wieder weggeführt hatte und zu seinen Gästen trat, sagte Nureddin zu ihm: „Das nenn ich Gastfreundschaft und Diensteifer! Wir können dir nicht genug danken für die Mühe, die du dir machst, aber es fehlt uns noch etwas!"

„Nun was denn?" wollte Scheich Ibrahim wissen. „Was kann ich noch für euch tun?"

„Es ist nichts, wogegen dein zartes Gewissen Bedenken haben könnte", lächelte Nureddin, „es fehlt uns nur an Flaschen und Schalen."

„O, dem wird bald abgeholfen sein", versetzte Scheich Ibrahim. „Flaschen und Schalen gibt's hier genug. Aber komm, du sollst selber wählen!"

Hierauf führte der Alte seinen Gast an einen Glasschrank und sagte: „Hier, mein Sohn, ist eine Glassammlung, wie sie der Beherrscher der Gläubigen nicht schöner besitzt. Nimm davon, was dir gefällt. Ich will indessen aus dem Garten einige Früchte holen, die euch zum Wein gewiß munden werden."

Nureddin war entzückt über die Menge und die Pracht der Gefäße aus Gold, Silber und Kristall. Viele waren mit allen möglichen Edelsteinen besetzt, und das Benehmen des angeblichen Besitzers all dieser Herrlichkeiten erschien ihm immer rätselhafter. Ohne sich lange zu bedenken, wählte er einige geschmackvolle Krüge und Flaschen aus, goß Wein hinein und stellte einige kostbare Trinkschalen auf den Tisch. Mittlerweile hatte Scheich Ibrahim allerlei wohlschmeckende Früchte in schönen Porzellangefäßen und silbernen und goldenen Schalen aufgestellt. Nachdem alles herbeigeschafft und geordnet war, entfernte sich Scheich Ibrahim und wollte durchaus nicht bleiben, so sehr seine Gäste ihn auch darum baten.

Nureddin und die schöne Perserin schenkten sich ein und begannen zu trinken.

„Nun, liebreizende Anis Aldjalis", sagte Nureddin, „sind wir nicht die glücklichsten Menschen der Welt? Laß uns fröhlich sein und uns von den Anstrengungen der Reise erholen. Kann es ein größeres Glück für mich geben, als dich auf der einen und die Trinkschale auf der anderen Seite zu haben?"

Anis Aldjalis antwortete ihm: „Allah sei's gedankt, daß wir unseren Feinden entronnen sind! Ich wäre schon zufrieden, wenn ich auf dem harten Erdboden oder auf einem ärmlichen Teppich neben dir sitzen könnte. Daß wir aber, umgeben von Glanz und Überfluß, in diesem prächtigen Saale sitzen, scheint mir wie ein Wunder. Darum laß uns den Augenblick genießen, eh' er vorübergeht!"

Sie tranken immer wieder und unterhielten sich frohen Mutes miteinander. Der Wein rötete ihre Wangen und schloß ihr Herz auf. Liebevoll blickten sie einander in die Augen und drückten sich zärtlich die Hand. Allmählich wurden ihre Worte zu Liedern, und sie sangen abwechselnd.

Da sie beide ausgezeichnete Stimmen hatten, lockte der Gesang Scheich Ibrahim herbei. Er hörte ihnen voller Vergnügen von der Treppe aus zu, ohne sich sehen zu lassen. Als aber die Unterhaltung seiner beiden Gäste immer lebhafter wurde und besonders Nureddin des Guten zuviel getan hatte, konnte er seine Neugier nicht mehr bezwingen, steckte den Kopf durch die Tür und rief: „So ist's recht, Herr! Es freut mich, zu sehen, daß ihr so lustig seid!"

„Ach, Scheich Ibrahim", rief Nureddin, „zwar hast du uns schon erklärt, daß du nichts trinken möchtest, aber kannst du nicht wenigstens eintreten und uns Gesellschaft leisten?"

„Macht nur fort. Macht nur fort!" erwiderte Scheich Ibrahim. „Mir genügt es, eure schönen Gesänge zu hören!" Und mit diesen Worten verschwand er wieder, ohne jedoch die Tür ganz zu schließen.

Die schöne Perserin bemerkte, daß er auf der Treppe stehenblieb, und machte Nureddin darauf aufmerksam. „Herr", setzte sie hinzu, „du siehst, daß er den Wein verabscheut. Dennoch würde ich mir zutrauen, ihn zum Trinken zu bringen, wenn du tun willst, was ich dir sage."

„Ich tue alles, was du willst", sagte Nureddin.

„Überrede ihn, einzutreten und bei uns zu bleiben. Schenke eine Weile später zum Trinken ein und biete ihm die Schale an. Weigert er sich, sie anzunehmen, so trinke du selbst und tue dann, als schliefest du ein. Für den Rest werde ich sorgen." Nureddin ging sofort auf den Scherz ein. Er rief nach Scheich Ibrahim, der auch sogleich wieder an der Tür erschien.

„Scheich Ibrahim", sagte er zu ihm, „uns, deinen Gästen, kannst du nicht die Bitte abschlagen, uns mit deiner Gesellschaft zu beehren. Wir verlangen ja nicht von dir, daß du trinken sollst, sondern nur, dich zu sehen!"

Scheich Ibrahim fühlte sich durch die wiederholte dringende Einladung geschmeichelt und dachte, es wäre unhöflich, sie abzuschlagen. Deshalb ließ er sich überreden, einzutreten. Um jedoch der Gefahr, gegen seine Grundsätze zu handeln, nicht allzu nahe zu kommen, setzte er sich auf den Rand des der Tür am nächsten stehenden Diwans.

Wieder dämmerte der Morgen. Scheherazade schwieg. Am nächsten Abend fuhr sie fort:

Dort sitzt du nicht gut", sagte Nureddin, „und wir haben so nicht die Ehre, dich richtig zu sehen. Ich bitte dich, komm doch näher und setze dich neben meine Frau!"

„Wenn ihr's durchaus wollt", sagte Scheich Ibrahim, näherte sich und nahm neben Anis Aldjalis Platz. Zum Dank dafür, daß er gekommen war, sang die schöne Perserin ihm ein Lied, das ihn in höchstes Entzücken versetzte. Als sie ihren Gesang beendet hatte, schenkte Nureddin Wein in eine Schale und reichte sie Scheich Ibrahim mit den Worten: „Koste einmal diesen Wein und trink auf meine Gesundheit, ich bitte dich!"

„Herr!" erwiderte zurückschauernd der Alte, „ich habe dir schon gesagt, daß ich keinen Wein trinke. Du wirst mich nicht zwingen wollen, in meinem hohen Alter ein Gelübde zu brechen, das ich so lange gehalten habe."

„Wenn du durchaus nicht auf unsere Gesundheit trinken willst", sagte Nuredin, „so wirst du mir doch hoffentlich erlauben, auf deine Gesundheit zu trinken!" Damit setzte er die Schale an den Mund und trank. Kurz darauf lehnte er sich auf dem Diwan zurück und tat, als schliefe er, übermannt vom Wein. Sogleich rückte die schöne Perserin näher zu Scheich Ibrahim und sagte zu ihm:

„Siehst du, so macht er es jedesmal, wenn wir uns zusammen belustigen. Kaum hat er zwei Züge getrunken, so schläft er ein und läßt mich allein. Aber ich glaube, du wirst mir gern Gesellschaft leisten, während er schläft." Dann nahm sie eine Schale, füllte sie mit Wein, reichte sie Scheich Ibrahim, sah ihn dabei bedeutungsvoll an und sagte: „Nimm und trink auf meine Gesundheit!"

Scheich Ibrahim zögerte zunächst noch. Doch sie setzte ihm so lange zu, bis er — überwältigt von ihren Reizen — die Schale doch nahm und sie in einem Zug austrank.

Der gute Alte liebte nämlich ein Schlückchen, doch er scheute sich, vor den Leuten zu trinken. Deshalb ging er, wie viele andere, heimlich in die Schenke. Auch hatte er an diesem Abend beim Weinkaufen keinesfalls die Vorsicht gebraucht, die Nureddin ihm angeraten hatte, sondern war geradeswegs zum Wirt geeilt, bei dem er wohl bekannt war.

Nachdem er die eine Schale ausgetrunken hatte, füllte Anis Aldjalis eine zweite mit Wein und sagte: „Sieh, wie es blinkt und zum Genusse ladet! Einmal ist keinmal! Du mußt auch diese Schale auf mein Wohl leeren."

Scheich Ibrahim machte zwar wieder Einwendungen, nahm aber schließlich auch diese Schale und trank sie aus. Noch weniger Mühe kostete es, ihn zur dritten zu bewegen. Als er endlich bei der vierten war, tat Nureddin, als erwachte er aus dem Schlaf. Er richtete sich auf, sah den Alten lachend an und sagte: „Ei, ei, Scheich Ibrahim, was ist denn das? Jetzt trinkst du doch?"

Scheich Ibrahim hielt mitten im Schluck inne und war nicht wenig erschrocken, sich ertappt zu sehen. Die Röte stieg ihm ins Gesicht, doch bald faßte er sich, nahm die Schale wieder an den Mund und trank den Rest vollends aus. Nachdem er das getan hatte, sagte er lächelnd: „Herr, wenn es Sünde ist, was ich getan habe, so fällt sie nicht auf mich, sondern auf deine Frau. Wie könnte man ihrem Zuspruch und ihren Reizen widerstehen!"

Die schöne Perserin blinzelte Nureddin zu und sagte dann zu Scheich Ibrahim: „Laß ihn reden, Scheich Ibrahim, und tue dir keinen Zwang an. Fahre fort mit uns zu trinken und fröhlich zu sein!"

Nureddin lachte beistimmend, während Anis Aldjalis ihm ins Ohr flüsterte: „Trinke du nur und proste Scheich Ibrahim nicht zu! Laß mich dafür sorgen: der Alte wird uns noch viel Spaß machen!" Dann füllte sie eine Schale und reichte sie Nureddin. Er trank, schenkte sie wieder voll und reichte sie der schönen Perserin. So wechselten sie miteinander ab. Scheich Ibrahim sah diesem Spiel eine Weile aufmerksam zu. Als es ihm aber zu lange dauerte und er immer wieder übergangen wurde, nahm er eine Schale, hielt sie hin und sagte: „Was ist das für eine Gesellschaft? Soll ich nicht ebenso trinken wie ihr?"

Bei diesen Worten des Scheichs brachen Nureddin und die

schöne Perserin in lautes Lachen aus. Nureddin schenkte ihm ein, und sie lachten und tranken bis Mitternacht. Um diese Zeit ungefähr bemerkte die schöne Perserin, daß auf dem Tisch nur eine einzige Kerze brannte. Sie äußerte den Wunsch, das Gemach heller erleuchtet zu sehen.

„Scheich Ibrahim", sagte sie, „du hast uns nur ein Licht gebracht. Dabei sind hier so viele herrliche Wachskerzen. Wo es vergnügt zugeht, muß es auch hell sein. Ich bitte dich, mach uns die Freude, die Kerzen anzuzünden, damit wir die Herrlichkeit dieses Raumes auch besser sehen!"

„Wenn du es heller haben willst, zünde selber an", entgegnete Scheich Ibrahim, „es geziemt sich mehr für dich als für mich, denn du bist noch so jung. Aber zünde nicht mehr als zwei oder drei an. Ich habe meine Gründe dafür."

Die schöne Perserin erhob sich, nahm eine Kerze, zündete sie an dem Licht auf dem Tisch an und hatte bald alle achtzig Wachskerzen in Brand gesetzt, ehe Scheich Ibrahim Zeit fand, sich danach umzusehen. Dann zündete Nureddin alle Kronleuchter an, die vor den achtzig Fenstern des Saales hingen, so daß bald auch die ganze Umgebung hell erleuchtet war. Scheich Ibrahim wollte ihnen Einhalt gebieten und von seinem Polster aufspringen, doch als er bedachte, daß es schon sehr spät in der Nacht war und keiner mehr wachen würde, schwand seine Angst, man könnte ihn wegen seiner Unvorsichtigkeit zur Rechenschaft ziehen. Zugleich war er vom Wein so beschwingt, daß er sich über die möglichen Folgen hinwegsetzte und sich bald selbst über die festliche Beleuchtung freute. Er stand auf und öffnete eigenhändig die Fenster des Saales, der nun in all der Pracht und Herrlichkeit dastand wie an den Abenden, die der Kalif hier zuzubringen pflegte.

Nun wollte es aber Allah, der Allmächtige, daß sich der Kalif Harun Arraschid um diese Zeit noch nicht zu Bett begeben hatte. Er befand sich in einem Saal seines Palastes, der an den Tigris stieß und von dem man Aussicht auf den Garten und den Gemäldesaal hatte. Um die frische Nachtluft zu genießen, öffnete er ein Fenster nach dieser Seite hin und sah zu seinem Erstaunen, daß der Gemäldesaal hell erleuchtet war und die ganze Umgebung schimmerte von dem Licht der Kerzen und der Kronleuchter.

Er war dadurch so verwirrt, daß er seinen Großwesir, den Barmekiden Djafar, rufen ließ, der in der Nähe war und sehnsüchtig darauf wartete, der Kalif würde sich zur Ruhe begeben. Als er eintrat, rief ihm der Beherrscher der Gläubigen zu: „Du bist vielleicht ein Wesir! Du läßt mir die Stadt Bagdad wegnehmen, ohne ein Wort davon zu sagen! Komm her und sieh! Hättest du mir nicht die Stadt Bagdad nehmen lassen, wäre der Gemäldesaal zu dieser Zeit nicht erleuchtet! Wer würde es wagen, auch nur eine einzige Kerze darin anzuzünden, wenn du mir nicht das Kalifat entrissen hättest!"

Der Großwesir zitterte vor Furcht, als er an das Fenster trat und den erleuchteten Gemäldesaal sah. Der Saal leuchtete wie eine Flamme, die mitten in der Dunkelheit brennt.

Djafar kannte die Gemütsart seines Herrn und wußte, daß er diese Nacht keine Ruhe finden würde, wenn er den Kalifen nicht auf eine listige Art besänftigte. Deshalb tat er, als wüßte er etwas von der Sache, und um nicht den ganzen Zorn des Kalifen auf Scheich Ibrahim zu lenken, sagte er:

„Beherrscher der Gläubigen! Vor vier oder fünf Tagen ließ sich Scheich Ibrahim bei mir anmelden. Er erzählte mir von seiner Absicht, zur Feier der Beschneidung seiner Kinder eine Versammlung der Imams seiner Moschee zu veranstalten. Ich fragte ihn, was ich dazu tun solle. Da bat er mich, bei dir die Erlaubnis zu erwirken, die Versammlung und die Feier in dem Saal abhalten zu dürfen. Ich entließ ihn mit dem Bescheid, mit dir bei nächster Gelegenheit darüber zu sprechen und sagte ihm, er solle die Feier nach seinem Wunsch veranstalten, wenn er keinen Gegenbefehl bekäme. Nun vergaß ich aber, deine Erlaubnis einzuholen, weil ich von vornherein davon überzeugt war, deine Großmut würde einem alten Diener diese Bitte nicht abschlagen. Ich bitte dich tausendmal um Verzeihung wegen meiner Nachlässigkeit. Scheich Ibrahim trifft keine Schuld. Wahrscheinlich hat er, weil er von mir keine andere Weisung erhielt, den heutigen Tag für die Feierlichkeiten erwählt, und da er einmal die Imams seiner Moschee in dem

Saal versammelt und bewirtet hatte, glaubte er es ihrer Würde und der Bedeutung des Festes schuldig zu sein, ihnen das Vergnügen dieser Beleuchtung nicht vorzuenthalten."

„Djafar", entgegnete der Kalif in einem wenig besänftigten Ton, „nach dem, was du mir eben gesagt hast, hast du drei unverzeihliche Fehler begangen. Erstens, daß du dem Scheich Ibrahim die Erlaubnis gegeben hast, die Feier in meinem Saal zu veranstalten, denn ein bloßer Aufseher ist kein so hoher Beamter, daß ihm eine solche Ehre gebührt. Zweitens, daß du mir nichts davon gesagt hast, denn mein Ansehen sollte dir soviel am Herzen liegen, daß du nicht auf eigene Faust Begünstigungen erteilst, die meinem Ermessen vorbehalten sind. Dein dritter und größter Fehler aber ist, daß du nicht die wahre Absicht des guten Alten erraten hast. Denn ich bin überzeugt, daß er nur sehen wollte, ob er nicht ein Gnadengeschenk als Beisteuer zu den Kosten dieses Festes erlangen könnte. Das hast du nicht bedacht, und ich kann es ihm daher nicht übelnehmen, wenn er sich durch den größeren Aufwand dieser Beleuchtung dafür schadlos zu halten sucht, daß er nichts bekommen hat."

Der Großwesir war froh, daß der Kalif die Sache so betrachtete. Er bekannte sich gern zu seinen Fehlern und bezeigte aufrichtiges Bedauern darüber, daß er Scheich Ibrahim so schlecht verstanden und ihm nicht einige Dinar geschenkt habe.

„Es ist nun einmal so", fuhr der Kalif fort. „Ob du nun aber dein Unrecht einsiehst oder nicht — du mußt bestraft werden, damit du dich in Zukunft besser in acht nimmst. Doch es soll nur eine leichte Strafe sein. Ich habe nämlich Lust, den Rest der Nacht in Gesellschaft jener guten Leute zu verbringen, die Scheich Ibrahim um sich versammelt hat. Ich hoffe, nicht unwillkommen zu sein, und Scheich Ibrahim wird sich freuen, mich unter seinen Gästen zu haben. Du sollst mich begleiten. Während ich ein bürgerliches Gewand anlege, verkleidest du dich zusammen mit meinem Diener Masrur. Dann kommt beide und folgt mir!"

Vergeblich versuchte der Wesir den Kalifen von seinem Vorhaben mit dem Hinweis abzuhalten, es sei schon so spät und die Gesellschaft sei sicher auseinandergegangen, bevor sie hinkämen. Der Kalif erwiderte ihm: „Ich habe gesagt, daß du mich hinbegleiten sollst. Willst du dagegen etwas einwenden? Es bleibt dabei! Ich will es so!"

Natürlich war der Wesir verzweifelt über diesen Entschluß, denn er hatte doch alles ersonnen, was er gesagt hatte. Aber was wollte er machen? Er schwieg und folgte.

Die Morgendämmerung kündete sich an. Scheherazade schwieg. Am nächsten Abend fuhr sie fort:

DIE ZWEIHUNDERTZWANZIGSTE NACHT

Im Gewand eines Kaufmanns verließ der Kalif Harun Arraschid zusammen mit dem Großwesir Djafar und Masrur, dem Oberhaupt der Verschnittenen, die Stadt und ging in den Garten. Als der Kalif die Gartentür offen fand, sagte er ärgerlich zu dem Großwesir: „Djafar, was sagst du zu solcher Nachlässigkeit? Sollte es Scheich Ibrahims Gewohnheit sein, die Tür so die ganze Nacht offenzulassen? Er ist doch sonst ein treuer Diener und ein gewissenhafter Aufseher gewesen. Nun, vielleicht hat ihn die Verwirrung des Festes zu diesem Fehler verleitet."

Der Kalif trat in den Garten und ging auf den Saal zu. Als sie davor standen und eine Weile gehorcht hatten, sagte er zu dem Wesir: „Ich höre weder Lärm einer großen Gesellschaft, noch vernehme ich einen Fakir, der Allah preist. Ehe ich hinaufgehe, will ich doch sehen, was sie treiben." Dann blickte er sich um, sah einen hohen Nußbaum in der Nähe und sagte zu Djafar: „Ich möchte auf diesen Baum steigen, dessen Äste an die Fenster des Saales reichen, um sehen zu können, was innen vorgeht!"

Djafar mußte schweigen, gehorchen und dem Kalifen auf den Baum helfen. Droben machte Harun Arraschid es sich bequem und wandte seinen Blick in den Saal. Doch wie groß war seine

Überraschung, als er ein Mädchen von unvergleichlicher Schönheit neben einem wohlgebildeten jungen Mann und Scheich Ibrahim am Tisch sitzen sah! Scheich Ibrahim hielt eben die Schale in der Hand und sagte zu der schönen Perserin: „Meine schöne Herrin, ein guter Trinker muß niemals trinken, ohne zuvor sein Liedchen zu singen. Ich habe einmal einen Dichter sagen hören:

> *Trink Wein in kleinen und großen Gefäßen. Wein, der strahlt, wie der leuchtende Mond! Doch trinke nicht ohne Gesang; denn auch das Pferd wiehert, ehe es sich mit einem Trunk erquickt.*

Gib mir also die Ehre und höre mir zu, denn es ist eines der artigsten Lieder!"

Nun sang Scheich Ibrahim, und der Kalif war darüber um so mehr erstaunt, als es ihm bisher unbekannt gewesen war, daß der Alte Wein trank und er ihn für einen weisen und gesetzten Mann gehalten hatte. So sehr ihn der Anblick der beiden jungen Leute entzückte, so übel stimmten ihn Scheich Ibrahims Zustand und Benehmen. Die schmerzliche Enttäuschung über den Charakter dieses Mannes trieb wieder die Wolke des Zorns auf die Stirn des Kalifen. Er stieg eiligst von dem Baum herunter und sagte zu seinem Großwesir: „Noch nie habe ich gottesfürchtige Leute in einem solchen Zustand gesehen. Steige du auf den Baum, Djafar, und sieh, ob die da drinnen Imams der Moschee sind, wie du mir hast einreden wollen!"

Mit beklommenem Herzen stieg Djafar auf den Baum und zitterte vor Angst für sich selber, als er die beiden Fremden und Scheich Ibrahim mit der Schale in der Hand erblickte. Mühsam kletterte er zurück, von dem Gedanken gequält, wie es ihm nun ergehen würde. Er wußte nicht, was er dem Kalifen sagen sollte.

Da sprach Harun Arraschid: „Gelobt sei Allah, der uns hinter diese Geschichte kommen ließ! Welche Unordnung, daß Leute so mir nichts, dir nichts in meinen Garten kommen und sich darin belustigen, als wäre er ihr Eigentum! Und der alte scheinheilige Ibrahim läßt sie herein und macht selbst mit! Das sind mir saubere Imams mit den Weinschalen in der Hand! Doch ich glaube kaum, daß man irgendwo ein schöneres und stattlicheres junges Paar sehen kann. Bevor ich meinen Zorn ausbrechen lasse, will ich wissen, wer sie sind und was sie hierher geführt hat!"

Djafar, der jede Gelegenheit begierig ergriff, den Zorn des Kalifen von seinem Haupt abzulenken und Zeit zu gewinnen, erwiderte: „Du hast recht, großer Sultan! Es lohnt sich, der ganzen Sache auf den Grund zu kommen."

„Komm!" sagte Harun Arraschid. „Wir wollen noch einmal zusammen auf den Baum steigen, um zu sehen, was sie machen!"

Sie stiegen hinauf und hörten beide, wie Scheich Ibrahim gerade zu der schönen Perserin sagte: „Nun, liebenswürdige Frau, hast du noch irgend einen Wunsch, der die Freude dieses Abends erhöhen könnte?"

„Bei Allah", erwiderte Anis Aldjalis, „unser Vergnügen wäre vollkommen, wenn wir noch ein Musikinstrument hätten, das ich spielen könnte. Wenn du eine Laute hast, so bringe sie her. Du sollst hören, daß ich sie spielen kann!"

Scheich Ibrahim stand auf und entfernte sich. Kurz darauf kam er mit einer Laute wieder. Der Kalif sah aufmerksam hin und erkannte, daß es die Laute seines Gesellschafters Abu Ishak war, auf dem dieser seinem Herrn auf den Abenden im Gemäldesaal vorzuspielen pflegte. Scheich Ibrahim reichte die Laute der schönen Perserin, und sie begann sogleich, die Saiten zu stimmen. Unterdessen wandte sich der Kalif an seinen Großwesir und sagte zu ihm: „Djafar! Das Mädchen wird auf der Laute spielen und dazu singen. Spielt und singt sie schlecht, so laß ich euch alle zusammen hängen. Macht sie ihre Sache gut, so will ich ihr und dem jungen Mann verzeihen. Dich aber lasse ich aufknüpfen!"

„Beherrscher der Gläubigen", erwiderte der Großwesir, „wenn dem so ist, so flehe ich zu Allah, daß sie schlecht spielen und singen möge!"

„Warum das?" fragte der Kalif.

„Je mehr wir sind", entgegnete der Großwesir, „desto leichter werden wir uns trösten können, in schöner und guter Gesellschaft zu sterben!"

Der Kalif, der gute Einfälle liebte, lachte über diese Antwort. Dann wandte er sich wieder den Fenstern des Saales zu und setzte sich zurecht, um der schönen Perserin zuzuhören.

Schon das Vorspiel bewies dem Kalifen ihre Meisterschaft. Dann begann sie zu singen und begleitete sich selbst auf der Laute dazu. Der erste Ton ihrer wundervollen Stimme zog alle Ohren und Herzen zu ihr hin. Der Inhalt des Liedes aber war folgender:

O ihr, die ihr Unglücklichen Hilfe und Beistand gewährt,
wir sind des Guten nicht unwürdig, das ihr uns erweist.
Wir haben uns in in euren Schutz begeben, darum
rechtfertigt unser Vertrauen und laßt euch unsere Not
zu Herzen gehen. Es brächte euch wahrlich keinen Ruhm,
wenn ihr diejenigen töten wolltet, die sich unter euer
Dach geflüchtet haben. Darum betrachtet uns ohne
Schadenfreude.

Diese rührenden Strophen sang die schöne Perserin mit solcher Kunst und Vollendung, daß der Kalif davon ganz bezaubert wurde. Nachdem sie ihr Lied beendet hatte, stieg er schnell vom Baum herunter, und Djafar folgte ihm.

„Zeit meines Lebens", sagte Harun Arraschid unten, „habe ich keine schönere Stimme und keine bessere Lautenspielerin gehört! Ishak, den ich bisher für den geschicktesten Lautenspieler der Welt hielt, kommt ihr nicht gleich. Es wollte mich verdrießen, als sie sein Instrument in die Hand nahm. Nun aber ist er nicht mehr wert, es zu berühren."

„Also ist dein Zorn vorüber und du bist zufrieden?" fragte Djafar.

„Mein Zorn ist nicht nur vorüber, sondern ich bin so zufrieden, daß ich jetzt in den Saal hinaufgehen will, um das Mädchen singen und spielen zu hören. Es fragt sich nur, wie ich das anstellen soll."

„Beherrscher der Gläubigen", erwiderte der Großwesir, der erneut davor erschrak, sein Betrug könnte entdeckt werden, „wenn du hinaufgehst, wirst du sie stören und somit nicht erreichen, was du willst. Und Scheich Ibrahim? Wenn er dich erkennt, so ist er voll Schrecken des Todes!"

„Das macht mir auch Sorgen", versetzte der Kalif, „und es sollte mir leid tun, die Ursache dieses Todes zu sein, nachdem er mir so lange gedient hat. Wir müssen deshalb verhüten, daß er mich erkennt, und es soll deine Aufgabe sein, eine List zu ersinnen, wie wir es anstellen können, ohne die guten Leute bei ihrem Vergnügen zu stören."

Dieser Auftrag legte eine neue Last auf Djafars Herz, und er ging schweigend in das Dunkel des Gebüschs, um darüber nachzudenken. Er kam in die Nähe eines Teiches, in den der Kalif Wasser aus dem nahen Tigris hatte leiten lassen. Die besten Fische aus dem Fluß hatten sich hier versammelt. Die Fischer wußten das wohl und hätten gern darin gefischt. Doch der Kalif war früher schon einmal von ihrem Lärm unter dem Fenster des Saals gestört worden und hatte ausdrücklich verboten, jemanden in der Nähe des Saales fischen zu lassen. So hatte es lange Zeit kein Fischer gewagt, sich der verbotenen Stelle zu nähern. Als nun in dieser Nacht der Fischer Kerin zufällig an dem Gartentor vorbeiging und es offen fand, dachte er: ‚Heute wird niemand auf mich achten. Der Aufseher ist wahrscheinlich in die Stadt gegangen, da die Tür nicht verschlossen ist, und der Kalif wird auch nicht hierher kommen. Diese Zeit will ich nützen und einen guten Fang tun!' Dann schlich er durch den Garten zum Teich und warf sein Netz aus.

Scheherazade schwieg, denn der Morgen blickte durch die Fenster. In der folgenden Nacht erzählte sie weiter:

Mittlerweile war Harun Arraschid dem Großwesir nachgegangen und hatte ihn am Ufer des Teiches eingeholt. Der Fischer war im Begriff, das Netz ans Land zu ziehen, als er sich angerufen hörte. Erschrocken drehte er sich um und sah zwei Männer vor sich stehen. In dem einen erkannte er, trotz dessen Verkleidung, sogleich den Kalifen. Da er sich bewußt war, ein Verbot übertreten zu haben, warf er sich dem Kalifen zu Füßen und sagte: „Bei Allah, o Beherrscher der Gläubigen, ich habe hier nicht gefischt, weil ich deinen Befehl mißachtete, sondern weil meine Kinder kein Brot haben. Nur die bitterste Armut hat mich dazu bewogen!"

Da sprach der Kalif zu Djafar: „Hier geht es wirklich schlimm zu. Keines meiner Gebote wird beachtet. Kehre zurück, Wesir, zu Masrur, dem Obersten meiner Verschnittenen, und sag ihm, er solle sich bereithalten, meine weiteren Befehle zu vollziehen!"

Nachdem der Großwesir sich entfernt hatte, wandte sich der Kalif mit gnädigem Blick an den Fischer, dessen Namen er kannte, und sagte: „Steh auf und fürchte nichts, Kerin! Zieh dein Netz heraus, damit ich sehe, was für Fische drin sind."

Der Fischer stand auf, zog sein Netz aus dem Wasser und fand fünf oder sechs schöne Fische verschiedener Art darin. Darüber freute sich der Kalif sehr und ließ sie mit einer Rute an den Kiefern zusammenbinden. Dann sagte er zu dem Fischer: „Kerin, zieh deine Kleider aus!"

Der Fischer gehorchte augenblicklich und zog seinen Rock aus, der mehr als hundertmal mit grober Wolle geflickt war und in dessen Falten es nicht ganz geheuer sein mochte. Dann nahm er von seinem Haupt seinen Turban, der drei Jahre nicht aufgemacht worden war und auf den er von allen Kleidern, die er seit dieser Zeit getragen, einen Fetzen genäht hatte. Dann warf der Kalif seinen Mantel ab, zog zwei seidene Kleider alexandrinischer und baalbekischer Arbeit aus, nahm den fei-

nen Kaschmir-Turban von seinem Haupt und sagte zu dem
Fischer: „Nimm diese Kleider und zieh sie an!"

Nach einigem Zögern gehorchte der Fischer, der nicht wußte,
was das Ganze bedeuten sollte. Noch mehr wunderte er sich,
als er sah, daß der Kalif dafür seinen Rock und seinen Turban
anlegte. Dieser aber lächelte, klopfte ihm auf die Schulter und
sagte: „Nimm jetzt deine Geräte und geh deiner Arbeit nach!"
Der Fischer fiel vor dem Kalifen nieder, küßte ihm die Füße
und dankte ihm mit den Versen:

> *Du hast mir eine Gnade erwiesen, die würdig ist, daß alle*
> *Welt sie erfährt. Du hast mich auf einmal mit allem*
> *versehen. Ich werde dir danken, solange ich lebe, und nach*
> *meinem Tode werden meine Gebeine im Grabe dich*
> *preisen!*

Der Fischer hatte noch nicht ausgesprochen, als der Kalif mit
beiden Händen nach seinem Hals griff. „Wehe dir, Fischer!"
rief er aus, „es juckt und beißt mich, als hätte ich Skorpione
in meinem Kleid!"

„Mein Herr", antwortete Kerin, „das spürst du nur jetzt. Ehe
eine Woche vergeht, wirst du nicht mehr daran denken!"

„So?" meinte lächelnd der Kalif, „meinst du denn, ich würde
deinen Rock so lange am Leibe behalten?"

Da sprach der Fischer mit verschlagener Miene: „Darf ich dir,
o Herr, ein Wort im Vertrauen sagen?" Und da der Kalif ihm
bedeutete, zu reden, fuhr er fort: „Da mir scheint, Beherrscher
der Gläubigen, daß du doch das Fischen lernen willst, um ein
nützliches Handwerk zu verstehen, so könnte dich dieser Rock
vortrefflich kleiden."

Der Kalif lachte über diese freimütige Rede des Fischers und
nahm Abschied von ihm. Er nahm den Fischerkorb, tat die
Fische hinein und legte etwas Grünes obendrauf. Dann kehrte
er zu Djafar und Masrur zurück. Er stellte sich vor den Großwesir, und der erkannte ihn nicht, sondern sagte zu ihm: „Was
willst du, Kerin? Geh deines Weges und sei froh, mit dem
Leben davongekommen zu sein!"

Als der Kalif diese Worte Djafars hörte, begann er zu lachen. Aufgebracht über diese Frechheit des vermeintlichen Fischers, wollte Djafar schon auf ihn losgehen, als er endlich den Kalifen erkannte. „Beherrscher der Gläubigen", rief er aus, „ist es möglich, daß du es bist? Jetzt kannst du in den Saal gehen, ohne daß dich Scheich Ibrahim erkennen wird!"

„Bleib du also hier", sagte Harun Arraschid, „während ich hinaufgehe und meine Rolle spiele!"

Der Kalif stieg die Marmorstufen hinauf und klopfte an die Tür des Saales. Scheich Ibrahim kam und fragte, wer draußen sei.

„Ich bin der Fischer Kerin", antwortete der Kalif. „Da ich vernommen habe, daß du gute Freunde bewirtest und jetzt eben einige schöne Fische gefangen habe, komme ich, um dich zu fragen, ob du sie brauchen kannst."

Nureddin und die schöne Perserin freuten sich, als sie von Fischen reden hörten. Der Kalif durfte eintreten, und Anis Aldjalis sagte: „Scheich Ibrahim, gewähre uns das Vergnügen, uns seine Fische sehen zu lassen!"

Der Kalif trat näher und ließ seine Fische sehen. „Das sind sehr schöne Fische", sagte Anis Aldjalis, „ich möchte gern davon essen, wenn sie gebacken und gut zugerichtet wären."

„Meine schöne Herrin hat recht", sprach Scheich Ibrahim, „was sollen wir mit den Fischen, wenn sie nicht gebacken sind? Geh, richte sie selber zu und bring sie dann wieder. Alles was du dazu brauchst, findest du in der Küche."

Der Kalif entgegnete: „Das soll sogleich geschehen", stieg eiligst die Treppe hinunter und rief nach dem Großwesir.

„Was gibt's, Beherrscher der Gläubigen?" fragte Djafar.

„Ich bin sehr gut aufgenommen worden", antwortete der Kalif, „aber sie verlangen die Fische gebacken."

„Gib her", sagte Djafar, „ich will sie herrichten. Es wird im Augenblick getan sein."

„Bei dem Grabe meines Vaters und meiner edlen Vorfahren", entgegnete der Kalif, „mir liegt die Erreichung meiner Absicht so sehr am Herzen, daß ich gern selber die Mühe übernehmen will. Da ich so gut den Fischer spiele, so kann ich wohl auch den Koch machen. Ich habe mich in meiner Jugend manchmal in der Küche beschäftigt und habe meine Sache nicht schlecht gemacht!" Mit diesen Worten ging er zur Hütte des Gartenaufsehers. Der Großwesir und Masrur folgten ihm.

In der Küche legten alle drei Hand mit an und hatten die Fische in kürzester Zeit zubereitet. Der Kalif brachte sie Nureddin, der Sklavin und Scheich Ibrahim, und sie aßen mit großem Behagen, während Harun Arraschid sie bediente. Als sie fertig waren, wuschen sie sich die Hände. Bei dieser Gelegenheit betrachtete Nureddin den vermeintlichen Fischer näher und sagte: „Bei Allah, Fischer, man kann keine besseren Fische essen. Du hast uns ein großes Vergnügen bereitet!"

Dann trocknete er seine Hände, nahm von dem Geld, das ihm Sandjar, der Türhüter des Königs von Bassora, vor seiner Abreise gegeben hatte, drei Dinar und warf sie dem Kalifen hin. Der tat, als sei er ganz erstaunt, Gold zu sehen, küßte es und steckte es ein. Da er aber gern das Mädchen singen hören wollte, sagte er zu Nureddin: „Herr, ich kann dir nicht genug danken für deine Freigiebigkeit. So reichlich du mich jedoch beschenkt hast, so habe ich doch noch eine Bitte an dich, die du mir gewähren mußt, ehe ich mich entferne. Ich sehe hier eine Laute, die mich vermuten läßt, daß das schöne Mädchen dort darauf spielen kann. Wenn du sie dazu bewegen könntest, mir ein Stück vorzuspielen, so würde ich als der glücklichste Mensch heimgehen, denn ich liebe das Lautenspiel über alles."

„Schöne Anis Aldjalis", sagte sogleich Nureddin, „ich bitte dich um diese Gunst im Namen des ehrlichen Mannes hier."

Da ergriff Anis Aldjalis die Laute und spielte und sang mit solcher Anmut, daß der Kalif wieder ganz bezaubert wurde. Das Lied hatte folgenden Inhalt:

Sie ergreift die Laute. Ihre Finger gleiten über die
Saiten, und jeder Ton reißt die Seele mit sich fort. Sie
singt, und ihre Stimme heilt die Tauben. Ja, sie kann
sich rühmen: ‚Auch den Taubstummen bereite ich Genuß.'
Wir werden geehrt, wenn ihr in unserem Land euch
niederlasset: sein Duft ist Ambra, und sein Staub leuchtet.

> *Betretet ihr meine Wohnung, so ziemt es sich, daß ich sie*
> *mit Moschus, Rosenöl und Kampfer bestäube.*

Als die schöne Perserin geendet hatte, rief der Kalif in höchstem Entzücken aus: „Welche Stimme, welche Hand und welches Spiel! Nie hat man etwas Ähnliches gesehen oder gehört!" Nureddin, gewohnt, alles was er besaß denjenigen zu schenken, die es lobten, erwiderte: „Fischer, ich sehe wohl, daß du ein Kenner bist. Da sie dir so sehr gefällt, so ist sie dein. Ich mache dir damit ein Ehrengeschenk, das du nicht zurückweisen darfst!" Zugleich stand er auf, nahm seinen Rock, den er abgelegt hatte, und wollte weggehen, um den Kalifen, den er immer noch für einen Fischer hielt, mit der Sklavin allein zu lassen.

Anis Aldjalis aber hielt ihn zurück, blickte ihn zärtlich an und sagte zu ihm: „Herr, wo willst du hin? Und willst du ohne Abschied von mir gehen? Wenn ich dich durchaus verlassen muß, so gestatte mir wenigstens, dir Lebewohl zu sagen. Ich bitte dich, setze dich wieder auf deinen Platz und höre, was ich für dich spielen und singen will."

Nureddin tat, was sie verlangte. Sie rührte wieder die Saiten und sang dazu, mit Tränen in den Augen, folgende von ihr aus dem Stegreif gedichteten Verse:

> *Bist du auch fern von mir, ist doch dein Platz in meinem*
> *Herzen, das ganz von dir erfüllt ist. Ich hoffe bei dem*
> *Vater der Barmherzigkeit, daß er uns wieder vereinigen*
> *wird: Dieses erflehe ich als eine Gnade von Allah, der*
> *sie gewähren kann, wenn er will.*

Als sie damit zu Ende war, legte sie die Laute neben sich und hielt sich ein Tuch vor die Augen, um ihre Tränen zu verbergen. Nureddin aber nahm das Instrument und antwortete ihr mit folgenden Strophen:

> *Am Trennungstage nahm sie mit Tränen in den Augen*
> *von mir Abschied und fragte mich, was ich nach ihrem*
> *Weggang tun werde. Da antwortete ich: Frage dies den,*
> *der danach noch am Leben bleibt!*

Hierauf schwiegen beide, und jeder versuchte, den Schmerz der Trennung niederzukämpfen.

Doch der Kalif, voller Verwunderung über das, was er hörte, und von Mitleid für die beiden ergriffen, wandte sich zu Nureddin und sagte: „Herr, ein unglücklicher Stern scheint über deinem Schicksal zu walten, sonst wäre mir dein Benehmen allzu rätselhaft und unbegreiflich. So wie ich es sehe, ist dieses schöne und bewundernswürdige Mädchen, das du mir mit solcher Großmut zum Geschenk gemacht hast, deine Sklavin, und du bist ihr Herr?"

„So ist es, Fischer", erwiderte Nureddin, „und du würdest noch erstaunter sein, als du es jetzt scheinst, wenn ich dir all die Unglücksfälle aufzählte, dir mir ihretwegen schon begegnet sind."

„O ich bitte dich, Herr", versetzte der Kalif, „erzähle mir deine Geschichte. Ich bin zwar nur ein armer Fischer, aber es wird doch dein Herz erleichtern. Und wer weiß, wozu es gut ist, denn Allahs Hilfe ist überall."

Nureddin fragte den Kalifen, ob er die Erzählung in ungebundener Rede oder in Versen hören wolle, und als der Kalif das letztere wegen der Kürze vorzog, sprach er mit gesenktem Haupt:

Mein Teurer! Mich flieht der Schlaf und mein Gram
nimmt mit jedem Tag zu, weil ich von meiner Heimat
fern bin. Ich hatte einen Vater, dessen Lieblingssohn ich
war. Da schied er von mir und nahm das dunkle Grab
zur Wohnung. Seitdem ist mir vieles widerfahren, was
mein Herz verwundet und mein Inneres zerrissen hat.
Er hatte das feinste Mädchen mir gekauft, dessen Wuchs
die schlankste Palme beschämte. Da verlor ich alles,
was ich mit ihr besaß, denn ich war freigebig und kannte
in der Großmut keine Grenzen. Als die Not zu groß
wurde, führte ich das Letzte, was mir übrigblieb, mit
schwerem Herzen auf den Markt. Ein Makler bot die
Sklavin aus, und ein nichtswürdiger Alter ersteigerte sie.
Da entbrannte mein Zorn, und ich riß das Mädchen
zurück. Der graue Schurke geriet in Wut, und aus den
Zügen seines Gesichts sprach das Grab. Doch ich ver-

teidigte mein Recht und meine Ehre mit beiden Fäusten,
bis ich mein Herz erleichtert hatte. Voller Besorgnis ob
der Folgen dieser Tat kam ich in mein Haus zurück und
murrte über mein böses Geschick. Da befahl der König
des Landes, mich zu greifen. Aber ein ehrlicher Türsteher
warnte mich und hieß mich in die Ferne ziehen, weit
weg, um meinen Feinden zu entgehen. So flohen wir
im Schutz der Nacht aus unsrer Heimat, um uns nach
Bagdad zu begeben. Ich besitze nicht mehr, als was ich
dir, o Fischer, gegeben: Dir schenke ich die Geliebte
meines Herzens, und es ist, als schenkte ich mein Herz.

Der Kalif hatte mit größter Aufmerksamkeit zugehört und
fragte Nureddin: „Und wohin willst du jetzt gehen?"
„Wohin ich gehen will?" antwortete er. „Wohin Allah mich
führt, denn seine Erde ist breit und weit!"
„Wenn du meinen Rat befolgen willst", fuhr der Kalif fort, „so
gehe nicht weiter, du mußt im Gegenteil nach Bassora zurückkehren. Ich will dir ein paar Zeilen an den König Mohammed,
Suleimans Sohn, mitgeben, und der wird dich gut aufnehmen,
sobald er sie gelesen hat. Niemand wird dir auch nur mit einem
Worte zu nahe treten!"
„Kerin", entgegnete Nureddin, „was du sagst, klingt wunderbar. Wann hat man je gehört, daß ein Fischer wie du mit
einem König im Briefwechsel steht?"
„Das darf dich nicht wundern", erwiderte der Kalif, „wir sind
zusammen in die Schule gegangen und immer die besten
Freunde der Welt gewesen. Zwar hat das Glück uns nicht auf
die gleiche Weise begünstigt, aber diese Ungleichheit hat unserer Freundschaft nicht geschadet. Er hat sich alle Mühe gegeben, mich aus meinem Stande emporzuziehen. Ich aber habe
mich immer damit begnügt, seine Gunst für meine Freunde
einzusetzen. Darum laß mich nur machen. Du wirst den Erfolg
sehen."
Nureddin freute sich über den Vorschlag des Kalifen. Der Kalif
schrieb an den König einen Brief mit dem Inhalt:
„Im Namen des allbarmherzigen Gottes! Harun Arraschid,
Muhdis Sohn, sendet diesen Brief an Mohammed, Suleimans

Sohn. Sobald Nureddin Ali, des Wesirs Badhl Sohn, dieses mein eigenhändiges Schreiben Dir übergeben und Du es gelesen hast, lege auf der Stelle den königlichen Mantel ab, bekleide den Überbringer damit und räume ihm Deine Stelle ein. Ich hoffe auf Deinen Gehorsam gegen diesen meinen ausdrücklichen Willen. Gott befohlen!"

Der Kalif faltete und verschloß den Brief, ohne Nureddin etwas von dem Inhalt mitzuteilen. Dann übergab er ihm den Brief und sprach zu ihm: „Besteige ein Boot, das bald abgehen wird. Schlafen kannst du ja auf dem Schiff!"

Nureddin nahm den Brief und machte sich mit dem wenigen Geld auf den Weg, das er noch von dem Geschenk Sandjars übrig hatte. Die schöne Perserin aber war untröstlich über seine Abreise, drückte sich in eine Ecke des Diwans und zerfloß in Tränen.

Kaum hatte Nureddin den Saal verlassen, als Scheich Ibrahim, der bisher immer nur den stummen Beobachter gemacht hatte, den Kalifen, den er immer noch für den Fischer Kerin hielt, ansah und zu ihm sagte:

„Höre, Kerin, du bist hergekommen und hast uns einige Fische gebracht, die höchstens zwanzig Para wert sind. Du hast dafür schweres Gold und eine Sklavin zum Geschenk bekommen. Willst du das alles für dich behalten? Mir hast du zu verdanken, daß du deine Fische hier überhaupt verkauft hast, denn ich hätte das Recht gehabt, dich aus dem Garten hinauszuprügeln. Zu der Sklavin bist du gekommen, ohne zu wissen, wie. Hätte ich nicht einen großmütigen Gast bewirtet, nie im Leben hätte es dir armen Schlucker einfallen können, eine Sklavin zu besitzen. Da ich also der Urheber deines Glücks bin, so will ich als Belohnung die Sklavin für mich haben. Was das Geld betrifft, so laß einmal sehen, wieviel es ist. Ist es Silbergeld, so magst du ein Stück für dich behalten, ist es aber Gold, so nehme ich alles und bezahle dir deine Fische mit soviel Kupfermünzen, wie sie unter Brüdern wert sind."

Auf diesen schmutzigen Vorschlag Scheich Ibrahims antwortete der vermeintliche Fischer:

„Scheich Ibrahim, ich kenne den Wert des Geldes nicht, das

ich von deinem edlen Gast bekommen habe, denn ich habe in meinem ganzen Leben noch kein Goldstück in der Hand gehabt. Auf jeden Fall aber sollst du die Hälfte davon haben. Die Sklavin jedoch will ich für mich allein behalten. Willst du dich aber nicht damit begnügen, so bekommst du gar nichts!"

Scheich Ibrahim entbrannte vor Zorn, nahm eines der Porzellangefäße und warf es nach dem Kalifen. Der hatte keine große Mühe, dem Wurf des Betrunkenen auszuweichen. Die Schale flog gegen die Wand und zerbrach in tausend Stücke. Scheich Ibrahim, durch den Fehlwurf noch mehr erzürnt als zuvor, nahm das auf dem Tisch stehende Licht, taumelte von seinem Polster auf und stieg eine verborgene Treppe hinab, um einen Stock zu holen.

Diese Zeit benutzte der Kalif, um eine Verwandlung mit sich vorzunehmen, die er schon vorbereitet hatte. Ehe er nämlich die gebratenen Fische in den Saal trug, hatte er seinem Großwesir Djafar befohlen, eilig nach dem Palast zu gehen und ihm einige Diener und ein Kleid zu holen. Damit sollte er an der Treppe des Saales warten, bis er aus einem der Fenster in die Hände klatschen würde. Nun trat der Kalif an ein Fenster und klatschte in die Hände. Sofort waren der Großwesir, Masrur und die vier Diener bei ihm, zogen ihm das Fischerkleid aus und legten ihm das mitgebrachte Gewand an.

Scheherazade bemerkte den Tag und schwieg. In der folgenden Nacht fuhr sie fort:

Die Diener hatten den Anzug des Kalifen noch nicht ganz geordnet, als Scheich Ibrahim mit einem großen Stock wieder zum Vorschein kam und auf den vermeintlichen Fischer losgehen wollte, um ihn durchzuprügeln. Doch statt des Fischers sah er den Kalifen auf seinem Throne sitzen, mit dem Großwesir und Masrur zu seiner Seite. Er stutzte bei diesem Anblick und biß sich in die Finger, um zu sehen, ob er wache oder träume. Der Kalif lachte über sein Erstaunen und fragte ihn: „Nun, Scheich Ibrahim, was willst du? Was suchst du?" Scheich Ibrahim, der inzwischen Herr seines Rausches geworden war, zweifelte nun nicht mehr daran, daß es wirklich der Kalif war, den er vor sich hatte und der sich in den Fischer Kerin verkleidet gehabt hatte. Er warf sich sogleich ihm zu Füßen und rief aus: „Vergebt mir den Fehltritt, den mein Fuß getan hat. Oft fordern ja Untertanen Nachsicht von ihren Herren. Ich habe eine Schuld auf mich geladen, die ich gestehe. Doch was vermögen nicht Gnade und Großmut?"

Da stieg der Kalif von seinem Throne und sagte: „Steh auf ich verzeihe dir!" Hierauf wandte er sich zu der schönen Perserin und sagte zu ihr:

„Steh auf und folge mir! Aus dem, was du eben gesehen hast, weißt du, wer ich bin und daß es meinem Range nicht angemessen ist, von dem Geschenk, das Nureddin in einer Großmut ohnegleichen mir mit deiner Person gemacht hat, einen Vorteil zu ziehen. Ich habe ihn nach Bassora geschickt, um dort König zu sein. Und dich will ich als Königin eben dorthin schicken, sobald ich die nötigen Verfügungen zu seiner Einsetzung getroffen habe und ihm den Ehrenkaftan überreichen kann. Unterdessen will ich dir eine Wohnung in meinem Palast geben, wo du behandelt werden sollst, wie es deiner würdig ist!"

Diese Rede entschädigte die schöne Perserin für die schmerzliche Trennung und sie freute sich, daß Nureddin, den sie leidenschaftlich liebte, zu einer so hohen Würde erhoben werden sollte. Der Kalif erfüllte das ihr gegebene Versprechen und empfahl sie seiner Gemahlin Subeida, nachdem er ihr von der Achtung erzählt hatte, die er für Nureddin empfand.

Nureddin besuchte bei seiner Ankunft in seiner Vaterstadt Bassora weder Freunde noch Verwandte, sondern ging geradewegs nach dem königlichen Palast, dessen Eingang von einer großen Menge Bittsteller versperrt war. Er arbeitete sich durch das Gedränge, wobei er den Brief hochhielt und laut rief, man solle ihm Platz machen. Als er endlich in den Audienzsaal gelangte, warf er sich an den Stufen des Thrones nieder, zog dann seinen Brief hervor und überreichte ihn. Der König öffnete ihn und küßte ihn dreimal, als er die Handschrift des Kalifen erkannte. Nachdem er aber den Inhalt gelesen hatte, sank er zuerst bleich in seinen Stuhl zurück.

Dann erhob er sich mühsam und sagte: „Ich gehorche Allah und dem Beherrscher der Gläubigen. Man rufe die vier Kadi der Hauptstadt und alle Fürsten und Großen des Reiches, damit ich der Regierung entsage."

Nachdem sich alle versammelt hatten, eröffnete ihnen der König, daß er ein Handschreiben von Harun Arraschid, dem Beherrscher der Gläubigen, erhalten habe, worin ihm dieser befehle, die Königswürde abzulegen und dem Überbringer des Briefes zu übertragen. Dabei zeigte er mit der Hand auf Nureddin, der neben dem Thron stand.

Der Wesir Muin, der unter den Versammelten war, wollte seinen Augen nicht trauen, als er Nureddin sah und hörte, daß der König werden sollte. Sogleich sann er auf ein Mittel, das zu hintertreiben. Er trat an den Thron, warf sich vor dem König nieder und sprach: „Herr! Erlaube mir, zu fragen, ob du dich von der Echtheit des Schreibens überzeugt hast?"

Der König gab ihm den Brief und sagte: „Da, lies selbst!"

Kaum hatte ihn der Wesir gelesen, so zerriß er ihn in Fetzen, steckte diese in den Mund, kaute sie und spie sie wieder aus. Als der König das sah, rief er ihm voll Zorn und Schrecken zu: „Was soll das, Muin? Wie kommst du dazu, so zu handeln?"

„Mein Herr und König!" antwortete Muin. „Als ich den Brief las, erkannte ich sofort, daß er nicht vom Kalifen, sondern falsch und nachgemacht war. Erinnerst du dich nicht mehr, was dieser Bube dir alles angetan hat, bevor er die Stadt verließ? Und jetzt kommt er auf einmal wieder zum Vorschein und bringt einen Brief, den er vom Kalifen erhalten haben will! Welch frecher Betrug! Nureddin ist niemals mit dem erhabenen Herrscher der Gläubigen zusammengekommen. Vielleicht hat er irgendetwas mit der Handschrift des Kalifen gefunden und sich unterstanden, diese nachzuahmen. Schon das ist ein todeswürdiges Verbrechen. Aber ein noch weit größeres ist die Absicht, mit der er es getan hat. Denn was will er? Nichts Geringeres als dich vom Thron stoßen und sich selbst darauf setzen! Und du hast dem erdichteten Befehl gehorchen wollen? Wie kannst du denken, daß der Kalif so mir nichts dir nichts einem König die Regierung abnehmen und sie einem Bettler übertragen kann? Wäre dem so, hätte er gewiß einen besonderen Boten mit diesem Befehl gesandt oder dem Überbringer zur Beglaubigung einen seiner Wesire mitgegeben. Da könnte jeder mit einem gefälschten Brief herkommen und König werden wollen! Aus allem siehst du, Herr, daß er ein elender Betrüger ist, und du kannst dich in dieser Beziehung auf mein Wort verlassen. Es ist meine Pflicht, über dich und mein Reich zu wachen. Darum beruhige dich und überlaß mir die genauere Untersuchung und Bestrafung dieses unerhörten Frevels. Alle üblen Folgen, die daraus entstehen könnten, nehme ich auf mich."

Der König Mohammed ließ sich leicht bereden, fragte aber zur Sicherheit doch den Wesir, was er mit dem Überbringer des Briefes anzufangen gedenke.

Muin antwortete: „Ich will ihn unter guter Bewachung nach Bagdad senden. Ist seine Behauptung wahr, so wird er mit einem Firman und mit dem Ehrenkaftan des Kalifen zurückkommen, und dann ist es für dich immer noch Zeit genug, dem Befehl zu gehorchen und die Regierung niederzulegen. Wenn nicht, so will ich ihn so bestrafen, wie er es verdient."

Dem König gefiel Muins Vorschlag. Er übergab deshalb Nureddin der Willkür des Wesirs, der ihn unter Bewaffnung in sein Haus führte. Dort ließ er den Unglücklichen knebeln und so lange schlagen, bis er wie tot liegenblieb. Dann befahl er dem Gefängniswärter Katit, den Ohnmächtigen ins Gefängnis zu tragen und dort in das dunkelste und tiefste Loch zu werfen. Dazu schärfte er ihm ein, ihn so streng wie möglich zu behandeln und ihm nichts als Wasser und Brot zu geben.

Als Nureddin ganz zerschlagen wieder zu sich kam und sich in einem finsteren Kerker sah, beweinte er sein unglückliches Schicksal. „Ha, Fischer!" rief er aus. „Du hast mich betrogen, und ich bin so leichtgläubig gewesen. Konnte ich damit rechnen, einer solchen Behandlung entgegenzugehen, nachdem ich dir soviel Gutes getan hatte? Gleichwohl segne dich der Himmel: Ich kann nicht glauben, daß deine Absicht eine böse gewesen ist, und ich will Geduld haben bis ans Ende meiner Leiden!"

Doch noch am ersten Tage machte Nureddin eine gute Erfahrung, mit der er nicht gerechnet hatte: Katit nämlich, der Wärter, nahm ihm nach wenigen Stunden die schweren Ketten ab, mit denen er ihn auf Befehl Muins hatte beladen müssen. Er bereitete ihm auf einer Bank ein gutes Lager von Teppichen und Polstern, ließ ihm reichliche und gut zubereitete Kost zukommen und war überhaupt sehr milde und freundlich gegen ihn, obwohl der Wesir ständig zu ihm schickte und befahl, dem Gefangenen mehrmals täglich die Bastonade zu geben.

So vergingen vierzig Tage. Endlich, am einundvierzigsten, glaubte der Wesir, mit seinem Vorhaben nicht mehr länger zögern zu dürfen. Er war entschlossen, den verhaßten Nureddin ums Leben zu bringen, wagte es aber nicht auf eigene Gefahr. Der König selbst sollte das Todesurteil sprechen. In dieser Absicht belud der Wesir mehrere seiner Sklaven mit reichen Geschenken und stellte sich an ihrer Spitze dem König vor. „Herr", sprach er boshaft zu ihm, „hier sind Geschenke, die der neue König dir sendet. Er bittet dich, sie zu Ehren seiner Thronbesteigung freundlich aufzunehmen."

Der König verstand, was Muin sagen wollte, und entgegnete: „Du erinnerst mich zur rechten Zeit an den Betrüger! Wie kommt es, daß der Elende noch lebt? Ich glaubte, du hättest ihn längst töten lassen?"

„Herr", versetzte Muin, „es steht mir nicht zu, jemandem das

Leben zu nehmen. Dieses Recht gebührt nur dem, der auf dem Throne sitzt."

„Geh", erwiderte der König, „und laß ihm den Kopf abschlagen. Ich geb dir die Vollmacht dazu!"

„Dein Wille, o Herr und König, soll geschehen", sagte Muin hierauf. „So sehr ich dir aber für die Gerechtigkeit verbunden bin, die du mir angedeihen läßt, so wage ich doch, dir eine Bitte vorzutragen, durch deren Erfüllung ich erst vollständige Genugtuung zu erhalten glaube. Du weißt, daß Nureddin mich öffentlich auf dem Markt vor aller Welt beschimpft hat. Gestatte daher, daß die Hinrichtung vor dem Palast geschehen soll und daß die Ausrufer durch die ganze Stadt verkünden: Wer Nureddin sterben sehen will, der komme zum Palast. Dort kann er sehen, wie die Feinde des Königs und seiner treuen Diener bestraft werden!"

Der König gewährte ihm diese Bitte und entließ ihn. Die Ausrufer taten ihre Schuldigkeit, und in der ganzen Stadt verbreitete sich Trauer. Das Andenken an die Tugenden und Verdienste des Vaters bewirkte, daß man überall nur mit Unwillen vernahm, der Sohn solle so schmählich hingerichtet werden, und zwar durch die Bosheit des verhaßten Muin.

Alles strömte herbei, aber nicht um sich zu ergötzen, sondern um dem Unglücklichen Teilnahme zu zeigen. Viele hatten sich vor dem Gefängnis aufgestellt, um ihn zum Richtplatz zu begleiten. Endlich erschien der Wesir mit zehn Mamelucken und forderte von Katit die Herausgabe des Gefangenen.

„Mein Herr", antwortete Katit, „ich habe ihn auf deinen Befehl so geschlagen, daß er sich in einem erbärmlichen Zustand befindet und sich kaum auf den Beinen halten kann."

„Heraus mit ihm!" rief der Wesir, beinahe schäumend vor Zorn. Und Katit ging hinein, das arme Opfer zu holen.

Als er sich der Kerkertür näherte, hörte er Nureddin folgende Verse sagen:

Wer hilft mir in meinem Elend? Wie meine Not wächst,
so schwindet die Möglichkeit der Rettung. Die Trennung
von ihr hat mein Herz gebrochen und die Zeit meine

Freunde in Feinde verwandelt. O mein Volk, ist keiner
unter dir, der sich meines Zustands erbarmt und auf meine
Klagen antwortet? Der Tod ist mir willkommen mit allen
seinen Schrecken, denn meine Hoffnung ist vom Glück
des Lebens abgeschnitten. O Herr, ich flehe zu dir durch
den Auserkorenen, den Verkünder, den Führer zum
Heil, den Inbegriff aller Wissenschaften und den Ausbund
der Beredten! Um deiner Gnade willen erlöse mich,
hebe mich empor aus meiner Erniedrigung und wende
von mir alle Pein und Klage!

Nachdem Nureddin geendet hatte, trat Katit zu ihm hinein
und kündigte ihm an, daß er ihn seinem Feinde, dem Wesir
Muin, ausliefern müsse, um zum Tode geführt zu werden. Er
hieß ihn die besseren Kleider ablegen, die er ihm bisher aus
Mitleid gelassen hatte und führte ihn in einem schmutzigen
Armensündergewand hinaus.
Als Nureddin vor Muin stand, sagte er zu ihm: „Du trium-
phierst jetzt und mißbrauchst deine Gewalt. Aber bist du sicher
gegenüber dem Schicksal? Ich vertraue auf die Wahrheit dessen, was einer unserer Dichter sagte:

Sie richteten ungerecht, aber nicht lange dauerte ihr
Richteramt. Bald war es, als hätten sie nie die Gewalt in
Händen gehabt.

Bedenke, daß wir alle in Allahs Hand stehen, der tun kann,
was ihm gefällt."
Der Wesir Muin sah ihn mit einem verächtlichen Blick an und
erwiderte: Niedriger Wurm! Willst du mir vielleicht Furcht
einjagen mit deiner Rede? Geh, ich verzeih es dir. Mag doch
geschehen, was da will, wenn ich dir nur vor den Augen von
ganz Bassora den Kopf habe abhauen lassen. Du mußt auch
wissen, was ein anderer unserer Dichter gesagt hat:

Was schadet es, am Tag nach dem Tod seines Feindes
zu sterben?

Hierauf befahl er seinen Dienern, Nureddin auf den Rücken eines Maultieres zu binden und vor ihm herzuführen. So nahm er, umgeben von seinen Mamelucken, den Weg zum königlichen Palast. Das Volk war im Begriff, über ihn herzufallen und würde ihn gesteinigt haben, wenn Nureddin nicht abgewehrt und die Andringenden mit den Strophen besänftigt hätte:

> *Mir ist eine Zeit bestimmt, die ich gewiß erreiche, und diese Bestimmung ist längst beschlossen und besiegelt. Ist diese Zeit vorüber, so muß ich sterben. Wollten mir auch die Löwen im Walde helfen, sie zu überschreiten, so würde sie sich doch nicht verlängern, und ehe sie zu Ende ist, kann weder Feind noch Tod mir etwas anhaben.*

Als Muin mit Nureddin auf dem Platz vor dem Palast angekommen war, ließ er ihn in den Händen des Scharfrichters zurück und begab sich zu dem König, der schon darauf wartete, sich an dem blutigen Schauspiel zu weiden. Nach einer Weile kam Muin wieder aus dem Palast zurück und gab einen Wink, auf den nochmals ausgerufen wurde:
„Das ist die Strafe, und zwar die geringste Strafe, für jeden, der es wagt, den König oder seine treuen Diener zu verachten!"
Nach diesen Worten wurde er von den Fenstern des Palastes auf die Blutmatten geworfen. Der Scharfrichter näherte sich ihm und sprach: „Herr, ich bitte dich, mir darum nicht zu zürnen, daß du durch meine Hand stirbst. Ich bin nur ein Sklave und kann mich der Ausübung meiner Pflicht nicht entziehen. Wenn du nicht noch etwas begehrst, so sei so gut, und mach dich bereit, denn du hast nicht mehr Zeit übrig, als der König braucht, um aufzustehen und sein Gesicht am offenen Fenster zu zeigen!"
Da sprach der unglückliche Nureddin:

> *Schon sehe ich den Henker, das Schwert und die Matte bereit. Ich rufe Wehe über meine Schmach, über die Größe meines Elends! Ist einer unter euch, der Mitleid*

mit mir fühlt, so zeige er mir's und antworte auf meinen
Jammerruf! Mein Leben schwindet dahin, sobald die
Uhr meines Schicksals abgelaufen ist. Erbarmt sich jemand
meiner, so verdien' er Gottes Lohn und erleichtre meine
Qual mit einem Schluck Wasser, um meinen Durst zu
löschen!

Man brachte sogleich ein Gefäß mit Wasser, das man von
Hand zu Hand bis zum Scharfrichter gehen ließ, der Nureddin
zu trinken reichen wollte. Doch der Wesir Muin erhob sich voller Zorn über diese Verzögerung, zerschlug das Gefäß und rief
dem Scharfrichter zu: „Was zögerst du? Haue zu!"
Scheherazade schwieg, denn der Morgen graute. Am folgenden
Abend fuhr sie fort:

Nun wurden Nureddin die Augen verbunden. Während das
geschah, ertönte der ganze Platz von lauten Verwünschungen gegen den Wesir, dessen Grausamkeit auch die rohesten
Gemüter empören mußte.

Auf einmal näherte sich aus der Ferne eine große Staubwolke.
Als der König sie von seinem Palast aus erblickte, befahl er,
mit der Hinrichtung zu warten und nachzusehen, was das bedeute. Muin, der wohl ahnte, was es sein könnte, drang in den
König, dem Scharfrichter das Zeichen zu geben.

„Nein", sagte der König, „erst will ich sehen, was es Neues
gibt!"

Unterdessen hatte sich die Staubwolke genähert, und man erkannte, daß sie von einem Trupp Reiter herrührte, der gegen
den Palast dahersprengte. Es war der Großwesir Djafar mit
seinem Gefolge, der selber im Namen des Kalifen von Bagdad
kam.

Zum Verständnis dieser Überraschung ist zu bemerken, daß
nach Nureddins Abreise mit dem Brief des Kalifen dieser nicht
mehr daran gedacht hatte, einen besonderen Boten mit der
Kundmachung und dem Ehrenkaftan abzusenden, wovon er
der schönen Perserin erzählt hatte. Er befand sich im inneren
Palast der Frauen, als er aus einem Zimmer eine sehr schöne
Stimme hörte. Er blieb stehen und vernahm die Verse:

*Bist du nahe oder fern, so schwebt dein Bild vor meiner
Seele, und dein Andenken wird nie von meiner Zunge
weichen.*

Nach Beendigung ihres Gesanges weinte die Sängerin so heftig,
daß Harun Arraschid sich nicht enthalten konnte, die Tür zu
öffnen und einzutreten. Als die Bewohnerin des Zimmers ihn
erblickte, warf sie sich vor ihm auf die Erde, küßte sie dreimal
und sprach: „O du, rein Stamm und Geburt, blühender Spröß-
ling des edelsten Hauses, verzeihe mir, wenn ich es wage, dich

an dein Versprechen zu erinnern. Ich weiß gewiß, daß es dir fern liegt, zu vergessen, was du einmal gesagt hast."

Als der Kalif die schöne Perserin erkannte, rief er aus: „Ach, armer Nureddin, das ist meinem Gedächtnis ganz entfallen!"

Der Kalif hob die Sklavin vom Boden auf und beteuerte ihr mit einem Schwur, er wolle das Versäumte sogleich nachholen. Er entfernte sich, ließ seinen Wesir Djafar zu sich rufen und sprach zu ihm:

„Dreißig Tage sind vorüber, seit Nureddin mit meinem Brief nach Bassora abgereist ist. Ich habe vergessen, das Notwendige zu tun, damit er als König anerkannt wird, und fürchte sehr, daß man ihn als Betrüger hingerichtet hat. Aber bei dem Grabe meiner Väter: wenn ihm ein Leid widerfahren ist, so vernichte ich den Schuldigen, sollte er mir noch so teuer sein. Es ist jetzt keine Zeit mehr, die Kundmachung auszufertigen. Nimm deshalb Reiter mit dir und eile nach Bassora. Versäume keinen Augenblick. Du erzählst meinem Vetter, dem König, wie ich mit Nureddins Geschichte bekanntgeworden bin, und daß ich ihn mit einem Brief an ihn abgesandt habe. Siehst du, daß er meinen Befehlen zuwidergehandelt hat und ist Nureddin nicht mehr am Leben, so laß den Wesir Muin unverzüglich aufhängen. Ist aber Nureddin nicht tot, so führe ihn mitsamt dem König und dem Wesir hierher. Und jetzt fort, so lieb dir dein Kopf ist!"

Der Großwesir Djafar reiste sogleich mit einer Anzahl Bediensteter ab. Er legte den Weg in größtmöglicher Eile zurück und kam zur angegebenen Zeit in Bassora an. Als er auf dem Platz vor dem Palast gelangte, erfuhr er sofort, was hier geschehen sollte. Von allen Seiten erschollen Rufe um Gnade für Nureddin. Der König von Bassora, der den Großwesir des Kalifen erkannt hatte, ging ihm entgegen und empfing ihn am Eingang seines Zimmers. Nach der üblichen Begrüßung gebot Djafar, Nureddin kommen zu lassen. In der Zwischenzeit eröffnete er dem König die Ursache seines Kommens und die Befehle des Kalifen. Bald darauf erschien, gebunden und geknebelt, Nureddin. Ein Strahl der Hoffnung leuchtete auf seinem Gesicht, als er den König in eifrigem Gespräch mit einem Fremden erblickte, der dem Anschein nach ein hoher Beamter war. Djafar ließ ihn auch sogleich losbinden und gebot, den Wesir Muin zu fesseln. Hierauf bedeutete er dem König, er möge sich am folgenden Morgen bereithalten, um mit ihm die Reise nach Bagdad anzutreten und entfernte sich, um sich von den Anstrengungen zu erholen und die Nacht in Bassora zu verweilen. Nach dem Morgengebet brach er mit seinem Gefolge auf und führte befehlsgemäß Muin, den König von Bassora und Nureddin mit sich.

In Bagdad angekommen, stellte er sie dem Kalifen vor. Nachdem er über alles ausführlich Bericht erstattet hatte, ging der Kalif auf Nureddin zu und sagte zu ihm: „Nimm dieses Schwert und schlag deinem Feinde damit den Kopf ab!"

Nureddin nahm das Schwert und trat auf Muin zu, als ob er den Befehl des Kalifen vollziehen wollte. Muin aber, der schon unterwegs große Reue an den Tag gelegt hatte und sowohl auf den Eindruck davon bei Nureddin und auf dessen bekannte Großmut rechnete, sah ihn mit einem durchdringenden Blick an und sagte:

„Wie ich an dir gehandelt habe, lag in meiner Natur. Handle du jetzt nach der deinigen!"

Da warf Nureddin das Schwert weg, wendete sich an den Kalifen und sagte: „Beherrscher der Gläubigen! Wieviel Böses mir dieser Boshafte auch schon getan und schon meinem verstorbenen Vater zu tun sich bemüht hat, so würde ich mich doch für den verruchtesten aller Menschen halten, wenn ich meine Hände mit seinem Blut befleckte. Habe also die Gnade, mich des traurigen Amtes der Vergeltung zu entheben."

Der Kalif lobte Nureddins edle Gesinnung, glaubte aber doch, der Gerechtigkeit dieses Opfer bringen zu müssen. Er rief daher Masrur herbei, der auch nicht zögerte, das Urteil an Muin augenblicklich zu vollstrecken.

Harun Arraschid wollte Nureddin wieder nach Bassora schikken, um die Regierung dort zu übernehmen. Aber Nureddin bat, ihn auch davon zu entbinden und sagte: „Beherrscher der Gläubigen! Die Stadt Bassora ist mir nach dem, was mir darin widerfahren ist, so zuwider geworden, daß ich es als außerordentlichen Beweis deiner Gnade ansehen würde, wolltest du mir vergönnen, meinen Schwur zu halten, daß ich mein Leben lang nicht wieder dorthin zurückkehren will. Da du mich jedoch eines so großen Vertrauens gewürdigt hast, so würde ich meinen größten Ruhm darin setzen, in deiner näheren Umgebung zu bleiben und dir zu dienen!"

Der Kalif willigte ein und nahm Nureddin in die Zahl seiner vertrautesten Hofleute und Gesellschafter auf. Dann ließ er die schöne Perserin holen, gab sie Nureddin wieder und wies dem reichlich beschenkten Paar einen prächtigen Palast in Bagdad als Wohnung an. Er überhäufte sie mit Wohltaten und hatte seine innigste Freude an ihrem Glück, das er so oft mit ihnen teilte, als es seine Regierungsgeschäfte erlaubten.

Was den König von Bassora betrifft, so begnügte sich der Kalif damit, ihm einzuschärfen, wie vorsichtig er in der Wahl seiner Wesire sein müsse und schickte ihn in sein Königreich zurück.

„Das ist die Geschichte Nureddins und der schönen Perserin", schloß Scheherazade, und Dinarsad dankte ihr für das Vergnügen, das sie ihr durch die Erzählung bereitet habe.

„Gern würde ich die noch viel wunderbarere Geschichte von dem Prinzen Kamr essaman erzählen", fuhr Scheherazade fort, „wie er Bedur, die Tochter des Königs Ghaiur, liebte und zu ihr reiste, und welche Abenteuer die beiden Liebenden zu bestehen hatten. Aber ich sehe den Tag heraufsteigen und weiß nicht, ob es mir vergönnt sein wird, morgen fortzufahren."

Hierauf schwieg sie. Doch der Sultan, der sich noch nicht entschließen konnte, sie töten zu lassen, willigte ein, sie auch in der folgenden Nacht zu hören.

In der nächsten Nacht begann Scheherazade zu erzählen:

Die Geschichte des Prinzen Kamr essaman und der Prinzessin Bedur

Weit vor der Küste Persiens liegt im großen Meer die Kanarieninsel. Sie ist in mehrere Provinzen eingeteilt, die sich durch blühende und stark bevölkerte Städte auszeichnen und ein mächtiges Königreich bilden. Hier herrschte vor vielen Jahrhunderten ein König namens Schah Seman, der vier Gemahlinnen, sämtlich Königstöchter, in rechtmäßiger Ehe und sechzig Beischläferinnen nebst einer großen Anzahl Sklavinnen besaß. Er hielt sich für den glücklichsten Mann dieser Erde, denn in seinem Reich herrschten Ruhe und Wohlfahrt. Nur ein Umstand trübte sein Glück, daß er nämlich schon hochbejahrt und — trotz so vieler Weiber — noch kinderlos war. Er betrachtete es als größtes Elend, das ihn treffen konnte, zu sterben, ohne einen Leibeserben als Nachfolger zu hinterlassen.

Eines Tages klagte er seinem Großwesir in einer geheimen Unterredung seine Not und fragte ihn, ob er nicht ein Mittel wüßte, dieser Not abzuhelfen.

„Großmächtigster König", antwortete der Wesir, „in derlei Anliegen kann man nur Allah um seine Hilfe anflehen. Du hast bedürftige Untertanen, die es sich besonders angelegen sein lassen, ihn zu ehren. Ich rate dir, eine große Mahlzeit bereiten zu lassen, jene dazu einzuladen, damit sie nach Herzenslust essen, und sie dann aufzufordern, ihre Gebete mit deinem Flehen zu vereinigen. Vielleicht findet sich unter ihnen eine reine Seele, deren Gebet Allah angenehm ist, so daß dein Wunsch erfüllt wird und du einen Sohn bekommst, der dir in der Regierung folgt und nach deinem Tode dein Gedächtnis wachhält."

Schah Seman war sehr erfreut über diese Rede seines weisen Wesirs. Er ließ sogleich jeder Brüderschaft der gottgeweihten

Leute, die der Wesir ihm bezeichnet hatte, reiche Almosen austeilen, lud sie zu einer gemeinsamen Mahlzeit ein und bat sie, für die Erhörung seines Wunsches zu Allah zu beten.

Wirklich war eine seiner Frauen nach einiger Zeit gesegneten Leibes und gebar ihm einen Sohn. Zum Dank dafür ließ er in seinem ganzen Reich eine Woche lang Freudenfeste veranstalten. Der Schah Seman fand seinen Sohn so schön, daß er ihn Kamr essaman — ‚Mond oder Schönheit der Zeit‘ — nannte. Man bestellte Ammen und Diener für das Kind, und es wuchs kräftig heran. Mit achtzehn Monaten wurde der Knabe entwöhnt, und nachdem er das vierte Jahr hinter sich hatte, bot er ein Bild vollendeter Schönheit und Anmut, so daß ein Dichter ihm folgende Verse widmete:

> *Wo er erscheint, spricht man: Gepriesen sei Gott, der ihn geschaffen und gebildet hat! Er ist der Fürst unter den Schönsten der Schönen, und alle müssen bekennen: Wir sind deine Untertanen.*

Der Prinz Kamr essaman wurde mit aller erdenklichen Sorgfalt erzogen. Als er das siebente Jahr erreicht hatte, gab ihm sein Vater einen weisen Hofmeister und geschickte Lehrer. Sie fanden in ihm einen gelehrigen Schüler, und es dauerte nicht lange, bis er mit allen Wissenschaften vertraut war. Zugleich bildeten sich seine Sitten und sein Benehmen so edel, wie es sich für einen Prinzen geziemt. Im reiferen Alter erlernte er ebenso alle Leibesübungen und zeigte dabei so viel bewundernswürdige Geschicklichkeit, daß er jedermann, und besonders seinen Vater, entzückte.

Als der Prinz vierzehn Jahre zählte, war seine Schönheit vollkommen. Die Locken rollten in frischer Fülle über seine Wangen herab, deren Glanz durch ein braunes Fleckchen wie ein Ambrakügelchen eher gehoben als gemindert wurde, so daß folgende Verse von ihm galten:

> *Schlank ist sein Wuchs. Seine Haare sind so schwarz und seine Stirn so glänzend weiß, daß die Welt dadurch zugleich in Dunkelheit gehüllt wird und in hellem Licht*

strahlt. Mißbilligt aber nicht das Mal auf seiner Wange.
Auch die Anemone hat schwarze Pünktchen, und ist sie
darum minder schön?

Der Sultan, der ihn zärtlich liebte und ihm jeden Tag neue
Beweise davon gab, beschloß jetzt, seiner Liebe die Krone auf-
zusetzen und seinem Sohn die Regierung der Insel abzutreten.
Er sprach darüber mit seinem Wesir und sagte zu ihm:
„Ich fürchte, wenn mein Sohn so fortfährt, seine Jugend ohne
bestimmte Tätigkeit in einem seinen Kenntnissen angemesse-
nen Wirkungskreis zu verbringen, so könnte er nicht nur die
Vorzüge einbüßen, mit denen ihn die Natur so reichlich ausgezeichnet hat, sondern auch diejenigen, welche er sich mit viel
Erfolg durch die gute Erziehung, die ich ihm gab, erwarb. Da
ich jetzt ein Alter erreicht habe, in dem man daran denkt, sich
zurückzuziehen, bin ich halb und halb entschlossen, ihm die
Regierung zu übergeben. So möchte ich mich für den Rest
meiner Tage damit begnügen, ihn regieren zu sehen. Ich habe
lange genug gearbeitet und bedarf nun der Ruhe."
Der Großwesir ging auf die Absichten des Königs ein und antwortete ihm: „Großmächtigster Herr und König! Der Prinz ist,
wie mir scheint, noch zu jung, um ihn schon jetzt mit einer so
schweren Bürde zu beladen, wie es die Regierung eines mächtigen Staates ist. Du fürchtest mit gutem Grund, der Müßiggang könnte ihn verderben. Wäre es aber nicht, um diesem
Übel abzuhelfen, ratsam, ihn vorher zu vermählen? Die Ehe
fesselt und bewahrt einen jungen Mann vor Zerstreuung. Dabei
könntest du ihm Zutritt zum Staatsrat verschaffen, wo er allmählich lernen würde, den Glanz und das Gewicht einer Regierung aufrechtzuerhalten. Sobald du ihn dann nach deiner
Erfahrung für fähig hältst, kannst du mit der Zeit die Regierung an ihn abtreten."
Die Ansicht des Wesirs gefiel dem Schah Seman und er beschloß, den Rat zu befolgen. Nachdem er den Wesir entlassen
hatte, ließ er den Prinzen Kamr essaman rufen.
Der erschien, begrüßte seinen Vater, küßte ihm die Hand und
neigte bescheiden wie ein wohlerzogener Jüngling den Kopf

zur Erde. Da er jedoch bisher mehrere Stunden täglich in der Nähe seines Vaters zugebracht hatte, ohne dazu gerufen worden zu sein, war er durch den ungewöhnlichen Befehl überrascht und stand seinem Vater nicht so unbefangen wie sonst gegenüber.

Der König bemerkte das Gezwungene im Benehmen des Prinzen und sagte in beruhigendem Ton zu ihm: „Ich habe dich rufen lassen, um dir zu sagen, daß es mein sehnlichster Wunsch ist, dich glücklich vermählt zu sehen. Was meinst du dazu?"

Scheherazade bemerkte das Kommen des Tages und schwieg. In der folgenden Nacht fuhr sie fort:

DIE ZWEIHUNDERTFÜNFUNDZWANZIGSTE NACHT

Als Kamr essaman die Worte seines Vaters vernommen hatte, stieg ihm die Röte der Scham und des Unwillens ins Gesicht. Mühsam kämpfte er um Fassung. Endlich gelang es ihm, sich etwas zu beruhigen und gelassen, aber doch mit bebender Stimme zu sagen:

„Mein Herr und Vater! Verzeih, wenn ich über deine Erklärung bestürzt schien. Bei meiner großen Jugend war ich auf so etwas noch nicht gefaßt. Ich zweifle sogar daran, ob ich mich jemals zur Ehe werde entschließen können, denn ich habe keine Lust dazu — nicht so sehr wegen des Zwanges, den einem eine solche Verbindung auferlegt, als vielmehr deshalb, weil ich in den Büchern schon soviel über die Ränke, die Bosheit und die Treulosigkeit der Frauen gelesen habe. Wie könnte ich das Geschlecht lieben und achten, von dem der Dichter sagte:

> *Fragt ihr mich über die Frauen, so weiß ich euch Bescheid*
> *zu geben. Ich kenne ihre Fehler: Wenn des Mannes*
> *Haupt weiß wird oder sein Reichtum abnimmt, so hat*
> *ihre Liebe keinen Bestand.*

Vielleicht werde ich nicht immer so gesonnen sein. Jedenfalls aber wird es längerer Zeit bedürfen, um meine Absicht zu ändern. So lange das nicht geschehen ist, kann ich deinem Wunsch unmöglich nachkommen, sollte mir auch aus meiner Weigerung Tod und Verderben erwachsen."

Der König war betrübt über die Antwort des Prinzen. Doch er wollte es nicht als Ungehorsam ansehen und nicht von seiner väterlichen Gewalt Gebrauch machen. Er begnügte sich vielmehr damit, zu sagen: „Ich will dich nicht zwingen, sondern gebe dir Zeit, darüber nachzudenken und zu erwägen, daß ein Prinz, der zur Regierung eines großen Reiches bestimmt ist, vor allen Dingen darauf bedacht sein muß, sich einen Nachfolger zu verschaffen. Indem du dir selber diese Befriedigung gewährst, gewährst du sie zugleich mir, der ich mich freue, mich in deinen Kindern wieder aufleben zu sehen."

Mehr sagte Schah Seman nicht zu seinem Sohn, denn er wollte ihn nicht durch eindringlichere Vorstellungen kränken oder reizen. Er gestattete ihm Zutritt zu den Versammlungen des Diwans und suchte in allem übrigen seinen Wünschen so entgegenzukommen, daß er durchaus keinen Anlaß zum Mißbehagen oder zur Unzufriedenheit hatte.

Nach Verlauf eines Jahres ließ er ihn wieder zu sich rufen und sagte: „Nun, mein Sohn, hast du über meine Absicht vom vergangenen Jahr, dich zu vermählen, nachgedacht? Willst du mir immer noch die Freude versagen, die ich von deinem Gerhorsam erwarte, und mich sterben lassen, ohne meinen sehnlichsten Wunsch zu erfüllen?"

Der Prinz schien weniger bestürzt als beim erstenmal. Er ließ den Kopf ein wenig sinken, hob ihn aber gleich wieder und antwortete seinem Vater in festem Ton: „Mein Herr und Vater! Ich habe nicht versäumt, gebührend darüber nachzudenken, aber je mehr ich überlege, desto mehr festigt sich mein Entschluß, nicht zu heiraten. Denn wenn ich die zahllosen Übel betrachte, die Frauen zu aller Zeit in der Welt verursacht haben, und hinzurechne, was ich noch täglich von ihrer Arglist und Bosheit höre, so wird mir jedermann zugeben müssen, daß ich alle Ursache habe, keine Verbindung mit ihnen einzugehen.

Ich habe mir Mühe gegeben, ihr Wesen und Treiben kennen-
zulernen und wäre der größte Tor, wollte ich nicht aus den
Erfahrungen anderer Nutzen ziehen und mich vor ihnen hüten.
Unbegreiflich ist es mir, daß du, mein Vater, mich an eine
Person eines Geschlechts ketten willst, welches einer unserer
Dichter mit den Worten bezeichnet hat:

> *Ihre Fingerspitzen sind gefärbt, ihre Haare gesalbt, ihr*
> *Turban hängt zur Seite, und Edelsteine funkeln an*
> *ihnen. Aber kannst du den Blitz in einem Netze fangen*
> *oder Wasser mit einem Sieb schöpfen?"*

Damit verließ Kamr essaman seinen Vater, ohne eine Antwort
abzuwarten.

Jeder andere Fürst wäre bei einer solchen Rede seines Sohnes
ungehalten geworden. Doch Schah Seman liebte den Prinzen
so sehr, daß er erst alle gütlichen Wege versuchen wollte. Er
erzählte seinem Großwesir von dem neuen Verdruß, den Kamr
essaman ihn verursachte, und sagte zu ihm: „Der Prinz ist
jetzt noch weiter davon entfernt, sich zu verheiraten, als beim
erstenmal. Er hat sich in so kühner Rede darüber ausgelassen,
daß ich all meine Vernunft zusammennehmen mußte, um
nicht in Zorn gegen ihn zu geraten. Sage mir, ich bitte dich,
was ist unter solchen Umständen zu tun, um einen widerspenstigen Sohn meinem Willen fügsam zu machen?"

„Mein Herr und König!" antwortete der Wesir. „Es gibt ein
Sprichwort, das heißt: ‚Geduld überwindet alles!' Vielleicht bestätigt sich in diesem Falle die Wahrheit des Sprichworts nicht.
Dennoch möchte ich dir raten, dem Prinz noch ein Jahr Zeit zu
geben, damit er sich eines besseren besinnt. Kehrt er in dieser
Zeit zu seiner Pflicht zurück, so wirst du dir keine Übereilung
vorzuwerfen haben, und du bist nur durch Güte zum Ziel deiner Wünsche gekommen. Ist er nicht einsichtig, so ist immer
noch Zeit, strengere Maßregeln anzuwenden. Du kannst ihm
nach Verlauf des Jahres vor dem gesamten Diwan erklären,
das Wohl des Staates fordere, daß er sich vermähle. Ich bin
davon überzeugt, daß er es in einer so glänzenden Versamm-

lung nicht wagen wird, sich länger deinen Wünschen zu widersetzen."

Scheherazade schwieg, denn es wurde Tag. Am nächsten Abend erzählte sie weiter:

DIE ZWEIHUNDERTSECHSUNDZWANZIGSTE NACHT

Nur mit Mühe konnte sich der Schah Seman entschließen, noch ein weiteres Jahr zu warten. Doch schließlich gab er den Gründen seines Großwesirs nach.

Um in der Zwischenzeit nichts unversucht zu lassen, zog er auch die Mutter Kamr essamans zu Rate und bat sie, ihrem Sohn seine falsche und ungerechte Meinung von den Frauen auszureden. Sie übernahm diesen Auftrag sehr gern und wandte alle möglichen Mittel an, des Prinzen Abneigung zu besiegen. Bei jeder sich bietenden Gelegenheit brachte sie das Gespräch mit ihm auf diesen Punkt. Aber er widerlegte alle Gründe, die sie aufbringen mochte, durch Gegengründe, auf die sie nichts zu antworten wußte.

Das Jahr verfloß, und zum Leidwesen des Königs ließ der Prinz nicht das geringste Zeichen einer Sinnesänderung erkennen. Als endlich in einem feierlichen Staatsrat der Großwesir, die übrigen Wesire, die vornehmsten Beamten und die Befehlshaber der verschiedenen Heeresabteilungen versammelt waren, ließ Schah Seman den Prinzen Kamr essaman rufen und sagte zu ihm: „Mein Sohn, schon lange habe ich dir mein lebhaftes Verlangen bezeigt, dich vermählt zu sehen. Nach so langer Weigerung von deiner Seite ist meine Geduld nun erschöpft. Deshalb wiederhole ich die gleiche Angelegenheit heute hier in Anwesenheit des Diwans. Es handelt sich jetzt nicht mehr bloß darum, deinem Vater eine Bitte zu erfüllen. Die Wohlfahrt meiner Staaten erfordert es, und die Häupter meines Volkes, die du hier versammelt siehst, bitten mit mir darum. Erkläre dich also, damit ich nach deiner Antwort die Maßnahmen treffe, die ich treffen muß!"

Als Kamr essaman das hörte, geriet er außer sich vor Scham und Ärger darüber, daß man ihn derart zwingen wollte, und entgegnete mit jugendlicher Tollkühnheit: „Ich habe schon mehrfach und auf das Bestimmteste erklärt, daß ich nicht heiraten will. Meine Gründe hierfür sind mir nicht widerlegt worden. Dagegen sucht man mich durch List und Gewalt zu einem Schritt zu nötigen, den ich nicht tun könnte, ohne zu beweisen, daß ich ebenso schwach und töricht bin als diejenigen, die so ungestüm in mich dringen. Wenn mein Benehmen als Widersetzlichkeit betrachtet wird, so habe ich das gute Recht, die Art, wie man mich seit Jahren behandelt hat, als gewalttätig zu bezeichnen. Und nur das Abnehmen des Verstandes und der Eigensinn des Alters können es entschuldigen, wenn ein Vater mit seinem Sohn so verfährt."

Der Sultan, in gerechtem Zorn über die Beleidigung, die ihm vor versammeltem Staatsrat von seinem Sohn zugefügt worden war, rief aus: „Wie, du entarteter Sohn, du hast die Unverschämtheit, so zu deinem Vater und König zu sprechen?"

Darauf ließ er ihn durch seine Waffenträger und Mamelucken festnehmen und in einen alten, längst nicht mehr bewohnten Turm bringen, wo er in einem engen Gemach eingesperrt wurde. Die Diener brachten eine Bettstelle mit Polstern und Teppichen, eine Lampe und einige Bücher. Dann verschlossen sie die Tür des Turms, und nur ein einziger Sklave blieb zur Bedienung des Prinzen zurück.

Kamr essaman war zufrieden, sich mit seinen Büchern beschäftigen zu können und ließ sich durch die Umgebung nicht stören. Gegen Abend stand er auf, wusch sich, verrichtete sein Nachtgebet, las noch in aller Ruhe einige Kapitel des Korans, legte sich nieder, ohne die Lampe neben seinem Bett auszulöschen und schlief ein.

Nun war in diesem Turm ein Brunnen, der während des Tages einer guten Fee von den Nachkömmlingen des verfluchten Iblis, die der große Salomon zur Erkenntnis Allahs zwang, als Aufenthalt diente. Sie hieß Maimuna und war die Tochter

Damerjads, eines Königs der Genien. Um Mitternacht schwang sich Maimuna aus dem Brunnen heraus, um nach ihrer Gewohnheit die Welt zu durchstreifen. Sie wunderte sich sehr, in dem so lange schon unbewohnten Turm Licht zu erblicken, und schwebte hinein. Ohne sich bei dem Sklaven, der an der Tür schlief, aufzuhalten, näherte sie sich dem Bett und staunte sehr, als sie darin einen Schläfer fand.

Ganz betroffen von der Schönheit und Anmut Prinz Kamr essamans, war sie eine Zeitlang in seinen Anblick verloren. Plötzlich besann sie sich, und nachdem sie den Schöpfer eines solchen Menschen gepriesen hatte, sprach sie zu sich selbst: ‚Welch ein Wunder an Schönheit und welch ein Glanz muß es erst sein, wenn die Augen sich öffnen. Bei Allah, ich will ihm nichts zuleide tun! Ein solches Gesicht könnte auch die bösesten Geister besänftigen. Doch ich begreife nicht, was er getan haben kann und weshalb man ihn hierhergebracht hat. Wenn ich mich nicht täusche, so ist er von hohem Range oder gar der königliche Prinz, von dem ich schon oft gehört habe!'

Maimuna wurde nicht müde, Kamr essaman zu betrachten. Doch endlich, nachdem sie ihn auf beide Wangen, auf den Mund und zwischen die Augen geküßt hatte, ohne ihn aufzuwecken, schwang sie sich wieder in die Lüfte empor. Als sie sich etwa bis zur mittleren Region erhoben hatte, vernahm sie einen Flügelschlag und lenkte sofort ihren Flug in dessen Richtung. Bald erkannte sie, daß das Geräusch von einem anderen Geist herrührte, jedoch von einem der bösen Geister, die von Allah abgefallen waren.

Dieser Geist, der Dahnesch hieß und ein Sohn des Schamhurasch war, erkannte Maimuna und erschrak. Denn er wußte wohl, daß sie aufgrund ihrer Unterwerfung vor Allah eine große Gewalt über ihn hatte. Gern hätte er daher diese Begegnung vermieden, aber er befand sich so nahe bei ihr, daß er sich schlagen oder demütigen mußte. Obwohl er vor Angst und Furcht zitterte, hielt er es doch für besser, Maimuna zuvorzukommen. Deshalb sagte er in bittendem Ton zu ihr: „Schwöre mir bei dem hohen, verehrten, unaussprechlichen Namen, daß du dich zu mir gesellen und mir kein Leid tun willst. Ich war doch nie dein Feind und verspreche, dir auch nichts anzutun."

„Verfluchter Geist", antwortete Maimuna, „welches Leid könntest du mir antun? Ich fürchte dich nicht. Weil du mich aber bei dem Namen des Unaussprechlichen beschworen hast, so leiste ich den Eid, den du verlangst. Sage mir nun, woher du kommst und was du in dieser Nacht gesehen und getan hast!" Scheherazade bemerkte den Tag und schwieg. In der folgenden Nacht fuhr sie fort:

DIE ZWEIHUNDERTSIEBENUNDZWANZIGSTE NACHT

Nachdem sich Dahnesch ein wenig von seinem Schrecken erholt hatte, beantwortete er die Frage Maimunas:

„Du begegnest mir gerade recht, schöne Fee, um etwas Wunderbares zu erfahren. Du mußt wissen, daß ich in dieser Nacht von der äußersten Küste Chinas komme. Das Land China ist eines der größten und mächtigsten Königreiche der Erde. Der jetzige König nennt sich Ghaiur und hat eine einzige Tochter von solcher Schönheit, wie man es noch nie auf Erden gesehen hat, solange die Welt besteht. Es gibt keine Beredsamkeit, die reich genug wäre, alle ihre Reize zu schildern. Sie hat braune Haare, die so lang sind, daß sie bis über die Füße herabreichen. Unter diesen Haaren wölbt sich eine Stirn, glatt wie ein geschliffener Spiegel und leuchtend wie die Strahlen der Sonne. Augen hat sie wie Narzissen. Das Weiße darin gleicht der Luft in der Morgendämmerung und das Schwarze der finsteren Nacht. Ihr Blick hat die Wirkung des Blitzes. Ihre Purpurwangen gleichen dem Rot der Kirsche, vermischt mit dem Weißen des Marmors. Ihr Mund ist klein und rot wie die aufbrechende Knospe der Granatblüte. Ihre Zähne gleichen einer Perlenschnur. Süß und anmutig klingt ihre Stimme, und was sie sagt, zeugt von scharfem Verstand und lebhaftem Geist.

Ihr Kopf wiegt sich frei und leicht auf einem schlanken Hals. Der schönste Alabaster ist nicht weißer als ihr Busen, ihre Arme sind rein und rund wie Perlen und Korallen. Die Formen ihres Leibes halten das schönste Ebenmaß zwischen Fülle und Zartheit. Kurz, daraus wirst du schon erkennen, daß es keine vollkommenere Schönheit auf der Welt gibt.

Der Vater dieser Prinzessin, sonst ein rauher Krieger und gewalttätiger Herrscher, scheint alle sanfteren Empfindungen mit doppelter Stärke auf seine Tochter zu übertragen. Wer ihn nicht kennt, würde meinen, er sei verliebt in sie. Niemals hat ein Liebender für seine Geliebte mehr getan als dieser Vater für seine Tochter. Denn die heftigste Eifersucht hat niemals erdenken können, was die Sorgfalt, sie jedem anderen als ihrem künftigen Gatten unzugänglich zu machen, ihn hat erfinden und ausführen lassen. Damit sie sich in ihrer Abgeschiedenheit, die er für sie erwählt hatte, nicht langweile, hat er ihr sieben Paläste bauen lassen, wie man etwas Ähnliches nie gesehen hat auf der Welt.

Der erste Palast ist aus Bergkristall, der zweite aus Erz, der dritte aus feinem Stahl, der vierte aus einem anderen kostbaren Metall, der fünfte aus schwarzem Stein, der sechste aus Silber und der siebente aus gediegenem Gold. Alle sind mit unerhörter Pracht ausgeschmückt und mit den kostbarsten Geräten versehen. Ringsherum liegen Gärten, in denen es nicht an Rasenplätzen, Blumenstücken, Teichen, Springbrunnen, Kanälen, Wasserfällen, Gebüschen und Baumgruppen fehlt. Kurz, der König Ghaiur hat bewiesen, daß nur väterliche Liebe ihn bewogen hat, einen solchen unermeßlichen Aufwand zu treiben.

Auf den Ruf der unvergleichlichen Schönheit dieser Prinzessin ließen bald die mächtigsten der benachbarten Königreiche durch feierliche Gesandtschaften um sie werben. Der König von China empfing sie alle gleich freundlich. Da er aber seine Tochter nur mit ihrer Einwilligung vermählen wollte und der Prinzessin keine von den angetragenen Verbindungen gefiel, so kehrten die Gesandten wieder heim, zwar mißvergnügt in Anbetracht der Ablehnung, jedoch sehr zufrieden über die

Ehre und die Höflichkeit, mit der sie behandelt worden waren. „Mein Herr und Vater!" sprach die Prinzessin zum König von China, wenn er ihr einen Vorschlag zu dieser oder jener Verbindung machte, „du willst mich vermählen und glaubst, mir damit ein großes Vergnügen zu machen. Ich bin von deiner liebevollen Absicht überzeugt und dir sehr dankbar für deine Güte. Doch sage selbst, wo könnte ich sonst außer bei dir so prächtige Paläste und so reizende Gärten finden? Außerdem lebe ich hier ohne jeden Zwang, und man bezeigt mir die gleiche Ehre wie deiner eigenen Person. Das sind Vorteile, die ich an keinem anderen Ort der Welt finden würde, welchen Gemahl ich auch erwählte. Meine bisherige Lebensweise gefällt mir so gut, daß ich mich nicht nach einer Veränderung sehne und am allerwenigsten nach einer solchen, die mich zwingen würde, meine Freiheit den Launen und Wünschen anderer zu opfern. Die Männer wollen immer die Herren sein. Ich bin gewohnt, zu befehlen und habe keine Lust, mich beherrschen zu lassen!"

Der König, der der Prinzessin bisher in allem nachgegeben hatte, ließ sie lange Zeit gewähren, und das um so lieber, da sie noch sehr jung war. Er rechnete damit, daß Zeit und Natur ihren Sinn schon ändern würden. Doch versäumte er es bei keiner Gelegenheit, ihr die Zweckmäßigkeit und — hinsichtlich seiner zunehmenden Jahre — Notwendigkeit einer ehelichen Verbindung vorzuhalten.

Seine Geduld hatte schon manche Probe bestanden, als nach mehreren anderen Gesandtschaften die eines Königs kam, der reicher und mächtiger war als alle, die bisher dagewesen waren. Da der Freier an einer günstigen Aufnahme seines Antrags nicht zweifelte, hatte er dem König von China schon vorher die köstlichsten Geschenke als Morgengabe zugeschickt, der sie auch annahm und sich im stillen bereits zu einem solchen Schwiegersohn gratulierte. Sobald der Gesandte angekommen war und seinen Auftrag ausgerichtet hatte, ging Ghaiur zu seiner Tochter und sprach mit ihr darüber. Doch die Prinzessin bat ihn, sie damit zu verschonen.

Diesmal ließ sich der König nicht so leicht zum Nachgeben

bewegen. Er hatte sich bereits zu sehr an den Gedanken dieser Verbindung gewöhnt und drang deshalb mit immer neuen Vorstellungen auf seine Tochter ein. Die Prinzessin aber, statt nachzugeben, vergaß zuletzt die Ehrfurcht, die sie dem König, ihrem Vater, schuldig war und sprach zornig zu ihm: „Herr, ich bin des ewigen Drängens und Treibens müde! Rede mir nicht mehr von dieser Vermählung noch von irgendeiner anderen, sonst stoße ich mir einen Dolch in die Brust, um mich von deinen Belästigungen zu befreien!"

Da entbrannte auch der Zorn des Königs, und er erwiderte ihr: „Meine Tochter, du bist eine Närrin, und ich werde dich wie eine solche behandeln!"

Er ließ sie aus ihrer bisherigen Wohnung wegbringen und in einem seiner Paläste in ein einzelnes Gemach einsperren, wo er ihr nur zehn alte Weiber zur Gesellschaft und zur Bedienung gab, von denen die vornehmste die Amme war. Um sich mit den benachbarten Königen, die Gesandtschaften an ihn geschickt hatten, wieder in gutes Einvernehmen zu setzen und andere, die etwa als Bewerber um die Hand der Prinzessin auftreten im Sinn hätten, davon abzuhalten, schickte er Gesandte an alle Höfe, wo sie die Abneigung der Prinzessin vor jeder Vermählung unumwunden erklären mußten. Und da er nicht zweifelte, daß sie wirklich verrückt war, beauftragte er dieselben Gesandten, überall öffentlich bekanntzumachen, wenn sich irgendein Arzt fände, der geschickt genug sei, sie zu heilen, so möge er kommen. Und nach erfolgter Heilung würde er ihm zum Lohn dafür ihre Hand geben.

„Schöne Maimuna", fuhr Dahnesch fort, „so stehen dort die Dinge, und ich versäume nicht, mich jede Nacht bei ihr einzufinden, ihre Schönheit und Anmut zu bewundern und sie zwischen die Augen zu küssen. Denn ungeachtet meiner natürlichen Bosheit kann ich ihr nicht das geringste Leid zufügen. Ich beschwöre dich: komm und sieh selbst. Die Mühe lohnt sich. Ich bin bereit, dich zu führen. Du brauchst nur zu befehlen!"

Anstatt Dahnesch zu antworten, brach Maimuna in ein lautes Gelächter aus. Dahnesch, der sich nicht denken konnte, was an seiner Erzählung lächerlich sein sollte, fürchtete, die Fee durch irgendetwas gereizt zu haben und duckte ängstlich den Kopf.

Nachdem Maimuna sich satt gelacht hatte, sagte sie zu Dahnesch: „Wehe deinem Gesicht, lügnerischer Geist! Ich erwartete Wunderdinge von dir zu hören, und du unterhältst mich von einer Meerkatze! Pfui, schäm dich! Was würdest du, Verruchter, erst sagen, wenn du den schönen Prinzen gesehen hast, von dem ich eben komme und von dessen Anblick mein Herz noch voll ist? Du würdest närrisch darüber werden und vor Neid und Ärger platzen!"

„Reizende Maimuna!" erwiderte Dahnesch, „darf ich fragen, wer dieser Prinz ist, von dem du sprichst?"

„Du mußt wissen", antwortete Maimuna, „daß es ihm beinahe ebenso ergangen ist wie der Prinzessin. Der König, sein Vater, wollte ihn mit aller Gewalt vermählen. Er weigerte sich, und darum sitzt er jetzt in einem Turm gefangen, der mir zum Aufenthalt dient und wo ich ihn eben bewundert habe!"

„Ich will dir nicht widersprechen", entgegnete Dahnesch, „aber du wirst mir doch gestatten, bevor ich deinen Prinzen gesehen habe, daß für mich kein Sterblicher an Schönheit meiner Prinzessin gleichkommt."

„Schweig, Verruchter!" versetzte Maimuna, „ich sage dir noch einmal, daß das unmöglich ist!"

„Ich will nicht den Eigensinnigen dir gegenüber spielen", fuhr Dahnesch fort, „aber um dich zu überzeugen, daß ich die Wahrheit sage, brauchst du nur meinem Vorschlag zu folgen und mit mir kommen, um die Prinzessin zu sehen. Danach zeigst du mir dann deinen Prinzen!"

Nach einigem Hin und Her willigte Maimuna schließlich ein, aber nur unter der Bedingung, daß Dahnesch eine Wette einginge: Wenn ihr Prinz schöner sei, sollte Dahnesch verloren, sei aber die Prinzessin schöner, so sollte er gewonnen haben.

Nachdem Dahnesch zugestimmt hatte, setzten beide ihren Flug in Richtung China fort, wo sie wenig später ankamen und sich in das Gemach der Prinzessin niederließen.

Der Morgen dämmerte. Scheherazade bemerkte es und schwieg. In der folgenden Nacht erzählte sie weiter:

DIE ZWEIHUNDERTACHTUNDZWANZIGSTE
NACHT

Dahnesch und Maimuna fanden die Prinzessin schlafend in ihrem Bett. Sie hatte ein Hemd aus ägyptischer Leinwand an, das am Saum, am Hals und an der Naht der beiden Ärmel mit goldenen Borten besetzt war, an denen Fransen und Goldzierat hingen. Auf die Borten waren folgende Verse gestickt:

> *Ein linnen Gewand um den zartesten Leib, besetzt mit*
> *goldenen Borten am Hals, am Saum und an den*
> *Ärmeln, glänzt an der Gestalt dieser Schönen, die selbst*
> *den Glanz der Sonne am Gewölbe des Himmels weithin*
> *überstrahlt.*

Maimuna war höchst erstaunt und überrascht, als sie die blendende Schönheit der Prinzessin gewahrte. Nachdem sie das Mädchen eine Zeitlang betrachtet hatte, sprach sie zu Dahnesch: „Bei der Inschrift, die auf dem Siegelring Salomons, des Sohnes Davids, eingegraben ist: Wenn du nicht sogleich deine Prinzessin nimmst und sie neben meinen Prinzen legst, damit wir beide miteinander vergleichen können, vernichte ich dich!" Dahnesch gehorchte, und Maimuna begleitete ihn. Sie brachten die schlafende Prinzessin in den alten Turm und legten sie neben Kamr essaman aufs Bett. Dort glichen sie zwei leuchtenden Vollmonden — wie der Dichter sagt:

> *Mit meinen Augen sah ich zwei Schlafende auf der*
> *Erde; wohl wünschte ich, ich könnte ihnen meine Augen-*
> *lider zum Bett anweisen. Sie sind wie zwei Halbmonde*
> *am Himmel, wie zwei Sonnen in der Mittagsstunde, wie*
> *zwei herrliche Gazellen, wie zwei blühende Zweige, in*
> *welche sich die Schönheit geteilt hat.*

Als der Prinz und die Prinzessin so nebeneinander lagen, erhob sich zwischen dem Geist und der Fee ein Streit über den Vorzug ihrer Schönheit. Nachdem sie das Paar eine Zeitlang bewundert hatten, brach Dahnesch das Schweigen und sagte zu Maimuna: „Nun, ich hatte es dir gesagt, daß meine Prinzessin schöner ist als dein Prinz. Zweifelst du noch daran?"

„Was? Ob ich daran zweifle?" erwiderte Maimuna. „Ja, und ob ich daran zweifle! Du mußt blind sein, wenn du nicht siehst, daß mein Prinz deine Prinzessin bei weitem übertrifft. Deine Prinzessin ist schön, ich leugne es nicht. Aber vergleiche sie genau miteinander, und du wirst sehen, daß ich recht habe!" Dann neigte sie sich über Kamr essaman, küßte ihn zwischen die Augen und sprach folgende Verse:

Was liegt daran, wenn mir auch deinetwegen die
Freundinnen zürnen? Wo fände Trost, wer um deinet-
willen leidet? So zart meine Gestalt ist, so vermag doch
die heftigste Liebesglut sie nicht aufzuzehren: denn dein
Anblick ist wie erquickender Wein und gibt ihr neue
Kraft. Dein Auge verschönert sich, so oft man es ansieht.
Wer nur einmal hineingeblickt, muß sich ihm stets voll
Liebe zuwenden. O du, der du meiner Sehnsucht dich
entwindest, darf man so das Anerbieten der Liebe von sich
weisen? Die schwerste Liebespein lädst du mir auf, die
ich zu schwach und hilflos bin, nur mein Gewand zu
tragen. Du läßt mich so lange weinen, bis man fragt:
Ist das nicht Blut, was diese Augen rötet? Wäre mein
Herz so hart wie das deine, so wären die Kräfte meines
Körpers nicht so geschwunden. Weh' über den Anblick
eines Mondes, dessen Schönheit vollkommen ist, dessen
Glanz alles Sterbliche überstrahlt! Weh' über dein hartes
Herz! Lernte es doch Biegsamkeit von deinem Wuchse,
so würde es sich zärtlich mir entgegenneigen. O mein
Fürst und Gebieter! Du hast über deine Schönheit einen
Wächter, der mir Unrecht tut und mich grausam zurück-
weist. Wer da sagte, die Schönheit sei in Joseph vereint,
der hat nicht wahr gesprochen: deine Schönheit ist hundert-
fach die Schönheit Josephs. Schwarz ist das Haar, leuchtend
die Sterne, das Auge wie das der Gazelle, und zart und
schlank ist der Wuchs.

Als Maimuna schwieg, schüttelte Dahnesch lachend den Kopf

und sagte: „Bei Allah, Herrin, deine Beschreibung ist schön! Wenn es freilich darauf ankommt, wer am beredtesten zu loben weiß, so werde ich verlieren müssen, denn darauf verstehst du dich besser als ich. Doch ich will tun, was in meinen Kräften steht."

Damit stellte er sich vor das Mädchen und sprach:

> *Sie tadeln mich, weil ich die Schönheit liebe; doch wie ungerecht ist ihr Urteil! Ihr Wuchs ist schlank wie der Zweig des Baumes Irak und biegsam wie der des Ban. Erfreue deinen Geliebten durch deine Nähe: denn hältst du ihn noch lange fern von dir, so wird er vor Sehnsucht vergehen.*

Dann fuhr Dahnesch fort: „Wenn ich auch noch soviel Zeit darauf verwende, beide zu vergleichen, so würde ich doch nicht anders darüber denken als jetzt. Was ich sehe, habe ich auf den ersten Blick gesehen. Das soll mich jedoch nicht hindern, reizende Maimuna, dir nachzugeben, wenn du es wünschst!"

„Nicht so", erwiderte Maimuna, „ich will nicht, daß ein verfluchter Geist wie du mir zu Gefallen tut, was ich mit Recht verlangen kann."

„Auf diese Weise", versetzte Dahnesch, „kommen wir nie zusammen. Darum erlaube mir einen Vorschlag. Da ich voraussetze, daß du die Wahrheit wissen willst, so wollen wir einen Dritten entscheiden lassen und seinen Spruch anerkennen."

Maimuna willigte ein und stampfte mit dem Fuß auf den Boden. Sogleich tat sich die Erde auf, und ein scheußlicher Geist kam hervor, bucklig, lahm und halb blind. Seine Augen waren der Länge nach gespalten. Er hatte sechs Hörner auf dem Kopf und vier Haarbüschel hingen ihm bis zu den Füßen hinunter. Seine Hände waren wie die eines Waldteufels und seine Füße wie die eines Werwolfs, mit Nägeln ähnlich den Klauen des Löwen. Sobald er Maimuna erblickte, warf er sich ihr zu Füßen, küßte den Boden und fragte, was seine Gebieterin zu befehlen habe.

„Steh auf, Kaschkasch", sagte sie zu ihm, „ich rief dich, um einen Streit zu entscheiden, den ich mit diesem verfluchten Dahnesch habe. Wirf einen Blick auf das Bett und sage uns unparteiisch, wer dir schöner erscheint, der Jüngling oder die Jungfrau!"

Kaschkasch stand auf und betrachtete das schlafende Paar, das nebeneinander lag, sich unbewußt umarmte und so schön war, wie der Dichter sagt:

> *Halte fest am Gegenstand deiner Liebe und laß dich nicht beirren durch das Gerede des Neides: Die Tadler führen zu nichts in der Liebe. Gott hat nichts Schöneres geschaffen als ein liebendes Paar, das, eins durch das andere beglückt, mit dem Ausdruck innigster Zufriedenheit im Antlitz sich fest auf dem Lager umarmt hält. Ist einmal ein Herz mit der Liebe vertraut, so mag die Welt lange auf altes Eisen schlagen. O du, der du Liebende der Liebe wegen tadelst, bist du wohl imstande, ein krankes Herz zu heilen?*

Nachdem der Geist die beiden eine Weile betrachtet hatte, ohne sich entscheiden zu können, sagte er zu Maimuna: „Herrin, ich würde dich täuschen und mich selbst hintergehen, wenn ich dir sagte, daß ich eins von ihnen schöner fände als das andere. Je länger ich hinschaue, desto mehr scheint mir, daß beide von vollkommener Schönheit sind. Sollte aber das eine im Gegensatz zum anderen einen Fehler haben, den man so nicht sehen kann, so gibt es nur ein Mittel, sich darüber aufzuklären: Man sollte sie nacheinander wecken und sich darauf einigen, daß, wer für den anderen durch seine Glut und Heftigkeit und selbst durch sein Entzücken mehr Liebe bezeigt, gewissermaßen auch weniger schön ist."

Der Rat gefiel Maimuna und Dahnesch. Kaschkasch fragte die Fee, ob er ihren Liebling wecken solle. Als sie bejahte, verwandelte er sich in einen Floh und sprang auf Kamr essamans Hals. Er stach ihn so heftig, daß der Prinz aufwachte und mit der Hand nach der Stelle fuhr. Aber er fing nichts, denn der Geist war schleunigst zurückgesprungen und hatte seine ge-

wöhnliche, einem sterblichen Auge unsichtbare Gestalt wieder
angenommen, um Zeuge zu sein, was jetzt geschehen würde.

Als der Prinz seine Hand zurückzog, fühlte er plötzlich eine
weiche andere Hand. Er schlug die Augen auf und war höchst
erstaunt, etwas neben sich liegen zu sehen. Er hob das Haupt
empor und stützte sich auf den Ellenbogen, um es näher zu
betrachten. Da lag vor ihm ein wunderschönes Mädchen von
schlankem Wuchs und lieblichen Zügen — wie der Dichter
sagt:

> *Vier Dinge haben sich vereint, um mein Herz zu ver-*
> *wunden und meine Augen zu röten: das Licht der Stirne,*
> *die Rose der Wangen und die Perlen des lächelnden*
> *Mundes.*

Die Jugend und die Schönheit der Prinzessin entzündeten sofort das Feuer des Begehrens in ihm. Wie er sie so liegen sah,
bemächtigte sich die Liebe seines Herzens, und er rief aus:
„Welche Schönheit! Welche Reize! Mein Herz! Meine Seele!"
Und während er das sagte, neigte er sich zu ihr, entblößte ihren
Busen, küßte sie auf die Stirn und Wangen und sog mit einer
solchen Leidenschaft an ihren Lippen, daß sie aufgewacht
wäre, hätte sie nicht durch Dahneschs Zauber fester geschlafen
als sonst.

Als er sah, daß sie sich nicht rührte, faßte er sie an der Schulter und schüttelte sie sanft, während er weitersprach: „Mein
Herz! Meine Seele! Erwache doch! Ich bin der Prinz Kamr
essaman, und wer du auch sein magst, reizendes Mädchen,
ich bin deiner Liebe würdig!"

Aber weder die süßesten Worte noch die ungestümsten Liebkosungen konnten sie wecken, und Kamr essaman wurde plötzlich verlegen und nachdenklich. ‚Wenn mich meine Vermutung nicht täuscht', sagte er bei sich selber, ‚so ist dieses
das Mädchen, das mir der Sultan, mein Vater, zur Gattin
geben wollte. Er hat sehr Unrecht getan, daß er mir sie nicht
vorher gezeigt hat. Gleich in aller Frühe will ich hingehen,
mich zu seinen Füßen werfen und ihn um Verzeihung bitten.

Ich will sie jetzt nicht besitzen, doch ehe der Abend vergeht, werde ich sie als meine Gattin umarmen und ihre Schönheit und Anmut genießen.'

Kamr essaman bereute aufrichtig den Fehler, den er begangen hatte und neigte sich wieder über die Schöne, um sie zu küssen. Da fuhr ihm plötzlich ein anderer Gedanke durch den Kopf und er sagte sich: ,Vielleicht will mich mein Vater überraschen. Ohne Zweifel hat er dieses Mädchen geschickt, um zu sehen, ob ich wirklich solchen großen Abscheu vor dem Ehestand habe, wie ich ihm gesagt habe. Sie muß ihm dann berichten, was geschehen ist, und niemand wird es glauben, daß in so kurzer Zeit eine solche Veränderung mit mir vor sich gegangen ist. Vielleicht hat er sie sogar selbst hergebracht und sich irgendwo versteckt, von wo er alles sieht. Wenn ich mich nun von der Leidenschaft hinreißen lasse, wird er mir morgen Vorwürfe machen, weil ich mich so verstellt habe. Dieser zweite Fehler wäre noch größer als der erste. Nein, ich will sie nicht berühren lieber gar nicht mehr ansehen. Auf jeden Fall aber will ich mir ein Andenken von ihr nehmen.'

Er ergriff dann ihre Hand und sah an ihrem Finger einen roten Siegelring mit einem Rubin aus Balchaschan, auf dem folgende Verse eingegraben waren:

> *Glaube nicht, daß ich vergessen habe, was du mir*
> *geschworen; seitdem du mich verlassen, liegt mein Herz*
> *auf glühenden Kohlen.*

Diesen Ring zog er der Prinzessin von dem Finger und steckte ihr dafür dem seinen an. Hierauf kehrte er ihr den Rücken zu, und es dauerte nicht lange, bis er wieder so fest wie vorher schlief.

Sobald er eingeschlafen war, sagte Maimuna mit triumphierender Miene zu Dahnesch: „Hast du gesehen, verfluchter Geist, wie wenig sich mein Prinz aus deiner Prinzessin macht? Ohne sie mehr als eines flüchtigen Blickes zu würdigen, hat er ihr den Rücken zugekehrt und ist wieder eingeschlafen."

Dahnesch erwiderte: „Ich habe alles gesehen und bewundere

die Selbstbeherrschung deines Schützlings. Aber frohlocke nicht zu früh: Noch ist erst die Hälfte der Probe vorüber. Wir wollen sehen, wie sich meine Prinzessin benimmt."

Kaschkasch verwandelte sich wieder in einen Floh und stach die Prinzessin. Sie wachte auf und richtete sich empor. Da sah sie den Mann neben sich liegen. Schnell verwandelte sich ihr Erstaunen in Bewunderung, als sie die Schönheit des Jünglings sah, auf den sich die Worte des Dichters anwenden ließen:

> Man brachte die Schönheit selbst, daß sie sich mit ihm
> messe, und sie beugte beschämt ihr Haupt vor ihm.
> Man fragte sie: ‚Hast du je so etwas gesehen?‘ Und sie
> antwortete: ‚Nein, ein solcher Anblick ist mir noch nie
> zuteil geworden.‘

„Wie?" rief die Prinzessin in lauter Freude aus, „bist du es, den mir der König, mein Vater, zum Gatten bestimmt hat? Es tut mir leid, das nicht gewußt zu haben, ich hätte ihn nicht gegen mich aufgebracht und dich nicht abgewiesen, denn ich liebe dich von ganzem Herzen. Wach auf, wach auf, mein Geliebter! Es steht einem Bräutigam nicht an, in der Brautnacht soviel zu schlafen!"

Damit ergriff sie den Prinzen Kamr essaman am Arm und schüttelte ihn so stark, daß er aufgewacht wäre, wenn ihn die Fee Maimuna nicht durch ihre Bezauberung in einen noch tieferen Schlaf versenkt hätte. Als die Prinzessin sah, daß er nicht aufwachte, fuhr sie fort: „Was ist dir denn zugestoßen, mein Geliebter? Ich beschwöre dich bei meinem Leben: Erwache doch, damit wir unsere Freude haben! Öffne deine Augen und sieh! Ich blühe für dich! Fühle meine Lippen, sie glühen deinem Kuß entgegen! Hat dich ein Nebenbuhler verhext und in einen solchen tiefen Schlaf versenkt? Oder ist es vielleicht ein Werk meines erzürnten Vaters, daß du mich auf die Probe stellen sollst und dich nicht wecken lassen darfst?"

Sie ergriff seine Hand und bemerkte dabei den Ring an seinem Finger. Sie sah sofort, daß es ihr Ring war und daß sie dafür einen anderen trug. Da seufzte sie tief auf und sagte: „Weh dir, warum verstellst du dich so? Gewiß hast du gewacht, während ich schlief. Dabei hast du die Ringe ausgetauscht und mich vielleicht sogar geküßt! Ja, diesen Ring muß ich behalten und meinen nehme ich nicht zurück. Es mag geschehen sein, was da will: Diesen Tausch sehe ich als sicheres Zeichen für unsere Vermählung an!"

Müde der vergeblichen Mühe, ihn zu wecken, küßte sie ihn zwischen die Augen, auf die Wangen und auf den Mund. Dann öffnete sie seinen Hemdkragen und drückte ihre Lippen lange auf seinen Hals, streichelte seine Brust, seinen Leib und erschauerte, als sie sein Glied berührte. Zuletzt legte sie sich wieder neben ihn, legte eine Hand unter und die andere über ihn und schlief in dieser Umarmung wieder ein.

Als Maimuna sah, daß sie, ohne Furcht, die Prinzessin von China zu wecken, sprechen konnte, sagte sie zu Dahnesch: „Nun, du Verfluchter, hast du's gesehn? Bist du nun überzeugt, daß deine Prinzessin nicht so schön ist wie mein Prinz? Geh, ich schenke dir die Wette, die du verloren hast. Ein andermal glaube mir, wenn ich dir etwas sage!" Dann wandte sie sich an Kaschkasch und fügte hinzu: „Was dich betrifft, so danke ich dir. Geh mit Dahnesch und hilf ihm, die Prinzessin in ihr Bett zurückzutragen. Er wird dir den Weg weisen!"

Kaschkasch gehorchte, und die beiden Geister flogen mit dem Mädchen in ihre Heimat, von wo dann jeder seines Weges ging. Maimuna entfernte sich ebenfalls, um bis zum Anbruch des Tages ihren eigenen Angelegenheiten nachzugehen.

Hier bemerkte Scheherazade den kommenden Tag und schwieg. In der folgenden Nacht erzählte sie weiter:

Als der Prinz Kamr essaman am folgenden Morgen erwachte und das Mädchen nicht mehr neben sich sah, sagte er bei sich selber: ‚Ich hatte es mir doch gleich gedacht, daß mich der König, mein Vater, nur necken wollte. Es ist mir sehr lieb, daß ich mich davor in acht genommen habe!'

Dann rief er nach dem Sklaven und sagte zu ihm: „Weh' dir, du Hund, wie lange willst du noch schlafen? Steh einmal auf!"

Der Diener stand ganz betäubt auf und wußte nicht, womit er den Unmut des Prinzen erregt haben konnte. Stillschweigend brachte er Wasser, Kamr essaman wusch sich und nahm dann den Koran, um eine Zeitlang zu lesen.

Nach seinen gewohnten Übungen rief Kamr essaman abermals den Sklaven herbei und sprach zu ihm: „Wehe dir, wenn du mich belügst! Komm her und sage mir die Wahrheit: Wo ist das Mädchen hingekommen?"

„Welches Mädchen?" wollte der erstaunte Sklave wissen.

„Das Mädchen", erwiderte der Prinz, „das heute nacht in meinen Armen geschlafen hat?"

„Prinz", versetzte der Sklave, „ich schwöre dir, daß ich nichts davon weiß. Wie soll denn ein Mädchen hereingekommen sein, da ich doch an der Tür schlafe?"

„Du lügst, Schurke", erwiderte der Prinz. „Du weißt recht wohl, daß das Mädchen zu mir hereingebracht worden ist, um mich in Versuchung zu führen. Aber du steckst mit ihnen unter einer Decke und willst mich auch vollends toll machen und zu Tode quälen."

Kamr essaman ließ den Sklaven nähertreten, faßte ihn an der Kehle, warf ihn zu Boden, kniete sich auf ihn und trat ihn mit Füßen. Dann schleppte er den Ohnmächtigen zum Brunnen, band ihm ein Seil um die Arme, ließ ihn daran hinab und tauchte ihn mehrmals mit dem Kopf unter.

„Ich ersäufe dich", rief er dabei, „wenn du mir nicht sofort sagst, wer das Mädchen ist und wie es zu mir hereingekommen ist!"

Der Sklave, der durch das Untertauchen wieder zu sich gekommen war, dachte in seiner gefährlichen Lage: ‚Ohne Zweifel hat der Prinz den Verstand verloren, und ich kann mich nur durch eine Lüge retten.'

„Mein Herr", sprach er daher in bittendem Ton, „ziehe mich hinauf. Ich verspreche, dir alles zu sagen!"

Nachdem er wieder hinaufgezogen war, stand der Diener zitternd vor dem Prinzen und sagte: „Mein Herr, du siehst wohl, daß ich dir die Geschichte mit dem Mädchen in diesem Zustand nicht erzählen kann. Gib mir Zeit, vorher meine Kleider zu wechseln!"

„Einverstanden", erwiderte Kamr essaman, „aber mach geschwind und hüte dich, mir die Wahrheit vorzuenthalten. Du weißt, was dich erwartet, wenn du mich belügst!"

Der Sklave ging hinaus, schloß aber den Prinzen ein und lief wie er war in den Palast. Der König unterhielt sich mit seinem Großwesir über Kamr essaman und sprach von der üblen Nacht, die ihm der Ungehorsam seines Sohnes bereitet hätte. Dabei führte er folgende Verse eines Dichters an:

> *Mir wird die Nacht so lang, während die Verleumder*
> *ruhig schlafen. Ist es nicht genug an einem Herzen,*
> *das unter Gram und Kummer leidet? Während die*
> *Nacht noch immer nicht weichen will, rufe ich dem*
> *Tageslicht voll Ungeduld zu: Willst du gar nicht mehr*
> *erscheinen?*

Der Wesir bemühte sich, ihn zu trösten. „Mein Herr und König", sagte er zu ihm, „du darfst nicht bereuen, ihn gefangengesetzt zu haben. Allah verfluche das Böse in dieser Welt! Aber wenn du nur Geduld hast und ihn eine Weile eingesperrt läßt, so darfst du überzeugt sein, daß die jugendliche Hitze verrauchen und er sich deinem Willen beugen wird!"

Der Wesir hatte eben seine Rede beendet, als der Sklave in seinen durchnäßten Kleidern vor den König Schah Seman trat.

„Herr!" sagte er zu ihm, „es tut mir leid, daß ich dir eine schlechte Nachricht bringen muß. Dein Sohn spricht wirres Zeug von einem Mädchen, das vergangene Nacht bei ihm geschlafen haben soll. Doch ich bin die ganze Nacht auf meinem Posten gewesen und kann beschwören, daß niemand bei ihm ein- und ausgegangen ist. Ich konnte ihn jedoch nicht von seinem Wahn abbringen. Er wurde rasend und versetzte mich in diesen Zustand. All das gibt zu erkennen, daß er nicht mehr bei Sinnen ist."

Nachdem der König zu der Überzeugung gelangt war, daß es schlecht um seinen Sohn stehen müsse, rief er mit einem tiefen Seufzer: „O mein Sohn! Mein lieber Sohn!"

Dann befahl er dem Wesir, selbst hinzugehen und zu erforschen, was sich zugetragen habe.

Der Wesir gehorchte sogleich. Als er in das Zimmer trat, fand er den Prinzen ganz ruhig lesend vor. Er ließ sich neben ihm nieder und sprach zu ihm: „Allah verdamme deinen Sklaven, daß er zu dem König, deinem Vater, gekommen ist und ihn in einen solchen Schrecken versetzt hat!"

„Was könnte ein Sklave den König erschrecken", erwiderte der Prinz. „Ich habe viel mehr Ursache, mich über diesen Hund zu beklagen! Doch da nun du gekommen bist, möchte ich dich fragen, wo das Mädchen geblieben ist, das letzte Nacht bei mir geschlafen hat!"

„Allah schütze dich, mein Sohn!" rief der Großwesir erschrocken aus. Doch dann faßte er sich und fuhr in zutraulichem Ton fort: „Wundere dich nicht, daß ich über deine Frage staune. Wie wäre es denn möglich, daß über Nacht ein Mensch hier eingedrungen sein soll? Ich bitte dich, nimm deinen Verstand zusammen. Sicher hast du nur geträumt!"

„Wehe dir!" erwiderte heftig der Prinz, „wehe dir, wenn du mir nicht sagst, was aus dem Mädchen geworden ist! Ich bin hier an einem Ort, wo ich mir Gehorsam zu verschaffen weiß!"

Da versuchte es der Wesir mit Güte und sagte zu dem Prinzen: „Es gibt keinen Schutz und keine Macht außer bei Allah, dem Erhabenen! Sage mir, mein Herr, hast du das Mädchen mit deinen eigenen Augen gesehen?"

„Ja, ja!" entgegnete der Prinz, „ich habe sie gesehen und wohl gemerkt, daß ihr sie abgeschickt habt, um mich in Versuchung zu bringen. Sie hat ihre Rolle gut gespielt, denn sie sagte nicht ein einziges Wort, sondern stellte sich schlafend und entfernte sich, sobald ich eingeschlafen war. Ihr wißt bestimmt davon, denn sie wird nicht versäumt haben, euch Bericht zu erstatten."

„Prinz", versetzte der Wesir, „weder der König, dein Vater, noch ich haben dieses Mädchen geschickt. Wir haben nicht einmal an so etwas gedacht! Es kann nur ein Traum gewesen sein!"

„Du willst mich also verspotten?" rief zornig der Prinz aus, packte den Wesir und prügelte ihn durch.

Während die Schläge auf ihn niederprasselten, rief der Wesir dem Prinzen zu: „Ich flehe dich an, mein Herr, mir nur einen Augenblick Gehör zu schenken!"

Der Prinz ließ ihn los und befahl ihm, zu reden.

„Es mag sein", sagte der Wesir mit Verstellung, „daß etwas an deiner Vermutung ist. Doch du weißt, daß ein Diener tun muß, was sein Herr, der König, befiehlt. Erlaube mir, sogleich zu ihm zu gehen und ihm alles auszurichten, was du mir aufträgst!"

„Ich erlaube es dir", entgegnete der Prinz. „Geh zu ihm und sage ihm, daß ich das Mädchen heiraten will, das er mir geschickt oder gebracht hat. Aber beeile dich und bringe mir bald Antwort!"

Der Wesir lief sofort zu dem König Schah Seman und erzählte ihm von seiner Unterhaltung mit dem Prinzen. Der König hörte sich den Bericht mit Widerwillen an und sagte: „An all dem ist nur der Rat schuld, den du mir gegeben hast! Bei Allah, wenn meinem Sohn etwas widerfahren ist, so laß ich dir den Kopf abschlagen und alles wegnehmen, was du besitzest!"

Hierauf erhob er sich und machte sich nun selbst auf den Weg nach dem Turm. Der Wesir begleitete ihn.

Es dämmerte, Scheherazade bemerkte den kommenden Morgen und schwieg. In der folgenden Nacht fuhr sie fort:

573

Als Kamr essaman seinen Vater eintreten sah, stand er auf und küßte ihm die Hand. Der König setzte sich auf einen Diwan, rief den Prinzen an seine Seite und wandte sich mit zornigem Blick zunächst an den Wesir: „Wie kommst du dazu, von meinem Sohn zu vermuten, er sei wahnsinnig?"

Dann stellte er dem Prinzen einige Fragen und erhielt darauf vernünftige Antworten. Voller Freude darüber rief der König aus: „Gelobt sei Allah für dein Wohl, mein Sohn! Du Schurke von einem Wesir! Da siehst du, daß er den Verstand nicht verloren hat, wohl aber wird das bei dir der Fall sein!"

Dann kam der König auf das Mädchen zu sprechen und sagte zu dem Prinzen: „Nun sage mir, mein Sohn, was hat es mit dem Mädchen auf sich, das diese Nacht bei dir geschlafen haben soll?"

„Mein Herr und Vater", antwortete Kamr essaman, „ich bitte dich, meinen Kummer über diese Sache nicht noch zu vergrößern. Beeile dich vielmehr, sie mir zur Gattin zu geben. Wie groß auch die Abneigung war, die ich bisher gegen das ganze weibliche Geschlecht hatte, so hat mich doch diese junge Schönheit dermaßen bezaubert, daß ich gern zugebe, schwach geworden zu sein. Ich bin bereit, sie mit dem höchsten Dank zu empfangen!"

„Wo ist denn ein Mädchen, mein Sohn?" fragte voller Bestürzung der König Schah Seman. „Besinne dich doch, und der Name Allahs schütze dich und bewahre deinen Verstand! Ich schwöre dir, daß ich nicht das geringste von dem Mädchen weiß, von dem du redest. Auch kann ich nicht begreifen, wie sie ohne mein Wissen in diesen Turm gekommen sein soll. Gewiß hast du nur im Traum ein Mädchen gesehen!"

„Mein Herr und Vater", erwiderte der Prinz, „ich will dir beweisen, daß alles, was ich dir sage, kein Traum, sondern Wirklichkeit ist. Gestern gegen Mitternacht fand ich ein wunderschönes Mädchen neben mir. Im gleichen Augenblick packte mich die heftigste Liebe zu ihr, doch ich bemühte mich vergebens, sie aufzuwecken. Ich wollte sie küssen, fürchtete aber, du könntest dich irgendwo versteckt halten, um uns zu belauschen. Deshalb erlaubte ich mir nur, ein Andenken von ihr zu nehmen!" Damit zog er den Ring vom Finger und reichte ihn seinem Vater mit den Worten: „Herr, du kennst meinen Ring, denn du hast ihn mehrmals gesehen. Nun hoffe ich, daß du nicht mehr länger an meinem Verstand zweifelst!"

Der König erkannte die Wahrheit der Worte seines Sohnes und rief in höchstem Erstaunen aus: „Ich stehe in Allahs Hand und wende mich ihm zu, denn ich begreife nicht, wie hier jemand hat eindringen können! Ich begreife dieses Abenteuer nicht und sehe kein Mittel, dir deinen Wunsch nach diesem Mädchen zu erfüllen!"

Der König Schah Seman führte den Prinzen wieder zurück in den Palast, wo Kamr essaman liebeskrank wurde und sich zu Bett legen mußte. Der König trauerte mehrere Tage mit ihm und wich nicht von seiner Seite, bis eines Morgens der Wesir meldete, der ganze Hof und selbst das Volk habe schon zu murren begonnen, weil man ihn nicht mehr regieren sähe.

„So sehr ich überzeugt bin", fuhr er fort, „daß deine Gegenwart den Schmerz des Prinzen lindert, so mußt du doch daran denken, daß nicht alles zugrunde geht. Deshalb schlage ich vor, den Prinzen zum Schloß auf der kleinen Insel beim Hafen zu bringen und zwei Tage in der Woche den Regierungsangelegenheiten zu widmen. Die übrigen Tage kannst du dann bei deinem Sohne zubringen."

Der König Schah Seman billigte diesen Rat und begab sich mit dem Prinzen über eine fünfhundert Ellen lange Brücke in das Schloß. Er verließ ihn nur an den beiden Wochentagen, die für die Regierung bestimmt waren, und verbrachte die übrige Zeit am Bett des Prinzen Kamr essaman, der bald sehr mager und sehr blaß wurde, weil er wenig aß und kaum schlief.

Während das in der Hauptstadt des Königs Schah Seman vor sich ging, hatten die beiden Geister Dahnesch und Kaschkasch die Prinzessin von China in ihren Palast zurückgebracht und wieder aufs Bett gelegt.

Als die Prinzessin am Morgen erwachte und den Geliebten nicht fand, rief sie sofort ihre Sklavinnen herbei und fragte die Älteste: „Wo ist der Jüngling hingekommen, der diese Nacht bei mir geschlafen hat und den ich von Herzen liebe?"

„Bei Allah, meine Herrin", erwiderte die Sklavin, „du willst uns sicher nur zum besten halten! Du warst doch allein, als wir dich gestern abend ins Bett brachten. Und soviel wir wissen, ist niemand hereingekommen!"

Die Prinzessin von China verlor die Geduld. Sie ergriff die Alte am Kopf und schlug sie, bis sie beinahe in Ohnmacht fiel. Die Sklavin flüchtete mit letzter Kraft vor ihr und lief zu der Königin von China, der Mutter der Prinzessin. Mit Tränen in den Augen klagte sie der: „Gebieterin, du siehst, wie mich die Prinzessin Bedur zugerichtet hat. Sie hätte mich umgebracht, wenn es mir nicht gelungen wäre, zu fliehen." Dann erzählte sie der Königin den ganzen Vorgang und schloß ihren Bericht mit den Worten: „Du siehst hieraus, meine Herrin, daß die Prinzessin den Verstand verloren hat. Du kannst selbst darüber urteilen, wenn du dich zu ihr bemühst!"

Die Königin von China, die ihre Tochter zärtlich liebte, war über diese Nachricht sehr beunruhigt. In Begleitung der Sklavin eilte sie zu der Prinzessin. Sie ließ sich auf dem Diwan neben ihrer Tochter nieder, erkundigte sich nach ihrem Befinden und weshalb sie die Sklavin so mißhandelt hätte.

„O meine Mutter", antwortete die Prinzessin, „ich sehe, daß auch du mich verspotten willst! Aber ich werde nicht eher wieder Ruhe haben, bis nicht der liebenswürdige Jüngling, der letzte Nacht bei mir geschlafen hat, mein Gemahl ist. Du weißt gewiß, wo er ist. Ich bitte dich herzlich, ihn wieder kommen zu lassen."

Dann sprach sie, hingerissen von der Erinnerung, folgende Verse eines Dichters:

Ach, wie wunderbar war seine Schönheit! Und doch ist
Schönheit nur ein geringer Teil seiner Eigenschaften. In
allen seinen Bewegungen liegt ein Zauber. Wenn
jemand zu dem Mond sagt: ‚Rühme dich!' so würde er

sprechen: ,Ich verdanke meinen Glanz den Tulpen seiner
Wangen.' Wie der Punkt im Buchstaben Nun, so erscheint
das Mal auf seiner Wange. Hat er je Fehler begangen,
so möge ihm Allah auch diese als Tugenden anrechnen.
Ich hörte nicht auf, von der Zeit zu fordern, daß sie mich
mit ihm vereinige und er in meine Nähe komme. Allein,
sich fern zu halten, scheint ihm eigen zu sein. Ich
verzieh dem Schicksal all seine Ungerechtigkeit, als es
ihn zu mir führte und warf einen Schleier über all seine
Unbilden. In fester Umarmung haben wir die Nacht
verbracht: Trunken war er von meinen Liebkosungen
und ich von dem Becher seines Mundes. Ich drückte ihn
fest an mich, wie ein Geiziger seinen Reichtum hält,
aus Furcht, eine seiner Schönheiten werde mir geraubt.
Ich hielt ihn in meinen Armen, als sei er eine Gazelle, von
der ich fürchtete, sie könnte mir entfliehen.

„Wehe dir, meine Tochter", erwiderte die Königin, „was sollen
diese Reden bedeuten? Ich kann dich nicht verstehen!"
Da vergaß die Prinzessin ihre Ehrfurcht vor der Mutter und
brach in die Worte aus: „Wehe dir, arglistiges Weib! Du willst
mich nicht verstehen! So lange habt ihr mir zugesetzt, um
mich zur Vermählung zu bewegen. Jetzt, da ich Lust dazu
habe, will ich durchaus den besagten Jüngling zum Gatten
haben, oder ich bringe mich um!"
„Liebe Tochter", sprach die Königin begütigend zu ihr, „du
weißt selbst recht gut, daß du in deinem Gemach allein bist
und kein Mann zu dir hereinkommen kann!"
Doch die Prinzessin fiel über sie her, faßte sie bei den Haaren,
schlug sie und rief: „Sage mir, wo mein Geliebter ist!"
Mit Hilfe der Sklavinnen machte sich die Königin von Prinzessin Bedur los und eilte fort, um dem König, ihrem Gemahl, von
allem zu erzählen. Als sie ihren Bericht beendet hatte, ging der
König sogleich zu der Prinzessin. Er setzte sich neben sie und
fragte: „Ist es wahr, meine Tochter, was ich von deiner Mutter
habe hören müssen?"
Scheherazade schwieg, denn der Morgen graute. In der folgenden Nacht erzählte sie weiter:

Die Prinzessin Bedur antwortete auf die Frage ihres Vaters: „Mein Herr und Vater, reden wir nicht davon! Gib mir nur schnell den Jüngling zum Gatten, der letzte Nacht bei mir geschlafen hat!"

„Was, meine Tochter", erwiderte der König, „es hat jemand bei dir geschlafen?"

„Wie, mein Vater", entgegnete die Prinzessin, „du fragst mich noch, und dabei weiß ich doch, daß es dir nicht unbekannt ist! Es ist der schönste Jüngling, den je die Sonne beschienen hat. Damit du nicht daran zweifelst, daß er bei mir gewesen ist, betrachte diesen Ring, den ich von ihm habe!"

Sie streckte die Hand hin, und der König von China wußte nicht, was er sagen sollte, als er sah, daß es ein Männerring war. Weil er aber ihre ganze Erzählung nicht begreifen konnte und sie schon früher als eine Wahnsinnige hatte einsperren lassen, hielt er sie für toll, ließ sie fesseln und sperrte sie in ein noch engeres Gemach als beim erstenmal, wo er ihr einige alte Frauen zur Bedienung beigab und eine starke Wache vor die Tür stellte.

Er ließ den Wesir und die Großen seines Reiches zu sich kommen und erzählte ihnen, was seiner Tochter widerfahren war. Er sagte, er habe an ihrem Finger einen wertvollen Ring gesehen, und fügte hinzu: „Wenn jemand so geschickt ist, sie zu heilen, so soll er sie zur Frau bekommen und Erbe meines Reiches werden. Wer sie aber zu heilen versucht und keinen Erfolg hat, dem wird ohne Gnade und Barmherzigkeit der Kopf abgeschlagen!"

Als die Anwesenden diese Worte des Königs hörten, hatte jeder den Wunsch, die Prinzessin zu heilen. Ein bejahrter Emir, der der Zauberei kundig war, bot dem König seine Dienste an. Der König hielt ihm nochmals die Bedingungen vor, doch der Emir ließ sich nicht abschrecken. Er bestand darauf, die Heilung zu versuchen. Er ließ sich von dem König zu Bedur begleiten und nahm allerlei Beschwörungen mit ihr vor. Als die Prinzessin den fremden Mann sah und seine sonderbaren Sprüche hörte, verhüllte sie ihr Gesicht und sprach: „Mein Herr und Vater, du bringst mir einen Mann, den ich nicht kenne und vor dem mein Antlitz sehen zu lassen mir das Gesetz verbietet!"

„Meine Tochter", erwiderte der König, „seine Gegenwart darf dich nicht stören. Ich habe ihn nur hierher gebracht, damit er den bösen Geist austreibt, der von deiner Seele Besitz genommen hat!"

„Von meiner Seele hat niemand anders Besitz genommen als der schöne Jüngling, dessen Ring ich am Finger trage", erwiderte die Prinzessin. „Du kannst es mir nicht übelnehmen, wenn ich von keinem anderen Mann etwas wissen will."

Der Emir war sehr erstaunt, die Prinzessin so ruhig zu sehen und so verständig reden zu hören. Er erkannte wohl, daß ihr Wahnsinn nichts anderes als eine große Liebe war. Er wagte nicht, sich darüber gegenüber dem König zu äußern, sondern warf sich ihm zu Füßen, küßte die Erde und sagte:

„Mein Herr und König! Nach dem, was ich eben gehört habe, wäre es unnütz, wollte ich versuchen, die Prinzessin zu heilen. Ich weiß kein Mittel gegen ihr Übel, und mein Leben ist dir verfallen!"

Voller Zorn ließ der König ihn sogleich hinrichten.

So blieb alles eine Zeitlang. Dem König schmeckte weder Speise noch Trank. Um jedoch nichts zu versäumen, ließ er überall ausrufen: Wenn ein Arzt, Sterndeuter oder Zauberer so geschickt wäre, die Prinzessin wieder zu Verstand zu bringen, so möchte er nur kommen, jedoch unter der Bedingung, den Kopf zu verlieren, wenn ihm die Heilung nicht gelänge.

Der erste, der sich nun anbot, war ein Sterndeuter. Als er in Prinzessin Bedurs Zimmer trat und die Ketten an ihrem Hals, an ihren Händen und Füßen bemerkte, glaubte er, daß sie wirklich wahnsinnig sei. Er zog aus seinem Sack kupferne Gefäße, Blei und Papier, zündete Feuer an, streute Weihrauch darauf, spielte die Mandoline und machte alle möglichen sonderbaren Gebärden. Die Prinzessin von China fragte, was das bedeuten solle.

„Prinzessin", antwortete der Sterndeuter, „ich will den bösen Geist beschwören, von dem du besessen bist. Ich will ihn in eine dieser kupfernen Büchsen sperren, sie mit Blei verschließen und dort in das Meer werfen, wo es am tiefsten ist."

„Verfluchter Sterngucker!" rief die Prinzessin aus, „ich brauche deinen Unsinn nicht, denn ich bin bei klarem Verstand. Doch wenn deine Macht so weit reicht, dann zaubere mir nur den her, den ich liebe. Das ist der beste Dienst, den du mir leisten kannst!"

Bei diesen Worten begann die Prinzessin zu weinen, und der Sterndeuter sagte zu ihr: „Wenn es sich so verhält, Gebieterin, dann habe ich hier nichts mehr zu suchen. Wende dich an deinen Vater. Der und nicht ich kann dir verschaffen, was du begehrst!" Hierauf packte er seine Gerätschaften zusammen und entfernte sich.

Als er wieder vor den König von China geführt wurde, sprach er dreist: „Herr, nach deiner Bekanntmachung hielt ich die Prinzessin für wahnsinnig und war gewiß, sie durch die mir bekannten Geheimnisse wieder zu Verstand zu bringen. Aber ich habe schnell erkannt, daß sie keine andere Krankheit hat als die Liebe, und meine Kunst erstreckt sich nicht auf die Heilung dieses Übels. Du kannst es besser heilen als irgend jemand, wenn du ihr den Gemahl gibst, den sie verlangt."

Der König war ergrimmt über das, was er für eine Unverschämtheit hielt und ließ ihm den Kopf abschlagen.

So kamen noch ein dritter und ein vierter, denen es nicht anders erging als den beiden ersten. Der König ließ ihre Köpfe über dem Eingang des Palastes befestigen. Doch trotz dieser schauderhaften Warnung kamen noch viele, um die Prinzessin zu heilen, bis endlich hundertfünfzig Köpfe von den Zinnen des Schlosses herabschauten.

Die Amme der Prinzessin von China hatte einen Sohn namens Marsawan, der mit Bedur erzogen und gesäugt worden war. Beide waren immer beisammen gewesen und betrachteten sich beinahe wie Bruder und Schwester. Auch als ihr vorgeschrittenes Alter eine Trennung notwendig machte, bewahrten sie sich ein freundschaftliches Andenken. Unter mehreren Wissenschaften, durch die Marsawan seit frühester Jugend seinen Geist gebildet hatte, hatte seine Neigung ihn besonders zum Studium der Astronomie und Astrologie, der Geometrie und Uranologie, der Sympathie und der Magie hingezogen. Nicht zufrieden mit dem, was er von seinen Lehrmeistern gelernt hatte, hatte er sich auf Reisen begeben, und es gab keinen berühmteren Mann in irgendeiner Kunst oder Wissenschaft, den er nicht aufgesucht hatte, um von ihm alles zu lernen, was ihm zusagte.

Nach einer Abwesenheit von mehreren Jahren kam Marsawan endlich in die Hauptstadt von China zurück und bemerkte zu seinem Erstaunen die auf dem Palast aufgesteckten Köpfe. Sobald er zu Hause war, fragte er, was diese Köpfe bedeuten sollten und erkundigte sich auch nach der Prinzessin, seiner Milchschwester. Da man seine erste Frage nicht ohne die zweite beantworten konnte, vernahm er, was er verlangte. Er benutzte die nächste beste Gelegenheit, seine im Palast beschäftigte Mutter zu sprechen. Sie erzählte ihm die ganze Geschichte vom Anfang bis zum Ende, worauf er sie fragte, ob sie ihm nicht dazu verhelfen könnte, die Prinzessin Bedur heimlich zu sehen, ohne daß der König, ihr Vater, etwas davon erfahre.

Scheherazade schwieg, denn sie bemerkte den dämmernden Morgen. In der folgenden Nacht fuhr sie in ihrer Erzählung fort:

Marsawans Mutter dachte eine Weile nach und sagte dann: „Mein Sohn, ich kann dir jetzt noch nichts Bestimmtes sagen. Aber erwarte mich morgen zur gleichen Stunde, und ich werde dir Antwort bringen."

Da nun außer der Amme und noch einigen alten Frauen sich niemand der Prinzessin nähern durfte, ohne die Erlaubnis des Verschnittenen, der die Wache an der Tür befehligte, und da die Amme wohl wußte, daß dieser erst kurze Zeit im Dienst war und daß ihm deshalb noch unbekannt war, was am Hofe des Königs von China vorging, wandte sie sich an ihn und sagte: „Du weißt, daß ich die Prinzessin gesäugt und aufgezogen habe. Aber vielleicht weißt du nicht, daß ich sie zusammen mit einer gleichaltrigen Tochter gesäugt habe, die seit einiger Zeit verheiratet ist. Die Prinzessin, die ihrer noch immer in Liebe gedenkt, möchte sie gern sehen, aber sie möchte nicht, daß jemand sie hinein- oder hinausgehen sieht."

Die Amme wollte noch weiter reden, doch der Verschnittene unterbrach sie und sagte zu ihr: „Schon gut! Der Prinzessin zu Gefallen tue ich alles, was sich mit der nötigen Vorsicht vereinbaren läßt. Komm in Allahs Namen diese Nacht mit deiner Tochter, nachdem der König sich entfernt hat. Die Tür soll euch dann offen stehen!"

Bei Anbruch der Nacht zog die Amme ihrem Sohn Marsawan Frauenkleider an und führte ihn nach dem Palast. Der Verschnittene öffnete die Tür und ließ sie eintreten.

Bevor die Amme ihren Sohn vorstellte, näherte sie sich der Prinzessin und sagte ihr, wen sie mitgebracht hatte. Die Prinzessin war glücklich, als sie Marsawans Namen hörte. „Komm näher, mein Bruder!" rief sie aus. „Nimm den Schleier ab. Unter Geschwistern ist es nicht verboten, sich von Angesicht zu Angesicht zu sehen!"

Marsawan begrüßte sie ehrerbietig, und die Prinzessin fuhr

fort: „Ich freue mich, dich gesund wiederzusehen! So lange habe ich nichts von dir gehört!"

„Liebe Schwester", erwiderte Marsawan, „ich bin dir sehr dankbar für deine Güte. Ich erwartete aber bei meiner Heimkehr bessere Nachrichten über dich. Was ich gehört habe, hat mich sehr betrübt. Ich freue mich jedoch, noch zeitig genug gekommen zu sein, um die Heilung zu vollbringen, die schon so vielen mißlungen ist. Wenn das auch nur die einzige Frucht meines Fleißes und meiner Reisen wäre, so wäre mir das schon Lohn genug."

Mit diesen Worten setzte er sich und zog einige Bücher vor, die er mitgebracht hatte.

Als die Prinzessin all das sah, rief sie aus: „Wie, mein Bruder? Auch du glaubst, ich sei wahnsinnig geworden? Ich muß dich enttäuschen! Höre mich an!" Dann sprach sie die Verse:

> *Sie sagen, Liebe habe meinen Verstand verrückt, ich*
> *aber antworte ihnen: Ist das nicht die wahre Wonne*
> *des Lebens, wenn Liebe so heftig ist, daß sie den*
> *Verstand raubt? Laßt mir doch meinen Wahnsinn und*
> *bringt mir den, um dessentwillen ich wahnsinnig bin.*
> *Wenn er nicht noch mehr als dieses verdient, dann*
> *sollt ihr mich schelten.*

An diesen Reden erkannte Marsawan die Ursache der Krankheit der Prinzessin und bat sie, ihm alles zu erzählen. Bedur tat es und verschwieg ihm nichts. Schließlich zeigte sie ihm den Ring.

Als sie geendigt hatte, konnte Marsawan vor lauter Verwunderung eine Zeitlang nicht sprechen. Dann sprach er: „Meine Schwester, ich kann nicht daran zweifeln, daß sich alles so verhält, wie du es gesagt hast. Auch glaube ich, dir die Genugtuung verschaffen zu können, die du verlangst. Ich bitte dich nur, den Mut nicht sinken zu lassen und noch eine Weile Geduld zu haben, bis ich einige Länder durchreist habe, in denen ich noch nicht gewesen bin. Sobald ich zurückkehre, wird sich dein Schicksal glücklich verändern."

Nach diesen Worten nahm Marsawan Abschied von der Prinzessin und hörte sie bei seinem Gehen noch die Verse sagen:

Die Sehnsucht malt dein Bild in meinem Herzen, obgleich es schon lange her ist, daß wir uns sahen. Die Hoffnung bringt dich mir nahe gleich einem Blitz, der in die Augen dringt und verschwindet. O, zögere nicht länger! Du bist das Licht meiner Augen: Solange du dich entfernt hältst, bleibt alles dunkel um mich her. Freut dich die Trennung von mir, so freue ich mich mit deiner Freude. Sei still, mein Herz, und enthalte dich, ihm Vorwürfe zu machen, denn an dem Tage, da wir uns finden, müßtest du dich darum selbst anklagen. Klagt er ja mich auch nicht an, und doch verstehen sich unsere Herzen.

Marsawan machte sich sogleich reisefertig und verließ am folgenden Morgen die Stadt. Er zog von Ort zu Ort, von Land zu Land, von Insel zu Insel, und überall, wo er hinkam, hörte er nur von Prinzessin Bedur und ihrer Geschichte.

Nach vier Monaten kam er nach Tarf, einer großen Seestadt, wo er nicht mehr von der Prinzessin Bedur, sondern von dem Prinzen Kamr essaman und seiner Krankheit sprechen hörte, dessen Geschichte man ähnlich erzählte wie die der Prinzessin Bedur. Voll Freude erkundigte er sich, wo der Prinz lebe, und erfuhr, daß er zu Lande sechs Monate, zu Wasser aber nur einen Monat brauche, um den Wohnsitz des Prinzen zu erreichen.

Marsawan wählte den Seeweg und kam mit einem Kauffahrer in die Nähe der Hauptstadt von Schah Semans Königreich. Doch wenige Meilen vom Hafen entfernt stieß das Schiff an einen Felsen, bekam ein Leck und begann zu sinken. Marsawan, der ein erfahrener Schwimmer war, sprang ins Meer und ließ sich von der Strömung dem Ufer zutreiben. So gelangte er bis in die Nähe des Schlosses, in dem sich Kamr essaman aufhielt.

Zufällig befand sich auch der König dort und hielt den Kopf seines kranken Sohnes in den Armen. Der Wesir saß zu seinen

Füßen und unterhielt sich mit ihm über Staatsangelegenheiten. Darüber war der Prinz eingeschlafen.

Nachdem die Geschäfte besprochen waren, trat der Wesir an eines der Fenster, das zum Meer hinausging. Da sah er, wie Marsawan sich mit Anstrengung seiner letzten Kräfte bemühte, den Strand zu erreichen. Voll Mitleid mit dem Unglücklichen benachrichtigte er den König davon und sagte: „Wenn du es erlaubst, will ich hinausgehen und ihm helfen. Wer weiß, ob eine gute Tat nicht Glück für dich und deinen Sohn bringt!" Der König gewährte die Bitte, und der Wesir eilte aus dem Schloß. Er kam gerade am Ufer an, als Marsawan noch einmal aus den Wellen auftauchte, packte ihn an der Hand und zog ihn heraus.

Ohnmächtig lag Marsawan am Boden, während der Wesir alle Vorbereitungen traf, um ihn aufzunehmen und zu verpflegen. Man brachte trockene Kleider herbei, und als er wieder zu sich gekommen war, wurde er wohl bewirtet und dann zu dem Großwesir geführt.

Da Marsawan ein wohlgebildeter junger Mann von gutem Äußeren war, empfing ihn der Wesir freundlich und erkundigte sich nach seinem Schicksal. Marsawan beantwortete alle Fragen auf so befriedigende und geistvolle Weise, daß der Wesir tiefe Hochachtung für ihn faßte und zu ihm sagte: „Aus deinen Reden, Fremdling, ersehe ich, daß du kein gewöhnlicher Mensch bist. Ich bin das Werkzeug deiner Rettung, und so kann vielleicht durch dich auch anderen geholfen werden. Wollte Allah, daß du auf deinen Reisen in den Besitz irgendeines Mittels gekommen wärst, einen Kranken zu heilen, der diesen Hof schon lange Zeit in große Besorgnis versetzt!"

Marsawan bat, ihm die Geschichte dieses Kranken zu erzählen, und der Wesir sagte ihm alles, was mit Kamr essaman gewesen war. Als der Wesir geendigt hatte, zweifelte Marsawan nicht mehr daran, daß Prinz Kamr essaman derjenige sei, zu dem die Prinzessin von China in Liebe entbrannt war. Er äußerte sich darüber aber nicht gegenüber dem Wesir, sondern verlangte nur, den Kranken zu sehen, um besser beurteilen zu können, wie diesem zu helfen sei.

„Folge mir!" sagte hierauf der Wesir, „du wirst bei ihm den König treffen, der mir schon angedeutet hat, daß er dich sehen will."

Das erste, was Marsawan beim Eintritt in das Zimmer auffiel, war der Anblick des dahinsterbenden Prinzen in seinem Bette. Der Prinz schlug die Augen auf und sah den Fremden an, und Marsawan benutzte diesen Augenblick, um ihn in Versen zu begrüßen, aber auf eine so versteckte Weise, daß weder der König, der auf dem Bett saß, noch der Wesir davon etwas merkten. Dieses waren seine Worte:

Ich sehe dich kummervoll und vernehme dein Seufzen.
Deine Gedanken schwärmen bis zu den äußersten Wolken
des Himmels. Hat Liebe sich deiner bemächtigt oder bist
du von Pfeilen getroffen? Denn alles, was ich an dir
sehe, ist Zeichen eines verwundeten Herzens. Hüte dich,
mich an nächtliche Besuche zu erinnern, denn schon der
Mund, der von ihr spricht, erregt meine Eifersucht.
Ich beneide ihre Kleider, weil sie ihren zarten Körper
umgeben, und den Becher mit Getränk, weil er ihre
Lippen berührt. Tödlich bin ich verwundet, doch nicht von
der Schneide des Schwertes, sondern von den Blicken,
die gleich Pfeilen in mich drangen. Als wir nach langer
Trennung uns wiedersahen, war ich erstaunt, denn ich
fand ihre Fingerspitzen rot, als wären sie mit dem Safte
des Drachenblutes gefärbt. ,Ach', sagte ich zu ihr, ,wie
kannst du deine Hände noch färben, wenn ich fern von dir
bin? Ist das der Lohn für Liebespein und Trennungs-
schmerz?' ,Bei deinem Leben', antwortete sie mir, und
ihre Rede schleuderte einen unauslöschlichen Liebesbrand
in mein Herz, ,das ist nicht Farbe, womit ich meine Finger
gefärbt habe; laß dich durch diesen Schein nicht trügen
und vermehre nicht deinen Kummer durch falsche Ver-
mutung. Wisse, als ich dich fern von mir sah, der du
mein Alles warst, versiegten endlich meine Tränen, und
Blut entquoll meinen Augen. Davon sind meine Finger
so rot.' — Leicht hätte ich mich trösten können, wenn ich
zuerst geweint hätte. Aber sie weinte vor mir, und ihre
Tränen brachten auch mich zum Weinen. O, scheltet

mich nicht, daß ich sie liebe: Es ist schon Leid genug
bei der Liebe! Schönheit sondergleichen hat ihr Antlitz
geschmückt, und in keinem Land hat mein Auge etwas
Ähnliches gesehen. Glutvoll sind ihre Augen, fein ihr
Wuchs; Rosen sind ihre Wangen und Wohlgeruch ist
ihr Mund. Sie hat die Weisheit Lokmans und die
Schönheit Josephs, den Kunstsinn Davids und die
Keuschheit Marias. Ich aber empfinde den Schmerz
Jakobs und die Angst des Jonas, die Qualen Hiobs und
die Reue Adams. Schont ihres Lebens, wenn ihr auch
Macht habt, sie zu töten. Tröstet sie vielmehr und
richtet sie auf, wie es Adam zuteil wurde, als er in
Gram und Verzweiflung saß.

Der Tag graute. Scheherazade bemerkte es und schwieg. In
der folgenden Nacht fuhr sie fort:

Als der Prinz Kamr essaman Marsawan so reden hörte, wurde ihm wohler ums Herz. Er gab seinem Vater durch einen Wink zu verstehen, er möge seinen Platz verlassen und erlauben, daß der Fremdling ihn einnähme.

Der König, der sich über die Veränderung seines Sohnes freute, stand auf und bat Marsawan, sich neben den Prinzen auf das Bett zu setzen. Marsawan näherte seinen Mund dem Ohr des Prinzen und sagte leise:

„Mein Herr, fasse Mut und betrübe dich nicht mehr! Frage nicht nach der, deretwegen du leidest, und frage nicht nach ihrem Zustand. Du hast dein Geheimnis in deine Brust verschlossen und bist deshalb krank geworden. Sie aber hat alles geoffenbart und leidet deshalb doch nicht weniger. Ihr Zustand grenzt an Wahnsinn, und deshalb trägt sie Ketten an Händen und Füßen."

Marsawans Worte hatten auf den Prinzen so stärkende Wirkung, daß dieser seinen Vater herbeiwinkte, um sich aufrechtsetzen zu lassen. Der König und der Wesir richteten ihn empor und unterstützten ihn mit zwei Polstern. Freudig befahl der König, Erfrischungen zu bringen, und Kamr essaman ließ sich zum erstenmal seit langer Zeit wieder bewegen, Speise und Trank zu sich zu nehmen. Hierauf entfernten sich der König und der Wesir, und Marsawan blieb die ganze Nacht mit dem Prinzen allein. Er sagte ihm, daß die Geliebte Bedur heiße und die Tochter des Königs von China sei. Er erzählte ihm alles, was er von der Geschichte der Prinzessin wußte seit jener Nacht, in der sie sich auf eine so überaus wunderbare Weise gesehen hatten.

Er vergaß nicht, zu schildern, wie der König die behandelte, denen es nicht gelungen war, die Prinzessin von ihrem vermeintlichen Wahnsinn zu heilen.

„Du, mein Herr, bist der einzige", setzte er hinzu, „der sie vollkommen heilen kann. Bevor du aber eine so weite Reise antrittst, mußt du wieder gesund sein. Denke also vor allem an die Wiederherstellung deiner Kräfte."

Am nächsten Morgen war Kamr essaman bereits wieder soweit genesen, daß er aufstehen und sich ankleiden konnte. Vor lauter Freude darüber ließ der König, sein Vater, sogleich alle möglichen Festlichkeiten vorbereiten, die Stadt sieben Tage lang beleuchten, Geschenke an das Volk und an die Truppen austeilen und alle Gefängnisse öffnen. Bald waren die Hauptstadt und das ganze Reich voller Fröhlichkeit und Jubel über die Wiederherstellung des Prinzen.

Als Kamr essaman sich kräftig genug fühlte, um eine Reise wagen zu können, nahm er Marsawan beiseite und sagte zu ihm: „Mein Freund, es ist wohl an der Zeit, unsere Reise zu unternehmen, wenn ich nicht vor lauter Ungeduld und Sehnsucht in meinen alten Zustand zurückfallen soll. Eins nur macht mir Sorge und Kummer. Mein Vater liebt mich so sehr, daß er mir nie erlauben wird, mich von ihm zu entfernen. Du siehst, daß er mich nicht eine Stunde aus den Augen läßt, und das macht mich untröstlich. Auf dich allein setze ich mein Vertrauen. Sage mir, was ich tun soll. Ich werde deinem Rat gehorchen und mich allen deinen Befehlen fügen."

„Mein Herr", antwortete Marsawan, „der Zweck meiner Reise hierher war kein anderer, als meinem Herrn und König, dem mächtigen Beherrscher von China, seine Tochter geheilt zurückzugeben. Höre was ich ersonnen habe, um die Erlaubnis deines Vaters zu erhalten, wie sie für unsere Absicht erforderlich ist. Bitte den König, deinen Vater, er möge dir erlauben, zu deiner Erholung ein paar Tage auf die Jagd zu gehen. Dann nehmen wir uns gute Pferde, und für alles übrige lassen wir Allah sorgen."

Am nächsten Morgen bat Kamr essaman seinen Vater um die Erlaubnis, mit Marsawan auf die Jagd gehen zu dürfen.

„Ich erlaube es gern", anwortete der König, „jedoch nur unter der Bedingung, daß du nicht mehr als eine Nacht ausbleibst. Zuviel Anstrengung könnte dir noch schaden, und bei einer längeren Abwesenheit würde ich mir Sorgen machen, denn ich befinde mich in einem Zustand, von dem der Dichter schreibt:

Lebte ich im schönsten Wohlbehagen und besäße das
Reich des Chosroes, ja die ganze Welt: Alles würde in
meinen Augen nicht den Wert der Flügel einer Mücke
haben, wenn mein Auge dich nicht sähe.

Der König ließ alles zu einem Ausflug vorbereiten, vier Pferde
satteln und ein Dromedar mit Wasser und Lebensmitteln
bepacken. Dann nahm er von seinem Sohn Abschied und
konnte sich vor Angst und Sorge beinahe nicht von ihm trennen. Er wollte ihm einen Diener mitgeben, aber Kamr essaman
lehnte es ab und ritt mit Marsawan fort.
Als die beiden Freunde die Stadt hinter sich hatten, beschleu-
nigten sie ihre Reise und ritten scharf den ganzen Tag. Abends
stärkten sie sich mit Speise und Trank und ritten dann wieder
die ganze Nacht bis zum Morgen.
Bei Tagesanbruch befanden sie sich in einer einsamen Gegend
auf einem Kreuzweg. Marsawan bat den Prinzen, einen Augenblick zu warten, und ritt in den Wald hinein. Dort tötete er
eines der Pferde, zog ihm die Haut ab und schnitt das Fleisch
in Stücke. Dann bat er Kamr essaman um dessen Mantel, Oberkleid und Hemd, zerriß sie, färbte sie mit Blut und wickelte
einige Stücke Pferdefleisch hinein. So machte er es auch mit
seinem eigenen Oberkleid und warf die Fetzen hierhin und
dorthin auf den Kreuzweg.
„Mein Freund", sagte er zu Kamr essaman, „sobald der König,
dein Vater, sehen wird, daß wir länger als eine Nacht ausbleiben, wird er uns suchen lassen. Kommen nun seine Leute hierher und finden diese zerrissenen Kleider und die Spuren von
Fleisch und Blut, so werden sie nicht zweifeln, daß uns entweder Straßenräuber ermordet oder wilde Tiere gefressen
haben. Der König wird die Hoffnung aufgeben, dich lebendig
wiederzufinden, und wir können indessen gemächlich weiter-
reisen."
Hierauf setzten der Prinz und Marsawan ihre Reise ohne Aufenthalt von Land zu Land fort, bis ihnen nach geraumer Zeit
die Kuppeln und Minaretts der Hauptstadt des Königs von
China entgegenleuchteten. Dieser Anblick erfüllte sie mit gro-

ßer Freude, und Kamr essaman umarmte seinen Freund voll
dankbarer Rührung.

In der Stadt angekommen, führte Marsawan den Prinzen nicht
in sein Haus, sondern stieg mit ihm in einem Gasthof ab, wo
sie drei Tage blieben und sich von den Anstrengungen der
Reise erholten. Während dieser Zeit ließ Marsawan dem Prinzen ein Sterndeuterkleid, eine goldene, mit Juwelen besetzte
Krone und den ganzen Apparat eines Magiers anfertigen. Am
vierten Tag gingen sie zusammen ins Bad, wo Kamr essaman
seine Verkleidung anlegen mußte.

Der Tag meldete sein Kommen, und Scheherazade schwieg.
Am folgenden Abend erzählte sie weiter:

DIE ZWEIHUNDERTVIERUNDDREISSIGSTE
NACHT

Dann sagte Marsawan zu dem Prinzen Kamr essaman:
„Stelle dich unter das Tor des Palastes und rufe, du seist
ein Sterndeuter und aus fremden Landen gekommen, um die
Prinzessin zu heilen. Der König wird dich sogleich kommen
lassen und zu deiner Geliebten führen. Sobald sie dich sieht,
wird sie geheilt sein, und der König, voller Freude, wird dich
mit ihr vermählen und dir Anteil an seiner Regierung geben."
Kamr essaman ging zu dem königlichen Palast und rief mit
lauter Stimme: „Ich bin ein Sterndeuter und komme zur Heilung der erhabenen Prinzessin Bedur, Tochter des großmächtigen Herrschers Ghaïur, Königs von China."

Die Neuigkeit verbreitete sich schnell in der ganzen Stadt, und
eine riesige Volksmenge versammelte sich um den Prinzen
Kamr essaman.

„Welcher Wahnsinn treibt dich, dein junges Leben zu gefähr-
den?" fragten ihn einige der Umstehenden. „Ist es denn ein
so großes Glück, eine närrische Prinzessin zur Frau zu kriegen?

Und haben dich die Köpfe, die du dort oben siehst, nicht abgeschreckt? Sei vernünftig und entferne dich!"

Doch der Prinz Kamr essaman blieb standhaft, und als er niemand kommen sah, um ihn hineinzuführen, wiederholte er noch einmal seinen Ausruf.

„Er ist entschlossen, zu sterben", riefen die Leute. „Allah erbarme sich seiner Seele!"

Kamr essaman rief mit lauter Stimme ein drittes Mal, und jetzt endlich kam der Großwesir des Königs von China und führte ihn hinein.

Sobald der Prinz den König, der auf seinem Thron saß, erblickte, warf er sich nieder und küßte den Boden vor ihm. Der König, der mit dem jugendlichen Wagemut Mitleid hatte, ließ ihn neben sich setzen.

„Mein Sohn", sagte er zu ihm, „ich kann kaum glauben, daß du in deinem Alter schon genug Erfahrungen gesammelt hast, um ein so gewagtes Unternehmen ausführen zu können. Wohl möchte ich wünschen, daß es dir gelänge, und mit Freuden würde ich dich als meinen Schwiegersohn und Mitregenten betrachten. Aber hast du auch bedacht, daß ich geschworen habe, jedem, der meine Tochter heilen will und dem es nicht gelingt, den Kopf abschlagen zu lassen? Überlege es gut. Noch ist Zeit, daß du von deinem Vorhaben abläßt und mir den Kummer ersparst, ein neues Opfer fallen zu sehen."

„Großmächtiger König", erwiderte Kamr essaman, „du irrst dich, wenn du meinst, ich hätte nicht alles wohlbedacht. Ich komme aus einem fernen Lande und bin meiner Kunst sicher. Du brauchst dich also meinetwegen nicht zu grämen. Ich flehe dich nur an, meine Ungeduld nicht länger auf die Probe zu stellen und erkläre dir hier vor diesen Zeugen, daß ich mich deinen Bedingungen unterwerfe."

Der König von China befahl nun einem Diener, Prinz Kamr essaman zu der Prinzessin Bedur zu führen. Der Diener ergriff seine Hand und ging mit ihm durch die Halle. Je näher Kamr essaman dem Gemach der Prinzessin kam, desto größer wurde seine Ungeduld: Er ließ die Hand seines Führers los und eilte so schnell vorwärts, daß er beinahe zu Boden gefallen wäre.

Der Diener, der ihm kaum folgen konnte, rief ihm zu: „Wohin läufst du so schnell? Hast du es so eilig, in den Tod zu rennen?" Kamr essaman sah den Diener an, und ganz verloren im Gedanken an die Nähe der Geliebten, sprach er die Verse:

Ich kenne den Zauber deiner Schönheit:
Er hat mich ganz verwirrt, ich bin wie besessen und
weiß nicht, was ich sagen soll. Nenne ich dich Vollmond,
so spreche ich unwahr, denn der Vollmond ist dem
Abnehmen unterworfen, deine Schönheit aber bleibt
stets unvermindert. Sage ich Sonne zu dir, so weiß ich,
daß deine Schönheit sich nie vor meinen Augen ver-
dunkelt, während die Sonne sich oft meinen Blicken
entzieht. Vollkommen, ohne Mangel sind deine Reize:
sie zu beschreiben ist der Beredsamste unfähig
und der Verständigste zu schwach.

Mittlerweile hatten sie die Tür erreicht. Der Diener öffnete sie und führte den Prinzen in einen Saal, der nur durch einen Vorhang von dem Zimmer der Prinzessin getrennt war. Hier stand Kamr essaman still und sagte zu dem Diener: „Um dich zu überzeugen, daß ich weiß, was ich wage und keinen Grund habe, zu zögern und ängstlich zu tun wie die anderen, lasse ich dir die Wahl: Soll ich mit dir zu deiner Gebieterin hineingehen, oder soll ich sie von hier aus heilen?"
Der Diener war höchst erstaunt über die Zuversicht des Prinzen. Deshalb erwiderte er: „Bist du deines Erfolges so sicher? So kann es deinen Ruhm nur vermehren, wenn du die Heilung von hier ausführst."
Schnell entschlossen setzte sich Kamr essaman auf einen Diwan neben dem Vorhang und schrieb folgenden Brief an die Prinzessin von China: „Dieses ist der Brief eines Menschen, den Unglück verfolgt, den Liebespein verzehrt, den Schmerz und Kummer vor Sehnsucht vernichtet: für ihn ist jede Lebenshoffnung dahin, er sieht dem sicheren Tod entgegen. Nichts kann sein trauerndes Herz vom Gram befreien, und niemand vermag in sein vor Kummer stets wachendes Auge lindernden

Balsam zu träufeln. Sein Tag vergeht ihm in Flammen und seine Nacht in Qualen. Schwach nur schildern seinen Zustand folgende Verse, die das Unglück ihm einflößte:

Ich schreibe dir mit einem Herzen, welches von deinem Andenken glüht, und mit Augen, welche die Sehnsucht entzündet hat, weil der Quell ihrer Tränen versiegt ist. Ich klage die Liebe an um das, was sie mir geschadet, denn nicht länger bin ich imstande, ihre Schläge zu ertragen. O, sei doch mild und huldreich gegen mich, erbarme dich meiner und neige dich mir zu. Nimm in deinen Schutz einen Jüngling, dessen Innerstes schon ganz zerrissen ist.

Unter diesen Brief schrieb er noch:

Heilung der Herzen bringt nur die Vereinigung den Liebenden, und ihre schrecklichste Qual ist die Trennung. Wer seinen Geliebten hintergeht, den wird Gott zur Verantwortung ziehen, und wer von uns beiden dem andern treulos wird, dem möge keiner seiner Wünsche erfüllt werden. Du erhältst diesen Brief von mir, der sich nicht zu nennen braucht, um erkannt zu werden. An das schönste und lieblichste Mädchen ist er gerichtet, vom treuen Liebenden an die getrennte Geliebte, vom Verzweifelnden, Umherirrenden an die schmachtende Gazelle, an die vollkommene Jungfrau. Der Friede des Himmels sei mit dir, solange das Siebengestirn über deinem holden Angesicht aufgeht.

Von außen schrieb er auf den Brief: „Voll Sehnsucht und Verwirrung schreibe ich dieses aus schmerzbeengter Brust an den Halbmond, an die Sonne, an die Gazelle, an den Myrthenzweig."

Und auf die Rückseite setzte er den Schluß: „Forsche in meinem Brief und in meinen Schriftzügen nach — sie werden dir von meinem Zustand Kunde geben. Während meine Hand schreibt, rinnen Tränen aus meinen Augen, und die Spuren meines Schmerzes trafen das Papier. Sei mir huldreich und gewogen! Ich sende dir hiermit deinen Ring, sende du mir den meinen!"

Als der Prinz den Brief beendet hatte, tat er den Ring hinein. Dann gab er beides dem Diener und sagte zu ihm: „Geh und bringe das deiner Gebieterin. Wenn sie nicht augenblicklich geheilt ist, sobald sie den Brief gelesen und seinen Inhalt gesehen hat, so will ich der nichtswürdigste Sterndeuter sein, den es je gegeben hat."

Scheherazade bemerkte den Tag und schwieg. In der folgenden Nacht fuhr sie fort:

DIE ZWEIHUNDERTFÜNFUNDDREISSIGSTE NACHT

Der Diener trat in das Zimmer der Prinzessin von China und überreichte ihr das Päckchen des vermeintlichen Sterndeuters. Bedur nahm den Brief und öffnete ihn gleichgültig. Aber sobald sie den Ring erblickte, nahm sie sich kaum noch Zeit, ihn durchzulesen. Sie stieß einen lauten Schrei aus, stemmte sich mit den Füßen gegen die Wand, zerriß die Kette, mit der sie angeschlossen war, lief nach der Tür und öffnete den Vorhang. Sie erkannte den Prinzen, der Prinz erkannte sie, beide stürzten aufeinander zu und umarmten sich zärtlich und voller Leidenschaft. Im Überschwang der Freude waren sie keiner Worte fähig, sondern blickten sich nur schweigend an.

Der Diener hatte sich unterdessen eilig entfernt, um dem König von dem Geschehenen zu berichten. „Mein Herr", sagte er zu ihm, „alle Sterndeuter, Ärzte und Zauberer, die bisher die Prinzessin zu heilen versuchten, waren Unwissende. Dieser hier aber hat die Prinzessin geheilt, ohne sie auch nur zu sehen."

Der König stand sofort auf und ging zu seiner Tochter, die er mit heiterem Antlitz auf dem Diwan sitzend fand. Als sie ihren Vater erblickte, stand sie ehrerbietig auf und küßte ihm die Hand. Der König umarmte sie und küßte sie zwischen die Augen, desgleichen umarmte er den Prinzen, nahm dessen Hand, legte sie in die Hand der Prinzessin und sagte zu ihm: „Glücklicher Fremdling, wer du auch seist, ich halte mein Versprechen und gebe dir meine Tochter zur Gemahlin. Aber sage mir nun, wer du bist und woher du kommst!"

Kamr essaman dankte dem König und fuhr dann fort: „Allerdings bin ich kein Sterndeuter, wie ich erscheine, sondern bin ein geborener Prinz, Sohn eines Königs und einer Königin. Mein Name ist Kamr essaman, mein Vater heißt Schah Seman und beherrscht die zwar weit von hier entfernten, aber doch genug bekannten Canarieninseln." Darauf erzählte er ihm seine Geschichte, wobei er besonders die wunderbare Zusammenkunft mit der Prinzessin in jener Nacht hervorhob, die auch er noch für einen Traum halten würde, wenn nicht der Wechsel der beiden Ringe die Wahrheit bestätigte.

Die Vermählung wurde noch am gleichen Tage gefeiert und im ganzen Land bekanntgegeben. Die beiden Liebenden sahen sich am Ziel ihrer Wünsche und stillten in der Seligkeit ihrer Vereinigung ihr glühendes Verlangen.

Mehrere Monate hindurch bezeigte der König von China durch alle möglichen Festlichkeiten seine Freude über das glückselige Ereignis.

Doch während dieser Vergnügungen hatte der Prinz Kamr essaman eines Nachts einen Traum, in dem er seinen Vater zu sehen glaubte, der ihm Vorwürfe machte und zu ihm sagte: ,Mein Sohn, ist es recht, daß du so gegen deinen Vater handelst, der dir das Leben gegeben und der dich so zärtlich geliebt hat? Wie schnell hast du mich vergessen! Bei Allah, du mußt zurückkehren, damit ich meine Sehnsucht nach dir stille, ehe ich sterbe.'

Dieser Traum machte den Prinzen sehr traurig. Seine Frau bemerkte bald seine Veränderung, und als sie ihn fragte, was er habe, nannte er ihr den Grund. Ohne sein Wissen ging Bedur zu ihrem Vater, küßte ihm die Hand und bat ihn um die Erlaubnis, mit Kamr essaman zu ihrem Schwiegervater reisen zu dürfen. Der König von China gewährte seiner Tochter die

Bitte, jedoch nur unter der Bedingung, daß sie nicht länger als ein Jahr am Hof des Königs Schah Seman bliebe. Danach sollte sie zurückkehren und mit ihrem Gatten wieder ein Jahr bei ihm verbringen.

Die Prinzessin versprach es, und der König gab Befehl, Reisevorbereitungen zu treffen. Er machte Kamr essaman viele wertvolle Geschenke, empfahl ihm nochmals seine Tochter und begleitete sie bis an die Grenzen seines Reichs. Dann nahm er von ihnen Abschied und kehrte in seine Hauptstadt zurück.

Ungefähr nach einem Monat kam das junge Paar in eine große fruchtbare Ebene, und da die Hitze sehr drückend war, beschloß Kamr essaman, hier ein wenig zu lagern. Bei einer schönen Stelle mit schattigen Bäumen stiegen sie ab. Die Zelte wurden aufgeschlagen, die Pferde und Kamele abgepackt. Die Dienerschaft ruhte sich aus, und die Lasttiere weideten in der Nähe des Lagers.

Die Prinzessin Bedur trat in das für sie bestimmte Zelt, während Kamr essaman durch das Lager ging und Befehle erteilte. Um es sich bequemer zu machen, legte Bedur den Gürtel ab und legte sich, nur mit einem leichten Unterkleid bedeckt, nieder, worauf sie sogleich einschlief.

Nachdem Kamr essaman alles nachgesehen hatte, trat er ebenfalls in das Zelt. Als er sah, daß Bedur schlief, trat er leise näher und weidete sich an ihrem Anblick. Da fiel sein Blick zufällig auf den Gürtel, den sie neben sich gelegt hatte. Er nahm ihn in die Hand und betrachtete die Diamanten und Rubine, mit denen er geschmückt war. Dabei bemerkte er einen kleinen Beutel, der so geschickt an den Stoff angenäht war, daß man ihn, wenn man den Gürtel um den Leib trug, nicht entdecken konnte. Er faßte ihn an und fühlte, daß etwas Hartes darin war. Neugierig öffnete er den Beutel und zog einen dunkelroten Stein heraus, in den verschiedene Zeichen und ihm unbekannte Schriftzüge eingegraben waren.

„Dieser Stein", sagte er leise vor sich hin, „muß meiner Frau sehr viel bedeuten, sonst würde sie ihn nicht so sorgfältig verwahren." Um ihn besser betrachten zu können, trat er aus dem Zelt heraus, um ihn im Hellen anzusehen. Als er ihn auf der flachen Hand hielt, schoß plötzlich ein Vogel aus der Luft hernieder, ergriff den Stein und flog damit weg. Doch erhob er sich nicht weit vom Boden, sondern setzte sich in geringer Entfernung mit dem Stein im Schnabel nieder.

Der Morgen graute. Scheherazade bemerkte es und schwieg. In der folgenden Nacht fuhr sie fort:

DIE ZWEIHUNDERTSECHSUNDDREISSIGSTE NACHT

Sobald Kamr essaman sich von der ersten Überraschung erholt hatte, lief er auf den Vogel zu, um ihm den Stein wieder abzujagen. Doch als er herankam, flog der Vogel auf und setzte sich in einiger Entfernung wieder nieder. Über Täler und Hügel, bergauf, bergab, lockte der Vogel so den ganzen Tag den Prinzen hinter sich her. So entfernte sich Kamr essaman immer weiter vom Lagerplatz und von der Prinzessin Bedur. Es wurde Abend, und anstatt sich in ein Gebüsch zu ducken, wo Kamr essaman den Vogel in der Dunkelheit hätte erhaschen können, schwang dieser sich in den Wipfel eines hohen Baumes, wo er in Sicherheit war.

Kamr essaman blieb erschrocken stehen und überlegte, ob er den Vogel weiter verfolgen oder umkehren sollte. Obwohl er den Stein gern wiedergehabt hätte, entschloß er sich doch, zu seiner geliebten Frau zurückzukehren und sie wegen des Verlustes um Verzeihung zu bitten. Aber als er sich umsah, stellte er voller Schrecken fest, daß er nicht mehr wußte, woher er gekommen war. Inzwischen war es finstere Nacht geworden, und überwältigt von Müdigkeit, Hunger und Durst legte sich der Prinz nieder und verbrachte die Nacht am Fuße des Baumes.

Am folgenden Morgen erwachte Kamr essaman, noch ehe der Vogel den Baum verlassen hatte. Wieder lief er ihm den ganzen Tag nach und wieder ohne Erfolg. So trieb er es bis zum zehnten

Tage. Am elften Tag endlich kam Kamr essaman mit dem Vogel, den er immer weiter verfolgte, in die Nähe einer großen Stadt. Hier entschwand der Vogel im Nu seinen Blicken. Kamr essaman näherte sich dem Tor der Stadt, setzte sich davor nieder, wusch Hände, Füße und Gesicht in einer Quelle, ruhte sich ein wenig aus und dachte über sein unglückliches Schicksal nach.

Nachdem er sich etwas erholt hatte, wanderte er lange durch die Straßen der Stadt, ohne zu wissen, wohin er sich wenden sollte. Dabei gelangte er auch an den Hafen. Er schlenderte am Ufer entlang, und nachdem er an verschiedenen Baumgruppen und Anlagen vorbeigekommen war, blieb er endlich vor der Tür eines Gartens stehen und blickte hinein. Der Gärtner, ein gutmütiger Greis, hieß ihn willkommen und sagte: „Gelobt sei Allah, daß du den Bewohnern dieser Stadt glücklich entkommen bist! Tritt herein!"

Kamr essaman gehorchte und fragte den Gärtner: „Wie soll ich mir deinen Willkommensgruß erklären? Was ist denn mit den Leuten dieser Stadt?"

„Du mußt wissen", erwiderte der Alte, „daß diese Stadt von lauter Götzendienern bewohnt ist, die alle Muselmänner tödlich hassen und verfolgen. Ich erkannte in dir sofort einen Fremden meines Glaubens und betrachte es als ein Wunder, daß du ohne eine böse Begegnung bis hierher gekommen bist. Ruhe dich aus und erzähle mir, welches Schicksal dich zu mir geführt hat!"

Kamr essaman erfüllte die Bitte des Gärtners und fragte ihn dann, welchen Weg er einschlagen müsse, um in das Reich seines Vaters zu kommen. „Denn", fügte er hinzu, „an eine Rückkehr zu der Prinzessin darf ich nicht denken. Wo sollte ich sie nach elf Tagen wiederfinden? Weiß ich denn überhaupt, ob sie noch auf der Welt ist?" Dabei stürzten ihm die Tränen aus den Augen.

Der Gärtner antwortete ihm, daß er zu Lande, von der Stadt, wo er sich gegenwärtig befinde, bis zu den Ländern der Muselmänner ein volles Jahr zu reisen hätte, daß man aber zur See in viel kürzerer Zeit zur Ebenholzinsel gelangen und von dort die Canarieninseln erreichen könne, denn jedes Jahr gehe ein Schiff nach der Ebenholzinsel ab, und damit stünde ihm der Weg zur Rückkehr in sein Vaterland offen. „Wärest du einige Tage früher gekommen", setzte er hinzu, „so hättest du dich gleich einschiffen können. Wenn du jedoch bei mir bleiben willst, bis im nächsten Jahre wieder ein Schiff fährt, so biete ich dir mein Haus an!"

Nach kurzem Bedenken hielt es Kamr essaman für das beste, das Angebot des Gärtners anzunehmen. Er blieb also da und beschäftigte sich den Tag über mit Gartenarbeiten, in den Nächten aber, wenn nichts seine Gedanken von seiner geliebten Bedur trennte, seufzte, klagte und weinte er. Soviel von Kamr essaman.

Was die Prinzessin Bedur betrifft, die wir unter dem Zelt schlafend verlassen haben, so war sie sehr verwundert, als sie bei ihrem Erwachen den Prinzen Kamr essaman nicht mehr fand. Sie kleidete sich an, und als sie den Gürtel umlegen wollte, bemerkte sie, daß der kleine Beutel offen und der Stein nicht mehr darin war. Sie zweifelte nicht daran, daß Kamr essaman ihn genommen hatte, um ihn zu betrachten, und daß er bald damit zurückkehren würde. Mit der größten Ungeduld erwartete sie ihn bis zum Abend und konnte nicht begreifen, was ihn so lange entfernt hielt. Als es Nacht wurde und er immer noch nicht kam, geriet sie in unaussprechliche Betrübnis.

„Allah verdamme den Stein!" rief sie aus, „und den, der ihn gemacht hat! Mein Geliebter kennt die geheime Kraft dieses Talismans nicht, sonst hätte er mich nicht verlassen. Was mir zum Heil dienen sollte, führt jetzt mein Unglück herbei!"

Der Morgen brach an, und Kamr essaman war immer noch nicht da. Bedur war trostlos, besonders, als sie bedachte, daß es an der Zeit war, das Lager abzubrechen und die Reise fortzusetzen. ‚Wenn nun meine Begleitung erfährt, daß ich Kamr essaman vermisse', dachte sie, ‚was wird dann aus mir werden? Ich führe viele Kostbarkeiten mit mir und bin nur ein schwaches Weib. Meine Sklaven werden sich gegen mich erheben, meine Schätze rauben und mich mißhandeln oder gar ermorden.'

Plötzlich hatte sie eine rettende Idee. Sie stand schnell auf und zog sich eines von Kamr essamans Kleidern an, hüllte sich in seine Rüstung und befestigte Tücher an Helm und Schild, wie um ihr Gesicht vor Staub und Sonne zu schützen. Dann befahl sie einer ihrer Sklavinnen, sich in den Kamelsattel zu setzen, auf welchem sie bisher die Reise mitgemacht hatte, bestieg ein Pferd, gab das Zeichen zum Aufbruch und reiste weiter, ohne daß jemand etwas an der Veränderung merkte, denn in der Gestalt hatte sie große Ähnlichkeit mit Kamr essaman.

Nach mehreren Monaten gelangte sie in eine Stadt am Ufer des Meeres. Vor deren Toren ließ sie ihr Lager aufschlagen und erfuhr, daß es sich um die Hauptstadt des Reiches der Ebenholzinseln handelte, deren König Armanus hieß.

Bald verbreitete sich das Gerücht von der Ankunft der Fremden in der Stadt. Als der König Armanus davon hörte, schickte er einen Boten, um zu hören, wer die Ankömmlinge seien und was sie hierher geführt habe. Der Bote brachte die Nachricht, es sei der Sohn des Königs Schah Seman.

Der König ging sogleich, von seinen Großen begleitet, Bedur entgegen, führte sie in die Stadt und bot ihr seinen Palast zur Wohnung an. Er ließ ihr Lager abbrechen und ihre Dienerschaft nebst allem, was sie mit sich führte, in den Nebengebäuden des Palastes unterbringen. Er erwies ihr alle erdenklichen Ehren und bewirtete sie drei Tage hindurch mit außerordentlicher Pracht.

Als die drei Tage vergangen waren und Bedur ihre Reise fortsetzen wollte, kam der König Armanus zu ihr und bat sie um eine geheime Unterredung. Sie war eben aus dem Bad gestiegen, hatte ihr Gesicht unverhüllt und trug einen Kaftan, der mit Gold durchwirkt und mit kostbarem Pelzwerk verbrämt war. Der König, der sich längst beglückwünscht hatte, einen so anmutigen und geistvollen Prinzen zum Gast zu haben, war ganz entzückt, als er Bedur in diesem Aufzug sah. Ohne eine Ahnung von ihrem wahren Geschlecht und in der Überzeugung, den Sohn eines wohlbekannten und befreundeten Königs vor sich zu haben, sprach er zu ihr:

„Prinz, bei meinem hohen Alter und bei der geringen Hoffnung, noch lange zu leben, macht es mir Kummer, mein Reich keinem Sohn hinterlassen zu können. Der Himmel hat mir nur eine einzige Tochter beschert, die dir — gelobt sei Allah! — an Schönheit und Anmut nahekommt. Statt also an die Rückkehr in deine Heimat zu denken, nimm sie von meiner Hand als Gemahlin und setze dich auf den Thron, den ich dir sogleich einräumen will. Es ist an der Zeit, daß ich mich in den Ruhestand begebe, nachdem ich so viele Jahre regiert habe!"

Scheherazade bemerkte den Tag und schwieg. In der folgenden Nacht fuhr sie fort:

DIE ZWEIHUNDERTSIEBENUNDDREISSIGSTE NACHT

Das großzügige Angebot des Beherrschers der Ebenholzinsel brachte die Prinzessin Bedur in nicht geringe Verlegenheit. ‚Weigere ich mich ohne die Angabe triftiger Gründe, diese Ehre anzunehmen', dachte sie, ‚so wird sich sein Wohlwollen in Haß verwandeln. Er wird mich festnehmen lassen und hinter mein Geheimnis kommen. Außerdem weiß ich ja nicht einmal, auch wenn ich ihm entkomme, was aus meinem Geliebten geworden ist, und ob ich ihn am Hofe seines Vaters, des Königs Schah Seman, antreffen werde. Es bleibt mir also nichts weiter übrig, als mich in die Umstände zu fügen und abzuwarten, wie der Himmel weiterhilft.'

Der König Armanus hatte geduldig auf eine Antwort gewartet. Schließlich hob die Prinzessin Bedur den Kopf und sagte zu ihm: „Mein Herr, deine Großmut hat mich überrascht. Auf einen so ehrenvollen Auftrag war ich nicht gefaßt. Doch obwohl ich mich dieses Auftrags nicht würdig fühle, wage ich es doch nicht, ihn auszuschlagen, und werde dir gern gehorchen."

Die Vermählung wurde auf den folgenden Tag angesetzt. Der König ließ das freudige Ereignis in seinem ganzen Land bekanntmachen und überall Feste veranstalten. Am Morgen des

Vermählungstages versammelte er seinen Rat, entsagte zu Gunsten seines Schwiegersohns der Regierung und forderte die Großen seines Reiches auf, ihn als König anzuerkennen. Zum Schluß stieg er vom Thron und ließ die Prinzessin Bedur hinaufsteigen. Sie empfing den Treueeid von den mächtigsten Herren der Ebenholzinsel, von denen keiner daran dachte, daß der neue König etwas anderes sein könnte als das, für das er sich ausgab.

Am Abend war der ganze Palast in festlicher Freude, und die Prinzessin Haiat al Nufus wurde in einem wahrhaft königlichen Aufzug ihrem vermeintlichen Bräutigam zugeführt. Nachdem die üblichen Zeremonien vorüber waren, ließ man die beiden in dem Brautgemach allein.

Prinzessin Bedur setzte sich schweigend und seufzend neben Prinzessin Haiat al Nufus, wusch dann ihre Hände und betete so lange, bis Haiat al Nufus die Augen schloß. Nachdem sich Bedur überzeugt hatte, daß sie fest eingeschlafen war, legte sie sich neben ihr nieder, kehrte ihr den Rücken zu und erwartete schlaflos und in steter Erinnerung an Kamr essaman den Morgen.

Während die Prinzessin Bedur am folgenden Tag in einer öffentlichen Versammlung die Glückwünsche des ganzen Hofes zu ihrer Vermählung und zum Regierungsantritt empfing, begaben sich der König Armanus und seine Gemahlin in das Gemach der neuen Königin, ihrer Tochter, und erkundigten sich, wie es ihr in der vergangenen Nacht ergangen sei. Anstatt zu antworten, schlug sie die Augen nieder, und ihre Traurigkeit gab genügend zu erkennen, daß sie nicht zufrieden war.

Um die Prinzessin Haiat al Nufus zu trösten, sprach der König Armanus zu ihr: „Meine Tochter, das darf dir keinen Kummer machen. Der Prinz Kamr essaman dachte bei seiner Ankunft hier nur daran, sich baldmöglichst zu seinem Vater, dem König Schah Seman, zu begeben. Trotz des unvermittelten Glücks, das ihn hier traf, ist er doch betrübt, weil er der Hoffnung beraubt ist, jemals seinen Vater und die Seinen wiederzusehen. Erst wenn sein Kummer sich etwas gelegt hat, wird er sich wie ein guter Ehemann gegen dich betragen.“

Es war schon spät am Abend, als die Prinzessin Bedur den Diwan verließ, in dem sie den ganzen Tag regiert hatte, und sich in das Zimmer der Königin Haiat al Nufus begab. Beim Eintritt fand sie die Königin in sehnsüchtiger Erwartung auf einem Diwan sitzen, neben dem eine Wachskerze brannte. Bedur setzte sich neben sie und bemühte sich, eine Unterhaltung in Gang zu bringen, in der sie alles versuchte, sie von ihrer Liebe zu überzeugen. Sie küßte sie auf die Wangen, streichelte sie und ließ ihr Zeit, sich niederzulegen. Währenddessen begann sie ihr Gebet zu verrichten, betete aber wieder so lange, bis Haiat al Nufus einschlief. Wie die vorige Nacht verbrachte sie auch diese wachend neben der Königin. Am folgenden Morgen stand sie auf, bevor Haiat al Nufus erwachte, legte den königlichen Schmuck an und begab sich wieder in die Versammlung des Staatsrates.

Auch an diesem Morgen besuchte der König Armanus seine Tochter und fand sie in Tränen vor. Er drang in sie, bis sie ihm alles erzählte. Dann sagte er zu ihr: „Meine Tochter, habe noch Geduld bis zur nächsten Nacht! Ich habe deinen Gemahl auf den Thron gehoben, aber ich werde ihn auch wieder absetzen und mit Schimpf und Schande verjagen, wenn er es nochmals wagt, dich so unwürdig zu behandeln und seine eheliche Pflicht zu vernachlässigen!"

Es war schon spät in der Nacht, als Bedur wieder zu Haiat al Nufus kam. Sie unterhielt sich mit ihr und wollte abermals ihr Gebet verrichten, als Haiat al Nufus zu sprechen begann:

„Gedenkst du in dieser Nacht nochmals so zu handeln wie in den beiden letzten? Sage mir, weshalb du mich so geringschätzig behandelst! Was hast du an mir auszusetzen? Aus Liebe und Mitleid will ich dich vor der Gefahr warnen, in der du schwebst. Der König, mein Vater, der dir soviel Gutes getan hat, ist über dein Benehmen in höchstem Grade aufgebracht. Er wartet nur noch den morgigen Tag ab, um dich dann seinen gerechten Zorn empfinden zu lassen, wenn du so weitermachst. Er hat sich vorgenommen, dich mit Schimpf und Schande davonzujagen oder sogar zu töten, wenn er nicht von mir hört, was er wünscht. Tue nun, was du willst!"

Diese Rede versetzte Bedur in unbeschreibliche Verlegenheit. Nach einer Weile des Nachdenkens jedoch entschloß sie sich, Haiat al Nufus die Wahrheit zu eröffnen. Sie entblößte ihren Busen und sagte: „Du siehst, meine Teure, ich bin ein Weib wie du, und du wirst meine Verstellung verzeihen, wenn du meine Geschichte gehört hast."

Sie erzählte ihr alles und bat sie schließlich, das Geheimnis zu bewahren und diese List so lange zu unterstützen, bis der Prinz Kamr essaman angekommen wäre.

Haiat al Nufus fühlte inniges Mitleid mit der Prinzessin und versicherte ihr, sie würde das Geheimnis bewahren und habe keinen sehnlicheren Wunsch, als daß Bedur mit ihrem Gemahl bald wieder glücklich vereinigt werde. Hierauf umarmten die Prinzessinnen einander zärtlich und legten sich nieder. Nach der Sitte des Landes mußten die Zeichen der vollzogenen Ehe öffentlich ausgestellt werden. Die beiden Prinzessinnen schlachteten eine junge Taube, befleckten Haiat al Nufus Hemd mit ihrem Blut und täuschten so die Frauen der Prinzessin am folgenden Morgen. Diese täuschten ihrerseits den König Armanus, die Königin und den ganzen Hof.

Die Prinzessin Bedur fuhr fort, zur Zufriedenheit des Königs und des ganzen Reiches zu regieren. So verging eine geraume Zeit, während der Bedur ihre Tage mit Staatsangelegenheiten und ihre Abende in freundlichen und vertraulichen Gesprächen mit der Prinzessin Haiat al Nufus zubrachte.

Der Morgen dämmerte wieder. Scheherazade bemerkte es und schwieg. In der folgenden Nacht fuhr sie fort:

DIE ZWEIHUNDERTACHTUNDDREISSIGSTE NACHT

Während dieser Zeit war der Prinz Kamr essaman noch immer in der Stadt der Götzendiener bei dem Gärtner, der ihn aufgenommen hatte.

Sein Vater aber, der König Schah Seman, war sehr niedergeschlagen, als er ihn nicht von der Jagd zurückkehren sah. Am dritten Morgen bestieg er ein Pferd, nahm eine große Anzahl von Dienern und Soldaten mit sich und verließ seine Hauptstadt. Er verteilte seine Leute nach verschiedenen Seiten, gab ihnen Auftrag, alles genau zu durchforschen und bestimmte ihnen den Kreuzweg, auf dem Marsawan dafür gesorgt hatte, daß die Spur von ihm und dem Prinzen verloren gehen mußte, zum Sammelplatz.

Auf diese Weise durchstreiften sie mehrere Tage Wälder, Gebüsche und Höhlen und riefen überall nach Kamr essaman. Am dritten Mittag endlich kamen sie an dem verabredeten Sammelplatz zusammen. Dort erblickten sie die zerrissenen Kleider und die Spuren von Fleisch und Blut. Der König erkannte den Rock Kamr essamans und stürzte mit dem Ruf: „Wehe, mein Sohn!" ohnmächtig zu Boden.

Nachdem er durch seine Leute wieder zu sich gebracht war, schlug er sich mit den Fäusten gegen Brust und Stirn, zerriß seine Kleider und glaubte fest daran, seinen Sohn für immer verloren zu haben.

Das ganze Reich nahm Anteil an seinem Verlust. Überall wurden Feierlichkeiten zu Ehren des Verstorbenen abgehalten. Schah Seman aber ließ in der Nähe des Palastes ein großes Gebäude errichten, das er das Haus der Trauer nannte. Und außer den beiden Wochentagen, an denen er regierte, brachte er all seine Zeit betend hier zu.

Indessen hatte Prinz Kamr essaman in dem Garten seines freundlichen Wirtes fleißig gearbeitet. Eines Morgens, als er wieder an seine Geschäfte gehen wollte, hielt ihn der Gärtner davon ab.

„Die Götzendiener", sagte er zu ihm, „haben heute ein großes Fest. Und da sie nicht arbeiten, wollen sie auch nicht, daß die Muselmänner arbeiten. Wir müssen uns hüten, ihre Aufmerksamkeit auf uns zu ziehen, weil wir sonst keinen Augenblick vor ihrer Verfolgung sicher wären. Deshalb magst du heute feiern. Ich lasse dich hier, und da die Zeit herannaht, da dein Schiff zu den Ebenholzinseln unter Segel gehen soll, so will ich einige Freunde besuchen und mich nach dem Tage der Abfahrt erkundigen. Zugleich werde ich dafür sorgen, daß du auch mitfahren kannst."

Als der Prinz Kamr essaman allein war, wandelte er in sich gekehrt im Garten umher, bis das Geschrei zweier Vögel auf einem Baum ihn bewog, das Haupt zu heben und stillzustehen.

Kamr essaman sah mit Erstaunen, daß die beiden Vögel mit ihren Schnäbeln aufeinander einhackten, bis der eine tot vom Baum herabfiel. Der andere schwang sich wieder in die Luft und verschwand.

Sogleich kamen von der anderen Seite zwei größere Vögel, die den Kampf aus der Ferne gesehen hatten, kratzten dem toten Vogel ein Grab und legten ihn hinein.

Sobald sie das Grab wieder zugescharrt hatten, flogen sie fort, kamen aber nach kurzer Zeit wieder und hielten in ihren Schnäbeln den Vogel, der den ersten getötet hatte. Sie schleppten ihn auf das Grab des Gemordeten, schlugen ihn mit ihren Flügeln und hackten so lange auf ihm herum, bis auch er tot war. Zuletzt rissen sie ihm den Bauch auf, zogen die Eingeweide heraus, zerstreuten sie, ließen den Leichnam liegen und flogen davon.

Kamr essaman hatte dem sonderbaren Schauspiel verwundert zugesehen. Er näherte sich dem Baum, unter dem der Kampf stattgefunden hatte, und als er die zerstreuten Eingeweide betrachtete, sah er daraus plötzlich etwas Rotes hervorglitzern. Er hob den Gegenstand auf und erkannte den Stein, der die Trennung von seiner geliebten Bedur verursacht hatte.

Es ist unmöglich, die übermäßige Freude des Prinzen Kamr essaman beim Anblick des Talismans auszudrücken.

„Bei Allah!" rief er aus, „das ist ein gutes Omen! Ich nehme es als Zeichen, daß der Himmel beschlossen hat, mich bald wieder mit meiner Geliebten zu vereinigen!" Nach diesen Worten küßte er den Talisman, wickelte ihn ein und band ihn sorgfältig um seinen Arm.

In dieser Nacht schlief Kamr essaman zum erstenmal sanft, und am folgenden Morgen, nachdem er sein Arbeitskleid angelegt hatte, ging er zum Gärtner und fragte ihn, was es heute zu tun gäbe, und der bat ihn, einen alten Johannisbrotbaum, der keine Früchte mehr trug, umzuhauen und zu entwurzeln. Kamr essaman nahm eine Axt und andere Werkzeuge und machte sich an die Arbeit. Als er nun einen Ast der Wurzel durchschlug, traf er auf einen Widerstand, der einen hellen Klang von sich gab. Er räumte die Erde weg und entdeckte eine große, eherne Platte, unter der er eine zehnstufige Treppe fand. Er stieg hinab und kam in ein Gewölbe, in dem er fünfzig urnenähnliche eherne Gefäße ringsum stehen sah. Dann stieg er wieder aus dem Gewölbe, legte die Platte wieder auf die Treppe und ging nach Hause, um den Gärtner zurückzuerwarten.

Bei seiner Rückkehr rief dieser Kamr essaman schon unter der Tür entgegen: „Gute Nachricht, mein Sohn! Das Schiff wird in drei Tagen absegeln. Ich bin wegen deiner Überfahrt mit dem Schiffshauptmann bereits einig geworden."

„Angenehmeres hättest du mir nicht ankündigen können", entgegnete Kamr essaman. „Um so mehr freut es mich, dir auch eine Mitteilung machen zu können, die dir Vergnügen bereiten wird." Und er erzählte hierauf, was er bei der Entwurzelung des Johannisbrotbaumes gefunden hatte.

Der Alte wünschte ihm von Herzen Glück zu seinem Fund und sagte: „Es ist wohl achtzig Jahre her, daß mein Vater tot ist. Seitdem habe ich jedes Jahr die Erde umgewühlt, ohne etwas zu finden. Du bist noch kaum ein Jahr hier und hast den Schatz entdeckt. Das ist ein Beweis dafür, daß er dir und niemand anders bestimmt war. Allah beschert ihn dir zur rechten Zeit, um dein Unglück zu beenden und dich wohlbehalten zu den Deinen zurückkehren zu lassen!"

Der Prinz Kamr essaman wollte dem Gärtner an Edelmut nicht nachstehen, und beide stritten lange darüber, wem der Schatz gehöre. Schließlich einigten sie sich, gingen hin und nahmen jeder die Hälfte der Gefäße.

Nach der Teilung sagte der Gärtner zu Kamr essaman: „Mein Sohn, du mußt darauf bedacht sein, diese Reichtümer so heimlich mit dir zu führen, daß niemand etwas davon erfährt. Es gibt hier Oliven, die so gut sind, daß sie in alle Länder versendet werden. Wie du weißt, habe ich einen großen Vorrat davon gesammelt. Nimm deshalb fünfzig Krüge, fülle sie zur Hälfte mit Goldstaub und lege die Oliven obenauf. So wollen wir sie auf das Schiff bringen lassen, mit dem du abfährst!"

Kamr essaman befolgte diesen Rat und verpackte die Krüge nach der Anleitung des Gärtners. Dabei fiel ihm ein, daß ihm der Talisman seiner Geliebten, den er am Arme trug, verlorengehen könnte. Und so tat er auch ihn in einen der Krüge, den er besonders kennzeichnete.

Dann ging er zu dem Alten, der auf einer Bank im Garten unter einem Baum saß. Er setzte sich neben ihn und begann mit ihm ein Gespräch, das sich natürlich hauptsächlich um seine nahe Abreise und die zweifelhafte Hoffnung auf ein Wiedersehen mit der Geliebten drehte. Im Verlauf der Unterhaltung erzählte er ihm von dem Kampf der beiden Vögel und zeigte dem Alten den wiedergefundenen Talisman. Dann legten sich beide zur Ruhe.

Diesmal hatte der Gärtner eine üble Nacht. Am folgenden Tag nahm seine Krankheit überhand, und am dritten Morgen ging es ihm noch schlechter. Da kamen Leute, fragten nach dem Gärtner und sagten: „Das Schiff ist zur Abfahrt bereit. Wo ist der Reisende, den wir mitnehmen sollen?"

„Ich bin es selbst", entgegnete Kamr essaman. „Der Gärtner, der die Überfahrt für mich bestellt hat, liegt krank und kann euch nicht sprechen. Kommt nur herein, ich bitte euch, und tragt diese Krüge mit Oliven und mein Gepäck voraus. Ich folge euch, sobald ich Abschied von ihm genommen habe."

Die Matrosen trugen die Krüge und das Gepäck fort und sagten beim Weggehen noch zu Kamr essaman: „Versäume nicht, unverzüglich nachzukommen. Der Wind ist günstig, und wir warten nur noch auf dich, um unter Segel zu gehen."

Als sie weg waren, ging Kamr essaman wieder zu dem Gärtner, um ihm Lebewohl zu sagen und ihm für alles zu danken. Aber er fand ihn in den letzten Zügen, und kaum hatte er ihn noch sein Glaubensbekenntnis hersagen lassen, sah er ihn verscheiden.

Kamr essaman beeilte sich, ihm die Augen zuzudrücken und ihn zu bestatten. Er wusch den Leichnam, kleidete ihn in ein Totengewand, grub im Garten ein Grab und legte ihn hinein. Als er damit fertig war, neigte sich der Tag bereits seinem Ende zu.

Sofort lief er zum Hafen, um sich einzuschiffen. Doch als er ankam, sah er das Schiff nicht. Er fragte die Leute am Ufer und erfuhr, der Schiffshauptmann hätte drei Stunden auf jemand gewartet, der hätte mitfahren sollen. Doch dann, als der nicht erschien, habe er die Anker lichten lassen.

Tränenden Auges blickte Kamr essaman aufs Meer hinaus und entdeckte mit Mühe am Horizont einen dunklen Punkt, der bald darauf verschwand.

Der Morgen dämmerte. Scheherazade bemerkte es und schwieg. In der folgenden Nacht fuhr sie fort:

DIE ZWEIHUNDERTNEUNUNDDREISSIGSTE NACHT

Nachdem Prinz Kamr essaman halbwegs seiner Verzweiflung Herr geworden war, beschloß er, in den Garten zurückzukehren und ihn von dem Eigentümer zu mieten. Weil er jedoch den Anbau allein nicht bewältigen konnte, nahm er einen Arbeiter in Dienst. Um auch den anderen Teil des Schatzes, der durch den Tod des Alten sein Eigentum war, in Sicherheit zu bringen, begab er sich in das Gewölbe und tat den Goldstaub in fünfzig andere Gefäße, die er oben mit Oliven bedeckte. Es fiel ihm unendlich schwer, daran zu denken, daß er jetzt wieder ein ganzes Jahr auf ein Schiff warten sollte. Besonders aber betrübte ihn, daß er den Talisman der Prinzessin Bedur wieder aus den Händen gegeben hatte.

Inzwischen setzte das Schiff bei günstigem Wind seine Fahrt fort und kam glücklich in der Hauptstadt der Ebenholzinsel an, wo seine Geliebte weilte.

Das Schicksal wollte es, daß die Königin Bedur am Ufer stand und zusah, wie das Schiff vor Anker ging. Da sie wußte, daß es von der Stadt der Götzendiener kam, geriet sie in große Unruhe, da sie dachte, ihr Geliebter könnte sich auf diesem Schiff befinden.

Unter dem Vorwand, die mitgeführten Waren selber ansehen zu wollen, befahl sie, ein Pferd vorzuführen. In Begleitung mehrerer Hofdiener und Beamter begab sie sich in den Hafen und kam gerade dort an, als die Waren ausgeschifft und von den Kaufleuten in die Magazine gebracht wurden. Sie ließ den Schiffshauptmann vor sich kommen und fragte ihn, was er mitgebracht habe.

Als die Prinzessin Bedur von Oliven hörte, die sie leidenschaftlich liebte, sagte sie: „Bei Allah! Nach Oliven sehne ich mich schon lange! Wieviel hast du an Bord?"

„Herr", antwortete der Schiffshauptmann, „es sind fünfzig große Krüge, aber der Eigentümer ist nicht mitgekommen, denn da der Wind günstig war, mußte ich ohne ihn unter Segel gehen."

„Laß sie dennoch ausschiffen", sagte die Prinzessin, „das soll uns nicht hindern, den Handel darüber abzuschließen!"

Der Hauptmann schickte sein Boot nach dem Schiff und ließ die Oliven holen. Die Prinzessin bezahlte für die fünfzig Krüge tausend Dinar, und der Handel war abgeschlossen. Dann ließ sie die Krüge wegtragen und kehrte in den Palast zurück.

Als die Nacht herannahte, begab sich die Prinzessin Bedur in das Zimmer der Prinzessin Haiat al Nufus und ließ sich die fünfzig Olivenkrüge bringen. Sie öffnete einen, um sie davon kosten zu lassen und selber zu kosten, und leerte den Inhalt in eine Schüssel. Doch wie groß war ihr Erstaunen, als sie die Oliven mit Goldstaub vermischt sah. Sie stand auf und leerte auch die anderen Krüge, und siehe da: alle waren mit Goldstaub vermischt, und nur obenauf hatten einige Oliven gelegen!

Als sie das Gold näher untersuchte, fand sie zuletzt auch noch ihren Edelstein und erkannte ihn. Bei diesem unerwarteten Anblick sank sie ohnmächtig auf dem Diwan zurück.

Sobald sie ihrer Sinne wieder mächtig war, nahm sie den Stein und küßte ihn wiederholte Male. Dann sprach sie zu Haiat al Nufus: „O meine Teure, du wirst die Ursache meiner Ohnmacht leicht verstehen, wenn ich dir sage, daß dieser Stein mir gehört. Er ist es, der meinen Geliebten, Kamr essaman, von mir entfernt hat. Nun wird er, so Allah will, unsere baldige Wiedervereinigung herbeiführen!"

Die Prinzessin Bedur konnte kaum den Morgen erwarten. Sobald es Tag war, ließ sie den Schiffshauptmann holen. Als er gekommen war, sagte sie zu ihm: „Wehe dir! Wo hast du den Eigentümer der Oliven gelassen?"

Der Schiffshauptmann wiederholte seine gestrige Aussage, daß der Eigentümer ein armer Gärtner aus der Stadt der Götzendiener sei und daß sein Schiff habe absegeln müssen, nachdem er mehrere Stunden auf ihn gewartet hatte.

„Beim erhabenen Allah", sprach Prinzessin Bedur darauf, „wenn du nicht sogleich zurückkehrst und ihn mir bringst, so wirst du sehen, was mit dir und den Kaufleuten, die mit deinem Schiff gekommen sind, geschieht!"

Der Kapitän kehrte sogleich auf sein Schiff zurück und ging noch am gleichen Tag unter Segel. Nach einer sehr glücklichen Fahrt kam er bei Nacht in der Stadt der Götzendiener an. Er bestieg ein Beiboot, ging in einiger Entfernung vom Hafen ans Land und begab sich sofort mit sechs entschlossenen Matrosen zu Kamr essamans Garten.

Kamr essaman schlief noch nicht, sondern hing, wie gewöhnlich, seinem Schmerz über die Trennung von der schönen Prinzessin von China nach. Als er es an die Gartentür pochen hörte, eilte er hin, um zu öffnen. Doch kaum hatte er es getan, als der Kapitän und die Matrosen ohne ein Wort über ihn herfielen und ihn mit Gewalt auf das Schiff brachten, das dann unverzüglich in See stach und wieder nach der Ebenholzinsel segelte. Kamr essaman, der bisher wie der Kapitän und die Matrosen geschwiegen hatte, fragte jetzt den ersteren, den er erkannte, was ihn veranlaßt habe, ihn gewaltsam zu entführen.

„Bist du nicht der Schuldner des Königs der Ebenholzinsel?" fragte ihn dagegen der Kapitän.

„Ich Schuldner des Königs der Ebenholzinsel?" fragte Kamr essaman ganz erstaunt. „Den kenne ich ja gar nicht, habe nie etwas mit ihm zu tun gehabt und mit keinem Fuß sein Königreich betreten!"

„Das mußt du selbst am besten wissen", entgegnete hierauf der Kapitän, „doch du wirst bald selbst mit ihm sprechen, aber bis dahin mußt du dich in Geduld fassen!"

Hier mußte Scheherazade ihre Erzählung abbrechen, um den Sultan von Indien sich erheben und an seine Tagesgeschäfte gehen zu lassen. In der folgenden Nacht erzählte sie:

DIE ZWEIHUNDERTVIERZIGSTE NACHT

Das Schiff fuhr immer weiter, bis es zur Hauptstadt der Ebenholzinsel kam. Obwohl es schon Nacht war, als sie im Hafen ankerten, stieg der Kapitän gleich ans Land und führte den Prinzen Kamr essaman nach dem Palast, wo er dem König seine Ankunft melden ließ.

Die Prinzessin Bedur hatte sich schon in die inneren Gemächer zurückgezogen, eilte jedoch sogleich herbei, als sie von der Ankunft des Kapitäns und Kamr essamans hörte. Als sie den Prinzen, ihren Gemahl, erblickte, erkannte sie ihn trotz seiner schlechten Kleider wieder und war kaum imstande, ihre Bewegung zu verbergen und sich nicht zu erkennen zu geben, was sie im Augenblick noch für nötig hielt. Sie bezwang sich, ließ ihn entfernen und sagte: „Laßt ihn bei meinen Dienern!"

Darauf gab sie den Kaufleuten ihre Waren frei, machte dem Kapitän des Schiffes reiche Geschenke, ging zu Bett, erzählte alles Haiat al Nufus und sagte zu ihr: „Halte alles geheim, bis ich meinen Zweck erreicht habe. Es ist ein zu großer Unterschied zwischen einem kleinen Gärtner und einem großen Fürsten, so daß es gefährlich werden könnte, ihn in einem

Augenblick von dem geringsten Stand in den höchsten zu versetzen, so gerecht es auch wäre."

Am nächsten Morgen ließ sie Kamr essaman ins Bad führen und anständig einkleiden, ernannte ihn zum Emir und versah ihn mit allem, was ein Emir braucht.

Kamr essaman kam wie verwandelt aus dem Bad, ging in das Schloß und küßte die Erde vor der Prinzessin. Als Bedur ihn sah, mußte sie sich wieder zwingen, ruhig zu bleiben. Sie gab allen Großen seinen Rang bekannt, und alle liebten und verehrten ihn und machten ihm viele Geschenke. Bedur hob ihn von Stufe zu Stufe zu sich empor und machte ihm immer mehr Geschenke. Kamr essaman staunte nicht wenig darüber und konnte sich nicht erklären, wem er das alles zu verdanken hatte. Die Königin Bedur sah, daß er alle Herzen gewonnen hatte und sagte also zu ihm: „Kamr essaman, du mußt diese Nacht bei mir zubringen, ich habe etwas mit dir zu beraten!"

„Ich werde gehorchen!" sagte er.

Als es Nacht wurde und alle Leute weggingen, blieb Bedur allein mit ihm und stellte den Oberen der Verschnittenen an die Tür. Sie setzte sich auf ein Sofa und lehnte sich an ein Kissen. Kamr essaman blieb mit gefalteten Händen stehen und war sehr verlegen, denn er fragte sich vergebens, weshalb der König wohl allein mit ihm bleiben wollte.

Bedur sagte zu ihm: „Komm herauf zu mir!"

Kamr essaman aber antwortete: „Mein Platz ist hier richtig."

Sie sagte: „Willst du nicht gehorchen, wenn ich dir etwas sage?"

Er wiederholte: „Ich stehe hier ganz gut!"

Da sagte sie: „Weh dir! Hast du das Recht, mir zu widersprechen? Komm zu mir und lege die Hand zwischen meine Schenkel auf die wohlbekannte Stelle, damit sich aufrichtet, was liegt!"

Kamr essaman setzte sich ihr zu Füßen und schickte sich widerstrebend an, zu tun, wie ihm geheißen. Bedur aber nahm aus einer kleinen Büchse den Talisman, während sie sagte: „Diesen Talisman hat mir vor einiger Zeit ein Astrologe geschenkt. Du, der du so bewandert bist in allen Dingen, wirst mir sicher sagen können, welche Eigenschaften und Kräfte er hat."

Kamr essaman nahm den Talisman und trat damit zu einer Kerze, um ihn näher zu betrachten. Voller Überraschung erkannte er ihn und rief aus: „Herr! Eure Majestät fragt mich, welche Kraft dieser Talisman besitzt! Ach, er hat die Kraft, mich durch Schmerz und Kummer zu töten, wenn ich nicht bald die reizendste und liebenswürdigste Prinzessin wiederfinde, über der sich je der Himmel wölbte! Ihr gehört er, und er ist schuld, daß ich sie verloren habe. Das Ganze ist ein wunderbares Abenteuer, und meine Erzählung darüber würde Eure Majestät mit Mitleid erfüllen für einen so unglücklichen Gatten und Liebenden, wie ich es bin."

„Du magst mich ein andermal damit unterhalten", erwiderte die Prinzessin, „aber ich kann dir sagen, daß ich schon einiges weiß. Warte nur einen Augenblick, ich komme gleich zurück." Mit diesen Worten ging die Prinzessin Bedur in ein Seitengemach, wo sie eiligst den königlichen Turban ablegte. Nachdem sie weiblichen Kopfputz und weibliche Gewänder angezogen hatte sowie auch den Gürtel, den sie am Tage der Trennung getragen hatte, eilte sie in das Zimmer zurück.

Der Prinz Kamr essaman erkannte sogleich seine geliebte Prinzessin. Er lief auf sie zu, umarmte sie aufs zärtlichste und rief aus: „Ach, wie danke ich dem König für diese himmlische Überraschung!" Und voll Wonne tat er, was sie vorher von ihm verlangt hatte.

„Den König wirst du nicht wiedersehen", antwortete die Prinzessin, wobei sie ihn weinend umarmte, „in mir siehst du ihn selbst. Doch setzen wir uns, damit ich dir das Rätsel erklären kann."

Sie setzten sich, und die Prinzessin erzählte nun dem Prinzen, was sie alles erlebt hatte, wonach er ihr über seine Erlebnisse Bericht erstattete. Am Schluß machte er ihr zärtliche Vorwürfe, daß sie ihn so lange habe schmachten lassen. Sie sagte ihm den Grund, worauf sie bis zum Morgen das Lager teilten. Scheherazade schloß mit diesen Worten, denn der Tag brach an. In der folgenden Nacht fuhr sie fort:

Am anderen Tag standen die Prinzessin Bedur und der
Prinz Kamr essaman auf, ehe es hell wurde. Die Prinzessin zog statt ihrer königlichen Gewänder Frauenkleider an.
Als sie angekleidet war, schickte sie das Oberhaupt der Verschnittenen zu dem König Armanus, ihrem Schwiegervater,
und ließ ihn bitten, zu ihr zu kommen.

Er war sehr erstaunt, eine unbekannte Frau zu sehen und bei
ihr Kamr essaman, dem es ebenso wie irgendeinem anderen
der Hofleute verboten war, die inneren Gemächer des Palastes
zu betreten. Er setzte sich und fragte, wo der König sei.

„Herr", erwiderte die Prinzessin, „gestern noch war ich der
König, heute aber bin ich nur die Prinzessin von China, Gattin
des wirklichen Prinzen Kamr essaman, Sohn des Königs Schah
Seman. Wenn eure Majestät die Gnade haben, unser beider
Geschichte anzuhören, so hoffe ich, ihr werdet mich wegen
meiner List nicht verdammen."

Der König Armanus gewährte ihr die Bitte und hörte ihre Erzählung mit dem größten Erstaunen vom Anfang bis zum
Ende an.

„Herr", setzte die Prinzessin zum Schluß hinzu, „obgleich in
unserer Religion die Frauen sich der Freiheit der Männer,
mehrere Frauen zu nehmen, nur höchst ungern unterwerfen,
so will ich trotzdem, wenn Eure Majestät in die Heirat der
Prinzessin Haiat al Nufus, Eurer Tochter, mit dem Prinzen
Kamr essaman willigen sollte, ihr von Herzen gern den Rang
und den Stand einer Königin abtreten, der ihr von Rechts wegen gehört. Ich selbst würde mich mit dem zweiten Rang begnügen. Selbst wenn ihr dieser Vorzug nicht zukäme, so würde
ich es doch nicht unterlassen, ihr ihn aus freien Stücken einzuräumen aus Dankbarkeit dafür, daß sie mein Geheimnis bewahrt hat. Will Eure Majestät das von ihrer Einwilligung abhängig machen, so habe ich sie schon darauf vorbereitet und
bürge dafür, daß sie sehr zufrieden damit sein wird."

Voll Bewunderung hörte der König Armanus diese Rede der Prinzessin Bedur, und als sie geendet hatte, wandte er sich an den Prinzen Kamr essaman und sprach: „Mein Sohn, wir haben Wohlgefallen an dir, denn du bist König und Sohn eines Königs."

Dann ließ er sogleich den Heirats-Kontrakt mit seiner Tochter und Kamr essaman schreiben, der noch dieselbe Nacht bei ihr zubrachte. Am nächsten Morgen teilte er unter den Truppen Geschenke aus und leitete alle Regierungsgeschäfte mit Scharfsinn und Unparteilichkeit, so daß sich der Ruf seiner Gerechtigkeit über alle Länder verbreitete.

Von nun an schlief er eine Nacht bei Bedur und eine Nacht bei Haiat al Nufus und vergaß ganz seinen Vater und seine Mutter. Er bekam zwei Söhne, einen von Bedur und einen von Haiat al Nufus, und nannte den einen Asad (der Glückselige), den anderen Amdjad (der Glorreiche). Als sie groß wurden, lernten sie Philosophie, schöne Wissenschaften und Kaligraphie, bis sie zwanzig Jahre alt waren. Sie liebten einander sehr, schliefen in einem Bett, und alle Leute beneideten sie wegen ihrer Schönheit und Eintracht. So oft Kamr essaman auf die Jagd ging, setzte er einen seiner Söhne, jeden Tag einen anderen, auf den Thron.

Da die beiden Prinzen von Kindheit an gleich schön und wohlgebildet waren, so hatten die beiden Königinnen eine unglaubliche Zärtlichkeit für sie. Wenn die Prinzen nach Hause kamen, sah jede der beiden Frauen den Sohn der anderen voller Liebe an. Bedur war ganz für Asad und Haiat al Nufus ganz für Amdjad eingenommen. Sie scherzten und liebkosten miteinander, denn der Teufel hatte ihnen ihr Betragen als schön vorgemalt, so daß jede von ihnen den Sohn der anderen an ihren Busen drückte und ihn liebkoste. Dadurch nahm ihre verbotene Leidenschaft immer mehr zu, und die liebenden Frauen konnten weder essen, noch trinken, noch schlafen.

Eines Tages ging Kamr essaman auf die Jagd, und Amdjad saß als Richter auf dem Thron. Da schrieb ihm Haiat al Nufus, die Mutter Asads, einen Brief, in dem sie ihm offen ihre Liebe erklärte. Sie schickte den Brief mit einem Boten in die Wohnung der Königin Bedur, aber der Diener fand Amdjad dort nicht, denn er hielt Sitzung bis zwei oder drei Uhr mittags. Dann erst gab er das Zeichen zum Aufbruch und schickte sich an, wegzugehen. Er war gerade auf den Treppen des Schlosses, da nahm ihn der Verschnittene beiseite und gab ihm den Brief. Amdjad las mit Entsetzen, daß die Frau seines Vaters diesem untreu werden wollte.

„Gott verdamme die Weiber!" rief er, zog das Schwert, ging auf den Diener los und fuhr fort: „Wehe dir, nichtswürdiger Diener, an dir ist nichts Gutes! Du machst den Briefträger der Frau deines Herrn!" Er schlug ihm dann den Kopf ab, ging zu seiner Mutter, sagte ihr, was vorgefallen war, und fügte hinzu: „Ihr seid alle eine schlimmer als die andere! Bei dem erhabenen Allah! Fürchtete ich nicht Allah, ich würde ihr den Hals abschneiden."

Seine Mutter aber machte ihm Vorwürfe, statt ihn anzuhören. „Mein Sohn", sagte sie, „alles, was du mir da sagst, ist Lug und Trug: Die Königin Haiat al Nufus ist vernünftig, und ich finde es sehr verwegen von dir, mir gegenüber so unverschämt zu reden." Der Prinz ging dann zornig von ihr weg, seine Mutter aber war böse auf ihn und sann auf eine List gegen ihn.

Am folgenden Tag saß Asad auf dem Thron. Da schrieb Bedur ihm auch einen Brief, in dem sie ihn bat, zu ihr zu kommen, und schickte den Brief durch eine Alte. Die wartete, bis die Sitzung zu Ende war, und gab ihm dann den Brief. Als er ihn las, wurde er sehr aufgebracht, zog sein Schwert und hieb die Alte mitten auseinander. Darauf ging er zu seiner Mutter, gab ihr den Brief und machte ihr Vorwürfe. Aber sie ließ ihn nicht zu Worte kommen, sondern beschimpfte ihn und sann darauf, ihn zu verderben.

Asad erzählte die Geschichte dann seinem Bruder, und der sagte ihm auch, was ihm widerfahren war. Die beiden Frauen aber kamen zusammen, beratschlagten und kamen überein, statt durch die Tugend ihrer Söhne zur Erkenntnis ihrer verbrecherischen Leidenschaft zu kommen, ihre Kinder zu verderben. Sie legten sich ins Bett und stellten sich krank. Am folgenden Tag kam Kamr essaman von der Jagd zurück und brachte den Tag mit Regierungsangelegenheiten zu. Als der Diwan aufgehoben war, kam er nach Hause und fand zu seinem Erstaunen die beiden Frauen im Bett.

„Doch Herr", sagte hier Scheherazade, „der Tag bricht an und gebietet mir Schweigen."

Sie schwieg, und in der folgenden Nacht fuhr sie fort:

DIE ZWEIHUNDERTZWEIUNDVIERZIGSTE NACHT

Kamr essaman war sehr besorgt und fragte die beiden Frauen, was ihnen fehle. Auf diese Frage verdoppelten die beiden Königinnen ihr Seufzen und Schluchzen, und erst auf drängendes Bitten nahm die Königin Bedur das Wort und sagte: „Dein Sohn Asad ist mit entblößtem Schwert zu mir gekommen und hat mich zur Treulosigkeit zwingen wollen. Davon erschrak ich so sehr, daß ich krank geworden bin."

Haiat al Nufus erzählte dasselbe von Amdjad. Kamr essaman wurde sehr aufgebracht gegen seine Söhne, ließ sie hereinholen und wollte sie selbst umbringen. Der König Armanus aber hielt seinen erhobenen Arm zurück, bat für sie und sagte: „Mein Sohn, was willst du tun? Willst du deine Hände und deinen Palast mit deinem eigenen Blut beflecken? Schicke sie lieber mit einem Mamelucken ins Freie. Der soll sie umbringen, damit du ihren Tod nicht vor Augen hast."

Der König schenkte diesem Rat Gehör, ließ die Prinzen fesseln, übergab sie einem seiner Mamelucken namens Emir Djandar und befahl ihm, sie zu töten.

Der Mameluck ging mit ihnen bis Mittag in eine öde Wüste, dann stieg er von seinem Pferd ab, um sie zu töten und als Beweis des Vollzugs seines Befehls ihre Kleider dem König zu bringen. Als er sie aber ansah, übermannte ihn die Rührung und er mußte weinen. Er sagte: „Ihr Prinzen, es tut mir sehr weh, euch etwas zuleide zu tun, aber euer Vater hat mir befohlen, euch umzubringen."

Sie antworteten: „Tu' was dir befohlen worden ist, du bist nicht schuld daran, und wir verzeihen dir von ganzem Herzen."

Dann umarmten sie sich und weinten. Asad sagte: „Mein Freund, laß mich nicht meines Bruders Amdjad Tod sehen. Bring mich lieber zuerst um!" Sie weinten dann beide, und Emir Djandar mußte mitweinen. Dann sagten sie zu Djandar: „Binde uns mit einem Strick zusammen und schlage dann kräftig zu, so daß wir zusammen sterben!"

Er antwortete: „Ich will euch gehorchen!" nahm dann einen breiten Riemen, schlang ihn um die beiden, zog sein Schwert und sagte: „Nun, meine Herren, habt ihr noch etwas zu bestellen?"

„Ja", erwiderten sie, „wenn du zu unserem Vater kommst, so grüße ihn und sage: ‚Deine Söhne haben dich von ihrem Blut freigesprochen, denn du irrst dich über ihr Vergehen'".

Djandar versprach, das auszurichten, und hob dann die Hand, um sie zu töten. Doch durch die Bewegung seines Armes und durch das Blitzen seines Schwertes erschrak das Pferd, das neben ihm an einen Baum gebunden war. Es zerriß den Zaum, sprang fort und floh. Dieses Pferd war fünfhundert Dinar wert und hatte einen goldenen Sattel.

Als der Emir sein Pferd entfliehen sah, warf er das Schwert aus der Hand und lief dem Pferd in einen Wald nach. Da begann das Pferd, den Boden mit seinen Hufen aufzuscharren und zu wiehern. Das hörte ein alter häßlicher Löwe, der in diesem Wald hauste, und kam aus seiner Höhle. Als der Emir sah, daß das Raubtier auf ihn losging, erschrak er sehr. Er wollte entfliehen, wußte aber nicht wohin. Auch hatte er sein Schwert nicht bei sich, denn er hatte es weggeworfen, als er dem Pferd nachlief. Er sagte nun zu sich: ‚Das widerfährt mir gewiß wegen Asad und Amdjad.'

Denen war indessen sehr heiß, und sie wurden so durstig, daß sie Allah um Hilfe baten. Amdjad sagte: „Siehst du, mein Bruder, wie wir nun verdursten müssen, weil der Emir das Schwert weggeworfen hat und dem Pferd nachgelaufen ist?

Nun sind wir gebunden, und wenn ein wildes Tier kommt, zerreißt es uns. Besser, wir wären durch das Schwert umgekommen, als so aufgefressen zu werden."

„Habe Geduld, mein Bruder", erwiderte Asad, „das Pferd ist gewiß nur entronnen, damit wir das Leben behalten. Nur plagt uns der Durst sehr."

Dann schüttelte und dehnte er sich, zerriß seine Bande und befreite auch seinen Bruder. Sie gingen an eine Quelle und stillten ihren Durst. Hierauf ergriff Amdjad Djandars Schwert, und sie gingen zusammen in den Wald. Sie kamen gerade dazu, als der Löwe über Emir Djandar herfiel, mit der Tatze nach ihm langte und ihn zu Boden warf. Amdjad sprang hinzu und tötete den Löwen mit einem gewaltigen Schwertstreich. Als Djandar aufstand, sah er, daß er seine Rettung dem Sohn seines Herrn verdankte, den er hatte töten wollen. Er warf sich den beiden Jünglingen zu Füßen und sagte: „Meine Herren, ihr verdient nicht, daß man euch Gewalt antut. Bei Allah, das soll nie geschehen!"

Sie aber sagten: „Nein, Emir Djandar, tu' was dir befohlen wurde und laß dich durch den Dienst, den wir dir erwiesen haben, nicht von deiner Pflicht abhalten. Wir wollen dir zuerst helfen, dein Pferd einzufangen, und dann an den Ort zurückkehren, wo du uns verlassen hast."

Sie fingen dann sein Pferd, gingen wieder aus dem Wald heraus an den früheren Platz und sagten wiederum: „Tu' nun, was unser Vater dir befohlen hat!"

Djandar aber entgegnete: „Das verhüte Allah! Alles, um was ich euch zu bitten wage, ist nur, daß ihr eure Kleider auszieht und dafür meine nehmt. Ich gehe dann zum König zurück und sage, ich hätte euch umgebracht. Ihr reist indessen von Land zu Land, denn Allahs Erde ist weit!"

Sie taten, wie er ihnen geraten hatte, und er nahm Abschied von ihnen. Dann besudelte er die Kleider der Prinzen mit dem Blut des erschlagenen Löwen und brachte sie dem König Kamr essaman. Der fragte: „Hast du sie umgebracht?"

Djandar antwortete: „Ja, hier sind ihre blutigen Kleider."

Kamr essaman fragte weiter: „Wie haben sie es ertragen?"

Er antwortete: „Sie waren sehr standhaft und sagten: ‚Allahs
Wille geschehe, wir sterben unschuldig, aber unser Vater ist
nicht schuld an unserem Tod, denn er kannte die Wahrheit
nicht'".

Darüber wurde Kamr essaman sehr nachdenklich und betrübt.
Er nahm die Kleider seiner Kinder, durchsuchte sie und fand in
Asads Rock einen Brief. Er öffnete ihn und erkannte nicht nur
die Handschrift seiner Frau Bedur, sondern fand auch eine
Locke ihres Haares darin. Er las den Brief und ersah daraus,
daß sie Liebe von seinem Sohn forderte und er ihm Unrecht
getan hatte. Zitternd durchsuchte er nun die Kleider Amdjads
und fand auch darin den Brief, den seine Frau Haiat al Nufus
geschrieben hatte, und in dem sie ihn zu verführen versuchte.
Er schrie laut auf, denn er erkannte, daß seine Söhne unschuldig verurteilt worden waren. Daraus ersah er die List der
Frauen, trennte sich von ihnen und schlief nie wieder mit
ihnen.

Scheherazade bemerkte den Tag und schwieg. In der folgenden
Nacht fuhr sie fort:

DIE ZWEIHUNDERTDREIUNDVIERZIGSTE
NACHT

Asad und Amdjad durchwanderten indessen die Wüste, ernährten sich von Pflanzen und tranken trübes Regenwas-
ser. Erst schlief der eine, während der andere bis Mitternacht
wachte, dann schlief der zweite, und der erste hielt Wache.

So lebten sie einen Monat lang, bis sie an einen schwarzen,
felsigen Berg kamen, von dem man kein Ende sah und der
unbesteigbar erschien. Wohl fanden sie einen schmalen und
steilen Weg, der hinaufführte, doch sie scheuten sich, ihn einzuschlagen, weil sie fürchteten, es könnte auf dem Berg keine
Pflanzen und kein Wasser geben. Erst nach fünf Tagen, in
denen sie berieten und unentschlossen waren, schlugen sie doch

diesen Weg ein. Sie stiegen den ganzen Tag über aufwärts. Trotzdem gelang es ihnen nicht, den Gipfel vor Sonnenuntergang zu erreichen. Sie brachten die Nacht damit zu, abwechselnd zu ruhen und weiterzugehen. Am Morgen erreichten sie endlich den Gipfel des Berges und fanden dort eine sprudelnde Quelle und einen Granatapfelbaum. Sie ruhten, bis die Sonne aufging, wuschen dann Hände und Füße und aßen Granatäpfel. Sie waren so müde, daß sie den ganzen Tag und auch die folgende Nacht hier blieben.

Am nächsten Morgen wollten sie weiter, doch Asad klagte, und deshalb blieben sie auch noch diesen Tag. Erst am dritten Tag setzten sie ihren Weg auf dem Berge fort. Nach fünftägiger Reise leuchtete ihnen aus der Ferne eine Stadt entgegen. Amdjad sagte zu Asad: „Laß mich in die Stadt gehen. Ich will sehen, welche Stadt es ist und von wem sie beherrscht wird. Auch will ich Speisen mitbringen und mich erkundigen, in welchem Land wir sind."

Asad entgegnete: „Bei Allah, mein Bruder, ich will in die Stadt gehen, denn gern gebe ich mein Leben dafür hin, daß dir nichts geschieht. Wenn du gingest und nicht zurückkehrtest, würde ich mir tausend Vorwürfe machen. Halte mich nicht auf. Ich gehe!"

Amdjad mußte ihm nachgeben, Asad nahm Geld und stieg den Berg hinunter. Amdjad blieb und wartete auf ihn.

Als Asad in die Straßen der Stadt kam, begegnete ihm ein alter Mann, dessen grauer Bart in zwei Teilen über seine Brust fiel. Er war sehr vornehm gekleidet, hatte einen roten Turban auf dem Kopf und trug einen Stock in der Hand. Asad grüßte ihn und fragte: „Herr, führt dieser Weg auf den Markt?"

Der Alte hieß ihn willkommen und sagte: „Du bist hier fremd, mein Sohn, nicht wahr? Sage mir, was willst du auf dem Markt?"

Asad antwortete: „Mein Bruder und ich kommen aus einem fernen Land und sind schon drei Monate auf der Reise. Ich habe meinen Bruder auf dem Berg gelassen, weil er sehr müde ist. Ich will nun Nahrungsmittel kaufen und dann zu ihm zurückkehren."

„Mein Sohn", erwiderte der Alte, „erwarte nur alles Gute. Ich habe heute eine große Mahlzeit für viele Gäste gerichtet, viele Tiere geschlachtet und alles unter meinen Gästen verteilt. Es ist aber noch das Beste von den Gerichten übriggeblieben, und wenn du mit mir kommen willst, so gebe ich dir Brot und andere Speisen, bis du genug hast für dich und deinen Bruder. Während der Mahlzeit werde ich dir Auskunft über unsere Stadt geben. Gelobt sei Allah, daß du mir begegnet bist. Denn, im Vertrauen gesagt, es sind nicht alle Bürger so gesonnen wie ich, und ich kann dir versichern, daß es recht schlimme unter ihnen gibt."

Asad sagte: „Ich bin dir sehr dankbar für deine Güte. Ich folge dir, wohin es dir beliebt."

Als sie an das Haus kamen, führte der Alte Asad in einen großen Saal, in dem vierzig uralte Männer um ein Feuer herumsaßen und einen falschen Gott anbeteten. Asad erschrak, als er das sah, und wußte nicht, was er davon halten sollte. Da rief der Alte: „O ihr Alten, Diener des Feuers, wie gesegnet ist dieser Tag!" Und dann: „Ghadban! Komm her!"

Auf diese Worte kam ein schwarzer Sklave, stürzte sich auf Asad, schlug ihn ins Gesicht, warf ihn zu Boden und fesselte ihn mit einer unglaublichen Geschwindigkeit. Als er fertig war, sagte der Alte: „Trag ihn ins unterirdische Zimmer, rufe schnell meine Tochter Bestan und meine Sklavin und sage ihnen, sie sollen ihn Tag und Nacht peitschen und ihm nur ein Brot am Tag und ein Brot in der Nacht geben, bis die Zeit zur Reise nach dem blauen Meer und dem Feuerberg gekommen ist. Dann wollen wir ihn auf dem Berg als Opfer für unsere Gottheit schlachten."

Hier beendete Scheherazade ihre Erzählung, denn der Tag brach an. In der folgenden Nacht fuhr sie fort:

Nachdem der Greis seinen Befehl erteilt hatte, ergriff der Sklave den Prinzen Asad, schleppte ihn zur Tür des Saales hinaus, zu einer anderen Tür hinein, hob eine Platte auf, ging zwanzig Stufen mit ihm hinunter in ein großes Gemach und legte ihm hier eine schwere Kette an die Füße. Als er das getan hatte, stieg er die Treppe wieder hinauf und meldete es dem Alten. Der brachte den Tag mit seinen Feueranbetern zu, ging dann zu seiner Tochter und seiner Sklavin und sagte: „Steigt hinunter zu dem Muselmann, den ich heute gefangen habe, peinigt ihn und habt kein Mitleid mit ihm. Besser könnt ihr nicht zeigen, daß ihr gute Feueranbeterinnen seid."

Sie freuten sich darüber, gingen zu Asad hinunter, entkleideten ihn und prügelten ihn, bis das Blut an ihm herunterlief und er ohnmächtig niedersank. Danach stellten sie einen Wasserkrug und ein Brot neben ihn und gingen wieder hinauf.

Asad erwachte erst um Mitternacht aus seiner Ohnmacht und weinte so, daß die Tränen ihm die Wangen herabstürzten. Dabei dachte er an seinen Bruder und an die vergangenen glücklichen Zeiten.

Als Amdjad indessen bis Mitternacht seinen Bruder vergeblich erwartet hatte, wurde er immer trauriger. Er brachte die Nacht in großen Schmerzen zu und ging am folgenden Tag den Berg hinunter. Er kam in die Stadt und fragte nach ihrem Namen. Man sagte ihm, es sei die Stadt der Magier und die meisten Einwohner beteten das Feuer an. Er erkundigte sich auch, wie weit es von hier nach den Ebenholzinseln sei, und man sagte ihm, zu Lande brauche man ein Jahr und zu Wasser vier Monate, und dort regiere Kamr essaman, der Gemahl Haiat al Nufus'. Als er den Namen seines Vaterlandes und seines Vaters hörte, erwachte sein Schmerz aufs neue, und er ging traurig in der Stadt umher, um seinen Bruder zu suchen.

Auf seinem Weg kam er zu einem Schneider, der, seinen Kleidern nach zu schließen, ein Muselmann war. Er grüßte ihn, setzte sich zu ihm in seinen Laden und erzählte ihm von seinem Kummer. Als er mit seiner Erzählung zu Ende war, sagte der Schneider: „Mein Sohn, wenn dein Bruder in die Hände eines Magiers gefallen ist, so mußt du dich darauf gefaßt machen, ihn nie mehr zu sehen. Er ist rettungslos verloren, und ich rate dir, dich vor einem gleichen Unglück zu hüten. Höre auf mich, bleibe bei mir, und ich werde dich von allen Ränken dieser Magier unterrichten, so daß du dich vor ihnen hüten kannst, wenn du ausgehst."

Amdjad nahm das Anerbieten an und dankte dem Schneider für seine Güte. Er blieb etwa einen Monat bei ihm und lernte das Schneiderhandwerk.

Eines Tages ging Amdjad an das Meer, wusch seine Kleider, badete sich, zog reine Kleider an und wollte zu dem Schneider zurückgehen. Da begegnete ihm eine schöne und anmutige Frau. Als sie ihn sah, hob sie ihren Schleier ein wenig in die Höhe und sagte: „Wohin gehst du, Herr?" und lächelte dabei so reizend, daß er fast den Verstand verlor.

Er antwortete: „Schöne Frau, ich gehe nach Hause oder zu dir, wie du es wünschst."

Sie entgegnete: „Allah strafe die Weiber! Sie haben keine andere Heimat als bei den Männern!"

Amdjad neigte den Kopf, denn er schämte sich, mit ihr zu dem Schneider zu gehen und wußte sonst nicht, wo er sie hinführen sollte. Dabei ging er immer weiter, und das Mädchen folgte ihm von einer Straße zur anderen. Endlich fragte sie ihn: „Wo wohnst du denn?"

Er antwortete: „Meine Herrin, wir werden bald an mein Haus kommen!"

In seiner Verwirrung geriet er schließlich in eine Straße, die keinen Ausgang hatte. Am Ende der Straße sah er ein großes geschlossenes Tor, mit einer Bank an jeder Seite. Amdjad setzte sich auf eine Bank und das Mädchen auf die andere. Dann sagte sie: „Worauf wartest du?"

„Ich habe den Schlüssel nicht", antwortete er, „ich habe ihn einem Mamelucken gegeben, dem ich befohlen habe, Getränke und Speisen einzukaufen, während ich im Bad war. Nun ist er aber noch nicht zurückgekommen und wird wohl noch lange ausbleiben. Es ist sonst niemand da. Was soll ich nur tun?"

Amdjad hoffte, sie durch diese Worte zu vertreiben und so von ihr befreit zu werden. Doch das Mädchen sagte: „Ist es nicht eine Schande, so hier zu sitzen?" Sie stand dann auf, nahm einen Stein, schlug das Schloß auf, und die Tür öffnete sich.

Amdjad war wie betäubt, als er das sah. „Bist du von Sinnen, daß Schloß zu zerstören?" rief er aus.

Sie antwortete: „Was tut es? Es ist doch dein Haus und dein Schloß!" Dann ging das Mädchen voran in das Haus.

Amdjad folgte ihr widerstrebend. Sie kamen in einen schönen geräumigen Saal mit vier einander gegenüberliegenden Erhöhungen, mit Speisegemächern und anderen kleinen Kabinetten. Der Boden war mit seidenen Teppichen und Kissen bedeckt, und mitten im Saal war ein kostbarer Springbrunnen. Daneben standen Tische mit Schüsseln voll Speisen, Früchten und Wohlgerüchen, Flaschen voll Wein und ein Leuchter mit festlichen Wachskerzen. Überall im Saal sah man kostbare Waren und verschlossene Kästen. Auf den Erhöhungen standen zwei Reihen Stühle, und auf jedem Stuhl lag ein Bündel Waren und ein Beutel mit Gold. Als Amdjad das alles sah, erschrak er und dachte: ‚Amdjad, es ist aus mit dir!'

Das Mädchen aber freute sich und sagte: „Mein Herr, dein Sklave hat nichts vernachlässigt. Er hat das Fleisch gekocht und alles gerichtet. Was stehst du so nachdenklich da? Hast du vielleicht eine andere hierherbestellt, so will ich sie und dich bedienen!"

Das Mädchen setzte sich neben ihn und scherzte und lachte. Amdjad aber war ernst und traurig und machte sich tausend Gedanken. Er dachte: ‚Alles wird damit enden, daß der Hausherr kommt. Und was wird der dazu sagen? Gewiß werde ich sterben müssen!' Das Mädchen jedoch nahm die Schüsseln mit Speisen, deckte den Tisch und aß. Dann sprach sie zu Amdjad: „Laß uns essen und fröhlich sein, denn dein Sklave bleibt gar zu lange fort!"

Amdjad setzte sich endlich zu ihr, um zu essen. Aber es schmeckte ihm nicht, und er sah immer nach der Tür, bis das

Mädchen gegessen hatte und satt war. Dann tat sie die Schüssel weg, brachte die Platte mit Früchten und aß auch davon mit dem größten Appetit. Darauf öffnete sie den Weinkrug, füllte einen Becher und trank. Sie füllte ihn wieder und reichte ihn Amdjad. Er nahm ihn und dachte: ‚Wehe, wenn der Hausherr uns sieht!' Und ängstlich blickte er nach dem Gang.

Auf einmal kam der Hausherr. Es war der Oberste aller Mamelucken des Königs der Magier, und er ließ es sich in dieser Wohnung oft wohl sein in Gesellschaft derer, die er liebte. Sein Name war Bahdar, und Allah bewahre jeden guten und ehrlichen Menschen vor seinesgleichen!

Er kam, wie gewöhnlich ohne Gefolge und verkleidet, und war nicht wenig erstaunt, als er seine Haustür aufgebrochen sah. Als er an den Saal kam und auch dort die Tür offen fand, schlich er sich leise näher, steckte den Kopf hinein und sah Amdjad mit dem Mädchen an seiner Seite. Amdjad nahm eben den Becher in die Hand, sah nach der Tür und begegnete dem Blick des Hausherrn. Bei diesem Anblick wurde er ganz blaß und zitterte an allen Gliedern. Bahdar legte den Finger auf die Lippen und gab ihm dadurch zu verstehen, er möge nur schweigen. Dann gebot er ihm durch einen Wink, zu ihm zu kommen. Amdjad stand auf, setzte den Becher weg und sagte dem Mädchen, er müsse kurz fort und käme gleich wieder zurück.

Scheherazade bemerkte den Tag und schwieg. In der nächsten Nacht fuhr sie fort:

Amdjad ging barfuß in den Gang. Als Bahdar ihn kommen sah, ging er schnell auf ihn zu, packte ihn an der Brust und sagte: „Was tust du mit dem Mädchen in meinem Haus, und weshalb hast du die Tür aufgebrochen?"

Amdjad küßte ihm die Hände und erwiderte: „Ich beschwöre dich bei Allah, Herr, höre mich an, bevor du mich zum Polizeimeister der Stadt führst!" Er erzählte ihm dann seine Geschichte von Anfang bis Ende.

Als Bahdar die Rede Amdjads hörte, und daß er der Sohn eines Königs sei, bekam er Mitleid mit ihm und erbarmte sich seiner. „Höre, Amdjad", sprach er, „ich schwöre bei dem erhabenen, barmherzigen Allah, daß ich dich umbringen lasse, wenn du dich meinem Willen widersetzen solltest! Gehe jetzt gleich wieder in den Saal und bleibe ruhig sitzen. Ich heiße Bahdar und werde später kommen. Wenn ich dann eintrete, so beschimpfe, schmähe und schlage mich und nimm keine Entschuldigung an. Sage nur immer wieder: ‚Wo bist du so lange geblieben, nichtswürdigster aller Sklaven?' Behandle mich ohne jede Rücksicht. Jetzt geh, iß und trink und vergnüge dich. Laß es dir wohl sein die ganze Nacht durch, und morgen gehst du wieder deines Weges. Ich will dich auf diese Weise ehren, denn ich bin ein Freund der Fremden."

Amdjad küßte ihm hierauf die Hand und ging wieder in den Saal zurück. Ehe er noch ganz im Saale war, sprach er zu dem Mädchen: „Meine Gebieterin, du hast diesem Ort viel Anmut verliehen. Ich bitte dich vielmals um Verzeihung wegen meiner verdrießlichen Laune. Ich glaubte, mein Sklave habe mir einige Schnüre Edelsteine gestohlen, von denen jede zehntausend Dinar wert ist."

„Laß dich dadurch nicht beunruhigen", erwiderte das Mädchen, „um so schlimmer für ihn, wenn er sich so etwas zuschulden kommen läßt. Er soll es schon büßen, aber wir wollen nicht daran, sondern an unser Vergnügen denken."

Dann setzten sie sich zu Tisch, und Amdjad, der jetzt von seiner Furcht befreit war, wurde heiter und vergnügt wie das Mädchen. Sie scherzten und aßen und tranken bis nach Sonnenuntergang.

Bahdar wartete indessen auf die Freunde, die er sich für diesen Abend eingeladen hatte und die auch bald kamen. Er bat sie höflich um Entschuldigung, daß er seine Einladung zurücknehme und sie heute nicht bewirte und fügte hinzu, den Grund dafür würden sie bestimmt billigen, wenn er ihnen davon am nächsten Tag erzähle. Nachdem sie sich wieder entfernt hatten, ging er hin, wechselte seine Kleider, zog einen Schurz und grobe Schuhe an und trat dann in den Saal zu Amdjad und dem Mädchen. Er grüßte sie, küßte die Erde vor Amdjad, kreuzte die Arme vor der Brust und neigte den Kopf zur Erde. Amdjad aber sah ihn zornig an und sagte: „Wehe dir, verruchtester aller Sklaven! Wo bist du gewesen? Warum bleibst du so lange aus?"

„Mein Herr", erwiderte Bahdar mit unterwürfiger Miene, „ich habe meine Arbeit getan und darauf meine Kleider gewaschen. Ich wußte nicht, daß du schon hier bist, denn ich war erst zur Zeit des Nachtgebets bestellt."

Amdjar aber schrie ihn an: „Du lügst, du verruchter Sklave! Ich bringe dich um!"

Damit stand er auf, streckte Bahdar auf den Boden hin, nahm einen Stock und gab ihm damit einige nicht zu starke Schläge. Das Mädchen aber war damit nicht zufrieden. Sie sprang auf, riß Amdjad den Stock aus der Hand und fiel mit soviel derben Schlägen über Bahdar her, daß ihm die Tränen übers Gesicht liefen, er um Hilfe schrie und die Zähne vor Schmerz zusammenbiß.

Amdjad, äußerst erschrocken über die Tat des Mädchens, das einen königlichen Beamten so mißhandelte, bat sie, aufzuhören. Sie aber sagte: „Laß mich nur meinem Herzen Luft machen, damit er ein andermal nicht mehr so lange ausbleibt!"

Und so fuhr sie fort, aus allen Kräften auf ihn einzuschlagen, bis Amdjad aufstand, ihr den Stock aus den Händen wand und sie zurückstieß. Als sie nicht mehr schlagen konnte, setzte sie sich wieder an den Tisch, beschimpfte ihn aber weiter in einem fort. Bahdar, dem die Schläge sehr weh getan hatten, trocknete seine Tränen, bediente sie und schenkte ihnen ein. Dann reinigte er den Saal, ging hinaus, die Lampen anzuzünden, und kam wieder und bereitete alles, was sie brauchten. So oft er aber in den Saal kam, überschüttete ihn das Mädchen mit Schimpfreden und mit Drohungen. So blieben sie bis Mitternacht, aßen und tranken, und Bahdar bediente sie. Um Mitternacht bereitete er ihnen auf dem Sofa ein Bett, verließ den Saal und ging in ein nebenan gelegenes Zimmer, um sich schlafen zu legen.

Nach einer Weile erwachte das Mädchen und mußte hinausgehen. Sie fand Bahdar schlafend und scharchend und sprach zu Amdjad: „Herr, ich beschwöre dich bei meinem Leben: Steh auf, nimm das Schwert, das dort hängt, und schlage deinem Diener den Kopf ab. Tust du es nicht, so werde ich dich ins Verderben stürzen!"

Amdjad war entsetzt über diese Zumutung, die, wie er dachte, der Wein dem Mädchen eingab, und sagte: „Was fällt dir ein, daß du ihn umbringen willst? Lassen wir den Sklaven Sklaven sein. Er verdient nicht, daß du dich mit ihm auch nur in Gedanken beschäftigst. Ich habe ihn bestraft, und du selbst hast es auch getan. Das genügt. Außerdem bin ich mit ihm zufrieden und er läßt sich sonst nichts zuschulden kommen."

Das wütende Mädchen aber entgegnete: „Ich will es nun einmal so haben. Und wenn er nicht durch deine Hand stirbt, dann durch meine eigene! Es bleibt dabei: er muß umgebracht werden!" Und mit diesen Worten sprang sie aus dem Bett, ergriff das Schwert, zog es aus der Scheide und eilte hinaus, um ihr mörderisches Gelüst zu befriedigen.

Der Tag begann zu dämmern. Scheherazade bemerkte es und schwieg. In der folgenden Nacht setzte sie ihre Erzählung fort:

Amdjad eilte dem Mädchen nach, trat ihr in den Weg und sagte: „Gib mir das Schwert. Wenn es durchaus geschehen soll, so ist es eher meine Sache, einen Sklaven umzubringen, als deine." Er nahm ihr das Schwert aus der Hand und fügte hinzu: „Folge mir und trete leise auf, damit er nicht erwacht!" So traten sie in das Zimmer, wo Bahdar schlief. Statt ihn aber zu töten, schwang Amdjad das Schwert gegen das Mädchen und schlug ihr den Kopf vom Rumpf, so daß der auf den Hausherrn fiel. Der richtete sich auf, sah Amdjad mit einem blutigen Schwert in der Hand und daneben das getötete Mädchen. Erstaunt fragte er, was geschehen sei. Amdjad erzählte ihm alles und schloß mit den Worten: „Um die Rasende abzuhalten, Euch zu töten, sah ich kein anderes Mittel, als sie selber umzubringen."

Bahdar stand auf, küßte Amdjad und sagte: „Herr! Männer von solchem Geblüt und solchem Edelmut sind nicht fähig, so schändliche Handlungen zu begünstigen. Du bist mein Retter und ich dein Schuldner. Nun müssen wir sie vor Tagesanbruch aus dem Hause schaffen, und das soll meine Sache sein!"

Amdjad widersetzte sich seinem Entschluß und sagte, an ihm sei es, sie wegzutragen, denn er habe den Streich geführt. Bahdar aber erwiderte ihm: „Unbekannt wie du in dieser Stadt bist, könnte es dir unmöglich gelingen. Laß mich nur machen, bleibe ruhig hier und erwarte mich bis Sonnenaufgang. Kehre ich bis dahin nicht zurück, so ist das ein Zeichen, daß mich die Wache ertappt hat und mein Urteil gefällt ist. Für diesen Fall hinterlasse ich dir schriftlich, daß ich dir mein Haus mit allem Gerät darin schenke. Und — Friede sei mit dir — du kannst dann ohne weiteres davon Besitz ergreifen."

Nachdem Bahdar die Schenkung geschrieben und dem Prinzen Amdjad übergeben hatte, packte er Kopf und Rumpf des Mädchens in einen Sack, lud ihn auf seine Schultern, verließ das Haus und ging dem Meer zu.

Er war schon beinahe am Ufer, als ihm der Polizeioberst, der mit einigen Polizisten die Runde machte, entgegenkam. Sie umringten Bahdar, nahmen ihm den Sack ab, öffneten ihn und fanden darin das erschlagene Mädchen. Der Richter, der den Oberstallmeister trotz seiner Verkleidung erkannte, ließ ihn festnehmen. Weil er es aber nicht wagte, einen so hohen Beamten ohne Wissen des Königs hinrichten zu lassen, behielt er ihn bei sich bis zum anderen Morgen und führte ihn dann vor den Herrscher.

Dieser wurde sehr zornig, als ihm der Richter von dem schweren Verbrechen des Oberstallmeisters berichtete, den man nach allen Anzeichen für den Täter halten mußte. Er überhäufte ihn mit Vorwürfen und Schmähungen und sagte: „Wehe dir! Bringst du immer die Leute um und wirfst sie ins Meer, um zu nehmen was sie besitzen? Wieviele hast du schon erschlagen?"

Der Oberstallmeister neigte den Kopf und sagte kein Wort zu seiner Verteidigung. Der König befahl nun, daß man ihn hinrichte und so die Stadt von ihm befreie. Man brachte ihn weg, und während der Galgen errichtet wurde, ließ man durch den Ausrufer in der ganzen Stadt verkünden, am Mittag werde der Oberstallmeister wegen Mordes gehängt.

Als Amdjad das ausrufen hörte, weinte er und sprach bei sich: ‚Das ist Unrecht, denn ich bin ja der Mörder. Bei Allah, das darf nicht geschehen!‘

Er ging dann aus dem Saal, schloß ihn zu und lief nach dem Hinrichtungsplatz, wo schon viele Zuschauer warteten. Hier sah er den Polizeiobersten, der Bahdar schon zum Galgen führte, trat zu ihm und sagte: „Herr! Tu' Bahdar nichts! Er ist unschuldig! Ich war es, der das Mädchen erschlagen hat. Höre, wie sich alles zugetragen hat!"

Und nun erzählte er dem Richter, wie es in Wirklichkeit gewesen war. Nachdem er geendigt hatte, befahl der Richter, die Hinrichtung aufzuschieben, nahm Bahdar und Amdjad und führte sie vor den König, dem er von dem Vorfall berichtete.

Der König sah Amdjad an und sprach: „Du hast also das Mädchen ermordet?"

Amdjad antwortete: „Ja" und wiederholte auf des Königs Verlangen alles, wie es sich ereignet hatte, von Anfang bis Ende. Und um seine und des Oberstallmeisters Unschuld noch zu unterstreichen, ergriff er die Gelegenheit und erzählte auch seine und seines Bruders Asad Geschichte.

Der König wunderte sich sehr darüber und sagte: „Prinz, mich freut, daß dieser Vorfall mir Gelegenheit gab, dich kennenzulernen. Ich verzeihe nicht nur dir und meinem Oberstallmeister, den ich für seine dir erwiesene Güte und Aufmerksamkeit hiermit belobige und in sein Amt wieder einsetze, sondern ich ernenne dich auch zu meinem Großwesir, um dich einigermaßen für die ungerechte, wenn auch verzeihliche Behandlung durch deinen Vater, den König, zu entschädigen. Was aber den Prinzen Asad, deinen Bruder, betrifft, so nutze alle deine von mir verliehene Macht, um ihn wiederzufinden."

Nachdem Amdjad dem König der Magier gedankt und das Amt des Großwesirs angetreten hatte, wandte er alle nur erdenklichen Mittel an, um seinen Bruder wiederzufinden. Er ließ durch die öffentlichen Ausrufer in allen Teilen der Stadt denjenigen eine große Belohnung versprechen, die ihn wieder brächten oder auch nur eine Nachricht von ihm hätten. Auch auf dem Land ließ er nachforschen, aber welche Mühe er sich auch gab, er konnte nicht das Mindeste von ihm erfahren.

Asad lag indessen gefesselt in dem unterirdischen Gemach, und die Tochter und die Sklavin des Alten peinigten ihn immer mit der gleichen Grausamkeit und Unmenschlichkeit, bis endlich das Fest der Feueranbeter nahte. Da traf Bahram (so hieß der Magier, bei dem Asad war) Vorbereitungen zur Reise, rüstete ein Handelsschiff aus und ließ alles, was er benötigte, an Bord schaffen. Als das Schiff unter Segel gehen konnte, nahm er den Prinzen Asad, legte ihn in eine Kiste, die einige Luftlöcher hatte, und deckte ihn mit allerlei Waren zu. Dann verschloß er die Kiste und befahl, sie in das Schiff zu tragen.

Der Prinz Amdjad ritt eben am Ufer des Meeres spazieren, als Bahrams Diener mit der Kiste kamen. Bei ihrem Anblick packte ihn so etwas wie eine Ahnung. Er begab sich sogleich mit seinen Dienern auf das Schiff und ließ alles durchsuchen, während er befahl, die Kiste zu öffnen. Da er aber nichts darin sah als Waren, kehrte er traurig in seinen Palast zurück.

Als Bahram auf hoher See war, ließ er Asad aus der Kiste hervorholen, legte ihm eine große Kette an und steuerte mit günstigem Wind nach dem Feuerberg. Doch plötzlich erhob sich ein starker Sturm. Er warf sie von der Küste, der sie sich näherten, zurück und trieb sie mitten aufs Meer hinaus. Das Schiff verlor seine Richtung, und Bahram und sein Steuermann wußten nicht mehr, wo sie waren. Schon waren sie dem Untergang nahe und fürchteten, jeden Augenblick gegen eine Klippe zu stoßen und zu scheitern. Da war ihnen Allah gnädig und leitete sie, denn als der Sturm am heftigsten war, entdeckten sie plötzlich Land. Also sagten sie einem Matrosen: „Steig einmal auf den Mastbaum und sieh, wo wir sind!"

Er stieg hinauf, sah sich um und sagte: „Wir sind an der Insel der Königin Murdjane, die eine rechtgläubige Muselmännin ist. Wenn sie erfährt, daß wir Feueranbeter sind, nimmt sie unser Schiff und läßt uns bis auf den letzten Mann umbringen." Bahram war sehr bestürzt und sagte: „Was sollen wir tun? Wenn wir nicht an der Küste scheitern wollen, müssen wir den Hafen der Königin anlaufen. Ich sehe nur ein einziges Mittel, uns zu retten: Wir müssen den Muselmann, den wir mit uns führen, von seinen Ketten befreien und ihm Sklavenkleider anlegen. Wenn ich dann vor der Königin Murdjane erscheine, werde ich ihr sagen, ich sei ein Sklavenhändler, habe aber all meine Sklaven schon verkauft bis auf einen, den ich, weil er lesen und schreiben kann, für mich behalten habe, um über mein Geld und über meine Waren Buch zu führen. Nun wird sie ihn natürlich sehen wollen, und da er ein sehr hübscher Junge und außerdem von ihrer Religion ist, wird sie Mitleid mit ihm haben und ihn mir ohne Zweifel abkaufen wollen. Deshalb wird sie uns die Erlaubnis geben, in ihrem Hafen zu bleiben, bis wir günstigen Wind bekommen. Das ist meine Meinung. Wißt ihr aber einen besseren Ausweg, so sprecht!"

Scheherazade sah den Tag anbrechen und schwieg. In der folgenden Nacht fuhr sie in ihrer Erzählung fort und sagte zu dem Sultan von Indien:

Alle Schiffsleute stimmten Bahram bei, und der zögerte nicht, seinen Plan auszuführen. Er ließ dem Prinzen Asad die Kette abnehmen und ihm reinliche Sklavenkleider anziehen. Und kaum war er mit seinen Vorbereitungen fertig, als das Schiff in den Hafen einlief und vor Anker ging. Bahram landete gleich mit dem Prinzen Asad, dem er vorher aufs schärfste befohlen hatte, auf Befragen zu bestätigen, daß er ein Sklave und Schreiber sei, und ließ sich vor die Königin Murdjane führen.

Er warf sich vor ihr nieder und küßte die Erde zu ihren Füßen. Nachdem er ihr erzählt hatte, daß er genötigt worden sei, Zuflucht in ihrem Hafen zu suchen, sagte er ihr, er sei ein Sklavenhändler und Asad sei noch der einzig übrige Sklave, den er für sich als Schreiber behalten wolle.

Asad hatte vom ersten Augenblick an, da Königin Murdjane ihn sah, ihr Herz gewonnen, und mit Entzücken vernahm sie, daß er ein Sklave sei. Entschlossen, ihn um jeden Preis zu kaufen, wandte sie sich an Asad und sagte: „Wie heißt du, Jüngling?"

Er antwortete: „Dein Sklave", und in seinen Augen standen dabei Tränen.

Gerührt darüber fragte sie ihn nochmals: „Wie heißt du, Jüngling?"

„Früher hieß ich Asad, der Glückselige", erwiderte Asad, „aber jetzt heiße ich Muslar, der Unglückselige."

Murdjane, die den wahren Sinn seiner Worte nicht verstehen konnte, bezog sie auf seine Sklaverei, sah aber daraus, daß er Geist besaß.

„Da du ein Schreiber bist", sagte sie hierauf zu ihm, „so wirst du ohne Zweifel gut schreiben können. Laß mich einmal eine Probe davon sehen!"

Asad, der von Bahram Schreibzeug erhalten hatte, um in den Augen der Königin auch wirklich als Schreiber zu gelten, trat ein wenig auf die Seite und schrieb folgende, mit seinem Unglück übereinstimmenden Verse:

> *Oft weicht der Blinde einer Grube aus, in die der*
> *Sehende stürzt. Der Unwissende hütet sich oft vor einem*
> *Wort, das dem Gelehrten Verderben bringt. Der*
> *Rechtgläubige hat oft wenig zum Lebensunterhalt,*
> *während der Ruchlose und Ungläubige in Überfluß*
> *schwelgt. Was nützt dem Klügsten Geist? All das hat der*
> *Allmächtige vorherbestimmt.*

Die Königin las das Blatt und bewunderte die Schönheit des Inhalts und der Schriftzüge. Ihr Herz wurde von tiefstem Mitgefühl bewegt, und sobald sie mit dem Lesen fertig war, wandte sie sich an Bahram: „Verkaufe mir diesen Sklaven!"
„Ich kann ihn nicht verkaufen", entgegnete er, „denn er ist der einzige, den ich noch besitze."
„Du mußt du ihn mir aber verkaufen", sprach sie, „oder ihn mir schenken. Vielleicht wirst du besser auf deine Rechnung kommen, wenn du das letztere tust."
Bahram aber war frech genug, zu sagen: „Ich kann ihn weder verschenken noch verkaufen!"
Darüber wurde die Königin Murdjane sehr aufgebracht. Sie schrie Bahram an, ergriff Asad am Arm und ging mit ihm auf die Zitadelle. Bahram aber ließ sie durch einen Boten sagen: „Verlasse sofort unsere Stadt, oder ich nehme alles, was du besitzt, und lasse dein Schiff zertrümmern!"
Als er diese Botschaft erhielt, sagte er: „Das ist keine glückliche Reise. Packt eure Sachen zusammen, denn bei Anbruch der Nacht wollen wir absegeln!"
Die Königin aber ging mit Asad ins Schloß und ließ die Fenster öffnen, die aufs Meer hinausgingen. Sie befahl ihren Sklavinnen, das Essen zu bereiten und ließ Asad neben sich sitzen. Asad wollte sich dagegen sträuben, doch sie rief aus: „Vor einem Augenblick noch warst du Sklave, doch jetzt bist du es nicht mehr. Laß dich neben mir nieder und erzähle mir deine Geschichte, denn sie muß wirklich ungewöhnlich sein!"

Der Prinz Asad gehorchte, setzte sich neben sie und sagte: „Mächtige Königin! Meine Geschichte ist in der Tat ungewöhnlich. Die unglaublichen Martern, denen ich ausgesetzt war, die Todesart, zu der ich ausersehen war und von der ich durch deine Großmut errettet wurde, werden dir den ganzen Umfang deiner Wohltat zeigen, die ich dir niemals vergessen werde."

Nach diesem Vorwort, das die Neugier und die Teilnahme der Königin Murdjane nur noch vergrößerte, erzählte er ihr von seiner und seines Bruders Amdjad königlicher Geburt. Er schilderte dann den Zorn des Königs, seines Vaters, ihre wunderbare Reise, wie sie ihr Leben retteten und wie er seinen Bruder verloren hatte. Schließlich berichtete er noch, wie er in Gefangenschaft geraten war, aus der man ihn geführt hatte, um ihn auf dem Feuerberg zu opfern.

Als Asad seine Erzählung beendet hatte, wurde der Haß der Königin Murdjane gegen die Feueranbeter größer denn je. „Prinz", sagte sie, „obgleich ich die Feueranbeter schon immer verabscheut habe, so habe ich sie doch bisher immer noch viel zu milde behandelt. Jetzt aber, nachdem sie dir das angetan haben, erkläre ich ihnen ab sofort einen unversöhnlichen Krieg!"

Sie wollte noch länger darüber sprechen, doch das Essen wurde aufgetragen, und sie setzte sich mit dem Prinzen Asad zu Tisch. Sie war bezaubert von seinem Anblick und seinen Reden und schon von einer Leidenschaft für ihn durchglüht, die sie ihm bald mitteilen zu können hoffte.

„Prinz", sagte sie zu ihm, „entschädige dich für das lange Fasten und für die kärglichen Gerichte, zu denen man dich gezwungen hat!" Und mit diesen und anderen Reden legte sie ihm zu essen vor und schenkte ihm Glas um Glas ein. So aß und trank sie mit Asad, und Allah entzündete eine heftige Liebe zu ihm in ihrem Herzen. Sie sprach ihm so oft zu, bis er beinahe mehr getrunken hatte, als er vertragen konnte.

Nach der Tafel wollte Asad ein wenig an die Luft. Murdjane sah ihn nicht hinausgehen. Er verließ den Saal und stieg in den Hof hinab. Durch eine offene Tür kam er in einen großen Garten mit Bäumen, an denen die verschiedensten Früchte hingen. Er wandelte weiter und kam an einen Springbrunnen, in dem er Hände und Gesicht wusch. Eben wollte er wieder weggehen, da erhob sich eine so angenehme frische Luft, daß er sich auf dem Rasen niederlegte und nach einer Weile einschlief.

So brach die Nacht an. Bahram, der keine Lust hatte, der Königin Murdjane Gelegenheit zu geben, ihre Drohung wahrzumachen, hatte schon die Anker gelichtet. Sobald er mit Hilfe seines Bootes außerhalb des Hafens war, sprach er, noch ehe er an Bord des Schiffes ging, zu den Matrosen: "Hört, Kinder, steigt noch nicht an Bord. Ich will euch Schläuche geben, um sie mit Wasser zu füllen. Ich habe im Garten des Palastes einen Springbrunnen gesehen. Landet nur am Garten und steigt über die Mauer. Sie ist nicht sehr hoch. Ihr werdet dort im Springbrunnen genug Wasser finden."

Die Matrosen ruderten an den Ort, den Bahram ihnen bezeichnet hatte, jeder nahm einen Schlauch auf den Rücken, dann stiegen sie an Land und über die Gartenmauer. Sie gingen einem Wassergraben nach, bis sie an den Springbrunnen kamen, wo sie Asad in tiefem Schlaf liegen fanden. Sie erkannten ihn sofort und beschlossen, ihn ihrem Herrn wiederzubringen. Die Hälfte von ihnen füllte so schnell und geräuschlos wie möglich die Schläuche, die andere Hälfte umringte Asad, fiel über ihn her und schleppte ihn, ehe er sich besinnen konnte, mit sich fort. Sie stiegen mit ihm über die Mauer und brachten ihn und die Schläuche ins Boot, mit dem sie dann mit aller Kraft nach dem Schiff zurückruderten. Als sie dort anlangten, jubelten sie laut und schrieen: "Kapitän, du hast viel Glück. Hier ist dein Gefangener, den die Königin Murdjane dir entrissen hat!"

Bahram, der noch nicht begreifen konnte, wie seinen Matrosen so etwas glücken konnte, wartete höchst ungeduldig, bis sie das Schiff wieder bestiegen hatten. Als sie dann aber kamen und Asad vor ihn hinwarfen, da hüpfte ihm das Herz vor Freude. Und ohne sich lange mit Fragen aufzuhalten, ließ er Asad wieder an die Kette legen, das Boot in aller Eile auf das Schiff ziehen, alle Segel aufspannen und dann wieder dem Feuerberg zusteuern.

Scheherazade konnte in dieser Nacht nicht weitererzählen. In der folgenden Nacht aber fuhr sie fort:

DIE ZWEIHUNDERTACHTUNDVIERZIGSTE NACHT

Die Königin Murdjane ängstigte sich inzwischen um Asad. Sie befahl ihren Frauen, nachzusehen, wo er bliebe. Sie suchten ihn, konnten aber keine Spur von ihm finden. Als die Nacht hereinbrach, suchten sie mit Lichtern, aber auch das war vergeblich. Jetzt war Königin Murdjanes Angst schon so groß, daß sie sich selber aufmachte und ihn bei Fackelschein suchte. Sie trat in den Garten und durchsuchte diesen mit ihren Frauen. Als sie an den Springbrunnen kam, sah sie auf dem Rasen einen der Pantoffel des Prinzen liegen. Das brachte sie auf den Gedanken, daß Braham ihn wieder entführt haben könnte. Sie ließ sogleich nachsehen, ob Braham noch im Hafen war und erfuhr, daß er noch einige Zeit am Ufer umhergefahren sei und sein Boot nach dem Garten gesandt hatte, um Wasser aufzunehmen. Darauf ließ sie dem Kommandanten der zehn Kriegsschiffe, die immer segelfertig und auf ihren Befehl wartend im Hafen lagen, die Botschaft zugehen, daß sie am nächsten Morgen um ein Uhr kommen werde.

Zur bestimmten Stunde war alles an Bord. Murdjane selbst bestieg ein Schiff, und als ihr Geschwader außerhalb des Hafens unter Segel war, teilte sie dem Kommandanten ihre Absicht mit und sagte: „Wenn ihr das Schiff des Magiers, das gestern den Hafen verließ, einholt, bekommt ihr ein schönes Ehrengeschenk und viel Geld. Holt ihrs aber nicht ein, so laß ich euch alle ohne Ausnahme hinrichten!"

Nun riefen die Schiffsleute einander Mut zu und verfolgten das Schiff des Magiers den ganzen Tag, die Nacht und den zweiten

Tag, ohne es zu sichten. Am dritten Morgen aber sahen sie das Schiff in weiter Ferne, und sie segelten so gut, daß sie es noch vor Mittag umringt hatten und es nicht mehr entkommen konnte.

Bahram hatte eben Asad aufs Deck bringen lassen und ihn dort so sehr geschlagen, daß er vor Schmerzen um Hilfe schrie. Er war schon dem Tode nahe, da bemerkte Bahram die Kriegsschiffe. Als er einsah, daß er nicht mehr entkommen konnte, ließ er Asad losketten, schrie ihn an: „Wehe dir, du bist schuld an all meinem Unglück!" und stürzte ihn ins Meer.

Asad aber, der ein guter Schwimmer war, kam wieder in die Höhe und arbeitete mit Händen und Füßen, bis eine Welle ihn ans Land trieb, denn Allah, der Erhabene, hatte beschlossen, ihn zu retten. Er stieg ans Land und konnte kaum an seine Rettung glauben. Er zog seine Kleider aus, um sie in der Sonne zu trocknen, setzte sich hin und dankte dem Allmächtigen.

Zunächst wußte er nicht, wo er war und wohin er gehen sollte. Schließlich zog er seine Kleider wieder an und wanderte, bis er eine Straße fand, die er einschlug. Zehn Tage marschierte er so durch das öde Land, aß Kräuter und trank Wasser. Dann endlich kam er an eine Stadt, in der er die Stadt der Magier erkannte, in der sein Bruder Amdjar als Großwesir wohnte. Er freute sich sehr darüber, doch die Nacht überfiel ihn, und die Tore der Stadt waren geschlossen. Asad kehrte wieder um und ging zu den Gräbern. Dort fand er ein Grabmal ohne Tür, ging hinein und schlief bis Mitternacht.

Das also war Asads Schicksal.

Was Bahram angeht, so sah er sich bald, nachdem er Asad ins Meer gestürzt hatte, von den Kriegsschiffen umzingelt. Das Schiff, auf dem Königin Murdjane war, segelte heran, um sein Schiff zu entern. Als es aber nahe genug war, zog Braham, der nicht imstande war, Widerstand zu leisten, die Segel ein zum Zeichen, daß er sich ergeben wollte. Die Königin Murdjane bestieg nun sein Schiff und fragte ihn, wo er den Schreiber habe. „Königin", antwortete Bahram, „ich schwöre es, daß er nicht auf meinem Schiff ist. Untersuch es selbst und überzeuge dich von meiner Unschuld!"

Murdjane ließ nun das Schiff mit der größten Genauigkeit von oben bis unten durchsuchen. Doch vergebens, man fand den nicht, den sie zu finden hoffte und den sie so leidenschaftlich liebte. Sie war darüber so erzürnt, daß sie schon im Begriff war, Bahram eigenhändig niederzuschlagen. Doch sie bezwang sich noch und begnügte sich damit, das Schiff und die ganze Ladung zu beschlagnahmen und ihn mit all seinen Leuten an Land zu setzen.

Bahram und die Leute wanderten, wie Asad, zehn Tage, bis sie in der gleichen Nacht die Stadt der Magier erreichten, die Asad in dem Grabmal verbrachte. Weil das Tor geschlossen war, sahen auch sie sich genötigt, ein Grabmal aufzusuchen, um darin den Tag abzuwarten. Zum Unglück für Asad kam Bahram an denselben Ort, wo er war, trat ein und fand einen schlafenden Mann. Bahram ging auf ihn zu und rief, ihn erkennend: „Aha, du bist es, dessentwegen ich für mein ganzes Leben zugrundegerichtet bin! Du bist dieses Jahr nicht geopfert worden, aber das nächste Jahr sollst du mir nicht mehr entkommen!"

Mit diesen Worten warf er sich auf ihn, verstopfte ihm den Mund, um ihn am Schreien zu hindern, und ließ ihn durch seine Matrosen binden. Als am Morgen die Tore der Stadt geöffnet wurden, war es Bahram ein leichtes, den unglücklichen Asad durch abgelegene Straßen, in denen noch niemand aufgestanden war, in sein Haus tragen zu lassen.

Seine Tochter Bohlane und die Sklavin kamen ihnen bald entgegen, und er erzählte ihnen, was er wegen dieses Gefangenen erlitten und verloren hatte. Er befahl dann seiner Tochter, ihn wieder in das unterirdische Gemach bringen zu lassen und ihn zu schlagen und zu peinigen bis zum nächsten Jahr, wo er bei dem Besuch des Feuerbergs geopfert werden sollte. Als Asad erwachte, befand er sich wieder in seinem früheren Gefängnis. Er beweinte gerade sein hartes Schicksal, als er Bohlane mit einen Stock, einem Brot und einem Krug Wasser eintreten sah und zitterte bei dem bloßen Gedanken an die Martern, die er durch diese Unerbittliche noch ein ganzes Jahr ausstehen sollte, um dann eines grausamen Todes zu sterben.

Bohlane entkleidete ihn und schlug ihn ebenso grausam und unbarmherzig wie früher. Doch sein Jammern und seine rührenden Bitten machten diesmal solchen Eindruck auf Bohlane, daß sie sich des Mitleids und der eigenen Tränen nicht mehr länger erwehren konnte. Ihr Herz wurde weich und sie fragte ihn: „Wie heißt du?"

Er sagte: „Fragst du mich nach meinem früheren oder nach meinem jetzigen Namen?"

„Hast du denn zwei Namen?" erwiderte sie.

„Ja", antwortete er, „einst hieß ich Asad, jetzt aber heiße ich Abasch, der Gefallene."

Bohlane weinte mit ihm und sagte: „Bei Allah! Mein Herz hat Erbarmen mit dir, und ich bitte dich tausendmal um Verzeihung für die Grausamkeit, mit der ich dich früher und sogar eben noch behandelt habe. Bis jetzt war es mir nicht möglich, meinen Vater zu erweichen, der ohne deine Schuld einen Grimm auf dich hat und deinen Untergang will. Aber nun verabscheue und verdamme ich diese Schändlichkeit. Sei getrost, deine Leiden sind zu Ende! Ich will alle meine Sünden dadurch wieder gutmachen, daß ich dich besser behandle. Halte mich nicht länger für eine Ungläubige. Meine Erzieherin hat mich heimlich und ohne Wissen meines Vaters zum Islam bekehrt. Zwar muß ich meinen Glauben noch verbergen, doch ich bete zu Allah, daß er es mir vergibt. So er will, werde ich einen Weg finden, dich aus deinem Gefängnis zu befreien."

Als Scheherazade diese Worte sprach, brach der Tag an. Sie schwieg, fuhr jedoch in der folgenden Nacht fort:

Der Prinz Asad dankte dem Allmächtigen, daß er das Herz Bohlanes gerührt hatte. Nachdem er sich völlig von der Wahrhaftigkeit ihrer guten Vorsätze überzeugt hatte, fragte er sie, wie sie es anfangen wolle, daß ihre Sklavin Canane nichts davon merke und ihn nicht ihrerseits mißhandele.

„Kümmere dich nicht darum", sagte Bohlane, „ich werde schon dafür sorgen, daß sie nicht mehr zu dir kommen kann."

In der Tat wußte sie es so einzurichten, daß sie der Sklavin immer zuvorkam, so oft diese ins Gefängnis hinabsteigen wollte. Sie selbst aber brachte dem Prinzen Asad jeden Tag Wein, Hühnersuppe und andere gute Speisen, die sie von ihren eigenen zwölf mohammedanischen Sklavinnen zubereiten ließ. Ab und zu aß und betete sie sogar mit ihm und tat alles, was in ihren Kräften stand, um ihn zu trösten.

Eines Tages stand Bohlane an der Haustür, als sie einen öffentlichen Ausrufer etwas verkünden hörte. Hinter dem Ausrufer erblickte sie den Großwesir Amdjad, den Bruder Asads. Der Ausrufer blieb nur wenige Meter vom Haus stehen und wiederholte mit lauter Stimme seinen Aufruf:

„Bewohner dieser Häuser! Der mächtige Großwesir, der persönlich hier anwesend ist, sucht seinen geliebten Bruder, von dem er schon seit über einem Jahr getrennt ist. Er heißt Asad. Wer ihn bringt, erhält ein Ehrenkleid und viele Reichtümer. Wer ihn aber gefangenhält und seinen Aufenthaltsort verheimlicht, dem wird das Haus geplündert, der Harem geraubt und das Leben genommen."

Als Bohlane diese Worte gehört hatte, eilte sie schnell zu Asad in das unterirdische Gemach. „Prinz", rief sie aus, „das Ende deiner Leiden ist gekommen! Steh schnell auf und folge mir!" Asad, dem sie schon seit längerer Zeit die Kette abgenommen hatte, folgte ihr sofort auf die Straße, wo sie schrie: „Hier ist Asad! Hier ist Asad!"

Der Großwesir, der noch nicht weit weg war, drehte sich bei

diesem Ruf um und erkannte seinen Bruder, lief auf ihn zu und umarmte ihn. Dann ließ er Asad das Pferd eines seiner Mamelucken besteigen und führte ihn, umgeben von vielen Mamelucken und Dienern, in den Palast. Dort stellte er ihn dem König vor, der ihn sofort zum Wesir ernannte.

Bohlane, die nicht mehr zu ihrem Vater, dessen Haus noch am gleichen Tage geplündert wurde, zurückkehren wollte, wurde in die Gemächer der Königin geführt und mit viel Ehren bedacht.

Ihr Vater Bahram und seine Familie wurde vom König zum Tode verurteilt. Sie warfen sich ihm zu Füßen und flehten um Gnade.

„Es gibt keine Gnade für euch", erwiderte der König, „wenn ihr euch nicht vom Feuerdienst zur muselmännischen Religion bekehrt!"

Bahram neigte den Kopf zur Erde, sprach das Glaubensbekenntnis und wurde ein guter Muselmann. Canane und die anderen taten es ihm nach und retteten so auch ihr Leben.

Nachdem Bahram Muselmann geworden war, wollte Amdjad ihm seinen früher erlittenen Verlust ersetzen und machte ihn zu einem ersten Hausbeamten. Als Bahram bald darauf die Geschichte seines Wohltäters Amdjad und seines Bruders Asad erzählen hörte, ging er zu ihnen und sagte: „Prinzen, der erhabene Allah hat mir einen Gedanken eingegeben. Ich will ein Schiff ausrüsten und euch zum König Kamr essaman, eurem Vater, zurückführen. Wahrscheinlich hat er inzwischen eure Unschuld erkannt und sehnt sich danach, euch wiederzusehen."

Die beiden Brüder gingen freudig auf Bahrams Vorschlag ein, der König billigte den Plan ebenfalls und gab alsbald Befehl, ein Schiff auszurüsten.

Als alle bereit waren, gingen die Prinzen zu dem König, um Abschied zu nehmen. Während sie ihm ihre Aufwartung machten und ihm für seine Großmut dankten, erhob sich plötzlich in der Stadt ein fürchterlicher Lärm. Zu gleicher Zeit eilte ein Offizier herbei und rief: „O König, eine starke Armee ist mit entblößten Waffen in die Stadt eingedrungen, und niemand weiß, was sie beabsichtigt!"

Sofort erklärte Amdjad dem bestürzten König: „Herr, obwohl ich gekommen bin, um die Würde des Großwesirs niederzulegen, bin ich doch bereit, dir weiterhin meine Dienste zu weihen. Ich bitte dich deshalb, nachsehen zu dürfen, wer dieser Feind ist, der dich in deiner Stadt überfällt, ohne dir vorher den Krieg erklärt zu haben."

Der König bat ihn darum, und Amdjad eilte mit kleinem Gefolge fort. Bald erblickte er die Armee, die ihm sehr mächtig erschien und immer weiter vorrückte. Die Vorhut, die anscheinend für solche Fälle schon Befehl erhalten hatte, empfing ihn mit ausgesuchter Höflichkeit und führte ihn zu einer verschleierten Prinzessin, die das Heer befehligte. Amdjad beugte sich vor ihr zur Erde und sagte: „Königin, ist dein Zug freundlich oder feindlich? Und wenn er feindlich ist: Worüber hast du dich bei dem König, meinem Herrn, zu beklagen?"

Die Prinzessin antwortete: „Gesandter, ich komme in friedlicher Absicht und habe keinen Grund zu einem Streit mit dem König der Magier. Ich komme wegen eines Sklaven namens Asad, den mir ein Kapitän dieser Stadt, der Bahram hieß, entführt hat. Ich hoffe, dein König wird mir helfen, ihn wieder zu bekommen, wenn er erfährt, daß ich Königin Murdjane bin!"

„Mächtige Königin", entgegnete Amdjad, „freue dich, denn ich bin der Bruder dieses Sklaven, den du mit so viel Eifer suchst. Auch ich hatte ihn verloren und habe ihn wieder gefunden. Komm, ich werde dich zu ihm führen. Der König, mein Herr, wird sehr erfreut sein, dich zu sehen."

Murdjane war glücklich, als sie das hörte. Sie ließ ihre Soldaten lagern und ritt selbst mit Amdjad nach dem Palast, wo er sie dem König vorstellte. Danach begrüßte sie Prinz Asad, der zugegen war und sie sofort erkannt hatte.

Während sie ihm ihre Freude darüber ausdrückte, ihn wiederzusehen, erhob sich auf einmal ein mächtiger Lärm und ein Staub, der die ganze Luft erfüllte. Als er sich legte, erblickte man ein Heer, das sich wie ein Meer über das Land ergoß. Es umgab die ganze Stadt, und der König, noch erschrockener als beim erstenmal, sagte zu Amdjad: „Was will diese zweite Armee? Das sind gewiß Feinde, die uns überfallen!"

Amdjad eilte schnell fort, bestieg ein Pferd und sprengte, nachdem er das Heer der Königin Murdjane unter Waffen gerufen und in Schlachtordnung aufgestellt hatte, dem neuen Heer entgegen. Den ersten, denen er begegnete, rief er zu, er wolle ihren König sprechen.

Als er den König begrüßt und nach seinem Begehr gefragt hatte, sagte der: „Ich bin der furchtbare König, Herr der Inseln und Meere. Ich wandere umher, meine Tochter Bedur zu suchen, die ich mit dem Prinzen Kamr essaman, Sohn des Königs Schah Seman, vermählt habe. Ich hatte diesem Prinzen erlaubt, seinen Vater zu besuchen unter der Bedingung, von Jahr zu Jahr mit meiner Tochter wieder zu mir zu kommen. Seit langer Zeit aber habe ich nichts mehr von ihnen gehört. Ich wäre deinem König sehr dankbar, wenn er einem besorgten Vater etwas darüber sagen könnte."

Prinz Amdjad erkannte an dieser Rede den König, seinen Großvater, küßte ihm zärtlich die Hand und sagte: „Herr, vergib mir diese Freiheit, denn du mußt wissen, daß ich mit dieser Ehrerbietung gegen dich meinen Großvater begrüße. Ich bin ein Sohn Kamr essamans und der Königin Bedur, die sich, wie ich nicht bezweifle, bei bestem Wohlbefinden in ihrem Staat befindet."

Als der König das hörte, drückte er Amdjad ans Herz, und beide weinten vor Freude und Rührung. Auf die Frage des Königs, was den Prinzen Amdjad in das fremde Land geführt habe, erzählte ihm dieser seine und seines Bruders Asad Geschichte von Anfang bis Ende.

Da sprach der König von China: „Gelobt sei Allah für eure Rettung! Fasse Mut, mein Sohn, ich werde dich und deinen Bruder heimführen und euch mit eurem Vater versöhnen. Kehre jetzt gleich um und verkünde deinem Bruder meine Ankunft!"

Prinz Amdjad eilte zu dem König der Magier zurück, der ihn schon voller Ungeduld erwartete. Der König gab gleich Befehl, den Beherrscher von China standesgemäß zu empfangen, und machte sich auf, ihn persönlich zu begrüßen.

Da erhob sich plötzlich wieder eine große Staubwolke, die die ganze Luft verfinsterte. Der König sagte: „Dieses ist gewiß ein segensreicher Tag. Geht und seht, was diese neuen Truppen wollen!"

Asad und Amdjad gingen hinaus, und als sie zu den neuen Truppen kamen, sahen sie sofort, daß es die der Ebenholzinseln waren, mit ihrem Vater, dem König Kamr essaman, an der Spitze. Der Vater umarmte seine beiden Söhne mit Freudentränen. Kaum hatten die beiden Prinzen ihm erzählt, daß auch der König von China, sein Schwiegervater, am gleichen Tag hier angekommen sei, als er sich unverzüglich mit kleinem Gefolge zu ihm aufmachte, um ihn in seinem Lager zu begrüßen. Asad und Amdjad ritten voran zu ihrem Großvater und meldeten ihm die Ankunft ihres Vaters an. Er bestieg ebenfalls ein Pferd, sprengte ihm entgegen und schloß ihn fest in seine Arme. Kamr essaman erzählte ihm alles vom Anfang bis zum Ende. Während sie so alle beisammen waren und sich der König vor freudigem Erstaunen kaum fassen konnte, sah man wieder eine Staubwolke, die noch größer war als alle vorangegangenen. Der König sprach: „Das ist fürwahr ein wunderbarer Tag! Geht und seht, was es diesmal gibt!"

Asad und Amdjad ritten durch die drei Armeen und erkannten persische Truppen. Sie ließen sich zum König führen, neigten ihr Haupt und fragten ihn nach der Ursache seiner Ankunft. Der Großwesir, der dabei war, nahm das Wort und sprach: „Der König, vor dem ihr steht, ist Schah Seman, König der Canarieninseln. Er hat seinen Sohn Kamr essaman verloren und sucht ihn nun in allen Ländern. Könnt ihr irgendeine Nachricht von ihm geben, so werdet ihr ihm den größten Gefallen erweisen."

Die Prinzen sagten darauf nur, sie würden ihm in kürzester Zeit Antwort bringen, und sprengten mit verhängten Zügeln zu Kamr essaman zurück, um ihm zu melden, daß die zuletzt gekommene Armee die des Königs Schah Seman sei, und daß der König, sein Vater, sich selbst dabei befinde. Als Kamr essaman das hörte, wirkten die Überraschung und die Freude so stark auf sein Herz, daß er einen lauten Schrei ausstieß und in Ohnmacht fiel.

Nachdem er wieder zu sich gekommen war, bestieg er sogleich sein Pferd und eilte zu König Schah Seman, seinem Vater, um sich ihm zu Füßen zu werfen. Seit langem hatte man kein so zärtliches Wiedersehen zwischen einem Vater und seinem Sohn gesehen. Schah Seman machte dem König Kamr essaman zärtliche Vorwürfe über seine Härte, daß er ihn auf eine so grausame Weise verlassen habe, Kamr essaman bezeigte ihm seine aufrichtige Reue, und sie beklagten sich gegenseitig über das Leid, das seit ihrer Trennung über sie hereingebrochen war. Schließlich sagte Schah Seman: „Gelobt sei Allah, der ein so gutes Ende herbeigeführt hat!"

Die drei Könige und die Königin Murdjane blieben drei Tage am Hof des Königs der Magier. In diesen drei Tagen wurde auch die Hochzeit Asads mit der Königin Murdjane und die Amdjads mit Bohlane gefeiert. Der eine wurde Sultan der Ebenholzinsel und der andere Sultan des Landes der Magier. Die Magier bekehrten sich zum Islam, und wer es nicht wollte, verlor das Leben.

Dann bereitete sich Kamr essaman zur Abreise mit seinem Vater Schah Seman vor und nahm Abschied von seinen Kindern. Der König von China aber verließ sie mit seiner Tochter Bedur. Jeder der Könige zog an der Spitze seiner Armee, bis sie in ihre Heimat kamen. Asad und Amdjad lebten noch lange mit ihren Frauen und fanden stets neuen Genuß daran, sich zu erzählen, was sie alles erlebt hatten. Kamr essaman, dessen Vater und der König von China wurden in Fröhlichkeit alt und besuchten einander von Zeit zu Zeit, bis sie vom Tod überrascht wurden. Sie starben als gute Muselmänner. — Gelobt sei Allah, der Herr aller Welten!

Mit diesem Ausruf, in den Dinarsad mit einstimmte, schloß Scheherazade ihre Erzählung. Dinarsad drückte laut ihre Bewunderung für alles Gehörte aus. Darauf jedoch sagte Scheherazade: „Spare dir deine Bewunderung auf für das, was ich morgen von dem großen und mächtigen König Persiens, Sabur, erzählen werde!"

Und Scheherazade erzählte in der folgenden Nacht weiter:

Die Geschichte vom Zauberpferd

Es herrschte einmal vor undenklichen Zeiten in Persien ein König namens Sabur. Er war der mächtigste unter den Herrschern seiner Zeit. Seine unermeßlichen Länder und Reichtümer wurden von einer gewaltigen Armee beschützt. Er war nicht nur ein Mann von großen Kenntnissen und Unternehmungsgeist, sondern hatte neben seinem scharfen und durchdringenden Verstand auch ein ebenso weiches wie teilnehmendes Herz. Er war mild und freigiebig gegen die Armen, aber furchtbar und gnadenlos gegen die Bösen. Seine Verwandten liebte er zärtlich, gegen die Fremden war er gnädig, und nie ist ein Fall bekanntgeworden, daß ein Unterdrückter ihn vergebens um Hilfe gegen die Gewalt angefleht hätte. Er war glücklicher Vater dreier Mädchen und eines Sohnes und war darüber fast noch stolzer als über die Bewunderung der Welt und die Liebe seines Volkes.

Dieser König feierte jährlich zwei Feste, Niradj und Murhadjam, die bis ins kleinste Dorf hinein Freude und Jubel verbreiteten. Schon über einen Monat vorher waren die Landstraßen voller Reisender, die zu Wagen, zu Pferde und zu Fuß in die Hauptstadt eilten, wo der König sein ganzes Volk auf Straßen und Plätzen und auf einer riesigen Ebene vor der Stadt bewirtete.

Tausende von Gold- und Silbermünzen, kostbare Stoffe und Waren aller Art wurden dabei unter das Volk verteilt und alle Gefangenen begnadigt. Die Wachen wurden eingezogen, und nicht einmal im Palast blieb ein Aufseher oder ein Wachoffizier, so daß jedermann ungehindert durch die herrlichen Säle und Gänge, durch die Gärten und selbst durch die Schatzkammer, wo die Reichtümer ganzer Welten aufgehäuft waren, gehen konnte. Nur der Harem blieb nach Allahs Gebot verschlossen, aber die Verschnittenen davor hatten ihre Schwerter in der Scheide und trugen silberne Stäbe mit goldenen Knöpfen in den Händen.

Der König selbst saß in dem kostbarsten Saal auf seinem goldenen Thron, und das Volk ging vom Morgen bis zum Abend an ihm vorbei, um ihm Glück zu wünschen zu dem Fest und zu der Gnade Allahs. Wer es sich erlauben konnte, brachte ihm ein Geschenk — sei es ein kostbares Erzeugnis des Bodens oder der Kunst, sei es aber auch nur eine besonders schöne Blume. Der König nahm alles, auch das Bescheidenste, mit Güte und Freundlichkeit entgegen, freute sich aber besonders, wenn man ihm schöne Erfindungen und andere Dinge überreichte, die von Nachdenken und Geist zeugten, denn er war ein großer Freund der Philosophie, der Mathematik, der Astrologie und anderer schöner Wissenschaften.

Nun kamen an einem dieser Festtage drei sehr gelehrte und weise Männer in seine Stadt. Sie kamen aus drei verschiedenen Ländern und sprachen auch drei verschiedene Sprachen. Der Erste war ein Inder, der Zweite ein Grieche und der Dritte ein Perser.

Der Inder war ein Mann in den besten Jahren, jedoch von schmächtigem Körperbau. In seiner ganzen Gestalt drückten sich die Ruhe und der Gleichmut aus, die das Merkmal seines Volkes sind. Seine Kleidung war einfach, jedoch trug er auf der Brust ein Amulett, das von großer Kunst zeugte und dem man wunderbaren Einfluß zuschrieb.

Der Grieche war etwas älter und schien verschlagener zu sein als die beiden anderen. Denn während jeder von ihnen ein gewisses Selbstgefühl zur Schau trug, sprachen aus jedem Zug seines Antlitzes List, Neid und Bosheit.

Was jedoch den Perser betrifft, so war er zwar ausgesprochen häßlich, jedoch der weitaus Klügste von ihnen. Seine Häßlichkeit wurde noch durch seinen Anzug unterstrichen, denn er trug eine hohe schwarze Mütze, die mit Bändern an seinem Kopf festgebunden war. Außerdem hatte er einen langen dunklen Kaftan an und trug in der Hand einen Zauberstab, wodurch seine Erscheinung noch merkwürdiger wurde.

Der Inder ging zuerst zu dem König, warf sich zu Füßen des Thrones nieder und übergab ihm eine mit kostbaren Edelsteinen verzierte goldene Bildsäule, die ein goldenes Horn in der Hand hielt. Alle Anwesenden brachen in laute Bewunderung aus über die Pracht und die Schönheit dieses Geschenks. Nachdem der König es von allen Seiten betrachtet hatte, sagte er zu dem Inder: „Weiser Mann, so wunderschön dieses Bildnis auch ist, so weiß ich doch nicht, wozu es dienen soll. Und Schönheit ohne Nutzen ist tot geboren."

„Großer Herr und König", erwiderte der Weise, „in diesem Bildnis ist eine Kraft, die dir Tausende von Soldaten und Polizeibeamten spart und die dein Leben viel besser beschützen kann als sie. Denn dieser goldene Mann zeigt dir eine Gefahr an, wenn sie auch noch so weit entfernt ist. Er vernichtet diese Gefahr, ehe die Bösen dazu kommen, ihren Plan auszuführen."

Bei diesen Worten des Inders sahen die Hofleute zunächst einander an. Dann lachten sie und taten, als zweifelten sie an dem Geisteszustand des gelehrten Mannes, denn sie glaubten nicht an das, was er sagte. Der König aber fragte den Weisen, wie das alles zu verstehen sei.

„Herr", erwiderte der Inder lächelnd, „wenn ein Spion in die Stadt kommt oder irgendwer dir nach dem Leben trachtet, stößt dieses Bildnis sogleich in sein goldenes Horn. Und der Schall dieses Hornes wird in dem Herzen des Bösewichts, sei er auch eine Stunde von hier, so furchtbar widerhallen, daß er sogleich zu zittern anfangen und unter schrecklichen Schmerzen tot niederfallen wird."

Manche der Hofleute wurden bleich bei diesen Worten, und als der Inder sie lächelnd fragte, ob er einen Versuch machen solle, entschuldigten sie sich mit der Versicherung, es sei ihnen, selbst wenn sie wollten, unmöglich, in ihren Herzen einem Gedanken Raum zu geben, der nicht dem Wohl ihres Herrn und Gebieters bestimmt sei.

Der König jedoch, überrascht von den Worten des Inders, sagte zu ihm: „Obwohl ich bei Allah hoffe, daß ich nie den Ton des goldenen Hornes hören werde, so nehme ich doch dein Geschenk an. Da ich aber nicht weiß, womit ich ein solches Geschenk erwidern kann, gewähre ich dir im voraus schon alles, worum du mich bitten magst."

Ehe der Inder jedoch antworten konnte, drängte sich der Grieche durch den Kreis der Umstehenden, warf sich dem König zu Füßen und überreichte ihm ein kunstvoll gearbeitetes silbernes Becken, in dessen Mitte ein goldener Pfau saß, umgeben von vierundzwanzig Jungen. Die Federn waren aus fein gesponnenem Gold, das mit winzig kleinen Diamanten und anderen Edelsteinen übersät war. Die Augen an den Schwanzfedern waren aus größeren wertvollen Edelsteinen zusammengesetzt. Die Pracht dieser Arbeit erregte ein ebenso großes Staunen wie der Mann mit dem goldenen Horn. Nachdem der König den Pfau lange in stummer Bewunderung betrachtet hatte, fragte er den Weisen, welchen Zweck dieses Werk hätte. „Mächtiger Herr und König", erwiderte der Grieche, „dieser Vogel verlängert die Zeit des Menschenlebens, indem er uns den unaufhaltsamen Lauf dieser Zeit vor Augen führt und uns dadurch mahnt, sie richtig zu nützen. Nach Ablauf einer jeden Stunde wird der Pfau eines seiner Jungen verschlingen und so die Tageszeit anzeigen. Hat er aber alle verschlungen, so braucht man nur auf diesen diamantenen Knopf zu drücken, und sie kommen wieder hervor. Nach vierundzwanzig Stunden aber wird er jedesmal den Schnabel öffnen, und drinnen wird der Mond erscheinen, wie er gerade am Himmel steht."

Als der König das hörte, sagte er: „Allah ist ewig, aber der Mensch ist sterblich, und kurz ist die Zeit seines Lebens. Dein Werk, o Weiser, ist eine Gabe, die ich nicht nach ihrem Wert belohnen kann. Wähle aber, was du willst, und jeder deiner Wünsche soll erfüllt werden."

Während aber der Grieche sich noch besann, was er erbitten sollte, trat der persische Weise vor, beugte sich zur Erde und überreichte dem König ein Pferd, das er an goldenen Zügeln führte. Jedermann war entzückt über die Schönheit dieses Pferdes, das mit Gold und Edelsteinen beschlagen und vollständig ausgerüstet war mit einem prächtigen königlichen Sattel, Saum und Steigbügeln. Als aber die Hofleute es befühlten und entdeckten, daß es kein lebendes, sondern ein Pferd aus Ebenholz war, da wollten ihre Bewunderung und ihre Freude kein Ende mehr nehmen.

Der König aber sah sie zornig an und sagte: „Ihr Toren, ein Stück Holz gilt euch mehr als das Leben, und das Werk eines Menschen verwirrt euren Verstand mehr als das Werk des Allmächtigen. Der schlechteste Karrengaul des ärmsten Bauern ist mehr wert als das prachtvolle aber unnütze Ding da, das nichts weiter als ein kunstvoll gearbeitetes Stück Holz ist."

Der Weise aber nahm das Wort und sprach: „Obgleich ich nicht wage, o Herr der Erde, mein Geschenk den Geschenken der beiden anderen gleichzustellen, so hat doch dieses Pferd Eigenschaften, die weit über denen eines lebenden Pferdes stehen. Der goldene Mann des Inders beschützt dein Leben, der Pfau des Griechen warnt dich, es ungenützt verfließen zu lassen, mein Pferd aber gibt dir die Möglichkeit, dein Leben wirklich zu nützen und an einem Tag das zu tun, wozu andere ein Jahr brauchen. Dieses hölzerne Pferd hier trägt dich an einem Tag weiter als ein richtiges in einem Jahr, denn es fliegt durch die Luft wie ein Adler. Kein Meer ist zu groß und zu stürmisch, kein Gebirge zu hoch und zu unwegsam — du kannst es mit diesem Roß überfliegen. Was sollen jedoch Behauptungen, wo ich Beweise geben kann? Befehle nur, o Herr, und ich erhebe mich vor deinen Augen in die Luft, um durch die Wolken dahinzujagen wie keiner deiner besten Renner auf der ebensten Bahn."

Der König war zutiefst erstaunt über das Zusammentreffen dieser drei Wunder an einem Tag und sagte zu dem Perser: „Wenn du die Wahrheit gesprochen hast, so gewähre ich dir im voraus jede Bitte, die du an mich stellen magst." Dann setzte er, sich auch an die beiden anderen Weisen wendend, hinzu: „Kommt morgen wieder zu mir, um mir den Mechanismus eurer wunderbaren Erfindungen zu zeigen und mir eure Bitten mitzuteilen!"

Am anderen Morgen kamen also die drei Weisen in den Palast, wo sie der König mit seinem ganzen Hofstaat auf einer Terrasse erwartete. Nachdem der Grieche und der Inder ihre Werke vorgezeigt und in Bewegung gesetzt hatten, setzte der persische Weise den Fuß in den Steigbügel, schwang sich auf das Pferd und fragte den König, ob er ihn von der Wahrheit seiner Worte überzeugen dürfe. Der König winkte ihm zu, und nachdem der Perser einen Wirbel am Hals des Pferdes umgedreht hatte, erhob sich das Pferd mit unglaublicher Geschwindigkeit in die Luft. Bald war der wunderbare Reiter nur noch wie ein Adler, dann wie ein Sperling und schließlich wie eine Mücke, bis er ganz im Himmelsblau verschwand. Nach einer Weile erschien er wieder, ließ sich langsam bis in Höhe der Zinnen des Palastes herab, flog einige Male drumherum, brach von der höchsten Palme einen Zweig ab und ließ sich dann wieder auf der Terrasse vor dem König nieder, dem er den Zweig überreichte.

Der König war fast außer sich vor Freude und sagte zu den Weisen: „Ihr habt die Wahrheit eurer Worte durch die Tat bewiesen. Nun ist es an mir, mein Versprechen zu halten. Fordere also jeder von mir, was er will. Er soll es auf der Stelle erhalten."

Die Weisen hatten schon am Abend vorher untereinander beraten, welche Bitten sie dem König stellen sollten. Der Inder hatte geraten, eine Statthalterschaft zu fordern. Der Grieche hatte vorgeschlagen, hundert Kamele voll Waren und Gold zu verlangen. Der Perser aber schüttelte zu all dem den Kopf und meinte: „Statthalterschaften kann uns der König wieder nehmen. Güter und Gold können uns unterwegs geraubt werden. Wir müssen uns jedoch den Lohn durch ein Mittel sichern, das ich gründlich überlegt habe. Der König hat drei Töchter, eine schöner als die andere. Die wollen wir zu Gemahlinnen verlangen. So wird er uns Statthalterschaften und Gold noch obendrein geben müssen. Ich nehme die Jüngste, ihr könnt euch in die beiden anderen teilen."

Nach kurzem Überlegen gingen der Inder und der Grieche auf den Vorschlag ein, und so sprach denn der Perser zu dem König: „Wenn der König uns erlaubt, etwas zu erbitten, so hoffen wir, daß er sein Wort nicht brechen wird, uns seine drei Töchter gibt und uns zu seinen Schwiegersöhnen macht."

Der König runzelte zwar die Stirn, doch sofort faßte er sich wieder und sagte: „Ich halte mein königliches Wort und entspreche eurer Bitte. Man rufe sogleich den Kadi, um die Ehekontrakte abzufassen!"

Die Prinzessinnen aber hatten hinter einem Vorhang dem Schauspiel zugesehen. Als sie hörten, welche Wendung die Sache nahm, blickten sie auf die drei Weisen. Die beiden Älteren waren mit dem, was sie sahen, nicht unzufrieden, denn der Grieche und der Inder waren hübsche, noch nicht allzu alte Männer. Als aber die Jüngste ihren zukünftigen Gemahl, den Perser, betrachtete, entdeckte sie mit Schaudern, daß es ein hundertjähriger Greis war, mit einer Stirn voller Runzeln und Falten und mit ausgefallenen Haaren. Seine Augen waren rot und trieften, seine Wangen so abscheulich gelb und eingefallen, daß man jeden Knochen seines Gesichts sehen konnte. Er hatte eine Gurkennase, seine wenigen Zähne waren braun und locker, seine Lippen blau und lappig und seine ganze Haut eingeschrumpft und lederfarben. Er war ein Wunder an Häßlichkeit, der abscheulichste unter den Menschen, und glich ganz und gar einem Teufel, so daß selbst die Vögel vor ihm in ihre Nester flohen. Und dieses Ungetüm sollte der Gatte eines Mädchens werden, das das schönste und liebenswürdigste seiner Zeit war; flinker als eine Gazelle, zarter als ein Zephir, übertraf sie den Mond an Glanz und milder Schönheit. Sie beschämte alle Baumzweige, wenn sie sich sanft neigte, und keine Gazelle kam ihr gleich an Geschwindigkeit und Kühnheit der Wendungen. Wie schön auch ihre Schwestern waren, sie verschwanden vor ihrer Schönheit wie die Sterne vor der Sonne.

Hier schloß Scheherazade ihre Erzählung. In der folgenden Nacht fuhr sie fort:

Als diese Prinzessin nun ihren Bräutigam sah, eilte sie jammernd in ihr Gemach, streute Erde auf ihr Haupt, zerriß ihre Kleider und fing laut an zu weinen und zu wehklagen. Da kam ihr Bruder, der sie weit mehr liebte als seine anderen Schwestern, von der Jagd zurück. Als er sie nun schreien und weinen hörte, eilte er schnell zu ihr und fragte sie, was ihr denn zugestoßen sei.

Sie schluchzte lange, und erst auf vieles und zärtliches Bitten brach sie in die Worte aus: „Mein teurer Bruder! Wenn deines Vaters Schloß zu eng geworden ist, so will ich es gern verlassen. Hat er etwas an mir auszusetzen, was einer Tochter unwürdig ist, so will ich mich von ihm trennen. Und will er nicht mehr für mich sorgen, so gibt es für mich ja einen Allah, der mich führen und nicht verlassen wird. Du mußt wissen, mein Bruder: Mein Vater hat mich mit einem Zauberer, einem wahren Teufel verlobt, der ihm ein schwarzes hölzernes Pferd geschenkt und ihn mit seiner Zauberkunst überlistet hat. Ich mag aber diesen hundertjährigen Alten mit seinem schrecklichen Gesicht und seinem verkrüppelten Körper nicht. Ich will nicht seinetwegen auf die Welt gekommen sein!"

Und mit diesen Worten brach die Unglückliche wieder in lautes Weinen aus und rang verzweifelt ihre schönen Hände. Der Bruder nahm sie in seine Arme und sprach ihr Trost zu. Dann eilte er zu seinem Vater und fragte ihn: „Wer ist der Zauberer, mit dem du meine jüngste Schwester verlobt hast? Und was hat er dir für ein Geschenk gemacht, daß du seinetwegen deine jüngste Tochter vor Gram sterben lassen willst? Sie, die würdig ist, einen Engel zu heiraten, soll nicht die Gattin eines Scheusals werden!"

Der Weise, der diese Rede mit anhörte, ergrimmte über diese Rede des Prinzen und sann nach einem Mittel, sich zu rächen und ihn zu verderben. Der König aber sprach zu seinem Sohn: „Wenn du das Pferd und seine Kunst gesehen haben wirst, so wirst du vor Staunen fast den Verstand verlieren und dich über meine Handlungsweise nicht mehr wundern".

Er befahl dann einem Diener, das Pferd herbeizuführen, und als der Prinz es sah, war er wirklich von der Schönheit überrascht. Er schwang sich sogleich in den Sattel und stieß dem Pferd die Steigbügel in die Seiten. Als sich aber das Pferd nicht von der Stelle bewegte, sprach der König zu dem Weisen: „Geh und zeige ihm, wie man es in Bewegung setzt, dann wird er sich meinem und deinem Wunsch nicht mehr widersetzen!"

Der Weise, der den Prinzen schon tödlich haßte, beugte sich zur Erde und sagte: „Der edle Prinz, der mir seine Schwester nicht zur Frau geben will, muß sich nur die kleine Mühe machen, diesen Wirbel am Nacken des Pferdes umzudrehen. Dann wird es all seine Wünsche befriedigen!"

Der Prinz drehte den Wirbel um, ohne noch weiter zu fragen, und sogleich stieg das Pferd mit ihm in die Höhe und flog so gewaltig schnell dahin, daß es bald nicht mehr gesehen wurde. Das alles war das Werk eines einzigen Augenblicks.

Nachdem der König sich von seiner Überraschung etwas erholt hatte, wurde er besorgt um seinen Sohn und fragte den Weisen: „Wie kann er aber nun das Pferd wieder zur Erde lenken? Oder kannst du das bewirken?"

„Herr", erwiderte der Weise mit schlecht verhehlter Schadenfreude, „diese Kunst verstehe ich nicht. Auch ist es seine und nicht meine Schuld, wenn du ihn bis zum Auferstehungstag nicht mehr wiedersiehst. Aus Dünkel und Hochmut verschmähte er, mich zu fragen, wie man das Pferd dazu bringen kann, wieder abwärts zu fliegen, und ich selbst dachte im Augenblick nicht daran, es ihm zu sagen."

Über diese Worte geriet der König in so heftigen Zorn, daß er den Weisen schlagen und einsperren ließ. Er selbst überließ sich ganz seinem Schmerz, schlug sich ins Gesicht und vor die Brust und jammerte und weinte. Die Tore des Palastes wurden geschlossen und alle Festlichkeiten eingestellt. Nicht nur die Familie des Königs, sondern alle Bewohner der Stadt beklagten laut den Verlust des Prinzen. So war auf einmal aus Lust Trauer und aus Glück Unglück geworden.

Der Prinz wurde indessen von dem Pferd mit unaufhaltbarer Geschwindigkeit emporgetragen. Die Erde war schon längst seinen Blicken entschwunden, er fühlte sich matt und sah seinen Tod schon vor Augen. Doch klug und unerschrocken wie er war, raffte er noch einmal seine Kräfte zusammen und untersuchte noch einmal das Pferd, denn er wollte alles versuchen, um sich zu retten. Endlich fand er auf der linken Seite des Nackens einen zweiten kleinen Wirbel, den er sofort umdrehte. Augenblicklich bemerkte er, daß das Pferd in seinem Flug innehielt und sich zur Erde niedersenkte.

Bald sah er zu seiner Freude das Meer und die höchsten Gipfel der Berge im Glanz der Sonne. Schon flog er in nicht zu großer Höhe über die Erde dahin, kannte aber keines der Länder, über die sein Flug hinwegging. Als es Abend wurde, erblickte er eine große Stadt mit Türmen und hohen Mauern und auf der anderen Seite der Stadt ein großes und festes Schloß, auf dessen Zinnen er vierzig bewaffnete Sklaven umhergehen sah. Nach einigem Nachdenken entschloß er sich, die Nacht auf der Terrasse des Schlosses zuzubringen und sich dann den Bewohnern zu erkennen zu geben und sie um Schutz und Hilfe zu bitten.

Sogleich bemühte er sich, das Pferd zum Schloß hinabzulenken und auf der Terrasse niederzulassen. Die Nacht war schon hereingebrochen, als ihm das gelang und er, hungrig und durstig, abstieg. So gut es die Dunkelheit erlaubte, untersuchte er die Terrasse von allen Seiten, bis er endlich die Treppe fand, die in das Innere des Schlosses führte. Langsam und vorsichtig stieg er hinab.

Er kam auf einen breiteren Gang, dessen Boden mit Marmor bedeckt war und wie der Mond leuchtete. Hier sah er sich um und bemerkte ein Licht, das im Innern des Schlosses schimmerte. Als er darauf zuging, kam er an eine Tür, vor der ein Sklave schlief, lang wie ein Baum und breit wie eine Matratze. Zu seiner Seite lag ein Schwert, das wie eine Flamme glühte. Nebenan aber stand ein Tisch mit Speisen und Getränken.

Der Prinz sprach vor sich hin:

„Ich rufe Allah um Hilfe an! Du, Allah, der du mich eben

vom Untergang befreit hast, gib mir nun auch die Kraft, mein Abenteuer glücklich zu Ende zu führen!"

Mit diesen Worten ergriff er den Tisch, ging damit auf die Seite und aß und trank, bis er satt war. Dann ruhte er ein wenig aus, trug den Tisch wieder an seinen alten Platz, näherte sich auf Zehen dem Schlafenden und zog ihm das Schwert aus der Scheide. Damit ging er weiter vorwärts und erblickte bald wieder ein Licht, das aus einer Tür schimmerte, die mit einem dünnen, durchsichtigen Vorhang bedeckt war. Er ging durch den Vorhang und trat in das Zimmer, wo sich ihm ein ebenso überraschender wie schöner Anblick bot:

In der Mitte stand ein Thron aus weißem Elfenbein, mit Perlen, Rubinen und anderen Edelsteinen bedeckt, und zu Füßen des Throns lagen vier schlafende Sklavinnen, blühend und schön wie frische Rosen. Vorsichtig näherte er sich dem Thron und fand darauf ein schlafendes Mädchen, schön wie der leuchtende Mond. Ihre langen schwarzen Haare rollten aufgelöst über die blendend weißen Schultern. Nie hatte er solche Schönheit und Anmut, solchen Wuchs und solches Ebenmaß gesehen. Des Prinzen Herz entbrannte vor Liebe, und er kümmerte sich nicht mehr um Gefahr und Tod. Er näherte sich ihr zitternd und bebend, und fast ohne zu wissen, was er tat, neigte er sich zu ihr und küßte sie auf ihre rechte Wange.

Sogleich erwachte sie und öffnete ihre Augen, deren Blicke wie Strahlen eines Sterns auf den Prinzen fielen und ihn gänzlich verwirrten. Nachdem sie ihn einen Augenblick verwundert, aber nicht ohne Wohlgefallen betrachtet hatte, sagte sie zu ihm: „Wer bist du, Jüngling, und wie kommst du hierher?"

Er ließ sich auf ein Knie vor ihr nieder, küßte den Saum ihres Kleides und antwortete: „Schönste Prinzessin, ich bin dein Sklave und liebe dich mehr als mein Leben!"

„Aber wer hat dich hierher gebracht?" fragte die Prinzessin weiter und errötete dabei, aber nicht vor Unwillen.

„Allah und mein Schicksal", erwiderte der Prinz.

Bei diesen Worten bemerkte Scheherazade den Anbruch des Tages und schwieg. In der nächsten Nacht fuhr sie fort:

DIE ZWEIHUNDERTZWEIUNDFÜNFZIGSTE
NACHT

Die Prinzessin, die mit einem der vornehmsten Männer der Stadt verlobt war, glaubte, der Prinz sei ihr Verlobter, den sie noch nie gesehen hatte. Deshalb fragte sie ihn: „Bist du der Mann, mit dem mich mein Vater verlobt hat?"
Und der Prinz antwortete ohne Bedenken: „Ja, ich bin's!"
Das erfüllte die Prinzessin mit Freude, denn die außerordentliche Schönheit des Prinzen hatte ihr Herz bereits gefangengenommen, und es kostete sie viel Überwindung, die Würde zu wahren, die ihr Stand ihr gebot. Sie lud den Prinzen ein, sich neben ihr auf dem Thron niederzulassen, und begann erst ein gleichgültiges Gespräch, das aber bald auf die Gefühle überging, von denen sie beide überwältigt waren. Schließlich wurde es so leidenschaftlich, daß die Sklavinnen davon erwachten.
„O Herrin", fragten sie, „wer ist denn der junge Mann, der bei dir ist?"
„Ich weiß es nicht", antwortete die Prinzessin verlegen, „ich habe ihn bei mir gefunden, als ich erwachte. Sicher ist er mein Verlobter, denn wie hätte er es sonst gewagt, in den Harem zu dringen?"
Die Sklavinnen aber schüttelten den Kopf und sagten: „O Herrin, beim erhabenen Allah! Dein Verlobter kann mit diesem jungen Mann überhaupt nicht verglichen werden!"
Und dann sprangen sie auf und eilten, ehe die überraschte Prinzessin sie daran hindern konnte, zu dem noch immer schlafenden Sklaven, weckten ihn auf und riefen ihm zu: „So bewachst du das Schloß, daß Leute hereinkommen, während wir schlafen?"
Der Sklave sprang erschrocken auf und wollte nach seinem Schwert greifen. Da er es aber nicht fand, ging er fast betäubt vor Angst zu seiner Herrin. Als er den Prinzen neben der Prinzessin sah, schrie er ihn wutentbrannt an: „Wer hat dich hierher gebracht, du Landstreicher? Das sollst du mit deinem Leben büßen, elender Räuber!"

Bei diesen Schimpfworten ergrimmte der Prinz so sehr, daß er mit dem Schwert in der Faust wie ein Löwe aufsprang und auf den Sklaven losstürzte. Der aber entfloh und eilte laut schreiend in die Gemächer des Königs. Als der König sein Geschrei hörte, stand er auf, ergriff sein Schwert und schrie den Sklaven voller Zorn an: „Weshalb bringst du das ganze Schloß in Aufruhr und störst selbst meine Ruhe?"

„Herr und König", erwiderte atemlos der Sklave, „ich schlief vor der Tür der Prinzessin, und als ich erwachte, sah ich auf einmal einen Mann von vornehmem Äußeren und schöner Gestalt neben meiner Gebieterin liegen. Weder ich noch eine der Sklavinnen konnten begreifen, wie er hereingekommen war!"

Ohne ein Wort zu sagen, eilte der König selbst in die Gemächer der Prinzessin, um diesen ungewöhnlichen Vorfall zu untersuchen. Als er eintrat und den Prinzen neben seiner Tochter sitzen sah, geriet er in eine fürchterliche Wut, zog sein Schwert und wollte ihm den Kopf spalten. Der Prinz aber erhob sich von dem Thron, streckte ihm sein Schwert entgegen und sagte: „Bei Allah, dem Erhabenen! Wäre mir dieses Haus nicht durch meinen Eintritt heilig, so würde ich dich denen, die in deiner Väter Gruft liegen, nachsenden!"

Überrascht durch den unerwarteten Widerstand ließ der König sein Schwert sinken und sagte: „Wer bist du, Betrüger, und wer ist dein Vater, daß du es wagen darfst, in einem solchen Ton mit mir zu reden und meine Tochter in ihrem Schloß zu überfallen? Weißt du nicht, Elender, daß ich der größte König der Welt bin. Ich will dich den martervollsten Tod sterben lassen, du Dieb!"

Der Prinz aber lächelte mitleidig über die Drohungen und sagte: „Herr! Du setzt mich in Erstaunen durch deinen schwachen Verstand und dein grobes Benehmen. Könntest du mich auch umbringen lassen, was hättest du davon? Würden die Leute nicht sagen, der König habe einen jungen Mann bei seiner Tochter gefunden und ihn töten lassen? Dann würden Spott und Schande über dich kommen und kein Mensch hätte Ehrfurcht vor dir. Übrigens sind auch wir Könige und Söhne von Königen. Wenn wir wollten, könnten wir dich vom Thron und ins Verderben stürzen. Doch Allah bewahre mich davor daß je etwas Böses von mir bekannt und meine Ehre befleckt wird! Sieh mich an und entscheide, ob du deiner Tochter einen besseren Mann wünschen kannst! Und wenn sie eine Prinzessin ist, so bin ich ein Sohn des Königs von Persien!"

Der König, wankend gemacht durch die Festigkeit und das herrische Auftreten des Prinzen, fragte ihn: „Warum schleichst du in das Schlafgemach meiner Tochter, wenn du ein Prinz bist? Warum bist du nicht, wie es Sitte ist, zu mir gekommen und hast um sie angehalten?"

Der Prinz hielt es nicht für ratsam, dem König sein Abenteuer und das Geheimnis des Pferdes anzuvertrauen. Deshalb antwortete er: „Was geschehen ist, ist geschehen. Doch will ich dir einen Vorschlag machen, der dir zugleich Genugtuung und den Beweis bringen wird, daß ich kein Landstreicher bin. Laß von deinen Truppen so viele versammeln, wie du willst. Ich will ganz allein gegen sie kämpfen. Werde ich besiegt, so magst du mich wie einen Räuber behandeln lassen."

Der König war sehr zufrieden mit diesem Vorschlag, der ihn aus der Verlegenheit riß, wie er den Prinzen töten lassen solle, ohne sich und seiner Tochter Schande zu bringen.

Sobald der Tag anbrach, versammelte er seine Truppen auf einer Ebene vor dem Schloß und befahl, dem Prinzen ein Pferd und Waffen zu bringen. Der Prinz aber wies das Pferd zurück und sagte: „Nein, o König, ich will mein eigenes Pferd besteigen. Befehle nur, daß man es mir von der Terrasse, wo es angebunden ist, herabholt!"

Der König war zwar erstaunt, als er auf der höchsten Terrasse das Pferd stehen sah, aber seine Neugier und sein Durst nach des Prinzen Blut überwogen so sehr, daß er den Prinzen nicht weiter befragte, sondern befahl, sofort das Pferd herabzuholen. Als das Pferd herbeigeführt wurde, bewunderte er und jedermann die Schönheit und Stärke seiner Gestalt. Der Prinz bestieg es und winkte dem König, seinen Truppen das Zeichen zum Angriff zu geben. Die sprengten sogleich von allen Seiten heran, um ihn gefangenzunehmen oder zu erschlagen. Der

Prinz ließ sie bis auf zwei Schritte heran, drehte dann den Wirbel an der rechten Seite und erhob sich sofort in die Luft. Wegen des vielen Staubs bemerkten die Reiter und der König sein Verschwinden nicht gleich. Die Soldaten rannten hin und her, und niemand wußte, wohin der Prinz gekommen war. Voller Erbitterung blickte der König zum Himmel, und da sah er plötzlich den Prinzen in der Luft dahinschweben. Sprachlos vor Erstaunen hob er die Hände in die Höhe und zeigte das Wunder seinen Offizieren und Soldaten. Keiner wußte, was er dazu sagen sollte, und sie kehrten verwirrt und wie betäubt ins Schloß zurück.

Der König ging in die Gemächer der Prinzessin, die indessen unter heißen Tränen für die Rettung des Geliebten gebetet hatte und mit Schmerzen die Nachricht von dem Ausgang des Kampfes erwartete. Als ihr aber ihr Vater das Vorgefallene erzählte, da hüpfte ihr das Herz vor Freude, und sie wandte ihr Gesicht ab, um ihr Lächeln und Erröten zu verbergen. Sie hörte kaum, wie der König über den Prinzen schimpfte: „Allah verdamme diesen betrügerischen Zauberer!"

Der König glaubte nämlich, seine Tochter durch solche Reden über den vermeintlichen Schimpf trösten zu müssen und ahnte nicht, wie sehr sie den Prinzen liebte und daß die Tränen, die sie jetzt weinte, Tränen des Trennungsschmerzes und der Sehnsucht nach Wiedervereinigung waren. Nachdem er eine Weile so zu ihr gesprochen hatte, verließ er sie und kehrte in seinen Palast zurück. Die Prinzessin aber brach in lautes Weinen und Jammern aus und konnte weder essen, noch trinken, noch schlafen.

Der Prinz Kamr al Akmar (Mond der Monde) flog inzwischen weiter, bis er in das Land seines Vaters kam. Er ließ sich auf der Terrasse seines väterlichen Schlosses nieder und stieg vom Pferd. Als er die Treppe in das Schloß hinunterging, sah er zu seinem Schrecken Asche auf die Pfosten gestreut, so daß er glauben mußte, einer seiner Verwandten sei gestorben.

In den inneren Gemächern fand er seinen Vater, seine Mutter und seine Schwestern mit bleichen, schmerzentstellten Gesichtern. Sein Vater sah ihn zuerst. Er stieß einen lauten Schrei aus und fiel in Ohnmacht. Als er nach einer Weile in den Armen seines Sohnes wieder zu sich kam, drückte er ihn laut weinend an seine Brust. Die Königin und die Prinzessinnen, die bis jetzt, in Schmerz versunken, nichts gehört und gesehen hatten, erwachten durch die Freudenrufe des Königs aus ihrer Betäubung. Sie stürzten auf den Totgeglaubten zu, umarmten ihn, küßten ihn und fragten ihn unter Tränen, wie es ihm ergangen sei. Er erzählte ihnen sein ganzes Abenteuer vom Anfang bis zum Ende. Als er berichtet hatte, hob sein Vater die Augen zum Himmel empor und sagte: „Gelobt sei Allah, der Erhabene, für deine Rettung!"

Die Nachricht durcheilte schnell die Stadt und verbreitete überall Jubel und Freude. Man schlug Trommeln und Pauken und verwechselte die Trauerkleider mit lustigen Gewändern. Alle Leute drängten sich herbei, um den König zu beglückwünschen. Der ließ große Festlichkeiten veranstalten und ritt mit seinem Sohn durch die Stadt, damit alle Leute ihn sehen konnten.

Nachdem die öffentlichen Festlichkeiten zu Ende waren, gingen die Stadtbewohner wieder ihren Geschäften nach, der König aber führte seinen Sohn ins Schloß und feierte das glückliche Ereignis nun auch im Kreis seiner Familie. Als sie zusammen bei Tisch saßen, befahl der König einer sehr schönen Sklavin, etwas zu singen. Sie griff zur Laute, schlug die Saiten und sang folgende Verse:

> *Glaube nicht, daß ich deiner in der Ferne vergesse;*
> *denn was könnte ich noch denken, wenn ich dich vergäße?*
> *Die Zeit vergeht, aber meine Liebe zu dir ist ewig.*
> *Mit ihr werde ich sterben,*
> *und mit ihr werde ich wieder auferstehen!*

Nachdem sie diese Verse aufgesagt hatte, bemerkte Scheherazade den Tag. Sie schloß daher für heute ihre Erzählung und setzte sie in der folgenden Nacht fort:

Als der Prinz diese Verse hörte, wurde sein Herz von der Sehnsucht gepackt. Schmerz und Trauer überwältigten seine Seele. Und da er nicht hoffen durfte, die Einwilligung seines Vaters zur Abreise zu bekommen, bestieg er heimlich das Pferd aus Ebenholz und flog mit ihm zum Schloß der Prinzessin.

Er ließ sich wieder auf der Terrasse nieder und fand alles wie beim erstenmal. Auch diesmal schlief der Sklave. Der Prinz ging heimlich an ihm vorbei und blickte durch den Vorhang nach seiner Geliebten. Er sah sie wieder auf dem Throne liegen, aber nicht im Schlaf versunken, sondern laut weinend und jammernd.

Nach einer Weile wurden die Mädchen durch diese lauten Klagen aufgeweckt und sagten zu der Prinzessin: „O Gebieterin, warum grämst du dich um einen, der deinen Gram nicht teilt und dich vergißt? Behandle ihn doch ebenso und versuche, sein Bild aus deinem Gedächtnis zu verdrängen!"

Die Prinzessin aber wurde zornig über diese Worte und sagte: „O ihr unverständigen Mädchen! Ist es denn ein Mann, den man wieder vergessen kann, auch wenn man ihn nur ein einziges Mal gesehen hat?"

Da trat der Prinz in das Zimmer und ging zu dem Thron, in dem die Prinzessin mit wirren Haaren und zerrissenen Kleidern lag. Er weinte, als er ihre bleichen Wangen und den schmerzlichen Gesichtsausdruck sah. Sie war inzwischen eingeschlafen. Zitternd beugte er sich auf ihre herabhängende Hand und drückte seine Lippen darauf. Die Prinzessin erwachte sofort bei dieser Berührung, und als sie die Augen aufschlug, sah sie den Prinzen vor sich auf den Knien liegen. Sie traute ihren Augen nicht und glaubte an ein Traumgesicht, bis der Prinz mit flehender Stimme zu ihr sagte: „Warum weinst du und bist so traurig?"

Bei diesen Worten sprang sie auf, fiel ihm um den Hals und

sagte unter Küssen und Tränen: „Deinetwegen, weil ich von dir getrennt bin!"

Der Prinz tröstete sie und erzählte ihr seine Geschichte. Dann sagte er lächelnd: „Laß das Geschehene jetzt und denke an das im Augenblick Wichtigste: Ich bin sehr hungrig und durstig!" Sogleich ließ sie Speisen und Getränke auftragen und unterhielt sich mit ihm bis tief in die Nacht hinein. Als der Morgen anbrach, stand er auf, um Abschied von ihr zu nehmen. Schems ulnahar, so hieß sie, fragte ihn: „Wohin gehst du?"

„Zu meinem Vater", antwortete er, „doch ich verspreche dir, jede Woche einmal zu dir zu kommen."

Sie aber umschlang ihn und sagte: „Ich beschwöre dich bei dem erhabenen Allah, nimm mich mit dir, wohin du auch gehst, und laß mich nicht ein zweitesmal die Schmerzen der Trennung verspüren."

Der Prinz versuchte alles, um sie von ihrem Vorhaben abzubringen, sie aber antwortete immer wieder: „Nimm mich mit, ich kann nicht ohne dich leben und will auch nicht ohne dich sterben!"

Als er sah, daß er sie in ihrem Entschluß nicht wankend machen konnte, und da er selbst sich nur mit blutendem Herzen von ihr hätte trennen können, gab er ihren Bitten schließlich nach und sagte, sie solle sich zur Reise vorbereiten. Schems ulnahar zog sofort ihre kostbarsten, mit Gold und Juwelen besetzten Gewänder an. Dann gingen sie leise an den schlafenden Mädchen vorbei zur Tür hinaus und kamen, ohne den Sklaven zu wecken, auf die Terrasse, wo der Prinz sein Pferd stehen hatte. Er hob die Prinzessin in den Sattel, schwang sich hinter ihr hinauf und drehte den Wirbel, worauf das Pferd wie ein Pfeil durch die Lüfte flog. Die Prinzessin war wohl anfangs etwas erschrocken, da sie aber sah, daß das Pferd ruhig und ohne jede Erschütterung dahinflog, fand sie bald großes Vergnügen an dieser Art zu reisen, zumal ja ihr geliebter Prinz bei ihr war und sie nun nicht mehr befürchten mußten, belauscht und überfallen zu werden. Nach kurzer Zeit kamen die Liebenden über der Hauptstadt des Königs von Persien an. Der Prinz flog zuerst um die Stadt herum, um der

Prinzessin zu zeigen, welch ein mächtiger und reicher König sein Vater sei, dann ließ er das Pferd in einem herrlichen königlichen Garten außerhalb der Stadt langsam nieder, hob die Prinzessin herab und führte sie in ein reich verziertes Lusthaus.

Nachdem sie hier eine Weile ausgeruht hatten, stand er auf und sagte: „Bleibe du einstweilen hier. Ich will zu meinen Eltern gehen und sie von deiner Ankunft benachrichtigen, damit sie alles zu deinem Empfang richten können, denn du sollst als Tochter eines Königs und Braut eines Prinzen in das Schloß meines Vaters einziehen. Die Wesire und die ganze Armee sollen dir entgegeneilen, und Pracht und Glanz sollen jeden deiner Schritte begleiten!"

Hierauf küßte er sie zärtlich und eilte dann zu seinem Vater, der schon wieder begann, über sein langes Ausbleiben unruhig zu werden und deshalb erfreut war, seinen Sohn gesund und strahlend eintreten zu sehen. Als ihm aber dieser das ganze Abenteuer mit der Prinzessin erzählt hatte und hinzusetzte, daß seine Geliebte im Lusthaus wartete, da kannte er sich kaum mehr vor Freude. Er rief die Königin und die Prinzessinnen herbei, teilte ihnen das glückliche Ereignis mit und gab sogleich Befehl, alle Offiziere und Hofbeamten zusammenzurufen und große Festlichkeiten zu veranstalten. Die Nachricht von der wunderbaren Ankunft der königlichen Braut verbreitete sich schnell durch die ganze Stadt, und alle Leute strömten nach dem Garten, ihren Einzug zu sehen.

Der persische Weise, den der König bei der ersten Rückkehr des Prinzen wieder in Freiheit gesetzt hatte, hielt sich oft bei dem Gärtner auf und ging im Garten ein und aus. Nun saß er aber gerade an dem Tag, da der Prinz mit der Prinzessin ankam, unter einem Baum des Gartens und sann auf Rache, weil er die Prinzessin des persischen Königs nicht zur Frau bekommen hatte. Da sah er plötzlich den Prinzen auf seinem Pferd herabfliegen, ein wunderschönes Mädchen aus dem Sattel heben und mit ihr in das Lusthaus gehen.

Vorsichtig näherte sich der persische Weise dem offenen Fenster und versteckte sich dort in einem Gebüsch. So konnte er alles beobachten, ohne selbst gesehen zu werden. Den Prinzen hatte er zwar sogleich erkannt, nun aber sah er die entschleierte Prinzessin, und ihre Schönheit brachte ihn ganz außer sich. Er hörte die ganze Unterhaltung mit an. Und sobald der Prinz Schems ulnahar verlassen hatte, um in den Palast zu gehen, klopfte er an die Tür des Gemachs.

Als die Prinzessin fragte, wer da sei, antwortete er: „Dein Sklave und dein Diener! Dein Herr schickt mich zu dir und läßt dich bitten, mir zu folgen. Ich soll dich auf dem Pferd in ein Haus näher der Stadt bringen, weil meine Herrin, die Königin, nicht so weit gehen kann und sich doch so sehr darauf freut, dich zu sehen und zu begrüßen, daß sie sich von niemandem zuvorkommen lassen will."

Arglos öffnete die Prinzessin die Tür. Da sie aber seine häßliche Gestalt und seine abscheulichen Gesichtszüge sah, erschrak sie etwas und fragte: „Hat mein Herr keine feineren Diener als dich, um mich zu ihm zu bringen?"

Der Perser ergrimmte in seinem Herzen darüber, und mit einem giftigen Blick sagte er zu ihr: „Meines Herrn Sklaven sind alle einer schöner als der andere, aber aus Eifersucht wählte er mich aus, der ich zwar häßlich, aber ein treuer Diener seiner Herrn bin."

Das fand die Prinzessin wahrscheinlich und schämte sich fast, so lange gezaudert zu haben. Sie schwang sich schnell aufs Pferd und trieb den Perser zur Eile an. Der ließ sich nicht lange Zeit, hinter ihr aufzusitzen und drehte dann unverzüglich den Wirbel um, so daß sich das Pferd mit reißender Schnelligkeit in die Lüfte erhob. Die Prinzessin hatte kaum Atem, ihn zu fragen, was diese Frechheit bedeuten sollte. Der Weise aber umfaßte sie laut lachend mit den Armen und flog immer weiter in Richtung China.

Zur gleichen Zeit, da der Weise die Prinzessin entführte, brach beim Palast der Zug zu ihrem Empfang auf. Unter dem Schall von Trommeln, Pauken und Trompeten zog der Prinz mit dem König, seinem Vater, und allen Offizieren und Hofbeamten, an der Spitze herrlich gekleideter Truppen in den Garten ein. Der Prinz trat zuerst in das Lusthaus, um die Geliebte seinem

Vater vorzustellen. Aber starr und sprachlos vor Schrecken blieb er stehen, als er das Gemach leer fand und auch das hölzerne Pferd nicht mehr sah. Dann schrie er laut auf vor Schmerz, warf seinen Turban auf die Erde und schlug sich ins Gesicht und auf die Brust. Der König und seine Wesire stürzten voller Schrecken in das Gemach und fanden da nur den Prinzen, der keine ihrer Fragen beantwortete. Als der Prinz aber unter den Umstehenden auch den Gärtner bemerkte, packte er ihn an der Brust, schüttelte ihn und schrie ihn an: „Du Betrüger! Wo ist die Prinzessin? Was hast du mit ihr gemacht? Sage mir die Wahrheit oder ich schlage dir den Kopf vom Rumpf!"

Der Gärtner, der an allen Gliedern zitterte, sagte: „Mein Herr! Du sprichst von etwas, wovon ich nichts weiß! Ich weiß nicht, was du meinst und in welchem Verdacht du mich hast!"

Der König selbst suchte den Prinzen zu beruhigen, doch der schüttelte traurig das Haupt, denn er ahnte den Zusammenhang der ganzen Sache und fragte den Gärtner noch, wer heute in den Garten gekommen sei. Der antwortete: „Niemand außer dem persischen Weisen."

Der Prinz erwiderte kein Wort darauf, aber die Wut und die Scham, sich so überlistet zu sehen, sprengten ihm fast das Herz. Sein Vater blieb allein mit ihm in dem Gemach und versuchte, ihn zu trösten. Doch es war alles vergeblich. Der Prinz hörte nicht darauf und sagte endlich zu ihm: „Mein Vater! Gehe du mit den Truppen in die Stadt zurück, ich weiche nicht von hier, bis ich einen Entschluß gefaßt habe!"

Sein Vater schlug sich weinend auf die Brust und sprach: „Mein Sohn, folge dem Trieb deines guten Herzens und verlaß deinen Vater nicht. Komm mit uns und wähle dir eine Prinzessin von all den vielen anderen Prinzessinen zur Gattin!"

Der Prinz aber antwortete nicht darauf, sondern nahm Abschied von seinem Vater und ließ ihn allein und betrübt in die Stadt zurückkehren.

Scheherazade bemerkte hier den Anbruch des Tages und brach ihre Erzählung ab, um den Sultan von Indien an seine Geschäfte gehen zu lassen. In der nächsten Nacht fuhr sie fort:

Der persische Weise lenkte inzwischen das Zauberpferd in China zur Erde und stieg mit der Prinzessin unter einem Baum an einer silberhellen Quelle ab. Hier ließ er sie auf dem Rasen sitzen und entfernte sich mit dem Pferd, um Früchte und Nahrungsmittel zu holen. Die Prinzessin dachte wohl daran, die Flucht zu ergreifen, doch sie wußte nicht, wo sie sich befand und wohin sie sich wenden sollte, um zu den Menschen zu kommen. Außerdem bedachte sie, daß der schändliche Alte sie sehr leicht aus der Luft entdecken und dann vielleicht mißhandeln könnte. Da sie auch so müde und hungrig war, daß sie kaum einen Schritt gehen konnte, beschloß sie, auf Allah zu vertrauen und die Rückkehr ihres Entführers abzuwarten.

Der kam nach kurzer Zeit mit Lebensmitteln zurück und lud sie mit schmeichelnden Blicken ein, mit ihm zu essen. Nach der Mahlzeit sagte die Prinzessin zu ihm: „O Diener, gedenke deiner Pflichten und bringe mich zurück zu deinem Herrn und seinen Eltern. Ich verspreche dir nicht allein Straflosigkeit, sondern werde dich auch mit Geschenken überhäufen!"

Der Weise aber lachte sie aus und sagte: „Jetzt bin ich dein Herr und du meine Sklavin. Dieses Pferd gehört mir. Ich habe es gebaut und bin dadurch reicher als alle Könige der Welt. Glaube nur nicht, daß du den Prinzen je wiedersehen wirst! Mir gehörst du, schöne Prinzessin, aber ich liebe dich auch mehr als er und werde jeden deiner Wünsche erfüllen. Doch weigere dich nicht, meine Liebe zu erwidern, sonst werde ich dich peitschen und bei Wasser und Brot einsperren, bis du elendig umkommst!"

Der Perser, der etwas zuviel Wein getrunken hatte, wollte sie nun umarmen und küssen, sie aber wehrte sich so heftig, daß er hinfiel. Wütend darüber erhob sich der Alte und stürzte von neuem auf sie los. Doch es traf sich, daß der König von China gerade in jener Gegend jagte. Angelockt von den Hilferufen

der Prinzessin eilte er herbei. Als er das wunderschöne, zorn-
glühende Mädchen mit dem häßlichen Alten ringen sah,
sprang er schnell vom Pferd, riß den Perser zurück und fragte
ihn, was er da für ein Mädchen habe und weshalb er es mißhandele.

Der Weise, der den König an seinem Turban erkannte, warf
sich auf die Knie nieder und sagte: „Mächtiger Herr und
König! Dieses undankbare Geschöpf hier, das ich aus dem
Staub zu mir emporgehoben und zu meiner Gattin genommen
habe, ist mir entlaufen, um einen elenden Landstreicher aufzusuchen. Nachdem ich sie nun eingeholt, ihr mit milden
Worten ihr Vergehen vorgeworfen und Verzeihung zugesagt
habe, fiel sie in ihrer Wut über mich her, so daß ich genötigt
war, sie zu züchtigen. Ich bitte dich nun, großer und gerechter
König, laß diese Hündin von deinen Dienern fesseln, damit ich
sie nach Hause bringen und dort bestrafen kann, wie sie es
verdient."

Die Prinzessin, die halb ohnmächtig auf den Rasen gesunken
war, sprang bei diesen schamlosen Lügen des Alten mit fun-
kelnden Augen auf, warf sich dann dem König zu Füßen, küßte
den Saum seines Kleides und sagte: „O Herr, wer du auch sein
magst, den mir der erhabene Allah zur Rettung geschickt hat,
sehe mitleidig herab auf eine unglückliche Prinzessin und
glaube diesem Elenden nicht. Er lügt, o Herr! Er ist ein listiger
Zauberer, der mich aus Rache aus den Armen meines Bräutigams entführt hat, weil er ihm seine Schwester nicht zur Frau
geben wollte."

Entzückt von ihrer Schönheit hob der König von China sie auf
und sagte: „Man braucht euch beide nur anzusehen, um zu
entscheiden, wer Recht und wer Unrecht hat. Gebt diesem
schändlichen Alten sogleich die Bastonade und führt ihn einstweilen gefesselt ins Gefängnis!"

Die Diener des Königs vollstreckten diesen Befehl vor den
Augen der Prinzessin. Dann ließ der König sie auf ein Pferd
setzen und kehrte an ihrer Seite in die Stadt zurück. Unterwegs fragte er sie, was das für ein Pferd sei, das der Alte bei
sich gehabt hatte und das nun ein Diener hinter ihnen her-

führte. Die Prinzessin war vorsichtig genug, das Geheimnis nicht zu verraten, und sagte nur: „O Herr! Auf diesem Pferd ritt er vor den Leuten und führte ihnen darauf einige Kunststücke vor."

Als sie im Schloß ankamen, befahl der König seinen Dienern, das Pferd in die Schatzkammer zu führen. Er war glücklich über die Schönheit der Prinzessin, die er sofort in eines seiner Zimmer hatte bringen lassen, und sagte lächelnd zu seinem Wesir: „Wir sind ausgezogen, um wilde Tiere zu jagen und haben dafür eine menschliche Gazelle gefangen."

Sein Herz war voll von ihren Reizen, und so heiß war seine Liebe, daß er noch am selben Abend zu ihr ging, um ihr seine Hand anzubieten. Die Prinzessin, die nicht daran gezweifelt hatte, daß der König sie, die Tochter eines so mächtigen Königs, sicher würde in ihre Heimat oder nach Persien geleiten lassen, war darüber so bestürzt, daß sie in Ohnmacht fiel und, als man sie wieder ins Leben zurückgerufen hatte, einen Anfall von Wahnsinn bekam. Sie stampfte mit den Füßen, zerriß mit wildem Schreien ihre Kleider und versuchte, sich den Kopf an der Wand zu zerschmettern. Die Frauen, die ihr der Sultan zur Bedienung beigegeben hatte, nahmen sie an Armen und Füßen, während der Sultan selbst, höchst betrübt über diesen Krankheitsfall, ihr Gemach verließ und alle Ärzte und Astrologen seines Reiches zusammenrufen ließ und dem eine große Belohnung versprach, der die Prinzessin heile.

Die Prinzessin jedoch kam in der Nacht wieder zu sich. Als sie aber alles bedachte, sah sie ein, daß sie dem Werben des Königs nur dann entgehen konnte, wenn sie sich weiter verrückt stellte. Auf diese Weise hoffte sie, dem Prinzen treu zu bleiben und eine Gelegenheit zur Flucht zu finden. Sie war auch so schlau, daß niemand ihre Verstellung bemerkte. Und da sie sich, so oft der König zu ihr kam, immer wütender stellte, unterließ der seine Besuche bald ganz und begnügte sich damit, für alle ihre Bedürfnisse zu sorgen und alle Weisen und Ärzte aufsuchen zu lassen. Jeden Tag ließ er sich über ihr Befinden berichten, und jedesmal wurde ihm gemeldet, das Übel sei nicht besser geworden.

Während das der Prinzessin geschah, wanderte der Prinz, ihr Geliebter, kummervoll von einem Land zum andern und durchstreifte alle Städte und Dörfer. Er besuchte alle Quartiere und Basare und unterhielt sich mit allen Kaufleuten und Reisenden, um irgendeine Nachricht von der Prinzessin zu erhalten. Aber niemals hörte er etwas von ihr, und schon dachte er, er hätte eine falsche Richtung eingeschlagen, da führte ihn der Zufall nach China. Ohne zu wissen, in welchem Land er sich befand, kam er in die Hauptstadt und hörte hier schon am ersten Abend seiner Ankunft mehrere Leute von dem König und von einem Mädchen sprechen, das man ebenso sehr bedauerte wegen seines Unglücks, wie man es bewunderte wegen seiner Schönheit. Höflich näherte er sich den Leuten und bat sie, ihm Näheres darüber zu erzählen.

„Du mußt wissen", sagte einer von ihnen, „daß unser König vor einiger Zeit auf der Jagd Hilferufe hörte. Als er hinkam, sah er ein schönes Mädchen mit einem alten Mann ringen, und neben ihnen stand ein merkwürdiges Pferd, das sehr kunstreich aus schwarzem Holz gearbeitet war. Der König ließ den Alten prügeln und ins Gefängnis werfen. Das hölzerne Pferd kam in seine Schatzkammer. Das Mädchen aber nahm er zu sich aufs Schloß und war so bezaubert von ihren Reizen, daß er sie noch am selben Abend heiraten wollte. Schon war alles bereit, da wurde das Mädchen plötzlich verrückt und raste, daß vier Sklavinnen sie nicht halten konnten. Seit der Zeit befragt der König viele, viele Ärzte und Astrologen, aber es hat sich noch keiner gefunden, der ihr hätte helfen können."

Der Prinz hörte diese Erzählung mit wechselnden Gefühlen an. Als er aber das Ende vernahm und die Gewißheit hatte, daß die Prinzessin nicht mit dem König verheiratet war, rief er vor Freude laut aus: „Allah sei gelobt und gepriesen! Es bringt dir jemand Neuigkeiten, die du nicht erwartet hast!"

Die Leute wichen vor ihm zurück und sagten: „Der hat auch den Verstand verloren und wird noch sein Leben dazu verlieren, wenn der König erfährt, daß er sich über den Wahnsinn des schönen Mädchens freut."

Der Prinz aber hörte nicht mehr auf sie, sondern sprang in das

Gemach, das er gemietet hatte, verkleidete sich als Astrolog, setzte einen großen Turban auf, färbte seine Augenbrauen und kämmte seinen Bart. Dann nahm er eine Schachtel mit zwei Händen voll Sand und zwei Bücher unter den Arm, von denen das eine alt und zerrissen, das andere aber fein säuberlich eingebunden war. In die eine Hand nahm er einen Stock, in die andere einen Rosenkranz und ging, wie es die Astrologen tun, die Perlen des Rosenkranzes zählend, langsam einher.

So kam er an das Tor des Palastes, wo er zu dem Pförtner sagte: „Ich möchte, daß du dem König sagst: ‚Ein weiser Sterndeuter ist aus Persien gekommen, hat die Geschichte deiner Sklavin gehört und will sie heilen‘.“

Auf diese Nachricht eilte der Wesir schnell an das Tor und führte den Prinzen zum König, der ihm mit viel Achtung begegnete und ihm eine große Belohnung versprach, wenn er das Mädchen wirklich heilen könne. Nach einer Weile sagte der König zu ihm: „O Weiser, wenn die Zeit günstig dazu ist, so gehe jetzt zu dem wahnsinnigen Mädchen, um deine Kur zu beginnen.“

„Es sei so“, antwortete der Prinz, nachdem er etwas in dem alten Buch aufgeschlagen und gelesen hatte, „führe mich zu ihr, damit ich die Ursache ihrer Krankheit erforsche und sehe, zu welcher Klasse von Geistern der gehört, der in ihr haust.“

Der König befahl sofort dem Hauptmann der Verschnittenen, den verkleideten Prinzen in die Gemächer der Prinzessin zu führen. Als der Prinz vor die Tür ihres Zimmers kam, hörte er, wie sie unter vielen Tränen Verse aufsagte, in denen sie ihr unglückliches Los beklagte, das sie von dem Gegenstand ihrer Liebe getrennt habe. Seine Augen wurden feucht. Er winkte dem Hauptmann der Verschnittenen, umzukehren, und trat schnell in das Zimmer. Zitternd beugte er sich über die Prinzessin, die mit geschlossenen Augen und glühenden Wangen dalag, und sah mit Rührung und Schmerz, wie der Kummer um ihn ihre Züge entstellt hatte. Dann küßte er sie auf die Stirn und sagte: „Allah möge dich aus diesem Zustand retten, Schems ulnahar! Mit der Hilfe des Allmächtigen ist die Erlösung da! Ich bin Kamr al Akmar!“

Sie schlug die Augen auf, ohne zu wissen, ob sie wache oder träume, schlang dann ihre Arme um seinen Nacken und küßte ihn unter Lachen und Weinen.

Nachdem sie sich beide von der ersten Überraschung erholt hatten, fragte sie den Prinzen, wie er ihren Aufenhaltsort erfahren und zu ihr habe kommen können.

Er aber antwortete: „Zähme deine Neugierde. Es ist jetzt keine Zeit zu langen Gesprächen, denn der Hauptmann der Verschnittenen steht im Vorgemach, und noch weiß ich nicht, wie ich dich befreien soll. Doch ich will sehen, ob es nicht mit einer List geht. Ist das nicht möglich, so eile ich zu meinem Vater zurück und werde dann an der Spitze aller Truppen nach China kommen, um dich zurückzuverlangen. Will er es auf einen Krieg ankommen lassen, so ist es gut, und Allah wird den Gerechten nicht verlassen. Sage mir jetzt nur, wie es dir ergangen ist und wo das hölzerne Pferd mit dem persischen Weisen hingekommen ist, damit ich meine Maßnahmen danach einrichten kann."

Die Prinzessin erzählte ihm nun alles, und er lobte sie wegen ihres Scharfsinns. Dann verließ er sie, nachdem er ihr Mut zugesprochen und alles mit ihr verabredet hatte. Er ging zum König zurück und sagte: „Herr, wenn du mit mir zu dem Mädchen kommen willst, werde ich dir ein Wunder zeigen."

Der König erhob sich sofort von seinem Thron und ging voller Erwartung mit Kamr al Akmar zu der Prinzessin. Die fing sogleich an zu schreien und zu schäumen wie gewöhnlich, wenn sie den König sah.

Der König, der sich schnell an die Tür zurückzog, sagte darauf zornig zu dem Prinzen: „Lügnerischer Sterndeuter! Ist das das Wunder, das du mir zeigen wolltest? Ich werde dir den Kopf abschlagen lassen, du Landstreicher!"

Der Prinz aber gab ihm ein Zeichen, zu schweigen, ging dreimal im Kreis um die Prinzessin herum, murmelte seine Beschwörungen vor sich hin und schäumte und gebärdete sich schlimmer als die Prinzessin, die ihrerseits fortfuhr zu toben und nun auch nach ihm schlug. Als er aber auf sie zuging, ihr ins Gesicht blies und seine Hände auf ihre legte, da wurde sie nach und nach ruhig. Schließlich biß der Prinz sie ins Ohr und flüsterte ihr dabei zu: „Stehe jetzt mit königlicher Würde auf, gehe zum König, küsse ihm die Hand und zeige dich so reizend und gefällig wie möglich!"

Als Scheherazade diese Worte sprach, bemerkte sie den Anbruch des Morgens und beschloß ihre Erzählung. In der folgenden Nacht fuhr sie fort:

DIE ZWEIHUNDERTFÜNFUNDFÜNFZIGSTE NACHT

Nachdem der verkleidete Prinz der Prinzessin diese Worte ins Ohr geflüstert hatte, sank sie wie ohnmächtig nieder, stand nach einer Weile auf wie eine vom Schlaf Erwachte, näherte sich mit täuschend nachgeahmter Überraschung dem König, küßte ihm voller Ehrerbietung die Hand und sagte: „Willkommen, mein Herr und König! Ich bin erstaunt und erfreut, daß du deine Sklavin endlich eines Besuches würdigst und ihr Gelegenheit gibst, ihre Dankbarkeit für dein edles Benehmen auszudrücken."

Außer sich vor Freude flog ihr der König entgegen. Ihr Verhalten ließ ihn hoffen, bald am Ziel seiner Wünsche zu sein. Strahlenden Gesichts sagte er zu dem Prinzen: „O Astrologe! Du bist der Gelehrteste deiner Zeit, und ich bin kaum reich genug, dich nach deinem Verdienst zu belohnen. Wünsche dir aber etwas. Deine Bitte ist im voraus gewährt!"

Der Prinz aber erwiderte mit bescheidener Würde: „Herr, es ist noch nicht so weit. Ich fürchte, daß die Krankheit des Mädchens nur für den Augenblick behoben ist und nach kurzer Zeit wieder ausbrechen wird. Deshalb muß man die Kur fortsetzen, bis der böse Geist sie ganz verlassen hat."

„Tu', was sein muß", antwortete der König, „und wehe dem, der deine Anordnungen nicht befolgt!"

„Ich wünsche", fuhr nun der Prinz fort, „daß die Prinzessin

von zehn Sklavinnen ins Bad getragen wird. Dabei darf sie aber nicht mit der Zehenspitze den Boden berühren. Dann laß ihr die kostbarsten Perlen und Edelsteine umhängen, damit ihr Herz seinen Kummer vergißt und ihr Gemüt sich erfreut. Ist das geschehen, so laß sie auf einem Elefanten aus der Stadt bringen, und zwar dorthin, wo du sie gefunden hast, denn dort ist der böse Geist in sie gefahren."

Voller Verwunderung darüber, daß der Prinz über alles so gut unterrichtet war, sagte der König: „O Weiser und Gelehrter, du weißt alles auf Erden! Einen Mann wie dich habe ich noch nie gesehen. Sobald die Prinzessin völlig geheilt ist, werde ich dich so ehren und so belohnen, wie du es verdienst. Jede deiner Anordnungen ist mir Befehl und soll befolgt werden."

Sogleich ließ er die Prinzessin so ins Bad tragen, wie der Prinz es befohlen hatte und ließ sie dort mit Rosenwasser und anderen köstlichen Düften waschen. Dann wählte er selber den reichsten Schmuck aus, den er in seiner Schatzkammer finden konnte und schickte ihn der Prinzessin ins Bad. Als diese wieder aus dem Bad getragen wurde, sprengte ihr Anblick dem König fast die Brust vor lauter Entzücken. Und des Prinzen Herz brach bei diesem Anblick beinahe vor dem Gedanken, daß der Schöpfer all diese Schönheit nur für ihn geschaffen hatte. Er dankte ihm in seinem Herzen und flehte ihn an, ihn bei seinem Vorhaben nicht zu verlassen.

Die Prinzessin wurde die Treppen hinabgetragen und auf einen Elefanten gesetzt, der mit golddurchwirkten Teppichen bedeckt war. Dann setzte sich der Zug, angeführt von dem König und dem Prinzen, in Bewegung und erreichte bald die Stelle, wo die Prinzessin mit dem Alten gerungen hatte. Hier wurden die Truppen aufgestellt, die Prinzessin wurde herabgehoben und in einen Kreis getragen, den der Prinz unter vielen Beschwörungen und Zauberformeln mit seinem Stab im Sand gezogen hatte. Nun ging der Prinz im Kreis herum, streute eine Handvoll Sand nach Osten und Westen und eine nach Norden und Süden, blickte wie horchend bald zum Himmel und bald zur Erde, und befahl hierauf, rings um den Kreis herum goldene Räucherpfannen aufzustellen.

Als alles Räucherwerk bereit war, trat er zu dem König, der schweigend den Vorbereitungen zugesehen hatte, und redete ihn an: „Herr, meine Geister haben mir gesagt, daß der Teufel, der in dieses Mädchen gefahren ist, seinen eigentlichen Sitz im Leib des Tieres aus schwarzem Ebenholz hat. Wird nun dieses Tier nicht gefunden, damit ich den Zauber brechen und den Teufel austreiben kann, so wird das Mädchen jeden Monat von ihm befallen und geplagt werden."

Bei diesen Worten des Prinzen war der König zunächst sprachlos vor Staunen. Dann sagte er: „Du bist ein Meister aller Weisen und Philosophen! Du hast recht, denn ich sah mit eigenen Augen, wie neben dem Mädchen und dem Bösewicht ein Pferd von schwarzem Ebenholz stand. Bestimmt war das das Tier, von dem dir deine Geister erzählt haben."

„Es ist, wie du sagst", entgegnete der Prinz, „laß es eiligst herbeiholen. Aber laß darauf achten, daß es nicht beschädigt wird, sonst ist alle Mühe vergebens."

Der König gab sofort die entsprechenden Befehle, und nach kurzer Zeit wurde das Pferd herbeigeführt. Als der Prinz alles nach seinen Wünschen fand, führte er das Pferd in den Kreis, setzte die Prinzessin darauf und befahl, alles Räucherwerk anzuzünden. Sobald die Flammen aufloderten, zog er eine Handvoll zerschnittenes und bemaltes Papier aus seinem Turban und sagte: „Wenn ich hinter dem Mädchen auf dem Pferd sitze, werft dieses Papier in die Flammen! Das Pferd wird diesen Geruch voller Genuß einatmen. Dann wird dem Teufel in seinem Leib so bang werden, daß er ausfahren wird, sobald ich an diesem Wirbel hier drehe. Tut alles genau, wie ich es gesagt habe, und blickt immer auf die Räucherpfannen, damit kein Stück Papier auf die Erde fällt. Dann wird durch die Macht Allahs der Zauber bestimmt gelingen."

Der König selber kümmerte sich darum, das alles so geschah, wie es der Prinz gesagt hatte. Er drohte jedem mit dem Tod, der sich eines Versehens schuldig machen könnte. Der Rauch stieg bald so dick zum Himmel, daß man den Prinzen nicht mehr sehen konnte. Das war der Augenblick, auf den der Prinz gewartet hatte. Sogleich drehte er den Wirbel, und das Pferd erhob sich mit ihm und der Prinzessin wie ein Vogel. Dabei rief er mit lauter Stimme: „König von China! Wenn du noch einmal ein Mädchen aus königlichem Geblüt finden solltest, so halte das Gastrecht besser in Ehren und versuche nicht, sie ohne ihre und ihrer Verwandten Einwilligung zu heiraten!"

Bei diesen Worten blickte der König von China in die Höhe, und er und alle Umstehenden sahen den Prinzen und die Prinzessin, einander zärtlich küssend, himmelwärts den Wolken zuschweben.

Im ersten Augenblick waren alle so verblüfft über dieses Bild, daß niemand daran dachte, ihnen einen Pfeil nachzuschicken. Als der König endlich aus seiner Erstarrung erwachte und den Befehl dazu gab, war es schon zu spät und der Prinz den Blikken beinahe gänzlich entschwunden. Alle Zuschauer wurden von Verwirrung und Angst gepackt und riefen aus: „O Herr und König, was sollen wir tun? Ist das ein Teufel oder ein böser Geist?"

Der König aber schrie nur laut auf und fiel in Ohnmacht. Als er wieder zu sich kam, konnte er das Ganze immer noch nicht begreifen, und sein Staunen über das Wunder war ebenso groß wie sein Zorn über den Verlust der Prinzessin, die er noch an diesem Tage hatte heiraten wollen.

Nachdem er sich wieder etwas gefaßt hatte, sagte er: „Es gibt keine Macht und keinen Schutz außer bei Allah, dem Erhabenen! Hat jemals einer einen Menschen fliegen sehen? Bei Allah, das ist sehr wunderbar!"

Dann kehrte er verwirrt, zornig und voller Scham in die Stadt und in seinen Palast zurück. Erbittert wie er war, wollte er seinem Grimm auf irgendeine Weise Luft machen. Da fiel ihm der Alte ein, den er noch gefangenhielt, und er gab Befehl, ihn herbeizuführen.

Als der Perser vor ihm stand, schrie ihn der König an: „Elender Betrüger! Warum hast du mir nichts von der wunderbaren Eigenschaft des hölzernen Pferdes gesagt? Jetzt ist es einem nichtswürdigen Landstreicher gelungen, mir das Mädchen zu entführen. Dabei hat das Mädchen noch einen ganzen Schatz an seinem Körper hängen!"

Die zweihundertfünfundfünfzigste Nacht

An dieser Stelle bemerkte Scheherazade den Anbruch des Tages. Sie wartete mit dem Schluß ihrer Erzählung bis zur folgenden Nacht. Dann sprach sie:

DIE ZWEIHUNDERTSECHSUNDFÜNFZIGSTE NACHT

Als der Weise diese Worte hörte, gebärdete er sich wie ein Wahnsinniger, schrie und weinte laut und zerriß sich die Kleider. Der König, noch mehr erzürnt durch dieses unehrbietige Verhalten, befahl, ihn zu prügeln und den Scharfrichter zu holen.

Da stürzte sich der persische Weise dem König zu Füßen und sagte: „O Herr und König, habe Gnade und Erbarmen mit einem unglücklichen, betrogenen Mann! Ich habe dieses kunstreiche Pferd gebaut und es meinem Herrn, dem König von Persien, gebracht. Er hat mir dafür die Hand seiner jüngsten Tochter versprochen. Sein Sohn aber, der ohne Zweifel der Astrologe ist, brachte mich nicht nur um den Lohn meiner jahrelangen Anstrengungen, sondern raubte mir jetzt auch noch mein Pferd."

Der König fragte, wie denn der Prinz aussehe, und der Alte beschrieb ihn so, daß der König nicht mehr daran zweifelte, wer der Astrologe gewesen war. Darauf ließ sich der König die ganze Geschichte noch einmal erzählen und ärgerte sich so sehr darüber, daß er dem Alten anschließend ohne weiteres den Kopf abschlagen ließ und sich dann verdrießlich in seinen Harem zurückzog. Sein ganzes Leben lang vergaß er die Geschichte nicht mehr, und die kränkte ihn um so tiefer, als er sich dem König von Persien gegenüber zu schwach fühlte, um Krieg gegen ihn zu führen. Ja, er durfte sogar von Glück sagen, daß Kamr al Akmar sich mit dem Besitz der geliebten Prinzessin begnügte und nicht an Krieg und Rache dachte.

Der Prinz und die Prinzessin kamen glücklich in der Hauptstadt Persiens an. Diesmal aber ließen sie sich im Schloß des König selbst nieder und nicht in irgendeinem außerhalb der Stadt gelegenen Garten wie das erstemal. Denn das Sprichwort sagt: ‚Durch häufiges Fallen lernt man Gehen', und wäre der Prinz von vornherein vorsichtig gewesen, so wäre ihm vieles nicht zugestoßen.

Seine Eltern, die verzweifelt auf ihn gewartet hatten, freuten sich über seine Ankunft wahrhaft königlich. Die glückliche Nachricht von seiner Wiederkehr durchflog schnell die ganze Stadt, und alle, die sie hörten, lobten Allah und dankten dem Allmächtigen.

Sogleich wurden die Hochzeitsfeierlichkeiten vorbereitet, und das ganze Volk, die Wesire und die Truppen versammelten sich, um dem König Glück zu wünschen. Auch dem anderen König, dem Vater der Prinzessin, schickte man Boten mit Briefen, um ihm die Rückkehr seiner Tochter mit dem Prinzen zu melden und ihn um seine Einwilligung zur Heirat zu bitten. Er erteilte sie sofort, versicherte dabei seine Freundschaft und schickte die herrlichsten Geschenke. Sieben Tage und sieben Nächte dauerten die Hochzeitsfeierlichkeiten, und viel Geld wurde unter die Armen verteilt. Das Zauberpferd, die Ursache so vieler Leiden und Freuden, kam in die Schatzkammer und wurde dort zur ewigen Erinnerung aufgehoben. Keine Wolke trübte mehr den Himmel des Glücks, und das ganze Leben des Prinzen und der Prinzessin war eine einzige Seligkeit, bis der Zerstörer aller Freuden, der Tod, sie überfiel."

Der Sultan war begeistert von dieser Geschichte Scheherazades und äußerte seine Zufriedenheit darüber.

Sie aber sagte: „O Herr, wenn du mir erlaubst, die Geschichte Sindbad, des Seefahrers zu erzählen, so würdest du dich noch viel mehr wundern über die wunderschönen Begebenheiten im Leben mancher Menschen."

Der Sultan gab ihr gern die Erlaubnis, diese Geschichte zu erzählen, und Scheherazade begann:

Unter der Regierung des Kalifen Harun Arraschid lebten in Bagdad zwei Männer. Der eine hieß Sindbad der Seemann, der andere Sindbad der Lastträger. Sindbad der Lastträger war ein sehr armer Mann, der eine große Familie und einen kleinen Verdienst hatte. Sindbad der Seemann dagegen war ein sehr angesehener und weiser Kaufmann, der einen einträglichen See- und Landhandel betrieb und schließlich nicht mehr wußte, wo er das viele verdiente Gold und Silber und die vielen Waren aufbewahren sollte.

In Bagdad selbst besaß er einen Palast, der einem Sultan zur Wohnung hätte dienen können. Die Wände waren mit herrlichen Malereien bedeckt und glänzten von Gold und Edelsteinen. Alle Zimmer, sogar die mit weißem Marmor bedeckten Gänge, wurden täglich mit Rosenwasser besprengt. Ununterbrochen brannte köstliches Räucherwerk auf goldenen Schalen und erfüllte das ganze Haus mit herrlichem Wohlgeruch. Viele Sklavinnen aller Nationen und Farben und eine Menge junger und alter Sklaven harrten der Befehle ihres Herrn, und es verging kein Tag, an dem nicht ein Fest gefeiert wurde. Die angesehensten Leute der Stadt waren Sindbads Freunde, das Volk liebte ihn als Wohltäter, und er genoß alle Freuden eines Sultans, ohne dessen Gefahren und Mühen teilen zu müssen.

Während er nun alles besaß, war der andere Sindbad ein armer Teufel, der Lasten trug wie ein Lasttier und sich noch glücklich schätzen mußte, wenn er jeden Tag jemanden fand, der seine Dienste benötigte, denn sonst mußte seine Familie hungrig schlafen gehen — und das kam oft genug vor.

Eines Tages stand nun dieser geplagte Mann am Hafen, wo die Lasten aus- und eingeladen wurden. Er wartete auf einen kleinen Verdienst, denn er war sehr hungrig. Da kam ein Mann auf ihn zu und fragte: „Willst du eine Last für mich tragen?"

Sindbad war dazu bereit, und nachdem der Fremde ihm gesagt hatte, wohin er die Last zu tragen habe und ihm den geringen Lohn gegeben hatte, ging er los. Sindbad folgte, triefend von der Last und von der Hitze, den angegebenen Weg. Der führte ihn an dem Haus Sindbad des Seefahrers vorüber, und da der Träger sehr ermüdet war, legte er seine Last für eine Weile auf das sauber gekehrte und besprengte Marmorpflaster und setzte sich nieder, um ein wenig zu ruhen.

Wie er nun so dasaß und sich den Schweiß von der Stirn abtrocknete, roch er die süßen Aloe- und Ambradüfte, die aus den Fenstern des Hauses kamen. Außerdem hörte er von innen fröhliche Vogelstimmen und den Gesang von Mädchen. Durch die Säulenhalle hindurch spähte er in das Haus hinein und erblickte viele Diener und Sklaven, die hin und her eilten und auf goldenen Schüsseln die feinsten Speisen vorübertrugen. Süßer und verlockender noch als der Duft des Räucherwerks und des Rosenwassers aber stieg ihm der Duft dieser Speisen in die Nase. Er sog ihn in langen Zügen ein, schloß dabei die Augen und überließ sich den Vorstellungen seiner Fantasie.

Nach kurzem aber riß ihn sein leerer Magen aus diesen Träumen und erinnerte ihn daran, daß er noch viel Hitze und viele Anstrengungen zu ertragen hatte, bis er seinen Hunger mit einem trockenen Stück Brot würde stillen können. Traurig blickte er zum Himmel empor und sagte: — — —

In diesem Augenblick sah Scheherazade, daß es Tag wurde. Deshalb unterbrach sie ihre Erzählung und fuhr in der folgenden Nacht fort:

O Schöpfer", sagte der Lastträger Sindbad, „es ist niemand unter den Sterblichen, der etwas gegen das sagen könnte, was du beschließt. Du verteilst Armut und Reichtum, Glück und Unglück wie es dir gefällt. Du hast diese Diener und den Herrn dieses Hauses glücklich gemacht. Sie leben Tag und Nacht in Lust und Freuden, während ich vor Anstrengung fast umkomme. Sie haben Ruhe ohne Arbeit und ich Arbeit ohne Ruhe. Doch ich will zufrieden sein, erhabener Allah, denn was du tust, ist wohl getan. Du vergißt keines deiner Geschöpfe!" Nachdem der Lastträger das vor sich hin gesprochen hatte, weinte er und sprach die Verse:

> *Wieviel Qual ohne Ruhe, während andere den Schatten*
> *des Glücks genießen! Ich habe täglich Sorgen, und meine*
> *Last ist zu schwer. Andere sind selig ohne Leid, und*
> *nie gibt ihnen das Schicksal, wie mir, eine Last zu tragen.*
> *Sie sind immer fröhlich, haben Reichtum, Ansehen,*
> *Essen und Trinken. Und doch entstehen alle Geschöpfe*
> *aus einem Tropfen, und doch gleichen die anderen mir,*
> *und ich bin wie sie. Aber unser Leben und Schicksal ist*
> *sehr verschieden, ihre Bürde gleicht nicht der meinen.*
> *Ich lüge nicht. Meine Worte gehen zu dir, o gerechter*
> *Richter! Dein Spruch ist Gerechtigkeit!*

Kaum hatte Sindbad der Lastträger diese Verse gesprochen, da sah er einen hübschen und reich gekleideten Jungen aus der Tür heraus und auf sich zukommen. Sindbad wollte schnell seine Last aufladen und seines Weges gehen, da war der Junge schon bei ihm, ergriff ihn an der Hand und sagte: „Mein Gebieter, der Eigentümer dieses Hauses, schickt mich zu dir. Er will dich sprechen."

Der Lastträger versuchte zunächst, sich damit zu entschuldigen, er könne doch seine Fracht nicht auf der Straße liegen lassen und hätte nicht die Zeit wie ein reicher Mann. Doch der Diener versicherte ihm, er werde es nicht bereuen und brauche keine Furcht zu haben. So kam es, daß Sindbad zuletzt doch seine Last beim Pförtner in der Vorhalle ablegte und dem Jungen folgte.

Jetzt erst konnte er die Pracht und die Schönheit dieses Hauses richtig sehen, denn der Diener führte ihn durch viele Gänge und Zimmer, bis sie in einen großen Saal kamen, der noch herrlicher ausgeschmückt war als alle anderen Gemächer. In diesem Saal saß eine ehrwürdige Versammlung in weitem Kreis um den Hausherrn herum. Dieser hatte einen Ehrenplatz auf einer Erhöhung, hatte einen großen weißen Bart und sah recht ehrwürdig, ansehnlich und wohlgestaltet aus. Viele Diener und Sklaven aller Art standen hinter ihm und warteten auf seine Befehle.

Der Diener führte den staunenden Lastträger, der sich wie im Paradies vorkam, mitten in diese Versammlung. Er grüßte sie, küßte die Erde vor den Gästen und blieb dann abwartend stehen. Alle erwiderten seinen Gruß und hießen ihn willkommen. Der Hausherr aber lud ihn ein, sich neben ihm niederzulassen und befahl, ihm eine Mahlzeit vorzusetzen. Die Diener brachten einen Tisch mit erlesenen Speisen, und der Lastträger aß mit dem größten Appetit, aber ohne gegen den Anstand zu verstoßen oder verlegen zu sein.

Als er gegessen hatte, fragte ihn der Hausherr, wie er heiße, wer er sei und woher er komme. Der Lastträger antwortete ihm: „Mein Herr, ich bin aus Bagdad und heiße Sindbad der Landmann, Tagelöhner oder Lastträger, denn mein Geschäft besteht darin, den Leuten gegen Lohn ihre Lasten zu tragen. Dieses Geschäft ernährt mich kümmerlich genug. Ich bin ein sehr armer Mann, habe Familie und weiß nichts anderes zu tun, um mich und meine Familie vor dem Hungertode zu bewahren."

Der Hausherr hatte an der Bescheidenheit und dem Benehmen des Lastträgers Gefallen gefunden. Von seinem Elend gerührt, sagte er zu ihm: „Sei nochmals willkommen, Lastträger! Auch ich heiße Sindbad wie du. Ich bin Sindbad der Seemann und du bist Sindbad der Landmann. Ich heiße dich deshalb als meinen Bruder willkommen. Ich freue mich, daß du da bist und bin überzeugt, daß auch meine Gäste dich mit Vergnügen als Teilnehmer an unserem Fest willkommen heißen!"

Alle Gäste erhoben sich und bezeigten dem Lastträger ihre Freude über seine Anwesenheit. Darauf fuhr der Hausherr fort: „Ich möchte nun, daß du die Verse wiederholst, die ich dich vorhin sprechen hörte, als ich zufällig am Fenster stand." Bei diesen Worten senkte Sindbad beschämt seinen Kopf und sagte: „Bei Allah, mein Herr, nimm mir diese Worte nicht übel. Müdigkeit und Armut verleiten den Menschen oft zu unüberlegten Reden."

„Glaube nur nicht", erwiderte der Hausherr, „daß ich so ungerecht bin, dir deswegen zu zürnen. Ich betrachte dich als meinen Bruder, und du hast nur Gutes von mir zu erwarten. Ich bitte dich deshalb, mir ohne Scheu die Verse noch einmal zu wiederholen."

Nun trug der Träger noch einmal die Verse vor, und sie gefielen dem Hausherrn besonders wegen des Vertrauens zu Allah, das aus ihnen sprach.

Nachdem er dem Lastträger seinen Dank ausgedrückt hatte, sagte er zu ihm: „Ich kann mich recht gut in deine Lage versetzen und dein Unglück mitfühlen. Aber trotzdem muß ich dich von einem Irrtum befreien, dem du anscheinend verfallen bist. Du bildest dir offenbar ein, ich sei ohne jede Arbeit und Mühen zu meinem Reichtum und meinem Glück gekommen. Dabei habe ich jahrelang alle Mühen des Leibes und der Seele erlitten, die einem Menschen überhaupt begegnen können. Ja, ihr Herren", setzte er hinzu und wandte sich an die Gesellschaft, „die Mühen und Gefahren, denen ein Kaufmann ausgesetzt ist, sind so ungeheuer, daß sie dem habsüchtigen Menschen die Lust nehmen könnten, Länder und Meere zu durchstreifen, um Reichtümer zu sammeln. Bisher habt ihr vielleicht nichts als Gerüchte von meinen Reisen und Abenteuern gehört. Deshalb will ich sie euch jetzt selbst erzählen. Ich habe sieben Reisen gemacht, und jede von ihnen ist ein Abenteuer, das jedermann zum Beispiel dienen sollte."

Dann ließ er Getränke reichen und begann seine Erzählung:

„Ihr müßt wissen, daß mein Vater, ein reicher Kaufmann, starb, als ich noch ein kleiner Junge war. Er hinterließ mir ein ungeheures Vermögen an liegenden Gütern, Geld und kostbaren Waren. Nachdem ich herangewachsen war, ließ ich mir das gern gefallen und verbrachte meine Zeit damit, mit meinen Freunden Tag für Tag fröhliche Feste zu feiern. Ich war unerfahren und leichtsinnig und verpraßte riesige Summen. Niemals dachte ich daran, daß es mir je an irgend etwas fehlen könnte. Das ging so lange gut, bis ich eines Tages zu meinem Schrecken feststellen mußte, daß mein Vermögen schwand und meine Freunde sich von mir abwandten. Nun kam ich zwar zur Vernunft, doch es war schon zu spät. Als ich mit meinem Verwalter abrechnete, stellte sich heraus, daß fast alles durchgebracht war.

Zunächst warf ich mich wie betäubt zu Boden und war völlig verzweifelt. Dann dachte ich an meine Freunde und an ihre früheren täglichen Versprechen, ihr Leben für mich lassen zu wollen. Ich entschloß mich, sie aufzusuchen und jeden um ein kleines Darlehen zu bitten. Doch keiner von ihnen wollte mich anhören und noch viel weniger unterstützen. Die einen ließen sich verleugnen, die anderen machten mir Vorwürfe, und die besten von ihnen begnügten sich mit billigem Mitleid und billigen Ratschlägen.

Verzweifelt ging ich zum Begräbnisplatz und warf mich auf das Grab meines Vaters. Da fielen mir die Worte ein, die ich oft von dem Herrn Suleiman — Friede sei mit ihm! — sagen hörte: ‚Drei Dinge sind drei anderen überlegen: der Sterbetag dem Geburtstag, ein lebendiger Hund einem toten Löwen und ein Grab dem festen Palast!‘

Da bedauerte ich, so viel Zeit mit Nichtigkeiten verloren zu haben. Ich überlegte mir, wie ich meinem Elend entgehen könnte. Nach einiger Zeit beschloß ich, alle meine Kraft dafür einzusetzen, die verlorene Zeit wieder einzuholen und mir mein Glück mit eigener Kraft zu verdienen. Unbekümmert um den Spott der Leute ging ich nach Hause und versteigerte auf dem Markt, was ich noch an Kleidung, Gerät und liegenden Gütern besaß. Ich erhielt dafür etwa dreitausend Dirham — das war es, was mir von den Millionen meines Vaters geblieben war. In der Stadt, in der ich erst so glücklich und angesehen, jetzt aber so arm und verachtet war, wollte ich nicht mehr bleiben. Ich wollte reisen, fremde Länder und Menschen kennenlernen, und ich dachte an die Verse des Dichters:

> *Wer hoch steigen will, muß manche Nacht durchwachen.*
> *Wer Perlen wünscht, muß in die Tiefe des Meeres tauchen,*
> *dann erst kann er Ansehen und Reichtum erwerben.*
> *Wer sich aber Hoheit und Ansehen ersehnt,*
> *ohne kraftvoll danach zu streben, der verliert sein*
> *Leben in unerfüllbaren Träumen.*

Hier bemerkte Scheherazade den Anbruch des Tages und schwieg. In der folgenden Nacht fuhr sie fort:

DIE ZWEIHUNDERTACHTUNDFÜNFZIGSTE NACHT

Sindbads erste Reise

Ich machte mich also auf", erzählte Sindbad, „und kaufte allerlei Waren. Ich ließ alles auf ein Schiff laden, das nach Bassora ging. Es war ein großes Schiff, und viele Kaufleute waren an Bord. Wir reisten von einer Insel zu andern, und überall, wo wir ankerten, verkauften oder tauschten wir unsere Waren. So ging es fort, bis wir an eine herrliche grüne Insel kamen, die ein Lustgarten des Paradieses zu sein schien. Der Kapitän des Schiffes befahl seinen Leuten, die Segel einzuziehen und Anker zu werfen, dann erlaubte er den Leuten der Mannschaft, die Lust dazu hatten, an Land zu gehen. Darauf verließ alles das Schiff und ging auf die Insel. Es wurden Tische aufgestellt, Herde errichtet und Pfannen darüber gehängt. Der eine wusch seine Kleider, der andere kochte, der dritte ging spazieren, um die Schönheit der Insel zu bewundern. Alle waren munter und aßen und tranken.

Auf einmal rief uns der Kapitän vom Schiff aus zu: „Kommt schnell an Bord! Laßt alles im Stich und rettet euer Leben, denn die Insel, auf der ihr seid, ist ein riesengroßer Fisch. Jetzt spürt er das Feuer auf seinem Rücken, beginnt sich zu bewegen und wird mit euch ins Meer tauchen. Kommt und rettet euer Leben!"

Aber noch ehe der Kapitän ausgeredet hatte, begann die Insel, sich zu bewegen und im Meer unterzutauchen, so daß alle, die darauf waren, untergingen. Auch ich sank in die brodelnden Wellen, aber ich erreichte ein großes Brett, auf dem die Reisenden sich gewaschen hatten. Der Kapitän, der die Leute auf der Insel hatte untergehen sehen, spannte die Segel auf und fuhr mit der Mannschaft, die ihm noch verblieben war, davon. So mußte ich allein mit den Wellen kämpfen.

Am nächsten Morgen trieb mich das Meer glücklicherweise auf eine Insel. Die Ufer waren so abschüssig, daß man nirgends hinaufsteigen konnte. Doch glücklicherweise streckte einer der Bäume, die am Ufer standen, seine Äste so weit vor, daß ich ihn ergreifen konnte. Über diesen Baum kam ich auf die Insel. Meine Füße schmerzten sehr, und als ich sie genauer betrachtete, mußte ich feststellen, daß die Fische das Innere meiner Zehen abgefressen hatten, ohne daß ich davon etwas bemerkt hatte. Ich legte mich auf den Boden und blieb so liegen bis zum folgenden Morgen.

Ich erwachte erst, als die Sonne hoch am Himmel stand und die Insel beschien. Da stand ich auf und versuchte zu gehen. Es fiel mir schwer bei dem Zustand meiner Füße. Dessen ungeachtet schleppte ich mich weiter, um einige Kräuter als Nahrung zu suchen. Ich konnte immer nur wenige Schritte auf den Fersen machen und mußte dann wieder stehenbleiben und ausruhen. Endlich fand ich einige Früchte und auch einen kleinen Bach, dessen Wasser mich aber wenig erquickte, weil es trüb und stinkend war. Doch mitten auf der Insel fand ich eine frische Quelle und blieb dort mehrere Tage und Nächte lang. Langsam erholte ich mich und kam wieder zu Kräften.

Da leuchtete plötzlich vom Meer her etwas wie ein großer Hügel. Ich ging darauf zu und sah ein Pferd, das an einen Baum gebunden war. Als es mich sah, wieherte und tobte es so heftig, daß ich erschrak. Schon wollte ich die Flucht ergreifen, da rief aus dem Boden plötzlich eine Stimme: „Wie kommst du hierher und woher kommst du?"

Gleich darauf erschien ein Mann und ging auf mich zu. Ich sagte: „Ich bin ein Fremdling und habe mit einem Handelsschiff Schiffbruch erlitten. Ich habe mich auf diese Insel retten können, weiß aber jetzt nicht, wohin ich mich wenden soll."

Der Fremde, ein großer und kräftiger Mann, nahm mich bei der Hand und stieg mit mir in eine Höhle hinab. Wir kamen in ein schönes Zimmer, das mit Teppichen belegt war. Er brachte mir einige Speisen, von denen ich aß, bis ich ganz satt war. Als er sah, daß ich mich genügend ausgeruht hatte, fragte er nach meinen Abenteuern, hörte mir sehr teilnahmsvoll zu und erzählte mir hinterher:

„Ich bin der Oberstallmeister des Königs Murdjan und habe

die Aufsicht über seine Stallknechte und andere Diener. Wir ziehen für den König edle Reitpferde. Zu dieser Zeit jetzt bringen wir immer eine reinrassige Stute hierher, binden sie dort an, wo du sie gesehen hast, und verbergen uns dann in der Höhle. Sobald es dann still ist, kommt ein Meerhengst und bespringt die angebundene Stute, die er dann mit sich ins Meer nehmen will. Weil sie aber angebunden ist und ihm nicht folgen kann, versucht er, sie zu zerreißen. Sobald er aber mit dem Maul nach ihr schnappt, um sie umzubringen, stürzen wir aus der Höhle hervor. Dann fürchtet er sich und flüchtet sich ins Meer zurück. Die Stute trägt dann von diesem Hengst, und die Jungen werden so gute Pferde, wie man sie nur bei den Sultanen der Inseln und des Meeres findet. Wir warten jetzt, bis der Hengst kommt. Danach gehen wir nach Hause und nehmen dich mit. Es ist ein Glück, daß du uns hier getroffen hast, denn wärst du einen Tag später gekommen, so hättest du niemand mehr angetroffen und wärst nie in ein bewohntes Land gekommen, denn das ist weit von hier. Du wärst hier gestorben, und niemand hätte etwas von deinem Tod gewußt."

Während wir so sprachen, brauste auf einmal das Meer auf und aus den Wogen stieg ein Pferd empor wie ein reißender Löwe. Es war höher und stärker als gewöhnliche Pferde und hatte stärkere Beine. Es ging auf die Stute los, belegte sie und wollte sie mitnehmen und, als das nicht möglich war, sie verschlingen. Da stürzte aber der Mann mit seinem Gefolge aus den Höhlen hervor, das fremde Pferd entfloh und kehrte ins Meer zurück. Darauf band der Mann die Stute los und ließ sie eine Weile auf der Insel hin und her springen. Es kamen noch viele Männer mit Stuten von der anderen Seite der Insel. Als alle versammelt waren, holten sie die Polster aus der Höhle und ließen die übriggebliebenen Lebensmittel zurück.

Wir gingen dann lange, bis wir zu der Stadt des Königs Murdjan kamen, der sich sehr freute, als er seine Pferde wiedersah. Man erzählte ihm mein Abenteuer und stellte mich ihm vor. Der König sagte: „Für dich beginnt jetzt ein neues Leben. Gelobt sei Allah, der dich errettet hat!" Dann befahl er seinen

Dienern, dafür zu sorgen, daß ich mit allem Nötigen gut versorgt werde.

Ich bekam Kleider und Nahrung, und die Aufmerksamkeit des Königs ging so weit, daß er mich sogar zu seinem Aufseher über die Küsten des Meeres machte. Lange genoß ich seine Großzügigkeit, besorgte ihm dabei seine Geschäfte und kam auch zu meinem eigenen Vorteil.

So oft Kaufleute oder andere Reisende uns besuchten, erkundigte ich mich nach Bagdad, denn jedesmal hoffte ich jemanden zu finden, der dorthin reisen wollte. Doch niemand wußte etwas von Bagdad oder wollte dahin fahren. Doch als ich einmal zum König kam, fand ich indische Kaufleute bei ihm. Sie fragten mich nach meinem Land und erzählten mir dafür von Indien und wie die Einwohner dieses Landes in verschiedene Stämme eingeteilt seien. Unter diesen Stämmen seien die Sukaraba die vornehmsten, weil sie niemals ein Unrecht begingen noch jemand beneideten. Dann sei da das Volk der Barahin, das nie Wein trinkt und doch immer fröhlich und zu allen Scherzen aufgelegt lebt. In ihrem Lande soll es Pferde, Kamele und auch Rinder geben. Sie sagten mir auch, in Indien gäbe es zweiundvierzig Sekten.

Eines Tages ging ich nach meiner Gewohnheit an das Meeresufer. Dort landete gerade ein Schiff, reich beladen mit Waren. Ich wartete, bis die ganze Ladung an Land war und ließ sie dann in die Vorratshäuser bringen.

Da kam der Kapitän des Schiffes zu mir und sagte: „Herr, wir haben noch Waren auf dem Schiff, deren Eigentümer wir auf einer Insel verloren haben!"

Ich fragte ihn nach dem Namen des Eigentümers, und er sagte: „Sein Name ist Sindbad der Seemann, und er war in Bagdad auf unser Schiff gekommen."

Dann erzählte mir der Kapitän alles, was gewesen war, und setzte hinzu: „Wir haben Sindbad nicht mehr gesehen. Deshalb wollen wir seine Ladung verkaufen und das Geld seiner Familie bringen."

Da erwiderte ich dem Kapitän: „Ich bin Sindbad der Seemann. Als die Insel begann, sich zu regen, riefst du den Leuten zu, sich zu retten. Einige stiegen schnell aufs Schiff. Andere blieben zurück. Und zu diesen gehörte auch ich!"

So erzählte ich ihm alles, was mir widerfahren war, und er sagte: „Gelobt sei Allah für deine Rettung!"

Da bemerkte Scheherazade den Anbruch des Tages und schwieg. In der nächsten Nacht erzählte sie weiter:

DIE ZWEIHUNDERTNEUNUNDFÜNFZIGSTE NACHT

Doch dann sagte plötzlich der Kapitän: „Weil ich den Namen Sindbad genannt und ich dir seine ganze Geschichte erzählt habe, gibst du dich jetzt für ihn aus, um dich der Ladung zu bemächtigen. Was du sagst, kann nicht wahr sein, denn ich und alle, die mit mir auf dem Schiff waren, sahen Sindbad ertrinken."

Darauf erzählte ich ihm alles, was mich betraf und wie ich entkommen war. Ich erinnerte ihn auch an verschiedene Zeichen, die wir zusammen gesehen hatten, seitdem wir in Bassora abgereist waren. Dadurch wurde er davon überzeugt, daß ich wirklich Sindbad war. Sofort benachrichtigte er davon alle, die auf dem Schiff waren, sie versammelten sich um mich, erkannten, grüßten mich und glaubten mir. Da war dann endlich der Kapitän ganz von meiner Aufrichtigkeit überzeugt und übergab mir alles, was mir gehörte. Ich öffnete sofort einen Ballen, nahm einiges Kostbares heraus, schenkte es König Murdjan und sagte ihm, daß dieser Kapitän der Herr des Schiffes sei, auf dem ich war. Darauf ehrte er mich sehr und machte mir viele Geschenke.

Ich verkaufte dann meine Ladung und verdiente sehr gut dabei. Dann kaufte ich andere Waren aus dieser Stadt und brachte sie auf das Schiff. Nachdem ich mich vom König Murdjan verabschiedet hatte, reisten wir ab. Wir fuhren von Insel zu Insel und von Meer zu Meer, bis wir in Bassora ankamen. Nach kurzem Aufenthalt fuhren wir weiter nach Bagdad, wo wir wohlbehalten landeten. Ich hatte viele Waren bei mir, die ich zum größten Teil gleich nach der Landung mit hohem Gewinn verkaufte. Dann ging ich in mein Stadtviertel, begrüßte meine Nachbarn und Freunde, kaufte mein Haus wieder und wohnte darin mit allen meinen Verwandten, die sich sehr über mein Glück freuten. Auch kaufte ich viele Sklavinnen und Sklaven, Häuser und Güter — schöner als alles, was ich vorher hatte verkaufen müssen. Nach kurzer Zeit vergaß ich meine Leiden und lebte wieder in angenehmer Gesellschaft bei gutem Essen und Trinken. Das also war meine erste Reise.

Doch jetzt ist es schon Nacht geworden. Du hast uns mit deinem Besuch eine große Freude gemacht. Bleibe deshalb noch zum Nachtessen bei uns. Komme dann morgen wieder, damit ich dir mit Allahs Segen erzählen kann, wie es mir auf meiner zweiten Reise ergangen ist."

Als das Nachtessen vorüber war, ließ Sindbad dem Lastträger hundert Dinar auszahlen. Dann ging der seines Weges, und alle Freunde Sindbads taten es ihm gleich.

Der Lastträger konnte kaum den neuen Tag erwarten. Endlich stand er auf, wusch sich, verrichtete sein Morgengebet und ging zu Sindbad dem Seefahrer. Er wünschte ihm guten Morgen, küßte die Erde zu seinen Füßen und dankte ihm für seine Güte. Die übrigen Freunde waren schon da und bildeten einen Kreis um ihn wie am ersten Tag. Sindbad der Seefahrer hieß den Lastträger willkommen und sagte zu ihm: „Deine Gesellschaft ist uns sehr angenehm."

Dann hieß er sie, sich an den Tisch zu setzen, der mit den köstlichsten Speisen bedeckt war, und alle ließen sich's schmecken. Als sie genug gegessen und getrunken hatten, sprach der Seefahrer: „Hört mir aufmerksam zu, meine Freunde, was ich euch jetzt von den Abenteuern meiner zweiten Reise erzählen werde, die noch viel merkwürdiger sind als die der ersten."

Alle schwiegen und Sindbad begann wie folgt:

„Nach meiner ersten Reise war ich entschlossen gewesen, den Rest meiner Tage ruhig in Bagdad zu verleben. Doch bald schon wurde mir diese Lebensweise zuwider. Ich spürte den Drang, etwas zu tun. Die Lust zu reisen und zu handeln hatte mich wieder ergriffen. Ich kaufte Waren, die sich zu einer Seereise eigneten, und schiffte mich auf einem guten Schiff zusammen mit anderen Handelsleuten, deren Redlichkeit ich kannte, ein. Nachdem wir uns Allahs Segen erfleht hatten, lichteten wir die Anker und stachen in See.

Darauf ging es von Insel zu Insel, und wir machten sehr gute Tauschgeschäfte. Eines Tages ließen wir uns an das Ufer einer Insel rudern, auf der es eine Fülle von verschiedenartigen Früchten gab, die aber so verlassen war, daß wir weder eine Wohnung noch überhaupt ein menschliches Wesen entdecken konnten.

Während die einen Blumen, die anderen Früchte pflückten, nahm ich eine Mahlzeit von den mitgebrachten Lebensmitteln und ließ mich an einer Quelle zwischen großen schattigen Bäumen nieder. Nachdem ich gut gegessen und getrunken hatte, genoß ich in vollen Zügen die herrliche Luft dieses reizenden Ortes. Ich freute mich so lange daran, bis ich einschlief. Ich weiß nicht, wie lange ich geschlafen habe, als ich jedoch aufwachte, sah ich kein Schiff mehr vor Anker liegen.

Scheherazade sah den Morgen dämmern und setzte erst in der folgenden Nacht die Erzählung fort:

Ich stand auf und sah mich nach allen Seiten um. Doch ich konnte keinen der Handelsleute erblicken, die mit mir auf der Insel gelandet waren. Nur die Segel des Schiffes waren noch als winziger Punkt am Horizont sichtbar, und bald sah ich auch die nicht mehr.

Ihr könnt euch vorstellen, wie traurig die Betrachtungen waren, die ich über meine Lage anstellte. Mein Schmerz war so groß, daß ich fast am Leben verzweifelte. Ich machte mir Vorwürfe, daß ich es nicht mit meiner ersten Reise genug hatte sein lassen, denn sie hätte mir doch wirklich die Lust an weiteren Reisen nehmen sollen. Doch meine Klagen waren sinnlos und mein Bedauern unnütz.

Schließlich ergab ich mich dem Willen Allahs. Ohne zu wissen, was aus mir werden sollte, stieg ich auf einen hohen Baum, um von dort aus nach allen Seiten auszuspähen, ob mir nicht von irgendwoher eine Hoffnung winke. Meine Blicke schweiften über das Meer, doch außer Himmel und Wasser war nichts zu entdecken.

Plötzlich sah ich an der Küste etwas Weißes. Ich stieg vom Baum herab und ging in Richtung auf den Gegenstand, der meine Aufmerksamkeit erregt hatte. Er war übrigens so weit von mir entfernt gewesen, daß ich nicht raten konnte, was es war. Den Rest der wenigen Lebensmittel, die ich noch besaß, nahm ich mit.

Schon aus einiger Entfernung bemerkte ich, daß es sich um eine außerordentlich große weiße Kugel handelte. Ich berührte sie und stellte fest, daß sie sich sehr zart anfühlte. Ich ging um sie herum, um nach einer Öffnung zu sehen, konnte aber keine finden. Auch schien es unmöglich, hinaufzusteigen, denn die Kugel war sehr glatt. Sie hatte einen Umfang von etwa fünfzig Schritt.

Als sich die Sonne zum Untergang neigte, verfinsterte sich auf einmal die Luft, als wenn sie von dichtem Nebel bedeckt gewesen wäre. Ich erschrak anfangs über diese rätselhafte Erscheinung, mußte dann aber feststellen, daß sie von einem riesenhaften Vogel herrührte, der sich mir im Fluge näherte. Es fiel mir ein, daß die Matrosen oft von einem Vogel, den sie Roch nannten, erzählt hatten, und ich wurde mir klar darüber, daß die große Kugel, die mich so erstaunt hatte, ein Ei dieses Vogels war. Und wirklich breitete der Vogel sein Gefieder auseinander und ließ sich darauf nieder, um zu brüten.

Als ich ihn kommen sah, hatte ich mich ganz nahe bei dem Ei aufgehalten, so daß jetzt ein Fuß des Vogels, dick wie ein großer Baumstamm, über mich herabhing. Ich band mich mit der Binde meines Turbans daran fest, denn ich dachte bei mir: Morgen wird der Vogel seinen Flug fortsetzen und könnte mich auf diese Weise von dieser verlassenen und trostlosen Insel forttragen.

Und so geschah es auch. Nachdem der Vogel die Nacht auf dem Ei zugebracht hatte, flog er bei Tagesbeginn davon und trug mich hoch empor. Er tauchte mit mir in die Wolken, so daß ich von der Erde nichts mehr sehen konnte. Der Vogel schien das Gewicht an seinem Fuß überhaupt nicht zu spüren. Dann sank er plötzlich aus dieser gewaltigen Höhe herab mit einer Geschwindigkeit, die mir die Besinnung raubte. Als er mit mir wieder am Boden war, band ich mich schnell los. Kaum war mir das gelungen, als er mit seinem Schnabel eine Schlange von unerhörter Größe packte und mit ihr davonflog.

Nachdem ich mich wieder etwas gefaßt hatte, stellte ich Betrachtungen über meine Lage an. Der Ort, an dem ich mich befand, war ein sehr tiefes Tal, das von allen Seiten von Bergen umgeben war, deren Gipfel in den Wolken verschwanden. Die Berge zu ersteigen war schon deshalb unmöglich, weil sie sehr steil waren und man keinen Fußpfad entdecken konnte. Das war eine neue Verlegenheit für mich, und meine Lage war nicht besser als sie vorher auf der Insel gewesen war.

Während ich so in dem Tal umherging, entdeckte ich, daß dessen Boden mit Diamanten von erstaunlicher Größe wie übersät war. Der Diamant ist ein sehr harter, fester Stein, den man weder mit Eisen noch mit Stahl brechen kann und der sowohl zum Zerschneiden von Glas als auch zum Schmuck der Schönheit und des Reichtums dient. Es bereitete mir viel Vergnügen, diesen Stein aufzuheben und zu betrachten. Doch während ich das tat, gewahrte ich in der Ferne einen anderen Gegenstand, der mir weniger gefiel und mich in Angst und Schrecken versetzte. Es war eine Anzahl Schlangen, die so lang und so dick waren, daß jede von ihnen einen Elefanten hätte verschlingen können. Während des Tages zogen sie sich aus Furcht vor dem Vogel Roch, ihrem Feind, in ihre Höhlen zurück und kamen erst gegen Abend zum Vorschein.

Ich verbrachte den Tag mit Spazierengehen im Tal und mit Ausruhen und begab mich, als die Sonne unterging und die Nacht hereinbrach, in eine der Höhlen, in der ich mich sicher glaubte. Den engen und niedrigen Eingang verstopfte ich mit einem Stein, um mich vor den Schlangen zu schützen. Doch der Stein verschloß nicht den ganzen Eingang, sondern ließ noch einen Spalt offen, durch den Licht hereinfiel. Bei dem Geräusch, das die Schlangen machten, verzehrte ich einen Teil meiner Lebensmittel. Das abscheuliche Zischen flößte mir viel Angst ein, und ich konnte die ganze Nacht nicht ruhig schlafen, wie ihr euch sicher denken könnt.

Bei Anbruch des Tages krochen die Schlangen in ihre Dunkelheit zurück. Zitternd verließ ich meine Grotte und ging lange Zeit über Diamanten, ohne mir die Mühe zu machen, sie aufzuheben. Später setzte ich mich auf einen Stein und schlief ein, nachdem ich noch ein kleines Mahl zu mir genommen hatte. Kaum war ich eingeschlafen, als mit lautem Krach etwas neben mich fiel und mich aufweckte. Es war ein großes Stück frisches Fleisch, und bald darauf sah ich mehrere Stücke ähnliches Fleisch an verschiedenen Stellen die Felsen herabfallen.

Ich hatte es stets für ein Märchen gehalten, was mir Matrosen und andere Personen über das Diamantental und über die Geschicklichkeit, mit der die Handelsleute diese kostbaren Steine auffinden, erzählt hatten. Nun überzeugte ich mich von der Wahrheit. Die Handelsleute begeben sich nämlich in die Nähe des Tales zu einer Zeit, da die Adler Junge haben. Dann schneiden sie Fleisch ab und werfen es in großen Stücken hinab, damit die Diamanten daran hängenbleiben. Die Adler, die in diesem Land größer und stärker sind als sonstwo, stürzen sich auf die Fleischstücke herab und tragen sie in ihre Nester auf den Felsspitzen, um ihre Jungen damit zu füttern. Dann gehen die Handelsleute auf die Nester los und zwingen die Adler durch ihr Geschrei, fortzufliegen. Hierauf sammeln sie die Diamanten von den Fleischstücken und nehmen sie mit. Sie bedienen sich dieser List, weil es kein anderes Mittel gibt, um die Diamanten aus diesem Tal, in das niemand herabsteigen kann, zu holen.

Bisher sah ich keine Möglichkeit, aus diesem Abgrund herauszukommen und betrachtete ihn schon als mein Grab. Nun aber schöpfte ich Hoffnung, und das, was ich eben gesehen hatte, gab mir ein Mittel zur Rettung meines Lebens in die Hand.

Hier brach der Tag an, und Scheherazade war gezwungen, aufzuhören. In der folgenden Nacht fuhr sie fort:

DIE ZWEIHUNDERTEINUNDSECHZIGSTE NACHT

Ich begann, die größten Diamanten zu sammeln und tat sie in den ledernen Beutel, der mir zur Aufbewahrung meiner Lebensmittel gedient hatte. Dann nahm ich ein langes Stück Fleisch und band es mit dem Tuch meines Turbans an mir fest. So legte ich mich platt auf die Erde und hatte den ledernen Beutel so an meinem Gürtel festgebunden, daß ich ihn nicht verlieren konnte.

Ich lag noch nicht lange, da kamen auch schon die Adler. Einer der stärksten fiel über das Stück Fleisch her, das ich an mir festgebunden hatte, und trug es mit mir auf den Gipfel des Berges in sein Nest. Die Handelsleute, die in der Nähe waren, schrien laut, um die Adler von ihrer Beute zu verscheuchen. Einer von ihnen näherte sich mir, erschrak aber gewaltig, als er mich sah. Doch als er sich wieder gefaßt hatte, fragte er mich nicht, wo ich hergekommen sei, sondern begann mich zu beschimpfen, weil ich ihm seine Beute raube.

Ich antwortete ihm: „Du wirst sicher menschlicher gegen mich sein, wenn du meine Geschichte kennst. Tröste dich", fügte ich hinzu, „ich besitze mehr Diamanten für dich und für mich, als alle anderen zusammen haben können. Während es der Zufall ist, der sie ihnen bringt, habe ich meine in der Tiefe des Tales gesammelt und trage sie in dem ledernen Beutel, den du hier siehst."

Mit diesen Worten zeigte ich sie ihm. Kaum hatte ich das getan, als sich die anderen Handelsleute um mich versammelten und über mich und meine Geschichte staunten. Sie bewunderten die Sicherheit, mit der ich zu Werk gegangen war.

Darauf brachten sie mich in die Wohnung, die sie zusammen hatten. Dort öffnete ich in ihrer Gegenwart den ledernen Beutel, dessen Inhalt sie sehr bewunderten, wobei sie feststellten, daß sie an keinem Hof solche schöne Steine gesehen hätten. Ich bat den Handelsmann, welchem das Nest gehörte, zu dem mich der Vogel gebracht hatte — denn jedem von ihnen war eines zugeteilt —, sich soviel Steine zu wählen wie er wollte. Er begnügte sich mit einem einzigen, noch dazu dem kleinsten, und erwiderte auf meine Einladung, sich doch zu bedienen: „Nein, ich bin zufrieden mit einem, der wertvoll genug ist, um mir weitere Reisen zum Erwerb eines kleinen Vermögens zu gestatten."

Ich verbrachte die Nacht mit den Handelsleuten, die nicht müde wurden, meine Erzählungen anzuhören.

Die Handelsleute hatten schon seit mehreren Tagen Fleisch in das Tal geworfen, und jeder schien zufrieden mit den Steinen, die er auf diese Weise erhalten hatte. Deshalb reisten wir bald ab und kamen über hohe Berge, auf denen es Schlangen von außerordentlicher Länge gab, denen wir aber entgehen konnten.

So kamen wir an den ersten Seehafen, von wo wir nach der Insel Riha segelten. Dort wächst der Kampferbaum, der so dick und so belaubt ist, daß hundert Menschen in seinem Schatten Platz haben. Die Flüssigkeit, die den Kampfer ergibt, fließt aus einer Öffnung, die man im oberen Teil des Baumes anbringt. Der Kampfer wird in einer Vase aufgefangen, in der er sich verdichtet. Ist die Flüssigkeit abgelassen, verdörrt der Baum und stirbt ab.

Auf der gleichen Insel gibt es Rhinozerosse, das sind Tiere, kleiner als der Elefant, aber größer als der Büffel. Sie tragen ein anderthalb Fuß langes Horn auf der Nase, das sehr stark und in der Mitte gespalten ist. Darauf kann man weiße Umrisse sehen, die einen Menschen darstellen. Das Rhinozeros schlägt sich mit dem Elefanten, durchbohrt ihm den Leib mit seinem Horn und trägt ihn auf seinem Kopf davon. Bald jedoch fließen Blut und Fett des Elefanten dem Rhinozeros über die Augen und machen es blind. Dann kommt der Vogel Roch und umfaßt sie beide mit seinen Krallen, um sie in sein Nest zu tragen und seine Jungen damit zu füttern.

Ich tauschte auf dieser Insel einige Diamanten gegen Waren. Von dort landeten wir noch auf verschiedenen Inseln, auf denen wir Handel trieben, bis wir zunächst nach Bassora und dann nach Bagdad kamen. Dort gab ich den Armen reiche Almosen und lebte glücklich von dem ungeheuren Vermögen, das ich mir durch soviele Strapazen erworben hatte."

Hiermit beschloß Sindbad die Erzählung seiner zweiten Reise. Er gab dem Lastträger noch hundert Zechinen und lud ihn für den folgenden Tag ein, um die Erzählung der dritten Reise mit anzuhören.

Die Gäste gingen nach Hause und kamen am nächsten Tag zur gleichen Stunde wieder. Mit ihnen erschien der Lastträger, der schon längst sein altes Leid vergessen hatte. Man setzte sich zu Tisch, und nach beendeter Mahlzeit fuhr Sindbad fort:

Sindbads dritte Reise

„Bei dem angenehmen Leben, das ich jetzt wieder führte, verblaßte bald die Erinnerung an die ausgestandenen Gefahren. Und auf die Dauer wurde ich, ein Mann in der Blüte der Jahre, des Müßiggangs überdrüssig und zog es vor, neuen Gefahren entgegenzugehen. Wieder einmal reiste ich mit vielen Waren, die ich nach Bassora gehen ließ, von Bagdad ab und schiffte mich mit mehreren Handelsleuten ein. Wir blieben lange auf See und landeten in verschiedenen Häfen, wo wir beträchtlichen Handel trieben.

Als wir eines Tages auf hoher See waren, erhob sich ein gewaltiger Sturm, der uns aus unserem Kurs warf. Der Sturm dauerte mehrere Tage lang an und zwang uns, den Hafen einer Insel anzulaufen, die unser Kapitän gern gemieden hätte. Als die Segel gestrichen wurden, sagte er zu uns: „Diese und einige benachbarte Inseln werden von Wilden bewohnt, die ganz haarig sind und uns bestimmt ermorden werden. Obwohl es nur Zwerge sind, können wir ihnen keinen Widerstand entgegensetzen, denn sie sind zahlreicher als Heuschrecken und würden bestimmt alle über uns herfallen, wenn wir einen von ihnen töteten."

Der Tag begann das Gemach zu erhellen. Scheherazade hielt in ihrer Erzählung inne. In der folgenden Nacht fuhr sie fort:

Was der Kapitän sagte, erfüllte alle mit Schrecken, und nur zu bald erfuhren wir, daß es der Wahrheit entsprach. Am Ufer erschien eine riesige Menge häßlicher Wilder, den Körper mit rötlichen Haaren bedeckt und alle nur zwei Schuh groß. Sie schwammen uns entgegen und umgaben bald unser Schiff. Mehrere von ihnen versuchten, uns anzureden. Wir verstanden jedoch ihre Sprache nicht. Sie stiegen über das Tauwerk von allen Seiten mit solcher Gewandtheit an Bord, daß man kaum bemerkte, wo sie ihre Füße aufsetzten.

Angsterfüllt sahen wir uns das mit an, wehrten uns aber nicht und hüteten uns, etwas zu sagen. Die Wilden zogen die Segel ein und schnitten das Ankerseil ab, ohne sich die Mühe zu machen, es aufzubinden. Sie brachten das Schiff näher an das Ufer und ließen uns dann alle landen. Danach steuerten sie das Schiff nach einer anderen Insel, von der sie auch gekommen waren.

Wir mußten versuchen, uns mit unserer Lage abzufinden. Deshalb entfernten wir uns vom Ufer und drangen weiter auf der Insel vor, wo wir dann Früchte fanden, deren Genuß uns den letzten Augenblick unseres Lebens noch erträglich machte. Denn wir waren fest davon überzeugt, daß unser Ende nahte.

Während wir so gingen, bemerkten wir nicht weit von uns ein schön gebautes und hoch liegendes Schloß. Es hatte ein Tor mit zwei Flügeln aus Ebenholz. Wir stießen dagegen, und es öffnete sich. Wir traten in den Hof und sahen uns einem großen Gemach mit Vorhalle gegenüber. Auf der einen Seite war ein großer Berg von Menschenskeletten, auf der anderen sahen wir zahllose Bratspieße. Der Anblick entsetzte uns sehr und die Kraft verließ uns. Und da wir ohnehin schon sehr matt waren, fielen wir zu Boden und waren von Müdigkeit und Schreck wie gelähmt.

Die Sonne wollte eben untergehen, als sich plötzlich mit einem Geräusch, das dem Brausen eines Sturmes ähnelte, die Tür des einen größeren Gemachs öffnete und eine schwarze Menschengestalt, schrecklich anzusehen und groß wie eine Palme, heraustrat. Die Gestalt hatte rote Augen, die feurig waren wie glühende Kohlen. Ihre Vorderzähne waren lang und spitz und standen zum Mund heraus, der einem Pferdemaul ähnelte und dessen untere Lippe der Gestalt bis auf die Brust herabhing. Ihre Ohren glichen denen eines Elefanten und bedeckten ihre Schultern. Ihre Nägel waren lang und krumm wie die Krallen der größten Raubvögel. Beim Anblick dieses schrecklichen Riesen verloren wir die Besinnung und blieben wie tot liegen.

Als wir endlich wieder zu uns kamen, sahen wir den Riesen unter der Tür sitzen. Er hatte seine Augen auf uns geheftet, und nachdem er uns eine Weile betrachtet hatte, ging er auf uns zu und streckte, da ich am nächsten saß, seine Hand nach mir aus. Er ergriff mich am Genick und drehte mich mehrere Male herum — wie ein Metzger, der ein Schaf schlachten will. Er ließ mich jedoch bald wieder fallen, da ich zu mager war und er an mir nichts als Haut und Knochen bemerkte. Die übrigen wurden wie ich untersucht, bis er an den Schiffskapitän kam, der der Fetteste von uns allen war. Er hielt ihn mit einer Hand so in die Höhe, wie ich es mit einem Sperling tun würde und stieß dann den Bratspieß durch ihn hindurch. Darauf zündete er ein großes Feuer an und briet den Kapitän. Als das geschehen war, legte er den Leichnam vor sich hin, bis er kalt war, riß mit seinen Nägeln Stücke von ihm ab und aß, bis er satt war.

Nach diesem Abendessen ging er zur Tür zurück, legte sich dort schlafen und schnarchte gleich darauf mit einem Geräusch wie Donnerhall, um erst am nächsten Morgen wieder aufzuwachen. Wir konnten aber nicht schlafen und verbrachten die Nacht in der schrecklichsten Unruhe. Als der Tag anbrach, wachte auch der Riese auf, erhob sich und ging zum Schloß hinaus.

Sobald wir ihn fort wußten, brachen wir unser Schweigen, und bald hallte das ganze Schloß von unseren Klagen und Seufzern wider. Obwohl wir viele waren und nur einen Feind hatten, fiel es uns doch nicht gleich ein, ihn zu töten, denn ein solcher Entschluß war nur schwer auszuführen.

Wir berieten uns, was wir tun könnten, faßten jedoch keinen Vorsatz, sondern ergaben uns in den Willen Allahs. Wir verbrachten den Tag damit, daß wir auf der Insel umhergingen und uns von Früchten und Pflanzen ernährten. Gegen Abend suchten wir wieder ein Obdach, um uns zur Ruhe zu begeben, fanden aber nichts und waren wieder gezwungen, ins Schloß zurückzukehren.

Bald kam auch der Riese, verzehrte einen weiteren unserer Gefährten, legte sich nieder und schnarchte wieder bis zum Morgen. Der nächste Tag verging wie der vorige. Unsere Lage schien uns unter diesen Umständen so schrecklich, daß mehrere meiner Kameraden sich lieber ins Meer stürzen wollten, als einem so schrecklichen Tod weiter entgegenzusehen. Sie versuchten, uns zu einem gleichen Entschluß zu überreden. Hierauf nahm einer von uns das Wort und sprach: „Allah hat den Selbstmord verboten. Doch selbst wenn das nicht der Fall wäre — ist es nicht viel einfacher, zu versuchen, dem Ungetüm auf andere Weise zu entgehen?"

Ich hatte indessen einen Einfall gehabt, den ich meinen Kameraden mitteilte und den sie billigten.

„Brüder", fing ich an, „ihr wißt, daß sich längs der Küste ein Gehölz hinzieht. Wir wollen daraus Flöße bauen und sie am Ufer liegen lassen, bis sie fertig sind und wir den Augenblick für günstig halten, uns ihrer zu bedienen. Vor allem wollen wir versuchen, uns des Riesen zu entledigen. Glückt es, so können wir in aller Ruhe ein Schiff erwarten, das uns von dieser Insel führt. Schlägt es fehl, so setzen wir uns schnell auf unsere Flöße und versuchen, die hohe See zu gewinnen. Zwar ist es nicht ungefährlich, sich mit so gebrechlichen Fahrzeugen den Wellen anzuvertrauen. Doch es ist immer noch besser, auf solche Weise umzukommen als im Bauche des Ungeheuers begraben zu sein."

Mein Rat wurde gutgeheißen, und bald darauf kam auch der Riese wieder. Wir mußten zusehen, wie er noch einen unserer Kameraden briet. Nachdem er sein abscheuliches Nachtessen zu

sich genommen hatte, legte er sich auf den Rücken und schlief ein. Als wir ihn schnarchen hörten, ergriffen neun der Kühnsten von uns jeder einen Bratspieß. Die Spitzen steckten wir in das Feuer, um sie glühend zu machen, und stießen dann damit alle auf einmal seine Augen aus.

Der Schmerz entlockte dem Riesen die fürchterlichsten Schreie. Er stand schnell auf und streckte die Arme weit aus, um einen von uns zu fassen. Wir hatten uns jedoch schnell von ihm entfernt und uns an solchen Stellen auf den Boden geworfen, wo er uns mit den Füßen nicht erreichen konnte. Nachdem er uns lange vergeblich gesucht hatte, ging er mit einem fürchterlichen Geheul und nach allen Seiten mit den Händen um sich greifend zur Tür hinaus.

Scheherazade bemerkte den Tag und schwieg. In der folgenden Nacht fuhr sie fort:

DIE ZWEIHUNDERTDREIUNDSECHZIGSTE NACHT

Wir verließen hinter dem Riesen das Schloß und begaben uns zu den Flößen. Wir setzten sie ins Wasser und warteten den Tag ab, denn wir fürchteten, der Riese könnte mit einem Begleiter seiner Art zurückkehren und uns ermorden. Dagegen hofften wir, daß er selber das Leben verloren haben würde, wenn er nicht gegen Tagesanbruch erschiene oder dann noch sein Geheul, das wir immer noch hörten, fortsetzte. In diesem Fall waren wir entschlossen, auf der Insel zu bleiben und unser Leben nicht auf den Flößen der Gefahr auszusetzen. Kaum war jedoch der Tag angebrochen, als unser grausamer Feind in Begleitung einer Anzahl anderer Riesen, die ihn führten, zurückkam.

Als wir das sahen, überlegten wir nicht lange, sondern begaben uns auf unsere Flöße, die wir so schnell wie möglich vom Ufer wegzurudern versuchten. Die Riesen bemerkten das, wappneten sich mit großen Steinen und warfen sie uns mit solcher Geschicklichkeit nach, daß ich mit meinen Begleitern sicher ertrunken wäre, wenn nicht das Floß, auf dem wir uns befanden, durch seinen Bau den Angriff hätte aushalten können. Die beiden anderen zerschellten, und wer sich darauf fand, ertrank.

Da meine Kameraden und ich mit allen Kräften ruderten, befanden wir uns bald auf hoher See und außerhalb der Winde und der Wellen, die uns hin- und herschleuderten, und verbrachten die Nacht in der schrecklichsten Weise.

Am nächsten Tag wurden wir zu unserer größten Freude gegen eine Insel getrieben und fanden darauf vortreffliche Früchte. Sonst hätten wir wohl vor Hunger und Erschöpfung sterben müssen.

Gegen Abend schliefen wir am Ufer ein und wurden durch ein Geräusch geweckt, das eine Schlange von der Länge einer Palme mit ihren Schuppen machte. Sie fuhr auf einen meiner Kameraden los und würgte ihn hinunter. Man sah nur noch seinen Kopf und seine Schultern aus ihrem Rachen hervorragen. Er schrie laut — da machte die Schlange eine schnelle Bewegung, rollte sich zusammen und gleich darauf wieder auseinander, wir hörten seine Knochen krachen, und verschlungen war der ganze Mann. Wir beiden übrigen ergriffen die Flucht, doch am nächsten Tag fraß die Schlange auch meinen Kameraden, so daß ich ganz allein auf der Insel war.

Ich war nahe daran, mich ins Meer zu stürzen. Da man aber den letzten Augenblick des Lebens so lange wie möglich hinausschiebt, ergab ich mich in den Willen Allahs und wartete weiter.

Ich wollte noch ein letztes Mittel der Rettung vor dem Ungeheuer versuchen und sammelte verschiedenes Holz, Baumwurzeln und Gesträuch zusammen. Daraus machte ich mehrere Bündel, die ich zusammenband und in einen großen Kreis um einen Baum herum aufstellte. Auf diesem Baum ließ ich mich nieder. Die Schlange kam, schlich beutelüstern um den Baum herum, konnte mich wegen des Walls jedoch nicht erreichen. Als der Tag nahte, zog sie sich endlich zurück.

Ich war so ermüdet von dem, was ich ausgestanden hatte, und so angegriffen von dem Pesthauch der Schlange, daß ich den Tod allen diesen Schrecken vorzog. So lief ich auf das Meer zu, um meinem Leben ein Ende zu bereiten. Das jedoch war der Wendepunkt meines Schicksals, denn der große Allah hatte es anders mit mir beschlossen. Als ich mich gerade in das Meer stürzen wollte, erschien, schon ziemlich nahe am Ufer, ein Schiff. Ich schrie, so laut ich konnte, und entfaltete die Binde meines Turbans, um mich bemerkbar zu machen. Das war nicht umsonst, denn ich wurde sofort von der ganzen Mannschaft gesehen, und der Kapitän schickte mir ein Boot.

Nach diesen Worten hielt Scheherazade inne. In der folgenden Nacht fuhr sie fort:

DIE ZWEIHUNDERTVIERUNDSECHZIGSTE NACHT

An Bord fragten mich die Matrosen und die Reisenden neugierig, durch welches Abenteuer ich auf diese Insel gekommen sei. Nachdem ich ihnen alles erzählt hatte, sagten mir die Ältesten, daß sie schon oft von den Riesen und den Schlangen gehört hätten, die auf diesen Inseln wohnten. Sie freuten sich mit mir, daß ich so vielen Gefahren entronnen war und bewirteten mich mit dem Besten, was sie auftreiben konnten. Der Kapitän schenkte mir sogar ein Kleid, weil er bemerkte, daß mir meines in Fetzen am Körper herunterhing.

Wir kamen an verschiedenen Inseln vorbei und landeten endlich bei Kalaset, woher man das Sandelholz bezieht, das als Arzneimittel gebraucht wird. Wir gingen im Hafen dieser Insel vor Anker. Meine Reisegefährten begannen ihre Waren ausschiffen zu lassen, um sie zu verkaufen oder Tauschhandel zu treiben.

Unterdessen sagte der Kapitän zu mir: „Höre Bruder, auf dem Schiff befinden sich Waren, die einem Handelsmann aus Bagdad gehören, der lange Zeit mit uns gereist ist, bis er starb. Wir wollen seine Waren verkaufen, das Geld dafür nehmen und nach unserer Rückkehr seinen Erben zustellen."

Die Ballen, von denen er sprach, wurden auf das Deck gebracht. Er zeigte sie mir und setzte hinzu: „Ich wünsche, daß du dich mit dem Verkauf dieser Waren beschäftigst. Später sollst du dann einen deiner Mühe entsprechenden Lohn bekommen."

Ich war sehr gern bereit dazu und dankte ihm, daß er mir Gelegenheit gab, tätig zu sein.

Der Schiffsschreiber hielt Register über alle Waren und die Namen der Handelsleute, denen sie gehörten. Er fragte den Kapitän, unter welchem Namen er die Waren eintragen solle, mit deren Verkauf ich beauftragt worden war. „Schreibe sie", antwortete dieser, „unter dem Namen Sindbad der Seefahrer ein!"

Ich war verblüfft, als ich meinen Namen nennen hörte. Doch als ich den Kapitän genauer betrachtete, erkannte ich in ihm denjenigen, der mich auf meiner zweiten Reise auf einer Insel, wo ich an einem Bach eingeschlafen war, zurückgelassen hatte und ohne mich abgefahren war. Da er mich tot glauben mußte, ist es nicht verwunderlich, daß er mich nicht gleich erkannte.

Ich sagte deshalb zu ihm: „Kapitän, hieß der Handelsmann, dem diese Waren gehörten, Sindbad?"

„Ja", antwortete er mir, „er war von Bagdad und hatte sich in Bassora bei mir eingeschifft. Als wir eines Tages an einer Insel ankerten, um Wasser und anderes aufzunehmen, ging ich aus Versehen unter Segel, ohne nachsehen zu lassen, ob auch alle an Bord zurückgekehrt waren. Ein einziger, dieser Sindbad, war vergessen worden. Die Handelsleute und ich bemerkten erst nach Stunden sein Fehlen. Doch wir hatten starken Wind gegen uns, so daß wir uns dem Ufer nicht wieder nähern konnten, um ihn aufzunehmen."

„Du hältst ihn also für tot?" fragte ich.

„Allerdings", war seine Antwort.

„Nun, Kapitän", erwiderte ich, „so öffne deine Augen und sieh vor dir jenen Sindbad, den du auf jener Insel zurückgelassen hast. Ich schlief am Ufer des Baches ein, und als ich aufwachte, sah ich niemand von der Reisegesellschaft mehr und das Schiff nur noch als kleinen Punkt am Horizont."

Bei diesen Worten sah mich der Kapitän staunend an und wollte mir nicht glauben. Neugierig sammelten sich bald die anderen um uns. Die einen glaubten mir, während mich die Mehrzahl für einen Lügner hielt.

Da trat auf einmal ein Handelsmann aus ihrer Mitte hervor, grüßte mich und sprach: „Du hast wahr gesprochen, Sindbad der Seemann, dieses Geld und diese Waren gehören dir. Ich erzählte euch kürzlich das Wunderbarste, was mir auf meinen Reisen je begegnet ist. Als ich nämlich einst Diamanten sammelte und in das berühmte Tal Fleischstücke warf, damit sich die Diamanten daran festsetzen und dann zusammen mit dem Fleisch von den Adlern in ihre Nester getragen werden, fand auf diese Weise ein Mensch seine Rettung. Das war Sindbad, der jetzt vor euch steht. Ihm ist es, wie es scheint, vom Schicksal bestimmt, das Merkwürdigste zu erleben."

Der Kapitän begann mich zu erkennen, umarmte mich und sprach: „Allah sei gelobt! Ich bin froh, daß ich meinen Fehler wieder gutmachen kann. Hier sind deine Waren, ich habe sie gut aufbewahrt und viele mit gutem Erlös zu Geld gemacht. Ich gebe sie dir mit dem verdienten Geld zurück."

Ich nahm sie wieder an und dankte dem Kapitän.

Von der Insel Kalaset segelten wir zu einer anderen, wo ich Gewürznelken, Zimt und andere Spezereien einkaufte. Als wir uns davon entfernten, sahen wir eine zwanzig Schuh breite und lange Schildkröte. Wir sahen auch einen Fisch, der viel Ähnlichkeit mit einer Kuh hat, Milch gibt und dessen Haut so hart ist, daß man Schilde daraus macht. Auch sahen wir einen anderen Fisch, der die Gestalt und die Farbe eines Kamels hatte.

Nach einer langen Reise kam ich in Bassora an und erreichte endlich Bagdad mit mehr Geld und Waren, als ich selber wußte. Ich gab noch einmal den Armen einen beträchtlichen Teil und kaufte mir mit dem übrigen noch mehr Güter zu denen, die ich schon besaß. Auch gab ich meinen Freunden und Bekannten viele Geschenke, kleidete Witwen und Waisen ein, schaffte mir wieder Sklaven und Sklavinnen an, lebte froh und heiter und dachte bald nicht mehr an die ausgestandenen Leiden. Das ist das Ende meiner dritten Reise."

Sindbad ließ köstliche Speisen auftragen, gab dann dem Lastträger hundert Goldstücke und sprach:

„Komme morgen wieder. Du sollst dann hören, was mir auf meiner vierten Reise begegnet ist."

Der Lastträger versprach es und ging nach Hause. Am nächsten Tag kehrte er zurück, und als alle beisammen waren und geschmaust hatten, begann Sindbad:

Sindbads vierte Reise

„Doch alle Vergnügen und Genüsse, die ich mir leisten konnte, reizten mich schon bald nicht mehr. Ich wollte wieder unterwegs sein, wieder handeln und neue Dinge sehen. So reiste ich mit einer Menge Waren ab, die ich in den Ländern, zu denen die Fahrt gehen sollte, abzusetzen hoffte. Zunächst bereiste ich mehrere Gegenden Persiens und kam schließlich in einen Seehafen, wo ich mich einschiffte.

Wir gingen unter Segel und hatten schon mehrere Häfen des Festlands und der östlichen Inseln berührt, als wir eines Tages von einem Windstoß getroffen wurden, der den Kapitän zwang, die Segel einzuziehen. Doch alle Bemühungen, der Gefahr zu entgehen, waren vergeblich. Der übermächtige Sturm zerriß unsere Segel in tausend Fetzen, warf das Schiff gegen eine Klippe und zerschmetterte es derart, daß viele Handelsleute und Matrosen ertranken.

Scheherazade schwieg. In der folgenden Nacht fuhr sie fort:

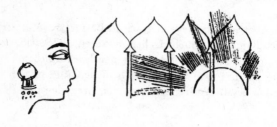

DIE ZWEIHUNDERTFÜNFUNDSECHZIGSTE NACHT

Ich und einige andere Handelsleute konnten uns an einem Brett festhalten, und die Strömung trieb uns an eine Insel, die nicht allzu fern von uns lag. Dort fanden wir Früchte und eine Quelle und konnten uns stärken. Die Nacht über ruhten wir aus, ohne uns entschließen zu können, was wir nunmehr tun sollten. Das Gefühl unserer schlimmen Lage hatte uns gleichsam betäubt.

Am folgenden Tag entfernten wir uns mit dem ersten Sonnenstrahl vom Ufer und drangen in das Innere der Insel vor. Schließlich fanden wir auch Wohnungen, aus denen uns sogleich Schwarze in großer Zahl entgegenkamen. Sie umgaben uns und ergriffen uns, verteilten uns unter sich und führten uns dann in ihre Behausungen.

Fünf meiner Begleiter und ich wurden an einen Ort geführt. Man hieß uns, uns niederzusetzen und brachte uns ein gewisses Kraut, von dem wir essen sollten. Meine Kameraden, die sehr hungrig waren, aßen davon, ohne darauf zu achten, daß die Schwarzen das Kraut nicht anrührten. Ich ahnte etwas Schändliches und kostete deshalb nicht einmal davon. Man reichte uns darauf Reis, der mit Kokosnußöl zubereitet war. Meine Kameraden, die schon von Sinnen waren, aßen auch hiervon. Ich aß gleichfalls davon, aber nur sehr wenig. Die Schwarzen hatten uns das erste Kraut auftragen lassen, um unseren Verstand zu verwirren, den Reis gaben sie uns, um uns fett zu machen. Sie waren Menschenfresser und hatten die Absicht, uns zu verzehren, wenn wir fett genug sein würden. Das geschah mit meinen Kameraden, die das ihnen vorbestimmte Schicksal nicht ahnten, weil sie den Verstand verloren hatten. Da ich den meinen noch besaß, könnt ihr euch vorstellen, daß ich statt fetter immer magerer wurde. Die Todesfurcht, die mich unaufhörlich ängstigte, machte alle Nahrung, die ich zu mir nahm, zu Gift. Ich nahm sichtbar ab, und das war mein Glück, denn die Schwarzen bemerkten meinen krankhaften Zustand und ließen

mich leben, nachdem sie meine Kameraden ermordet und verzehrt hatten. So wurde ich für später aufgespart.

Man ließ mich übrigens frei und ungehindert das tun, was ich
wollte. Auf diese Weise konnte ich mich eines Tages von den
Wohnungen der Schwarzen entfernen und mich retten. Ein
Greis bemerkte mich, ahnte, daß ich fliehen wollte, und rief
mir zu, ich solle umkehren. Statt ihm jedoch zu gehorchen, lief
ich immer schneller und war bald seinen Augen entschwunden.
Der Greis war übrigens allein in den Wohnungen zurückgeblieben, alle anderen Schwarzen hatten sich entfernt und sollten erst gegen Abend zurückkehren, wie sie es für gewöhnlich
taten. Ich konnte daher gewiß sein, daß sie nicht in der Lage
wären, mich einzuholen, wenn sie von meiner Flucht erführen.
Trotzdem ging ich bis zum Einbruch der Nacht weiter und
ruhte nur wenig aus. So zog ich sieben Tage lang fort und
mied die Stellen, die mir bewohnt erschienen. Meine Nahrung
bestand aus Kokosnüssen, die mir zugleich Hunger und Durst
stillten.

Am achten Tag kam ich an die Küste und bemerkte sogleich
weiße Menschen, die damit beschäftigt waren, Pfeffer zu
sammeln. Ihre Erscheinung flößte mir Vertrauen ein, und ich
näherte mich ihnen.

Scheherazade hielt inne und erzählte in der folgenden Nacht
weiter:

Als die Pfeffersammler mich sahen, kamen sie mir sofort entgegen. Sie fragten mich auf Arabisch, wer ich sei und woher ich komme. Entzückt, meine Sprache sprechen zu hören, befriedigte ich gern ihre Neugierde und erzählte ihnen mein ganzes Abenteuer.

Ich blieb bei ihnen, bis sie soviel Pfeffer, wie sie laden wollten, gesammelt hatten. Dann schiffte ich mich mit ihnen ein, und wir fuhren zu der Insel, von der sie gekommen waren. Sie brachten mich zu ihrem König, der sich von mir genau meine Geschichte erzählen ließ, mir Kleider geben ließ und befahl, man solle für all meine Bedürfnisse Sorge tragen.

Die Insel, auf der ich mich befand, war sehr stark bevölkert. Die Bewohner hatten großen Überfluß an allem, weshalb sie auch in der Hauptstadt des Königs sehr viel Handel trieben. Dieser schöne Aufenthalt tröstete mich mächtig über mein Unglück, und die Güte, die der edle König für mich hatte, machte mich vollends zufrieden. In der Tat bewies er mir sehr viel Huld. Deshalb gab es am ganzen Hof und auf der ganzen Insel bald niemand mehr, der nicht jede Gelegenheit ergriff, um mir einen Gefallen zu tun. So war ich bald mehr ein Eingeborener als ein Fremder.

Ich bemerkte in diesem Land etwas, was mir sehr ungewöhnlich erschien. Jedermann, der König selbst nicht ausgenommen, stieg ohne Steigbügel und ohne Zaum zu Pferde. Eines Tages nahm ich mir die Freiheit, den König zu fragen, weshalb er sich nicht solche bequemen Dinge leiste. Er sagte darauf, ich spräche zu ihm von Dingen, deren Anwendung man in seinem Staat überhaupt nicht kenne. Sogleich ging ich zu einem Handwerker und ließ ihn nach meiner Zeichnung einen Sattel bauen. Als der fertig war, fütterte ich ihn mit Wolle und besetzte ihn mit Leder, auch ließ ich ihn mit Gold besticken. Darauf ging ich zum Schlosser, der mir eine Gebißstange und Steigbügel anfertigen mußte.

Als alles fertig war, zeigte ich es dem König, und er probierte es an einem seiner Pferde. Der König hatte an der Erfindung solchen Gefallen, daß er mir seine Freude durch die glänzendsten Geschenke bezeigte. Darauf baute ich verschiedene Sättel für die Minister und die übrigen Großen, und alle schenkten mir Dinge, die mich in kurzer Zeit zu einem reichen Mann machten. Auch bei den übrigen Einwohnern kam ich in großen Ruf und war allgemein geschätzt und geachtet.

Da ich regelmäßig dem König meine Aufwartung machte, sagte er mir eines Tages: „Sindbad, du weißt, daß ich und alle meine Untertanen dich gern mögen. Ich habe eine Bitte an dich, und du mußt versprechen, sie mir zu erfüllen."

„Großer König", antwortete ich, „es gibt nichts, was ich nicht tun würde, um dir gehorsam zu sein. Gebiete also über mich!"

Der König erwiderte: „Mein Wunsch ist es, daß du eine Frau nimmst, damit dich die Bindung zu ihr an meine Länder fesselt und du nicht mehr an dein Vaterland denkst."

Da ich nicht wagte, mich dem Befehl des Königs zu widersetzen, heiratete ich also die Frau, die er mir gab. Es war eine vornehme Frau aus seinem Hofstaat, und sie hatte die schönsten und herrlichsten Eigenschaften. Nach der Hochzeit zog ich zu ihr, und wir lebten lange glücklich miteinander. Dennoch war ich nicht mit meiner Lage zufrieden, sondern hatte die Absicht, bei der nächsten Gelegenheit zu entfliehen und nach Bagdad zurückzukehren.

Unablässig beschäftigte ich mich mit diesem Gedanken, als die Frau eines Nachbarn, mit dem mich eine enge Freundschaft verband, krank wurde und starb. Ich ging zu ihm, um ihn zu trösten, und traf ihn tiefbekümmert an.

„Allah stärke dich und verleihe dir ein langes Leben", sprach ich ihn an.

„Ach", antwortete er, „was können mir deine Wünsche nützen, denn ich habe nur noch eine Stunde zu leben."

„Beschäftige dich nicht mit solchen trüben Gedanken", erwiderte ich. „Ich hoffe, du wirst nicht sterben und mir als Freund noch recht lange erhalten bleiben."

Er aber sagte: „Ich wünsche deinem Leben eine lange Dauer.

Meine Stunden aber sind gezählt, und du mußt wissen, daß man mich heute mit meiner Frau begraben wird. Das ist ein Brauch unseres Volkes von altersher, der immer heilig gehalten wird. Der lebende Mann wird mit seiner gestorbenen Frau und die lebende Frau mit ihrem gestorbenen Mann begraben. Nichts kann mich retten, da sich jeder diesem Gesetz unterwirft."

Während wir uns so unterhielten, kamen die Eltern, Freunde und Nachbarn, um an dem Begräbnis teilzunehmen. Man schmückte den Leichnam der Frau wie zur Hochzeit und hängte ihm alle Edelsteine um. Darauf legte man ihn auf die offene Bahre, und der Zug setzte sich in Bewegung. Dicht hinter der Toten schritt der Gemahl den Trauernden voran. Man zog auf einen hohen Berg, auf dem ein großer Stein war, der einen tiefen Brunnen bedeckte. Dort ließ man den Leichnam hinunter, ohne ihn zu entkleiden oder ihm die Edelsteine abzunehmen. Darauf umarmte der Mann seine Eltern und Freunde und legte sich ohne Widerstand mit einem Wassertopf und sieben kleinen Broten in eine Bahre. Dann ließ man ihn ebenso hinab, wie man es mit der Frau getan hatte.

Der Berg dehnte sich weit aus und grenzte an das Meer, auch war der Brunnen sehr tief. Als die Zeremonie vorüber war, wurde der Stein wieder auf die Öffnung gelegt.

Ihr könnt euch vorstellen, welch traurigen Eindruck ich von all dem bekam. Die anderen Zuschauer allerdings schienen davon wenig ergriffen, denn sie waren durch den Anblick ähnlicher Szenen schon abgestumpft. Ich konnte mich nicht enthalten, dem König meine Ansicht hierüber zu sagen.

„König", sprach ich, „ich kann dir nicht ausdrücken, wie entsetzt ich über diesen grausamen Brauch bin. Ich bin viel gereist und habe die Sitten mancher Länder kennengelernt, aber etwas Ähnliches ist mir noch nie vorgekommen."

„Ich kann nichts daran ändern", war des Königs Antwort, „es ist ein allgemeines Gesetz für mein Reich, und auch ich muß mich ihm unterwerfen. Wenn die Königin, meine Gemahlin, vor mir stirbt, so werde ich mich lebend mit ihr begraben lassen."

„Darf ich mir eine Frage erlauben, großer König?" sagte ich. „Gilt dieses Gesetz auch für Fremdlinge?"

„Allerdings", erwiderte er mir lächelnd und den Grund meiner Frage erratend, „wenn sie mit Eingeborenen verheiratet sind, sind sie nicht davon ausgenommen."

Traurig kehrte ich in meine Wohnung zurück. Von nun an lebte ich ständig in der Furcht, meine Frau könnte vor mir sterben und ich würde dann lebend mit ihr begraben. Was sollte ich aber tun? Mich gedulden und alles dem Willen Allahs anheimstellen? Bald wurde mein Schreck übergroß, denn meine Frau erkrankte wirklich und starb kurz darauf.

Hier unterbrach Scheherazade die Geschichte und fuhr in der folgenden Nacht fort:

DIE ZWEIHUNDERTSIEBENUNDSECHZIGSTE NACHT

Mein Kummer und meine Not waren groß, doch sah ich keine Rettung. Der König wollte mit seinem ganzen Hofstaat dem Begräbnis beiwohnen, und außerdem sollten die angesehensten Bewohner der Hauptstadt den Trauerzug begleiten.

Als alles bereit war, legte man den Leichnam meiner Frau in eine Bahre, und dann begann der Zug. Ich folgte unmittelbar hinter der Bahre meiner Frau und bejammerte mein unseliges Geschick. Bevor ich auf den Berg kam, versuchte ich noch einmal, die Herzen der Anwesenden zu rühren. Zuerst sprach ich den König an und darauf alle anderen. „Bedenket", flehte ich, „daß ich als Fremder einem so harten Gesetz nicht unterworfen sein sollte, denn ich habe noch eine Frau und Kinder in meinem Lande."

Doch niemand war von meinen Worten gerührt. Man beeilte sich vielmehr, den Leichnam meiner Frau hinab in den Brunnen zu lassen und tat dasselbe bald darauf auch mit mir, indem man dabei noch einen Krug Wasser und sieben Brote auf die Bahre legte. Danach bedeckte man die Öffnung des Brunnens wieder mit dem großen Stein, ohne sich um meinen Kummer und um mein Wehklagen zu kümmern.

Unten befand ich mich in einer weiten Höhle. Kurz nachdem ich angekommen war, wurde ich fast schon von dem unerträglichen Gestank, den die zahllosen Leichname ausströmten, betäubt. Es schien mir sogar, als richteten sich einige dieser Leichname auf und stießen tiefe Seufzer aus. Dennoch hatte ich Mut genug, die Bahre zu verlassen. Ich hielt mir die Nase zu und suchte, mich von den Leichnamen zu entfernen. Dann warf ich mich zur Erde, weinte lange und bitterlich und dachte bei mir: ,Es gibt keinen Schutz und keine Macht außer bei Allah, dem Erhabenen! Allahs Wille geschehe! Ist es aber nicht deine eigene Schuld, Sindbad, daß du einem so schrecklichen Ende entgegengehst? Wärst du doch bei einem der Schiffbrüche umgekommen! Nie wärst du auf so jämmerliche Weise gestorben. Aber daran ist deine verdammte Abenteuerlust schuld, Unglücklicher! Warum konntest du nicht ruhig zu Hause bleiben und friedlich die Früchte deiner Arbeit genießen?'

Das Gewölbe der Höhle hallte von meinen Klagen wider, während ich mich den trostlosesten Gedanken hingab. Doch so elend ich mich auch fühlte, die Liebe zum Leben war so stark in mir, daß ich mich umsah, um dieses Leben zu retten. Ich hielt mir die Nase zu, ging in der Finsternis umher und aß von dem Brot und trank von dem Wein.

Die Dunkelheit in der Höhle war so tief, daß ich weder Nacht noch Tag unterscheiden konnte. Ich verlor jedoch meine Bahre nicht aus den Augen, und es schien mir, als sei die Höhle viel geräumiger und mit viel mehr Leichnamen angefüllt, als es mir anfangs vorgekommen war. Auf diese Weise lebte ich einige Tage. Doch als mir Brot und Wasser ausgingen, rüstete ich mich zum Tode.

Scheherazade hielt inne und erzählte in der folgenden Nacht weiter:

Schon hatte ich mich auf den Tod vorbereitet, als ich plötzlich hörte, wie der Stein emporgehoben wurde. Man ließ einen Leichnam und eine lebende Person herab. Der Tote war ein Mann. Während man die Frau niederließ, näherte ich mich dem Ort, an dem die Bahre niedergesetzt werden sollte, und gab ihr schnell, als ich sah, daß sich die Öffnung wieder schloß, mit einem großen Knochen zwei oder drei schwere Schläge auf den Kopf, wovon sie die Besinnung und wahrscheinlich sogar das Leben verlor. Das tat ich nur, um mir ihr Brot und Wasser zu verschaffen, die in der Bahre waren und mir halfen, mein Leben um einige Tage zu verlängern. Als ich wieder nahe daran war, Hunger leiden zu müssen, ließ man eine tote Frau und ihren lebenden Mann herab. Ich tötete ihn ebenfalls und hatte — da ich noch öfter auf diese Weise verfuhr — Lebensmittel genug, denn in der Stadt herrschte eine verheerende Krankheit.

Nachdem ich eines Tages soeben eine Frau erschlagen hatte, hörte ich Atmen und Schritte um mich herum. Sie wurden immer stärker, und ich glaubte, etwas unterscheiden zu können, was die Flucht ergriff. Ich verfolgte es so lange und so weit, bis ich ein Licht entdeckte, das in der Ferne einem Stern glich. Auf dieses Licht ging ich immer näher zu und entdeckte zuletzt, daß es von einer Öffnung des Felsens kam, die groß genug war, daß man durch sie entkommen konnte.

Die Freude brachte mich fast von Sinnen. Nachdem ich mich wieder gefaßt hatte, kroch ich durch die Öffnung und befand mich am Ufer des Meeres. Meine Freude war so groß, daß ich Mühe hatte, mich davon zu überzeugen, nicht zu träumen. Als mir die Wirklichkeit klar wurde und meine Sinne sich beruhigt hatten, fiel mir ein, daß das Tier, welches ich hatte keuchen hören, aus der See gekommen sein mußte um, wie gewöhnlich, die Leichname in der Höhle zu fressen.

Ich sah mich am Fuße des Berges um und entdeckte, daß er

zwischen der Stadt und dem Meer lag. Am Ufer fiel ich wieder auf die Knie und dankte Allah, dem Allmächtigen, für die Rettung. Darauf ging ich in die Höhle zurück, um Brot zu suchen, und aß es dann in der Helle des Tages mit der größten Lust.

Nachdem ich mich gesättigt hatte, kehrte ich wieder in die Höhle zurück und suchte alle Diamanten, Perlen, Rubine, goldene Armspangen und Goldstoffe zusammen, die in den Bahren waren, um sie an das Ufer zu tragen. Dort machte ich mehrere Packen daraus, die ich dann mit den Stricken zusammenband, mit denen man mich herabgelassen hatte. Ich ließ sie am Ufer zurück und brauchte nicht zu fürchten, daß der Regen sie verderben würde, denn es war in der trockenen Jahreszeit.

Nach zwei oder drei Tagen bemerkte ich ein Schiff, das den Hafen verließ und nahe an der Stelle, an der ich mich befand, vorübersegelte. Ich gab mit der Binde meines Turbans ein Zeichen und schrie aus vollem Halse, um mich bemerkbar zu machen. Es gelang. Eine Schaluppe wurde abgesandt, um mich an Bord zu holen. Auf die Frage der Matrosen, welches Mißgeschick mir begegnet sei, antwortete ich, ich hätte mich vor zwei Tagen mit den Waren, die vor mir lagen, aus einem Schiffbruch hierher gerettet. Glücklicherweise für mich glaubten mir diese Leute und brachte mich mit meinen Packen an Bord.

Der Schiffskapitän freute sich sehr, mich gerettet zu sehen. Auch er glaubte mir, denn es fehlte ihm an Zeit, meine Erzählung nachzuprüfen. Ich wollte ihm einige kostbare Steine schenken, er aber nahm sie nicht an. Wir kamen an vielen Inseln vorbei und landeten schließlich an der Insel Kela, auf der es Bleiminen, indisches Zuckerrohr und sehr guten Kampfer gibt.

Der König von Kela ist sehr reich und mächtig, und seine Herrschaft dehnt sich über die ganze Glocken-Insel aus, die einen Umfang von zwei Tagesreisen hat, deren Bewohner jedoch Menschenfleisch fressen. Nachdem wir auf dieser Insel Handel getrieben hatten, stachen wir wieder in See und landeten noch in verschiedenen Häfen. Endlich kam ich — mit ungeheuren Reichtümern — wieder nach Bagdad. Um Allah für meine glückliche Rückkehr zu danken, gab ich viele Almosen zum Unterhalt der Moscheen und für die Armen. Auch lebte ich ganz meinen Freunden und Verwandten und lud sie oft zur Tafel ein."

Mit diesen Worten schloß Sindbad die Erzählung seiner vierten Reise. Er schenkte dem Lastträger neunhundert Zechinen und bat ihn, am nächsten Tag zur gleichen Stunde wiederzukommen. Der Lastträger dankte und ging gerührten Herzens fort. Als am folgenden Tag alle beisammen waren, setzten sie sich an die Tafel und ließen sich's wohl schmecken. Darauf fuhr Sindbad fort:

Sindbads fünfte Reise

„Doch schnell vergaß ich wieder die ausgestandenen Leiden und Strapazen. Noch immer lockte es mich, ferne Länder zu sehen. Ich kaufte deshalb Waren, lud sie auf einen Wagen und reiste damit nach einem Seehafen ab. Um nicht von einem Kapitän abhängig zu sein und selbst ein Schiff befehligen zu können, ließ ich eines nach meinen Angaben bauen und ausrüsten. Als es fertig war, wurde es beladen, ich schiffte mich ein und nahm, da noch Platz genug vorhanden war, Handelsleute verschiedener Nationen mit ihren Waren auf.

Bei gutem Wind stachen wir in See und waren bald weit vom Lande entfernt. Der erste Punkt, dem wir uns nach einer langen Reise näherten, war eine verlassene Insel. Dort fanden wir ein Ei des Vogels Roch von der gleichen Größe, wie ich es auf meiner früheren Reise gefunden hatte. Ein Junges war gerade in Begriff auszuschlüpfen, und man konnte den Schnabel schon sehen.

Scheherazade hielt inne und fuhr in der folgenden Nacht fort:

DIE ZWEIHUNDERTNEUNUNDSECHZIGSTE
NACHT

Die Handelsleute schlugen mit Äxten auf das Ei drein, brachten eine Öffnung an und nahmen das Junge des Vogels Roch in Stücken heraus. Hierauf brieten sie es trotz meiner Warnung, das Ei nicht anzurühren.

Kaum hatten sie die Mahlzeit beendet, als über uns zwei große Gegenstände, dick wie Wolken, sichtbar wurden. Der Kapitän, den ich angestellt hatte, wußte schon aus Erfahrung, was sie bedeuteten. Er rief uns zu, daß es Vater und Mutter des kleinen Roch seien, und forderte uns auf, uns so schnell wie möglich einzuschiffen, um dem drohenden Unglück zu entgehen. Eiligst befolgten wir seinen Rat und segelten ab.

Die zwei Vögel kamen indessen an den Ort, wo das Ei gelegen hatte. Als sie sahen, was die Handelsleute angerichtet hatten, flogen sie schnell wieder dorthin zurück, woher sie gekommen waren, während wir alle Kräfte zusammennahmen, um uns zu entfernen und dem auszuweichen, was uns drohte.

Bald kam der Vogel mit seinem Weibchen zurück, und wir bemerkten, daß jeder zwischen seinen Krallen ein Felsstück von ungeheurer Größe hielt. Als sie genau über unserem Schiff waren, hielten sie sich einige Augenblicke in gleicher Höhe über uns in der Luft. Darauf ließ der eine Vogel das Felsstück, das er hielt, auf uns herabfallen. Der Steuermann konnte dem Schiff jedoch schnell genug eine neue Richtung geben, wodurch der Fels ins Meer fiel und es von Grund auf aufwühlte. Doch die Felsmasse des anderen Vogels fiel so auf unser Schiff, daß es in tausend Stücke zerbarst. Die Matrosen und die Reisenden wurden entweder erschlagen oder sie ertranken. Ich selbst kam zunächst unter Wasser, erreichte jedoch wieder die Oberfläche und konnte mich an einem Trümmerstück festhalten. Mit günstigem Wind und bei guter Strömung wurde ich gegen eine Insel getrieben, deren Ufer sehr steil waren. Jedoch ich überwand diese Schwierigkeit und rettete mich ans Land.

Ich setzte mich ins Gras, um ein wenig auszuruhen, und sagte mir dabei: ‚Wärst du nur zu Haus geblieben, statt abermals als Abenteurer dein Glück zu versuchen!‘ Doch da mir der Allmächtige schon so oft sichtbar beigestanden hatte, faßte ich wieder Mut, stand auf und ging am Ufer umher, um zu sehen, wo ich mich befand.

Die ganze Gegend machte den Eindruck eines Gartens. Überall sah ich Bäume, die einen mit grünen Früchten beladen, die anderen mit Blüten, und Bäche von süßem und klarem Wasser, die sich reizend dahinschlängelten. Ich aß von den Früchten, fand sie ausgezeichnet und trank von dem Wasser, das ebenfalls sehr gut war.

Als die Nacht kam, legte ich mich an einem bequemen Platz ins Gras, konnte jedoch lange nicht schlafen, denn es ängstigte mich, allein an einem so verlassenen Ort zu sein. Abermals spielte ich mit dem Gedanken, mir das Leben zu nehmen, aber als der Tag mit seinem Licht kam, war meine Verzweiflung schon gemildert.

Als ich ein wenig in das Innere der Insel vordrang, bemerkte ich einen Greis, der am Ufer eines Bächleins saß und mir sehr erschöpft schien. Mein erster Gedanke war, er habe gleich mir Schiffbruch erlitten. Ich näherte mich ihm und grüßte ihn. Er erwiderte nur mit einem schwachen Nicken des Kopfes. Darauf fragte ich, was er da tue, worauf er mir durch Zeichen zu verstehen gab, ich solle ihn auf meinen Schultern über das Bächlein tragen, denn er wolle am anderen Ufer Blumen pflücken. Da er mir wirklich hilfsbedürftig erschien, nahm ich ihn auf meinen Rücken und trug ihn durch das Bächlein. Als wir jenseits ankamen, neigte ich mich, damit er bequem absteigen könne, und sprach zu ihm: „Steig herab!“

Doch statt das zu tun, schlug der Greis, der mir so schwach erschienen war, sanft seine beiden Beine, deren Haut der einer Kuh glich, um meinen Nacken und setzte sich fest auf meine Schultern, wobei er meine Kehle so eng umspannte, als wollte er mich erdrosseln. Todesangst kam über mich, und ich fiel ohnmächtig nieder.

Nach diesen Worten schwieg Scheherazade. In der folgenden Nacht setzte sie die Erzählung fort:

Der Greis kümmerte sich nicht um meine Ohnmacht, sondern blieb an meinem Halse hängen. Er gab mir nur ein wenig Luft, damit ich wieder zu mir kommen konnte. Als ich wieder zu atmen begann, drückte er mir einen seiner Füße gegen den Unterleib und stieß mich mit dem anderen heftig in die Seite, so daß ich mich beeilte, aufzustehen. Sobald ich wieder stand, dirigierte er mich unter die Bäume und zwang mich, deren Früchte zu pflücken und so viel davon zu essen wie nur möglich. Weder Tag noch Nacht verließ er seinen Sitz, und wenn ich ausruhen wollte, so legte er sich mit mir auf die Erde nieder, dabei stets die Beine um meinen Nacken geschlagen. Jeden Morgen stieß er mich heftig an, um mich aufzuwecken. Dann ließ er mich vorwärts gehen, wobei er mit seinen Schenkeln stark auf mich eindrückte. Stellt euch die Gedanken vor, die mich in einer solchen Lage bewegen mußten!

Eines Tages fand ich auf meinem Weg mehrere trockene Kürbisse, die von einem Baum herabgefallen waren. Ich nahm einen der größten, höhlte ihn schön aus und drückte den Saft mehrerer Weintrauben, von denen es auf der Insel sehr viele gab, hinein. Als ich den Kürbis gefüllt hatte, legte ich ihn an einen Ort, an den ich einige Tage darauf den Greis zu führen wußte. Dort nahm ich den Kürbis, trank daraus und fand einen ausgezeichneten Wein, der mich auf einige Zeit meine Leiden vergessen machte und mir wieder Kraft gab. Ich wurde danach so heiter, daß ich beim Gehen Sprünge machte und zu singen begann.

Als der Greis diese Wirkung des Getränks bemerkte und ich sein Gewicht weniger zu empfinden schien, wollte auch er davon trinken. Ich reichte ihm deshalb den Kürbis und er leerte ihn bis auf den letzten Tropfen. Es war genug darin enthalten, um ihn zu berauschen, und die Wirkung blieb nicht aus. Bald fing er an zu singen und sich auf meinen Schultern vor Lust zu schütteln. Die Stöße, die er mir gab, erschütterten seinen

Magen jedoch so, daß er sich erbrechen mußte. Nach und nach gaben auch seine Schenkel nach, und diese Gelegenheit wollte ich schnell nutzen. Blitzschnell warf ich ihn zur Erde, wo er ohne sich zu rühren, liegenblieb und ich ihn mit einem mächtigen Stein totschlug.

Meine Freude war groß, auf diese Weise von dem schändlichen Alten befreit zu sein. Ich ging schnell an die Küste und fand dort Seeleute, die eben an Land gekommen waren, um Wasser einzunehmen und Erfrischungen zu suchen.

Sie waren sehr erstaunt, mich zu sehen und meine Geschichte zu hören und sprachen: „Sei glücklich, den Händen dieses Greises entronnen zu sein, denn er hat bisher alle, die in seine Hände fielen, erdrosselt. Diese Insel wird allgemein gemieden, weil sie durch seine vielen Mordtaten bekannt geworden ist. Die Matrosen und Handelsleute, die sich ihr nähern, wagen es nie, in kleiner Anzahl und unbewaffnet zu landen, weil sie sonst bald einen von sich in seinen Händen sehen müssen."

Die Nachricht vom Tode des Schändlichen wurde mit großem Beifall aufgenommen. Sie führten mich mit auf ihr Schiff, und ihr Kapitän machte sich ein Vergnügen daraus, mich mitzunehmen, als er meine Geschichte gehört hatte.

Nach einer Reise von wenigen Tagen landeten wir im Hafen einer großen Stadt, deren Häuser aus Steinen erbaut waren. Einer der Handelsleute auf dem Schiff, mit dem ich mich befreundet hatte, veranlaßte mich, ihn zu begleiten. Er führte mich in eine große Wohnung, die fremden Reisenden als Aufenthaltsort angewiesen wurde. Dort gab er mir einen großen Sack und empfahl darauf einigen Einwohnern der Stadt, mich zum Einsammeln von Kokosnüssen mitzunehmen.

„Gehe hin", sagte er zu mir, „und tue, was auch sie tun, aber entferne dich nicht von ihnen, denn sonst wäre dein Leben in großer Gefahr!"

Zu den Leuten aber sagte er: „Dieser Mann ist arm und fremd. Er war Handelsmann, doch das Schiff, auf dem er sich befand, ging unter. Nun hat er nichts mehr und kennt kein Handwerk. Lehrt ihn, was ihr tut, vielleicht kann er etwas verdienen und dann in sein Land zurückkehren."

Als er mich so empfohlen hatte, hießen sie mich willkommen und sagten: „Dein Freund soll uns willkommen sein!"
Ich bekam noch Lebensmittel für den ganzen Tag und ging mit den Leuten von dannen.
Zuerst kamen wir in einen großen Wald mit hohen und geraden Bäumen. Die Stämme waren so glatt, daß es unmöglich war, daran hinaufzuklettern, um die Frucht zu erreichen. Es waren lauter Kokosnußbäume, deren Früchte wir abschlagen wollten, um damit unsere Säcke zu füllen.
Beim Betreten des Waldes sahen wir viele kleine und große Affen, die die Flucht ergriffen, sobald sie uns bemerkten, und mit erstaunlicher Gewandtheit die Bäume erstiegen.
Scheherazade wollte fortfahren, aber der Tag brach an, und sie schwieg. In der folgenden Nacht erzählte sie weiter:

DIE ZWEIHUNDERTEINUNDSIEBZIGSTE NACHT

Die Handelsleute, mit denen ich zusammen war, ergriffen Steine und warfen sie mit aller Gewalt nach den Affen. Ich folgte ihrem Beispiel. Die Affen jedoch wollten sich rächen, brachen eilig Nüsse von den Bäumen und warfen damit voller Zorn und Erbitterung auf uns. Wir sammelten die Nüsse und begnügten uns dann bald nur noch damit, Steine aufzuheben und den Affen damit zu drohen. Durch diese List kamen wir zu den Nüssen, die wir uns auf andere Weise unmöglich hätten verschaffen können.
Als wir unsere Säcke gefüllt hatten, kehrten wir in die Stadt zurück, wo der Handelsmann, der mich in den Wald geschickt hatte, mir den Wert der Nüsse bezahlte, die ich mitbrachte.
„Sammle jeden Tag", sagte er zu mir, „so wirst du Geld erwerben, mit dem du in dein Vaterland zurückkehren kannst!"
Ich dankte ihm für den guten Rat und sammelte Tag für Tag

ohne große Mühe, so daß ich mir in kurzer Zeit eine bedeutende Summe erworben hatte.

Das Schiff, mit dem ich gekommen war, war von Handelsleuten mit Kokosnüssen befrachtet gewesen, die sie gekauft hatten. Bald kam ein zweites Schiff, um gleichfalls eine Ladung aufzunehmen. Ich ließ alle Kokosnüsse, die mir gehörten, hinaufbringen und nahm dann von dem Handelsmann Abschied, der mir so gefällig gewesen war. Leider konnte sich dieser edle Mann nicht mit mir einschiffen, da er seine Geschäfte noch nicht beendet hatte.

Wir gingen unter Segel und nahmen Richtung auf die Insel, auf der der Pfeffer in großen Mengen wächst. Von dort kamen wir nach der Insel Comar, die die schönsten Aloebäume trägt und deren Bewohner es sich zum strengsten Gesetz gemacht haben, keinen Wein zu trinken und keine unsittlichen Häuser zu dulden. Auf diesen beiden Inseln tauschte ich meine Kokosnüsse gegen Aloeholz und Pfeffer ein und begab mich mit den anderen Handelsleuten zum Perlensammeln. Ich hielt mir eigene Taucher, die mir eine Anzahl großer und sehr schöner Perlen brachten. Dann ging ich freudig an Bord eines Schiffes, das eben von Bassora angekommen war. Von dort ging es nach Bagdad, wo ich Pfeffer, Aloeholz und Perlen verkaufte und mir damit viel Geld erwarb. Den zehnten Teil meines Gewinnes gab ich den Armen, wie auf der Rückkehr von meinen anderen Reisen, und suchte mich dann mit allen möglichen Zerstreuungen von den ausgestandenen Strapazen zu erholen."

Hierauf ließ Sindbad dem Lastträger hundert Zechinen geben, und der Lastträger zog sich zusammen mit den anderen Gästen zurück. Am Tage darauf fand sich die gleiche Gesellschaft bei dem reichen Sindbad zusammen. Zunächst wurde gespeist, dann erzählte er die Abenteuer seiner sechsten Reise:

Sindbads sechste Reise

„Ihre werdet kaum begreifen, wie ich mich nach so vielen Abenteuern und Gefahren abermals entschließen konnte, mein Glück zu versuchen und neuen Gefahren entgegenzugehen.

Wenn ich daran denke, muß ich mich selber wundern. Wie dem auch sei: Nach einem Jahr rüstete ich mich trotz des Flehens meiner Eltern und Freunde zu einer sechsten Reise.

Statt meinen Weg durch den persischen Golf zu nehmen, durchreiste ich mehrere Provinzen Persiens und Indiens und schiffte mich in einem Seehafen auf einem Schiff ein, dessen Eigentümer entschlossen war, eine weite Reise zu machen. Sie war in der Tat sehr lang, aber zugleich auch so unglücklich, daß der Kapitän und der Steuermann selbst nicht wußten, wo wir waren und welchen Weg sie einzuschlagen hatten.

Endlich schienen sie sich zurechtzufinden. Unsere Freude war jedoch kurz, denn bald darauf verließ der Kapitän seinen Posten und begann abscheulich zu schreien. Er warf seinen Turban zu Boden, riß sich die Haare aus und stieß sich den Kopf an wie ein Mensch, der den Verstand verloren hat.

Wir fragten ihn nach dem Grund seines Jammers, und er antwortete uns: „Ich sage euch, daß wir uns augenblicklich auf der gefährlichsten Meeresstelle befinden. Das Schiff ist in eine starke Strömung geraten, und in einer Viertelstunde müssen wir alle umkommen. Wenn sich Allah nicht unsrer erbarmt, sind wir alle verloren!"

Als er das gesagt hatte, befahl er, die Segel zu streichen. Das Tauwerk riß jedoch, und das Schiff wurde hilflos durch die Strömung gegen den Fuß eines steilen Berges getrieben. Dort strandete es und zerbarst. Wir konnten jedoch unsere Lebensmittel und die kostbaren Waren retten.

Als das geschehen war, sagte der Kapitän zu uns: „Allah hat uns gerichtet! Laßt uns unser Grab suchen und uns auf ewig Lebewohl sagen, denn der Ort, an dem wir uns befinden, ist so schrecklich, daß sich keiner von denen, die es vorher hierher verschlagen hat, jemals retten konnte!"

Diese Worte stürzten uns in tiefe Verzweiflung. Mit Tränen in den Augen umarmte einer den anderen und beweinte sein entsetzliches Schicksal.

Der Berg, an dessen Fuß wir uns befanden, war die Meeresküste einer sehr langen und breiten Insel. Die Insel war ganz mit Schiffstrümmern und einer Unzahl von Knochen bedeckt,

743

die uns schaudern machten, denn hier mußten schon viele Menschen umgekommen sein. Ihr würdet es mir nicht glauben, wenn ich von den ungeheuren Reichtümern an Waren und Edelsteinen erzählen würde, die hier aufgehäuft waren und deren Anblick noch die Trostlosigkeit steigern mußte, in der wir uns befanden. Statt, daß sich, wie sonst, die Bäche in das Meer ergießen, floß uns hier ein Bächlein mit süßem Wasser in umgekehrter Richtung entgegen, das nicht weit vom Ufer in eine dunkle Höhle mit einer hohen und breiten Öffnung drang. Das Merkwürdigste aber war, daß die Steine des Berges aus lauter Kristallen oder Rubinen bestanden. Auch gab es eine Art flüssiges Pech oder Harz, das in dem Augenblick, da es ins Meer fiel, von den Fischen verschlungen und gleich wieder ausgespien wurde. Die Wellen warfen es dann an das Ufer, das ganz davon bedeckt war. Auf der Insel wuchsen auch Aloebäume, die denen der Insel Comari an Schönheit gleichkamen.

Wir blieben am Ufer wie Leute liegen, die den Verstand verloren haben, und warteten auf unseren Tod. Bei unserer Ankunft hatten wir schon die Lebensmittel verteilt. Auf diese Weise lebte der eine von uns länger oder kürzer als der andere, je nachdem, wie es seine Lebenskraft mit sich brachte, oder ob er seinen Vorrat an Lebensmitteln langsamer oder schneller verzehrte.

Scheherazade hielt inne und fuhr in der folgenden Nacht fort:

DIE ZWEIHUNDERTZWEIUNDSIEBZIGSTE
NACHT

Die zuerst starben, wurden von den anderen begraben. Ich für meine Person erfüllte die letzten Pflichten gegen alle meine Gefährten, denn ich war sehr sparsam mit meinen Lebensmitteln und hatte außerdem noch einen Vorrat, den ich vor den Augen meiner Kameraden verborgen gehalten hatte. Als ich den letzten begrub, blieben mir noch soviel Lebensmittel übrig, daß ich nicht mehr weit damit reichen konnte. Ich grub deshalb mein Grab und war entschlossen, hineinzuspringen, wenn mein Ende nahen sollte, denn es war doch niemand mehr da, der mich hätte begraben können.

Doch Allah der Allmächtige hatte abermals Mitleid mit mir und gab mir den Gedanken, auf den Fluß zuzugehen, der sich unter dem Gewölbe der Grotte verlor. Nachdem ich dessen Lauf eine Weile betrachtet hatte, sagte ich zu mir: ,Dieser Fluß, der hier in die Erde eindringt, muß notwendigerweise irgendwo wieder hervortreten. Wenn ich ein Floß baue und mich damit dem Lauf des Wassers anvertraue, so werde ich entweder an einen bewohnten Ort kommen oder zugrunde gehen. Geschieht mir aber das erstere, so werde ich nicht nur dem traurigen Los meiner Kameraden entgehen, sondern sogar noch eine Gelegenheit finden. Reichtümer zu erwerben!'

Ich begann sogleich, das Floß aus großen Stücken Holz und dicken Seilen zu bauen, von denen es im Überfluß gab. Ich band alles so fest zusammen, daß daraus ein dauerhaftes Fahrzeug entstand. Als es fertig war, belud ich es mit einigen Packen Rubinen, Smaragden, Bernstein, Felskristallen und kostbaren Stoffen und schiffte mich auf meinem Floß mit zwei kleinen Rudern ein. Dann überließ ich mich dem Lauf des Stromes und empfahl mich dem Segen des Allmächtigen.

Sobald ich mich in der Höhle befand, sah ich kein Tageslicht mehr, und der Lauf des Flusses entführte mich, ohne daß ich bemerken konnte, wohin. Einige Tage fuhr ich durch diese Dunkelheit, ohne einen Lichtschein zu entdecken. Zuweilen war die Höhle so niedrig, daß ich mir an der Decke fast den Kopf verletzte. Während dieser Zeit genoß ich die Lebensmittel, die mir verblieben waren. Als sie trotz meiner Sparsamkeit zur Neige gingen, umfing ein sanfter Schlummer meine Sinne. Ich kann nicht sagen, wie lange ich schlief. Als ich jedoch aufwachte, sah ich mich erstaunt auf einem freien Feld am Ufer eines Flusses. Mein Floß war angebunden, und um mich herum stand eine große Anzahl Schwarzer. Als sie sah, erhob ich mich und grüßte sie. Sie redeten mich an, ich aber verstand ihre Sprache nicht. In diesem Augenblick hatte mich die Freude so sehr ergriffen, daß ich nicht wußte, ob ich wachte oder träumte und mir selbst die Worte des Dichters zurief:

Rufe Allah den Allmächtigen um seinen Schutz an,
und er wird nicht ausbleiben. Kümmere dich um nichts
weiter. Schließe deine Augen, und die Vorsehung wird
über dir wachen, während du schläfst.

Einer der Schwarzen, der Arabisch verstand, hatte mich sprechen hören und nahm das Wort: „Der Friede Allahs sei mit dir!"
Ich antwortete: „Er sei mit dir und schütze dich!"
Darauf erzählte er mir: „Wir bewohnen das Feld, das du hier siehst und sind gekommen, es aus dem Fluß zu bewässern, den wir durch kleine Kanäle heranleiten. Wir sahen aus der Ferne, daß auf dem Fluß etwas näherkam und bemerkten, daß es ein Floß war. Sogleich schwamm einer von uns ihm entgegen und brachte es heran. Wir haben es festgebunden und dann gewartet, bis du aufwachtest. Erzähle uns nun deine Geschichte, denn sie muß sehr seltsam sein!"
Ich bat sie, mir erst etwas zu essen zu geben. Danach würde ich ihnen meine Geschichte erzählen.
Sie brachten darauf mehrere Speisen, mit denen ich meinen Hunger stilllte. Dann erzählte ich ihnen alles, was mir zugestoßen war, und sie wunderten sich sehr darüber. Sobald ich geendigt hatte, sagten sie mir durch den Dolmetscher, der ihnen

alles übersetzt hatte: „Deine Geschichte ist eine der erstaunlichsten, die man sich denken kann. Unser König wird sich freuen, sie zu hören, und das kann nicht besser als durch deinen eigenen Mund geschehen."

Ich erwiderte ihnen, daß ich bereit sei, dem König meine Geschichte zu erzählen.

Hierauf ließen die Schwarzen ein Pferd holen und setzten mich darauf. Während einige von ihnen vorangingen und mir den Weg zeigten, luden die übrigen, die die Stärksten waren, das Floß mitsamt der Packen auf ihre Schultern und folgten.

Scheherazade schwieg und fuhr in der folgenden Nacht fort:

DIE ZWEIHUNDERTDREIUNDSIEBZIGSTE
NACHT

So zogen wir bis in die Stadt Serendib, wo mich die Schwarzen ihrem König vorstellten. Ich näherte mich dem Thron und grüßte den König, wie man die Könige Indiens zu grüßen pflegt: Ich warf mich ihm zu Füßen und küßte die Erde. Der König empfing mich sehr huldvoll und forderte mich auf, bei ihm Platz zu nehmen. Zuerst fragte er mich nach meinem Namen. Ich erwiderte ihm, ich sei Sindbad der Seefahrer und erzählte von meinen vielen Reisen. Meine Heimat sei Bagdad. Seine zweite Frage war, wie ich in seine Staaten gekommen sei.

Ich verbarg ihm nichts und erzählte ihm alles, wie auch ihr es von mir gehört habt. Er war von meiner Erzählung so angetan, daß er sofort befahl, meine Abenteuer mit goldenen Buchstaben aufzuschreiben und in den Archiven seines Reiches niederzulegen. Darauf brachte man das Floß und öffnete in seiner Gegenwart die Packen. Er bewunderte die Aloebäume und den Bernstein und mehr noch die Rubine und Smaragde, denn Ähnliches hatte er in seinem Schatz nicht.

Da ich bemerkte, daß er meine Kostbarkeiten mit Vergnügen

betrachtete, warf ich mich ihm zu Füßen und nahm mir die Freiheit, ihm zu sagen: „König! Nicht nur mein Leben, sondern auch die Ladung meines Floßes gehört dir, und ich bitte dich, über beides zu verfügen."

Er antwortete mir lächelnd: „Behalte beides, denn ich will dir nichts nehmen, sondern deinen Besitz auch noch vergrößern. Ich will dich nicht aus meinen Staaten ziehen lassen, ohne dir einen Beweis meiner Huld und meiner Gnade zu geben."

Einer seiner Offiziere mußte Sorge um mich tragen, und er gab mir Aufseher, die mich auf seine Kosten bedienen sollten. Der Offizier ließ auch alle Packen, die auf dem Floß waren, in die Wohnung bringen, in die er mich führte.

Es dauerte nicht lange bis Handelsleute kamen, die mich mitnehmen wollten. Ich ging deshalb sogleich zum König und bat ihn um die Erlaubnis, in mein Vaterland zurückzukehren. Sie wurde mir huldvoll erteilt. Er ließ ein reiches Geschenk aus seinem Schatz nehmen und gab mir außerdem einen Brief an den großmächtigen Herrscher Harun Arraschid, der folgenden Wortlaut hatte:

„Der König von Indien, dem tausend Elefanten vorausgehen und der in einem Palast wohnt, dessen Dach den Glanz von hunderttausend Rubinen zurückstrahlt, an den großen Kalifen Harun Arraschid: Obgleich das Geschenk, das wir dir senden, nur wenig Wert hat, so nimm es doch als Bruder und Freund und als Beweis der Gesinnung, die wir für dich hegen und die wir freudig bezeigen. Wir erwarten, daß du diese Gesinnung erwiderst, denn wir haben es verdient und sind von gleichem Range wie du. Lebewohl!"

Das Schiff segelte los, und wir kamen nach einer glücklichen, aber langen Fahrt nach Bassora, von wo wir nach Bagdad weiterreisten. Das erste, was mir nach meiner Ankunft am Herzen lag, war, diesen Brief zu überbringen.

Scheherazade sah, daß sie aufhören mußte. In der folgenden Nacht erzählte sie weiter·

DIE ZWEIHUNDERTVIERUNDSIEBZIGSTE NACHT

Ich nahm den Brief des Königs von Serendib und klopfte an die Palasttür des Beherrschers der Gläubigen, des großmächtigen Harun Arraschid. Eine schöne Sklavin und einige meiner Familienmitglieder, die meine Geschenke trugen, folgten mir. Ich wurde von den Wachen sogleich vor den Thron des Kalifen geführt. Ich warf mich vor ihm auf die Erde und bat ihn um die Erlaubnis, ihm das Schreiben und das Geschenk überreichen zu dürfen. Nachdem er gelesen hatte, fragte er, ob der König von Serendib wirklich so reich sei, wie er schreibe. Ich warf mich zum zweitenmal nieder, stand wieder auf und sprach: „Beherrscher der Gläubigen! Ich kann dir bezeugen, daß er nicht übertreibt, wenn er von seiner Macht und seinen Reichtümern spricht. Nichts ist bewundernswerter als die Pracht seines Palastes und der Glanz der Heerscharen, die ihn umgeben."

Der Kalif schien sehr zufrieden mit meiner Erzählung und entließ mich mit einem kostbaren Geschenk."

Sindbad hörte auf, zu erzählen, und seine Zuhörer zogen sich zurück. Der Lastträger erhielt jedoch vorher noch hundert Zechinen. Am folgenden Tag kam die ganze Gesellschaft wieder bei Sindbad dem Seefahrer zusammen, der ihnen die Geschichte seiner siebenten und letzten Reise erzählte.

Sindbads siebente und letzte Reise

Nachdem ich von meiner sechsten Reise zurückgekehrt war, hatte ich jeden Gedanken, mich jemals wieder von zu Hause zu entfernen, natürlich aufgegeben. In einem Alter, in dem der Körper Ruhe verlangt, hatte ich mir vorgenommen, den Gefahren auszuweichen, denen ich mich früher so oft ausgesetzt hatte. Mein einziger Wunsch war, den Rest meiner Tage in Frieden verleben zu können.

Als ich eines Tages eine Anzahl Freunde bewirtete, benachrichtigte mich einer meiner Diener, daß ein Offizier des Kalifen mich zu sprechen wünsche. Ich erhob mich von der Tafel, ging ihm entgegen, und er sagte zu mir: „Der Kalif hat mir aufgetragen, dir zu sagen, daß er dich sprechen will."

Ich folgte dem Palastdiener, der mich vor den Herrscher führte. Ihm warf ich mich zu Füßen.

„Sindbad", sprach er, „ich brauche dich. Du mußt mir einen Gefallen tun und dem König von Serendib meine Antwort und meine Geschenke bringen. Ich muß ihm die Artigkeit erwidern, die er mir erwiesen hat."

Der Wunsch des Kalifen war mir Befehl. Ich rüstete mich daher abermals zu einer Reise, ging von Bagdad nach Bassora und fand dort ein großes Schiff, das zum Auslaufen bereit war und auf dem ich mich einschiffte.

Scheherazade hielt inne, um in der folgenden Nacht fortzufahren:

DIE ZWEIHUNDERTFÜNFUNDSIEBZIGSTE NACHT

Als wir eine Weile gefahren waren, erhob sich ein großer Sturm, der das Schiff in höchste Gefahr brachte. Wir beteten zu Allah dem Allmächtigen, der Kapitän aber stieg auf den Mast und sah sich nach allen Himmelsrichtungen um. Darauf schrie er auf, warf seinen Turban fort und raufte sich mit folgenden Worten den Bart aus: „Fleht Allah um Rettung an, weint um euer Leben und sagt einander Lebewohl! Wir sind von unserem Kurs abgekommen, und der Wind wird uns bald an das äußerste Ende der Welt gebracht haben!"

Dann stieg er vom Mast herab, öffnete eine Kiste und entnahm ihr einen blauen baumwollenen Beutel, der mit Erde gefüllt war. Darauf schöpfte er etwas Wasser, mischte es mit der Erde und kostete davon. Dann brachte er ein Buch, las darin und sprach anschließend jammernd: „In diesem Buch steht, daß

jeder, der auf dieses Meer gerät, untergehen muß. Es heißt das ‚Meer des königlichen Landes‘. Hier ist das Grab des Propheten Salomon, des Sohnes Davids – Friede sei mit ihm! Kein Schiff, das auf dieses Meer kommt, bleibt unbeschädigt.“

Zunächst glaubten wir nicht so recht an die Worte des Kapitäns. Doch bald darauf krachte das Schiff schon von einem heftigen Windstoß, und zugleich schwammen zwei ungeheure Fische, beide so groß wie Berge, auf uns zu und folgten unserem Kurs. Dann hob eine starke Bö das Schiff in die Höhe und schmetterte es gegen den Kopf einer der beiden Fische, so daß wir alle ins Meer fielen.

Doch der erhabene Allah ließ uns ein großes Brett ergreifen, an dem wir uns festklammerten. Wind und Wellen warfen uns damit an das Ufer einer Insel. Fast tot vor Hunger, Kälte, Durst und Müdigkeit kamen wir dort an. Ich machte mir Vorwürfe, daß ich mich noch einmal auf eine Reise begeben hatte. Der einzige Trost für mich war, daß ich diesmal nur dem Befehl des großmächtigen Kalifen gefolgt war.

Mit zerknirschtem Sinn ging ich am Ufer umher und rief mir die Verse des Dichters ins Gedächtnis zurück:

Wenn du im Unglück bist, so vertraue Allah, und er wird dir helfen. Habe Geduld; was dunkel war, wird hell werden, und der den Knoten geknüpft hat, wird ihn vielleicht auch wieder lösen.

Lange irrte ich am Ufer umher, aß von den Pflanzen der Erde und trank das Wasser der Quellen. Als ich so längere Zeit in Elend und Not gelebt hatte, fiel es mir ein, einen kleinen Nachen zu bauen, um damit das Meer zu befahren. Ich wollte meiner Situation so oder so ein Ende machen, wollte mich retten oder sterben.

Ich sammelte mir Holz von den gestrandeten Schiffen, zerriß mein Kleid und flocht daraus einen Strick, mit dem ich die Bretter zusammenband. Dann ließ ich den Nachen ins Meer und ruderte drei Tage lang, ohne zu essen oder zu trinken. Am vierten Tag kam ich an einen hohen Berg, von dem herab

Wasser in die Erde floß. ‚Hier mußt du umkommen', dachte ich, denn mein Nachen war in den Strom geraten, der unter dem Berg hindurchfloß. Ich legte mich in den Nachen, doch ständig stieß ich Seiten und Rücken an den Bergwänden.

Nach einiger Zeit kam ich mit Allahs Hilfe wieder unter dem Berg heraus und gelangte in ein weites Tal, in das sich das Wasser mit donnerartigem Getöse ergoß. Ich hielt mich krampfhaft in dem Nachen, mit dem die Wellen ein wildes Spiel trieben, fest und fürchtete mich so sehr, ins Wasser zu fallen, daß ich darüber Essen und Trinken vergaß. Der Nachen schoß, von der Strömung pfeilschnell getrieben, dahin, bis ich in eine volkreiche Stadt kam. Die Leute, die mich vom Ufer her sahen, warfen mir Stricke zu, die ich jedoch nicht fassen konnte. Zuletzt warfen sie ein großes Netz über den Nachen und zogen mich damit an Land.

Ich war nackt und vor Anstrengung und Entbehrung halb tot. Da kam ein Mann auf mich zu, hüllte mich in ein hübsches Kleid und nahm mich mit nach Hause, wo er mich sogleich ins Bad führte. Alle seine Leute hießen mich willkommen und brachten mir zu essen. Ich aß, bis ich satt war. Dann brachten mir Sklavinnen und Knaben warmes Wasser, mit dem ich mir die Hände wusch. Hierauf dankte ich dem großen Allah für meine Rettung. Mir wurde ein besonderer Platz in einem Seitenteil des Hauses angewiesen, wo mich Sklaven und Sklavinnen bedienen mußten. So blieb ich drei Tage lang.

Am vierten Tag kam der Alte zu mir und sagte: „Herr, du bist uns willkommen, und das Jahr ist durch deine Ankunft gesegnet! Während du hier als Gast weiltest, habe ich durch meine Diener deine Waren ans Land bringen und trocknen lassen. Willst du nun mit mir auf den Markt gehen und sehen, wie sie verkauft werden?"

Ich wußte nicht, was ich dazu sagen sollte, denn ich hatte keine Waren mitgebracht. Doch trotzdem sagte ich zu ihm: „Mein Vater, was du vorschlägst, ist gut!"

Scheherazade unterbrach die Erzählung und fuhr in der folgenden Nacht fort:

Sindbad erzählte weiter: „Auf dem Markt begrüßten mich alle anwesenden Handelsleute und beglückwünschten mich zu meiner Rettung. Zugleich sah ich, daß mit den Waren, von denen der Alte gesprochen hatte, die Balken und Bretter gemeint waren, die mich hierher getragen hatten.

Die Handelsleute boten viel dafür, einer von ihnen sogar bis zu zehntausend Dinar. Und mein Freund wollte mir noch hundert Dinar mehr geben.

Ich antwortete: „Herr, deine Wohltaten sind so groß, daß ich nicht weiß, wie ich dir danken soll."

Als ich mit ihm nach Hause gegangen war, sandte er mir durch einen Diener sogleich die zehntausendeinhundert Dinar.

Nachdem ich eine Zeitlang bei ihm gastfreundlich behandelt worden war und er mich nicht ziehen lassen wollte, kam er eines Tages zu mir und sprach: „Ich will dir einen Vorschlag machen. Willst du ihn annehmen?"

„Laß hören", antwortete ich.

„Wisse", fuhr er fort, „ich bin ein alter Mann und habe keinen Sohn, wohl aber eine junge, liebenswürdige Tochter von schönem Gesicht und hübschem Wuchs. Ich wünsche, daß du sie heiratest, bei mir bleibst und mein Sohn wirst. Ich werde dir mein ganzes Vermögen überlassen."

Ich schwieg, denn soviel Güte beschämte mich, er aber fuhr fort: „Tu' wie du willst. Auch wenn du meine Tochter nicht wünschst, werde ich für dich sorgen und dich für die Heimreise in dein Vaterland ausstatten. Unser Land ist das letzte der bewohnten Länder. Hinter uns beginnt der vierte Weltteil, der unbevölkert ist."

Auf all das konnte ich nur erwidern: „Herr, tue mit deinem Knecht, wie du willst!"

Hierauf ließ er den Kadi und Zeugen rufen und verheiratete mich mit seiner Tochter. Er veranstaltete ein großes Fest und führte mich ihr zu. Ich fand sie wunderschön, liebenswürdig und schlank gewachsen wie eine Gazelle. Sie hatte einen reichen Schmuck an Ketten, Juwelen und goldenen Ringen, die wohl an die tausend Dinar wert waren. Den Wert ihrer Kleider aber konnte niemand schätzen.

Ich lebte eine Zeitlang mit ihr. Ihr Vater hatte mich zum Herrn all seiner Güter gemacht, und ich war geachtet wie ein alter Bürger der Stadt.

Doch während ich glaubte, mit meinem Schicksal zufrieden sein zu können, änderte sich auf einmal alles. Ich entdeckte nämlich, wie bei jedem Neumond den Leuten Flügel wuchsen, sich ihre ganze Gestalt veränderte und die von Vögeln annahm. Dann flogen sie zum Himmel, und nur die Kinder blieben zu Hause. Als nun wieder einmal Neumond war und die Leute ihre Gestalt veränderten, hing ich mich an einem fest und sagte: „Bei Allah, du mußt mich mitnehmen!"

Er drehte sich zu mir um und sagte: „Das ist unmöglich!"

Mit vieler Mühe brachte ich es endlich dahin, daß er mich auf den Rücken nahm und mit mir so hoch in die Luft stieg, daß ich hören konnte, wie die Engel Allah preisen. Alles was ich sagen konnte, war: „Gelobt und gepriesen sei Allah!"

Aber kaum hatte ich diese Worte gesagt, da fiel vom Himmel Feuer auf die Vogelmenschen, das sie fast verbrannte. Sie entflohen alle und der, der mich trug, warf mich auf den Gipfel eines hohen Berges. Sie waren alle ganz mutlos, schalten mich aus, gingen dann fort und ließen mich allein.

Ich bereute, was ich mir selbst angetan hatte, und sagte: „Es gibt keine Macht und keinen Schutz außer bei Allah dem Erhabenen! So oft mir Allah gnädig ist und mich aus einer schlimmen Lage befreit, stürze ich mich in eine andere!"

Ich machte mir Vorwürfe und ging um den Berg herum, ohne zu wissen, wohin ich mich wenden sollte. Da begegneten mir zwei Jünglinge. Jeder von ihnen hatte einen goldenen Stock in der Hand. Ich ging auf sie zu, begrüßte sie, und sie bewillkommneten mich.

Dann sagte ich: „Ich beschwöre euch bei Allah: wer seid ihr?"

Sie antworteten: „Wir sind Einsiedler, die auf diesem Berg wohnen und Allah anbeten!"

Sie gaben mir auch einen Stock, wie sie einen hatten, gingen ihres Weges und ließen mich allein. Da kam auf einmal eine große Schlange unter dem Berg hervor, die in ihrem Rachen einen Mann trug, der nur noch mit dem Kopf heraussah. Der Mann schrie: „Wer mich von dieser Schlange befreit, den wird Allah vor jedem Unheil bewahren!"

Ich schlug die Schlange mit dem goldenen Stock, und sie spie ihr Opfer aus. Dann schlug ich sie noch einmal, und sie entfloh. Da kam der Mann zu mir und sagte: „Weil du mich so tapfer gerettet hast, will ich dein Gefährte werden und dir beistehen." Ich hieß ihn willkommen und ging eine Weile mit ihm auf dem Berg herum. Da näherte sich uns eine große Menschenmenge. Und siehe da: Der Mann, der mich auf dem Rücken getragen hatte, war unter ihnen.

Ich grüßte ihn und sagte: „Handeln so Brüder gegeneinander?"

Er antwortete: „Freund, dadurch, daß du den Namen Allahs erwähntest, hättest du uns beinahe ins Verderben gestürzt!"

Endlich konnte ich ihn bewegen, mich wieder auf den Rücken zu nehmen, jedoch mußte ich schwören, den Namen Allah nicht wieder zu nennen. Dann gab ich den goldenen Stock dem Mann, den ich von der Schlange befreit hatte, und nahm Abschied von ihm.

Kurz darauf kam ich auf dem Rücken meines Landsmanns zu Hause an, wo sich jedermann über meine glückliche Rückkehr freute. Meine Frau äußerte den Wunsch, mit mir in meine Heimat zu ziehen, und diesem Wunsch wollte ich gern entsprechen. Bald darauf traf ich zu Schiff in Bassora ein, hielt mich dort aber nicht lange auf, sondern reiste gleich nach Bagdad, in die Friedensstadt, weiter.

Gelobt sei Allah, der mich von meiner letzten Reise bei meinen Freunden, zu denen auch du, Sindbad der Lastträger, gehörst, eingehen ließ. Harun Arraschid, der Großmächtige, hatte von meiner Ankunft und meinem Schicksal gehört und ließ mir versichern, wie sehr er daran Anteil nehme."

Das ist das Ende der Erzählung Sindbads.

Als Scheherazade so geendigt hatte, sprach ihre Schwester Dinarsad: „Schwester, wie herrlich war diese Erzählung!"
Da antwortete sie: „Was ist das alles gegen die Erzählung von den Schlafenden und den Wachenden. Die ist noch viel, viel wunderbarer."
Der Sultan war begierig, auch diese Geschichte zu hören, und Scheherazade begann:

Die Erzählung von den Schlafenden und den Wachenden

Ich habe vernommen, o König der Zeit, daß unter dem Kalifen Harun Arraschid ein Handelsmann lebte, der einen Sohn namens Abul Hassan Alcharidj hatte. Dieser Sohn erbte bei seines Vaters Tod ein ungeheures Vermögen, das er in zwei Teile teilte. Die eine Hälfte sollte unangetastet bleiben, von der anderen Hälfte wollte er leben. Seine Bekannten waren Krieger und Handelsleute, die ihm halfen, bald den einen Teil seines Vermögens durchzubringen. Dann ging er zu seinen Freunden und erzählte ihnen, wie wenig ihm von dem Reichtum geblieben sei, doch niemand wollte ihm helfen. Zerknirschten Herzens ging er zu seiner Mutter und erzählte ihr, was ihm widerfahren war.
Sie aber sprach: „O Abul Hassan! Dieses sind die Kinder des Jahrhunderts! Hast du Vermögen, so nähern sie sich dir, hast du nichts mehr, so entfernen sie sich von dir!"
Sie betrübte sich um seinetwegen, und er seufzte und sprach unter Tränen die Verse:

> *Ist mein Vermögen gering, so kümmert sich niemand*
> *um mich, ist es aber groß, so befreunden sich alle Leute*
> *mit mir. Mancher ist nur wegen meines Besitzes mein*
> *Freund geworden, und die meisten haben mich verlassen,*
> *als ich mein Gut verlor.*

Scheherazade schwieg und fuhr in der folgenden Nacht fort:

Dann ging Abul Hassan dorthin, wo er die andere Hälfte seines Vermögens aufbewahrt hatte und lebte davon. Er schwor, mit keinem seiner früheren Freunde mehr zusammenzukommen, sondern sich jede Nacht eine andere Gesellschaft zu suchen und sie am Morgen wieder zu verlassen. Deshalb setzte er sich allabendlich auf die Brücke und sprach jeden Fremden an, den er vorüberkommen sah, führte ihn in sein Haus und brachte die Nacht in seiner Gesellschaft zu. Am Morgen aber ließ er ihn gehen, ohne sich weiter nach ihm umzusehen.

Als er eines Abends nach seiner Gewohnheit wieder auf der Brücke saß, kamen der Kalif und Masrur, das Schwert seiner Rache, vorüber. Sie waren verkleidet, wie es der großmächtige Herrscher öfter zu tun pflegte.

Als Abul sie sah, ging er, ohne sie zu kennen, auf sie zu und sprach zu ihnen: „Wollt ihr wohl mit in meine Wohnung kommen, um dort zu essen und zu trinken, was ich euch zu bieten habe: Brot, gekochtes Fleisch und klaren Wein?"

Der Kalif wollte nicht einwilligen, aber Abul Hassan beschwor ihn bei Allah, er möge doch sein Gast sein und seine Hoffnung nicht enttäuschen. Er drang so lange in ihn, bis der Kalif einwilligte und ihm die Gnade erwies.

Abul Hassan ging nun dem Kalifen voran und unterhielt ihn, bis sie in die Wohnung kamen. Dort reichte er dem Herrscher einen Stuhl und ließ ihm eine Mahlzeit vorsetzen. Er selber aß auch, damit es dem Gast besser schmecken sollte. Der Kalif bewunderte diese Gastfreundschaft und Wohltätigkeit und sagte: „Laß mich wissen, wer du bist, damit ich dich für deine Wohltaten belohne!"

Abul Hassan antwortete lächelnd: „Herr, bleibe fern von mir, damit es mir mit dir nicht gehe wie mit anderen."

Der Kalif fragte verwundert: „Warum soll ich dir fernbleiben?"

Abul Hassan antwortete: „Meine Geschichte ist sonderbar und mein Benehmen hat seinen Grund!"
Der Tag unterbrach die Erzählung Scheherazades. In der folgenden Nacht fuhr sie fort:

DIE ZWEIHUNDERTACHTUNDSIEBZIGSTE NACHT

A bul Hassan fügte hinzu: „Laß dir die Geschichte von dem Feinschmecker und dem Bettler erzählen!

Die Geschichte von dem Feinschmecker und dem Bettler

Ein Feinschmecker stand eines Morgens auf und hatte am Tage zuvor die letzte Münze aus seinem Beutel verpraßt. Er verlor allen Mut und legte sich wieder schlafen, bis die Sonne am höchsten stand und ihn die Hitze nicht mehr ruhen ließ. Ohne eine Münze zu besitzen, ging er an dem Laden eines Kochs vorüber, der eben einen Topf mit reinem Fett auf dem Feuer stehen hatte, aus dem die köstlichsten Gewürze ihren Duft verströmten. Der Koch stand hinter den Töpfen, putzte die Waage ab, wusch die Schüsseln rein, kehrte den Laden aus und bespritzte ihn mit Wasser.
Da kam der Feinschmecker in den Laden und sagte zu dem Koch: „Wiege mir für einen halben Dirham Fleisch, für einen viertel Dirham Gemüse und für einen viertel Dirham Brot ab!"
Der Koch wog ihm alles vor und er aß alles auf, wußte aber nicht, womit er seine Zeche bezahlen sollte. Er sah sich im Laden um. Dabei fiel sein Blick auf ein umgestürztes Becken. Er hob es auf und fand darunter einen frischen Pferdeschweif, von dem noch das Blut tropfte. Daran merkte er, daß der Koch Pferdefleisch verkaufte — was das Gesetz bestrafte. Als er diese

Schandtat entdeckte, freute er sich, wusch seine Hände und ging fort.

Der Koch jedoch schrie hinter ihm her: „Haltet den Dieb! Haltet den Betrüger!"

Der Feinschmecker blieb stehen und sagte: „Dummkopf, was schreist du mir so nach?"

Der Koch kam aus dem Laden und rief: „Nachdem du Fleisch, Gemüse und Brot gegessen hast, gehst du fort, ohne die Zeche zu bezahlen!"

Der Feinschmecker sagte: „Du lügst, du Hundesohn!"

Da packte ihn der Koch am Hals und schrie: „Herbei, ihr Muselmänner! Das war das erste, was ich heute verkaufte! Dieser Mann kommt, verzehrt meine Speisen und bezahlt mir nichts dafür!"

Die Leute versammelten sich um sie, beschimpften den Feinschmecker und sagten: „Bezahle ihm, was du gegessen hast!"

Er sagte: „Ich habe ihm einen Dirham gegeben, bevor ich in seinen Laden trat!"

Der Koch aber beteuerte bei allem, was ihm heilig war, daß er davon nichts wisse. Der Feinschmecker dagegen beteuerte die Wahrheit seiner Behauptung.

Zuletzt packten sie einander und würgten sich. Als die Leute das sahen, fragten sie: „Was bedeutet dieser Streit und warum schlagt ihr euch?"

Da sagte der Feinschmecker: „Wir streiten wegen eines Verbrechens!"

Als der Koch das hörte, sagte er: „Bei Allah, du hast recht, du hast mir einen Dirham gegeben, und hast du nicht für einen ganzen Dirham verzehrt, so laß dir zurückgeben, was dir noch gehört!" Denn der Koch hatte wohl gemerkt, was der Feinschmecker mit dem Wort ‚Verbrechen' hatte sagen wollen.

Nun, mein Freund, auch meine Geschichte hat ihren Grund, den ich dir sagen will."

Der Kalif lachte und sprach: „Laß ihn hören!"

Scheherazade schwieg und fuhr in der folgenden Nacht fort:

Abul Hassan sprach: „Ich heiße Abul Hassan Alcharidj. Als mein Vater starb, hinterließ er mir ein großes Vermögen, das ich in zwei Teile teilte — den einen zum Aufbewahren, den anderen, um damit in Gesellschaft meiner Freunde zu leben. Stets war ich von einem Schwarm lustiger Brüder umgeben. Dadurch schwand mein großes Vermögen bald auf die Hälfte zusammen. Deshalb ging ich zu meinen bisherigen Freunden und verlangte Beistand und Hilfe von ihnen, doch jeder verweigerte sie mir. Keiner wollte auch nur einen Laib Brot mit mir teilen. Darauf nahm ich die zweite Hälfte meines Vermögens und schwor, niemand mehr länger als eine Nacht zum Tischgenossen zu behalten und ihn dann nicht mehr zu grüßen oder sonst mit ihm zu verkehren. Deshalb sagte ich auch vorhin zu dir: Entferne dich von mir, damit Vergangenes nicht wiederkehre, denn ich werde nur diese Nacht mit dir zusammen sein."

Als der Kalif das hörte, lachte er sehr und sprach: „Bei Allah, mein Freund, du bist hinlänglich entschuldigt, denn nun weiß ich, daß die Ursache deines Benehmens ein Verbrechen deiner Freunde ist. Doch ich werde, so Allah will, nicht ganz von dir scheiden."

Da sagte Abul Hassan: „Habe ich dir nicht gesagt, du sollst fortgehen, damit Vergangenes nicht wiederkehre?"

Scheherazade hielt inne. In der nächsten Nacht fuhr sie fort:

Dann wurden eine gebratene Gans und andere Speisen aufgetragen, die Abul Hassan zerschnitt und dem Kalifen
vorlegte. Sie aßen miteinander, bis sie satt waren, dann brachte
man ihnen Wasser, und sie wuschen ihre Hände. Darauf ließ
Abul Hassan drei Wachskerzen und drei Lampen anzünden.
Er setzte alten, klaren, gewürzten Wein vor, füllte damit den
ersten Becher und sagte: „Gast, laß uns zwanglos fröhlich und
heiter sein. Wenn du willst, so betrachte mich als deinen Diener. Möchte ich nie mit deinem Verlust heimgesucht werden!"
Er trank dann aus, füllte den zweiten Becher und reichte ihn
dem Kalifen, dem Abul Hassans Worte und Taten so gut gefielen, daß er sich vornahm, ihn zu belohnen. Als Abul Hassan
ihm den Becher überreichte, sprach er folgende Verse:

> *Hätten wir eure Ankunft vorausgeahnt, wir würden*
> *euch das Innerste unseres Herzens oder das Schwarze*
> *unseres Auges geschenkt haben. Wir hätten unsere Brust*
> *als Teppich für euern Empfang dargeboten, und wäret*
> *ihr selbst über unsere Augenlider einhergeschritten.*

Als der Kalif diese Worte hörte, nahm er Abul Hassan den
Becher ab, küßte ihn und trank ihn aus. Abul Hassan nahm
den Becher, füllte ihn aufs neue, trank ihn aus, füllte ihn
nochmals und reichte ihn dem Kalifen mit den Worten:

> *Eure Ankunft bringt mir Ehre und Ruhm. Wäret ihr nicht*
> *gekommen, so könnte euch kein anderer Gast ersetzen.*

Dann sagte er zu dem Kalifen: „Trinke zu deinem Wohl, zu
deinem Heil und zur Verhütung allen Übels."
So tranken sie bis Mitternacht und waren guter Dinge. Dann
sagte der Kalif zu Abul Hassan: „Hast du irgendeinen Wunsch,
den du erfüllt, oder irgendein Übel, das du beseitigt wünschest?"
Er antwortete: „Bei Allah, ich habe kein anderes Verlangen,

als daß ich einmal herrschen, befehlen und verbieten können möchte, ohne jemandem Rechenschaft darüber schuldig zu sein."

Der Kalif erwiderte: „Sage mir, mein Freund, wozu das?"

Abul Hassan antwortete: „Ich möchte mich an meinen Nachbarn rächen können. In meiner Nachbarschaft ist eine Moschee. Darin sind vier Scheiche, die sich immer ärgern, wenn ein Gast zu mir kommt. Sie schimpfen und schmähen mich dafür und drohen mir, mich beim Fürsten der Gläubigen zu verklagen. Sie haben mich schon so geplagt, daß ich beim erhabenen Allah wünsche, nur einen Tag herrschen zu dürfen, um jedem von ihnen vierhundert Peitschenhiebe geben lassen zu können, und zwar vor der Moschee. Dann würde ich sie in der Stadt herumführen und vor ihnen ausrufen lassen: ‚Das ist der geringste Lohn für den, der gegen andere Leute gehässig ist und ihre Freude stört!' Das ist mein einziger Wunsch."

Der Kalif sprach: „Allah erfülle ihn. Laß uns nun austrinken, denn diese Nacht bleibe ich bei dir, und vor Tag gehen wir zusammen fort."

Abul Hassan sagte: „Dies sei ferne von mir!"

Da füllte der Kalif seinen Becher, warf ein Stück einer Schlafpflanze von der Insel Kreta hinein, reichte ihn Abul Hassan und sprach: „Ich beschwöre dich bei meinem Leben, Freund, trinke aus diesem Becher!"

Abul Hassan erwiderte: „Nun, bei deinem Leben, ich nehme ihn aus deiner Hand!"

Kaum hatte er daraus getrunken, als er auch schon wie ein Toter mit dem Gesicht nach vorn auf die Erde fiel.

Der Kalif stand auf und sagte zu seinem Diener Masrur, der draußen wartete: „Geh hinein zu dem Mann, der dort schläft, trage ihn in meinen Palast und schließe die Tür dieses Hauses zu!"

Dann ging er fort. Masrur nahm Abul Hassan auf die Schultern, schloß dessen Haustür und folgte seinem Herrn. Der Tag war angebrochen, und schon hatte der Hahn gekräht. Masrur trug Abul Hassan in den Palast und legte ihn dem Beherrscher der Gläubigen zu Füßen.

Dieser schickte hierauf zu Djafar, dem Barmakiden, und sagte, als er erschien, zu ihm: „Sieh dir diesen Mann an. Wenn du ihn morgen an meiner Stelle auf dem Thron der Kalifen siehst, so bleibe in seinem Dienst und befehle allen Fürsten, Großen und Hohen des Reichs, seinen Befehlen Folge zu leisten. Auch du selbst tust, was er befiehlt, und keiner widersetze sich während des Tages seiner Befehle!"

Djafar vernahm die Befehle des Kalifen und entfernte sich. Der Kalif ging dann zu den Sklavinnen, die im Schlosse waren, und sagte zu ihnen: „Wenn der Mann, der hier schläft, morgen erwacht, so küßt die Erde vor ihm, bekleidet ihn mit dem Ehrenkleid und bedient ihn in allem wie mich selbst. Dann sagt zu ihm: ‚Heil dir, Kalif!'"

Er trug ihnen noch mehr auf, verbarg sich dann hinter einem Vorhang und schlief.

Auch Abul Hassan schlief, bis die Sonne schon hoch am Himmel stand. Da näherte sich ihm eine Sklavin und sprach: „Herr, es ist Zeit, das Morgengebet zu verrichten!"

Als Abul Hassan diese Worte hörte, stutzte er und sah sich verwundert um. Bald sah er auf die azurnen und vergoldeten Wände, bald nach der goldenen Decke. Er sah viele Zimmer ringsumher, die mit seidenen, goldbestickten Tapeten behangen waren, sah allerlei goldene und kristallene Gefäße chinesischer Arbeit, schöne Betten und Teppiche, brennende Lampen, die von Ambra dufteten, und eine Menge von Sklavinnen, Dienern, Mamelucken und hübschen Knaben, die ihn umringten.

Abul Hassan wurde ganz verwirrt und sagte: „Entweder ich träume, oder dieses ist das Paradies und die Wohnung des Friedens."

Dann schloß er die Augen wieder und legte sich nieder.

Da sagte ihm ein Diener: „Herr! Fürst der Gläubigen! Es ist sonst nicht deine Gewohnheit, so lange zu schlafen!"

Darauf kamen alle Sklavinnen des Schlosses und richteten ihn sanft auf. Er saß auf einem hohen Bett, das ganz mit Seide gefüttert war, und sie hielten ihn mit einem Kissen in die Höhe. Als er nun die Größe des Schlosses und alle Sklavinnen und

Diener zu seinem Dienst bereit sah, lachte er über sich selbst und sagte: „Bei Allah! Ich weiß nicht, ob ich schlafe oder wache!"

Bald stand er auf, bald setzte er sich wieder. Die Mädchen lachten heimlich über ihn. Er wurde ganz verwirrt und biß sich auf die Finger, bis es schmerzte. Dann schrie er und wurde böse. Der Kalif sah ihm zu, ohne von ihm bemerkt zu werden, und lachte.

Abul Hassan wandte sich zu einer Sklavin und sagte: „Beim erhabenen Allah, bin ich der Fürst der Gläubigen?"

Sie antwortete: „Ja, Herr, beim allmächtigen Allah, du bist jetzt der Fürst der Gläubigen!"

Er sagte: „Du lügst, Dirne!"

Dann wandte er sich zu einem anderen Diener und fragte ihn: „Wer ist der Fürst der Gläubigen?"

Der Diener antwortete: „Du, Herr!"

Da sagte er: „Du lügst, Schurke!"

Er wandte sich dann zu einem anderen Verschnittenen.

Scheherazade bemerkte das Kommen des Tages und schwieg. In der folgenden Nacht fuhr sie fort:

Abul Hassan sagte zu dem Verschnittenen: „Sprich, Alter, bin ich der Fürst der Gläubigen?"

Der antwortete: „Bei Allah, Herr! Du bist jetzt der Fürst der Gläubigen und Stellvertreter des Herrn der Welten!"

Abul Hassan lachte über sich selbst und seine seltsame Veränderung und sagte: „Wie soll ich in einer Nacht Fürst der Gläubigen geworden sein, da ich doch gestern noch Abul Hassan war?"

Alle Sklaven und Sklavinnen bildeten einen Kreis um ihn, wobei sie die Arme auf der Brust kreuzten. Der Mameluck reichte ihm dann ein Paar seidene, mit Gold bestickte Überstrümpfe. Abul Hassan nahm sie und wollte sie um den Arm legen. Da sagte der Mameluck: „Herr, das ist doch für deine Füße. Weshalb streckst du den Arm hinein?"

Abul Hassan schämte sich und zog die Strümpfe an die Füße, wobei der Kalif fast vor Lachen starb.

Als Abul Hassan ganz angekleidet war, brachten ihm Sklavinnen ein goldenes Waschbecken mit einer silbernen Kanne, gossen ihm Wasser über die Hände, und er wusch sich. Dann breiteten sie einen Gebetsteppich unter ihm aus. Er konnte jedoch nicht beten, so sehr war er verwirrt von allem, was er sah, und immer wieder dachte er bei sich selbst: ‚Bei Allah, bin ich wirklich Fürst der Gläubigen? Wäre es ein Traum, wie könnte alles so ordentlich aufeinander folgen und ich meiner Sinne so sehr Herr sein?'

Als er das Gebet vollendet hatte, umgaben ihn Mamelucken und Sklavinnen mit seidenem Weißzeug. Dann legten sie ihm das Ehrenkleid des Kalifen an und gaben ihm ein langes Schwert in die Hand. Ein großer Sklave ging voraus, und kleine Mamelucken folgten ihm, bis sie zum Audienzsaal kamen. Sie hoben den Vorhang auf, und er stand vor dem Thron des Richters und Beherrschers der Gläubigen.

Hier sah er die vielen Vorhänge, die vierzig Türen, die schö-

nen Gemälde und Statuen, den Gesellschafter Abu Ishak. Um
ihn blinkten Schwerter, vergoldete Klingen, scharfe Pfeile und
Bogen. Er sah Perser, Araber, Türken und eine Menge Prinzen, Wesire, Truppen und Volk sowie die Vornehmen des
Reiches und die Herren der Gewalt. Er setzte sich auf den Thron
des Kalifen und legte das Schwert auf seinen Schoß. Da kamen
alle Leute, küßten die Erde vor ihm und wünschten ihm ein
langes Leben.

Darauf trat Djafar, der Barmakide, hervor und sprach: „Mögen deine Füße den Boden Allahs betreten, das Paradies deine
Wohnung sein und die Hölle die deiner Feinde. Niemand tue
dir etwas zuleide, und das Feuer der Hölle glimme nicht für
dich, großmächtiger Kalif und Beherrscher der Länder unter der
Sonne!"

Abul Hassan schrie ihm zu: „Hund der Söhne Barmaks! Geh
sofort mit dem Befehlshaber der Stadt in jenes Viertel, wo die
Mutter Abul Hassans wohnt! Gib ihr hundert Dinar und grüße
sie von mir. Dann nimm die vier Scheiche und den Iman der
Moschee des Viertels, lasse jedem von ihnen vierhundert Prügel
geben und sie, rückwärts auf Kamelen sitzend, in der Stadt
umherführen. Der Ausrufer gehe vor ihnen mit den Worten
her: ‚Das ist der geringste Lohn für den, der durch Schmähung
und üble Reden seine Nachbarn stört und ihnen dadurch Vergnügen, Essen und Trinken verbittert!' Darauf verbanne sie
aus der Stadt!"

Scheherazade schloß ihre Erzählung. In der folgenden Nacht
fuhr sie fort:

Dajafar sagte: „Dein Wille ist mir Gebot!", verließ Abul Hassan, ging in die Stadt und tat, wie ihm befohlen worden war.

Abul Hassan aber fuhr fort, als Kalif zu handeln. Er erteilte Befehle und Verbote, und alles, was er befahl, wurde vollzogen, bis der Tag zu Ende war. Dann erlaubte er den Leuten zu gehen, und die Fürsten und Großen des Reiches gingen ihren Geschäften nach.

Da erschienen die Diener und wünschten ihm ein langes Leben. Sie hoben den Vorhang auf, und er trat in den Saal des Harems. Dort fand er Wachskerzen und Lampen brennen und sah Sängerinnen, die auf Instrumenten spielten. Sklavinnen traten ihm entgegen und führten ihn auf den erhöhten Raum im Saal. Sie brachten ihm einen herrlichen Tisch mit den köstlichsten Speisen, und er aß, bis er satt war.

Dann rief er einer Sklavin zu: „Wie heißt du?"

Sie sagte: „Muska."

Er fragte eine andere: „Wie heißt du?"

Sie antwortete: „Tarka!"

Er fragte eine dritte: „Wie ist dein Name?"

Und sie antwortete: „Tochfa!"

So fragte er alle Mädchen nach ihren Namen. Dann ging er in den Trinksaal und fand alles vollständig ausgestattet. Da waren zehn große Schüsseln mit allerlei Früchten, Backwerk und Süßigkeiten. Er setzte sich und aß davon, bis er genug hatte. Dann kamen drei Gruppen Sängerinnen. Sie aßen und setzten sich. Viele Diener, Mamelucken, Sklavinnen, Jünglinge und Mädchen standen oder saßen um ihn herum. Die Mädchen sangen und machten auf verschiedenen Instrumenten Musik, so daß der ganze Saal harmonisch davon wiedertönte. Abul Hassan glaubte sich im Paradies. Ihm war im Herzen wohl, und er war sehr vergnügt. Er machte den Mädchen viele Geschenke, rief bald diese zu sich und küßte bald jene. Dann spielte er wieder mit einer anderen, gab der einen zu trinken und der anderen zu essen, bis die Nacht ganz hereingebrochen war.

Da befahl der Kalif, der alles mitangesehen und seine Freude daran gehabt hatte, einer der Sklavinnen, ein Stück Schlafpflanze in einen Becher zu tun und Abul Hassan daraus zu trinken zu geben. Das Mädchen tat, wie der Kalif befohlen hatte, und kaum hatte Abul Hassan den Becher geleert, als er auch schon fest einschlief.

Lachend trat der Kalif hinter dem Vorhang hervor und befahl dem Jüngling, der Abul Hassan hierher gebracht hatte: „Bringe ihn wieder in sein Haus zurück!"

Der Jüngling brachte Abul Hassan in seine Wohnung, legte ihn dort nieder, ging fort, schloß die Tür hinter sich und ging dann wieder zum Kalifen.

Scheherazade bemerkte den Tag und schwieg. In der nächsten Nacht erzählte sie weiter:

DIE ZWEIHUNDERTDREIUNDACHTZIGSTE NACHT

Abul Hassan schlief, bis der Morgen schon längst angebrochen war.

Als er erwachte, schrie er: „O Tafacha! O Racha! O Muska! O Tocha!"

Er schrie so lange, bis seine Mutter hörte, daß er nach fremden Mädchen rief. Sie stand auf, ging zu ihm und sagte: „Der Name Allahs sei mit dir! Steh auf, mein Sohn Abul Hassan, du träumst!"

Als er seine Augen öffnete und eine alte Frau bei sich sah, sagte er: „Wer bist du?"

Sie aber fragte: „Erkennst du deine Mutter nicht?"

Er sagte: „Du lügst, ich bin der Fürst der Gläubigen, der Kalif Allahs!"

Da schrie seine Mutter: „Allah erhalte dir deinen Verstand, mein Sohn! Schweig, sonst ist es um unser Leben und um dein Vermögen geschehen, wenn jemand dieses hört und es dem Kalifen hinterbringt!"

Bei diesen Worten erwachte er ganz, erkannte seine Mutter und seine Wohnung. Nun rief er sich die Erlebnisse des vergangenen Tages ins Gedächtnis zurück, ohne jedoch dabei mit sich selbst ins reine zu kommen und sprach: „Allmächtiger Allah, Mutter! Ich sah mich im Traum im Palast des Kalifen, von Mamelucken und Sklaven umgeben, habe regiert und Befehle erteilt." Und nach einigem Nachdenken fügte er hinzu: „Beim allmächtigen Allah, es war doch kein Traum!"

Immer lebhafter fiel ihm ein, was er gestern erfahren hatte, so daß er bald nicht mehr daran zweifelte, wach gewesen zu sein.

Seine Mutter aber sprach: „Mein Sohn, du spielst mit deinem Verstand, du wirst wahnsinnig werden, denn was du gesehen hast, kommt vom Teufel. So spiegelt oft der Böse dem menschlichen Verstand das Verschiedenartigste vor. Sage mir, mein Sohn, war gestern abend jemand bei dir?"

Abul Hassan dachte nach und sagte: „Ja, es war jemand bei mir, dem ich meine Geschichte erzählte, und ohne Zweifel gehört der zu den Teufeln. Du hast doch recht, meine Mutter, ich bin Abul Hassan!"

Da sagte seine Mutter: „Höre, was ich dir Angenehmes zu erzählen habe: Gestern kam der Wesir Djafar, der Barmakide, und ließ den Scheichen der Moschee und dem Iman jedem vierhundert Prügel geben. Dann wurden sie aus der Stadt verbannt, und es wurde vor ihnen ausgerufen: ‚Das ist der geringste Lohn für diejenigen, die ihre Nachbarn kränken und ihnen ihr Leben verbittern!' Und mir hat er hundert Dinar geschickt und mich grüßen lassen!"

Da schrie Abul Hassan: „Du verdammte Alte! Wie willst du mir weismachen, ich sei nicht der Kalif? Ich habe doch Djafar befohlen, die Scheiche zu prügeln und sie der öffentlichen Schande preiszugeben. Auch war ich es, der dir mit einem Gruß hundert Dinar geschickt hat. Ich bin wirklich der Fürst der

Gläubigen, du verdammte Alte! Und du bist eine Lügnerin und willst mich verwirren!"

Dann stand er auf und schlug seine Mutter mit einem Mandelbaumstock, bis sie um Hilfe rief. Die Nachbarn kamen herbeigeeilt und hörten, wie Abul Hassan zu seiner Mutter sagte: „Du verfluchte Alte willst mich, den Fürsten der Gläubigen, Lügen strafen!"

Hier bemerkte Scheherazade den Anbruch des Tages und schwieg. In der folgenden Nacht fuhr sie fort:

DIE ZWEIHUNDERTVIERUNDACHTZIGSTE NACHT

Die Leute sprachen zueinander: „Kein Zweifel, der ist gewiß wahnsinnig geworden!"

Deswegen ergriffen sie ihn, banden ihn und schleppten ihn ins Irrenhaus. Der Aufseher fragte: „Was ist mit diesem Jüngling?"

Sie antworteten: „Er ist rasend!"

Abul Hassan aber rief unentwegt: „Bei Allah, sie lügen! Ich bin nicht rasend, ich bin der Fürst der Gläubigen!"

Der Aufseher sagte: „Du lügst, du Verruchtester aller Wahnsinnigen!"

Dann zog er ihm seine Kleider aus, legte ihm eine schwere Kette um den Hals, band ihn an ein hohes Gitter und schlug ihn zweimal am Tag und zweimal in der Nacht.

Nach zehn Tagen kam seine Mutter zu ihm und sagte: „Mein Sohn Abul Hassan, werde wieder verständig! Das Ganze ist nur das Werk der Teufel."

Abul Hassan erwiderte: „Du hast recht, Mutter, ich will von jetzt an bloß Abul Hassan sein und nicht mehr rasen. Laß mich nur befreien, denn ich gehe fast zugrunde!"

Seine Mutter ging zu dem Aufseher, ließ Abul Hassan befreien und kehrte mit ihm in seine Wohnung zurück.

Scheherazade hielt inne, denn der Tag brach an. In der folgenden Nacht fuhr sie fort:

DIE ZWEIHUNDERTFÜNFUNDACHTZIGSTE NACHT

Als der Monat zu Ende gegangen war und ein neuer begonnen hatte, wünschte Abul Hassan wieder einmal, Wein zu trinken. Nach seiner Gewohnheit ließ er seine Wohnung mit Teppichen ausschmücken, ließ Speisen und Wein bereithalten und ging auf die Brücke, um jemanden zu erwarten und einzuladen. Da ging der Kalif an ihm vorüber. Abul Hassan grüßte ihn aber nicht, sondern sagte: „Keinen Gruß den Verrätern! Ihr seid ein Teufel!"

Der Kalif ging auf ihn zu und sprach: „Mein Freund, habe ich dir nicht vorher gesagt, daß ich wieder zu dir kommen werde?"

Abul Hassan sagte: „Ich will nichts mit dir zu tun haben, denn das Sprichwort sagt:

> Es ist besser und angenehmer, von einem Freunde fern
> zu sein, denn wenn das Auge nichts sieht, so betrübt
> sich auch das Herz nicht.

Und in Wahrheit, Freund! In der Nacht, die wir zusammen verbrachten und zechten, war es, als hätte der Teufel mich besessen!"

Der Kalif fragte: „Und wer war der Teufel?"

Abul Hassan antwortete: „Du!"

Der Kalif lächelte, setzte sich zu ihm und sprach: „Mein lieber Freund, als ich von dir wegging, ließ ich die Tür offen. Vielleicht ist dann der Teufel zu dir gekommen."

Abul Hassan sagte: „Frage nicht danach, was mir widerfahren ist. Es war böse von dir, die Tür offen zu lassen, so daß der böse Geist mir nahen konnte."

Hierauf erzählte Abul Hassan von Anfang bis zum Ende alles, was ihm widerfahren war. Der Kalif lachte, ohne es jedoch Abul Hassan merken zu lassen, und sprach dann zu ihm: „Gelobt sei Allah, daß er das Übel wieder von dir abgewendet hat und ich dich wieder wohl sehe!"

Abul Hassan entgegnete: „Ich werde dich dennoch nicht zum zweitenmal zu meinem Tischgenossen nehmen, denn das Sprichwort sagt: ‚Wer über einen Stein stolpert und sich ihm noch einmal nähert, verdient Tadel'. Ich werde also nicht mehr mit dir zechen, weil ich einen schlimmen Ausgang voraussehe."

Der Kalif schmeichelte Abul Hassan und bestürmte ihn so lange mit Bitten, ihn doch als Gast mitzunehmen, bis Abul Hassan nochmals einwilligte, ihm Speisen aufzutischen und ihn mit freundlichen Worten zu unterhalten. Dann erzählte er dem Kalifen noch einmal alles, was ihm widerfahren war, und der Kalif lachte heimlich. Die Speisen wurden abgetragen und der Weintisch gebracht. Abul Hassan füllte den Becher, leerte ihn dreimal, gab ihn dann dem Kalifen und sagte: „Ich bin der Diener meines Gastes! Sei munter und verlaß mich nicht!" Darauf sprach er die Verse:

> *Höre die Worte des weisen Ratgebers! Das Leben hat*
> *keinen Reiz ohne Wein. Ich trinke immerfort, in die*
> *tiefste Nacht hinein, bis zuletzt der Schlaf meinen Kopf*
> *auf den Becher stürzt. Meine Freude ist der Wein, der*
> *wie die Sonne strahlt und dessen Feuer die Sorgen*
> *verscheucht.*

Als der Kalif diese Verse hörte, war er ganz entzückt. Er nahm den Becher und trank ihn aus. So zechten sie die ganze Nacht hindurch, bis ihnen der Wein in den Kopf stieg.

Da sagte Abul Hassan zu dem Kalifen: „O mein Gast, ich weiß nicht, wie mir geworden ist. Mir ist, als sei ich Fürst der Gläubigen gewesen und hätte Befehle gegeben und Geschenke verteilt. Es war wirklich kein Traum!"

Der Kalif sagte: „Das alles sind Täuschungen des Traumes!" Dann warf er ein Stückchen Schlafpflanze in den Becher und sprach: „Bei meinem Leben, trinke diesen Becher leer!"

Abul Hassan nahm ihn und trank.

Scheherazade hörte auf zu erzählen, denn der Tag brach an.
In der folgenden Nacht fuhr sie fort:

DIE ZWEIHUNDERTSECHSUNDACHTIGSTE NACHT

Dem Kalif gefiel das ganze Wesen Abul Hassans sehr gut, und er sagte zu sich: ‚Ich werde ihn zu meinem Tischgenossen und Gesellschafter machen.‘ Doch als Abul Hassan den Becher ausgetrunken hatte, fiel er um.

Sogleich stand der Kalif auf und sagte zu seinem Diener: „Bringe ihn in das Schloß und lege ihn vor dem Thron nieder!"

Ins Schloß zurückgekehrt, befahl er dann seinen Sklavinnen und Mamelucken, Abul Hassan wieder zu umgeben, und verbarg sich an einem Ort, wo Abul ihn nicht sehen konnte. Dann befahl der Kalif einer Sklavin, die Laute vor ihm zu spielen, und den anderen Sklavinnen, sie auf verschiedenen Instrumenten zu begleiten. Gegen Morgen erwachte Abul Hassan von der Musik und dem Gesang.

Als er sich wieder im Schloß und von Sklavinnen und Dienern umgeben sah, sagte er: „Es gibt keinen Schutz und keine Macht außer bei Allah, dem Erhabenen. Gewiß ist wieder der Teufel in mich gefahren. O Allah, beschäme den Teufel!"

Und er dachte an das Irrenhaus und daran, was er gelitten hatte. Er drückte die Augen zu, legte den Kopf in den Schoß, lachte dann ein wenig und hob den Kopf wieder. Da sah er das Schloß beleuchtet und die Sklavinnen sangen.

Darauf ließ sich ein Diener an seiner Seite nieder und sagte: „Setze dich, o Fürst der Gläubigen, und betrachte einmal dein Schloß und deine Sklavinnen!"

Abul Hassan sagte: „Beim Schutze Allahs, bin ich wirklich der Fürst der Gläubigen? Lügt ihr nicht? Gestern bin ich nicht

ausgegangen und habe nicht Recht gesprochen, sondern getrunken und geschlafen, bis dieser Diener mich weckte."

Er richtete sich langsam empor und setzte sich aufrecht. Er erinnerte sich an alles, was ihm mit seiner Mutter begegnet war,
wie er sie geschlagen hatte, wie er dann ins Irrenhaus gekommen war, ja, er sah noch die Spuren der Prügel, die er von dem
Aufseher empfangen hatte. Er wurde ganz irre an sich selbst,
dachte nach und sagte: „Bei Allah, ich weiß nicht, wie mir ist
und wie mir geschah!"

Der Tag brach an, und Scheherazade schloß mit diesen Worten.
In der folgenden Nacht erzählte sie weiter:

DIE ZWEIHUNDERTSIEBENUNDACHTZIGSTE
NACHT

Abul Hassan wandte sich an eine der Sklavinnen und fragte
sie: „Wer bin ich?"

Sie antwortete: „Der Fürst der Gläubigen!"

Er sagte: „Du lügst, Dirne! Wenn ich wirklich der Fürst der
Gläubigen bin, so beiße mich in den Finger!"

Sie biß ihn heftig in den Finger, bis er sagte: „Es genügt!"

Dann fragte er einen alten Diener: „Wer bin ich?"

Der antwortete: „Du bist der Fürst der Gläubigen!"

Abul Hassan wurde noch verwirrter und wandte sich nun an
den kleinen Mamelucken und sagte zu ihm: „Beiße mich ins
Ohr!" Dabei neigte er sein Ohr nach des Mamelucken Mund.

Der Mameluck war noch sehr jung und hatte sehr wenig Verstand. Er biß das Ohr beinahe ab. Auch verstand der Mameluck nicht arabisch, und so oft Abul Hassan zu ihm sagte:
„Genug!" — verstand er immer: „Immer zu!" und biß nur
noch heftiger. Die Sklavinnen achteten nicht auf Abul Hassan,
der nun um Hilfe schrie, der Kalif aber wurde vor Lachen fast
ohnmächtig. Endlich schlug Abul Hassan den Mamelucken.
bis der das Ohr losließ, entkleidete sich dann ganz und tanzte

unter den Mädchen herum, die ihm aber die Hände banden
und sich halb totlachten.

Da trat endlich der Kalif zu ihm heraus und sagte: „Wehe dir,
Abul Hassan, du bringst mich um vor lauter Lachen!"

Abul Hassan wandte sich ihm zu, erkannte ihn und sagte: „Bei
Allah, du bringst mich, meine Mutter, die Scheiche und den
Iman der Moschee um!"

Der Kalif rief ihn dann in seine Nähe, nahm ihn zu sich ins
Schloß und machte ihn zum Ersten seiner vertrauten Gesell-
schafter. Diese Gesellschafter waren Adjla Rakaschi, Abdan,
Hafan, Farrasdak, Lus, Sukr, Omar Attartis, Abu Nawas, Abu
Ishak und Abul Hassan. Man erzählte von jedem eine Ge-
schichte.

Scheherazade hielt hier inne, denn der Morgen graute. In der
folgenden Nacht fuhr sie fort:

DIE ZWEIHUNDERTACHTUNDACHTZIGSTE
NACHT

Abul Hassan stand dem Kalifen so nahe und wurde so sehr
vor allen anderen vorgezogen, daß er neben dem Kalifen
und der Frau Subeida, Kasems Tochter, zu sitzen pflegte und
ihre Schatzmeisterin heiratete, die Nashat Alfuad (Herzenslust) hieß.

Abul Hassan lebte mit ihr herrlich und in Freuden bis alles,
was sie besessen hatten, verpraßt war.

Als sie nichts mehr hatten, sagte Abul Hassan zu seiner Gattin
Nashat Alfuad: „Ich möchte gern eine List gegen den Kalifen
gebrauchen und wünsche, daß du etwas gleiches gegen seine
Frau Subeida tust, damit wir zweihundert Dinar und zwei
Stücke Seidenzeug von ihnen bekommen."

Seine Frau sagte: „Tu', was du willst!"

Nashat Alfuad fragte Abul Hassan: „Was willst du denn tun?"
Da antwortete er: „Wir wollen uns totstellen. Wenn ich mich

wie ein Toter ausstrecke, dann breite ein seidenes Tuch über mich aus, lege meinen Turban auf mich, binde die Zehen meiner Füße zusammen, lege ein Messer und ein wenig Salz auf mein Herz. Dann laß deine Haare flattern und geh zu deiner Herrin Subeida. Zerreiß dein Kleid, schlage dir ins Gesicht und schreie. Sie wird dich dann fragen, was dir widerfahren sei. Du antwortest dann: ‚Abul Hassan ist tot!' Dann wird sie über mich trauern und weinen und ihrer Schatzmeisterin befehlen, dir hundert Dinar und ein Stück Seidenzeug zu geben, wird dir aber sagen: ‚Geh, treffe die Vorbereitungen zu seiner Beerdigung und laß ihn fortbringen!'

Du nimmst dann die hundert Dinar und das Stück Seidenstoff und kommst zu mir. Ich stehe dann auf, und du legst dich an meinen Platz. Darauf gehe ich zum Kalifen und sage ihm: ‚Mögest du leben für Nashat Alfuad!' Ich zerreiße dann meine Kleider und zerraufe meinen Bart. Er wird dann über dich trauern, seinem Schatzmeister befehlen, mir hundert Dinar und ein Seidenstück zu geben, und zu mir sagen: ‚Geh, triff deine Anstalten zu ihrer Beerdigung und laß sie fortbringen!' Und so komme ich dann wieder zu dir."

Nashat Alfuad freute sich über diesen Vorschlag und sagte: „In der Tat, diese List ist vortrefflich!"

Sie drückte ihm dann die Augen zu, band ihm die Füße zusammen, bedeckte ihn mit einem Tuch und tat alles, wie er es ihr gesagt hatte. Sie zerriß ihr Kleid, entblößte ihr Haupt, ließ die Haare aufgelöst flattern und ging zur Frau Subeida, wo sie zu schreien und zu weinen begann.

Als die Frau Subeida sie in diesem Zustand sah, fragte sie: „Was bedeutet dein Weinen; was ist dir geschehen?"

Sie antwortete klagend: „Mögest du länger als Abul Hassan leben, Herrin, denn er ist tot!"

Das betrübte Frau Subeida sehr und sie sagte: „Der arme Abul Hassan!"

Sie befahl ihrer Schatzmeisterin, an Nashat Alfuad hundert Dinar auszuzahlen und ihr ein Stück Seidenstoff zu geben. Dann sagte sie zu Nashat Alfuad: „Geh, statte ihn aus und laß ihn beerdigen!"

Nashat Alfuad nahm die hundert Dinar und das Stück Seidenzeug und ging freudig nach Hause zu Abul Hassan, um ihm
zu erzählen, wie es ihr ergangen war. Er stand ebenso freudig
auf, umgürtete sich und tanzte vor Freude. Die hundert Dinar
aber und den Seidenstoff bewahrte sie auf.
Scheherazade bemerkte den Tag und schwieg. In der folgenden
Nacht erzählte sie weiter:

DIE ZWEIHUNDERTNEUNUNDACHTZIGSTE
NACHT

Abul Hassan streckte dann Nashat Alfuad auf dem Boden
aus und tat mit ihr, was sie vorher mit ihm getan hatte.
Dann zerriß er sein Kleid, raufte sich seinen Bart aus, löste seinen Turban auf und lief zum Kalifen, der im Richtersaal saß
und vor dem er sich gegen die Brust schlug.
Der Kalif fragte ihn: „Was hast du, Abul Hassan?"
Der weinte und sprach: „O wäre ich doch nur nie dein Gesell-
schafter gewesen!"
Der Kalif sagte: „So sprich doch!"
Endlich sagte Abul Hassan: „Mögest du länger leben, Herr,
als Nashat Alfuad, denn sie ist tot!"
Der Kalif rief aus: „Es gibt keinen Gott außer Allah!" und
schlug die Hände zusammen. Dann tröstete er Abul Hassan
und sagte zu ihm: „Sei nicht betrübt, du sollst eine andere
Frau haben!"
Darauf befahl er dem Schatzmeister, er solle Abul Hassan ein
Stück Seidenzeug und hundert Dinar geben. Der gab ihm, was
der Kalif befohlen hatte, worauf der Kalif sagte: „Geh, statte
sie aus und laß sie auf anständige Weise beerdigen!"
Abul Hassan nahm, was ihm geschenkt worden war, ging
freudig nach Hause zu Nashat Alfuad und sagte zu ihr: „Steh
auf, denn jetzt haben wir unsere Absicht erreicht."
Sie stand auf, und er übergab ihr die hundert Dinar und das

Stück Seidenzeug, worüber sie sich sehr freute. Sie legten das Gold zu dem Gold und das Seidenzeug zu dem Seidenzeug und waren fröhlicher Dinge.

Für diese Nacht beschloß Scheherazade ihre Erzählung. In der folgenden Nacht fuhr sie fort:

DIE ZWEIHUNDERTNEUNZIGSTE NACHT

Sobald Abul Hassan den Kalifen verlassen hatte, hob der Kalif in seiner Bestürzung den Diwan auf und ging, gestützt auf Masrur, den Scharfrichter der Rache, um die Frau Subeida wegen ihrer Sklavin zu trösten. Er fand sie weinend und seine Ankunft erwartend, um ihn wegen Abul Hassan zu trösten.

Der Kalif sagte: „Mögest du länger leben als deine Sklavin Nashat Alfuad!"

Sie antwortete: „Herr, Allah schütze meine Sklavin! Und mögest du länger leben als dein Gesellschafter Abul Hassan, denn er ist tot!"

Der Kalif lächelte und sagte zu seinem Diener: „O Masrur! Wahrlich, die Frauen haben wenig Vernunft! Ich beschwöre dich bei Allah: War nicht soeben Abul Hassan bei mir?"

Da sagte die Frau Subeida und lachte mitten in ihrem Schmerz: „Laß doch deinen Scherz! Ist es nicht genug, daß Abul Hassan tot ist? Soll auch noch meine Sklavin tot sein, so daß von uns jeder etwas verliert?"

Der Kalif erwiderte: „Gewiß, Nashat Alfuad ist tot!"

Aber die Frau Subeida sagte: „Abul Hassan war gewiß nicht bei dir, und du hast ihn nicht gesehen. Dagegen war Nashat Alfuad eben bei mir. Ich habe sie getröstet und ihr hundert Dinar und ein Stück Seidenzeug geben lassen, und ich erwartete dich, um dich wegen deines Gesellschafters Abul Hassan zu trösten. Ich wollte eben nach dir schicken."

Der Kalif lachte und sagte: „Es ist niemand anders als Nashat Alfuad gestorben."

Aber die Frau Subeida sagte: „Es ist niemand anders als Abul Hassan gestorben!"

Da wurde der Kalif zornig. Er sagte zu Masrur: „Geh in das Haus Abul Hassans und sieh nach, wer dort gestorben ist!"

Masrur lief fort und der Kalif sagte zur Frau Subeida: „Willst du wetten?"

Sie sagte: „Ja, ich wette, daß Abul Hassan tot ist!"

Und der Kalif: „Und ich wette, daß Nashat Alfuad tot ist! Ich setze den Lustgarten zum Preis gegen dein Schloß und den Bildersaal!"

Sie blieben nun beisammen, um die Rückkehr Masrurs zu erwarten, der eilig gelaufen war, bis er in Abul Hassans Quartier kam.

Scheherazade bemerkte den Tag und schwieg. In der folgenden Nacht fuhr sie fort:

Abul Hassan saß am Fenster und sah Masrur ankommen.
Da sprach er zu Nashat Alfuad:
„Ich glaube, der Kalif hat nach meinem Besuch den Diwan
aufgehoben und ist zu Frau Subeida gegangen. Sie werden
jetzt so lange gestritten haben, wer von uns wirklich tot ist,
bis der Kalif zornig wurde und Masrur abschickte, um zu sehen,
wer der Gestorbene ist. Das Beste ist nun, du legst dich hin, damit Masrur dich tot sieht, es dem Kalifen berichtet und meine
Worte bestätigt."

Nashat Alfuad legte sich hin, und Abul Hassan deckte sie mit
dem Tuch zu, setzte sich an ihre Seite und weinte. Da kam
Masrur ins Zimmer und grüßte Abul Hassan. Er sah Nashat
Alfuad ausgestreckt, deckte ihr Gesicht auf und sagte: „Es gibt
keinen Gott außer Allah! Unsere Schwester Nashat Alfuad ist
tot — wie schnell raffte die Bestimmung sie weg! Allah erbarme sich deiner und ersetze dir deinen Verlust!"

Dann kehrte er zurück um dem Kalifen und der Frau Subeida
zu erzählen, was vorgefallen war. Dabei lachte er.

Der Kalif sagte: „Es ist keine Zeit zum Lachen, du Verruchter!
Erzähle uns, wer gestorben ist!"

Masrur entgegnete: „Bei Allah, Herr! Abul Hassan ist wohlauf, und nur Nashat Alfuad ist tot!"

Der Kalif sagte zu Subeida: „Du hast dein Schloß bei der Wette
verloren!" und lachte sie aus. Dann fuhr er fort: „Masrur, erzähle, was du gesehen hast!"

Der sagte: „Ich lief in einem fort, bis ich in Abul Hassans
Wohnung kam. Dort sah ich Nashat Alfuad tot ausgestreckt,
und Abul Hassan saß an ihrer Seite und weinte. Ich grüßte,
tröstete ihn und setzte mich neben ihn. Darauf entblößte ich
Nashat Alfuads Gesicht und sah, daß sie tot war, denn die Ver-
wüstung des Todes lag darauf. Ich sagte dann zu Abul Hassan:
,Laß sie bald beerdigen, damit wir für sie beten!' und er sagte:
,Jawohl!' Dann verließ ich ihn, um euch zu berichten."

Der Kalif lachte und sprach: „Wiederhole all das deiner Herrin, die so wenig Verstand hat!"

Als die Frau Subeida die Worte Masrurs hörte, geriet sie in Zorn und sagte: „Nur der hat wenig Vernunft, der einem Sklaven etwas glaubt!" Sie war aufgebracht über Masrur, während der Kalif lachte.

Hier brach Scheherazade ab, denn der Morgen graute. In der folgenden Nacht erzählte sie weiter:

DIE ZWEIHUNDERTZWEIUNDNEUNZIGSTE NACHT

D er ebenfalls aufgebrachte Masrur sagte zu dem Kalifen: „Wer gesagt hat, die Frauen haben wenig Vernunft und Glauben, der hat die Wahrheit gesagt!"

Da entgegnete die Frau Subeida: „Du scherzest mit mir, und dieser Sklave spottet über mich, um dir zu gefallen. Ich selbst will jemand schicken, um zu sehen, wer gestorben ist."

Sie rief dann nach ihrer alten Erzieherin und sagte zu ihr: „Geh schnell in das Haus Nashat Alfuads und sieh nach, wer von den beiden gestorben ist. Aber beeile dich!"

Der Kalif und Masrur lachten, und die Alte lief fort, bis sie in die Straße Abul Hassans kam. Als dieser sie sah und erkannte, sagte er zu Nashat Alfuad: „Ich glaube, jetzt hat die Frau Subeida nach uns geschickt, um zu sehen, wer tot ist. Jetzt ist es besser, ich stelle mich tot, damit du vor der Frau Subeida nicht als Lügnerin erscheinst."

Dann streckte sich Abul Hassan hin und Nashat Alfuad bedeckte ihn, band ihm seine Augen und seine Füße zu, setzte sich an seine Seite und weinte.

Als die Alte hereinkam, sah sie, wie Nashat Alfuad dortsaß und weinte. Sobald diese die Alte erblickte, schrie sie auf und sagte zu ihr: „Sieh, was mir geschehen ist! Abul Hassan ist tot und hat mich allein gelassen!" Sie jammerte, zerriß ihre Kleider und fügte hinzu: „O wie lieb und gut er war!"

Die Alte sagte: „Es ist wahr, du hast ein Recht zu jammern, da ihr aneinander gewöhnt wart!"

Dann erzählte die Alte, was Masrur dem Kalifen und der Frau Subeida berichtet hatte und wie er dadurch zwischen dem Kalifen und der Frau Streit gestiftet hatte.

Nashat Alfuad fragte: „Welchen Streit denn, meine Mutter?"

Die Alte antwortete: „O meine Tochter! Masrur ist zum Kalifen und zur Frau Subeida gekommen und hat ihnen gesagt, du seist gestorben. Abul Hassan aber sei wohlauf!"

Nashat Alfuad entgegnete: „O meine Tante! Ich war ja eben bei meiner Gebieterin, und sie hat mir hundert Dinar und ein Stück Seidenzeug gegeben. Sieh nun, in welchem Zustand ich bin, wie einsam und verlassen! Ich weiß nicht, was ich anfangen soll. O, wäre doch nur ich gestorben und lebte er noch!"

Dann weinte sie, und die Alte weinte mit ihr. Darauf trat diese näher und deckte Abul Hassans Gesicht auf. Sie sah seine Augen verbunden und sein Gesicht davon aufgedunsen. Sie deckte ihn wieder zu und sagte: „In der Tat, Abul Hassan ist dir vorangegangen!"

Sie tröstete sie noch, ging wieder zur Frau Subeida und erzählte ihr, was sie gesehen hatte.

Die Frau Subeida sagte lächelnd: „Erzähle es dem Kalifen, denn er behauptet, ich hätte wenig Vernunft und Glauben, und er hat diesen verruchten, lügnerischen Sklaven über mich erhoben!"

Scheherazade bemerkte den Tag. Sie brach ihre Erzählung ab. In der folgenden Nacht fuhr sie fort:

Masrur jedoch sagte: „Die Alte lügt! Ich habe Abul Hassan gesund gesehen, und Nashat Alfuad lag tot an seiner Seite."

Die Alte erwiderte: „Du lügst und willst zwischen dem Kalifen und der Frau Subeida Streit stiften!"

Masrur entgegnete: „Niemand anders als du lügt, verruchte Alte, und deine Gebieterin läßt sich von dir betören und glaubt dir!"

Wegen dieser Rede schalt ihn die Frau Subeida heftig, denn sie fühlte sich dadurch beleidigt.

Da sagte der Kalif zu ihr: „Ich und du und mein Diener und die Alte — wir alle lügen! Das Beste ist wohl, wir Vier gehen zusammen hin und sehen, wer von uns die Wahrheit gesagt hat!"

Masrur sagte: „Laßt uns gehen, damit ich diese verruchte Alte wegen ihrer Lügen mit einer Tracht Prügel zurechtweisen kann."

Die Alte erwiderte: „Du Verrückter! Gleicht denn dein Verstand dem meinigen? Du hast nicht mehr Hirn als ein Huhn!"

Masrur erboste sich über diese Worte und wollte über die Alte herfallen. Aber die Frau Subeida hielt ihn zurück und sagte: „Wir werden gleich sehen, wer von euch beiden gelogen hat!"

Sie wetteten miteinander und machten sich dann alle Vier auf und gingen geradewegs in das Quartier Abul Hassans.

Als der sie kommen sah, sagte er zu seiner Frau: „Wahrlich, nicht immer kommt man glücklich durch! Wahrscheinlich hat es im Schloß zwischen Masrur und der Alten Streit gegeben. Nun haben sie um unseren Tod gewettet und kommen selbst — der Kalif, die Frau Subeida, die Alte und Masrur."

Nashat Alfuad erhob sich von ihrem Lager und sprach: „Was sollen wir denn nun tun?"

Abul Hassan erwiderte: „Wir müssen beide uns nun tot stellen. Wir wollen uns ausstrecken und den Atem anhalten!"

Nashat Alfuad befolgte seinen Rat, und beide streckten sich hin, banden ihre Füße zusammen, hielten den Atem an und bedeckten sich der Länge nach mit einem Tuch.

Es wurde Tag. Scheherazade bemerkte es und schwieg. In der folgenden Nacht setzte sie ihre Erzählung fort:

DIE ZWEIHUNDERTVIERUNDNEUNZIGSTE NACHT

Als der Kalif, die Frau Subeida, Masrur und die Alte in Abul Hassans Haus kamen und diesen neben seiner Frau tot hingestreckt sahen, weinte die Frau Subeida und sagte: „Man hat so lange Böses von meiner Sklavin gesagt, bis sie wirklich gestorben ist! Wahrscheinlich hat der Tod Abul Hassans sie so geschmerzt, daß sie auch starb!"

Der Kalif sagte: „Komme mir nicht mit deinen Worten zuvor! Sie ist vor Abul Hassan gestorben, denn Abul Hassan ist mit zerrissenen Kleidern und ausgerauftem Bart zu mir gekommen, und ich habe ihm hundert Dinar und ein Stück Seidenzeug geben lassen und ihm gesagt: ,Geh, laß sie beerdigen, ich will dir eine noch bessere Sklavin geben, die sie ersetzt'. Es scheint aber, daß er das nicht verschmerzen konnte und nach ihr gestorben ist. Ich habe also die Wette gewonnen."

Die Frau Subeida aber widersprach lange dem Kalifen, und sie stritten so heftig, daß der Kalif, der zu Seiten der beiden Toten saß, zuletzt sagte: „Bei dem Grabe des Gesandten Allahs und bei dem Grabe meiner Väter und Vorväter! Wenn jemand mir sagt, wer von beiden zuerst gestorben ist, will ich ihm tausend Dinar geben!"

Als Abul Hassan das hörte, sprang er auf und sagte: „Ich war es, der zuerst starb, Fürst der Gläubigen! Halte nun deinen Eid und gib die tausend Dinar her!"

Dann stand auch Nashat Alfuad auf und trat zum Kalifen und zu der Frau Subeida, die sich sehr freuten, beide wohlauf zu

sehen. Sie wünschten ihnen Glück zu ihrer Genesung und merkten wohl, daß ihr Tod nur eine List gewesen war, um zu Geld zu kommen.

Frau Subeida machte Nashat Alfuad Vorwürfe und sagte zu ihr: „Du hättest doch auf andere Weise von mir fordern können, was du brauchst, ohne mein Herz so sehr zu betrüben!"

Nashat Alfuad entgegnete: „Ich schämte mich, meine Gebieterin!"

Der Kalif aber fiel vor Lachen fast in Ohnmacht und sagte: „Abul Hassan, du machst immer tolles Zeug!"

Abul Hassan antwortete: „Fürst der Gläubigen! Ich habe nach dieser List gegriffen, als alles Geld, das du mir gegeben hast, dahin war, denn ich schämte mich, weiter etwas von dir zu fordern. Schon als ich allein war, sparte ich kein Geld. Jetzt, da du mir diese Sklavin zur Frau gegeben hast, würde ich dein ganzes Vermögen durchbringen, wenn ich es besäße. Ich habe daher, als alles aufgezehrt war, diese List gebraucht, um zu den hundert Dinar und dem Seidenzeug zu gelangen. Nun aber halte schnell deinen Eid und gib mir die tausend Dinar!"

Der Kalif und die Frau Subeida lachten und kehrten wieder in das Schloß zurück. Der Kalif gab Abul Hassan die tausend Dinar und sagte dabei: „Nimm sie als Unterstützung zu deiner Genesung vom Tode!"

Die Frau Subeida gab auch Nashat Alfuad tausend Dinar und sagte ihr: „Nimm sie als Geschenk zu deiner Wiederauferstehung!"

Dann ließ der Kalif Hassans Einkünfte und Besoldung erhöhen, und sie lebten in Lust und Freuden fort, bis der Zerstörer allen Vergnügens, der Trenner jeder Vereinigung, der Verwüster aller Schlösser und der, der die Gräber bevölkert, sie überfiel.

Hier beendete Scheherazade ihre Erzählung. Doch der Schah war entzückt von dem, was er gehört hatte. Deshalb erlaubte er ihr, auch am nächsten Abend weiter zu erzählen. Und in der folgenden Nacht begann Scheherazade von neuem:

Die Geschichte vom Prinzen Seif Almuluk
und der Tochter des Geisterkönigs

Ich habe vernommen, o glückseliger König, daß einmal in der Hauptstadt Ägyptens ein König herrschte, der Assem hieß und der Sohn Swans war. Er war gerecht, edel und ehrfurchtgebietend, besaß viele Länder und Schlösser und verfügte über viele Festungen und Truppen. Sein Wesir hieß Fares, Sohn Salechs. Sie kannten jedoch nicht den erhabenen Allah, sondern beteten die Sonne an.

Dieser König lebte hundertachtzig Jahre und wurde im Alter sehr schwach und kränklich. Er hatte kein Kind, weder einen Sohn noch eine Tochter, und das betrübte ihn Tag und Nacht. Nun saß er einst auf seinem Thron und war wie gewöhnlich von Wesiren, Großen des Reiches und Mamelucken umgeben. So oft jemand mit Kindern hereinkam, die neben ihrem Vater Platz nahmen, wurde er traurig und dachte: ,Jeder ist glücklich und fröhlich mit seinen Kindern, ich aber habe keines. Wenn ich sterbe, so werde ich mein Reich, meinen Thron, meine Pferde, meine Diener und meine Schätze Fremden hinterlassen müssen und meiner wird niemand in Liebe gedenken, ja, man wird sogar meinen Namen vergessen.' Bei diesen Gedanken mußte der König weinen, stieg vom Thron herab und jammerte. Als der Wesir und die übrigen Anwesenden das sahen, fürchteten sie für sein Leben.

Doch dann riefen die Großen des Reiches: „Geht alle nach Hause und bleibt ruhig, bis sich der König von seinem jetzigen Zustand erholt hat!"

Alle entfernten sich, und nur der Wesir blieb beim König zurück.

Scheherazade wollte weitererzählen, doch der Tag brach an. In der folgenden Nacht begann sie wieder:

Als der König wieder zu sich kam, küßte der Wesir die Erde vor ihm und sagte: „O König der Zeit und der Welten! Was soll dieses Weinen und dieses Seufzen? Sage mir, welcher König der Erde dir Unrecht getan hat! Sage mir, wer hat sich deinen Befehlen widersetzt? Wir werden uns sofort gegen ihn aufmachen und ihm das Herz aus dem Leib reißen!"

Der König antwortete nicht und hob auch seinen Kopf nicht in die Höhe.

Da küßte der Wesir wieder die Erde und sagte: „O Herr, ich bin doch wie dein Sohn und Sklave, ich habe dich auf meinen Armen getragen. Wenn ich den Grund deines Schmerzes nicht kennen darf, wer soll ihn sonst kennen? Wer kann meine Stelle bei dir vertreten? Sage mir, warum du weinst und so traurig bist!"

Aber der König sprach kein Wort, öffnete seinen Mund nicht und hob seinen Kopf nicht, sondern weinte immerfort.

Der Wesir sah ihm eine Weile zu und sprach dann: „O König! Wenn du mir nicht sagst, was dir geschehen ist, so bringe ich mich um und stoße mir lieber das Schwert ins Herz, als daß ich dich noch länger so betrübt sehe!"

Da hob der König seinen Kopf, trocknete seine Tränen und sagte: „O verständiger und wohlratender Wesir! Überlaß mich meinem Gram und meinem Schmerz, denn ich habe genug an dem, was mich getroffen hat!"

Der Wesir erwiderte: „Sag mir, weshalb du weinst. Vielleicht kann dir durch mich geholfen werden."

Da sprach der König: „O Wesir! O Wesir! Ich weine nicht um Geld noch um ein Königreich. Hundert Jahre sind an mir vorübergegangen, und ich habe weder Sohn noch Tochter. Wenn ich sterbe, wird mein Name mit mir begraben werden und jede Spur von mir verschwinden! Fremde werden meinen Thron und mein Reich nehmen, und niemand wird meiner gedenken."

Da sagte der Wesir Fares: „O Herr! Ich bin hundert Jahre

älter als du. Auch ich habe kein Kind und gräme mich deswegen Tag und Nacht. Doch was können wir beide tun?"

Der König antwortete: „O Wesir, weißt du denn gar kein Mittel und keinen Ausweg?"

Der Wesir entgegnete: „Ich habe gehört, im Lande Saba sei ein König, der Salomon, Sohn Davids, heißt. Von ihm wird behauptet, er sei ein Prophet. Er ist sehr mächtig und beherrscht den Himmel, die Menschen, die Vögel, die Tiere, die Luft und die Geister, denn er versteht die Sprache der Vögel wie die der Völker. Er fordert auf zum Glauben an seinen Herrn, wir wollen ihm daher in deinem Namen, o großmächtiger König, einen Gesandten schicken und von ihm fordern, was du wünschst. Ist sein Glaube der wahre, so wird sein Gott mächtig genug sein, um dir und mir einen Sohn oder eine Tochter zu bescheren. Wir werden uns dann zu seinem Glauben bekehren und seinen Gott anbeten. Wenn nicht, dann müssen wir eben Geduld haben und auf andere Mittel sinnen."

Scheherazade bemerkte, daß es Tag wurde. Sie schwieg. In der folgenden Nacht setzte sie ihre Erzählung fort:

Der König sprach: „Dein Rat ist gut, und deine Rede tut meinem Herzen wohl. Doch wo findet sich ein Bote für eine so wichtige Angelegenheit? Denn er ist kein geringer König und eine ernste Sache, vor ihm zu erscheinen. Ich möchte nicht, daß ein anderer als du zu ihm geht, denn du bist alt und erfahren. Ich wünsche daher, daß du diese Mühe übernimmst, da du doch die gleichen Nöte hast wie ich. Reise zu ihm und suche Hilfe. Vielleicht bekommen wir sie durch dich."

Der Wesir sagte: „Dein Wille ist mir Gebot! Doch jetzt besteige deinen Thron und versammle wie gewöhnlich die Fürsten, die Großen des Reichs, die Truppen und dein Volk vor dir, denn sie sind alle voller Unruhe von dir gegangen. Ich aber will nicht länger zögern, zu dem fremden König zu reisen!"

Sogleich erhob sich der König, setzte sich auf den Thron, und der Wesir befahl dem obersten Zeremonienmeister: „Sage den Leuten, sie könnten wie gewöhnlich ihre Aufwartung machen!"

Da kamen die Offiziere der Truppen und die Großen des Reiches. Tische wurden gedeckt, sie aßen und tranken und verließen den König wieder, als das geschehen war. Der Wesir entfernte sich dann auch. Er ging in sein Haus und traf Reisevorbereitungen. Dann kehrte er wieder zum König zurück, der ihm seine Schatzkammer öffnen und die kostbarsten Stoffe und andere Gegenstände von unschätzbarem Wert übergeben ließ. Er empfahl ihm dann noch, vor Salomon mit Würde zu erscheinen, ihn ja zuerst zu grüßen und in seiner Gegenwart nicht zuviel zu sprechen.

Dann sagte er: „Trage ihm deine Angelegenheit vor, und verspricht er dir seine Hilfe, so ist es gut. Kehre dann schnell zurück, denn ich warte auf dich!"

Der Wesir küßte noch die Hand des Königs und reiste dann fort mit den Geschenken Tag und Nacht, bis er in das Land Saba kam und nur noch vierzehn Tagesreisen von der Hauptstadt entfernt war. Da offenbarte Allah dem Salomon, Sohn Davids — Friede sei mit ihm! —: ‚Der König von Ägypten schickt dir seinen Wesir mit vielen Geschenken. Er befindet sich an dem und dem Ort. Sende du ihm nun deinen Wesir Asaf, den Sohn Barachjas, entgegen, und wenn der Gesandte vor dir erscheint, so frage ihn: Hat dich nicht dein König in einer bestimmten Angelegenheit hergeschickt? Dann lade sie ein, den wahren Glauben anzunehmen.‘

Salomon — Friede sei mit ihm! — befahl sogleich seinem Wesir Asaf, einige seiner Umgebung und reichen Proviant mitzunehmen und dem Wesir aus Ägypten entgegenzueilen.

Asaf ging dem Wesir entgegen. Er grüßte ihn, nahm in gut auf, ließ große Mahlzeiten für ihn herrichten und sprach: „Willkommen und eine Freude sind mir solche Gäste wie ihr! Laßt es euch nur wohl sein und wißt, daß eurem Anliegen entsprochen werden wird."

Da sagte der Wesir Fares: „Wer hat euch das gesagt?"

Asaf antwortete: „Unser Prophet Salomon — Friede sei mit ihm!"

Da fragte Fares: „Und wer hat es euerm Herrn Salomon gesagt?"

„Der Herr des Himmels und der Erde", anwortete Asaf.

Da sagte der Wesir Fares: „Wahrlich, das muß ein mächtiger Gott sein!"

Die Sultanin Scheherazade unterbrach hier ihre Erzählung, da der Tag anbrach und sie den Sultan von Indien an seine Geschäfte gehen lassen mußte. In der nächsten Nacht fuhr sie fort:

Nun fragte Asaf: „Und was für einen Gott betet ihr denn an?"

Der Wesir Fares antwortete: „Wir beten die Sonne vor allen anderen Gestirnen an, doch kann sie gewiß nicht Gott sein, denn sie geht ja unter, während Allah über allem wacht."

Dann reisten sie langsam weiter, bis sie in die Residenz kamen. Dort befahl Salomon allen wilden Tieren, sich nach ihren verschiedenen Gattungen in Reihen aufzustellen. Dann kamen mehrere Abteilungen Geister der furchtbarsten Gestalt und stellten sich ebenfalls in Reihen auf. Schließlich erschienen die Vögel und redeten in den mannigfachsten Sprachen und Dialekten.

Als die Ägypter das sahen, fürchteten sie sich und wagten nicht, weiterzugehen. Asaf aber sprach zu ihnen: „Geht nur weiter und fürchtet euch nicht, denn sie alle sind Diener Salomons, eines Sohnes Davids, Friede sei mit ihm! Niemand wird euch etwas zuleide tun!"

Asaf und sein Gefolge gingen darauf furchtsam zwischen ihnen hindurch in die Stadt. Sie wurden in ein Gästehaus geführt, und drei Tage lang erwies man ihnen alle Ehren und veranstaltete ihretwegen Festlichkeiten und Mahlzeiten. Nach drei Tagen stellte Asaf sie dem König Salomon — Friede sei mit ihm! — vor.

Als sie in den Saal traten, wollten sie die Erde vor ihm küssen, doch Salomon ließ es nicht zu und sagte: „Sich zu verbeugen ziemt sich nur vor dem erhabenen Allah, dem Schöpfer des Himmels und der Erde; denn die Erde gehört ihm, und wir alle sind seine Sklaven. Wer sich von euch setzen will, der setze sich, wer stehenbleiben will, der bleibe stehen!"

Der Wesir Fares und einige seiner Vertrauten setzten sich, und einige Diener blieben zu ihrer Bedienung stehen. Der Tisch wurde gedeckt, und sie aßen.

Dann erklärte Salomon — Friede sei mit ihm! — der Wesir von

Ägypten möge ihm ohne Furcht vortragen, wegen welcher Angelegenheit er die beschwerliche Reise unternommen habe. „Doch", fuhr er fort, „ich will dir selbst den Grund sagen, Wesir. Der König Assem ist schon sehr alt, und Allah hat ihm kein Kind geschenkt. Das bedrückt und vergrämt ihn Tag und Nacht. Als er einst auf seinem Throne saß und die Kinder der Wesire, der Fürsten und der Großen des Reiches sah, dachte er bei sich: ‚Wer wird wohl nach meinem Tode über mein Reich und meine Untertanen herrschen?' Bei solchen Gedanken füllten sich seine Augen mit Tränen, er stieg von seinem Throne herab, schrie laut, und nur der erhabene Gott wußte, worunter sein Herz litt. Dann gingen alle Leute fort, und nur du bliebst bei ihm und fragtest ihn, warum er so weine. Er aber antwortete nicht." Und so erzählte ihm dann der Herr Salomon — Friede sei mit ihm! — alles, was zwischen dem König und ihm vorgefallen war.

Da bemerkte Scheherazade den Tag und hörte auf zu erzählen. In der folgenden Nacht fuhr sie fort:

DIE ZWEIHUNDERTNEUNUNDNEUNZIGSTE NACHT

Nachdem der König Salomon geendet hatte, sprach der Wesir Fares: „O Prophet Allahs, es war alles, wie du sagst! Aber es war niemand dabei. Wer kann es dir also berichtet haben?"

Salomon antwortete: „Der Herr, der alles weiß, ob es offenbar oder verborgen ist."

Da sagte der Wesir: „O Prophet Allahs, das muß ein großer, mächtiger Herr sein!" — und hierauf wurden der Wesir und alle seine Begleiter Muselmänner.

Dann sagte Salomon, Sohn Davids: „Hast du nicht Geschenke bei dir?" und er bezeichnete sie im einzelnen.

Der Wesir antwortete: „Ja, großmächtiger König!"

Da sagte Salomon: „Ich nehme alles an und schenke es dir!"
Dann fuhr er fort: „Geh jetzt, Wesir, und ruh dich diese
Nacht gut aus, denn du bist noch müde von der langen Reise.
Morgen, so Allah will, wird alles gut gehen und deine Ange-
legenheit bestens besorgt werden. Es geschieht alles nach dem
Willen des Herrn des Himmels und dessen, der nach der Dun-
kelheit das Licht schuf."
Der Wesir ging dann in seine Wohnung und dachte die ganze
Nacht über unseren Herrn Salomon nach.
Als der Morgen anbrach, stand er auf und ging zu Salomon,
der so zu ihm sprach: „Wenn du zum König Assem kommst
und ihr beide zusammen seid, so nehmet Bogen, Pfeil und
Schwert und geht nach einem Ort, den ich dir näher bezeichnen
werde. Dort findet ihr einen Baum. Besteigt ihn, und ihr werdet zwei Schlangen unter ihm hervorkriechen sehen. Die eine
wird einen Kopf haben, so groß wie eine Kuh, die andere den
Kopf eines Geistes. Beide aber werden goldene Ketten um den
Hals tragen. Sobald ihr diese Schlangen seht, werft die Pfeile
nach ihnen und tötet sie. Dann schneidet eine Spanne Fleisch
aus ihren Köpfen und ebensoviel aus ihren Schwänzen. Laßt
aus dem übrigen Fleisch Gebackenes machen und gebt es euern
Weibern zu essen. Dann schlaft jede Nacht bei ihnen, und sie
werden mit Erlaubnis des erhabenen Allah schwanger werden."
Hierauf ließ der Prophet Salomon — Friede sei mit ihm! —
einen Siegelring, ein Schwert, ein Kästchen und ein goldver-
ziertes Kleid herbeibringen und sprach: „Wesir, wenn die Kinder groß sind, so gebt jedem eines davon!" Dann fuhr er fort:
„Nun, Wesir, brauchst du nicht länger zu bleiben, Allah wird
eure Wünsche erhören. Reise mit dem Segen Allahs, denn der
König Assem erwartet deine Ankunft Tag und Nacht."
Darauf nahm der Wesir Fares von dem König Salomon Abschied und brach frohen Herzens auf, weil seine Angelegenheit
so gut erledigt war. Er reiste Tag und Nacht, bis er in die Nähe
der Hauptstadt seines Königs kam. Dort schickte er einige Diener voraus, um dem König seine Ankunft zu melden.
Sobald der König die Nachricht empfangen hatte, zog er dem

Wesir sofort mit den Vornehmsten des Reiches entgegen. Als sie einander begegneten, stieg der Wesir vom Pferd, küßte dem König Hand und Fuß und teilte ihm sogleich mit, daß sein Wunsch auf die beste Weise in Erfüllung gehen werde. Dann schlug er ihm den wahren Glauben vor, den auch der König Assem sogleich mit allen Großen seines Reiches annahm. Der König freute sich über alles sehr und sagte zu dem Wesir: „Geh jetzt nach Hause, nimm ein Bad und ruhe dich eine Woche aus. Dann komm wieder zu mir, damit ich dir meine Befehle erteilen kann!"

Da bemerkte Scheherazade den Tag und schwieg. In der folgenden Nacht fuhr sie fort:

Der Wesir küßte die Erde, ging dann nach Hause und ruhte sich eine Woche lang von den Beschwerden der Reise aus. Danach trat er wieder seinen Dienst an und erzählte dem König Assem alles, was sich zwischen ihm und dem König Salomon — Friede sei mit ihm! — zugetragen hatte.

Dann sagte er zu dem König: „Komm jetzt mit mir. Wir wollen gehen!"

Sie nahmen Pfeil und Bogen und bestiegen den Baum, den Salomon bezeichnet hatte. Dort blieben sie ruhig bis zum Mittag, und um diese Stunde krochen zwei Schlangen unter dem Baum hervor. Als der König sie sah, gefielen sie ihm sehr und er sagte zu dem Wesir: „O Wesir, diese Schlangen haben goldene Ketten, das ist bei Gott wunderbar! Wir wollen sie fangen, sie in einen Käfig sperren und uns an ihnen ergötzen!"

Der Wesir aber antwortete: „Allah hat sie zu einem anderen Zweck geschaffen. Wirf du deinen Pfeil nach der einen, ich werfe meinen auf die andere."

Darauf stiegen sie vom Baum herunter und töteten die Schlangen. Sie schnitten eine Spanne Fleisch vom Kopf und eine andere vom Schwanz ab, nahmen das übrige Fleisch und gingen damit in den Palast des Königs. Dort ließen sie den Koch kommen und sagten zu ihm: „Laß dieses Fleisch gut backen und bringe sogleich zwei Schüsseln davon her, beeile dich aber!"

Der Koch nahm das Fleisch und röstete es in Fett und allerlei Gewürzen. Dann stellte er es in zwei Schüsseln vor dem König auf. Der König nahm eine Schüssel und gab sie seiner Frau zu essen. Der Wesir nahm die andere und gab sie der seinigen. Beide wohnten mit dem Willen und der Macht Allahs in jener Nacht ihren Frauen bei.

Nun brachte der König drei Monate in größter Spannung und Unruhe zu und dachte bei sich: ‚Die Wahrheit wird sich bald zeigen.'

Seine Frau aber bemerkte eines Tages, als sie ruhig dasaß, wie sich das Kind in ihrem Leibe regte. Sie ließ einen ihrer ältesten

Diener kommen und sagte zu ihm: „Lauf schnell zum König und sage ihm, wo er auch sein mag: ‚Herr, meine Herrin ist wirklich gesegneten Leibes, denn schon bewegt sich das Kind darin!'"

Der Diener lief freudig zum König, küßte die Erde vor ihm und sagte: „Ich bringe dir gute Nachricht, Herr! Meine Gebieterin ist gesegneten Leibes. Das Kind bewegt sich darin, sie hat schon Schmerzen und sieht blaß aus!"

Als der König das hörte, sprang er vor Freude auf, küßte dem Diener Hand und Kopf und machte ihm ein Geschenk. Dann rief er die Großen seines Reiches herbei und sagte zu ihnen: „Wenn ihr mich liebt, so erweiset diesem Diener Gutes und schenkt ihm Geld, Edelsteine und Rubine, Maulesel und Pferde, Güter und Gärten!"

Sie schenkten dem Diener unschätzbare Reichtümer.

Zur gleichen Zeit trat der Wesir ein und sagte: „O Herr, ich saß allein zu Hause und dachte über die Wirkung der Speise nach, die ich meiner Frau vorgesetzt hatte. Da kam ein Diener zu mir und kündigte mir an, meine Frau spüre nun, daß sie gesegneten Leibes sei, denn das Kind habe sich schon darin bewegt. Sie fühle Schmerzen und sähe blaß aus. Vor Freude schenkte ich ihm alle Kleider, die ich anhatte, dazu noch tausendundeinen Dinar und ernannte ihn zum Ersten unter all meinen Dienern!"

In diesem Augenblick sah Scheherazade, daß es schon Tag wurde. Sie unterbrach deshalb ihre Erzählung und setzte sie erst in der folgenden Nacht fort:

DIE DREIHUNDERTERSTE NACHT

Da sprach der König zu dem Wesir: „Da der erhabene Allah uns so gnädig war, so will ich allen Leuten eine Freude machen. Geh und laß alle Verbrecher aus dem Gefängnis. Befreie auch die, auf denen Schulden lasten. Wer aber von nun

an noch ein Verbrechen begeht, dem laß ich den Kopf abschlagen und ihn bestrafen, wie er es verdient. Auch will ich dem
Volk auf drei Jahre die, Abgaben erlassen. Sodann laß rings
um die Stadt Herde mit Töpfen aufstellen, auf denen die Köche
Tag und Nacht kochen sollen. Alle Leute aus der Stadt und
der Umgebung sollen essen und trinken und es sich wohl ergehen lassen. Sodann soll die Stadt mit unzähligen Lampen
erleuchtet werden und die Läden bei Nacht offenbleiben. Geh
nun, Wesir, und tu', was ich dir befohlen habe, sonst laß ich
dir den Kopf abschlagen!"

Der Wesir ging und vollzog die Befehle des Königs. Alle Schlösser und Festungen des Landes wurden prachtvoll erleuchtet,
Jeder zog seine kostbarsten Kleider an, und das Volk aß und
trank und spielte und ließ es sich wohlsein.

Als nun die Zeit der Niederkunft nahte, ließ der König alle
Gelehrten und Sterndeuter, die Häupter des Volkes und die
Schreiber kommen, und sie alle warteten, daß das Körnchen
in die Tasse geworfen werde, denn das hatten die Sterndeuter
als Zeichen der Niederkunft mit den Hebammen und den Dienern verabredet. Als die Zeit herannahte, wurde das Zeichen
gegeben.

Der Knabe, der zur Welt kam, glich dem aufgehenden Monde.
Alle Sterndeuter begannen nun, Berechnungen anzustellen
über die Zeit der Schwangerschaft und der Geburt und trugen
sie in ihre Chroniken ein. Dann standen sie auf, küßten die
Erde und sagten zu König Assem:

„Der Stern dieses Kindes ist ein glücklicher, und die Zeit seiner
Geburt ist eine gesegnete, doch wird ihm in seiner Jugend
manches zustoßen, was wir dem König nicht gern mitteilen."

Der König sprach: „Redet und fürchtet euch nicht!"

Da fuhren sie fort: „O Herr, er wird dieses Land verlassen und
in die Fremde reisen, wird Schiffbruch erleiden, in Gefangenschaft geraten und viel Not und Gefahr auszustehen haben.
Doch wird er zuletzt alles überwinden und am Ziel anlangen.
Die anderen Tage seines Lebens werden jedoch angenehm sein.
Er wird seinen Feinden trotzen und über Länder und Völker
herrschen."

Als der König die Worte der Sterndeuter hörte, sprach er: „Was ihr weissagt, ist nicht so schlimm, denn was der erhabene Allah über den Menschen bestimmt, das muß geschehen, und der Mensch kann nichts daran ändern. Der Allmächtige sei gepriesen, denn bis mein Sohn seine Prüfungszeit der Leiden antritt, wird er uns tausend Freuden an ihm erleben lassen."

Er dachte nicht mehr weiter an das, was sie gesagt hatten, beschenkte sie reichlich, und sie verließen den Hof.

Da kam der Wesir Fares freudig zum König und sagte: „O Herr, eben ist meine Frau mit einem Sohn, leuchtend wie der Mond, niedergekommen."

Der König erwiderte: „O Wesir, bringe deine Frau und deinen Sohn hierher, damit er mit meinem Sohn im Schloß erzogen wird!"

Der Tag brach an. Scheherazade bemerkte es und schwieg. In der folgenden Nacht setzte sie ihre Erzählung fort:

DIE DREIHUNDERTZWEITE NACHT

Der Wesir brachte seine Frau und seinen Sohn ins Schloß. Sieben Tage lang trugen die Ammen die Kinder herum, dann legten sie sie auf ein Polster, brachten sie zum König und fragten ihn, welche Namen er ihnen geben wolle. Er aber sprach: „Sagt ihr einen Namen!"

Sie erwiderten: „Niemand anders als der König darf bestimmen, wie die Kinder heißen sollen!"

Da sagte er: „Nennt meinen Sohn Seif Almuluk (Schwert der Könige), wie mein Großvater hieß, und den Sohn des Wesirs Said (der Glückliche). Gebt gut auf die Kinder acht und pflegt sie sorglichst!"

Die Ammen sorgten für die Kinder, bis sie fünf Jahre alt waren. Dann wurden sie einem Iman übergeben, der sie im Schreiben und im Koran unterrichtete, bis sie zehn Jahre alt wurden. Dann lehrte man sie Reiten, Fechten, Schießen, Ballspielen und alle Ritterkünste, bis sie fünfzehn Jahre alt waren und alle anderen ihres Alters an ritterlicher Gewandtheit und Geschicklichkeit übertrafen. Jeder von ihnen allein konnte gegen tausend Reiter kämpfen und ihnen widerstehen. Der König Assem sah ihnen oft zu und hatte seine Freude an ihnen.

Als sie fünfundzwanzig Jahre alt wurden, ließ der König den Wesir Fares allein zu sich kommen und sagte zu ihm: „O Wesir, mir ist etwas eingefallen, worüber ich mich mit dir beraten möchte. Da ich nun ein ganz alter Mann bin, möchte ich die Last der Regierung ablegen und sie meinem Sohne Seif Almuluk übergeben, denn er ist ein vollkommener Jüngling, hervorragend in allen Rittertugenden und verständig. Ich aber werde den Rest meiner Tage im Gebet zubringen und dem Allmächtigen für seine große Gnade danken. Was sagst du dazu?"

Der Wesir erwiderte: „König, was du sprichst, ist wohlgetan, und der Segen Allahs ruhe darauf. Ich werde deinem Beispiel folgen und das Wesirat meinem Sohne Said übergeben, der auch ein guter, kluger und einsichtsvoller Jüngling ist. So werden dann zwei junge Leute beisammen sein, denen wir mit Rat beistehen werden, um sie auf dem Pfad des Guten, der Gerechtigkeit und Wohltätigkeit zu leiten."

Der König aber sprach zum Wesir: „Schicke Boten mit Briefen nach allen Ländern, Provinzen, Schlössern und Festungen, die unter unserer Herrschaft stehen: Die Verwalter sollen sich an einem Tage auf der Rennbahn der Gerechtigkeit versammeln."

Der Wesir ging sogleich und schrieb allen Befehlshabern, Verwaltern und Schloßhauptleuten, daß sie sich mit allen ihren Untertanen in einem Monat auf der Rennbahn zu versammeln hätten.

Hiermit unterbrach Scheherazade ihre Erzählung und fuhr in der nächsten Nacht fort:

Der König befahl dann seinen Kämmerlingen, den großen Gang mitten auf der Rennbahn mit Teppichen auszulegen, die Rennbahn selbst aber mit den kostbarsten Stoffen zu schmücken. Auch sollte der große Thron für den König dorthin gebracht werden. Das alles geschah sogleich. Dann kamen von allen Orten die Leute und fragten sich dabei besorgten Herzens, was wohl der König von ihnen wollen könnte. Jetzt erschienen die Gesellschafter und die Leibwache des Königs und riefen: „Im Namen Allahs, nahet euch zur Audienz!"

Darauf kamen die Richter, die Gutsbesitzer, die Fürsten und die Wesire, traten in den Gang und machten, wie gewöhnlich, dem König ihre Aufwartung. Der König setzte sich auf seinen Thron, die Mehrzahl der Leute aber blieb stehen, bis alle versammelt waren. Dann befahl der König, die Tafeln aufzustellen, und sogleich wurden die erlesensten Leckerbissen und Getränke gebracht. Die Versammelten aßen und tranken und beteten für den König. Der sprach nach einiger Zeit: „Wer mich liebt, der verweile und höre meine Worte!"

Alle setzten sich und priesen ihren König. Er stand auf, erlaubte allen Anwesenden, sitzenzubleiben, und sprach: „Wesire und Große des Reiches, Hohe und Niedere, Anwesende und Abwesende! Ihr wißt, daß ich mein Reich von meinen Ahnen und Vätern ererbt habe."

Sie antworteten einstimmig: „Großer König! Dein ist es, wir alle wissen es!"

Da fuhr der König fort: „Wir alle beteten die Sonne und den Mond an, bis uns Allah den wahren Glauben schenkte, uns aus unserem Irrtum erlöste und uns zum Islam führte. Nun bin ich sehr alt und schwach geworden. Ich will deshalb meine Krone ablegen, alle meine Zeit dem Gebet widmen und den erhabenen Allah für vergangene Sünden um Verzeihung bitten. Ihr kennt meinen hier anwesenden Sohn Seif Almuluk und wißt, daß er ein guter, kluger, gerechter, verständiger und tugendhafter Jüngling ist. Ich will ihm nun meine Krone übergeben, damit er statt meiner Sultan wird. Den Allmächtigen aber werde ich um Segen für ihn anflehen. Was sagt ihr dazu?"

Alle standen auf, küßten die Erde und sagten: „Wir gehorchen, großer König und Beschützer! Selbst wenn du einen deiner Sklaven über uns setzen würdest, würden wir ihm gehorchen, um so mehr, da du uns deinen Sohn Seif Almuluk zum Herrscher gibst, den wir bei unserem Haupte und unseren Augen als unseren König verehren!"

Hierauf verließ der König seinen Thron, setzte seinen Sohn darauf und rief aus: „Seht hier euern König!"

Er nahm dann auch die goldene Krone von seinem Haupt, setzte sie seinem Sohne auf, umgürtete ihn mit dem Reichsgürtel und setzte sich, während sein Sohn auf dem Throne saß, auf einen goldenen Sessel neben ihn. Die Richter, die Wesire, die Fürsten, die Großen des Reiches und alle Anwesenden standen auf und riefen: „Großer König! Mehr als jeder andere verdienst du, König zu sein!"

Dann beteten die Djausch für sein Glück und seinen Ruhm und streuten Gold, Edelsteine und Rubine über die Leute aus, und der König machte viele Geschenke und übte Gerechtigkeit. Nach einer Weile erhob sich der Wesir Fares.

Mit diesen Worten hielt Scheherazade inne. In der folgenden Nacht fuhr sie fort:

DIE DREIHUNDERTVIERTE NACHT

Der Wesir Fares wandte sich an die Fürsten und Großen und sprach: „Ihr wißt, daß ich Wesir war schon zu der Zeit, ehe noch der König Assem regierte. Ich bin es im Augenblick noch, da er jetzt der Regierung entsagt, um sie seinem Sohn zu übertragen. Ich will nun auch das Wesirat zugunsten meines Sohnes Said niederlegen. Was sagt ihr dazu?"

„Niemand verdient mehr als dein Sohn Said, des Königs Seif

Almuluk Wesir zu werden, denn sie passen gut zusammen!"
riefen die Anwesenden.

Hierauf nahm der Wesir Fares den Wesirsturban ab und setzte
ihn auf das Haupt seines Sohnes. Dann legte er das Tintenfaß
des Wesirats vor Said hin. Die Djausch riefen aus: „Gesegnet!
Gesegnet! Er verdient es! Er verdient es!"

Nun standen der Wesir und der König Assem auf, öffneten
ihre Schätze und machten den Fürsten, Wesiren und Großen
des Reiches viele Geschenke. Sie schrieben ihnen neue Firmane
mit dem Zeichen des Königs Seif Almuluk und des Wesirs
Said.

Eine Woche blieben die Leute beisammen, dann reiste jeder in
seine Provinz zurück. Der König Assem aber ging mit seinem
Sohne und dem neuen Wesir ins Schloß. Hier ließ er den
Schatzmeister holen, auch den Siegelring, das Schwert, das
Kästchen und den Bogen bringen — lauter Dinge, die schon
König Salomon als Geschenke für sie bestimmt hatte, und
sprach: „Jeder von euch beiden nehme hiervon, was ihm zu-
sagt!"

Seif Almuluk streckte zuerst die Hand nach dem Siegelring
aus, Said nahm das Schwert. Hierauf griff Seif Almuluk nach
dem Kästchen und Said nach dem Bogen. Danach küßten sie
des Königs Hand und gingen nach Hause.

Seif Almuluk legte das Kästchen, ohne seinen Inhalt zu kennen,
auf den Thron, der zugleich sein Ruheplatz war. Said nahm
an seiner Seite Platz. Um Mitternacht erwachte Seif Almuluk,
erinnerte sich des Kästchens und war neugierig, dessen Inhalt
zu sehen. Deshalb stand er auf, ergriff eine der Kerzen, die in
der Nähe brannten, und trat in einen Nebensaal, um Said nicht
im Schlafe zu stören.

Wie groß aber war sein Erstaunen, als er das Kästchen öffnete
und ein Kleid herausnahm, das aus den Fäden des Schmetter-
lings gewebt war! Genien hatten es gefertigt und mit Gold
bestickt. Nie hatte ein ähnliches Kleid einen menschlichen Leib
umfangen, und die herrlichsten Wohlgerüche Indiens dufteten
daraus. Man sah darauf ein goldgesticktes Bild, das ein unver-
gleichlich schönes Mädchen darstellte. Lange war Seif Almuluk

in den Anblick dieses Mädchens versunken, sein Herz wurde davon entzückt wie nie zuvor, und er lernte die Liebe mit all ihrer namenlosen Seligkeit und all ihren Qualen kennen.

Als die Sultanin Scheherazade diese Worte gesprochen hatte, bemerkte sie den Anbruch des Tages. Sie beschloß ihre Erzählung und fuhr in der folgenden Nacht fort:

DIE DREIHUNDERTFÜNFTE NACHT

König der Zeit, beim Anblick des Mädchenbildes soll damals Seif Almuluk folgende Verse gedichtet haben:

Hätte ich von der Macht der Liebe gewußt, so hätte ich
Vorsicht geübt. Bevor ich ihr Bild sah, schlug ruhig
mein Puls und unhörbar mein Herz. Nun bin ich trunken
vor Liebe, und Sehnsucht erfüllt meine Seele.

Seif Almuluk war außer sich — bald vor Freude, bald vor Kummer, weil er das dargestellte Mädchen nicht besitzen konnte. Er vergaß gänzlich, wo er war, rannte wild von einem Saal in den anderen, so daß endlich der Wesir Said davon erwachte. Als er Seif Almuluk nicht an seiner Seite fand, fragte er sich, wo er wohl hingekommen sei. Er suchte ihn im ganzen Palast, bis er ihn fand.

Erstaunt, ihn so aufgeregt zu sehen, fragte er ihn teilnahmsvoll: „Was ist dir begegnet, Bruder? Sag es mir, damit ich dir helfen kann! Verschweige mir nichts, denn ich liebe dich sehr!" Doch Seif Almuluk hörte ihn nicht an, sondern weinte und jammerte entsetzlich.

Said drang weiter in ihn und sprach: „Mein König, kennst du deinen Wesir und Freund nicht mehr? Wer soll denn Anteil an deinem Schicksal nehmen, wenn du nicht mir dein Herz eröffnest?"

Doch Saids Bitten und sein Flehen waren vergebens. Seif Almuluk hörte nicht auf zu schluchzen, sagte aber kein Wort. Endlich ergriff Said sein Schwert, eilte damit in einen anderen Saal, legte die Klinge an seine Brust und machte Miene, sich zu durchbohren. Vorher sprach er jedoch noch zu Seif Almuluk: „Freund, wenn du mir nicht erzählst, was dir widerfahren ist, so wirst du mich bald als Leiche sehen, denn ich will dich nicht länger unglücklich wissen, ohne dir helfen zu können!"

Endlich hob Seif Almuluk den Kopf und sprach: „Freund, ich schäme mich, dir die Ursache meiner Leiden zu nennen!"

Said aber antwortete: „Ich beschwöre dich bei Allah: Sage mir die Wahrheit und schäme dich nicht. Ich bin doch dein Sklave, dein Wesir und dein Ratgeber!"

Da sagte Seif Almuluk: „Komm und sieh dieses Bildnis!"

Als Said es sah, betrachtete er es eine Weile und mußte dann gestehen, daß es ein wunderschönes Frauenbild war. Über dem Kopf war kunstvoll mit Perlen gestickt: ‚Das ist das Bild der Badiald Jamal (Wunder der Schönheit), Tochter Rahals, Sohn Schahruchs, obersten Königs der gläubigen Genien, welche die Insel Babel im Garten Irem bewohnen.'

An dieser Stelle bemerkte die Sultanin Scheherazade den Anbruch des Tages und schwieg. Sie verschob die Erzählung bis zum Anbruch der folgenden Nacht und fuhr dann fort:

Als Said das gelesen hatte, sprach er: „König und Freund, weißt du, was dieses Bild hier bedeutet?"

Seif Almuluk antwortete: „Bei Allah, Freund, ich weiß es nicht!"

Da erwiderte Said: „Komm und lies mit Aufmerksamkeit!"

Da las Seif Almuluk, was auf der Krone, die dieses Bild trug, geschrieben war: „Wehe! Wehe!"

Das Innerste seines Herzens wurde dadurch erschüttert. Endlich sagte er: „Mein Freund, wenn diese Gestalt nicht überirdisch ist, sondern irgendwo auf der Erde gefunden werden kann, so will ich sie unaufhörlich suchen, bis ich mein Ziel erreicht habe."

Said erwiderte: „Weine nur nicht, mein Freund! Besteige deinen Thron und lasse die Leute dir ihre Aufwartung machen. Wenn der Tag leuchtet, so rufe alle zusammen, die schon fremde Länder gesehen haben, und frage sie, wo die Insel Babel im Garten Irem liegt. Vielleicht wird einer von ihnen dir darüber Auskunft geben können."

Als die Sonne am Himmel stand, bestieg Seif Almuluk seinen Thron. Es kamen die Fürsten, Wesire und Großen des Reiches und huldigten ihm. Sobald alle versammelt waren, sprach Seif Almuluk zum Wesir: „Sage ihnen, ihrem König sei unwohl und sie mögen sich zurückziehen!"

Als der König Assem das hörte, verwünschte er sein Dasein, ließ Ärzte und Sterndeuter kommen, ging mit ihnen zu seinem Sohn und ließ ihm Arzneien verschreiben und Amulette verordnen. Auch räucherte er drei Tage lang mit Moschus und Ambra. Seif Almuluk aber wurde nicht besser, denn seine Krankheit war unheilbar, und keiner der Ärzte oder Sterndeuter konnte ihm ins Herz sehen.

Scheherazade sah den Morgen dämmern und setzte erst in der folgenden Nacht ihre Erzählung fort:

Als aber die Krankheit drei Monate lang anhielt, sprach König Assem voller Zorn zu den Ärzten und den anderen Anwesenden: „Ihr Hunde, wenn ihr nicht imstande seid, meinen Sohn zu heilen, so werde ich euch umbringen lassen."

Da erwiderte der Oberste unter ihnen: „Großer König und Herr! Wir tun alles, um selbst Fremde zu heilen. Wie sollten wir uns also nicht Mühe geben, deinem Sohn, unserem König, zu helfen? Doch die Krankheit deines Sohnes sitzt tief im Herzen, und wir können sie nicht heilen!"

Da sprach der König: „Sagt mir, was ihr von der Krankheit meines Sohnes wißt!"

Der Oberste antwortete: „Dein Sohn ist rasend verliebt!"

Der König fragte zornig: „Woher wißt ihr, daß mein Sohn verliebt ist, und wie ist er es geworden?"

Der Oberste antwortete: „Frage seinen Freund, den Wesir, denn der kennt seinen Zustand."

Sogleich ging der König Assem allein in sein Zimmer, ließ den Wesir Said kommen und sagte zu ihm: „Sage mir die Wahrheit: Welche Krankheit hat deinen Freund befallen?"

Said antwortete: „Ich weiß es nicht."

Da sprach der König Assem zum Scharfrichter: „Ergreife Said, binde ihm die Augen zu und schlage ihm den Kopf ab!"

Said fürchtete für sein Leben und sagte: „Dein Sohn liebt die Tochter des Königs der Geister!"

Assem fragte: „Wo hat mein Sohn die Tochter des Königs der Geister gesehen?"

Said erwiderte: „In dem Kleid, das uns König Salomon, Sohn Davids — Friede sei mit ihm —, geschenkt hat."

Der König stand sofort auf, ging zu seinem Sohn und sprach zu ihm: „Mein Sohn, was quält dich so? Und was ist es für ein Bild, das du liebst? Sage es mir!"

Seif Almuluk antwortete: „Ich hatte mich geschämt, dir zu sagen, was ich auf dem Herzen habe. Da du es aber weißt, so sage mir, was zu tun ist!"

Sein Vater antwortete: „Welches Mittel gibt es gegen die Tochter des Königs der Geister? Selbst Salomon, Sohn Davids, könnte hier nichts ausrichten. Doch stehe auf und fasse Mut! Reite, geh auf die Jagd, spiele Ball, besuche die Rennbahn, iß und trinke und vertreibe so den Gram aus deinem Herzen. Ich will dir statt ihrer hundert Prinzessinen verschaffen. Was willst du mit der Tochter eines Königs der Geister, die kein menschliches Wesen ist?"

Aber der Sohn sagte: „Bei Allah, mein Vater, ich kann nicht von ihr lassen und eine andere zur Frau nehmen!"

Da erwiderte der Vater: „Aber wie ist es denn anzufangen, mein Sohn?"

Seif Almuluk antwortete: „Laß alle Kaufleute und Reisenden kommen. Wir wollen uns bei ihnen nach dem Garten Irem und der Insel Babel erkundigen!"

Der König ließ alle Kaufleute, Kapitäne, andere Reisende und die Bettler rufen und fragte sie nach dem Garten Irem und der Insel Babel, doch keiner war je dagewesen oder konnte darüber Auskunft geben.

Zuletzt aber sagte einer von ihnen: „O Herrscher, wenn du diese Insel und diesen Garten kennenlernen willst, so gehe nach China. Das ist ein großes, sicheres Land, in dem es Kostbarkeiten aller Art gibt und das von Menschen aller Stämme bewohnt wird. Nur von ihnen kannst du vielleicht die Lage des Gartens und der Insel erfahren."

Hier brach der Tag an und Scheherazade war gezwungen, aufzuhören. In der folgenden Nacht fuhr sie fort:

Da sagte Seif Almuluk: „O mein Vater, rüste mir ein Schiff nach China aus!"

Der König Assem antwortete: „Bleib du auf deinem Thron sitzen und beherrsche deine Untertanen. Ich will an deiner Stelle diese Reise nach China machen und mich nach der Insel Babel und dem Garten Irem erkundigen!"

Aber sein Sohn sagte: „Mein Vater, das ist doch meine Sache! Kein anderer als ich kann danach fragen. Was schadet es, wenn du mir erlaubst, eine Zeitlang zu reisen? Finde ich eine Spur, so ist es gut. Ist das nicht der Fall, so schwindet vielleicht auf der Reise und in der Fremde mein Gram, so daß ich nicht mehr leide, wenn ich lebendig und gesund zu dir zurückkehre."

Der König Assem sah keinen anderen Weg, als dem Drängen seines Sohnes nachzugeben. Er gab ihm daher die Erlaubnis zur Abreise, ließ vierzig Schiffe ausrüsten, gab ihm tausend Sklaven zur Begleitung, auch Geld und Schätze, Lebensmittel und die nötigen Kriegswerkzeuge, und sprach zu ihm: „Mein Sohn, reise in Glück und Frieden!" Beim Abschied umarmte er ihn noch auf das herzlichste und entließ ihn mit den Worten: „Gehe, ich vertraue dich dem an, der nichts verläßt, das man ihm anvertraut!"

Seif Almuluk nahm also von seinem Vater und seiner Mutter Abschied, ließ seinen Freund Said ihn begleiten, und zusammen ritten sie nach dem Schiff, das bald darauf — wohlbeladen mit Proviant, Waffen und Truppen — die Anker lichtete. Sie reisten so lange, bis sie nach China kamen.

Als die Einwohner Chinas vierzig Kriegsschiffe ankommen sahen, glaubten sie, es wären Feinde, die sie belagern und mit ihnen Krieg führen wollten. Sie schlossen die Tore der Stadt und hielten ihre Kriegsmaschinen bereit. Sobald Seif Almuluk davon hörte, ließ er einige seiner vertrautesten Mamelucken zu sich kommen und sagte zu ihnen: „Geht zum König der Stadt, bringt ihm meinen Gruß und sagt zu ihm: Der König Seif Almuluk, Sohn des Königs Assem von Ägypten, kommt als

Gast zu dir, um einige Zeit dein Land zu bereisen. Er kommt nicht als Feind, um Krieg zu führen. Nimmst du ihn auf, so wird er zu dir kommen, wenn nicht, so wird er wieder umkehren und weder dich noch die Bewohner deiner Stadt beunruhigen."

Hier bemerkte Scheherazade den Tag und beendete ihre Erzählung. In der folgenden Nacht fuhr sie fort:

DIE DREIHUNDERTNEUNTE NACHT

Als die Mamelucken Seif Almuluks in die Stadt kamen, sagten sie zu den Bewohnern: „Wir sind Gesandte des Königs Seif Almuluk!"

Man öffnete ihnen die Tore und führte sie zum König, der Schah Djafur hieß und den König Assem früher gekannt hatte. Als er die Worte Seif Almuluks hörte, machte er den Gesandten Geschenke, ließ die Tore öffnen und ging selbst mit den Vornehmsten des Reichs dem König entgegen. Er umarmte Seif Almuluk und sprach: „Sei willkommen in meinem Reiche! Ich bin dein Sklave und der deines Vaters! Gebiete über mich und alles, was mir gehört!"

Dann führte er Seif Almuluk und seinen Wesir Said´ mit den Höchststehenden des Reiches und den übrigen Truppen in seine Paläste, wo er ihnen glänzende Wohnungen anwies. Vierzig Tage lang genossen Seif Almuluk und seine Begleiter die ausgezeichnetste Gastfreundschaft. Dann sagte der Schah Djafur: „Nun, Sohn meines Freundes, wie geht es dir und wie gefällt es dir in meinem Land?"

Seif Almuluk antwortete: „Dank deiner Gnade, o König, gefiel mir alles!"

Da fragte der König: „Gewiß bist du nicht ohne Grund hierhergekommen."

Seif Almuluk entgegnete: „Meine Geschichte ist wunderbar. Ich liebe das Bild der Badiald Jamal!"

Bei diesen Worten flossen Tränen aus seinen Augen und er schluchzte heftig. Das rührte das Herz des Königs von China und er sprach: „Was ist zu tun, Seif Almuluk?"

Der antwortete: „Ich möchte, daß du alle Reisenden, deine Kapitäne und die Bettler zusammenkommen läßt, damit ich mich bei ihnen nach dem Gegenstand dieses Bildes erkundigen kann. Vielleicht könnte einer von ihnen mir Auskunft geben."

Sogleich ließ der König alle Reisenden, Kapitäne und Bettler kommen, und Seif Almuluk fragte sie nach der Insel Babel und dem Garten Irem. Aber er bekam keine Antwort, so daß er sich keinen Rat mehr wußte.

Schließlich jedoch sagte einer der Kapitäne: „Großmächtiger Herr und König! Wenn du darüber Auskunft wünschst, so mußt du zu den Ländern und Inseln in der Nähe Indiens reisen. Dort wird man es schon wissen."

Sogleich ließ Seif Almuluk die Schiffe segelfertig machen und Süßwasser, Lebensmittel und alles, was er brauchte, einnehmen. Er und sein Freund Said bestiegen ihre Pferde, nahmen von dem König Abschied und ritten auf ihr Schiff.

Vier Monate lang reisten sie mit günstigem Wind. Aber dann erhob sich eines Tages von allen Seiten ein Sturm, und die Wellen begannen zu toben. Schließlich kam ein so heftiger Windstoß, daß das Schiff mit allem, was darauf war, unterging. Seif Almuluk rettete sich mit einigen Mamelucken auf ein kleines Boot. Dann legte sich der Sturm, und die Sonne ging strahlend auf. Seif Almuluk öffnete die Augen und sah nichts mehr von der ganzen Flotte. Er erblickte nur Himmel und Wasser und das kleine Boot, auf dem er sich befand.

Da bemerkte Scheherazade den Anbruch des Tages und schwieg. In der folgenden Nacht setzte sie ihre Erzählung fort:

DIE DREIHUNDERTZEHNTE NACHT

Seif Almuluk fragte dann seine Leute: „Wo sind alle meine Schiffe geblieben? Wo ist mein Freund Said?"

Sie antwortete ihm: „O Herrscher, von deinen Schiffen ist nichts mehr übrig, sie sind alle untergegangen."

Seif Almuluk sprang auf, schrie voller Verzweiflung und wollte sich ins Meer stürzen. Seine Mamelucken hielten ihn aber zurück und sagten: „O Herrscher, was soll das nützen? Du hast es dir selber zuzuschreiben. Hättest du deinem Vater gehorcht, so wäre dir das nicht passiert. Doch alles war schon vorher bestimmt, denn schon bei deiner Geburt haben die Sterndeuter gesagt, daß du in große Gefahr kommen würdest. Jetzt bleibt dir nichts anderes übrig, als geduldig auszuharren, bis der erhabene Allah dich aus dieser Not befreit."

Da sprach Seif Almuluk: „Es gibt keinen Schutz und keine Macht außer bei Allah, dem Erhabenen! Niemand kann seinen Beschlüssen zuwiderhandeln!" — und er bereute, was er getan hatte. Dann ließ er sich Essen reichen und speiste.

Das Schiff wurde vom Wind hin- und hergetrieben, und sie wußten nicht, wohin sie fuhren. Die Lebensmittel und das Wasser begannen knapp zu werden, als sich ihnen plötzlich durch die Macht des erhabenen Allah nicht weit von ihnen entfernt eine Insel zeigte. Sie ließen einen Mann als Wache auf dem Schiff zurück und betraten das Eiland, wo sie viele Früchte fanden. Auf dieser Insel aber begegneten sie einem Mann mit einem sehr langen Gesicht, einem weißen Körper und seltsamem Aussehen. Er saß zwischen den Fruchtbäumen, rief einen Mamelucken an und sagte zu ihm: „Iß nicht von diesen unreifen Früchten! Komm zu mir, ich will dir gute reife Früchte zeigen!"

An dieser Stelle brach die Sultanin Scheherazade ihre Erzählung ab und fuhr in der nächsten Nacht fort:

Der Mameluck glaubte zunächst, der Fremde sei einer der Schiffbrüchigen. Deshalb freute er sich, ihn zu sehen. Doch als er in seine Nähe kam, sprang der Verfluchte auf seine Schultern, schlang den einen Fuß um seinen Hals und den anderen um seinen Rücken und sagte: „Du bist nun mein Tragesel und wirst mich nicht mehr los! Lauf nur!"

Der Mameluck schrie und jammerte, und sein Herr rettete sich mit den anderen schnell auf das Schiff. Der Fremde folgte ihnen an das Ufer und rief: „Woher kommt ihr und wohin wollt ihr? Kommt zu uns! Wir wollen euch zu essen und zu trinken geben, dafür werdet ihr unsere Esel, und wir reiten auf euren Rücken!"

Als sie das hörten, ruderten sie schnell vom Ufer fort. Sie fuhren etwa einen Monat, bis sie wieder an eine Insel kamen. Dort gingen sie an Land und betraten einen Wald, in dem sie Früchte fanden und aßen. Da schimmerte ihnen aus der Ferne etwas entgegen, und sie gingen darauf zu. Als sie sich näherten, sahen sie, daß es eine Säule war, die der Länge nach da lag. Einer von ihnen sagte: „Was mag das sein?" und trat mit dem Fuß darauf. Da erwachte die Säule, richtete sich auf und — siehe da: Es war ein Mann mit langen Ohren und gespaltenen Augen. Seine Züge waren nicht sichtbar gewesen, denn als er schlief hatte er ein Ohr unter dem Kopf und deckte mit dem anderen das Gesicht zu.

Er ergriff einen Mamelucken, und der schrie: „Mein König, fliehe von dieser Insel! Sie ist von menschenfressenden Werwölfen bewohnt, und um mich wird es bald geschehen sein!"

Als Seif Almuluk diese Worte hörte, entfloh er mit seinen übrigen Begleitern auf das Schiff, ohne auch nur die Früchte mitzunehmen. So brachten sie wieder einige Tage zu, bis sie eine andere Insel entdeckten. Sie landeten und fanden einen hohen Berg, bestiegen ihn und sahen einen Wald mit vielen Bäumen, an denen gute, wohlschmeckende Früchte wuchsen. Da kamen auf einmal nackte Menschen zwischen den Bäumen hervor.

Jeder von ihnen war fünfzig Ellen lang und hatte zum Mund herauswachsende Vorderzähne wie ein Elefant. Einer von ihnen saß auf einem schwarzen Stück Filz auf einem Felsen. Ihn umringten viele Schwarze, die in seinen Diensten standen. Sie fingen Seif Almuluk und seine Mamelucken ein, brachten sie zu dem Sitzenden, legten sie vor ihm hin und sprachen: „Großer König, diese Vögel haben wir zwischen den Bäumen gefunden!"

Da der König gerade hungrig war, ließ er zwei Mamelucken schlachten und aß sie. Als Seif Almuluk das sah, fürchtete er sich sehr, weinte und bangte um sein Leben. Der König hörte ihn und seine Begleiter weinen und sagte: „Diese Vögel haben schöne Stimmen. Baut ihnen Käfige, sperrt sie hinein und hängt sie über meinem Kopf auf, damit ich ihre Stimmen hören kann!"

Die Schwarzen taten, wie er gesagt hatte, und so wurden Seif Almuluk und die Mamelucken in Käfige gesperrt. Man gab ihnen zu essen und zu trinken, und bald weinten sie, bald sangen sie, so daß der König an ihren Stimmen Freude hatte. Vier Jahre brachten sie in den Käfigen zu.

Scheherazade hielt inne und fuhr in der folgenden Nacht fort:

DIE DREIHUNDERTZWÖLFTE NACHT

Der König aber hatte eine Tochter, die auf einer anderen Insel verheiratet war. Als sie von den lieblich singenden Vögeln ihres Vaters hörte, schickte sie Leute und bat ihn um diese Vögel. Ihr Vetter sandte ihr Seif Almuluk mit drei Mamelucken in vier Käfigen. Der Prinzessin gefielen sie so sehr, daß sie sie über ihrem Bett aufhängen ließ. Seif Almuluk und die drei Mamelucken weinten über ihre Lage, die Prinzessin aber glaubte, sie sängen. Es war aber Sitte an ihrem Hof, daß sie all denen, die aus Ägypten oder anderen Ländern zu ihr kamen, einen hohen Rang in ihrem Reich zu geben pflegte.

Nun betrachtete sie Seif Almuluk näher und ihr gefiel seine Schönheit sehr. Deshalb ließ sie ihn und seine Gefährten frei, bezeigte ihnen viel Ehre und ließ ihnen zu essen und zu trinken geben. Als sie eines Tages mit Seif Almuluk allein war, schlug sie ihm vor, er möge bei ihr bleiben und ihr Gemahl werden. Aber Seif Almuluk weigerte sich und sagte: „O Herrin, ich bin ein fremder Jüngling, der unglücklich liebt und nur an der Geliebten Freude finden könnte."

Alle Mittel, die die Prinzessin anwandte, um ihn zu gewinnen, nützten nichts. Als sie endlich müde wurde, um ihn zu werben, zürnte sie ihm und den Mamelucken und zwang sie, ihr zu dienen. So dauerte es vier Jahre fort. Dann ließ sie Seif Almuluk zu sich kommen und sagte zu ihm: „Wenn du mein Gemahl wirst, so trete ich dir mein Königreich ab, und du kannst dann damit und mit mir tun, was du willst!" Doch auch jetzt erhörte Seif Almuluk sie nicht. Endlich sagte sie zu ihm: „Diene mir weiter, bis du nachgibst!" Und so blieb alles wie vorher.

Die Bewohner der Insel kannten Seif Almuluk und seine Mamelucken als die Vögel der Prinzessin, und niemand gab ihnen ein böses Wort. Die Prinzessin aber machte sich keine Sorgen um diese Vögel, denn sie wußte, daß sie kein Mittel finden würden, sich von der Insel zu retten.

Der Morgen brach an. Scheherazade bemerkte es und hielt in ihrer Erzählung inne. In der folgenden Nacht fuhr sie fort:

DIE DREIHUNDERTDREIZEHNTE NACHT

Seif Almuluk und seine Mamelucken konnten unbewacht frei umhergehen und blieben oft mehrere Tage von zu Hause fort, um Holz auf der Insel zu sammeln, das sie in die Küche der Prinzessin brachten. So lebten sie zehn Jahre lang.

Da saß eines Tages Seif Almuluk mit seinen Mamelucken am Meer. Er hatte an sein trauriges Schicksal und an die War-

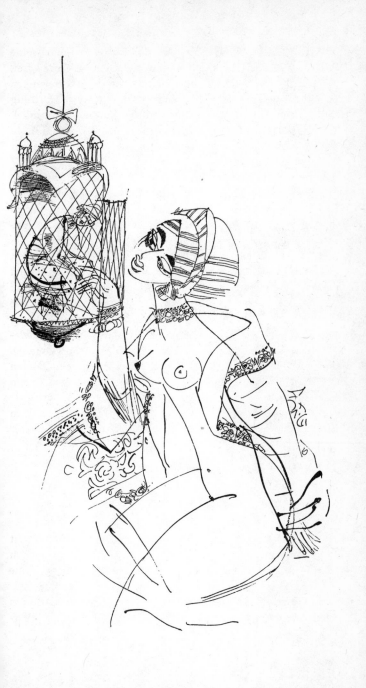

nungen seines Vaters gedacht. Plötzlich sagte er zu seinen Mamelucken: „Ich will eine Rettung versuchen, und Allah der Allmächtige wird uns helfen!"

Sie fragten: „Was willst du tun?"

Er antwortete ihnen: „Wir wollen Bäume spalten und aus ihren Rinden Seile machen. Die Bäume binden wir zusammen und bauen ein Floß, werfen es ins Meer und beladen es mit Früchten. Dann schnitzen wir Ruder und schlagen unsere Ketten mit der Axt entzwei. Der erhabene Gott wird uns wohl helfen. Vielleicht treibt uns der Wind nach China, und wir kommen von dieser tyrannischen Königin los."

Sie fingen sogleich an, Holz zu fällen und ein Floß daraus zu bauen. In einem Monat war alles fertig. Sie ließen das Floß ins Meer und beluden es mit Früchten. Niemand bemerkte es. Dann befreiten sie sich von ihren Ketten, bestiegen das Floß und fuhren vier Monate lang auf dem Meer, ohne zu wissen wohin.

Auf einmal begann das Meer zu schäumen und zu toben und hohe Wellen zu schlagen. Ein furchtbares Krokodil stieg aus der Tiefe empor, ergriff einen Mamelucken und verschlang ihn. Jetzt blieben nur noch Seif Almuluk und zwei Mamelucken übrig, mit denen er so schnell wie möglich ruderte, um sich von dem Ungeheuer zu entfernen. So ruderten sie voller Furcht immerfort, bis sie eines Tages in der Ferne eine Insel sahen. Doch bevor sie sie erreicht hatten, schäumte das Meer wieder auf, und ein Krokodil stieg aus der Tiefe empor, um die beiden Mamelucken zu verschlingen.

Seif Almuluk entkam ganz allein auf die Insel, bestieg den Berg, der sich auf ihr erhob, setzte sich und wartete, daß jemand kommen sollte. Nach einer Weile ging er in das Gehölz und aß Früchte. Da kamen über zwanzig Affen, von denen jeder größer als ein Maulesel war, umgaben ihn von allen Seiten und zogen ihn mit sich, bis sie an ein hohes festes Schloß kamen. Es war aus Gold und Silber erbaut und barg eine Unmenge von Edelsteinen, deren Pracht überhaupt nicht beschrieben werden kann.

In diesem Schloß war niemand außer einem schlanken Jüngling. Seif Almuluk fand großen Gefallen an ihm, und auch er gefiel dem Jüngling, der ihn sogleich fragte: „Was willst du? Wie heißt du? Woher kommst du? Erzähle mir deine Geschichte!"

Seif Almuluk antwortete: „Ich bin aus Ägypten, heiße Seif Almuluk, und mein Vater ist der König Assem, Sohn Sawans." Dann erzählte er ihm seine ganze Geschichte vom Anfang bis zum Ende.

Der Jüngling stand auf, bot Seif Almuluk seine Dienste an und sagte: „O Herrscher, ich habe doch in Ägypten gehört, du seist nach China gereist?"

Seif Almuluk antwortete: „Ja, ich war nach China gereist. Von dort hatten wir vier Monate lang glückliche Fahrt nach Indien, bis ein Sturm kam und alle Schiffe zertrümmerte. Nur ich rettete mich mit den Mamelucken in einem kleinen Schiffchen. Wir erlebten dann noch viele Gefahren, bis ich zuletzt ganz allein übrigblieb und hier landete."

Der Jüngling sagte: „O Prinz, du hast nun in der Fremde gelitten. Bleibe jetzt bei mir und unterhalte mich. Wenn ich sterbe, kannst du über diese Länder herrschen. Niemand weiß, wie lang und wie breit diese Insel ist. Man braucht viele Tage, um sie zu durchwandern. Die Affen, die du gesehen hast, sind sehr geschickt. Und du findest hier, was du dir nur wünschen kannst."

Als die Sultanin Scheherazade den Tag bemerkte, beendete sie ihre Erzählung. In der folgenden Nacht fuhr sie fort:

DIE DREIHUNDERTVIERZEHNTE NACHT

Seif Almuluk erwiderte: „Das Schicksal treibt mich weiter, und ich kann weder ruhen noch rasten, ehe ich nicht meine Bestimmung erfüllt habe. Vielleicht wird Allah meinen Willen erfüllen, oder ich finde irgendwo den Tod."

Hierauf gab der Jüngling den Affen ein Zeichen, und sie entfernten sich, kamen jedoch gleich darauf, mit seidenen Tüchern umgürtet, zurück, deckten den Tisch und trugen über hundert goldene und silberne Schüsseln und Platten mit allen möglichen Speisen herbei. Der Jüngling, Seif Almuluk und die Vornehmsten unter den Affen aßen. Danach brachte man eine goldene Kanne und ein Waschbecken mit Rosenwasser und Moschus, womit sie sich ihre Hände wuschen. Die Affen begannen zu tanzen und zu spielen, und Seif Almuluk war sehr erstaunt über alles, was er hier sah und vergaß darüber sein Unglück. Als es Nacht wurde, zündeten sie Wachskerzen an und steckten sie auf goldene, mit Edelsteinen verzierte Leuchter. Dann brachten sie allerlei Fische und getrocknete Früchte. Später begab sich Seif Almuluk in einem großen Saal zur Ruhe, wo ihm ein Lager bereitet worden war.

Am Morgen stand der Jüngling noch vor Sonnenaufgang auf und sagte zu Seif Almuluk: „Siehe durch das Fenster und gib acht, was du draußen siehst!"

Als Seif Almuluk den Kopf hinausstreckte, sah er das ganze Land voller Affen in einer Menge, die nur Allah der Erhabene zu zählen vermochte. Der Jüngling erklärte: „Jeden Samstag kommen sämtliche Affen der Insel hierher und versammeln sich hier, bis ich aus dem Schlaf erwache und den Kopf zum Fenster hinausstrecke. Sobald sie mich sehen, küssen sie die Erde und bieten mir ihre Dienste an. Dann geht jeder wieder seinen Geschäften nach."

Als nun die Affen den Jüngling am offenen Fenster erblickten, verbeugten sie sich vor ihm und gingen an ihre Arbeit. Seif Almuluk blieb einen ganzen Monat hier, dann nahm er Abschied von dem Jüngling und reiste weiter. Der Jüngling gab ihm etwa zweihundert Affen zu seiner Bedienung mit, die ihn sieben Tage lang begleiteten, bis sie die Grenze ihres Landes erreichten. Dort trennten sie sich von ihm und kehrten in ihre Heimat zurück.

Seif Almuluk reiste nun allein durch Berg und Wald, Hügel und Ebene, durch Wüste und fruchtbares Land — vier Monate lang. Einmal hungerte er, dann wieder hatte er im Überfluß zu essen. Doch schließlich mußte er sich vom Wüstengras ernähren. Bitter bereute er es, den Jüngling verlassen zu haben und wollte schon wieder umkehren, als er in der Ferne etwas Schwarzes schimmern sah. Er dachte, es sei ein Obdach oder ein Baum, ging darauf zu, erkannte dann aber ein hohes Schloß. Es war das Schloß, das Jafet, Sohn Noahs — Friede sei mit ihm — gebaut hatte und das im Heiligen Buch mit den Worten erwähnt wird: „Ein festes Schloß und ein verwüsteter Brunnen."

Seif Almuluk setzte sich vor die Tür des Schlosses und dachte: ‚Ob es wohl Menschen oder Geistern gehört?'
So saß er eine Weile davor, sah jedoch niemand ein- oder ausgehen. Deshalb stand er schließlich auf und betrat im Vertrauen auf den erhabenen Allah das Schloß. Er zählte darin sieben Gänge, sah aber keinen Menschen. Am Ende des siebenten Ganges war eine Tür, vor der ein Vorhang hing. Den hob er auf und kam in einen großen Saal, auf dessen Boden sieben Teppiche lagen. Mitten im Saal stand ein goldener Thron, auf welchem ein Mädchen saß, schön wie der leuchtende Mond. Sie hatte königliche Kleider an und war geschmückt wie eine Braut in der Hochzeitsnacht. Unter dem Thron stand eine Tafel mit vierzig Schüsseln voll der köstlichsten Speisen.
Als Seif Almuluk das Mädchen sah, ging er auf sie zu und grüßte sie. Sie erwiderte seinen Gruß und fragte ihn: „Bist du ein Mensch oder ein Geist?"
Er antwortete: „Ich gehöre zu den höchstgeborenen Menschen, ich bin ein Königssohn und selbst ein König!"
Hierauf sprach sie: „Nimm zuerst etwas von diesen Speisen zu dir und erzähle mir dann, wie du hierhergekommen bist!"
Da bemerkte Scheherazade den Anbruch des Tages und schwieg. In der folgenden Nacht fuhr sie fort:

Seif Almuluk aß von den Speisen, bis er satt war. Dann setzte er sich neben das Mädchen auf den Thron, und das Mädchen fragte ihn: „Wer bist du und woher kommst du? Wie heißt du und wer hat dich hierhergebracht?"

Seif Almuluk sagte: „Meine Geschichte ist sehr lang."

Sie erwiderte: „Erzähle mir nur, wer du bist und was du hier willst!"

Er erwiderte: „Erzähle auch du mir, wer dich hierhergebracht hat und warum du ganz allein hier wohnst!"

Das Mädchen sprach: „Ich bin Dawlet Chatun, Tochter des Königs von Indien, der in der Stadt Serendib wohnt und einen großen, schönen Garten besitzt. Eines Tages ging ich mit meinen Sklavinnen in diesen Garten. Wir entkleideten uns und stiegen in den Teich, neckten einander und waren lustig und heiter. Da kam auf einmal etwas, das einer Wolke glich, riß mich aus der Mitte meiner Sklavinnen und trug mich zwischen Himmel und Erde empor, wo es zu mir sprach: ‚O Dawlet Chatun, fürchte dich nicht! Beruhige dich!' Dann flog es mit mir, bis es mich in diesem Schloß niedersetzte und sich in einen schönen Jüngling verwandelte. Der fragte mich: „Kennst du mich?" Ich antwortete: „Nein, Herr, ich kenne dich nicht!" Hierauf sagte er: „Ich bin der Sohn des blauen Königs der Geister. Mein Vater wohnt an den Ufern des Roten Meeres und herrscht über sechsmal hunderttausend fliegende und untertauchende Geister. Auf meinem Weg flog ich dort vorbei, wo du dich badetest und verliebte mich in dich und deine Gestalt. Deshalb entführte ich dich aus der Mitte deiner Sklavinnen und brachte dich in dieses Schloß hier, das ich bewohne. In dieses Schloß kommt weder Mensch noch Geist, und von hier bis Indien reist man hundertzwanzig Jahre. Du wirst in deinem Leben das Land deines Vaters und deiner Mutter nicht mehr wiedersehen, bleibe also bei mir und sei guten Mutes. Ich erscheine dir, so oft du es wünschest." Dann umarmte und küßte er mich und sagte zu mir: „Setze dich und fürchte nichts!" Er ließ mich eine Weile allein und kam dann wieder mit diesem Tisch und den Teppichen. Er kommt jeden Dienstag und bleibt bis Freitagnachmittag. Dann bleibt er wieder bis Dienstag fern. Wir essen und trinken miteinander, er küßt und umarmt mich, doch bin ich noch jungfräulich, wie mich Allah geschaffen hat, denn der Geist hat mir noch nichts Böses getan. Mein Vater ist König und heißt Tadj Almuluk (Krone der Könige), er weiß nichts von meinem Schicksal und hat noch keine Spur von mir entdeckt. Das ist meine Geschichte, erzähle mir nun die deine!"

Seif Almuluk sagte: „Meine Geschichte ist lang. Ich fürchte, der Geist könnte kommen, bevor ich sie ganz erzählt habe."

Die Prinzessin erwiderte: „Heute ist Freitag. Er hat mich soeben verlassen und wird vor Dienstag nicht zurückkehren. Setze dich also und sei ganz ruhig und erzähle mir vom Anfang bis zum Ende, wie du hierhergekommen bist!"

Seif Almuluk erzählte ihr, bis er den Namen Badiald Jamal nannte. Da schwammen ihre Augen in Tränen, und sie sagte: „So heißt meine Schwester! O meine Schwester Badiald Jamal, weh' über jene Zeit! Gedenkst du denn meiner nicht mehr? Fragst du nicht mehr: Wo ist meine Schwester Dawlet Chatun?"

So grämte sie sich eine Weile darüber, daß Badiald Jamal ihrer nicht gedachte. Da sprach Seif Almuluk: „O Dawlet Chatun, Badiald Jamal ist ein Genie und du bist ein menschliches Wesen. Wie kannst du ihre Schwester sein?"

Sie aber antwortete: „Sie ist meine Milchschwester! An dem Tag, da meine Mutter mich im Garten gebar, wurde auch Badiald Jamal in der Nähe unseres Gartens geboren. Ihre Mutter schickte zu meiner Mutter, um einige Speisen und das nötige Weißzeug holen zu lassen. Meine Mutter schickte ihr, was sie verlangte, und lud Mutter und Tochter zu sich ein. Beide kamen nun zu meiner Mutter, die Badiald Jamal säugte."

Da brach der Tag an und Scheherazade hörte auf zu erzählen. In der darauffolgenden Nacht fuhr sie fort:

So blieb die Mutter Badiald Jamals zwei Monate lang in unserem Garten. Dann reiste sie wieder in ihre Heimat, gab aber vorher meiner Mutter etwas und sagte zu ihr: „Wenn du mich brauchst, so komme ich zu dir in den Garten."

Badiald Jamal kam nun jedes Jahr mit ihrer Mutter und blieb eine Zeitlang bei uns, dann kehrten sie wieder in ihre Heimat zurück. Wäre ich bei meiner Mutter, o Seif Almuluk, und hätte ich dich in unserem Lande kennengelernt, so würde ich schon Mittel gefunden haben, sie zu überlisten und deinen Wunsch zu erfüllen. Doch jetzt bin ich fern von meinem Vaterland und ohne Hoffnung, es jemals wiederzusehen. Wüßten sie es, sie könnten mich schon von hier befreien. Doch so muß alles dem erhabenen Allah überlassen bleiben. Was soll ich nur tun?"

Seif Almuluk sagte: „Mache dich bereit, ich will mit dir fliehen!"

Sie aber erwiderte: „Wo sollen wir hingehen? Und wenn du auch ein Jahr von hier entfernt bist, so wird dich dieser Verruchte doch erreichen und dich und mich umbringen."

Da sagte Seif Almuluk: „So will ich mich hier irgendwo verbergen und ihn mit dem Schwert töten, wenn er vorbeigeht."

Da antwortete Dawlet Chatun: „Du kannst ihm nichts anhaben, ehe du nicht seinen Geist vernichtet hast."

Seif Almuluk fragte: „Und wo ist sein Geist?"

Sie antwortete: „Ich habe oft danach gefragt, und er wollte es mir nicht sagen, bis ich eines Tages in ihn drang. Er wurde darüber sehr böse und sagte zu mir: „Wie lange wirst du noch nach meinem Geist fragen? Was hast du mit meinem Geist zu schaffen?" Meine Antwort war: „Bleibt mir außer dir noch sonst jemand übrig? Befinde ich mich nicht wohl für mein ganzes Leben? Meine Seele liebt ja deine Seele, und wenn ich nicht über dein Leben wache und es wie das Schwarze meines Auges hüte, was soll dann aus meinem Leben werden, wenn du nicht mehr bist? Laß mich deinen Geist kennenlernen, damit ich ihn wie dieses Auge hier bewahre!"

835

Hierauf sagte er zu mir: „Seit meiner Geburt haben mir die Sterndeuter gesagt, mein Geist werde durch die Hand eines menschlichen Prinzen vernichtet werden, darum nahm ich ihn, legte ihn in den Kropf eines Sperlings, sperrte diesen in eine Büchse und die Büchse in sieben Schachteln, die Schachteln in sieben Kisten, die Kisten in einen marmornen Behälter, und den begrub ich an der Küste dieses Meeres, das von jedem Land weit entfernt ist und wohin kein Mensch kommen kann. Ich wiederhole dir aber: Sage es niemand, es muß ein Geheimnis zwischen dir und mir bleiben."

Ich antwortete ihm: „Wer kommt schon zu mir oder sieht mich außer dir, daß ich's ihm sagen sollte? Bei Allah, du hast deinen Geist an einen vortrefflichen Ort gelegt, wohin außer dir niemand gelangen kann, denn wie sollte schon ein Prinz oder sonst jemand ihn entdecken können?"

Hierauf antwortete er: „Der Prinz soll einen von Salomons — Friede sei mit ihm! — Ringen am Finger tragen. Wenn er den auf die Oberfläche des Wassers und seine Hand darauf legt und spricht: ‚Bei diesem Namen, du Seele jenes Geistes, komm herauf!' so soll, wie mir die Sterndeuter sagten, der marmorne Sarg sich von selbst in die Höhe heben und samt den Kisten und Schachteln in Stücke zerfallen. Dadurch wird der Sperling aus der Büchse herauskommen und sogleich erwürgt werden! Ich aber muß dann sterben."

Nach diesen Worten unterbrach Scheherazade ihre Erzählung und fuhr in der folgenden Nacht fort:

DIE DREIHUNDERTSIEBZEHNTE NACHT

Seif Almuluk sagte: „Ich bin jener Prinz, und hier an meinem Finger ist Salomons Ring. Folge mir an das Meeresufer, damit wir sehen können, ob der Geist wahr gesprochen hat oder nicht!"

Sie machten sich auf und gingen zusammen ans Meer. Dawlet

Chatun blieb am Ufer stehen, Seif Almuluk aber legte den Ring auf das Wasser und sagte: „Bei den Namen, die auf diesem Ring sind, Geist des Sohnes des blauen Königs, komm hervor!"

Sogleich begann das Meer zu toben, und der Behälter kam herauf. Seif Almuluk schlug ihn gegen einen Stein, so daß er zerbrach, dann zerschmetterte er die Kisten und Schachteln, nahm den Sperling aus der Büchse und würgte ihn, jedoch so, daß er noch lebte. Darauf ging er mit der Prinzessin ins Schloß zurück und setzte sich neben sie auf den Thron. Während sie so saßen und sich fröhlich unterhielten, stieg in der Ferne Staub auf, und eine ungeheure Gestalt erschien, die also sprach: „O Prinz! Laß mich leben und schenke mir die Freiheit! Ich werde dir helfen, deinen Wunsch zu erfüllen!"

Dawlet Chatun aber sagte zu Seif Almuluk: „Was zögerst du? Töte den Sperling, sonst wird der Verruchte auf uns eindringen, ihn dir wegnehmen und dich und mich umbringen!"

Seif Almuluk erwürgte vollends den Sperling. Der Geist aber stürzte vor der Tür des Schlosses nieder und wurde zu einem Haufen schwarzen Staubs.

Dawlet Chatun sagte: „Nun sind wir von diesem Verruchten befreit, was aber fangen wir jetzt an?"

Seif Almuluk antwortete: „Wir müssen auf Allah vertrauen. Er wird uns leiten und uns zur Rettung verhelfen."

Nun ging Seif Almuluk ans Werk und hob die Tür des Schlosses, aus der er die goldenen und silbernen Nägel herausnahm. Darauf zog er von den Vorhängen die Seile ab, band damit die Türen zusammen und baute mit Hilfe Dawlet Chatuns eine Art Floß daraus. Sie schleppten es zusammen ans Meer und befestigten es an den Pfählen. Als das geschehen war, kehrten sie ins Schloß zurück und trugen die goldenen Schüsseln und silbernen Platten, die Juwelen und Edelsteine und alles, was sonst noch im Schloß war, auf das Floß, das sie im Vertrauen auf Allah bestiegen. Zwei Stücke Holz dienten ihnen zum Rudern.

Der Wind trieb das Floß vier Monate herum, bis schließlich die Lebensmittel zu Ende waren. So oft Dawlet Chatun schlief, saß

Seif Almuluk hinter ihr, und wenn dieser schlief, saß sie hinter ihm, und sie berührten sich nicht. Eines Nachts, als Seif Almuluk schlief und Dawlet Chatun wachte, bemerkte sie, wie sich das Floß dem Lande näherte und in einen Hafen lief, in dem viele Schiffe lagen. Auch hörte sie, wie ein Kapitän vom Ufer her mit den Matrosen sprach und konnte daraus schließen, daß sie in bewohntes Land und zu einer Stadt gekommen waren. Sie freute sich sehr, weckte Seif Almuluk und sagte zu ihm: „Steh auf und frage den Kapitän am Ufer, wie dieser Ort heißt und was das für ein Hafen ist!"

Seif Almuluk stand freudig auf und rief: „Freund, wie heißt diese Stadt und dieser Hafen?"

Der Hauptmann antwortete: „Junger, unerfahrener Mann, wenn du diese Stadt und diesen Hafen nicht kennst, wie bist du dann hierher gekommen?"

Seif Almuluk antwortete: „Ich bin ein Fremder, der mit anderen Reisenden auf einem Schiff war, das Schiffbruch erlitt und unterging. Ich allein habe mich auf einem Brett hierher gerettet. Darum frage ich dich!"

Der Mann antwortete: „Diese Stadt heißt die Bewohnte, und dieser Hafen heißt der zwischen zwei Meeren!"

Da bemerkte Scheherazade den Anbruch des Tages und schwieg. In der nächsten Nacht aber sprach sie:

Als Dawlet Chatun das hörte, freute sie sich und sagte: „O Seif Almuluk, die Hilfe ist nahe, denn der König dieser Stadt ist mein Onkel und heißt Ali Almuluk (der höchste König). Frage ihn einmal, ob es nicht so ist!"

Da fragte ihn Seif Almuluk: „Heißt nicht der König dieser Stadt Ali Almuluk?"

Der Kapitän antwortete zornig: „Du bist komisch! Erst sagst du, du seist ein Fremder, und nun weißt du, wie diese Stadt und ihr König heißt!"

Als Dawlet Chatun den Kapitän so sprechen hörte, erkannte sie ihn. Er hieß Muin Arriasah (Helfer der Oberherrschaft). Sie sagte zu Seif Almuluk: „Sage ihm: Komm, Muin Arriasah, deine Herrin will dich sprechen!"

Seif Almuluk sprach diese Worte aus, doch der Kapitän geriet darüber noch mehr in Zorn und sagte: „Du Hund! Du Dieb! Du bist gewiß ein Spion! Woher kennst du mich?" Dann rief er einem Matrosen zu: „Gib mir einen kräftigen Stock, damit ich zu diesem Unreinen gehe und ihm das Hirn einschlage, weil er so verrückt spricht!"

Man gab dem Kapitän einen Stock, womit er drohend auf das Floß zuging. Da erblickte er plötzlich ein zartes, wunderbares Geschöpf. Sein Verstand verwirrte sich, denn er sah nicht weit von sich ein Mädchen, strahlend wie die Sonne. Er fragte Seif Almuluk: „Was hast du da für ein Mädchen bei dir?"

Der antwortete: „Sie heißt Dawlet Chatun."

Da fiel der Kapitän in Ohnmacht, denn er wußte, daß sie die Nichte des Königs war. Als er wieder zu sich gekommen war, bestieg er sein Pferd, ritt in die Stadt zum königlichen Schloß und sagte dem Diener: „Melde dem König, Muin Arriasah habe eine gute Botschaft zu überbringen, die ihn erfreuen wird."

Der König erteilte dem Kapitän die Erlaubnis, einzutreten. Muin Arriasah küßte die Erde vor dem König und sagte: „Großer König, ich bringe dir die Nachricht, daß deine Nichte Dawlet Chatun eben wohlbehalten in Gesellschaft eines schönen jungen Mannes auf einem Floß in den Hafen eingelaufen ist."

Als der König das hörte, freute er sich sehr, machte dem Kapitän reiche Geschenke und ließ aus Anlaß der glücklichen Rückkehr seiner Nichte die Stadt beleuchten.

Kaum waren sie in der Stadt festlich eingezogen, da schickte der König Boten zu seinem Bruder Tadj Almuluk, der sogleich zu seiner Tochter kam und einige Zeit mit ihr bei seinem Bruder blieb. Dann nahm er seine Tochter und Seif Almuluk mit sich, und sie reisten zusammen nach Serendib, dem Land ihres Vaters. Dawlet Chatun sah ihre Mutter wieder, und die Freude war übergroß. Alle Trauer war vorüber, und prunkvolle Festlichkeiten wurden begangen. Der König erwies Seif Almuluk viel Ehre und sprach zu ihm: „Du hast mir und meiner Tochter soviel Gutes erwiesen, daß ich dich nicht genug dafür belohnen kann. Nur der Herr der Welt kann es dir vergelten!"

Hier bemerkte Scheherazade, daß der Tag graute. Sie schloß ihre Erzählung und setzte sie in der nächsten Nacht folgendermaßen fort:

DIE DREIHUNDERTNEUNZEHNTE NACHT

Weiter sprach der König zu Seif Almuluk: „Mein Wunsch ist, daß du an meiner Stelle den Thron besteigst und über Indien herrschst. Ich schenke dir mein Reich, meine Schätze, meine Diener und alles, was ich besitze!"

Seif Almuluk verbeugte sich, küßte dankbar die Erde vor ihm und sagte: „O König, es sei, als habe ich alles von dir angenommen und es dir dann wieder zurückgegeben. Doch ich strebe weder nach einem Königreich noch nach Herrschermacht. Mein einziger Wunsch ist, daß Allah mich mein Ziel erreichen lasse. Jetzt möchte ich mich einmal in der Stadt umsehen, auf den Plätzen und Märkten."

Der König ließ sein schönstes Pferd satteln, und Seif Almuluk ritt darauf in die Stadt und durch die Bazare. Dort sah er einen jungen Mann mit einem Kleid in der Hand, das er für fünfzehn Dinar ausrief. Es war — sein Bruder Said! Doch erkannte er Seif Almuluk nicht, weil sein Gesicht durch die lange Trennung und die große, abenteuerliche Reise verändert war. Seif Almuluk rief seinen Mamelucken zu: „Ergreift diesen jungen Mann, führt ihn ins Schloß und bewacht ihn dort, bis ich von meinem Spazierritt zurückkomme!"

Die Mamelucken glaubten, er habe gesagt, sie sollten ihn ins Gefängnis führen, und deshalb ergriffen sie Said, führten ihn ins Gefängnis, fesselten ihn und verließen ihn. Als Seif Almuluk von seinem Ritt in das Schloß zurückkehrte, dachte er nicht mehr an Said und an die Mamelucken, die ihn festgenommen hatten, so daß Said im Gefängnis blieb und sogar eines Tages zusammen mit den anderen Gefangenen zur Zwangsarbeit geschickt wurde.

Eines Tages erinnerte sich Seif Almuluk Saids und fragte die Mamelucken: „Wo ist der, den ihr mit euch genommen habt?"

Sie antworteten: „Hast du uns nicht befohlen, ihn ins Gefängnis zu führen?"

Seif Almuluk erwiderte: „Ich befahl bloß, ihn ins Schloß zu führen!"

Sogleich wurden einige Begleiter abgeschickt, die Said gefesselt vor Seif Almuluk brachten. Dieser sagte: „Junger Mann, aus welchem Lande bist du?"

Er antwortete: „Ich bin aus Ägypten und heiße Said, Sohn des Wesirs Fares!"

Als Seif Almuluk das hörte, sprang er vom Thron herunter, fiel Said um den Hals und weinte vor Freude. Dann sagte er: „O mein Bruder Said, du lebst und ich seh dich wieder! Ich bin dein Bruder Seif Almuluk, Sohn des Königs Assem!"

Sie hielten sich eine Weile weinend umschlungen, und die Mamelucken sahen erstaunt zu. Dann ließ Seif Almuluk Said ins Bad bringen und ihm kostbare Kleider anlegen. So brachte man ihn in den Diwan zu seinem Bruder, der ihn neben sich auf dem Thron sitzen ließ, und beide freuten sich des Wiedersehens. Sie unterhielten sich über ihre Abenteuer. Seif Almuluk erzählte alles, was ihm zugestoßen war, worauf Said berichtete: „O mein Bruder, als das Schiff untergegangen war, bestieg ich mit einigen Mamelucken ein Brett, auf dem wir einen vollen Monat umhertrieben. Dann warf uns der Sturm auf eine Insel. Wir gingen an Land und aßen von den Früchten der Bäume. Da kam auf einmal viel Volk gleich Teufeln über uns her. Sie stiegen auf unsere Schultern und sagten: „Lauft zu, ihr seid nun unsere Esel!"

Der, der mich bestiegen hatte, schlang den einen Fuß um meinen Hals und schlug mich mit dem anderen so heftig gegen den Rücken, daß er mir fast die Rippen brach. Ich fiel mit dem Gesicht voran auf die Erde, denn ich hatte vor Hunger und Müdigkeit keine Kraft mehr. Als er merkte, daß ich hungrig war, nahm er mich an der Hand, führte mich unter einen Fruchtbaum und sagte: „Iß davon!" Ich aß, bis ich satt war und ging dann gezwungenerweise weiter. Wir blieben mehrere Jahre lang als Lasttiere dort.

Eines Tages sahen wir viele Weinberge mit Trauben. Wir sammelten sie, füllten eine Grube damit und traten die Früchte mit den Füßen, bis sie zu Wasser wurden. Die Sonne schien darauf, und es wurde Wein daraus. Wir tranken so viel davon, bis wir berauscht waren und unsere Gesichter ganz rot wurden. Dann begannen wir zu singen, zu springen und zu tanzen. Sie fragten: „Wovon seid ihr so rot? Und warum singt und tanzt ihr?"

Wir erwiderten: „Das ist der Wein."

Sie sagten: „Gebt uns davon zu trinken!"

Wir aber sagten: „Es sind keine Trauben mehr vorrätig!"

Da führten sie uns in ein riesiges Tal voller Reben, von denen jede Traube einen Zentner schwer war. Sie sagten: „Sammelt davon!"

Wir sammelten viele, füllten damit einen Zuber, der größer war als ein Teich, traten sie mit Füßen und ließen sie einen Monat lang gären, bis sie zu Wein wurden."

Scheherazade schwieg und fuhr in der folgenden Nacht fort:

Said erzählte weiter: „Dann sagten wir ihnen, daß der Wein reif sei und fragten, womit sie ihn trinken wollten. Sie antworteten: „Wir hatten Esel, wie ihr seid. Als sie alt wurden, starben sie. Wir aßen zwar ihr Fleisch, haben aber noch ihre Schädel; gebt uns daraus zu trinken."

Sie führten uns dann in Höhlen, in denen viele Menschengebeine lagen. Wir nahmen einige Schädel, gaben ihnen daraus zu trinken und dachten bei uns: ‚Nicht genug, daß sie auf uns reiten, sie fressen uns auch noch nach unserem Tode!'

Nachdem die Ungeheuer einen Menschenschädel mit Wein ausgetrunken hatten, riefen sie aus: „Das ist bitter!"

Wir erwiderten: „Warum sagt ihr, es sei bitter? Wer so sagt und nicht mindestens zehnmal so viel trinkt, der muß noch am gleichen Tage sterben!"

Da fürchteten sie sich vor dem Tode und sagten: „So gebt uns noch mehr zu trinken!"

Sie tranken, bis der Wein ihnen schmeckte und sie berauscht waren, verlangten aber immer mehr. Zuletzt wurden sie so trunken, daß sie sich kaum mehr auf uns festhalten konnten. Als wir das merkten, liefen wir so lange in der Hitze und an der frischen Luft herum, bis sie der Schlaf überfiel und ihre Füße ganz locker um unseren Hals hingen. Wir luden sie dann ab, legten sie zusammen, sammelten viel Rebenholz, legten es um sie herum und bedeckten sie damit. Dann zündeten wir es an und blieben in der Ferne stehen, um zuzusehen. Das Holz flammte sofort hoch auf, sie verbrannten alle und wurden zu einem Haufen Asche, und keiner von ihnen entkam. Wir dankten Allah für unsere Rettung, gingen ans Meeresufer und trennten uns voneinander.

Ich ging mit zwei Mamelucken in einen dichten Wald, wo wir Früchte aßen. Da kam eine riesige Gestalt mit langem Kinn und langen Ohren und mit Augen wie Fackeln. Der Riese hatte eine große Herde vor sich, die weidete, und als er uns sah, hieß er uns willkommen, freute sich mit uns und sagte: „Kommt zu mir, ich will euch eines dieser Schafe schlachten und braten und es euch zu essen geben."

Wir sagten: „Wo wohnst du denn?"

Der Riese antwortete: „In einer Höhle, deren Öffnung ihr finden werdet, sobald ihr um den Berg dieser Insel herumgeht."

Wir glaubten, er sage die Wahrheit und suchten deshalb die Höhle auf.

Als wir hineinkamen, sahen wir Menschen, die uns glichen. Sie alle waren aber blind. Als wir uns zu ihnen gesellten, sagte einer von ihnen: „Ich bin krank", ein anderer: „Ich bin schwach."

Wir fragten sie nach dem Grund. Sie antworteten: „Auch ihr kommt, um unser Los zu teilen! Wie seid ihr in die Gewalt dieses Verruchten gekommen? Es gibt keine Macht und keinen Schutz außer bei Allah, dem Erhabenen! Dieses hier ist ein Werwolf, der die Menschen frißt!"

Wir fragten: „Wie hat er euch blind gemacht?"

Sie antworteten: „Auch euch wird er gleich mit einem Becher Milch blind machen. Er wird euch sagen: ‚Ihr kommt von der Reise, trinkt diese Milch, bis ich euch das Fleisch brate und es euch bringe!' Sowie ihr dann von der Milch getrunken habt, wird das Licht eurer Augen verlöschen."

Ich dachte: Hier kann ich nur mit List etwas erreichen und entkommen.' Darum stellte ich mich in eine kleine Nische, und nach einer Weile kam der Verruchte mit drei Bechern Milch zur Tür herein. Er reichte sie mir und denen, die mit mir waren, und sagte: „Ihr seid von der Reise hungrig und durstig. Nehmt diese Milch und trinkt einstweilen, bis ich euch das Fleisch brate!"

Ich nahm den Becher, führte ihn an den Mund und goß ihn heimlich aus, fuhr dann mit den Händen an die Augen und schrie: „Ich habe meine Augen verloren!" und weinte dabei.

Er aber lachte und sagte: „O Said, nun bist du auch wie diese hier geworden, die in der Höhle sind", denn er glaubte, ich sei nun auch blind, wie es meine beiden Begleiter inzwischen wirklich geworden waren.

Der Verruchte kam auf mich zu, nachdem er die Tür der Höhle geschlossen hatte, und fühlt meine Beine an. Da er mich aber sehr mager fand, wandte er sich den anderen zu, die fetter waren, schlachtete drei von ihnen, brachte einen Spieß, an dem er sie zusammen briet, und aß sie. Zuletzt nahm er einen Topf Wein, trank ihn aus, legte sich aufs Gesicht und schnarchte.

Da aber nahm ich zwei glühende Spieße vom Feuer und stieß sie mit aller Kraft in seine Augen. Er sprang auf und wollte mich festhalten, ich aber entfloh in das Innere der Höhle. Er lief mir nach, und am Ende wußte ich nicht, wohin ich noch entrinnen sollte. Da sagte einer der Blinden zu mir: „Spring auf dieses Fenster. Dort findest du ein kupfernes Schwert. Wenn du ihn damit auf die Mitte des Leibes schlägst, dann wird er sogleich sterben!"

Ich spang auf das Fenster, nahm das Schwert, sprang wieder herunter und ging auf ihn zu. Das Verfolgen hatte ihn schon sehr ermüdet. Da er nicht mehr sehen konnte, tappte er wild umher und drohte allem mit dem Tode, was in seine Hände fallen würde. Ich aber schlug ihn mit dem Schwert, und er fiel, in zwei Stücke gespalten, auf den Boden. Da schrie er laut auf und rief: „O Mann, töte mich ganz, gib mir noch einen Hieb!"

Ich wollte ihm noch einen Schlag auf den Kopf geben, als der Mann, der mir den Weg zur Rettung gewiesen hatte, zurief: „Schlage ihn nicht mehr, sonst kehrt er ins Leben zurück und wird uns alle umbringen!"

Ich befolgte den Rat dieses Mannes, und der Verruchte starb bald darauf. Der Mann sprach weiter: „Öffne nun die Pforten der Höhle, vielleicht wird uns Allah dazu verhelfen, daß wir von diesem Ort befreit werden."

Ich sagte: „Nun ist alles Böse vorüber. Wir werden uns in Ruhe von den Schafen des Riesen ernähren und den Wein trinken können."

Noch zwei Monate blieben wir an diesem Ort, bis wir eines Tages in der Ferne ein großes Schiff sahen. Wir winkten den Matrosen zu und schrien: „Der Verruchte ist tot, kommt, nehmt seine Herde und was er sonst besaß und rettet uns!"

Endlich nahte sich in einem Nachen ein Trupp Matrosen und stieg an Land. Sie nahmen allen Besitz des Verruchten, sammelten Früchte für lange Zeit, und wir stiegen dann mit ihnen auf das Schiff. Sie brachten uns hierher, wo ich eine gut regierte Stadt fand, die von braven Leuten bewohnt wird. Ich ließ mich hier nieder und lebe hier jetzt schon sieben Jahre lang als Händler. Gepriesen sei Allah, der ein solches Ende herbeigeführt hat! Mein Kummer war, nicht zu wissen, wo und ob du lebst und was aus dir geworden ist!"

Seif Almuluk stand nun auf, ging in den Harem zu Dawlet Chatun und sagte zu ihr: „Herrin, was ist mit dem Versprechen, das du mir im festen Schloß gegeben hast? Hast du mir nicht gesagt, wenn du zu den Deinen zurückgekehrt sein würdest, würdest du dein Mögliches tun, um mein Verlangen zu stillen?"

Sie antwortete: „So habe ich gesagt und bin auch bereit, zu gehorchen."

Nach diesen Worten stand sie auf, ging zu ihrer Mutter und sagte zu ihr: „O Mutter, wir wollen uns schön putzen und dann Räucherwerk anzünden, damit Badiald Jamal und ihre Mutter kommen und sich freuen, mich wiederzusehen."

Die Mutter sagte: „Tue das, meine Tochter!"

An dieser Stelle bemerkte Scheherazade den Anbruch des Tages und schwieg. In der folgenden Nacht sprach sie weiter:

Dawlet Chatuns Mutter ging in den Garten und zündete Räucherwerk an. Nach einer Weile kamen die Ersehnten tatsächlich und schlugen dort ihre Zelte auf. Dawlet Chatuns Mutter unterhielt sich mit Badiald Jamals Mutter und erzählte ihr von der glücklichen Heimkehr ihrer Tochter. Dawlet Chatun aber freute sich, ihre Schwester Badiald Jamal zu sehen. Es wurden Tische gedeckt und köstliche Speisen zubereitet. Dawlet Chatun saß allein auf einem Thron mit Badiald Jamal.

Nach einer Weile sagte Dawlet Chatun: „O meine Schwester, wie schrecklich ist die Trennung und wie herrlich das Wiedersehen, ganz wie der Dichter sagt:

> *Der Abschied hat mein Herz zerschnitten. Allah zerschneide*
> *das Herz derer, die uns trennten. Wäre uns die Trennung*
> *möglich erschienen, so hätten wir den Tod ihr vorgezogen.*

Ich war viele Jahre lang in einem festen Schloß und weinte Tag und Nacht. Alle meine Gedanken waren bei dir, meiner Mutter, meinem Vater und all den Meinen. Nun seid ihr mir — gelobt sei Allah! — wiedergeschenkt!"

Badiald Jamal fragte: „Und wie bist du dem Sohn des blauen Königs entkommen?"

Hierauf erzählte ihr Dawlet Chatun alles, was ihr auf der Reise mit Seif Almuluk widerfahren war.

Badiald Jamal staunte sehr über Seif Almuluks Taten und sagte: „Bei Allah, das ist ein tüchtiger Mann. Doch warum hat er seinen Vater und seine Mutter verlassen und erleidet soviel?"

Dawlet Chatun antwortete: „Bei Allah, nur deinetwegen ist diesem Armen soviel Unglück begegnet!"

„Wieso, meine Schwester?" fragte Badiald Jamal erstaunt.

„Er hat dein Bild auf einem Kleid gesehen, das dein Vater an

Salomon, den Sohn Davids, geschickt hat. Von dem hat es König Assem, Seif Almuluks Vater, erhalten und seinem Sohn geschenkt. Als er dein Bild auf dem Kleid sah, verliebte er sich in dich und brach auf, um dich zu suchen. Und darüber erlitt er all dieses Unheil!"

Da sagte Badiald Jamal, deren Wangen vor Scham rot geworden waren: „Bei Allah, das darf nicht sein — ein Mensch kann sich nicht mit einem Geist vereinigen!"

Dawlet Chatun beschrieb ihr dann seine Schönheit und seine Anmut und setzte hinzu: „Um Allahs und um meinetwillen, ich will ihn dir zeigen. Folge mir!"

Badiald Jamal jedoch antwortete: „Bei Allah, meine Schwester, verschone mich mit diesen Reden, denn ich mag ihn nicht!"

Abermals schilderte ihn Dawlet Chatun als den schönsten Mann der Welt, küßte flehend Badiald Jamals Füße und sprach: „Bei der Milch, die uns beide ernährt hat, bei der Schrift, die auf Salomons — Friede sei mit ihm — Siegel ist! Du mußt mir Gehör schenken, denn ich habe ihm im festen Schlosse versprochen, daß ich dich ihm zeigen werde. Nun beschwöre ich dich: Laß mich dich ihm nur einmal zeigen, und sieh ihn nur einmal an!"

Sie weinte und bat so lange, bis Badiald Jamal einwilligte und sagte: „Um deinetwillen will ich ihm erlauben, einen Blick auf mein Gesicht zu werfen."

Hierauf wurde Dawlet Chatun sehr munter, küßte ihr Hände und Mund und ging ins Schloß, wo sie den Dienern befahl, das Gartenschloß herzurichten. Sie setzten einen schönen Thron hinein und bereiteten in goldenen Gefäßen den Wein. Dawlet Chatun ging zu Seif Almuluk und sagte ihm, wie nahe die Erfüllung seines Wunsches sei. Sie sprach: „Gehe mit deinem Bruder in den Garten und verbergt euch im Schloß, damit euch niemand sieht, bis Badiald Jamal kommen wird!"

Sie standen auf und gingen an den ihnen angewiesenen Ort. Als sie in den Garten kamen, sahen sie den goldenen Thron aufgerichtet. Sie fingen an zu essen und zu trinken. Seif Amuluks Brust jedoch wurde bald zu eng. Er dachte an die Geliebte, und sein Herz war erfüllt von Liebe und Sehnsucht. Im Über-

maß seiner Wonne verließ er das Schloß und sagte zu Said:
„Bleibe nur sitzen und folge mir nicht!"
Mit diesen Worten ging er liebestrunken und sehnsuchtsvoll
in den Garten und sprach die Verse:

O Badiald Jamal, erfüllt bin ich von deinem Bilde.
Habe Mitleid mit dem, der in Liebe zu dir glüht.
Du bist das Ziel meines Flehens, meiner Wünsche und
meiner Freuden! Mein Herz verschmäht jede andere
Liebe als die deine. Ich durchwache die ganze Nacht,
und meine Augen weinen. Wüßte ich doch, ob dir meine
Tränen nicht verborgen blieben. Ob du wohl jemals meine
Wünsche erfüllen wirst? Sonst möge ewiger Schlaf meine
Augen zudrücken, weil ich dann hoffe, dich wenigstens
im Traume zu besitzen. Allah vermehre deine Freude und
deinen Glanz!

Er weinte und sprach dann noch folgende Verse:

O Badiald Jamal! Du bist mein Leben und das Geheimnis,
das mein Herz bewahrt! Wenn ich meinen Mund öffne,
dann spricht er nur von dir, und wenn ich schweige,
so bist du mein Gedanke. Alles was ich auf der Welt
erhoffe, ist deine Nähe und dein Besitz. Bei Allah, nichts
anderes kommt mir in den Sinn! In meinem Herzen ist
ein Feuer, dessen Flamme stetig zunimmt. Ich sehne
mich nach dir und habe dein Antlitz noch nie gesehen.
Ich wünsche unsere Vereinigung und bin dir noch
verborgen. Wirst du nicht den verachten, dessen Körper
die Liebe so sehr verzehrt und dessen Herz krank vor
Sehnsucht ist? O, sei zärtlich, mild, und gewähre dich mir!
O meine Gebieterin, o Badiald Jamal, du vollkommene
Schönheit, erbarme dich deines Sklaven, der schon so viel
um dich geweint, der Vater und Mutter verließ, der die
Nächte schlaflos und verwirrt verbringt. Bei Allah, die
Sonne geht für mich weder auf noch unter, weil mein Herz
und mein Sinn mit Badiald Jamal beschäftigt sind.
Das Echo aller meiner Gedanken und Worte bist du.
Wenn ich durstig bin und trinke, so sehe ich dein Bildnis
auf dem Grund des Bechers!

Seif Almuluk lief dann lange im Garten umher und ließ sich endlich bei einem Wasserrad unter einem Baum nieder, wo er einschlief. Badiald Jamal aber hatte sich mit Dawlet Chatun in der Nähe unterhalten, Seif Amuluk von ferne gesehen und seine Jugend, Schönheit und Anmut bewundert. Schon als sie ihn hörte, begann sie ihn zu lieben — wie der Dichter sagt:

Oft lieben die Ohren vor den Augen.

Scheherazade bemerkte den Tag und erzählte in der folgenden Nacht weiter:

DIE DREIHUNDERTZWEIUNDZWANZIGSTE NACHT

Badiald Jamal saß mit ihren Sklavinnen und Dienern in ihrem Zelt und hörte Seif Almuluk verwundert zu. Sie berauschte sich an seinen Worten. Liebe und Sehnsucht erfüllten ihr Herz, und sie sprach: „Bei Allah, ich bin entschlossen, sogleich zu Seif Almuluk zu gehen, um zu sehen, ob er wirklich so ist, wie ihn Dawlet Chatun beschrieben hat! Ist es so, so bleibe ich bei ihm, um mit ihm zu leben und ihn als mein Los in dieser Welt zu betrachten. Ist er nicht so, wie er mir beschrieben wurde, so entlaß ich ihn aus meinen Gedanken und denke nie mehr an ihn."

Mit diesen Worten stand sie auf, sagte ihren Sklavinnen, niemand solle ihr folgen und keine von hier weichen, bis sie wieder käme. Sie ging durch den Garten bis sie zu dem Wasserrad kam, wo sie Seif Almuluk auf dem Boden liegend fand, berauscht vom Wein und der Liebe. Sie erkannte, daß Dawlet Chatuns Beschreibung zutraf, setzte sich ihm zu Häupten, sah ihm ins Gesicht, und ihre Liebe wurde immer größer. Sie seufzte, schluchzte und sprach die Verse:

O du, der die Nacht verschläft! Schlaf ist den Liebenden
verboten. Wer lieben will, muß den Schlaf meiden.

Seif Almuluk schlief weiter. Da aber fiel eine ihrer Tränen auf seine Wangen, und er erwachte davon, sah Badiald Jamal neben sich, erkannte sie und sprach weinend die Verse:

> *Meine Tränen mögen bei dir das Geheimnis meines*
> *Herzens entdecken. Die Freude hat mich überströmt,*
> *so daß ich weinen muß vor übergroßer Wonne. Ich sah*
> *das Mondgesicht über die Zweige eines schönen Baumes*
> *gehen und verlor aus Liebe Mut, Geduld und Heiter-*
> *keit. Das Innerste meines Herzens war verwirrt, so daß in*
> *meinem Schmerz der Schlaf mein Auge floh. Ihre Augen*
> *sind schwarz, wohlduftend ist ihr Mund, die Wangen*
> *gleichen Anemonen. Vor Sehnsucht rief ich aus: ,Nur sie*
> *will ich, nichts kann aus meinem Herzen sie mehr*
> *reißen!' Bei Allah, ich beschwöre dich, bei aller Anmut*
> *deiner weiß und rot gemischten Wangen, bei deinem*
> *Zauber, bei der Glut der Augen, bei der Biegsamkeit, der*
> *Schönheit deines Wuchses: Ich beneide den Unseligen,*
> *den der Liebesschmerz vernichtet, von dessen ver-*
> *gänglichem Körper ein kleiner Rest übrigblieb.*

Dann sagte er noch die Verse:

> *Der Edle neigt sich immer zum Edlen. Ich möchte dich*
> *nie unglücklich wissen. In meinem Herzen nimmst du*
> *einen großen Raum und einen hohen Rang ein. Eifersucht*
> *und Gedanken an dich verzehren mich. Jeder Liebende*
> *leidet für seine Geliebte. Höre nicht auf, deinem*
> *Freunde hold zu sein, denn er stirbt vor Sehnsucht, sein*
> *Herz ist liebeskrank. Ich schaue zu den Sternen der Nacht,*
> *und mein Herz erduldet eine lange Pein. Ich werde immer*
> *sagen: Der Friede Allahs sei mit dir zu jeder Zeit! Nie*
> *wird der Liebende ermüden, dir zu huldigen!*

Schließlich rezitierte er noch:

> *Wenn ich je, o Gebieterin, nach einer anderen verlangt*
> *habe, so möge nie mein Wunsch nach dir erfüllt werden!*
> *Wer begreift so wie du alles Schöne in sich, daß ich mich*

außer durch dich wieder erheben könnte? Fern sei mir,
jemals eine andere zu lieben, da um deinetwillen mein
Herz und mein ganzer Körper kranken.

Als Seif Almuluk diese Verse beendet hatte, weinte er. Badiald Jamal aber sprach: „O Prinz, ich fürchte, ich könnte keine treue Gegenliebe bei dir finden, wenn ich mich dir ganz hingebe. Denn die Menschen sind selten treu, und es herrschen viel Verrat und Bosheit unter ihnen. Sogar unser Herr Salomon hat Balkis aus Liebe geheiratet und sie dann einer anderen wegen wieder verlassen."

Seif Almuluk antwortete: „Mein Herz! Mein Auge! Mein Geist! Der erhabene Allah hat nicht alle Menschen gleich geschaffen. Ich werde, so Allah will, dir immer treu bleiben und zu deinen Füßen sterben. Du wirst dich davon überzeugen, wie wahr ich spreche. Allah bürgt dir für meine Worte, denn er hört mich!"

Da sprach Badiald Jamal: „So setze dich aufrecht hin und schwöre mir Treue bei Allah nach deinem Glauben, bei Allah, der den Verräter bestrafen wird!"

Seif Almuluk setzte sich aufrecht, und sie schworen, einander zu lieben — niemanden sonst, weder von den Menschen noch von den Djinnen. Sie hielten einander eine Weile umarmt, küßten sich voller Entzücken, und Seif Almuluk sprach die Verse:

Liebesschmerz und Sehnsucht verzehrten mein Herz,
bis ich sie von Angesicht zu Angesicht sah. Nun sind meine
heißesten Wünsche erfüllt, und mein Herz kennt die
höchste Wonne und Seligkeit. Gram und Schmerz weichen
von mir, die sonst in mir wohnten.

Nach diesem Schwur stand Seif Almuluk auf und entfernte sich. Badiald Jamal erwartete seine Rückkehr, und als er mit einer Sklavin wiederkam, die Speisen und Wein trug, stand sie auf und grüßte ihn. Sie umarmten einander wiederum und küßten sich, aßen und tranken eine Weile.

Dann sagte Badiald Jamal: „O Prinz, wenn du in den Garten Irem trittst, so siehst du dort ein großes Zelt errichtet. Es ist aus rotem Atlas, ringsherum bedeckt mit roter Seide, und die Pfeiler sind aus Gold. Geh hinein! Drinnen findest du eine Alte auf einem goldenen Thron, und unter dem Thron steht ein goldener Schemel. Grüße die Alte mit Anstand und Würde, nimm ihre Pantoffeln, küsse sie und lege sie zuerst auf deinen Kopf, dann unter deinen rechten Arm, und bleibe schweigend mit gebeugtem Haupt vor ihr stehen. Wenn sie dich fragt, wo du herkommst, wer du seist und wie du zu ihr gekommen bist, wer dich dahin gebracht hat und weshalb du das mit den Pantoffeln tust, so beantworte diese Frage nicht. Diese Sklavin hier wird dir sagen, was du zu sagen hast! Suche nur, durch deine Worte ihr Herz zu gewinnen. Vielleicht wird Allah dir helfen, so daß sie dir deinen Willen gewährt."

Mit diesen Worten schloß Scheherazade, denn der Tag brach an. In der folgenden Nacht erzählte sie weiter:

DIE DREIHUNDERTDREIUNDZWANZIGSTE NACHT

Dann rief Badiald Jamal eine ihrer Sklavinnen, die Murdjana hieß, und sagte zu ihr: „Ich vertraue dir heute alle meine Geheimnisse an. Wenn du sie bewahrst und meine Befehle befolgst, wirst du hoch geehrt werden und mir am nächsten stehen. Trage diesen Menschen auf deinen Schultern zum Garten Irem, in das Zelt meiner Mutter, und grüße sie. Wenn nun dieser Mensch die Pantoffel nimmt, sich ihr damit dienstbar macht und sie ihn fragt, woher er sei, wer er sei, wer ihn hergebracht habe und was er mit den Pantoffeln tue, so gehe schnell hinein, grüße sie und sage: ‚O meine Gebieterin, ich habe diesen jungen Mann hierher gebracht. Er ist der Sohn des Königs von Ägypten. Er hat Dawlet Chatun befreit und ihrem Vater zurückgebracht. Man hat ihn dir geschickt, damit du ihn siehst, gute Nachricht von ihm hörst und ihm Wohltaten erweisest. Bei Gott, meine Gebieterin, ist er nicht ein hübscher Junge? Wenn sie dann ja sagt, so sage: ‚Er besitzt alle guten Eigenschaften, ist sehr tapfer und ist Beherrscher und König von Ägypten.' Wenn sie dann fragt, was er will, so sage, ihre Tochter lasse sie fragen, wie lange sie sie noch ledig und ohne Gemahl lassen will. Wie lange solle sie noch allein leben? Frage: ‚Warum verheiratest du sie nicht, solange du noch lebst, so wie es andere Mütter mit ihren Töchtern tun?' Darauf wird sie dir antworten: ‚Was soll ich tun? Sobald sie jemanden kennt, den sie liebt, so erkläre ich, daß ich mich ihrem Willen nicht widersetzen werde.' Sage dann: ‚O meine Herrin, du hast deine Tochter mit dem Herrn Salomon — Friede sei mit ihm! — verheiraten wollen, er aber hat keinen Gefallen an ihr und hat das Kleid dem König von Ägypten geschickt, der es seinem Sohne geschenkt hat. Als der es öffnete und ihr Bild sah, verliebte er sich so heftig, daß er alles verließ und in der Welt umherreiste, um sie zu suchen. Er hatte viele Gefahren und Schrecknisse zu erleben, bis er in das feste Schloß kam, wo er den Sohn des Königs tötete und damit Dawlet Chatun, die Schwester meiner Gebieterin, befreite. Sie hat ihn dann hierhergebracht und du siehst, wie schön und liebenswürdig er ist. Das Herz deiner Tochter hängt an ihm. Wenn du also willst, so gib sie ihm zur Frau. Er ist doch ein hübscher Junge und außerdem König von Ägypten. Man könnte keinen besseren Gemahl für sie finden. Wenn du sie diesem Jüngling nicht geben willst, wird sie sich umbringen und niemanden mehr — weder einen Menschen noch einen Djinn — heiraten.'

Tue nun alles, meine gute Murdjana, um ihre Einwilligung zu erhalten. Und wenn sie einwilligt, so bist du im Angesichte Allahs frei. Und niemand auf der Welt wird mir dann teurer sein als du!"

Murdjana antwortete: „O meine Gebieterin, bei meinem Haupte und bei meinen Augen, ich werde dir dienen und nach deinem Willen handeln!"

Mit diesen Worten ergriff sie Seif Almuluk, nahm ihn auf die Schultern und sagte: „O Prinz, schließe deine Augen!"

Seif Almuluk schloß die Augen, und nach einer guten Weile sagte sie zu ihm: „O Prinz, öffne deine Augen!"

Er öffnete die Augen und sah den Garten Irem vor sich. Die Sklavin aber sagte: „Geh in dieses Zelt und fürchte dich vor nichts!"

Er ging in das Zelt und sah die Alte auf dem Thron sitzen, umgeben von vielen Sklavinnen. Er grüßte mit Anstand und Würde, nahm die Pantoffeln, küßte sie und legte sie unter seinen rechten Arm. Hierauf blieb er mit gebeugtem Haupt stehen.

Da sagte die Alte: „Wer bist du? Aus welchem Land kommst du und wer hat dich hierhergebracht? Warum erweist du mir diesen Dienst, und womit kann ich dir nützen?"

Als sie das fragte, trat Murdjana herein, grüßte und sprach: „Meine Gebieterin, ich habe diesen jungen Mann hierher gebracht. Er ist in das feste Schloß gegangen, hat den Sohn des blauen Königs getötet, die Prinzessin Dawlet Chatun befreit und als Jungfrau unbeschädigt zu ihren Eltern zurückgebracht. Er ist ein verehrter König, Sohn des Königs von Ägypten, tapfer, tugendhaft und sehr liebenswürdig. Man schickt ihn dir, damit du ihn siehst. Bei Allah, meine Gebieterin, ist er nicht ein hübscher Jüngling, von guten Manieren und schöner Gestalt?"

Sie antwortete: „Bei Allah, er ist es."

Nun begann Murdjana so zu reden, wie es ihr Badiald Jamal aufgetragen hatte. Als das die Alte hörte, geriet sie in Zorn und rief: „Wann hat sich jemals ein Mensch mit einem Djinn gepaart?"

Darauf entgegnete Seif Almuluk: „Ich will mich mit einem Djinn vereinigen. Ich werde dein Diener sein, an deinen Toren sterben und ihr stets Treue bewahren. Du wirst dich einst von der Wahrheit meiner Worte und meiner Liebe überzeugen können, so Allah will!"

Eine Weile dachte die Alte nach. Dann hob sie den Kopf und sprach: „Jüngling, wirst du dein Versprechen halten?"

Seif Almuluk sagte: „Ja, bei Allah, ich werde meinem Versprechen treu bleiben."

Da sagte die Alte: „So gewähre ich dir deinen Wunsch! Geh nun, ruhe dich aus, unterhalte dich im Garten und iß von den Früchten. Ich will nach meinem Sohn Schahban schicken und mit ihm reden. Er wird sich meinem Willen gewiß nicht widersetzen. Du sollst seine Zustimmung zu deiner Heirat mit meiner Tochter Badiald Jamal haben. So Allah will, soll sie deine Gattin werden!"

Hier schloß Scheherazade ihre Erzählung und fuhr in der folgenden Nacht fort:

DIE DREIHUNDERTVIERUNDZWANZIGSTE NACHT

Seif Almuluk küßte der Alten voller Dankbarkeit die Hand und ging dann in den Garten. Die Alte aber wandte sich an Murdjana und sagte zu ihr: „Geh, sieh nach meinem Sohn Schahban und bring ihn hierher!"

Es dauerte nicht lange, und Murdjana brachte Schahban.

Währenddessen hielt sich Seif Almuluk im Garten auf. Da näherten sich plötzlich fünf Djinnen von den Leuten des blauen Königs. Als sie ihn sahen, sagten sie: „Wer hat ihn hierhergebracht? Gewiß hat kein anderer als er den Sohn unseres Königs erschlagen. Kommt, wir wollen sehen, ob wir ihn überlisten können!"

Sie gingen zu Seif Almuluk, setzten sich zu ihm und sagten: „O schöner Jüngling, du hast den Sohn des blauen Königs erschlagen und Dawlet Chatun von diesem bösen Hund befreit. Ohne dich wäre sie nie frei geworden. Wie hast du es fertiggebracht, ihn zu erschlagen?"

Seif Almuluk, der sie für Bewohner des Gartens hielt, antwortete: „Ich habe ihn mit dem Siegelring, den ich am Finger trage, umgebracht!"

Da ergriffen ihn zwei an den Füßen, zwei am Kopf, und einer hielt ihm den Mund zu, damit er nicht schreien könnte. So flogen sie mit ihm zum blauen König, legten ihn vor ihm nieder und sagten: „König der Zeit, wir haben den Mörder deines Sohnes gefunden! Dieser hier ist es!"

Der blaue König fragte ihn: „Wie und warum hast du meinen Sohn umgebracht?"

Seif Almuluk antwortete: „Wegen seiner Ungerechtigkeit und Gewalttätigkeit, denn er hat Prinzessinnen entführt, sie in ein festes Schloß gebracht, sie von ihren Familien getrennt und ihre Keuschheit verletzt. Darum habe ich ihn mit dem Siegelring, den ich hier am Finger trage, getötet. Allah möge dafür seinen Geist in die Hölle sperren und ihm einen schlechten Platz anweisen!"

Da ließ der blaue König alle Wesire und die Großen seines Reiches zusammenkommen und sagte zu ihnen: „Hier ist der Mörder meines Sohnes! Auf welche Weise soll ich ihn nun töten? Sagt mir, welche Pein er erleiden soll?"

Der Großwesir sagte: „Schneide ihm jeden Tag ein Glied ab!"

Ein anderer sagte: „Laß ihn jeden Tag kräftig prügeln!"

Ein anderer: „Schneide ihm alle Finger ab und verbrenne sie!"

Ein anderer: „Teile ihn in zwei Teile!"

Ein anderer: „Schlage ihm den Kopf ab!"

So gab jeder seine Meinung. Nun hatte aber der blaue König einen sehr verständigen alten Emir, den er in allen Regierungsangelegenheiten zu Rate zog und dessen Rat er immer befolgte. Der küßte die Erde und sagte: „O König, bringe diesen Mann nicht um. Als Gefangener ist er ja in deiner Macht, und du kannst ihn immer noch umbringen, wenn du es wünschst. Da er aber in den Garten Irem gekommen ist, weiß man dort von ihm, und der König Schahban wird ihn um seiner Schwester willen von dir fordern lassen und dich mit seinen Truppen überfallen, wenn du ihn nicht herausgibst!"

Währenddessen hatte die Mutter Badiald Jamals nach der Ankunft ihres Sohnes Schahban eine Sklavin zu Seif Almuluk in den Garten geschickt. Als die Sklavin ihn nicht fand, fragte sie die Leute im Garten nach seinem Verbleib. Keiner wußte von ihm. Doch ganz zuletzt sagte einer: „Ich sah einen Menschen unter einem Baum sitzen, zu dem sich fünf Mamelucken des blauen Königs herunterließen und sich mit ihm unterhielten. Dann hielten sie ihm den Mund zu und flogen mit ihm davon!"

Scheherazade bemerkte an dieser Stelle den Tag und schwieg. In der folgenden Nacht fuhr sie fort:

DIE DREIHUNDERTFÜNFUNDZWANZIGSTE NACHT

Die Alte wurde sehr zornig, als sie das hörte, und sagte zu ihrem Sohn Schahban: „Du bist hier König und läßt es zu, daß Mamelucken des blauen Königs in unseren Garten kommen und unseren Gast entführen?"

Er antwortete: „O meine Mutter, es handelt sich doch um einen Menschen, der einen Djinn umgebracht hat, wie auch ich ein Djinn bin. Soll ich um eines Menschen willen mit dem blauen König Krieg führen und Zwietracht zwischen uns stiften?"

Die Alte aber erwiderte: „Du wirst Krieg gegen ihn führen und unseren Gast, unseren Sohn, von ihm fordern! Lebt er noch, so laß ihn dir ausliefern und binge ihn hierher. Hat er ihn umgebracht, so bringe den blauen König und seine Söhne hierher, damit ich sie mit eigener Hand schlachte und dann ihre Wohnungen verwüste. Tust du das nicht, so bist du der Milch, die dich genährt, und der Erziehung, die ich dir gegeben habe, unwürdig!"

Da ließ Schahban aus Ehrfurcht vor seiner Mutter die Truppen ausrücken und trat am folgenden Tag zu einer mörderischen Schlacht mit den Truppen des blauen Königs an. Bald war das Heer des blauen Königs geschlagen, und der König selber sowie die Großen seines Reiches wurden gefesselt vor den König Schahban gebracht.

Der fragte den blauen König: „Sag an, wo ist der Mensch, mein Gast?"

Der blaue König antwortete: „O Schahban, du bist ein Djinn,

und auch ich bin einer. Verfährst du so mit mir wegen eines Menschen, der das Innerste meines Herzens, meinen Sohn, umgebracht hat? Warum vergießt du das Blut so vieler Djinnen?"

Schahban erwiderte: „Weißt du nicht, daß in den Augen Allahs ein Mensch besser ist als tausend Djinnen? Laß nun diese Reden! Lebt er noch, so bring ihn her, und ich werde dich mit deinem Gefolge frei ziehen lassen. Hast du ihn aber getötet, so werde ich dich schlachten und dein Haus zerstören! Dein Sohn war ein Tyrann. Er hat Prinzessinnen entführt, sie in ein festes Schloß gebracht und ihre Keuschheit verletzt!"

Da sagte der blaue König: „Nun, so laß uns Frieden schließen!" Sie schlossen Frieden, und der blaue König machte Schahban Geschenke. Seif Almuluk bekam einen Freibrief wegen der Ermordung des Sohnes des blauen Königs, und drei Tage lang wurden große Mahlzeiten gegeben. Dann brachte Schahban Seif Almuluk zu seiner Mutter, die sich sehr darüber freute. Auch Schahban selber fand Gefallen an Seif Almuluk, nachdem ihm die Alte dessen ganze Geschichte erzählt hatte. Er sagte: „Er gefällt mir. Geh mit ihm nach Ceylon und feiert dort beider Hochzeitsfest, denn sie ist schön und er ist es auch, und ihretwegen hat er viele Gefahren bestanden!"

So reiste sie mit ihren Sklavinnen nach Ceylon. Dort gingen sie in den Garten, der Dawlet Chatuns Mutter gehörte. Die Alte erzählte alles, was inzwischen geschehen war und wie Seif Almuluk beinahe als Gefangener des blauen Königs gestorben wäre. Dann ließ Dawlet Chatuns Vater alle Großen des Reiches zusammenkommen, und zwischen Badiald Jamal und Seif Almuluk wurde der Ehekontrakt geschlossen. Die Djausch streuten Gold und Silber auf Seif Almuluks Haupt, machten ihm große Geschenke und bedienten ihn beim Essen.

Seif Almuluk aber stand auf, küßte die Erde vor Tadj Almuluk und sagte: „O König der Zeit, ich habe nur noch einen Wunsch, versage mir ihn nicht! Ich wünsche, daß du Dawlet Chatun mit meinem Bruder Said verheiratest, so werden wir alle zusammen deine Diener sein!"

Der König antwortete: „Ich bin bereit, deine Bitte zu gewähren!" Wieder ließ er die Großen des Reiches kommen und diesmal den Ehekontrakt zwischen seiner Tochter und Said schreiben.

Seif Almuluk und Said beschliefen in einer Nacht ihre Frauen. Nachdem Badiald Jamal vierzig Tage mit Seif Almuluk im Schloß war, fragte ihn Tadj Almuluk: „O König, bedauerst du in deinem Herzen noch irgend etwas?"

Er antwortete: „Ich habe alles erreicht, und es bleibt mir kein anderer Wunsch als der, meine Eltern in Ägypten wiederzusehen, um zu wissen, ob sie wohlauf sind."

Hierauf bekamen einige Bewaffnete den Auftrag, sie nach Ägypten zu führen. Seif Almuluk kam zu seinem Vater und zu seiner Mutter und ebenso Said. Sie blieben drei Jahre bei ihnen. Dann nahmen sie Abschied und gingen wieder nach Ceylon zurück.

Seif Almuluk und Said lebten mit ihren Frauen in Wonne und Glück, bis der Zerstörer aller Freuden sie heimsuchte. Dann starben sie als Muselmänner. Gelobt sei Allah, der Herr der Welten!

Damit beendete Scheherazade ihre Erzählung, denn es dämmerte der Morgen.

Nachdem Scheherazade die Geschichte vom Prinzen Seif Almuluk und der Tochter des Geisterkönigs beendet hatte, begann sie mit Erlaubnis des Sultan Scheherban in der nächsten Nacht folgendes zu erzählen:

Der arme Fischer und der Beherrscher der Gläubigen

In frühester Zeit, o König, lebte in Bagdad ein Fischer namens Chalif. Er hatte nur Unglück und konnte es nicht zu Wohlstand bringen.

Dieser Mann wohnte in einem Khan, also in einer Herberge, in einem kleinen Zimmer. Wenn er zum Fischen auszog, legte er das Netz auf seine Schulter und hatte weder Korb noch Tuch.

Eines Tages stand er bei Tagesanbruch auf, nahm sein Netz auf seine Schultern, blickte zum Himmel und sagte wehmütig: „O Allah, der du für Moses, Sohn Amrans, das Meer verzaubert hast: gib mir, was ich zum Leben brauche!"

Dann öffnete er das Netz, warf es ins Meer und wartete, bis es sank. Als er es wieder hochzog, fand er darin einen toten Hund. Er machte ihn los, warf ihn fort und sprach: „O unseliger Morgen mit diesem Hund! Ich hatte mich schon gefreut, weil etwas im Netz war!"

Er warf das Netz wieder aus und zog das Gerippe eines Kamels aus dem Meer. Dadurch wurde das Netz an allen Seiten zerrissen.

Er rief aus: „In Allahs Namen!" und warf das Netz zum drittenmal aus. Als er es wieder herauszog, fand er diesmal darin einen aussätzigen, halbblinden, kahlen, krummen Affen mit einem gebogenen Rohr in der Hand. Der Fischer Chalif sagte: „Das ist ein gesegneter Anfang! Wer bist du, Affe?"

Allah ließ den Affen sprechen, und der sagte: „Kennst du mich nicht?"

Chalif antwortete: „Nein, bei Allah!"

Der Affe sagte: „Ich bin dein Affe!"

Chalif fragte: „Was soll ich mit dir, Affe?"

Er antwortete: „Ich bringe dich jeden Morgen um das, was dir Gott zum Lebensunterhalt bestimmt hat!"

Da sprach der Fischer: „Du hast jetzt das deinige getan. Nun will ich aber auch dir dein gutes Auge noch blenden und den krummen Fuß abschneiden. Allah verdamme dich, du sollst nun ganz lahm werden! Doch was bedeutet das Rohr, das du in der Hand hältst?"

Der Affe antwortete: „Damit vertreibe ich die Fische, damit sie nicht in dein Netz gehen!"

Chalif erwiderte: „Darum will ich dich auch heute anständig züchtigen und dich auf alle erdenkliche Weise quälen. Ich werde dir das Fleisch von den Knochen reißen!"

Mit diesen Worten machte der Fischer ein Stück Seil von seinem Leib los, band den Affen neben sich an einen Baum und sagte: „Siehst du, Affe! Jetzt werfe ich das Netz wieder aus. Fange ich etwas, ist es gut. Wenn nicht, so bringe ich dich mit den schrecklichsten Qualen um und schaffe mir so Ruhe vor dir, du Unheilbringer!"

Scheherazade bemerkte den Tag und schwieg. In der folgenden Nacht erzählte sie weiter:

DIE DREIHUNDERTSIEBENUNDZWANZIGSTE NACHT

Hierauf warf er das Netz wieder aus und fand wieder einen Affen darin. Da sprach Chalif: „Gepriesen sei Allah, der Erhabene! Ich habe geglaubt, aus dem Fluß Tiger kämen nur Fische, nun aber gibt's hier auch noch Affen!"

Er sah sich den neuen Affen an und fand, daß er gut aussah: Er hatte ein rundes Gesicht, einen goldenen Ring am Ohr, einen blauen Gürtel um den Leib und glänzte wie ein brennendes Licht. Chalif fragte ihn: „Wer bist du, Affe?"

Der antwortete: „O Chalif, ich bin der Affe des Juden, des Wechslers des Kalifen, des Glücksvaters, dem ich jeden Morgen zehn Goldstücke zu verdienen gebe!"

Chalif sagte zu ihm: „Bei Allah, du bist ein hübscher Affe und gleichst nicht jenem häßlichen Tier dort!"

Dann fiel er mit einem Stock über den halbblinden Affen her und zerbrach ihm die Rippen, bis er vor Schmerzen auf und ab lief. Da sagte der hübsche Affe: „O Chalif, was soll dieses Schlagen? Was hast du davon, wenn du ihn zu Tode prügelst?"

Chalif erwiderte: „Soll ich ihn etwa wieder laufen lassen, damit er mir wieder die Fische vertreibt und mich jeden Tag um das bringt, was mir Allah als Lebensunterhalt bestimmt? Nein, ich will ihn umbringen, damit ich Ruhe vor ihm habe, und dich an seiner Stelle zu meinem Affen nehmen, um jeden Tag zehn Goldstücke zu verdienen!"

Hierauf sagte der hübsche Affe: „Ich will dir einen besseren Rat geben; wenn du ihn befolgst, wirst du Ruhe haben, und ich werde an seiner Stelle dein Affe sein: Wirf jetzt dein Netz aus, und ein schöner und kostbarer Fisch wird heraufkommen, wie du ihn so noch nie in deinem Leben gesehen hast. Ich werde dir dann sagen, was du damit tun sollst!"

Darauf warf Chalif wieder das Netz in den Strom. Als er es herauszog, war ein großer Fisch mit rundem Kopf darin. Chalif verlor vor Freude fast den Verstand und rief aus: „Gelobt sei Allah! Welch eine edle Gestalt! Wären diese Affen noch im Strom gewesen, so wäre dieser Fisch gewiß nicht heraufgekommen!"

Da sagte der hübsche Affe zu ihm: „Chalif, wenn du mir gehorchst, wird es dir gut gehen!"

Chalif antwortete: „Allah verdamme jeden, der dir von jetzt an widerspricht!"

Da sagte der Affe: „Chalif, nimm diesen Fisch, lege ihn in einen Korb mit etwas Gras darunter und darüber. Kaufe dir dann vom Blumenhändler einige Stengel Basilienkraut, stecke sie ihm in den Mund und decke ihn mit einem Tuch zu. Geh damit durch die Straßen Bagdads, und wenn ihn jemand kaufen will, so verkaufe ihn nicht, ehe du auf den Basar der Juweliere und Geldwechsler kommst. Zähle dort sechs Läden auf deiner rechten Seite und gehe in den sechsten, der dem jüdischen Geldwechsler, dem Glücksvater, gehört. Wenn er dich fragt, was du willst, so sage ihm: ‚Ich bin ein Fischer und habe das Netz auf gut Glück ausgeworfen. Da kam dieser kostbare Fisch herauf, den ich dir als Geschenk bringe.' Wenn er dir Geld geben will, so nimm nichts an, weder wenig noch viel, sonst kann unser Werk nicht gelingen. Sage ihm nur: ‚Ich verlange von dir ein einziges Wort, sprich zu mir nur: Ich verkaufe dir meinen Affen für deinen!' Wenn der Jude dir das gesagt hat, so gib ihm den Fisch, ich werde dein Affe, und dieser blinde und lahme wird der seine!"

Chalif erwiderte: „Du hast recht, Affe!"

Dann ging er, bis er an den Laden des jüdischen Wechslers kam.

Bei diesen Worten schwieg Scheherazade, denn der Tag brach an. In der folgenden Nacht setzte sie die Erzählung fort:

Dort sah er, von vielen Dienern umgeben, den Juden sitzen. Der Fischer legte seinen Korb vor ihm nieder und sagte: „O Sultan der Juden! Ich bin ein Fischer und habe heute mein Netz am Tiger in deinem Namen ausgeworfen. Da kam dieser schöne Fisch herauf, den ich dir hier zum Geschenk bringe!" Bei diesen Worten nahm Chalif das Gras herab, so daß der Fisch zum Vorschein kam.

Als der Jude ihn sah, sagte er: „Gepriesen sei der Schöpfer!" und reichte dem Fischer einen Dinar. Der aber nahm ihn nicht an. Der Jude wollte ihm zwei Dinar geben, doch auch die nahm er nicht. Endlich bot der Jude bis auf zehn Dinar — und immer weigerte sich der Fischer, das Geld anzunehmen. Schließlich sagte der Jude: „Wahrlich, Muselmann, du bist recht habgierig! Sag mir, wieviel du willst!"

Chalif antwortete: „Ich will nur ein einziges Wort von dir!" Der Jude wurde ganz blaß und sagte: „Geh deines Weges, du willst mich gewiß von meinem Glauben abbringen!"

Chalif aber erwiderte: „Bei Allah, Jude, es ist mir ganz gleich, ob du Moslem oder Christ bist. Du brauchst mir nur zu sagen: ,Ich verkaufe dir meinen Affen für den deinen, und mein Glück ist deins!'"

Der Jude lachte und sprach:

„Ich verkaufe dir meinen Affen für den deinen, und mein Glück ist deins!" und setzte noch spottend hinzu: „Ihr seid alle meine Zeugen! Nun, Elender, wirst du nichts mehr für den Fisch bekommen!"

Chalif ging dann fort und sagte: „Es ist doch schade, daß ich das Gold nicht genommen habe. Schade um das Gold! Schade um das Gold!"

Er ging wieder an den Tigris, fand aber die beiden Affen nicht mehr. Da schlug er sich ins Gesicht, streute sich Asche aufs Haupt, weinte und sprach: „Hätte mich der zweite Affe nicht betrogen, so wäre auch der erste nicht entflohen!"

Er weinte und jammerte noch eine Weile, doch dann nahm

er wieder sein Netz und sagte: „Ich will es mit Allahs Segen auswerfen, vielleicht werde ich ein kleines Fischlein fangen, das ich braten und essen kann."

Er warf also sein Netz aus, ließ es ins Wasser und wartete, bis es gesunken war. Dann zog er es wieder heraus — und siehe: es war voller Fische! Er freute sich sehr darüber und legte die Fische auf die Erde. Während er das tat, kam eine Frau. Sie rief: „In der Stadt ist großer Mangel an Fischen. Verkaufst du deine Fische, o Herr?"

Chalif antwortete: „Ich werde sie alle einzeln verkaufen!"

Sie gab ihm einen Dinar, und er füllte ihren Korb mit Fischen. Kaum war sie fort, kam ein Diener, der für einen Dinar Fische wollte. Sie sprachen noch miteinander, als schon ein dritter kam — und so fort, bis Chalif zehn Goldstücke eingenommen hatte. Da er nun sehr hungrig war, legte er sein Netz zusammen, ging auf den Basar, kaufte sich ein wollenes Oberkleid, ein Hemd und einen Turban — zusammen für fast einen Dinar. Es blieben ihm von dem Dinar noch zwei Drachmen. Dafür kaufte er Käse, Brot und Honig und tat es in das Schüsselchen eines Ölhändlers. Er aß, bis er satt war und seine Glieder wieder zu Kräften kamen. Dann ging er nach Hause mit einem neuen Rock am Leib, dem Turban auf dem Haupt und neun Dinar im Beutel. Noch nie im Leben war er so glücklich gewesen. Er wollte schlafen, konnte es aber vor lauter Aufregung nicht und spielte in seinem Zimmer im Khan bis Mitternacht mit seinem Geld.

Scheherazade schloß ihre Erzählung und fuhr in der folgenden Nacht fort:

C halif dachte: ‚Der Kalif, Beherrscher der Gläubigen, wird gewiß hören, daß ich Gold habe, und zu Djafar sagen: Geh zum Fischer Chalif und fordere von ihm einige Dinar! Gebe ich sie ihm, wird es mir wehtun, gebe ich sie nicht, wird er mich züchtigen lassen. Doch ich will lieber das ertragen, als ihm mein Geld geben. Ich will einmal sehen, ob meine Haut Schläge aushalten kann.

Er nahm dann eine hundertsechzigfach geflochtene Matrosenpeitsche und schlug sich immerfort, bis er an allen Seiten blutete. Dabei schrie er: „O Muselmänner, ich bin ein armer Mann! Wo soll ich das Geld hernehmen? Geht zu den Leuten, die etwas besitzen!"

Als er so schrie, hörten ihn seine Nachbarn und glaubten, Diebe prügelten ihn so, um Geld von ihm zu erpressen. Sie versammelten sich und stiegen mit Waffen von der Terrasse herunter. Da Chalif sein Gemach verschlossen hatte und immerfort um Hilfe schrie, brachen sie die Tür auf und fanden ihn nackt, blutend und mit entblößtem Haupt daliegend. Sie fragten: „Was soll das heißen? Hast du diese Nacht den Verstand verloren?"

Er antwortete: „Nein, aber ich habe Gold und fürchte, der Kalif könnte etwas von mir fordern wollen. Und da ich nicht gerne etwas hergebe und er mich dann foltern lassen wird, so wollte ich sehen, ob ich eine Haut zum Prügeln habe oder nicht."

Als die Leute das hörten, sagten sie: „Allah verdamme deinen Leib, du verfluchter Wahnsinniger! Du bist heute Nacht von Sinnen gekommen, lege dich nieder! Du hast doch wohl nicht tausend Dinar, daß der Kalif sie von dir fordern könnte?"

Chalif antwortete: „Bei Allah, ich habe nur neun Goldstücke!" Da sagten alle: „Bei Allah, er muß viel Geld haben!"

Hierauf verließen sie ihn und wunderten sich über seinen geringen Verstand. Chalif nahm dann das Gold, band es in ein

Tuch und sann darüber nach, wo er es verstecken könnte. Endlich fiel sein Blick auf den Saum seines Hemdkragens, und er sagte sich: „Bei Allah, da, gerade unter meinem Hals und nahe am Mund, ist ein guter Platz. Wenn jemand danach greift, fahre ich mit dem Mund dahin und verberge es in meinem Hals!" Also band er das Gold dorthin, konnte aber die ganze Nacht vor Verwirrung und Aufregung nicht schlafen. Am nächsten Tag ging er wieder aus, um zu fischen. Als er an den Strom kam, watete er bis zu den Knien hinein und warf dann das Netz mit einer so heftigen Bewegung aus, daß sein Beutel ins Wasser fiel. Um ihn zu suchen, entkleidete er sich, nahm den Turban ab und tauchte unter. Doch er fand den Beutel nicht mehr und sprach endlich: „Es gibt keinen Schutz und keine Macht außer bei Allah, dem Erhabenen!" Lange blieb er sinnend sitzen, bis das Mittaggebet ausgerufen wurde.

Scheherazade hielt inne und erzählte in der folgenden Nacht weiter:

DIE DREIHUNDERTDREISSIGSTE NACHT

Aus der Ferne hatte jemand zugesehen, wie der Fischer untergetaucht und wieder heraufgekommen war. Er paßte auf, bis der Fischer wieder untertauchte, nahm dann des Fischers Kleid und seinen Turban und entfloh damit. Als Chalif wieder heraufkam und seine Kleider nicht mehr fand, wurde er sehr traurig. Er stieg auf eine Anhöhe, um nach jemand zu sehen, den er fragen könnte, sah aber niemanden. In dem Augenblick kam gerade der Beherrscher der Gläubigen von der Jagd zurück und sah von ferne einen nackten Mann auf einer Anhöhe.

Er sprach zu Djafar: „Siehst du auch, was ich sehe?"

Djafar antwortete: „Ich sehe einen nackten Mann auf der Anhöhe stehen! Wahrscheinlich ist es ein Spion!"

Der Kalif aber sagte: „Vielleicht ist es ein ehrlicher Mensch. Ich

will einmal allein zu ihm gehen und nachsehen. Bleibe du hier!"

Der Kalif ging zum Fischer, grüßte ihn und fragte: „Wer bist du?"

Chalif antwortete: „Kennst du mich nicht? Ich bin der Fischer Chalif!"

Der Kalif fragte: „Hat wohl ein Fischer ein wollenes Oberkleid und einen Turban?"

Als der Fischer den Kalifen von seinen Kleidern sprechen hörte, dachte er: ,Der hat sie gewiß aus Scherz genommen'. Er stieg von der Anhöhe herab und sagte zu dem Kalifen: „Ich dachte mir schon, daß du Scherz mit mir treibst, denn ich habe gesehen, wie du meine Kleider genommen hast!"

Der Kalif mußte lachen und sagte: „Was für Kleider hast du verloren? Ich weiß nichts von dem, was du sagst?"

Chalif erwiderte: „Bei dem erhabenen Allah! Wenn du meine Kleider nicht herbeischaffst, so zerbreche ich dir die Glieder mit diesem Stock!" Denn er trug immer einen Stock bei sich.

Der Kalif sagte: „Bei Allah, ich habe deine Kleider nicht gesehen!"

Chalif entgegnete: „Ich werde mit dir gehen und mir dein Haus merken. Dann werde ich dich beim Polizeiobersten verklagen. Ein andermal sollst du nicht so mit mir spaßen. Kein anderer als du hat mein Oberkleid und meinen Turban genommen, und wenn du sie mir nicht sogleich wiedergibst, werfe ich dich von deinem Esel und verprügle dich mit diesem Stock, bis zu hilflos liegenbleibst!" Sogleich packte er den Esel am Zaum, so daß der sich auf die Hinterbeine stellte.

Der Kalif dachte: ,In welches Abenteuer mit einem Wahnsinnigen bin ich hier geraten?' Hierauf zog er seine Kleider, die hundert Dinar wert waren, aus und sagte: „Nimm dieses Oberkleid für deines!"

Chalif nahm es und zog es an. Da es ihm aber zu lang war, schnitt er es unter den Knien ab und machte sich aus dem abgeschnittenen Stück einen Turban. Als das geschehen war, fragte er den Kalifen: „Wer bist du? Welches Handwerk übst du aus? Du bist gewiß ein Trompeter?"

Der Kalif entgegnete: „Woran siehst du, daß ich ein Trompeter bin?"

Der Fischer antwortete: „Weil deine Nasenlöcher so groß sind und dein Mund so klein ist!"

Der Kalif sagte: „Du hast recht!"

Endlich sagte der Fischer: „Folge mir, ich will dich das Fischerhandwerk lehren. Das ist besser als trompeten und außerdem ein ehrliches Gewerbe."

Der Kalif erwiderte: „Ich will einmal sehen, ob ich es lernen kann oder nicht. Lehre es mich!"

Der Tag beendete die Erzählung Scheherazades. Erst in der folgenden Nacht fuhr sie fort:

DIE DREIHUNDERTEINUNDDREISSIGSTE NACHT

Im Wasser zeigte der Fischer Chalif dem Kalifen Raschid, wie er das Netz auswerfen müsse. Der Beherrscher der Gläubigen warf das Netz aus, und es wurde sehr schwer. Der Fischer aber sagte zu ihm: „Vielleicht hängt das Netz an einem Stein. Ziehe es deshalb sanft, um es nicht zu zerreißen, sonst nehme ich, bei Allah, deinen Esel für mein Netz."

Der Kalif mußte wieder lachen und zog das Netz ganz langsam an Land. Und siehe da: es war mit Fischen angefüllt! Als der Fischer das sah, war er vor Freude wie von Sinnen und er sagte: „Bei Allah, Trompeter, du hast viel Glück beim Fischen! Ich werde dich nicht mehr fortlassen. Doch jetzt möchte ich dich auf den Fischmarkt schicken. Frage nach dem Laden des Fischers Chamid. Hast du ihn gefunden, so sage zu ihm: ‚Mein Lehrer, der Fischer Chalif, grüßt dich und läßt dich bitten, ihm zwei Käse und Brot zu schicken, er wird dir noch mehr Fische als gestern bringen'. Laufe und komme schnell wieder!"

Der Kalif sagte lachend: „Bei meinem Haupte, o Lehrer!"

Dann bestieg er seinen Esel und ritt zu Djafar, dem er alles erzählte, was ihm mit dem Fischer Chalif begegnet war. Er fügte hinzu: „Ich ließ ihn dort, wo er mich mit dem Korb zurückerwartet. Ich fürchtete schon, er würde mich auch lehren, wie man die Fische abschuppt und rein macht."

Djafar erwiderte: „Ich werde mit dir gehen, die Schuppen wegkehren und den Boden reinigen."

Schließlich sprach der Kalif: „Djafar, gib den kleinen Mamelucken Befehle und sage ihnen: ‚Wer mir einen Fisch von diesem bringt, dem gebe ich einen Dinar', denn ich möchte auch essen von dem, was ich gefischt habe!"

Djafar teilte den Mamelucken den Befehl des Kalifen mit und zeigte ihnen, wo der Fischer war. Sie gingen zu ihm und nahmen ihm die Fische weg. Als er die schönen Knaben sah, glaubte er, es seien Huri aus dem Paradies. Zwei Fische waren ihm noch übriggeblieben. Er lief schnell damit ins Wasser und sagte: „O Allah, schenke mir auch ferner deinen Segen!"

Während er im Wasser war, kam der greise Diener des Kalifen, der auch nach Fischen fragte. Er fand aber keine mehr und sah bloß, wie der Fischer untertauchte und mit zwei Fischen wieder heraufkam.

Er rief ihm zu: „Chalif, was hast du?"

Er antwortete: „Zwei Fische!"

Jener sagte: „Gib mir sie, hier hast du hundert Dinar!"

Als der Fischer aus dem Wasser kam und von hundert Dinar hörte, sagte er: „Gib die hundert Dinar her!"

Der Diener antwortete: „Folge mir in die Wohnung des Kalifen, dort erhältst du sie!"

Mit diesen Worten nahm er die Fische und ging nach der Wohnung des Kalifen. Chalif aber zog, als er aus dem Wasser kam, das Kleid an, das ihm der Beherrscher der Gläubigen gegeben hatte und das ihm nun kaum bis an die Knie reichte, umgürtete sich mit einem Seil, nahm das vom Kleid abgeschnittene Stück als Turban und lief damit in die Stadt. Alle Leute lachten und wunderten sich über ihn, er aber störte sich nicht daran, sondern fragte: „Wo ist die Wohnung des Raschad?"

Die Leute erwiderten ihm: „Sage doch: die Wohnung des Raschid!"

Er antwortete: „Das ist gleichgültig!" und ging so immer weiter, bis er zum Palast des Kalifen kam. Dort sah ihn der Schneider, der das Kleid genäht hatte, an der Tür stehen. Der Tag unterbrach Scheherazades Erzählung. In der folgenden Nacht fuhr sie fort:

DIE DREIHUNDERTZWEIUNDDREISSIGSTE NACHT

Als der Schneider das Kleid des Kalifen an Chalif sah, fragte er ihn: „Wie alt bist du?"
Chalif erwiderte: „Fragst du mich das, weil ich so klein bin?"
Der Schneider fragte abermals: „Woher hast du dieses Kleid, das du so zugerichtet hast?"
Chalif antwortete: „Von einem jungen Trompeter!"
Dann ging er an die Tür und sah dort den Diener betrübt mit den beiden Fischen sitzen. Chalif sagte zu ihm: „Gib mir die hundert Dinar, mein Onkel!"

Der antwortete: „Bei meinem Haupt, Chalif, du sollst sie haben!"

Da kam Djafar heraus, sah den Diener mit Chalif sprechen und hörte Chalifs Forderung. Djafar ging hierauf wieder zum Kalifen und sagte zu ihm: „Beherrscher der Gläubigen! Dein Lehrer, der Fischer, will von dem alten Diener hundert Dinar haben!"

Der Kalif sagte: „Bring ihn herein!"

Djafar ging wieder hinaus und sagte zu dem Fischer: „Chalif, der Trompeter, dein Lehrjunge, soll entscheiden!"

Chalif folgte Djafar in das Schloß. Dort sah er, wie der Kalif auf drei Zettel etwas schrieb und die Zettel vor sich hinlegte. Er fragte den Kalifen: „Hast du dein Trompeterhandwerk aufgegeben und bist Astrolog geworden?"

Der Kalif erwiderte: „Nimm hier ein Blatt!"

Der Kalif hatte nämlich auf ein Blatt geschrieben, er solle einen Dinar erhalten, auf ein anderes Blatt hundert Dinar und auf ein drittes Blatt hundert Prügel. Als nun der Kalif ihn ein Blatt nehmen ließ, griff er ausgerechnet nach dem, auf dem hundert Prügel standen — und wenn Könige einmal etwas beschlossen haben, so gehen sie nicht mehr davon ab.

Chalif wurde deshalb auf den Boden gestreckt, und man gab ihm hundert Prügel. Er schrie zwar um Hilfe, aber es nützte nichts. Da rief er: „Bei Allah, das ist schön, Trompeter! Nachdem ich aus dir einen Fischer gemacht habe, wirst du nun Astrolog und bereitest mir ein hartes Los. Pfui über dich, du bringst kein Glück!"

Als der Kalif diese Worte hörte, wurde er fast ohnmächtig vor Lachen und sprach: „O Fischer, fürchte nichts!"

Hierauf befahl er dem Schatzmeister, ihm hundert Dinar zu geben. Der Fischer ging damit fort und kam auf den Markt, wo man Kisten verkaufte. Dort sah er viele Leute stehen und hörte, wie ein Makler ausrief: „Eine verschlossene Kiste neunundneunzig Dinar!"

Chalif drängte sich durch und rief laut: „Ich gebe hundert!"

Der Makler schlug sie ihm zu und nahm dafür das Gold, so daß für Chalif nichts mehr übrig blieb.

Die Träger fingen an, miteinander zu streiten, alle Leute aber
sagten: „Bei Allah, kein anderer als der Träger Sarik darf diese
Kiste forttragen, er verdient es am meisten!"

Sarik ging hinter Chalif her. Als sie jedoch unterwegs waren,
dachte Chalif daran, daß er nichts mehr hatte, um den Träger
zu bezahlen. Deshalb nahm er sich vor, mit dem Träger durch
die Gassen zu streichen, bis er müde würde und die Kiste von
selbst stehenlassen würde. ‚Dann nehme ich sie', dachte Chalif,
‚und trage sie allein nach Hause'.

Mit diesen Worten schloß Scheherazade, denn es wurde Tag.
In der nächsten Nacht erzählte sie weiter:

DIE DREIHUNDERTDREIUNDDREISSIGSTE
NACHT

Chalif ging nun von mittags bis abends mit dem Träger umher. Der Träger seufzte und sagte: „Herr, wo ist dein
Haus?"

Chalif antwortete: „Gestern habe ich es gewußt und heute
habe ich es vergessen!"

Da sagte der Träger: „Gib mir meinen Lohn und nimm deine
Kiste!"

Chalif aber antwortete: „Sarik, geh nur langsam weiter, bis
ich mich daran erinnere, wo mein Haus ist, denn ich habe kein
Geld bei mir, mein Geld liegt zu Hause!"

Während er so sprach, ging jemand vorüber, der den Fischer
Chalif kannte, und ihn fragte: „Was tust du denn hier?"

Der Träger Sarik aber fragte: „Sag mir, wo ist Chalifs Haus?"
Er antwortete: „Im öden Khan an den beiden Enden."

Sarik sagte nun zu dem Fischer: „Ich wollte, du hättest nie gelebt und wärest nie gewesen!"

Chalif ging immer weiter und Sarik hinter ihm her, bis sie an
den bezeichneten Ort kamen. Der Träger setzte die Kiste nieder
und sprach: „O du, wir sind wohl an die zwanzigmal hier vor-

übergegangen. Hättest du mir gesagt, daß du hier wohnst, so hättest du mir große Mühe erspart. Gib mir nun meinen Lohn und laß mich meines Weges gehen."

Chalif erwiderte ihm: „Willst du Silber oder Gold? Warte hier, bis ich es dir bringe." Mit diesen Worten ging er in sein Zimmer und nahm dort einen mit vierzig Nägeln beschlagenen Hammer. Damit lief er auf den Träger los und hob die Arme, um über ihn herzufallen.

Sarik schrie: „Halt ein! Du schuldest mir nichts!" und lief davon.

Als die Nachbarn Chalif mit der Kiste in sein Zimmer gehen sahen, versammelten sie sich um ihn und sagten: „O Chalif! Woher hast du diese Kiste und dieses Kleid?"

Er antwortete: „Von meinem Jungen Raschid."

Die Leute sagten: „Der Mann ist rasend! Wenn der Beherrscher der Gläubigen das hört, wird er ihn an der Tür seiner Wohnung aufhängen lassen und alle dazu, die im Khan wohnen. Das ist ein übler Spaß!" Sie halfen ihm die Kiste in das Zimmer tragen, und Chalif legte sich darauf schlafen.

Soviel, was Chalif anbelangt. Was aber die Geschichte der Kiste betrifft, so hatte der Beherrscher der Gläubigen eine türkische Sklavin namens Kut Alkulub, was „Herzensnahrung" heißt. Der Kalif liebte sie sehr. Als aber die Frau Subeida davon hörte, wurde sie sehr eifersüchtig und sann auf Rache gegen die Sklavin.

Während der Fürst der Gläubigen auf Jagd war, lud Frau Subeida die Sklavin ein, gab ihr zu essen und zu trinken und mischte Schlaftrunk in den Wein. Als Kut Alkulub davon einschlief, ließ Subeida sie in eine große Kiste sperren, schloß sie zu und gab sie dem Diener mit den Worten: „Trage die Kiste ans Meer und werfe sie ins Wasser!"

Er lud die Kiste auf einen Maulesel und brachte sie ans Meer. Doch als er am Kistenmarkt vorüberging, sah ihn der Oberste der Makler und fragte: „Verkaufst du diese Kiste?"

Der Diener erwiderte: „Ja, aber nur verschlossen!"

Der andere entgegnete: „Gib nur, es soll geschehen."

Der Makler rief diese Kiste aus, als Chalif vorüberkam. Der

nahm sie für hundert Dinar und ließ sie durch den Träger nach Hause tragen — wie schon beschrieben wurde.

Als nun der Fischer auf der Kiste lag, erwachte Kut Alkulub aus ihrem Schlaf, merkte, daß sie eingesperrt war und begann jämmerlich zu schreien. Chalif hörte das, sprang von der Kiste herab und rief zum Fenster hinaus: „Kommt mir zu Hilfe, Muselmänner! Es ist ein Teufel in der Kiste!" Doch die Nachbarn beschimpften ihn und nannten ihn einen Wahnsinnigen. So ging Chalif wieder in sein Zimmer zurück.

Nach einer Weile begann Kut Alkulub zu sprechen und fragte aus der Kiste heraus: „Wo bin ich?"

Chalif floh aus dem Zimmer und rief: „O Nachbarn, kommt zu mir!"

Doch sie erwiderten: „Du plagst die Nachbarn und läßt sie nicht schlafen. Geh! Schlafe! Hättest du doch nie gelebt!"

Voller Furcht ging Chalif abermals in sein Gemach, denn er hatte keinen anderen Platz zum Schlafen als die Kiste. Als er wieder darauf lag, vernahmen seine Ohren, wie Kut Alkulub sagte: „Ich bin hungrig!"

Chalif entfloh wieder und rief: „O ihr Nachbarn, ihr Bewohner des Khan! Kommt zu mir! Die Teufel in der Kiste haben gesagt, sie seien hungrig!"

Da sagten die Leute zueinander: „Uns scheint, daß Chalif hungrig ist."

Aus Furcht, er könnte sie die ganze Nacht nicht schlafen lassen, brachten sie ihm, was sie vom Abendessen übrig hatten: einen ganzen Korb voll Brot, Fleisch, Gemüse und Rettich und sagten zu ihm: „Iß bis du satt bist. Dann schlafe und störe uns nicht mehr. Wenn du noch ein Wort sagst, so prügeln wir dich, bis dir die Rippen brechen und du noch diese Nacht stirbst!"

Chalif nahm den Korb mit Speisen und ging in sein Gemach, setzte sich auf die Kiste und begann beim Mondenschein, der sein Zimmer beleuchtete, zu essen. Da sagte Kut Alkulub: „Macht mir auf und habt Mitleid mit mir, o ihr Muselmänner!"

Scheherazade sah, daß es Tag wurde und hörte auf. In der folgenden Nacht setzte sie ihre Erzählung fort:

Chalif stand auf, nahm einen Stein und zerbrach die Kiste. Und siehe da: Er fand darin ein Mädchen, schön wie die leuchtende Sonne, mit strahlender Stirn und einem Gesicht wie der Mond, roten Wangen und freundlicher Stimme. Sie hatte ein Kleid an, das tausend Dinar wert war und noch mehr. Als Chalif sie sah, war er vor Freude fast von Sinnen und sprach: „Bei Allah, so etwas Hübsches wie dich habe ich noch nie gesehen!"

Sie fragte: „Wer bist du?"

Er antwortete: „Herrin, ich bin der Fischer Chalif!"

Sie fragte: „Wie bin ich hierhergekommen?"

Er antwortete: „Ich habe dich gekauft, und nun bist du meine Sklavin!"

Sie bemerkte, daß er ein Kleid des Kalifen anhatte und wollte wissen, wie er dazu gekommen sei. Deshalb erzählte er ihr seine Geschichte vom Anfang bis zum Ende und wie er die Kiste gekauft hatte. So merkte sie, daß Subeida Verrat an ihr geübt hatte. Sie unterhielt sich mit Chalif bis zum Morgen und sagte dann: „Chalif, schaffe mir von jemandem Tinte, Kalam und Papier herbei!"

Er sah sich bei einem Nachbarn danach um und brachte es ihr. Sie schrieb einen Brief, legte ihn zusammen und sagte zu Chalif: „Geh mit diesem Brief zum Juwelenbasar, frage dort nach dem Juwelier Abul Hassan und gib ihm diesen Brief!"

Er erwiderte: „Herrin, dieser Name ist so schwer, daß ich ihn nicht behalten kann!"

Sie entgegnete: „So frage nach dem Laden des Ibu Alukab!"

Da sagte er: „Schöne Frau, was bedeutet denn Ukab?"

Sie antwortete: „Es ist ein Vogel, dem man mit einer Kappe die Augen zuhält und den man auf der Hand herumträgt."

Er sagte: „Ich weiß es nun, Herrin!"

So ging er fort und wiederholte ununterbrochen den Namen,

um ihn nicht zu vergessen. Als er jedoch auf den Juwelenmarkt kam, wußte er ihn nicht mehr.

Deshalb ging er zu einem Kaufmann und fragte ihn: „Wohnt hier jemand, der den Namen eines Vogels führt?"

Der Kaufmann antwortete: „Ja, hier wohnt Ibu Alukab!"

Chalif sagte: „Gut, zu dem will ich nämlich."

Er gab Abul Hassan den Brief. Der las ihn und legte ihn, nachdem er ihn verstanden hatte, auf sein Haupt. Er war nämlich, so wird behauptet, ein Freund der Kut Alkulub und der Verwalter aller ihrer Güter, und sie hatte ihm geschrieben: „Von der Frau Kut Alkulub an den Herrn Abul Hassan, den Hassan, den Juwelier. Sobald dieser Brief zu dir gelangt, räume uns ein Zimmer ein, das vollständig mit Teppichen, Gefäßen, Sklaven, Sklavinnen und was sonst zu einem Aufenthalt nötig ist, versehen sein muß. Nimm dann den Überbringer dieses Briefes, führe ihn ins Bad, ziehe ihm kostbare Kleider an und behandle ihn freundlich!"

Er sagte: „Ihr Wille ist mir Befehl", schloß seinen Laden zu, ging mit Chalif ins Bad und empfahl einem Diener, den Fischer wie gewöhnlich gut zu bedienen. Dann ging er und besorgte, was Kut Alkulub befohlen hatte. Der blödsinnige Fischer aber glaubte, das Bad sei ein Gefängnis, und sagte zu den Leuten: „Was hab ich verbrochen, daß ihr mich einsperrt?" Die Badediener lachten ihn aus, setzten ihn auf den Rand der Badewanne und ergriffen seine Füße, um sie zu reiben. Chalif jedoch glaubte, sie wollten ihn auf den Boden strecken, um ihn zu prügeln. Deshalb stand er auf, packte die Füße des einen, hob ihn in die Höhe und warf ihn auf den Boden, daß ihm fast die Rippen brachen. Als das die übrigen Diener sahen, entrissen sie ihn Chalifs Händen. Da kehrte dem Fischer endlich der Verstand zurück, und die Leute merkten, daß er nicht aus Bosheit so gehandelt hatte. Sie bedienten ihn daher, bis ihr Herr Abul Hassan mit einem kostbaren Anzug kam, in den er den Fischer kleidete. Hierauf brachte er einen gut gesattelten Maulesel, führte Chalif aus dem Bad und sagte: „Steige auf!"

Chalif fragte: „Wie soll ich reiten? Ich fürchte, er wird mich abwerfen und mir die Rippen im Leibe zerbrechen!"

Doch unter viel Mühe und Anstrengung bestieg er schließlich den Maulesel, und sie ritten zusammen nach dem Ort, den Ibu Alukab ihnen hergerichtet hatte.

Als Chalif ankam, sah er Kut Alkulub, umgeben von Gefolge und Dienern, dort sitzen. An der Tür stand ein Pförtner mit einem Stock in der Hand. Als er Chalif sah, sprang er auf, küßte ihm die Hand und ging vor ihm her bis ins Innere des Saales. Hier sah Chalif soviel Schönes, daß es ihn fast blendete und er beinahe den Verstand verlor.

Das Gefolge und die Diener küßten ihm die Hand und sagten: „Wohl bekomme das Bad!"

Als Chalif in die Nähe Kut Alkulubs kam, stand sie vor ihm auf, nahm ihn an der Hand und führte ihn auf einen hohen Diwan. Dann brachte sie ihm ein Schüsselchen voll Rosenwasser mit Zuckerwasser vermischt, das er nahm und bis auf den letzten Tropfen austrank. Dann wollte er es auch noch auslecken. Sie jedoch hielt ihn davon ab und sagte: „Das tut man nicht!"

Er aber erwiderte: „Schweige doch! Das ist ein guter Honig!" Sie lachte über ihn, ließ ihm einen Tisch mit Speisen richten und er aß, bis er satt war.

Scheherazade brach ihre Erzählung ab, weil der Morgen nahte. In der folgenden Nacht fuhr sie fort.

DIE DREIHUNDERTFÜNFUNDDREISSIGSTE NACHT

Dann wurden eine goldene Kanne und ein Waschbecken gebracht. Er wusch seine Hände und lebte dann in größtem Vergnügen.

Nun höre aber, was unterdessen dem Fürst der Gläubigen geschehen war:

Als er von seiner Reise zurückkehrte und Kut Alkulub nicht mehr antraf, fragte er nach ihr, und Frau Subeida sagte zu ihm: „Sie ist gestorben. Mögest du leben, o Fürst der Gläubigen!"

Auch hatte Frau Subeida ein Grab graben und darüber eine Kuppel errichten lassen, weil sie wußte, daß der Kalif die Sklavin sehr liebte.

Sie erklärte daher dem Kalifen: „Ich habe sie mitten im Schloß beerdigen lassen." Um sich zu verstellen, kleidete sie sich schwarz und zeigte lange Zeit äußerlich große Trauer.

Kut Alkulub hatte indessen von der Rückkehr des Kalifen gehört und sagte zu Chalif: „Geh ins Bad und komme anschließend wieder hierher!" Er ging und kehrte wieder. Sie zog ihm dann ein Kleid an, das tausend Dinar wert war, und sprach zu ihm: „Gehe nun zum Fürsten der Gläubigen und sage zu ihm: O Fürst der Gläubigen, ich wünsche, du möchtest heute nacht mein Gast sein!"

Chalif bestieg seinen Maulesel und ritt, begleitet von Knaben und Bedienten, nach dem Schloß des Kalifen. Jedermann wunderte sich über die Schönheit und Anmut, die er sich so schnell zu eigen gemacht hatte. Der Kalif ließ den Fischer gleich eintreten und erlaubte ihm, zu sprechen.

Chalif hob an: „Friede sei mit dir, o Fürst der Gläubigen und Stellvertreter des Herrn der Welten! Beschützer des Glaubens! Der erhabene Allah gebe deinen Tagen eine lange Dauer und erhebe deinen Rang auf die höchste Stufe!"

Der Kalif, erstaunt über diese schnelle Veränderung, sah ihn an und sprach: „Sage mir, Chalif, woher hast du das Kleid, das du trägst?"

Er antwortete: „Aus meinem Hause, o Fürst der Gläubigen!"

Der Kalif fragte: „Hast du ein Haus?"

Er antwortete: „Ja, und sei heute mein Gast, o Fürst der Gläubigen!"

Der Kalif fragte: „Ich allein oder mit den Meinen?"

Er antwortete: „Du und wer von den Deinen noch will!"

Bei diesen Worten wandte sich Djafar an ihn und sagte: „Wir werden heute nacht deine Gäste sein!"

Chalif küßte dann die Erde, bestieg seinen Maulesel, und der Kalif sah die vielen Mamelucken seines Gefolges. Er war darüber sehr erstaunt und sprach: „O Djafar! Sieh einmal Chalif an mit seinem Maulesel, seinem Anzug, seinen Mamelucken und seinem Gefolge! Dabei war er noch gestern ein Gegenstand des Mitleids!"

Als Chalif jedoch in der Nähe seines Hauses war, stieg er ab, ergriff ein Bündel aus der Hand eines Mamelucken, öffnete es, entnahm ihm ein baumwollenes Tuch und legte es unter die Füße des Fürsten der Gläubigen. Dann nahm er Seide, Damaszenerstoff, Atlas und zwanzigerlei andere Stoffe heraus und legte sie bis an das Haus hin. Chalif ging voran und sagte: „Im Namen Allahs, o Fürst der Gläubigen!"

Der Kalif sagte zu Djafar: „Wem gehört wohl dieses Haus?"

Djafar antwortete: „Einem Mann, der Ibu Alukab genannt wird, der Oberste der Juweliere."

Der Kalif stieg ab, ging mit den Seinen hinein und sah einen geräumigen Saal, der völlig mit Teppichen bedeckt war. Er ging zu dem Thron, den man ihm auf vier elfenbeinernen Säulen errichtet hatte, und auf dem sieben Teppiche lagen.

Scheherazade hielt inne und fuhr in der folgenden Nacht fort:

DIE DREIHUNDERTSECHSUNDDREISSIGSTE NACHT

Dem Beherrscher der Gläubigen gefiel das sehr. Hierauf näherte sich ihm Chalif, umringt von Dienern und Mamelucken, die allerlei Getränke trugen. Chalif trank zuerst und gab dann dem Kalifen zu trinken. Gleiches taten die Weinschenken mit den übrigen Leuten. Dann kamen Tische mit vielerlei Speisen, und sie aßen, bis sie genug hatten. Als die Mahlzeit vorüber war, ließ Chalif die Tische wegtragen, küßte dreimal die Erde und holte Wein und Lichter. Nachdem er fortgegangen war, sah der Kalif Djafar an und sagte zu ihm: „Bei meinem Haupte! Dieses Haus gehört Chalif! Er befiehlt hier als Herr! Ich möchte wissen, woher ihm auf einmal Glück und Wohlstand gekommen sind! Mehr noch wundere ich mich darüber, wie sehr sein Verstand zugenommen hat! Und wie er auf einmal soviel Würde und Anstand gewonnen hat! Wenn Allah einen Menschen segnen will, so vermehrt er zunächst seinen Verstand und dann erst seine weltlichen Güter."

Während sie so sprachen, kam Chalif mit den Mundschenken zurück. Sie füllten kristallene Becher mit klarem altem Wein, der wie feinster Moschus duftete — nach den Worten des Dichters:

> *Gib mir und meinen Gefährten zu trinken von dem*
> *köstlichen alten Wein, der Tochter der Reben, die einen*
> *goldenen Becher zum zierenden Gewand hat. Ihr Schmuck*
> *besteht aus den allerfeinsten Perlen, und so hat man sie*
> *mit Recht die Braut genannt.*

Um die Weingläser waren wohlriechende Gewürze verstreut, und die schmackhaftesten Süßigkeiten lagen dabei. Als der Kalif das sah, rief er Chalif zu sich, freute sich mit ihm und lobte ihn. Chalif aber wünschte dem Kalifen ein langes und ruhmvolles Leben. Dann fragte er: „Erlaubt mir der Fürst der

Gläubigen, daß ich eine Sängerin und Lautenspielerin hole, wie ihr sie noch nie gehört habt?"

Der Beherrscher der Gläubigen erwiderte: „Handle nach deinem Gefallen!"

Chalif stand auf und brachte Kut Alkulub herbei.

Sie näherte sich tief verschleiert und reich geschmückt und küßte die Erde vor dem Fürsten der Gläubigen. Dann setzte sie sich, stimmte die Laute und spielte so, daß alle Anwesenden vor Entzücken außer sich waren. Zuletzt sang sie die Verse:

> *Laß uns sehen, ob unsere Liebeszeit wiederkehrt, ob du dich noch nach der Nähe deiner verlorenen Freundin sehnst. Lange Zeit verstrich in der Süße der Vereinigung. Wir waren sorglos, während das böse Geschick schlief. Was ist nun das Leben nach der Trennung? Wie süß waren die Nächte der Vereinigung in meinem Hause! O mein Geliebter, näherst du dich mir, so finden wir uns wieder, wenn nicht, so ist mein Leben verloren!*

Der Kalif konnte es nicht mehr aushalten, zerriß sein Kleid und fiel ohnmächtig nieder. Alle Leute zogen ihre Kleider aus und warfen sie auf den Fürsten der Gläubigen. Kut Alkulub winkte Chalif und sagte zu ihm: „Geh zu jener Kiste und bringe mir, was darin ist!"

Sie hatte nämlich für diesen Fall schon eines von des Kalifen Kleidern vorbereitet. Chalif brachte es und warf es auf den Fürsten der Gläubigen. Als er wieder zu sich kam und sich davon überzeugte, daß Kut Alkulub lebte, sagte er: „Ist heute Auferstehungstag, daß Allah die Toten in den Gräbern weckt, oder schlafe ich, und all das sind nur Träume?"

Kut Alkulub sagte: „Wir sind wach und schlafen nicht. Ich lebe noch und habe den Todeskelch nicht gekostet." Dann erzählte sie ihm alles, was ihr bis zu diesem Tag widerfahren war.

Nun stand der Kalif auf, küßte und umarmte Kut Alkulub freudig und nahm sie bei der Hand, um sie in ihr Schloß zu führen. Chalif sagte: „Bei Allah, das ist wenig schön. Du hast mir gleich von Anfang an Unrecht getan, und jetzt tust du mir wieder Unrecht!"

Der Kalif antwortete: „O Chalif, ich habe schon deinen Lohn bestimmt!"

Sogleich befahl er dem Wesir Djafar, ihm soviel zu geben, bis er zufrieden sei. Der gab ihm, was er wünschte, und schenkte ihm ein Städtchen, das jährlich zehntausend Dinar eintrug. Kut Alkulub aber schenkte ihm das Haus mit allem, was darin war. So gelangte Chalif zu großem Wohlstand, verheiratete sich und lebte in Glück und Ansehen. Oft kam der Kalif mit seinen Tischgenossen zu ihm, und er genoß das schönste und heiterste Leben, bis er starb. Allahs Barmherzigkeit sei mit ihm!

Der Tag begann, und Scheherazade beendete diese Erzählung.

INHALTSVERZEICHNIS